TOM MASTERS
STEVE FALLON
VESNA MARIC

LONDRES
LE GUIDE

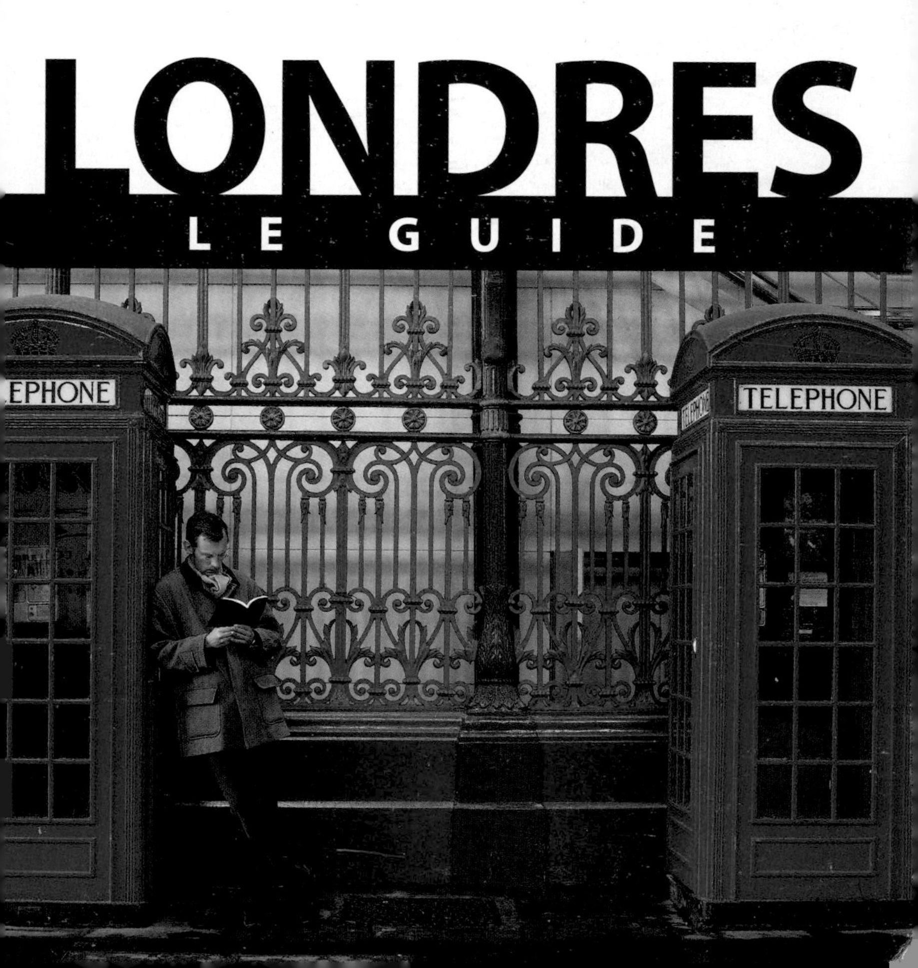

DÉCOUVRIR LONDRES

*Tower Bridge (**p. 125**) et la sculpture/cadran solaire,* Timepiece, *de Wendy Taylor*

De son centre d'origine romaine à ses marges olympiques, de ses abbayes anciennes à ses gratte-ciel, Londres convie à un extraordinaire voyage dans l'histoire, à travers une mosaïque d'influences provenant des peuples du monde entier.

Après s'être appliqué à redorer l'image négative dont il souffrait depuis des années, Londres assume fièrement son statut de capitale européenne et de centre culturel mondial, qui se prépare même à accueillir pour la troisième fois les Jeux olympiques en 2012. La capitale anglaise n'avait pas affiché une telle fierté depuis l'apogée de l'Empire, à la fin du XIXe siècle, et ce en dépit de la récente crise économique, qui a porté un coup à son rang de premier centre financier du monde.

Le surnom de "ville-monde" donné à Londres s'appuie sur une réalité. La ville ne cesse, en effet, d'absorber les influences et les cultures de ses immigrants, véritables moteurs de la cité, mais elle n'en est pas moins la quintessence de l'âme britannique avec ses célèbres taxis noirs, ses bus rouges à impériale ou ces bâtiments emblématiques que sont Westminster, Tower Bridge ou, plus récemment, le London Eye, dont les silhouettes se reflètent sur les eaux troubles de la Tamise.

Ne manquez pas ces sites, bien sûr, mais il serait aussi dommage de quitter Londres sans avoir dégusté une pinte de bière et une assiette de *fish and chips* près du fleuve, passé une journée à Hyde Park et une soirée à Soho ou à Shoreditch. Prenez une grande bouffée d'air et apprêtez-vous à succomber aux charmes de la capitale britannique.

LA VIE LONDONIENNE

Célèbre pour son urbanisation tentaculaire, ses foules et la cherté des transports en commun, qui datent en partie de l'ère victorienne, la vie londonienne n'a peut-être rien de paradisiaque à première vue. Pour reprendre les propos d'un ami : "Savoir gérer Londres est le prix à payer pour vivre à Londres". Cette phrase est d'autant plus juste qu'il est parfois difficile d'imaginer, lorsqu'on ne connaît pas cette ville, ce qui peut pousser certains à tant l'aimer. Il suffit toutefois de passer quelques jours sur place pour comprendre en quoi la vie dans cette cité si excitante et surprenante compense (presque) le coût prohibitif de la vie et l'enfer du métro aux heures de pointe.

En outre, la capitale a fait preuve d'un zèle impressionnant pour régler ses problèmes durant la dernière décennie. Privée de son autorité propre pendant 14 ans par les conservateurs en raison de l'appartenance de ses élus à la gauche, Londres a retrouvé son assemblée et son maire en 2000. Ken Livingstone, maire de 2000 à 2008, a instauré une taxe élevée mais populaire sur les voitures qui circulent en ville tout en développant les pistes cyclables et les voies de bus. De gros progrès ont aussi été faits dans l'amélioration du métro. Lorsque les Londoniens ont élu le conservateur Boris Johnson à la mairie en 2008 – un choix étonnant politiquement, mais Londres a toujours aimé les francs-tireurs – beaucoup redoutèrent le pire, mais Boris (comme tout le monde l'appelle) s'en est plutôt bien sorti durant sa première année de mandat, préférant, sur bien des points, s'appuyer sur les réalisations de son prédécesseur plutôt que d'en faire litière.

Autre bon point, Londres a connu une révolution culinaire qui a fait que les restaurants locaux ont cessé d'être la risée du monde pour apparaître parmi les plus réputés de la scène internationale. Ajoutez à cela de nouvelles lois plus souples sur la vente d'alcool de même qu'une scène musicale formidable et vous obtenez l'un des meilleurs endroits de la planète où sortir la nuit.

Vue nocturne sur Big Ben (p. 96)

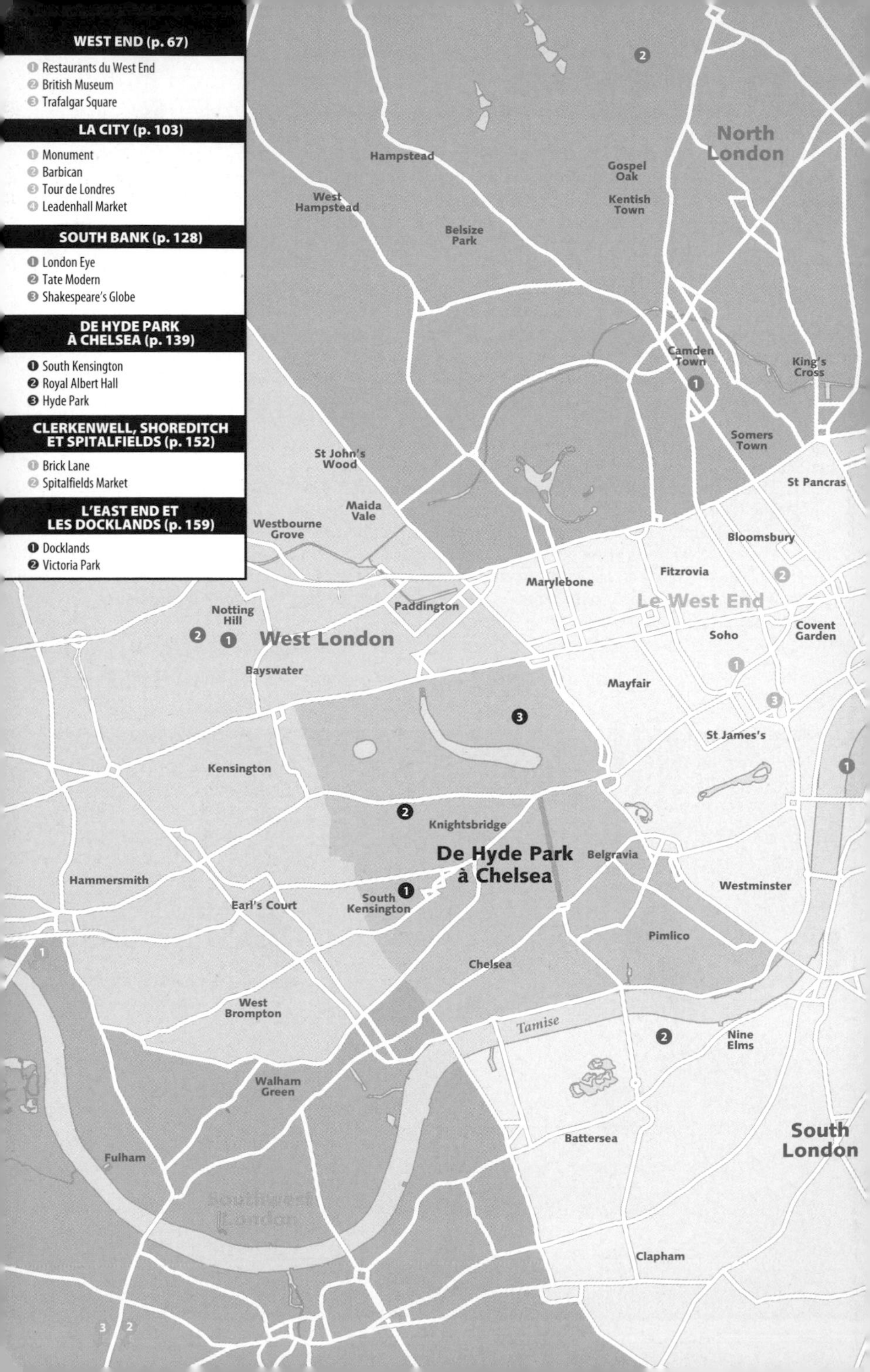

WEST END (p. 67)
1 Restaurants du West End
2 British Museum
3 Trafalgar Square
LA CITY (p. 103)
1 Monument
2 Barbican
3 Tour de Londres
4 Leadenhall Market
SOUTH BANK (p. 128)
1 London Eye
2 Tate Modern
3 Shakespeare's Globe
DE HYDE PARK À CHELSEA (p. 139)
1 South Kensington
2 Royal Albert Hall
3 Hyde Park
CLERKENWELL, SHOREDITCH ET SPITALFIELDS (p. 152)
1 Brick Lane
2 Spitalfields Market
L'EAST END ET LES DOCKLANDS (p. 159)
1 Docklands
2 Victoria Park
North London
Hampstead
West Hampstead
Gospel Oak
Kentish Town
Belsize Park
Camden Town
King's Cross
Somers Town
St John's Wood
St Pancras
Maida Vale
Westbourne Grove
Bloomsbury
Fitzrovia
Marylebone
Le West End
Notting Hill
Paddington
West London
Soho
Covent Garden
Bayswater
Mayfair
St James's
Kensington
Knightsbridge
De Hyde Park à Chelsea
Belgravia
Hammersmith
Westminster
South Kensington
Earl's Court
Pimlico
Chelsea
West Brompton
Tamise
Nine Elms
Walham Green
Battersea
South London
Fulham
Southwest London
Clapham

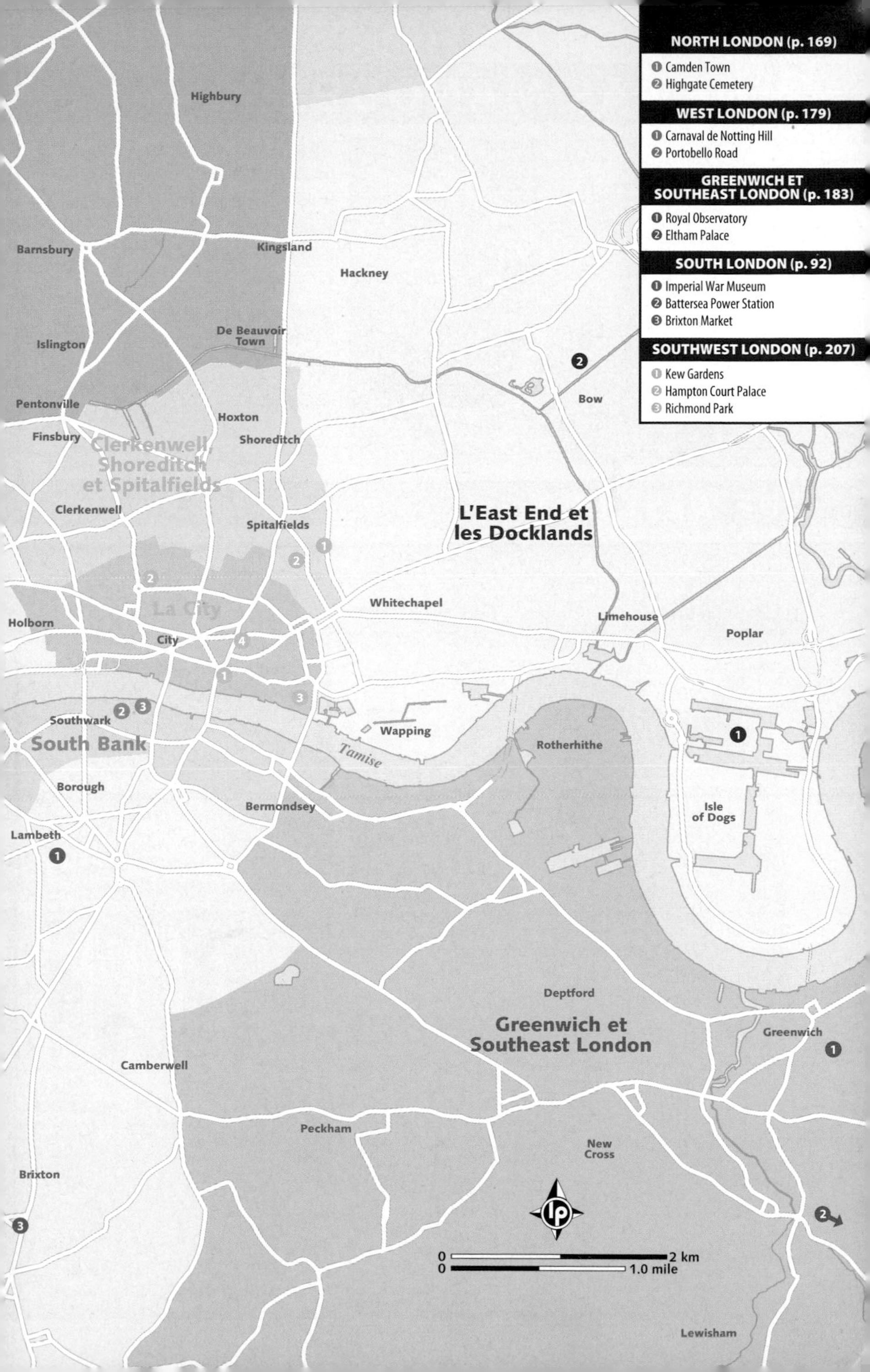

NORTH LONDON (p. 169)
1 Camden Town
2 Highgate Cemetery
WEST LONDON (p. 179)
1 Carnaval de Notting Hill
2 Portobello Road
GREENWICH ET SOUTHEAST LONDON (p. 183)
1 Royal Observatory
2 Eltham Palace
SOUTH LONDON (p. 92)
1 Imperial War Museum
2 Battersea Power Station
3 Brixton Market
SOUTHWEST LONDON (p. 207)
1 Kew Gardens
2 Hampton Court Palace
3 Richmond Park
Highbury
Barnsbury
Kingsland
Hackney
De Beauvoir Town
Islington
Pentonville
Hoxton
Bow
Finsbury
Shoreditch
Clerkenwell, Shoreditch et Spitalfields
Clerkenwell
Spitalfields
L'East End et les Docklands
La City
Whitechapel
Holborn
City
Limehouse
Poplar
Southwark
South Bank
Wapping
Tamise
Rotherhithe
Borough
Bermondsey
Isle of Dogs
Lambeth
Deptford
Greenwich et Southeast London
Greenwich
Camberwell
Peckham
New Cross
Brixton
0
2 km
1.0 mile
Lewisham

À NE PAS MANQUER

❶ Restaurants du West End
Des tables fabuleuses qui subliment les cuisines du monde (p. 240)

❷ British Museum
Un musée mythique où plonger dans l'histoire de l'humanité (p. 83)

❸ Trafalgar Square
Une place gigantesque et l'un des meilleurs musées de la ville (p. 73)

THE WEST END

Tour à tour électrique, fastueux, agité, chaotique, le West End a beaucoup à offrir, ne serait-ce que les meilleurs boutiques, pubs, bars et restaurants de la capitale. C'est là que bat le cœur de Londres.

❶ Monument
Depuis son sommet, une vue étonnante sur les gratte-ciel de la City et sur le fleuve (p. 119)

❷ Barbican
Assister à de grandes performances théâtrales à l'extraordinaire centre culturel Barbican (p. 119)

❸ Tour de Londres
Être le roi ou la reine d'un jour (p. 122)

❹ Leadenhall Market
Prendre une pinte dans un pub, à l'heure du déjeuner, avec les travailleurs de la City (p. 120)

LA CITY

Centre de la ville dans l'Antiquité, quartier de la finance aujourd'hui, la City est truffée de sites historiques fascinants, à explorer de préférence le week-end lorsque le calme revient dans ses rues.

1

SOUTH BANK

Réhabilitation et investissements ont fait de ce quartier jadis morne un véritable pôle culturel. Des galeries de renommée internationale aux spectacles de rue, en passant par les concerts de musique classique et les pièces de théâtre d'avant-garde, il y en a pour tous les goûts.

2

3

1 London Eye
Une vue plongeante sur Londres du haut de l'emblématique grande roue (p. 128)

2 Tate Modern
Une architecture primée qui accueille les expositions les plus excitantes de Londres (p. 132)

3 Shakespeare's Globe
La réplique exacte du théâtre en plein air du plus célèbre dramaturge du monde (p. 133)

DE HYDE PARK À CHELSEA

Le quartier royal, résidence de Sa Majesté, est sans conteste digne d'une reine. Il abrite certains des plus beaux édifices, des musées prestigieux et des espaces verts magnifiques, et rappelle qu'ici, on sait vivre.

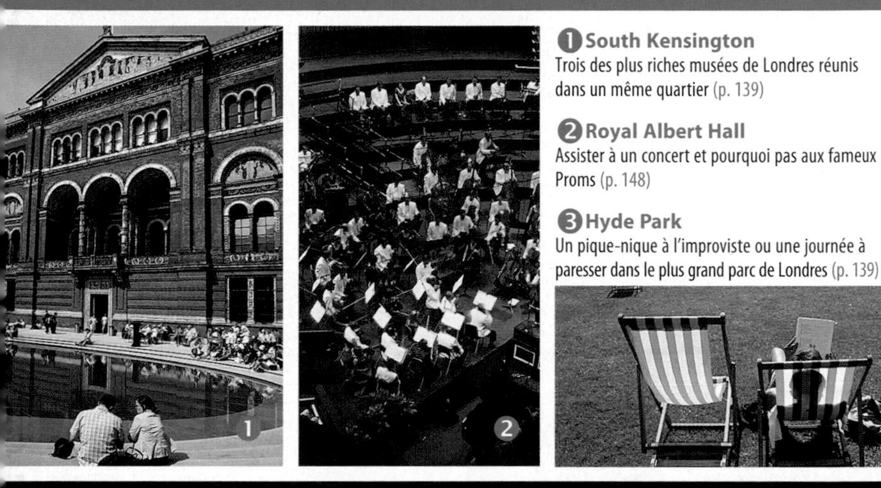

1 South Kensington
Trois des plus riches musées de Londres réunis dans un même quartier (p. 139)

2 Royal Albert Hall
Assister à un concert et pourquoi pas aux fameux Proms (p. 148)

3 Hyde Park
Un pique-nique à l'improviste ou une journée à paresser dans le plus grand parc de Londres (p. 139)

CLERKENWELL, SPITALFIELDS ET SHOREDITCH

Ces trois anciennes paroisses recèlent désormais les talents les plus créatifs de Londres, ses meilleurs clubs et bars, et ses boutiques les plus tendance. Vous n'en avez peut-être jamais entendu parler, mais c'est là que vos amis londoniens se rendent le plus souvent.

1 Brick Lane
Un paradis du lèche-vitrine, avec d'excellents marchés et boutiques(p. 156)

2 Spitalfields Market
Arpenter un dimanche matin les allées de ce superbe marché historique (p. 231)

L'EAST END ET LES DOCKLANDS

Âme du Londres populaire d'autrefois, l'East End est en plein bouleversement, en vue des Jeux olympiques de 2012. Les Docklands, quant à eux, sont l'avenir de Londres : un quartier financier aux lignes architecturales séduisantes capable de rivaliser avec la City.

❶ Docklands
Un circuit architectural avec Open House London pour s'y retrouver dans cette jungle de béton (p. 159)

❷ Victoria Park
L'un des plus beaux (et des plus populaires) parcs de Londres (p. 162)

NORTH LONDON

Majestueux ensemble vallonné où les villages, les parcs verdoyants et les rues pittoresques possèdent chacun un charme bien particulier, North London se savoure en prenant son temps.

❶ Camden Town
Prendre un verre et danser toute la nuit dans ce quartier branché rock indé (p. 172)

❷ Highgate Cemetery
Le fantastique cimetière gothique de Highgate : un lieu merveilleux où reposer en paix (p. 173)

WEST LONDON

Tradition conservatrice et ouverture multiculturelle festive s'entrechoquent dans la jungle urbaine de West London, dont le quartier animé de Notting Hill est le centre névralgique. Boutiques, restaurants et cafés géniaux sont la garantie d'une sortie mémorable.

❶ Carnaval de Notting Hill
Entrer dans la danse lors du plus grand festival de rue d'Europe (p. 17)

❷ Portobello Road
Flâner au milieu d'incroyables étals de vêtements et de bric-à-brac (p. 230)

GREENWICH ET SOUTHEAST LONDON

Donnant à voir son fascinant héritage maritime, géographique et architectural, Greenwich agit comme par magie sur quiconque visite Londres pour la première fois. Assurez-vous néanmoins de garder du temps pour quelques sites incontournables du sud-est de Londres.

❶ Royal Observatory
Pour chevaucher le méridien de Greenwich, un pied dans chaque hémisphère (p. 184)

❷ Eltham Palace
Visiter la plus extravagante demeure Art déco du Royaume-Uni et son imposant hall médiéval (p. 189)

SOUTH LONDON

Résidentiel, multiculturel et toujours surprenant, South London couvre une vaste étendue de la ville, notamment le quartier hétéroclite de Brixton, la banlieusarde Clapham et Battersea, trop souvent ignoré.

❶ Imperial War Museum
L'édifice du Bedlam, l'ancien hôpital psychiatrique, abrite aujourd'hui un musée de la Guerre (p. 192)

❷ Battersea Power Station
Un témoignage parmi les plus extraordinaires de l'héritage architectural londonien (p. 196)

❸ Brixton Market
Une ambiance multiculturelle énergisante et un vaste choix de produits (p. 230)

SOUTHWEST LONDON

L'opulent Southwest London abrite certains des sites les plus célèbres de Londres. Son centre, Richmond, est un village londonien cossu aussi réputé pour ses antiquaires et ses habitants célèbres que pour la richesse de son histoire et ses liens avec la Couronne.

❶ Kew Gardens
Se pâmer devant les innombrables essences végétales du plus grand jardin botanique du monde (p. 211)

❷ Hampton Court Palace
Explorer l'incroyable complexité du palais des Tudors et se perdre dans le labyrinthe (p. 213)

❸ Richmond Park
Profiter de la nature en ville et peut-être apercevoir un cerf dans ce gigantesque parc (p. 210)

SOMMAIRE

DÉCOUVRIR LONDRES 2

À NE PAS MANQUER 6

LES AUTEURS 15

MISE EN ROUTE 16
Quand partir 16
Fêtes et festivals 16
Coût de la vie 18
Sites Internet 19

LONDRES HIER ET AUJOURD'HUI 20
Histoire 20
Arts 35
Cinéma et télévision 48
Danse 50
Cadre de vie et urbanisme 51
Institutions politiques 53
Médias 55
Mode 57
Langue 58

LONDRES PAR QUARTIER 61
Itinéraire à la carte 64
Le West End 67
La City 103
La Tamise 109
South Bank 128
De Hyde Park à Chelsea 139
Clerkenwell, Shoreditch et Spitalfields 152
L'East End et les Docklands 159
North London 169
West London 179
Greenwich et Southeast London 183
South London 192
Architecture 197
Southwest London 207

SHOPPING 217
Le West End 218
La City 227
South Bank 227
De Hyde Park à Chelsea 228
Clerkenwell, Shoreditch et Spitalfields 229
L'East End et les Docklands 233
North London 233
West London 234
Greenwich et Southeast London 235
South London 235
Southwest London 235

OÙ SE RESTAURER 237
Le West End 240
La City 249
South Bank 250
De Hyde Park à Chelsea 252
Clerkenwell, Shoreditch et Spitalfields 256
L'East End et les Docklands 260
North London 264
West London 268
Greenwich et Southeast London 271
South London 274
Southwest London 276

OÙ PRENDRE UN VERRE 279
Le West End 280
La City 283
South Bank 284
De Hyde Park à Chelsea 286

Clerkenwell, Shoreditch et Spitalfields 286
L'East End et les Docklands 289
North London 290
West London 293
Greenwich et Southeast London 295
South London 295
Southwest London 297

OÙ SORTIR 299
Clubbing 300
Spectacles comiques 305
Clubs de jazz 307
Rock et pop 308

LES ARTS 311
Musique classique 312
Danse 313
Cinéma 315
Opéra 317
Théâtre 317

SPORTS ET ACTIVITÉS 323
Santé et fitness 324
Activités 326
Sports en spectateur 326

LONDRES GAY ET LESBIEN 331
Shopping 332
Où prendre un verre et sortir 332
Autres sources d'information 337

OÙ SE LOGER 339
Le West End 342
La City 348
South Bank 349
De Hyde Park à Chelsea 350
Clerkenwell, Shoreditch et Spitalfields 353
L'EastEnd et les Docklands 354
North London 354
West London 356
Greenwich et Southeast London 360
Southwest London 361

EXCURSIONS 363
Oxford 366
Cambridge 369
Brighton 373
Broadstairs, Margate et Whitstable 375
Rye, Romney Marsh et Dungeness 376
Canterbury 377
Windsor et Bray 379
Châteaux du Kent 381

TRANSPORTS 383
Depuis/vers Londres 383
Comment circuler 386

CARNET PRATIQUE 396

LANGUE 409

EN COULISSES 412

INDEX 416

LÉGENDE DES CARTES 428

LES AUTEURS

Tom Masters

Tom a vécu à Londres pendant plus de dix ans, notamment à Stoke Newington et Clerkenwell ces cinq dernières années. S'il habite désormais Berlin, Londres est resté la ville où il se sent chez lui et c'est avec grand plaisir qu'il y est revenu en 2009 pour cette mise à jour, en jetant sur la capitale le regard d'un visiteur. Plus d'informations sur le travail de Tom sont disponibles sur son site Internet : www.mastersmafia.com (en anglais).

Auteur-coordinateur de ce guide, Tom a écrit les chapitres *Découvrir Londres*, *Mise en route*, *Londres hier et aujourd'hui*, *Londres gay et lesbien* et *Carnet pratique*. Il a aussi corédigé les chapitres *À ne pas manquer*, *Londres par quartiers*, *Shopping*, *Où se restaurer*, *Où prendre un verre*, *Où se loger* et *Excursions*.

Steve Fallon

Ayant vécu près de dix ans au centre de l'univers (East London), Steve parle cockney même dans son sommeil, mange de la gelée d'anguilles au petit-déjeuner, boit de la bière au tonneau et, à l'occasion, se plaît à faire chauffer le *dancefloor*. Comme toujours, pour cette édition du guide *Londres*, il n'a pas hésité à donner de sa personne et à tout tester lui-même : promenades, visites, conseils des amis, des collègues, des chauffeurs de taxi...

Steve à écrit les chapitres *Architecture*, *La Tamise*, *Les Arts* et *Transports*. Il a aussi corédigé les chapitres *À ne pas manquer*, *Londres par quartiers*, *Shopping*, *Où se restaurer*, *Où prendre un verre*, *Où se loger* et *Excursions*.

Vesna Maric

Sur cette photo, je me trouve au bord du lac Serpentine, à Hyde Park, l'un de mes endroits favoris à Londres en hiver. Je suis amoureuse de Londres et même après 12 années passées dans cette ville incroyable, cet amour ne cesse de croître – j'en suis arrivée à la conclusion que l'amour que l'on a pour la capitale est proportionnel au temps que l'on y passe. J'apprécie surtout les parcs, mais les musées, les galeries, les restaurants et la vie nocturne sont aussi irrésistibles.

Vesna a écrit les chapitres *Où sortir* et *Sports et activités*. Elle a aussi coécrit les chapitres *À ne pas manquer*, *Londres par quartiers*, *Shopping*, *Où se restaurer*, *Où prendre un verre*, *Où se loger* et *Excursions*.

LES AUTEURS DE LONELY PLANET

Lonely Planet réalise ses guides en toute indépendance et n'accepte aucune publicité. Tous les établissements et prestataires mentionnés dans l'ouvrage le sont sur la foi du seul jugement des auteurs, qui ne bénéficient d'aucune rétribution ou réduction de prix en échange de leurs commentaires. Sillonnant le pays en profondeur, les auteurs de Lonely Planet savent sortir des sentiers battus sans omettre les lieux incontournables. Ils visitent en personne des milliers d'hôtels, restaurants, bars, café, monuments et musées, dont ils s'appliquent à faire un compte-rendu précis.

MISE EN ROUTE

Londres est une destination qui exige peu de préparation, à l'exception notoire de l'hébergement, qu'il vaut mieux avoir réservé bien à l'avance. C'est d'ailleurs ce qui pèsera le plus sur votre budget, davantage que dans d'autres villes européennes. Londres se visite à n'importe quel moment de l'année et un séjour s'avère souvent trop court pour découvrir tous les sites d'intérêt de la ville.

QUAND PARTIR

On pourrait croire que, dans un pays comme l'Angleterre, dont le climat est un éternel sujet de plaisanterie pour les étrangers, les gens n'aiment guère aborder le sujet. Pourtant, comme leurs cousins de Bretagne, les Londoniens passent leur temps à scruter le ciel et leur moral fluctue à chaque variation du mercure. Fort heureusement, Londres est une ville où les activités ne dépendent pas de la météo : comme ses habitants, attendez-vous plutôt à un ciel couvert et à de la pluie (même en été), et vous serez ravis lorsque le soleil se montrera.

L'été est une bonne période pour découvrir Londres, qui a connu ces dernières années des vagues de chaleur typiquement continentales. Le printemps et l'automne sont également très agréables : les foules sont moins denses et les lieux touristiques plus faciles d'accès. En hiver, il fait froid, le ciel est sombre et pluvieux. Néanmoins, si vous aimez les activités de plein air, vous pourrez profiter à loisir de lieux délaissés par la plupart des citadins à cette saison.

Pour obtenir une liste exhaustive (en anglais) des événements se déroulant à Londres et dans les environs, référez-vous au bimensuel de Visit London, *Events in London*, et à sa brochure, *Annual Events*. Consultez également le site Internet www.visitlondon.com.

FÊTES ET FESTIVALS

Londres est une ville qui vibre toute l'année, au rythme des fêtes et manifestations, aussi bien traditionnelles que modernes. Voici quelques-unes de nos favorites.

Janvier

NOUVEL AN

Le décompte qui a lieu sur Trafalgar Square le 31 décembre est l'événement le plus spectaculaire à Londres, mais mieux vaut l'éviter si vous n'aimez pas la foule.

LONDON ART FAIR

www.londonartfair.co.uk ; Business Design Centre, Islington

Plus d'une centaine de galeries d'envergure participent à ce salon d'art contemporain, l'un des plus importants d'Europe, avec des expositions thématiques, des manifestations et la présentation de jeunes talents.

NOUVEL AN CHINOIS

Chinatown ; www.chinatown-online.co.uk

Fin janvier/début février, Chinatown frétille et s'agite pendant ce festival de rue très coloré avec sa parade du Dragon d'or. On y festoie et on y ripaille à volonté.

Février

PANCAKE RACES

Spitalfields Market, Covent Garden et Lincoln's Inn Fields

Pour Mardi gras, fin février/début mars, vous pouvez assister à des "courses aux crêpes" et aux habituelles fanfaronnades qui les accompagnent dans de nombreux endroits à travers la ville.

Mars

HEAD OF THE RIVER RACE

www.horr.co.uk ; Tamise, du Mortlake à Putney

Quelque 400 équipes participent à cette course annuelle d'aviron, qui se déroule sur un parcours de 7 km.

Avril

LONDON LESBIAN & GAY FILM FESTIVAL

www.bfi.org.uk/llgff

Cette manifestation est l'une des plus importantes du monde dans sa catégorie. C'est une folle quinzaine durant laquelle sont projetés au National Film Theatre des centaines de films indépendants sur le thème de l'homosexualité.

MARATHON DE LONDRES

www.virginlondonmarathon.com ; de Greenwich Park au Mall (St James's Park)

Les 35 000 masochistes qui traversent Londres en courant participent à la plus grande course à pied en milieu urbain du monde.

OXFORD & CAMBRIDGE BOAT RACE

www.theboatrace.org ; de Putney à Mortlake

La foule se masse sur les rives de la Tamise pour assister à cet événement annuel où les deux universités les plus prestigieuses et les plus anciennes de Grande-Bretagne s'affrontent à l'aviron. Les dates changent chaque année en fonction des vacances de Pâques des universités. Plus de renseignements sur le site Internet.

Mai

CHELSEA FLOWER SHOW

www.rhs.org.uk; Royal Hospital Chelsea

La plus illustre des expositions horticoles du monde attire la crème de la haute société londonienne et n'est jamais loin de la controverse : l'interdiction des nains de jardin a été transgressée – *shocking* ! – en 2009 par Jekka McVicar, qui a fait les grands titres des quotidiens nationaux. *So British* !

Juin

ROYAL ACADEMY SUMMER EXHIBITION

www.royalacademy.org.uk ; Royal Academy of Arts

Tous les ans, de juin à fin août, sont exposés ici les travaux d'artistes de tout le Royaume-Uni (environ un millier de pièces).

TROOPING THE COLOUR

www.trooping-the-colour.co.uk ; défilé de la garde à cheval, Whitehall

L'anniversaire officiel de la reine (elle est née en avril, mais le temps est plus clément en juin) est célébré en grande pompe avec drapeaux, parades et bruyants défilés aériens.

TOURNOI DE WIMBLEDON

www.wimbledon.org

Pendant deux semaines, le tranquille petit village de Wimbledon, au sud de Londres, devient le centre du monde sportif. Les meilleurs joueurs mondiaux viennent s'affronter pour remporter le tournoi. Les spectateurs semblent autant intéressés par les fraises à la crème et autres traditions liées à l'événement, mais les finales dames et messieurs retiennent l'attention de toute la ville.

Juillet

PRIDE LONDON

www.pridelondon.org

La communauté homosexuelle sort ses costumes les plus excentriques lors de ce rendez-vous annuel haut en couleur. Au programme : défilé matinal et grand rassemblement festif l'après-midi sur Trafalgar Sq (quoique l'emplacement change souvent).

BBC PROMENADE CONCERTS (THE PROMS)

www.bbc.co.uk/proms

Deux mois de concerts classiques remarquables dans des sites prestigieux, centrés autour du Royal Albert Hall (p. 148) à Kensington.

Août

NOTTING HILL CARNIVAL

www.thecarnival.tv

Le plus grand carnaval d'Europe célèbre les Caraïbes à grand renfort de musique, de danses et de costumes, le week-end précédant le dernier lundi du mois d'août. Attention aux problèmes de criminalité.

Septembre

THAMES FESTIVAL

www.thamesfestival.org

Célébrant la Tamise, ce festival cosmopolite permet aux familles de passer un bon moment grâce à la fête foraine, au théâtre de rue, à la musique, à la restauration en plein air, aux feux d'artifice, aux courses nautiques et au spectaculaire défilé de lanternes.

LONDON OPEN HOUSE

www.londonopenhouse.org

Le temps d'un week-end, fin septembre, le public est invité à découvrir plus de 700 bâtiments historiques de la capitale habituellement interdits d'accès. L'événement attire Londoniens et visiteurs étrangers en masse. Voir l'encadré p. 200.

Octobre

DANCE UMBRELLA

www.danceumbrella.co.uk

Le festival annuel de danse contemporaine de Londres présente pendant cinq semaines des compagnies britanniques et internationales dans divers lieux de la ville, en octobre et début novembre.

LONDON FILM FESTIVAL

www.lff.org.uk ; National Film Theatre et autres salles

Le plus grand événement cinématographique de la ville attire les grands noms du 7e art et permet de découvrir une centaine de films en avant-première. Des ateliers et des débats sont organisés entre le public et des réalisateurs et acteurs de renommée internationale, ainsi que des cinéastes indépendants.

Novembre

GUY FAWKES NIGHT (BONFIRE NIGHT)

La "Bonfire Night", l'une des traditions préférées des Britanniques, commémore la tentative infructueuse de Guy Fawkes de faire exploser le Parlement en 1605. On allume des feux de joie et des feux d'artifice le 5 novembre et des effigies de Guy Fawkes sont brûlées, tandis que les enfants réclament de l'argent aux passants ("a penny for the guy"). C'est à Primrose Hill, Highbury Fields, Alexander Palace, Clapham Common et au Crystal Palace Park qu'ont lieu les plus beaux feux d'artifice.

LORD MAYOR'S SHOW

www.lordmayorsshow.org

Conformément à la Grande Charte (*Magna Carta*) de 1215, le maire fraîchement élu se rend en carrosse de Mansion House à la Royal Courts of Justice pour recevoir l'agrément du souverain. Les drapeaux, la musique et les feux d'artifice qui l'accompagnent furent ajoutés plus tard.

Décembre

ARBRE ET ILLUMINATIONS DE NOËL

Une célébrité en vue est généralement chargée d'allumer toutes les illuminations qui ornent Oxford St, Regent St et Bonds St. Un immense sapin est aussi installé à Trafalgar Sq.

COÛT DE LA VIE

Londres peut se révéler horriblement onéreux, bien que l'on puisse remédier à la situation. C'est avant tout l'hébergement qui coûte le plus cher (voir p. 340). Si vous n'avez pas la chance d'avoir un ami qui puisse vous accueillir, prévoyez un budget minimum de 25 £ pour une nuit en dortoir dans une auberge de jeunesse. Dans un hôtel, le prix passe brusquement à 60 £ et il faudra compter jusqu'à 100 £ pour une chambre dans laquelle vous vous sentirez vraiment bien. Réserver est toujours une bonne idée ; la plupart des hôtels proposent des réductions si vous séjournez plus de quelques jours. Une autre manière de réduire considérablement votre budget hébergement est de consulter les offres sur Internet, et si vous n'avez pas réservé à l'avance, des sites Internet comme www.lastminute.com ou www.laterooms.com/fr proposent souvent des offres très intéressantes pour tous les budgets.

Il n'y a pas que les hôtels qui soient chers à Londres, le coût de la vie y très élevé comparé au reste du Royaume-Uni et aux autres pays de l'UE. Seuls Oslo et Tokyo s'avèrent plus chers. Même si la crise économique et la chute du cours de la livre sterling ont quelque peu fait descendre les prix, Londres ne sera jamais une ville bon marché.

Il est facile de se restaurer à moindre coût dans les nombreux restaurants de quartier (voir p. 239). Cependant, même à la moins chère des enseignes, un sandwich coûte 3,50 £ et, si vous vous attablez, on ne vous rendra pas grand-chose sur un billet de 10 £. Londres abrite de nombreux restaurants tendance, eux aussi coûteux. Un bon repas pour deux, bouteille de vin comprise, revient à 60/80 £, et dépassera vite les 100 £ dans certains des établissements les plus en vogue.

Se déplacer dans la capitale grève également le budget du visiteur. Une solution avantageuse est d'acheter dès votre arrivée une Oyster card, qui permet de bénéficier de tarifs réduits sur l'ensemble du réseau des transports publics londoniens (voir p. 388).

De même, s'amuser n'est pas donné : une place de cinéma dans le West End a depuis longtemps franchi le seuil des 10 £ et les autres

DÉPENSES MOYENNES

Entrée dans une grande discothèque le vendredi 15 £

Billet plein tarif pour un match de foot 20 à 40 £

Ticket de bus 2 £

Place de cinéma 10 £

DVD 10 £

Le Guardian 90 p

Une pinte de bière à la pression 3,50 £

Menu entrée-plat-dessert avec vin/bière à partir de 30 £

Trajet de métro en zone 1 4 £

Trajet de métro en zone 1 avec une Oyster Card 1,60 £

Place dans un théâtre du West End 50 £

PRÉPARER SON VOYAGE À L'AVANCE

Pour Londres, on peut réserver très à l'avance pour être tranquille ou espérer avoir de la chance à la dernière minute.

Trois à six mois avant Réservez 6 mois à l'avance dans les restaurants de renom, tel Gordon Ramsay à Chelsea (p. 252). Retenez aussi vos places de 3 à 6 mois avant pour une représentation d'un grand spectacle le samedi soir dans le West End.

Deux à trois mois avant Consultez les sites www.ticketmaster.co.uk et www.seetickets.com, et informez-vous sur les grands concerts de rock. Lisez aussi les critiques sur www.guardian.co.uk/reviews, www.whatsonstage.com ou www.timeout.com avant de réserver une place pour le samedi soir dans un théâtre de qualité comme l'Old Vic.

Deux semaines avant Abonnez-vous à une lettre d'information sur la vie londonienne, telle celle d'*Urban Junkies* (www.urbanjunkies.com), et consultez les avis des internautes sur les sites de sorties et de restaurants. Vous pouvez aussi réserver dans un restaurant original et tendance, comme le Hakkasan (p. 245).

Quelques jours avant suffiront pour acheter un billet pour la grande exposition du moment à la Royal Academy of Arts (p. 72), à la Tate Modern et la Tate Britain (p. 132 et p. 97) ou au Victoria and Albert Museum (p. 143) ; avec un peu de chance, vous pourrez l'acheter le jour même.

cinémas moins centraux suivent la même voie. Voir un film pour moins de 10 £ est un exploit, bien que certains cinémas indépendants ou d'art et d'essai offrent encore des prix intéressants. Les concerts d'artistes célèbres ne coûtent pas moins de 20 £ et jusqu'à 150 £ pour les superstars qui passent à Wembley ou à Earl's Court. Le prix des discothèques est plus variable : le samedi soir, l'entrée est à 20 £ sans consommation à la Fabric (p. 302), tandis que certaines des meilleures adresses de la ville, qu'il faut savoir trouver, n'exigent qu'une somme modique ou sont gratuites. Des flyers annoncent celles-ci dans tous les magasins de musique et de mode du West End.

Dans cette ville si chère, une bonne surprise toutefois : les musées d'État sont gratuits. Vous pouvez passer des journées entières à admirer des collections et des expositions parmi les plus remarquables du monde sans dépenser un penny. Nous vous recommandons néanmoins de faire une donation afin qu'ils puissent rester gratuits (3 £ est une somme suffisante). Cela permet aussi de s'y prendre à plusieurs fois pour visiter les très grands musées, comme le V&A (p. 162) ou le British Museum (p. 83). Les tarifs pratiqués ailleurs varient ; certains visiteurs hésitent à payer 16 £ pour la Tour de Londres (p. 122), mais cela en vaut la peine car vous passerez la journée à découvrir la fascinante histoire du Royaume-Uni. En revanche, payer 25 £ dans le très commercial musée de Madame Tussaud (p. 99) est très exagéré !

SITES INTERNET

Londres est très branché question Internet. Aujourd'hui, le Wi-Fi s'étend à presque toute la ville ; mais les connexions sont payantes, à l'exception de certains cybercafés dans Upper St, à Islington, et à Leicester Sq. L'ensemble de la City est couvert par "the Cloud", un service gratuit le premier mois et payant ensuite. Les sites Internet suivants (en anglais) sont très pratiques pour mieux connaître Londres :

Flavorpill London (www.flavorpill.com/london). Ce magazine envoie une lettre d'information hebdomadaire sur les événements culturels et les spectacles à ne pas manquer.

Le Cool Magazine (www.lecool.com/london). Ses abonnés reçoivent un mail gratuit qui passe en revue clubs, bars, concerts et autres événements dignes d'intérêt.

London Underground Guide (www.goingunderground.net). Le blog culte d'Annie Mole est incontournable pour tous ceux que passionne le plus vieux réseau métropolitain du monde.

London Unlike (www.london.unlike.net). Ce "guide de la génération mobile" livre de précieux renseignements d'initiés sur tout, des derniers restaurants en vue aux discothèques et aux sorties culturelles.

Londonist (www.londonist.com). Notre blog favori jette un regard désabusé sur les curiosités de la vie londonienne.

Streetmap.co.uk (www.streetmap.co.uk). Ce site utilisé tous les jours par beaucoup de Londoniens est en fait une carte de la ville sur laquelle on peut vérifier une rue ou une adresse. Vital !

Transport for London (www.tfl.gov.uk). Le site du réseau des transports publics londoniens vous aide à planifier vos déplacements et visites durant votre séjour.

Visit London (www.visitlondon.com). Le site officiel de l'office du tourisme de Londres est un instrument précieux. Outre la mine d'informations qu'il dispense, il vous met en relation avec nombre d'autres sites et permet de réserver un hôtel peu cher.

HISTOIRE

Londres a derrière lui deux millénaires d'une longue et turbulente histoire au cours desquels divers peuplements et villages établis de longue date se sont regroupés, pour former une ville immense autour du noyau urbain romain qui reste le cœur du Londres actuel.

LONDINIUM

Les Romains sont les véritables fondateurs de Londres, même si une présence humaine est avérée sur les bords de la Tamise plusieurs milliers d'années avant leur arrivée. Fait incroyable, le mur romain bâti autour de Londinium marque encore plus ou moins les limites entre la City et les *boroughs* voisins.

Les Romains arrivent au Ier siècle av. J.-C. pour commercer avec les Celtes et faire la reconnaissance des lieux. En 43, ils sont de retour avec une armée menée par l'empereur Claude et décident de s'y installer, fondant le port de Londinium. Ils construisent un pont en bois enjambant la Tamise (près de l'emplacement de l'actuel London Bridge) et utilisent cette colonie comme base de départ pour leurs raids vers d'autres centres tribaux, alors bien plus importants. Tout un réseau de routes part du pont pour desservir la région et, pendant quelques années, la colonie vit confortablement du commerce.

Cette croissance s'arrête brusquement en l'an 61, lorsqu'une armée conduite par Boadicée (Boudicca), reine de la tribu voisine des Icéniens établie en Est-Anglie, se venge violemment des soldats romains qui avaient attaqué son royaume et annexé ses terres. Les Icéniens envahissent Camulodunum (Colchester), la capitale de la "Bretagne romaine", puis entrent dans Londinium, massacrent ses habitants et rasent la colonie. Boadicée est finalement vaincue (et, selon la légende, enterrée sous l'actuel quai n°10 de la gare de King's Cross), et les Romains reconstruisent Londinium près de Cornhill.

Un siècle plus tard, ils érigent un mur de défense autour de la cité, dont certains fragments subsistent. On peut les apercevoir le long de la bien nommée rue London Wall. Les portes d'origine – Aldgate, Ludgate, Newgate et Bishopsgate – correspondent aux noms de sites londoniens contemporains. Les fouilles menées dans la City semblent prouver que Londinium, plus un centre de commerce qu'une colonie à part entière, fut une métropole imposante abritant des constructions massives, notamment une basilique, un amphithéâtre, un forum et un palais pour le gouverneur.

Au milieu du IIIe siècle, Londinium compte 30 000 habitants de diverses origines ethniques et on y trouve des temples dédiés à un grand nombre de cultes différents. Lorsque l'empereur Constantin se convertit en 312, le christianisme devient la religion officielle de tout l'Empire. Conservés dans la City, les vestiges d'un temple du dieu Mithra (p. 118) témoignent encore des racines païennes de la ville.

Trop étendu et affaibli par les invasions barbares de plus en plus fréquentes, l'Empire romain commence à décliner, entraînant Londinium dans sa chute. L'empereur Honorius rappelle ce

CHRONOLOGIE

43	47-50	122
Les Romains, emmenés par l'empereur Claude, envahissent la Grande-Bretagne. Avant cette date, depuis le passage de Jules César en 55 et en 54 av. J.-C., les Britanniques payaient déjà un tribut à Rome.	Construction du fort défensif de Londinium. Le nom serait antérieur aux Celtes : on ne connaît pas sa signification avec certitude, mais il pourrait vouloir dire "établissement sur le large fleuve".	L'empereur Hadrien se rend à Londinium, et nombre d'édifices administratifs impressionnants sont érigés. C'est l'apogée du Londres romain, qui concentre temples, bains publics, une forteresse et un port.

qui reste de soldats en 410. Les derniers Romains s'enfuient, laissant l'ancienne colonie peuplée d'une poignée d'habitants, derniers gardiens des acquis de l'Empire.

LUNDENWIC

Le sort de Londres à la suite du départ des Romains continue de faire l'objet de débats entre historiens. Si des découvertes archéologiques et les progrès technologiques ont permis depuis une vingtaine d'années d'en savoir plus sur le haut Moyen Âge, de grandes inconnues subsistent : on ignore par exemple si la cité fortifiée des Romains fut ou non totalement abandonnée. La plupart des spécialistes estiment aujourd'hui qu'il y eut une certaine continuité romano-britannique, alors même que des colons Saxons, issus des tribus germaniques qui colonisèrent le sud-est de l'Angleterre à partir du Ve siècle, s'établissaient dans les environs à la suite de l'abandon de Londinium par les Romains.

Lundenwic (marché de Londres) fut fondé à l'ouest de Londinium (près des actuels Aldwych et Charing Cross) pour devenir une place de commerce saxonne ; au début du VIIe siècle, les saxons païens sont convertis au christianisme. Rome fait de Lundenwic un diocèse et la première cathédrale Saint-Paul est bâtie au sommet de Ludgate Hill.

La cité finit par être victime de son propre succès lorsqu'en 842 les Vikings danois l'attaquent une première fois, pour l'incendier entièrement 10 ans plus tard. Sous le règne du roi Alfred le Grand de Wessex, la population saxonne se soulève et fait fuir les Danois en 886 avant de se réinstaller à l'endroit qu'on appellerait désormais Lundunburg, voué à devenir le principal centre de commerce.

Le Londres florissant et bien organisé de l'époque saxonne est alors divisé en 20 sections, dirigée chacune par un *alderman*, et devient rapidement une colonie habitée par des marchands allemands et des négociants en vin français. Cette prospérité n'échappe pas aux Danois et les attaques des Vikings ont à terme raison du pouvoir faiblissant des Saxons, obligeant ces derniers à céder le trône au chef danois Knud, couronné roi d'Angleterre en 1016.

Avec la mort du fils de Knud, Hardeknud, en 1042, la couronne revient aux mains d'Édouard le Confesseur, un Saxon. Il fonde l'abbaye et le palais de Westminster sur ce qui était à l'époque une île sur la rivière Tyburn (qui coule aujourd'hui sous terre). Lorsqu'Édouard s'installe avec la cour à Westminster, il divise la ville en sections qui vont définir, d'un point de vue géographique, la future ville de Londres. Le port devient le centre des échanges commerciaux que nous connaissons aujourd'hui sous le nom de la City, et Westminster le siège politique et administratif.

LES NORMANDS

L'an 1066 marque la véritable naissance de l'Angleterre en tant qu'État nation unifié. Après la mort d'Édouard le Confesseur cette année-là, une querelle pour la succession du trône d'Angleterre sonne le glas des souverains saxons. Harold Godwinson, comte de Wessex, avait été désigné par Édouard sur son lit de mort, ce qui mit en rage Guillaume, duc de Normandie, convaincu qu'Édouard lui avait promis le trône. Guillaume orchestre une invasion massive de l'Angleterre depuis la France. Le 14 octobre, il défait Harold lors de la bataille de Hastings, et entre dans Londres pour réclamer son dû. Guillaume le Conquérant est couronné roi d'Angleterre à l'abbaye de Westminster le 25 décembre 1066 ; la domination normande est alors absolue. Guillaume contrôle la ville la plus riche et la plus vaste du royaume.

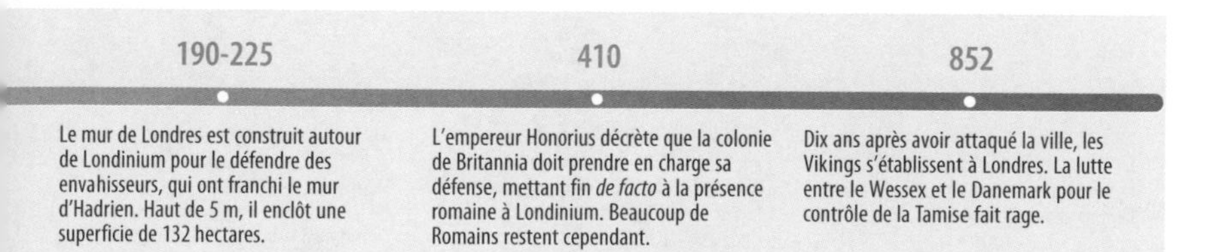

Il se méfie toutefois de la "population féroce" de Londres et fait ériger des forteresses telles que la White Tower (cœur de la Tour de Londres). Afin d'amadouer les riches marchands, il leur garantit le maintien de l'indépendance de la City en échange du paiement de taxes. Peu après la conquête normande, Londres devint la principale ville d'Angleterre, supplantant Winchester, l'ancienne capitale du Wessex.

LE LONDRES MÉDIÉVAL

Les souverains successifs acceptent l'indépendance de la City tant que les taxes payées par les marchands continuent à financer leurs guerres et leurs projets de construction. Lorsque le roi Richard Ier (connu sous le nom de Richard Cœur de Lion) a besoin de fonds pour entreprendre sa croisade en Terre sainte, il accorde à la City le statut de commune autonome et les marchands continuent à lui verser de l'argent. Vers 1190, le premier maire de la City, Henry Fitz Aylwin, est élu. Fondé sur l'argent et le commerce, Londres demeure farouchement déterminé à préserver son indépendance, comme le roi Jean sans Terre, successeur de Richard, l'apprend à ses dépens. En 1215, Jean est forcé de conférer davantage de pouvoirs aux puissants barons du royaume et de réduire les taxes exorbitantes qu'il exige de la City. L'influent maire de la City fait partie de ceux qui incitent le roi à signer la Grande Charte (*Magna Carta*) de 1215, visant à réduire le pouvoir royal. Deux exemplaires de la *Magna Carta* peuvent être vus à la British Library (p. 172).

Le commerce prospère et les nobles, barons et évêques se font bâtir de grandioses demeures avec jardins donnant sur la rivière, le long de l'actuel Strand reliant la City au palais de Westminster, nouveau siège du pouvoir royal. Le premier London Bridge en pierre est construit en 1176, mais il est si souvent bondé que la plupart des Londoniens traversent la Tamise grâce aux passeurs de bacs (qui n'ont cessé leur activité qu'au XVIIIe siècle).

Bien que les incendies constituent une menace permanente pour les immeubles et les rues étroites à Londres au XIVe siècle, les maladies causées par le manque d'hygiène et l'eau polluée représentent un danger bien plus grand pour cette ville en pleine expansion. En 1348, les rats amenés par des bateaux venus d'Europe apportent la peste noire, une épidémie bubonique qui va emporter presque deux tiers de la population (100 000 habitants, à l'époque) au cours des décennies suivantes.

Les pauvres sont particulièrement affectés et l'agitation gagne bientôt leurs rangs, engendrant des violences ; les émeutes sont monnaie courante. En 1381, Richard II, ignorant - ou méprisant - les revendications de son peuple, tente d'imposer un impôt local à tous les habitants du royaume. Des dizaines de milliers de paysans, menés par le soldat Wat Tyler et le prêtre Jack Straw, entrent dans Londres pour protester. L'archevêque de Canterbury est traîné à la Tour de Londres pour y être décapité, de nombreux ministres sont tués et plusieurs édifices rasés avant que la révolte des paysans ne s'éteigne. Wat Tyler meurt poignardé par le lord-maire en personne, tandis que Straw et d'autres meneurs sont exécutés à Smithfield. Cependant, la population londonienne n'entendit plus jamais parler d'impôt local (jusqu'à ce que Margaret Thatcher, ignorant les leçons du passé, tente de le réintroduire dans les années 1980 ; voir p. 32).

Tout au long du XVe siècle, Londres continue à s'enrichir et gagne en puissance sous les maisons des Lancaster et des York. C'est également la période du généreux maire Dick Whittington, immortalisé dans un conte relatant ses origines modestes et son accession au pouvoir. William Caxton installe la première imprimerie à Westminster en 1476.

886

Alfred le Grand, premier roi d'Angleterre, reconquiert Londres au profit des Saxons et fonde un nouvel établissement dans l'enceinte des murs romains.

1016

Après plus d'un siècle de domination anglaise, les Danois reviennent à Londres et Knut est couronné roi d'Angleterre. Surtout connu dans le folklore anglais comme celui qui n'a pas su maîtriser les vagues, Knut inaugure vingt années de paix.

1066

Après sa victoire sur le roi Harold à la bataille d'Hastings, Guillaume, duc de Normandie, entré dans l'histoire sous le nom de Guillaume le Conquérant, est couronné à l'abbaye de Westminster.

En 1483, Edouard V de la maison des York, âgé de 12 ans, entame un règne qui ne durera que deux mois, avant de disparaître à tout jamais, avec son jeune frère, dans la Tour de Londres. L'histoire dit que Richard III, leur oncle – qui allait devenir roi – les aurait fait assassiner. Cette question a fait l'objet de nombreuses conjectures tout au long des siècles. En 1674, des ouvriers trouvèrent un coffre contenant les squelettes de deux enfants près de la White Tower ; on suppose alors qu'il s'agissait des ossements des deux princes et on les enterra à Innocents' Corner, dans l'abbaye de Westminster. Richard III n'aura pas l'occasion de profiter bien longtemps du trône, car il sera remplacé quelques années plus tard par Henry Tudor (Henry VII), premier monarque de sa dynastie.

LONDRES SOUS LES TUDORS

Londres devient alors une des villes les plus importantes d'Europe. Elle le restera pendant tout le règne des Tudors où l'on assiste à la découverte de l'Amérique et à l'avènement d'un commerce mondial florissant.

Henry VIII, fils et successeur d'Henry VII, est de loin le plus mégalomane du clan. Il raffole des palais et en fait construire à Whitehall et à St James's, puis pousse son Grand Chancelier, le cardinal Thomas Wolsey, à lui faire cadeau de Hampton Court.

Sa contribution la plus marquante reste cependant sa rupture avec l'Église catholique en 1534 après le refus du pape d'annuler son mariage avec Catherine d'Aragon, qui semblait incapable de lui donner un héritier mâle. En faisant un pied de nez à Rome, Henry se proclame chef ou plutôt chef *suprême* de l'Église d'Angleterre et épouse Anne Boleyn (la deuxième de ses six épouses). Il "dissout" le monachisme londonien et s'empare des richesses et des domaines séculiers. Le visage du Londres médiéval s'en trouve transformé. Une grande partie des terres réquisitionnées pour la chasse deviendront plus tard Hyde Park, Regent's Park et Richmond Park tandis que de nombreux édifices religieux disparaîtront pour ne laisser que leur nom à certains endroits de la ville actuelle, comme Whitefriars et Blackfriars (nommés d'après la couleur des habits de la confrérie).

En dépit de sa fâcheuse tendance à résoudre les différends à la hache (deux de ses six épouses et Thomas More, le remplaçant de Wolsey au poste de Grand Chancelier, seront décapités) et de son habitude de persécuter ses opposants, catholiques ou protestants, Henry VIII reste un monarque très populaire jusqu'à sa mort en 1547. Sous le règne de Mary Ire, fille d'Henry et de Catherine d'Aragon, l'Angleterre assiste à un bref retour au catholicisme pendant lequel la reine autorise le massacre par le feu de centaines de martyrs protestants à Smithfield, ce qui lui vaudra le surnom de "Marie la Sanglante" (*Bloody Mary*). Lorsqu'Elizabeth Ire, fille d'Henry VIII et d'Anne Boleyn, monte sur le trône, le catholicisme est sur le déclin et ceux qui osent suggérer le contraire sont envoyés par centaines à la potence de Tyburn (p. 149).

LE LONDRES ÉLISABÉTHAIN

On considère aujourd'hui encore les 45 années de règne d'Elizabeth Ire comme l'une des plus extraordinaires périodes de l'histoire anglaise et cette importance vaut pour Londres comme pour le reste du pays. Pendant ces quatre décennies, la littérature atteint de nouveaux sommets, jamais dépassés depuis. La tolérance religieuse devient la norme, même si les catholiques et certains protestants restent persécutés. Après sa victoire sur l'Armada espagnole en 1588, la Grande-Bretagne est la plus grande puissance navale du monde, tandis que Londres devient la principale place commerciale de la planète avec l'ouverture du Royal Exchange en 1566.

1176

Construction du premier pont de pierre à Londres. La foule est souvent trop nombreuse pour permettre le passage et la plupart des habitants font donc appel aux services de passeurs en barges (qui resteront actifs jusqu'au XVIIIe siècle).

1215

Dans un pré de Runnymede, non loin de Londres, le roi Jean (Jean sans Terre) signe la *Magna Carta* ("Grande Charte"), accord avec le baronnage d'Angleterre qui est le fondement du droit constitutionnel anglais.

1348

Des rats amenés par des bateaux venus d'Europe apportent la peste noire, une épidémie bubonique qui va emporter quasi deux tiers de la population (100 000 habitants) au cours des décennies suivantes.

Londres est économiquement et "territorialement" en pleine expansion. Pendant la deuxième moitié du XVIe siècle, la ville voit sa population doubler pour atteindre 200 000 âmes. La première carte de Londres est publiée en 1558, tandis que John Stow édite en 1598 *A Survey of London*, le premier ouvrage sur l'histoire de la ville.

C'est l'âge d'or du théâtre anglais et les œuvres de William Shakespeare, de Christopher Marlowe et de Ben Jonson font salle comble dans les nouveaux théâtres tels que le Rose (construit en 1587) et le Globe (1599), tous deux édifiés à Southwark, quartier réputé alors pour ses maisons closes, ses tavernes fréquentées par les prostituées et ses montreurs d'ours. Ils se trouvent surtout en dehors de la juridiction de la City, qui désapprouve et rejette le théâtre considéré comme une perte de temps.

Lorsqu'en 1603 Elizabeth meurt sans héritier, son deuxième cousin accède au trône sous le nom de Jacques Ier d'Angleterre. Fils de Marie la Catholique, reine d'Écosse, ce monarque n'améliore pas assez rapidement les conditions de vie des catholiques en Angleterre, ce qui ne manque pas de provoquer leur colère. Il échappe de peu à une tentative d'assassinat lorsque le complot de Guy Fawkes visant à faire sauter le Parlement, le 5 novembre 1605, est déjoué. Depuis, la découverte de ce plan audacieux est célébrée chaque année par des feux d'artifice et des effigies de Fawkes sont brûlées dans tout le pays.

LES GUERRES CIVILES ANGLAISES (PREMIÈRE RÉVOLUTION ANGLAISE)

Après l'accession au trône de Charles Ier en 1625, son intransigeance et sa foi absolue dans la monarchie de droit divin ne tardent pas à faire éclater un conflit entre, d'une part, la Couronne et, d'autre part, un Parlement de plus en plus sûr de lui et une City qui ne supporte plus d'avoir à payer des taxes exorbitantes. Charles apporte la goutte d'eau qui fait déborder le vase lorsqu'il veut faire arrêter cinq opposants, membres du Parlement, qui se réfugient à la City. En 1642, le pays sombre dans la guerre civile.

Les puritains (protestants extrémistes) et la classe en pleine expansion des marchands de la City soutiennent le général Oliver Cromwell, leader des parlementaristes (les *Roundheads*, ou têtes rondes) qui combattent les troupes royalistes (les *Cavaliers*). Londres soutient fermement les *Roundheads* et Charles Ier est vaincu en 1646, mais une deuxième guerre civile (1648-1649) puis une troisième (1649-1651) continueront de semer la discorde dans cette nation jadis stable et prospère.

Charles Ier est décapité pour faits de trahison devant la Banqueting House (p. 99) à Whitehall, le 30 janvier 1649, portant deux chemises ce matin-là pour éviter de trembler de froid et passer pour un lâche. Cromwell fera du pays une république qu'il dirigera pendant les onze années suivantes, Charles II, le fils de Charles Ier, luttant parallèlement pour restaurer la monarchie. Pendant le Commonwealth d'Angleterre, nom donné à ce régime républicain, Cromwell interdit le théâtre, la danse, Noël et à peu près toute activité tant soit peu ludique.

LA RESTAURATION : LA GRANDE PESTE ET LE GRAND INCENDIE

Peu après la mort de Cromwell, le Parlement décide que, finalement, la monarchie avait du bon et, en 1660, fait revenir Charles II de son exil. Le corps de Cromwell est exhumé et suspendu à Tyburn, tandis que sa tête en décomposition est empalée devant Westminster Hall pendant deux décennies.

1397

Richard Whittington est élu maire de Londres et négocie immédiatement le rachat des libertés de la ville à Richard II pour 10 000 £. Il sera maire de Londres pendant quatre mandats et devint un personnage bien aimé du folklore londonien.

1483

Edouard V de la maison des York, âgé de 12 ans, entame un règne qui ne durera que deux mois, avant de disparaître à tout jamais, avec son jeune frère, dans la Tour de Londres. Beaucoup pensent que c'est leur oncle Richard III – le roi suivant – qui les fit tuer, mais cela a été sujet à beaucoup de controverses au fil des siècles.

1534

Se voyant refuser par le pape son divorce d'avec Catherine d'Aragon, Henry VIII rompt avec l'Église catholique, ordonne la dissolution des monastères et lance la Réforme anglaise.

En dépit de son immense richesse du temps des Tudors, Londres demeure une ville populeuse et sale, dont la majeure partie des habitants vit dans la misère. L'absence de règles élémentaires d'hygiène (on jette invariablement dans la rue le contenu des pots de chambre), l'eau souillée et la surpopulation contribuent à la récurrence de fièvres et de maladies mortelles. Depuis le XIVe siècle, la ville est régulièrement en proie à la peste bubonique, mais jamais cette épidémie n'a fait plus de victimes que lors de la Grande Peste de 1665.

Alors que l'épidémie progresse, la population, effrayée, barricade les portes des maisons, les ouvrant uniquement pour se ravitailler et se débarrasser des morts. Les rues, autrefois bondées, se vident. Églises et marchés ferment et un silence inquiétant s'abat sur la ville. Le maire, peu avisé, pense que chiens et chats colportent la maladie et ordonne leur éradication. Ce faisant, il débarrasse le véritable porteur de la peste, le rat, de ses prédateurs naturels. Au moment où le froid de l'hiver arrête le fléau, 100 000 personnes ont trouvé la mort. On rassemble leurs cadavres, pour les jeter dans de vastes "fosses à pesteux" : l'emplacement de nombre d'entre elles demeure, de nos jours encore, exempt de toute construction.

Fin 1665, la peste commence à refluer, laissant derrière elle une ville convaincue que ces morts sont la marque d'un châtiment divin, destiné à la punir de sa dépravation morale. Alors que les Londoniens croient apercevoir le bout du tunnel, un autre désastre les frappe. Leur ville, particulièrement exposée du fait de sa grande proportion de bâtiments en bois, est ravagée par un terrible incendie. Le feu se déclare le 2 septembre 1666 dans une boulangerie de Pudding Lane, au cœur de la City.

Au début, l'incendie n'est pas pris au sérieux, le maire le qualifie d'un feu "que même une femme pourrait éteindre en pissant dessus" et retourne se coucher. Mais la chaleur inhabituelle pour un mois de septembre et les vents qui se lèvent nourrissent les flammes et le feu embrase la ville pendant quatre jours, détruisant 80% des bâtiments. Seules huit personnes périssent (à en croire la version officielle), mais la partie médiévale de Londres, inspirée de l'architecture Tudor et jacobine, est entièrement détruite. On parvient finalement à stopper l'incendie à Fetter Lane, à la limite de la ville, en faisant sauter tous les bâtiments situés sur la progression des flammes. L'ampleur de la catastrophe est immense : 89 églises et plus de 13 000 maisons sont rasées, laissant des dizaines de milliers de personnes sans abri. De nombreux Londoniens choisissent alors de partir pour la campagne ou d'aller chercher fortune dans le Nouveau Monde.

LE LONDRES DE WREN

Cet événement tragique compte cependant un aspect positif : il laisse un terrain vierge à l'architecte de génie Christopher Wren, qui y érigera ses splendides églises. Ses plans pour rebâtir une ville moderne sont malheureusement jugés trop onéreux et, très vite, l'ancien canevas des rues réapparaît. Par décret, les constructions en brique et en pierre remplacent celles en bois de l'époque des Tudors, alors que l'on élargit nombre de rues. Pendant ce temps, Charles II s'installe au palais de St James's et la petite noblesse, pour se rapprocher de la Cour, construit tout autour les grandes places et les résidences citadines qui caractérisent encore aujourd'hui Mayfair et St James's.

En 1677, la colonne Monument (p. 119), conçue par Wren, est érigée en mémoire du Grand Incendie, tout près du lieu où le feu se déclencha. Symbolisant la restauration et la résurrection des années suivantes, elle est, durant un temps, la plus haute construction de la ville. On peut d'ailleurs, à l'époque, la voir de n'importe quel point de la capitale.

1558

Un groupe de marchands allemands commande la première carte détaillée de Londres. C'est aussi le début de la période élisabéthaine, avec la montée sur le trône d'Elizabeth Ire.

1599

Le théâtre du Globe ouvre à Southwark, de même que d'autres scènes londoniennes, comme The Rose, The Swan and The Hope. La plupart des pièces écrites par Shakespeare après 1599 seront jouées ici, dont *Macbeth*, *Le Roi Lear* et *Hamlet*.

1605

Le complot catholique visant à tuer Jacques Ier en faisant sauter la Chambre des Communes est déjoué. L'un des comploteurs, Guy Fawkes, est exécuté en 1606.

En 1685, quelque 1 500 huguenots arrivent à Londres pour fuir la persécution dont ils sont victimes dans la France catholique. Bon nombre d'entre eux se tournent vers la fabrication de marchandises de luxe telles que la soie et l'argenterie et s'installent près de Spitalfields et de Clerkenwell, deux quartiers où résident immigrés et artisans irlandais, juifs et italiens. La ville devient rapidement l'un des endroits les plus cosmopolites au monde.

En 1688, la Glorieuse Révolution (qui se déroule sans effusion de sang) porte Guillaume d'Orange sur le trône. Il quitte le palais de Whitehall pour s'installer dans celui de Kensington Gardens dont les environs s'embellissent pour la circonstance. Pour financer la guerre contre la France, et rendre justice à la transformation de la City en un pôle plus financier que manufacturier, Guillaume III crée la Banque d'Angleterre en 1694.

La croissance de la ville se poursuit sans entrave. À l'aube du XVIIIe siècle, fort de quelque 600 000 habitants, Londres s'enorgueillit d'être la plus grande ville d'Europe. Avec l'afflux de travailleurs étrangers, elle s'étend vers l'est et le sud, tandis que les mieux nantis s'installent dans les quartiers nord et ouest, plus salubres. Aujourd'hui, Londres reste toujours divisé plus ou moins selon ces mêmes lignes directrices.

La fin de la construction de la cathédrale Saint-Paul (p. 103), érigée par Wren, marque l'apogée en 1710 des grands travaux de la Restauration. Il s'agit de l'une des plus imposantes cathédrales d'Europe, et elle demeure l'un des grands bâtiments distinctifs de Londres.

LE LONDRES GEORGIEN

Lorsque la reine Anne meurt, en 1714, sans laisser d'héritier, le pays recherche un successeur protestant (la loi de 1701 interdisant le trône aux catholiques). C'est finalement George de Hanovre, l'arrière-petit-fils de Jacques Ier, qui est l'heureux élu. Tout juste arrivé d'Allemagne, il se fait couronner roi d'Angleterre sans connaître l'anglais. Pendant ce temps, la population, de plus en plus instruite, lit ses premiers journaux, vendus autour de Fleet St.

Sous le règne de George Ier, le Parlement est dominé par le parti Whig de Robert Walpole. Ce dernier occupe, pour la première fois dans l'histoire de l'Angleterre, le poste de Premier ministre. Il s'installe au 10 Downing St, lieu qui allait devenir la résidence officielle de (presque) tous les Premiers ministres suivants.

Londres grandit à une vitesse phénoménale et les premières mesures pour rendre la ville plus facile d'accès sont prises dès cette époque. Au moment de son inauguration, en 1750, le pont de Westminster est le deuxième à enjamber la Tamise après le London Bridge, construit par les Romains. Cet ancien pont est débarrassé de la plupart des bâtiments qui le bordent et le mur romain qui entoure la City est démoli.

Le Londres georgien connaît une période de grande créativité artistique, particulièrement dans les domaines de la musique et de l'architecture. Le compositeur de la cour, George Frederick Handel, y écrit sa *Water Music* (la "Musique sur l'eau") en 1717 et le *Messiah* (le *Messie*) en 1741, tandis qu'en 1755, le Dr Johnson élabore le premier dictionnaire de la langue anglaise. William Hogarth (voir l'encadré p. 45), Thomas Gainsborough et Joshua Reynolds produisent quelques-unes de leurs plus belles gravures et peintures, et bon nombre des plus belles bâtisses, rues et places londoniennes sont érigées ou conçues par de grands architectes tels que John Soane et l'incomparable John Nash (voir p. 200).

Alors que le fossé entre riches et pauvres se creuse, la criminalité augmente. George II lui-même se fait dérober "sa bourse, sa montre et ses menus objets" pendant une brève

1665

La Grande Peste sévit à Londres, tuant un cinquième de sa population. Beaucoup moins meurtrière que la peste noire du XIVe siècle, cette épidémie est entrée dans l'histoire comme l'une des dernières en Europe.

1666

Le Grand Incendie de Londres fait rage pendant quatre jours, détruisant la ville telle que l'avait connue et aimée Shakespeare : les quatre cinquièmes dela capitale sont dévastés.

1707

Première réunion, à Londres, du Parlement du royaume de Grande-Bretagne après l'adoption, en 1707, des Actes d'Union rassemblant l'Écosse et l'Angleterre sous un parlement unique.

promenade à travers Kensington Gardens. C'est le Londres de Hogarth, où les plus fortunés se font construire de magnifiques demeures dans les beaux quartiers et se réunissent dans d'élégants cafés, tandis que les plus démunis croupissent dans des taudis où ils tentent d'oublier leur misère à coups de gin bon marché. Afin d'enrayer la criminalité, deux magistrats décident en 1749 de créer les Bow Street Runners. Ce groupe de volontaires, prédécesseurs en quelque sorte de la Metropolitan Police Force (fondée en 1829), est formé pour confondre les *marshals* officiels (appelés aussi *thief-takers*, attrape-voleurs) qui sont alors suspectés (souvent à raison) de complicité avec les criminels.

En 1780, le Parlement propose d'abroger la loi interdisant aux catholiques d'accéder à la propriété par l'achat ou l'héritage. Contrarié par un tel amendement, Lord George Gordon, membre du Parlement, organise une manifestation qui tourne à l'émeute. 30 000 personnes en furie s'attaquent aux ouvriers irlandais et brûlent les prisons, les *Papish dens* ("repaires des papistes" ou chapelles) et plusieurs tribunaux. Au moins 300 personnes périssent lors de ces émeutes, notamment des manifestants qui, après être entrés par effraction dans une distillerie à Holborn, se saoulent à mort. L'armée ne parvient à rétablir le calme qu'après cinq jours d'émeutes.

Au tournant du XVIIIe siècle, la population londonienne frise le million.

LE LONDRES VICTORIEN

La croissance et les progrès du siècle précédent ont beau être impressionnants, ils semblent dérisoires comparés à ceux de l'ère victorienne, qui commence en 1837 quand la reine Victoria, âgée de 18 ans, accède au trône. La révolution industrielle voit les petits ateliers dépassés par de grandes unités de production, qui annoncent l'émergence d'un modèle social inédit. Au cœur de ce changement, Londres devient le centre nerveux de l'Empire le plus vaste et le plus riche que le monde ait connu, couvrant le quart de la surface du globe et rassemblant plus de 500 millions de personnes.

De nouveaux docks sont construits dans East London pour tirer profit du commerce florissant avec les colonies britanniques et un réseau de chemins de fer commence à s'étendre autour de Londres. Le premier métropolitain du monde, reliant Paddington et Farringdon Rd, est mis en service en 1863. Il connaît un tel succès que d'autres lignes sont bientôt ouvertes. Bon nombre des monuments phares de Londres sont érigés à cette époque : la Clock Tower des Houses of Parliament, plus connue sous le nom de Big Ben (1859 ; p. 96), le Royal Albert Hall (1871 ; p. 148) et le Tower Bridge (1894 ; p. 125).

Un des héros méconnus de cette époque s'appelle Joseph Bazalgette. À la fin des années 1850, cet ingénieur commence à construire plus de 2 000 km de canalisations destinées à évacuer les égouts en dehors de la ville, assainissant enfin cette métropole gigantesque. Le système d'évacuation des eaux usées actuel emploie toujours ce réseau.

L'histoire retient principalement de l'ère victorienne la puissance de l'Empire fondée sur l'industrie, le négoce et le commerce. Or, c'est risquer d'en oublier les réalisations intellectuelles, artistiques et scientifiques. Charles Dickens, le plus célèbre chroniqueur de cette période, écrit *Oliver Twist* en 1837 et d'autres ouvrages explorant les thèmes de la pauvreté, du désespoir et de la misère de la classe ouvrière. En 1859, c'est à Londres que Charles Darwin publie sa très controversée *Origine des Espèces*, dans laquel il élabore sa théorie de l'évolution, qui fera date dans l'histoire de la pensée.

1749

Le groupe des Bow Street Runners est créé par le romancier et magistrat Henry Fielding pour remplacer les "attrape-voleurs" qui arrêtaient les criminels contre une petite rétribution.

1807

Le Parlement britannique abolit la traite des esclaves, manne de la Grande-Bretagne georgienne, au terme d'un long et âpre combat mené par le politicien et philanthrope William Wilberforce.

1838

Le couronnement de la reine Victoria à l'abbaye de Westminster inaugure l'âge d'or de Londres, qui devient alors le centre économique et politique mondial.

C'est également à cette période que l'Angleterre connaît d'éminents Premiers ministres, dont William Gladstone (qui enchaîne quatre mandats entre 1868 et 1894) et Benjamin Disraeli (qui occupe le poste en 1868 et de nouveau de 1874 à 1880).

Londres voit affluer des vagues d'immigrants de Chine et d'Europe de l'Est tout au long du XIXe siècle et sa population passe de 1 à 6 millions. Cette explosion démographique a son revers. Les plus défavorisés vivent entassés dans des taudis insalubres au cœur de la ville, alors que les personnes plus influentes se font bâtir des pavillons cossus dans la périphérie. Une grande partie de la banlieue londonienne d'aujourd'hui est constituée de rangées de ces maisons de style victorien.

La reine Victoria vécut suffisamment longtemps pour célébrer son jubilé de diamant en 1897. Elle rendit son dernier soupir quatre ans plus tard, à l'âge de 81 ans ; elle est enterrée à Windsor. Son règne se situe à l'apogée de la suprématie de l'Empire britannique, lorsque Londres pouvait se considérer comme la véritable capitale du monde.

DE L'EMPIRE À LA GUERRE MONDIALE

Le fils sybarite de Victoria, Édouard VII, prince de Galles, a près de 60 ans lorsqu'il hérite de la couronne en 1901. À cette époque, les premiers autobus motorisés font leur apparition, remplaçant leurs prédécesseurs tractés par des chevaux depuis 1829. La construction d'hôtels de luxe, comme le Ritz, en 1906, et de grands magasins, tels que Selfridges, en 1909, ajoutent une touche de glamour à cette Belle Époque londonienne. Les Jeux olympiques se tiennent au White City Stadium en 1908 – un spectacle bien différents des Jeux prévus à peine plus d'un siècle après. Le stade sera démoli en 1985 pour laisser place aux nouveaux locaux de la BBC.

La Grande Guerre éclate en août 1914. Les zeppelins larguent leurs premières bombes près de Guildhall un an plus tard, tuant 39 personnes. Peu après, les avions qui bombardent la capitale font 650 victimes (la moitié du nombre de civils tués dans tout le pays). Pendant que les jeunes nantis se reposent après une guerre relativement difficile, les *Roaring 20's* (Années folles) n'apportent que leur lot additionnel de privations à la plupart des Londoniens, la crise économique faisant grimper en flèche le coût de la vie.

La population continue à croître pour atteindre près de 7,5 millions d'habitants en 1921. Pendant que le London County Council (LCC) s'affaire à nettoyer les bas quartiers et à construire de nouveaux lotissements, les banlieues continuent à gagner du terrain sur la campagne environnante.

Le nombre de chômeurs augmente, à mesure que l'économie mondiale sombre dans la récession. En mai 1926, un conflit salarial dans l'industrie houillère dégénère en une grève générale de neuf jours pendant laquelle toute vie à Londres semble s'être arrêtée. L'armée intervient pour restaurer l'ordre et éviter la paralysie totale de la ville. Cet événement marque le début de plus d'un demi-siècle de conflits sociaux.

La crise économique n'a cependant pas empêché le développement d'une élite intellectuelle. Les années 1920 voient naître le groupe de Bloomsbury, qui compte l'écrivain Virginia Woolf et l'économiste John Maynard Keynes parmi ses membres. Au cours de la décennie suivante, le feu des projecteurs se dirige plus à l'ouest, vers Fitzrovia, où George Orwell et Dylan Thomas trinquent avec leurs contemporains à la Fitzroy Tavern, dans Charlotte St.

Le cinéma, la télévision et la radio font leur apparition. En 1922, la BBC diffuse sa première émission radio depuis le toit de Marconi House, dans le Strand. Quatorze ans plus tard, c'est au tour de la télévision d'émettre son premier programme depuis Alexandra Palace.

1884

Le *Greenwich Mean Time* (temps moyen de Greenwich) entre en vigueur, faisant de l'observatoire de Greenwich la référence des horloges du monde entier.

1901

La reine Victoria meurt au terme d'un règne de plus de 63 ans, le plus long (jusqu'ici) de l'histoire britannique. Victoria détestant les obsèques en noir, Londres se pare de violet et de blanc.

1908

Londres accueille ses premiers Jeux olympiques au White City Stadium, aujourd'hui démoli ; 22 équipes y prennent part ; le budget total s'élève à 15 000 £.

L'INVASION DES PROFANATEURS DE SÉPULTURES

Au cours des XVIIIe et XIXe siècles, les progrès de l'anatomie et de la chirurgie entraînèrent une grave pénurie de cadavres destinés à l'entraînement des médecins et des étudiants. D'un point de vue légal, seules les dépouilles des criminels exécutés pouvaient être utilisées comme cobayes, mais la demande de corps dépassant largement l'offre, des voleurs de cadavres, ou "résurrecteurs", firent alors leur apparition. Des groupes d'hommes sortaient des tombes les corps fraîchement inhumés, puis masquaient leur forfait avec tant d'habileté que les proches ne se rendaient généralement compte de rien. Les alentours de l'hôpital St Bart étaient célèbres pour être le théâtre de telles exhumations. Bien qu'horrible, cette pratique n'était pas illégale puisque, aux termes de la loi, le corps humain n'était pas une possession et ne pouvait donc être volé. Mais la croyance fortement ancrée selon laquelle un corps doit être intact pour accéder aux cieux explique que lorsque des profanateurs étaient surpris, ils subissaient souvent la vindicte et étaient gravement molestés en pleine rue. Il fallut attendre l'Anatomy Act de 1832, qui assouplit les conditions d'utilisation des cadavres par la médecine, pour que cesse cette pratique macabre.

La famille royale prend un sacré coup lorsqu'en 1936 Édouard VIII abdique pour se marier avec une Américaine qui avait, de surcroît, divorcé à deux reprises. La même année, Oswald Mosley tente d'organiser, sous la bannière de la British Union of Fascists, une marche antisémite à travers l'East End, mais s'en trouve empêché par une foule d'un demi-million de personnes. L'échauffourée restera dans les mémoires sous le nom de "bataille de Cable St".

LA SECONDE GUERRE MONDIALE ET LE BLITZ

La politique de conciliation du Premier ministre Neville Chamberlain à l'égard d'Adolf Hitler, au cours des années 1930, s'avère sans effet. Lorsque, le 1er septembre 1939, l'Allemagne envahit la Pologne, la Grande-Bretagne lui déclare la guerre, en respect d'un traité d'assistance mutuelle signé avec Varsovie quelques jours auparavant. C'est le début de la Seconde Guerre mondiale.

La première année de la guerre se déroule pour Londres dans une attente anxieuse. Bien que plus de 600 000 femmes et enfants aient été évacués, aucune bombe ne vient troubler les nuits noires. Cette drôle de guerre s'achève le 7 septembre 1940, lorsque des avions de l'armée de l'air allemande, la Luftwaffe, larguent des centaines de bombes sur l'East End, faisant 430 victimes.

Le Blitz (de l'allemand *blitzkrieg*, "guerre éclair") dure 57 nuits, puis se poursuit de manière plus sporadique jusqu'en mai 1941. Le métro londonien se transforme en abri, mais une bombe pénètre par l'escalator dans la station de Bank et explose sur la plate-forme, tuant plus de 100 personnes. La famille royale – toujours très populaire et respectée – joue un grand rôle en refusant de quitter Londres pendant les bombardements. La reine Elizabeth (défunte mère de l'actuelle reine), que l'on suppliait d'autoriser ses enfants à quitter la capitale, aurait répondu : "Les enfants ne peuvent partir sans moi, je ne peux partir sans le roi, et le roi ne partira pas". Le jeune frère du roi, le duc de Kent, est tué en service actif en 1942, et Buckingham Palace est touché lors d'un raid aérien, ce qui vaudra à la reine cette déclaration qui est restée dans l'histoire : "Nous pouvons enfin regarder l'East End en face". Winston Churchill, Premier ministre depuis 1940, dirige une grande partie des opérations militaires depuis les Cabinet War Rooms (p. 98), dans les sous-sols de Whitehall. C'est de là qu'il prononcera ses éloquents discours de guerre.

1936	1940-1941	1953
George IV accède au trône après l'abdication de son frère Édouard VIII, qui préfère à la Couronne Wallis Simpson, une Américaine divorcée inacceptable pour l'establishment.	Londres est dévasté par le Blitz ; la cathédrale Saint-Paul et la Tour de Londres en sortent miraculeusement indemnes.	La reine Elizabeth II est couronnée à l'abbaye de Westminster : c'est le premier grand événement diffusé dans le monde entier à la télévision. Pour l'occasion, de nombreux ménages anglais font l'acquisition de leur premier poste.

En janvier 1944, le moral des Londoniens est de nouveau soumis à rude épreuve, lorsque des bombes V-I (connues sous le nom de "bombes volantes") sont lâchées au-dessus de la ville. Au moment de la capitulation de l'Allemagne nazie en mai 1945, un tiers de l'East End et l'ensemble de la City ne sont plus qu'un champ de ruines ; 32 000 Londoniens ont perdu la vie et 50 000 autres sont sérieusement blessés. Il n'est réellement possible de mesurer l'ampleur de la destruction qu'en se promenant dans la City, où les bâtiments édifiés dans l'immédiat après-guerre (hideux pour la plupart) marquent les endroits frappés par les bombes allemandes.

La sélection

DES OUVRAGES HISTORIQUES

- Londres, la biographie (London: The Biography ; Stock, 2003) – Peter Ackroyd
- Histoire de Londres : gloire, épreuves et mystères (Perrin, 2003) – Bernard Oudin
- Histoire d'Angleterre : des origines à nos jours (Flammarion, 2008) – Philippe Chassaigne
- Histoire de la Grande-Bretagne (Perrin, 2004) – Roland Marx
- L'Angleterre au XXe siècle (Ellipse, 2000) – François-Charles Mougel

LE LONDRES DE L'APRÈS-GUERRE

Une fois l'euphorie de la victoire passée, la nation réalise l'énorme tribut qu'elle a dû payer à la guerre. Une période d'austérité commence, marquée par le rationnement de nombreux produits de base et la construction, sur les sites bombardés de Pimlico et de l'East End, de hautes tours d'habitation destinées à soulager la pénurie chronique de logements dans la capitale. L'organisation des Jeux olympiques, en 1948, et du Festival of Britain, en 1951, regonfle le moral du pays. Le festival réveille le souvenir de l'Exposition universelle du siècle précédent, avec la construction d'un nouveau complexe artistique, le South Bank Centre (p. 129), sur le site du festival.

Le ciel au-dessus de Londres s'assombrit de nouveau – au sens propre de l'expression –, le 6 décembre 1952, quand arrive le *Great Smog*, dernière grande catastrophe en date à avoir touché la ville. Un mélange létal de brume, de fumée et de pollution toxique se pose sur Londres et 4 000 personnes décèdent de maladies liées au *smog* (contraction des mots *smoke*, fumée, et *fog*, brouillard) En réponse au problème, le *Clean Air Act* de 1956 instaure au cœur de Londres des zones où seuls les combustibles non fumigènes peuvent être brûlés.

Le rationnement de la plupart des produits prendra fin en 1953, l'année du couronnement de la reine Elizabeth II, qui succède à son père bien-aimé, le roi George VI, mort un an plus tôt.

Des immigrants du monde entier, issus notamment des anciennes colonies britanniques, affluent dans les années d'après-guerre à Londres, qui se trouve alors en manque de main-d'œuvre suite à la diminution de sa population. Le caractère de la ville en sera modifié à jamais. Cependant, comme le montrent les émeutes racistes de Notting Hill en 1958, les immigrants, bien qu'encouragés à venir, ne sont pas toujours les bienvenus.

Une timide reprise économique se fait sentir à la fin des années 1950. Le Premier ministre Harold Macmillan n'affirme-t-il pas que l'Angleterre "ne s'est jamais aussi bien portée" ? Londres est l'endroit où il fait bon être dans les années 1960, lorsque l'énergie créative refoulée pendant la période d'après-guerre éclate au grand jour. La ville devient l'épicentre de la mode et de la musique, qui insufflent couleur et vitalité aux rues. L'arrivée de la pilule contraceptive,

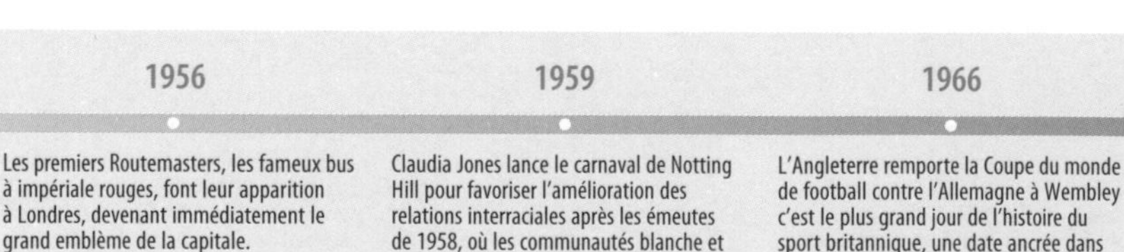

LE MONDE ENTIER EN UNE VILLE

Londres est historiquement une ville d'immigrants, et a toujours assimilé de vastes groupes ethniques. Des documents mentionnent la présence d'Africains au sein de l'armée romaine, mais c'est surtout comme esclaves qu'ils arrivent en petit nombre sous le règne d'Elizabeth. Le premier grand afflux d'immigrants date de la fin du XVIIe siècle, quand les huguenots, fuyant les persécutions religieuses en France, s'installent à Spitalfields et à Soho.

D'autres vagues suivront. Tout au long des quatre derniers siècles, les juifs arrivent à Londres et s'installent traditionnellement dans l'East End (Spitalfields et Stamford Hill notamment) et le nord-ouest de la ville. Le dernier groupe important arrive d'Inde dans les années 1960. Au milieu du XIXe siècle, la "famine de la pomme de terre" provoque l'arrivée massive d'Irlandais, dont les descendants restent concentrés à Kilburn. La Seconde Guerre mondiale pousse vers Londres Polonais, Ukrainiens et autres Européens de l'Est ; la communauté polonaise est établie de longue date à Hammersmith et à Shepherd's Bush.

Cette vague d'immigration n'est dépassée que dans les années 1950, lorsque le gouvernement, face à la pénurie de main-d'œuvre, autorise toute personne née dans une colonie du royaume à obtenir la citoyenneté britannique. Cette décision attire une vaste population venue des Caraïbes et une large diaspora asiatique originaire d'Inde, du Bangladesh et du Pakistan. La population noire s'installe à l'est et au sud de Londres, tandis que les Asiatiques se concentrent dans l'East End. Représentant des migrations de moindre ampleur, des Italiens arrivent à Clerkenwell au début du XXe siècle, des réfugiés vietnamiens à Hackney dans les années 1980 et une diaspora irakienne au nord-ouest de Londres depuis les années 1990.

Qui que vous soyez et quelle que soit votre origine, vous vous sentirez chez vous à Londres.

la légalisation de l'homosexualité et l'introduction de drogues telles que la marijuana et le LSD par le mouvement hippie, instillent un climat libéral et permissif inédit. Ces années voient s'agrandir le fossé séparant les générations conservatrices de la jeunesse. Deux événements mémorables marquent cette époque : les Beatles enregistrent à Abbey Rd et les Rolling Stones se produisent gratuitement devant plus de 250 000 personnes à Hyde Park. Carnaby St est alors l'endroit le plus branché du monde et les icônes de la culture pop, de Twiggy et David Bailey à Marianne Faithfull et Christine Keeler, deviennent celles d'une ère nouvelle.

LE LONDRES PUNK

La fête ne durera pas très longtemps car le moral des Londoniens flanche de nouveau du fait du climat économique morose des années 1970, une décennie marquée par la montée du chômage et les bombes de l'IRA, l'Armée républicaine irlandaise. Mais Londres, qui a toujours su tirer profit de l'adversité, a réussi à focaliser de nouveau l'attention mondiale au milieu des années 1970 avec l'apparition brutale de l'esthétique punk et de son concert d'éructations et de débordements verbaux.

Malgré la libération sexuelle des années 1960, la capitale reste un endroit assez conservateur. Les nouvelles générations, qui ont grandi à l'ère du *flower power*, vont soudain plus loin et horrifient les lecteurs du *Daily Mail* avec leurs épingles à nourrice stratégiquement placées, leurs cheveux teints, leurs crêtes et leur langage ordurier… le mouvement punk est né. Les créations vestimentaires de Vivienne Westwood, vendues dans son magasin Sex, sur King's Rd, choquent une ville abasourdie. Pis encore : la version alternative de l'hymne national *God Save the Queen*,

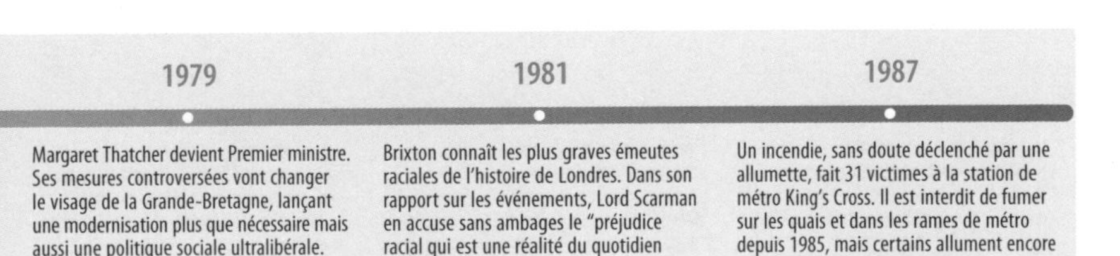

chantée en 1977 par les Sex Pistols à l'occasion du jubilé d'argent de la reine Elizabeth, se révèle un affront bien supérieur à tout ce qu'ont pu produire les *sixties*.

En contre-pied de la frénésie ambiante, la torpeur gagne le corps politique britannique, comme l'illustre le mandat bref et insipide du Premier ministre travailliste, James Callaghan (1976-1979), à la réputation d'homme faible, soumis à des syndicats tout-puissants. Les grèves organisées par ces derniers à la fin des années 1970 paralysent le pays, notamment lors du "Winter of Discontent" de 1978-1979.

LES ANNÉES THATCHER ET MAJOR

La reprise, du moins pour le monde des affaires, commence sous la main de fer de Margaret Thatcher, leader du parti conservateur et première femme élue, en 1979, Premier ministre en Grande-Bretagne. Au pouvoir durant toutes les années 1980, elle a mis en place un programme sans précédent de privatisations. Elle est sans aucun doute le dirigeant le plus important de l'après-guerre en Grande-Bretagne et les opinions à son propos sont encore très tranchées. Tandis que ses détracteurs lui reprochent sa conception de la justice sociale et l'immense fossé qui s'est creusé entre riches et pauvres durant son mandat, ses défenseurs affirment qu'elle a modernisé un système alourdi par les syndicats et que ses choix politiques ont entraîné d'importantes créations de richesses.

La Dame de fer est agacée au plus haut point par le Greater London Council (GLC) et son dirigeant Ken Livingstone (dit "Ken le rouge"), qui lance une campagne audacieuse visant à faire baisser les prix des transports publics londoniens. En 1986, Thatcher répond à ces provocations par l'abolition pure et simple du GLC, faisant de Londres la seule capitale européenne sans gouvernement local unifié. Cette situation bizarre durera 14 ans, jusqu'à ce que Ken Livingstone devienne maire de Londres en 2000, au grand dam, cette fois, de Tony Blair.

Si les conditions de vie des plus démunis se dégradent en raison des attaques répétées de Thatcher contre l'État providence, la situation ne pourrait être plus favorable pour les nantis. Nageant dans un océan de confiance alimenté en partie par la dérégulation boursière de 1986 (surnommée "Big Bang"), la place financière de Londres connaît une expansion phénoménale. Les nouveaux promoteurs immobiliers montrent peu de pitié et de sens esthétique. Seule une poignée de constructions de cette époque, à l'instar du bâtiment de la Lloyd's (p. 119), méritent d'être citées.

Tout comme les précédents booms, celui des années 1980 se révèle fragile. Le chiffre des sans-emploi augmente à nouveau, les Londoniens se retrouvent propriétaires de maisons qui valent beaucoup moins que leur prix d'achat et, pour couronner le tout, le gouvernement Thatcher impose un nouvel impôt. Des manifestations éclatent dans tout le pays et culminent avec la marche de 1990 sur Trafalgar Square, qui s'achève par une émeute. La démission de la Dame de fer cette année-là met un terme à une époque cruciale de l'histoire moderne du Royaume-Uni. Son successeur et ancien ministre des Finances, John Major, instaure un type de gouvernement plus collectif.

En 1992, à la stupéfaction de la plupart des Londoniens, les Britanniques élisent pour la quatrième fois consécutive, et en dépit de la retraite de Margaret Thatcher, une majorité conservatrice. L'économie périclite peu après et la livre sterling se trouve évincée du SME (Système monétaire européen), humiliation dont le gouvernement ne se relèvera jamais. Viennent s'ajouter aux ennuis du gouvernement deux bombes posées par l'IRA, la première

1990

La Grande-Bretagne est agitée par des troubles qui culminent avec des émeutes sur Trafalgar Square, en protestation contre le nouvel impôt profondément impopulaire de Margaret Thatcher. Ce sera le dernier méfait de la Dame de fer, contrainte à la démission en novembre.

1997

Victoire écrasante du Labour après quasiment vingt ans de règne conservateur. La refonte radicale du parti travailliste, devenu New Labour sous la houlette de Tony Blair, lui vaut un raz-de-marée, avec une majorité de 179 sièges.

2000

Ken Livingstone est élu maire de Londres, malgré les efforts du gouvernement pour imposer son candidat. Élu sans étiquette, Livingstone est rapidement réintégré dans le Labour.

en 1992 dans la City et la seconde, quatre ans plus tard, sur les Docklands. Ce deuxième attentat fait plusieurs victimes et provoque des dégâts matériels évalués à plusieurs millions de livres. L'année 1995 s'annonce mal pour les conservateurs, car le parti travailliste, qui semblait irrémédiablement en perte de vitesse durant la décennie précédente, revient sur le devant de la scène avec un nouveau visage.

LE LONDRES DE BLAIR

Revigoré par sa volonté désespérée de revenir au pouvoir, le Labour Party (parti travailliste) élit à sa tête le télégénique Tony Blair, qui le convainc d'abandonner une grande part de son credo socialiste. Ingénieusement rebaptisé "New Labour", le parti remporte une victoire écrasante lors du scrutin de mai 1997. Dans tout le pays, les conservateurs sont balayés et assistent au début de l'ère Tony Blair.

Londres, qui réclame un gouvernement local, voit les travaillistes tenir compte de ses attentes et créer la London Assembly et le poste de maire. En dépit de cette tentative louable de rendre aux Londoniens l'autorité représentative dont Thatcher les avait privés, Blair se discrédite en essayant d'orienter le processus de nomination du candidat travailliste à la mairie. Il cherche ainsi à évincer la bête noire du New Labour, Ken Livingstone, ancien dirigeant du GLC. Les tentatives de Blair de parachuter son proche allié, Frank Dobson, révoltent les Londoniens et lorsque Ken Livingstone se présente comme candidat indépendant, il rafle tous les suffrages.

Toutefois, comprenant que Livingstone a tant de poids qu'il vaut mieux l'avoir de son côté, les travaillistes font preuve de pragmatisme et le ramènent dans le giron du parti. Cela implique de grands changements pour Londres. Livingstone impose avec succès une "taxe d'embouteillage", la *congestion charge*, pour réduire la circulation automobile et commence à s'attaquer à la modernisation des transports publics, particulièrement vétustes.

La réapparition de Londres sur la scène mondiale ne cesse de s'affirmer, culminant avec l'annonce, le 6 juillet 2005, du choix de Londres par le Comité international olympique pour organiser les Jeux de 2012, faisant d'elle la première ville de l'histoire à les accueillir trois fois. Mais la joie fut de courte durée : le lendemain matin, une série d'attentats terroristes dans les transports publics londoniens faisait 52 victimes. Au triomphe avait succédé la terreur, rapidement suivie de la colère, puis d'une attitude de défi face aux terroristes. Deux semaines après seulement, l'explosion manquée de plusieurs autres bombes artisanales sur le réseau de transports publics londoniens plonge la ville dans un grand malaise, qui atteint son paroxysme avec la mort tragique de Jean Charles de Menezes, innocent électricien brésilien tué par la police qui l'avait pris pour Hussain Osman, l'un des responsables des attentats manqués de la veille. À l'été 2005, le moral des Londoniens est plus bas qu'il ne l'avait été depuis longtemps.

L'ÈRE BORIS

En 2008, la campagne de Ken Livingstone pour un troisième mandat est fortement compromise lorsque le parti conservateur choisit pour candidat Boris Johnson, député franc-tireur et personnalité de la télévision. Encore plus populiste que Livingstone, Johnson, dépeint par les médias comme un éternel gaffeur, se révélera en fait plus habile politicien qu'on ne le pensait.

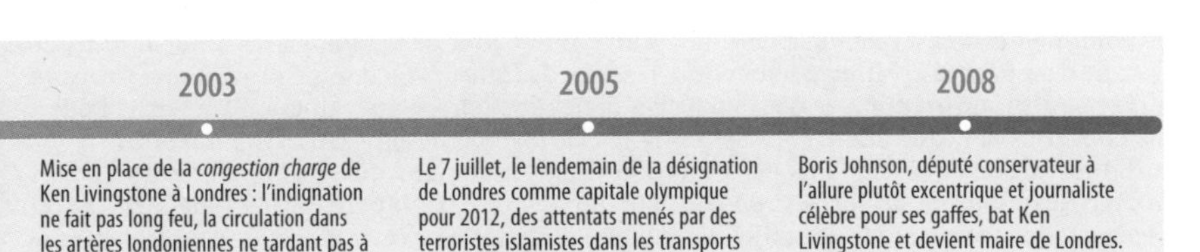

LE PHÉNOMÈNE BORIS

Député conservateur autrefois surtout connu pour ses aventures extraconjugales et ses apparitions fréquentes dans l'émission de télévision *Have I Got News For You,* Boris Johnson créa pour le moins la surprise en se faisant élire maire de Londres en 2008. Johnson étant devenu le doyen des élus conservateurs, certains pensèrent qu'il allait devenir le rival de son vieux camarade d'Eton David Cameron, leader du parti conservateur. Mais surtout, les gens avaient du mal à croire que ce personnage loufoque, avec ses cheveux jaune paille en bataille, son accent ridiculement snob et ses gaffes légendaires, puisse diriger l'une des plus grandes capitales d'Europe.

Né à New York en 1964 dans une famille très cosmopolite et influente, Johnson a grandi à Bruxelles, puis en Angleterre. Élève d'Eton, de Balliol et d'Oxford, il y a rencontré nombre des futurs dirigeants du parti conservateur. Devenu journaliste après ses études, il a travaillé pour le *Times* et le *Telegraph,* devenant même rédacteur en chef adjoint de ce dernier. Il a ensuite été à la tête de l'influent magazine de droite *Spectator,* tout en se lançant dans la politique en reprenant le siège de l'ancien député conservateur Michael Heseltine, figure de la politique anglaise, en 2001. Durant cette période, il tint de petits postes au sein du parti conservateur et du *Shadow Cabinet,* mais fut renvoyé après avoir apparemment menti au leader d'alors du parti conservateur, Michael Howard, sur une liaison qu'il entretenait avec Petronella Wyatt, sa collègue au *Spectator.*

Johnson s'est surtout fait connaître du grand public par ses apparitions aussi brouillonnes qu'amusantes dans le quizz télévisé hebdomadaire de la BBC1 *Have I Got News For You,* d'abord en tant qu'invité, puis en tant que coprésentateur. Ridicule, ou presque, à chacune de ses apparitions Johnson a néanmoins réussi à se faire apprécier pour son côté imprévisible et son sens de l'autodérision.

Ken Livingstone briguant un troisième mandat de 4 ans à la mairie pour 2008, les "Tories" ont désespérément cherché un candidat capable de le désarçonner, allant même jusqu'à en faire la demande à l'ancien Premier ministre John Major (qui a sagement refusé). Des rumeurs circulaient sur la candidature de Johnson, mais personne ne les prenait vraiment au sérieux avant que Johnson ne pose sa candidature en juillet 2007 puis remporte les primaires chez les conservateurs avec 75% des voix.

Ken Livingstone qualifia Johnson de "blague". Pourtant, s'il était certes un candidat peu conventionnel (surtout pour les conservateurs), Johnson se révéla être lors de la campagne un véritable artiste du populisme, menant une campagne habile et donnant tort à ses détracteurs. La campagne féroce menée contre Livingstone par l'*Evening Standard* n'aida pas le maire en place, pas plus que l'affaire de corruption à la mairie qui fut révélée ou les propos controversés de Livingstone, qui lui valurent d'être traité de raciste et d'antisémite. Au final, Johnson l'a battu sans problème, devenant maire de Londres jusqu'en 2012. La capitale s'est étranglée, a toussoté, plaisanté, puis les choses sont revenues à la normale.

Grâce à sa "stratégie de la zone 5" (faire campagne en banlieue en ignorant la ville-même, traditionnellement favorable à Livingstone), à la réunion d'un fonds de campagne de 1,5 million de livres et à l'exploitation de rumeurs sur de prétendus actes de népotisme de Livingstone, Johnson surprend tout le monde en devenant le premier maire conservateur de Londres.

Nombre de Londoniens de gauche ont été très inquiets de voir Johnson devenir maire, mais les scénarios désastreux prévus ne se sont pas réalisés. En désaccord avec Livingstone sur de nombreux sujets, Johnson a néanmoins poursuivi plusieurs des projets de son prédécesseur, notamment la "taxe d'embouteillage" et le développement des pistes cyclables, en réduisant toutefois le budget pour ces dernières. Cycliste lui-même, Johnson s'est engagé à remplacer les bus articulés chers à Livingstone, mais cette promesse électorale s'avère difficile à tenir en raison de son coût.

Pour accueillir les Jeux olympiques de 2012, un vaste programme de construction est sur le point de débuter à l'est de la ville. Les Jeux permettront de débloquer les fonds promis de longue date pour la création de nouveaux réseaux de transport – dont le programme *Crossrail* qui prévoit la construction de deux nouvelles lignes de métro souterraines reliant l'est et l'ouest de Londres – et l'édification, après les festivités, de logements abordables très attendus.

Londres n'a, bien sûr, pas échappé à la crise financière internationale. Lors de nos recherches, nombre des projets de construction les plus ambitieux avaient été annulés ou reportés. Beaucoup moins de gratte-ciel emblématiques devraient voir le jour dans la décennie à venir. Pourtant, Londres reste une ville optimiste, enjouée et aussi excitante qu'auparavant. En outre, lors des élections municipales de 2012, le probable duel Ken/Boris promet d'être spectaculaire.

ARTS

Lorsqu'au tournant du siècle la Tate Modern était inaugurée dans une centrale électrique désaffectée d'un coin délaissé de Londres, personne ou presque ne s'attendait à pareil succès. Une décennie plus tard, c'est le site le plus visité de la capitale et un lieu qui porte vers de plus hautes ambitions encore une ville qui ne manque déjà pas de talents. La Tate Modern n'est qu'un épisode de la renaissance artistique et culturelle qui débuta à Londres dans les années 1990 avec la Britpop et les Young British Artists, un élan culturel débridé qui mit fin à l'immobilisme des années post-Thatcher alors que commençait l'ère Tony Blair. Qu'il s'agisse d'art, de littérature, de musique, de mode, de spectacle ou de cinéma, Londres a toujours été le cœur artistique du Royaume-Uni et même, à certains égards, de l'Europe entière : ce fut le cas tout au long du XXe siècle, où la capitale britannique a été à l'avant-garde de la musique et de la mode.

Les arts, qui participent largement au succès économique de Londres, contribuent surtout à la qualité de vie. Le foisonnement de la vie culturelle attire à Londres beaucoup de monde, mais c'est aussi ce qui fait rester de nombreuses personnes dans cette ville connue pour sa cherté et la difficulté d'y faire son trou.

Des stars hollywoodiennes se pressent pour monter sur les planches des théâtres de la capitale, et Londres demeure le cœur de la littérature anglaise, hébergeant les éditeurs les plus innovants et quelques-uns des principaux écrivains. Alors que la tempête déclenchée par le Britart se calme peu à peu, une génération d'artistes moins provocateurs apparaît – d'innombrables galeries et musées ont vu le jour au cours des dix dernières années – témoignant de la curiosité intacte des Londoniens pour l'art.

Les acteurs londoniens sont connus dans le monde entier et l'industrie cinématographique britannique sort encore des productions notables, de *The Reader,* avec Kate Winslet, lauréate d'un oscar pour son portrait d'une ancienne gardienne de camp de concentration, au réalisme magique du multi-primé *Slumdog Millionaire*, en passant par des *blockbusters* comme Harry Potter ou James Bond. Question musique, Londres ne s'est jamais aussi bien porté depuis le tournant du siècle et la scène londonienne demeure l'une des plus riches de la planète. Enfin, la capitale britannique est un haut lieu de l'art dramatique, et ses compagnies de danse sont réputées dans le monde entier.

LITTÉRATURE

Le vieux Londres littéraire

Londres occupe une place à part dans la littérature anglaise. De Chaucer à Monica Ali, il a été dépeint d'innombrables manières pendant six siècles, et l'histoire de la littérature londonienne se confond avec l'histoire de la ville elle-même. Elle a inspiré des écrivains intemporels comme Shakespeare, Dickens, Thackeray, Defoe, Wells, Orwell, Conrad, Greene et Woolf. Difficile de concilier le portrait paillard qu'en dressent les *Contes de Canterbury* (*Canterbury Tales*) avec le bouge lugubre décrit par Dickens dans *Oliver Twist*, sans parler du contraste entre la métropole ravagée du *Journal de l'année de la peste* (*Journal of the Plague Year*) de Defoe et le joyeux décor multiethnique de Zadie Smith dans *Sourires de loup* (*White Teeth*). Capitale en perpétuel changement et pourtant étrangement immuable, comme l'a brillamment illustré Peter Ackroyd dans son livre intitulé *Londres, la biographie* (*London: The Biography*), la ville a laissé son empreinte sur certaines des plus grandes pages de la littérature anglophone.

Le premier auteur à évoquer la ville fut Chaucer dans ses *Contes de Canterbury,* écrits entre 1387 et 1400 : la Tabard Inn à Southwark y sert de lieu de rendez-vous aux pèlerins en route pour Canterbury. Malheureusement, cette auberge a brûlé en 1676, mais une plaque commémorative désigne maintenant le site.

William Shakespeare passa la majeure partie de sa vie à Londres, à l'époque où l'édition commençait à y prendre son essor (vers 1600). Acteur et dramaturge, il monta sur les planches de plusieurs théâtres de Southwark et rédigea ses plus grandes tragédies – dont *Hamlet, Othello, Macbeth* et *Le Roi Lear* – pour le théâtre du Globe (celui d'origine), sur la rive sud de la Tamise. Mais, s'il résida de nombreuses années à Londres, il possédait une créativité débordante et presque toutes ses pièces ont pour décor des pays étrangers ou imaginaires. Même ses pièces historiques se déroulent rarement dans la capitale. Seul l'acte II

GRUB STREET

Grub St est le nom d'origine d'une rue de Londres (l'actuelle Milton St, derrière le Barbican) qui était habitée autrefois par des auteurs miséreux et des scribouillards. Au XVIIIe siècle, tout ouvrage de piètre qualité était qualifié de "Grubstreet". Aujourd'hui, le terme semble désigner l'ensemble du monde de l'édition londonien (sans connotation particulière). Les éditeurs londoniens se prennent d'ailleurs très au sérieux. Dans cet univers, des publications comme *Private Eye* (voir l'encadré p. 56) sont de véritables bouffées d'air frais car elles ne ratent jamais une occasion d'épingler les individus ou les organisations qui prennent la grosse tête.

de *Henry IV* a pour cadre un lieu connu de Londres : une taverne nommée Boar's Head dans Eastcheap.

Le premier véritable écrivain londonien fut peut-être Daniel Defoe, qui vécut à Londres et écrivit sur la ville au début du XVIIIe siècle. Surtout connu pour avoir écrit *Robinson Crusoé* (1719) et *Moll Flanders* (1722), qu'il rédigea alors qu'il habitait Church St, à Stoke Newington, son *Journal de l'année de la peste* contient sa peinture la plus intéressante de la vie londonienne. Le livre relate les horreurs de la Grande Peste qui ravagea Londres durant l'été et l'automne 1665, alors que Defoe était enfant.

Deux poètes du début du XIXe siècle trouvèrent l'inspiration à Londres. Keats écrivit l'*Ode à un rossignol* en 1819, alors qu'il résidait non loin de Hampstead Heath, et l'*Ode sur une urne grecque*, après avoir admiré le fameux vase de Portland au British Museum. Wordsworth, quant à lui, se rendit à Londres en 1802, ce qui lui inspira le poème *On Westminster Bridge*.

Charles Dickens (1812-1870) est l'auteur londonien par excellence. Lorsque sa famille fut emprisonnée pour dettes, Charles, alors âgé de 12 ans, dut se débrouiller seul dans les rues du Londres *Regency*. Les siens furent libérés trois mois plus tard, mais ces jours sombres restèrent gravés dans sa mémoire et lui fournirent plus tard la matière de ses récits. Parmi ses œuvres les plus étroitement associées à la capitale anglaise, citons *Oliver Twist*, l'histoire d'une bande de jeunes voleurs dirigée par Fagin à Clerkenwell, et *La Petite Dorrit (Little Dorit)*, dont l'héroïne est née à Marshalsea – la prison de Southwark où fut incarcérée la famille de Dickens. Dans *Notre ami commun* (*Our Mutual Friend*), ouvrage plus tardif, il livre une critique acerbe des valeurs londoniennes de l'époque – tant sur le plan monétaire que social – et dénonce avec fougue la corruption, la suffisance et la superficialité du Londres "respectable". Face à la Lincoln's Inn, on peut encore voir aujourd'hui le magasin d'antiquités (Old Curiosity Shop) rendu célèbre par le roman du même nom.

Sir Arthur Conan Doyle (1858-1930) dépeignit un Londres très différent, et son héros, le détective Sherlock Holmes, adepte de la pipe et de la cocaïne, devint l'incarnation du flegme britannique dans le monde entier. Des lettres adressées à ce détective légendaire arrivent encore au 221b Baker St, où l'on a récemment érigé un musée pour les admirateurs du détective victorien.

Le Londres de la fin du XIXe siècle est décrit dans bon nombre d'ouvrages. Ainsi, *La Guerre des Mondes* (*The War of the Worlds*) de H. G. Wells véhicule avec talent l'ambiance de l'époque. Le premier roman de Somerset Maugham, *Liza* (*Liza of Lambeth*), puise dans les souvenirs de l'auteur pour décrire les taudis du sud de Londres, tandis que *Servitude humaine* (*Of Human Bondage*) dépeint la ville à la fin de l'ère victorienne, de façon plus véridique qu'aucun autre récit.

Le XXe siècle

Parmi les Américains qui écrivirent sur Londres à la fin du XIXe siècle, Henry James, qui y vécut et y finit ses jours, se détache du lot avec *Daisy Miller* et *Les Européens*. *Le Peuple d'en bas* (*The People of the Abyss*), du socialiste Jack London, brosse un portrait empreint de sensibilité de la misère matérielle et morale régnant dans l'East End. Citons également *Le Voyage des innocents* (*The Innocents Abroad*) de Mark Twain, dans lequel cet inimitable humoriste pourfend à la fois l'Ancien et le Nouveau Monde. Né à Saint Louis, T. S. Eliot s'installa à Londres en 1915, où il publia presque immédiatement le poème *The Love Song of J Alfred Prufrock*. Puis il s'attaqua à son incroyable épopée *La Terre vaine* (*The Waste Land*).

Dans l'entre-deux-guerres, P. G. Wodehouse (1881-1975), l'écrivain le plus "britannique" du début du XXe siècle (qui était en fait américain), rédigea la série mettant en scène Jeeves et Bertie,

LECTURES RECOMMANDÉES

- Londonstani (*Londonstani*, 2006 ; Denoël, 2007) de Gautam Malkani. Ce premier roman encensé porte un regard passionnant sur les origines et l'identité dans le Londres contemporain et plonge dans la culture jeune de la capitale.
- La Ligne de beauté (*The Line of Beauty*, 2003 ; Le Livre de poche, 2008) d'Alan Hollinghurst. Vainqueur inattendu du Booker Prize en 2004, cette chronique de la haute société homosexuelle dans le Londres des années Thatcher décrit une période charnière de l'histoire britannique contemporaine.
- Sept mers et treize rivières (*Brick Lane*, 2003 ; 10/18, coll. "Domaine étranger", 2006) de Monica Ali. Ce premier roman a bénéficié de la plus grande campagne publicitaire depuis *Sourires de loup* (*White Teeth*) de Zadie Smith. Il raconte l'histoire de Nazneen, une Bangladaise musulmane arrivant à Londres après un mariage arrangé, et qui accepte son univers clos avant de partir à la découverte de sa propre personnalité. L'auteur allie une écriture pleine d'esprit à une douce ironie.
- Crime unlimited : l'histoire de Harry Starks (*The Long Firm*, 2000 ; 10/18, coll. "Domaine étranger", 2005) de Jake Arnott. Ce roman, le premier (et le meilleur) d'une trilogie londonienne, se déroule dans le Soho miteux des années 1960 et dresse une galerie de portraits truculents dans laquelle on retrouve les Krays et Judy Garland. Violent mais souvent très drôle, la BBC en a réalisé une adaptation télévisée réussie.
- Mother London (*Mother London*, 2000 ; Gallimard, 2007) de Michael Moorcock. Ce grand roman passionnant suit trois personnages déséquilibrés qui entendent des voix venues des tréfonds de Londres et qui vont se croiser au fil de l'histoire de la capitale, du Blitz jusqu'à la fin du millénaire. La ville elle-même devient un personnage à part entière, au même titre que ses exclus et ses marginaux, tous traités avec grande compassion par un auteur plein d'assurance.
- Sourires de loup (*White Teeth*, 2000 ; Folio Gallimard, 2003) de Zadie Smith. Très largement médiatisé, ce roman de Zadie Smith est un livre drôle, poignant et plein de tendresse, sur l'amitié et les différences culturelles perçues par trois familles d'immigrés habitant le nord de Londres. Il n'est pas aussi sensationnel que ce qu'en ont dit les critiques, mais difficile d'être à la hauteur d'une presse si dithyrambique.
- Londres, la biographie (*London: The Biography*, 2000 ; Stock, 2003) de Peter Ackroyd. Considéré par certains comme le meilleur guide sur Londres, cet énorme pavé (plus de 900 pages) dépeint de manière fascinante la vie et l'histoire de la capitale en procédant par thèmes, plutôt que par ordre chronologique.
- Nouvelles de Londres (*London Observed*, 1992 ; Albin Michel, 1997) de Doris Lessing. La récente prix Nobel de littérature (2007) rassemble ici 18 nouvelles dans lesquelles elle observe Londres et ses habitants avec le regard perçant et affectueux d'une artiste.
- Le Bouddha de banlieue (*The Buddha of Suburbia*, 1990 ; 10/18, coll. "Domaine étranger", 1993) de Hanif Kureishi. Écrit par le représentant de la communauté indo-pakistanaise le plus célèbre de sa génération et récompensé par le Whitbread Prize 1990, ce roman drôle, osé et perspicace décrit les espoirs et les craintes d'une communauté pakistanaise habitant la banlieue londonienne dans les années 1970.
- London Fields (*London Fields*, 1989 ; Gallimard, 2009) de Martin Amis. En changeant constamment le point de vue narratif, Amis brouille les pistes de ce roman noir et postmoderne et livre une étude poignante des bas-fonds de Londres. Selon un critique, c'est du Dickens, sexe et argot en plus, compassion en moins.
- Les Blancs-Becs (*Absolute Beginners*, 1959 ; Folio Gallimard, 1985) de Colin MacInnes. Ce roman est recommandé à tous ceux qui s'intéressent à la jeunesse londonienne des années 1950, à la scène *mod* et au mélange de cultures dans le Londres d'après-guerre. Meilleur ouvrage de l'époque, il est plus intéressant que le film du même nom.
- La Fin d'une liaison (*The End of the Affair*, 1951 ; Robert Laffont, 2000) de Graham Greene. Dans un Londres éventré par les bombes, à la fin de la Seconde Guerre mondiale, ce roman entremêle amour de soi, de l'autre et de Dieu (et laisse transparaître le tiraillement de l'auteur entre sa foi catholique et la passion charnelle).
- Mrs Dalloway (*Mrs Dalloway*, 1925 ; Le Livre de poche, 2009) de Virginia Woolf. Virginia Woolf, pilier du Bloomsbury Group, exploite toute l'ampleur de son style poétique dans ce roman, qui décrit un jour de la vie de différentes personnes dans le Londres de 1923. C'est un récit merveilleusement construit, aussi bref que passionnant.
- Oliver Twist (*Oliver Twist*, 1837 ; Le Livre de poche, 2008) de Charles Dickens. S'il n'est pas nécessairement le meilleur roman de Dickens, ce récit émouvant d'un orphelin qui fuit Londres et tombe aux mains d'une bande de voleurs est très bien écrit, avec des personnages inoubliables et un portrait vivant du Londres victorien.
- Journal de l'année de la peste (*Journal of the Plague Year*, 1722 ; Gallimard, 1982) de Daniel Defoe. Cette reconstitution retrace les épisodes de la Grande Peste de 1665 et parcourt les rues de Londres pour relater l'extrême souffrance des victimes. Sinistre et émouvant.

dans laquelle il caricature avec un humour décapant l'aristocratie londonienne. Quentin Crisp, quant à lui, écrivit *L'Homme que je suis* (*The Naked Civil Servant*), autobiographie grivoise et pleine d'esprit de sa vie d'homosexuel déclaré dans le Londres conservateur des années 1920. La misère que George Orwell a connu lors de son séjour dans l'East End se retrouve dans son livre, écrit en 1933, *Dans la dèche à Paris et à Londres* (*Down and Out in Paris and London*) et le modernisme austère de la Senate House de Malet St, à Bloomsbury, lui inspira l'architecture du ministère de la Vérité dans son roman d'anticipation devenu classique, *1984*.

Le roman de Graham Greene, *La Fin d'une liaison* (*The End of the Affair*), qui évoque un amour passionné mais voué à l'échec, se déroule pendant la Première Guerre mondiale, à Clapham Common et dans ses environs. *La Chaleur du jour* (*The Heat of the Day*) d'Elizabeth Bowen relate de façon sensible mais mélodramatique la vie à Londres pendant le Blitz.

Dans *City of Spades* et *Les Blancs-Becs* (*Absolute Beginners*), Colin MacInnes évoque le Notting Hill bohème et cosmopolite des années 1950. Doris Lessing, prix Nobel de littérature en 2007, illustre le paysage politique du Londres des années 1960 dans *La Cité promise* (*The Four-Gated City*), cinquième et dernier tome du cycle des *Enfants de la violence* (*Children of Violence*). Elle réalise également l'un des portraits les plus drôles et critiques du Londres des années 1990 dans *Nouvelles de Londres* (*London Observed*). Nick Hornby devient le porte-parole de toute une génération en évoquant avec nostalgie l'époque où il était un jeune supporter de football dans *Carton jaune* (*Fever Pitch*) ou sa passion des vinyles dans *Haute fidélité* (*High Fidelity*).

Avant que cela ne devienne une mode, Hanif Kureishi s'est intéressé au Londres des minorités ethniques, en particulier celui des jeunes Pakistanais dans ses deux romans les plus connus : *Black Album* (*The Black Album*) et *Le Bouddha de banlieue* (*The Buddha of Suburbia*). Il a également signé le scénario du sensationnel *My Beautiful Laundrette*. Romancier et dramaturge, Caryl Phillips a été acclamé pour avoir décrit l'expérience vécue par les immigrants caribéens dans *The Final Passage*. Timothy Mo, quant à lui, raconte, dans *Sour Sweet*, l'histoire poignante et drôle d'une famille chinoise essayant de s'adapter à la vie anglaise dans les années 1960.

Époque dorée pour la littérature britannique, la fin des années 1970 et les années 1980 ont vu apparaître un nouvelle génération d'écrivains, qui, pour la plupart, ont toujours le vent en poupe. Martin Amis (*Money, Money*, *London Fields*), Julian Barnes (*Metroland* ; *Love, etc.*), Ian McEwan (*Expiation* ; *Délire d'amour*), Salman Rushdie (*Les Enfants de minuit* ; *Les Versets sataniques*), A. S. Byatt (*Possession* ; *Des Anges et des Insectes*), Alan Hollinghurst (*La Piscine-bibliothèque, La Ligne de beauté*) et Hanif Kureishi n'ont guère besoin d'être présentés aux lecteurs avertis, leurs romans s'étant vendus par millions et ayant été récompensés par de grands prix littéraires. Tous écrivent encore aujourd'hui.

L'immense succès du *Journal de Bridget Jones*, d'Helen Fielding, a lancé la "chick lit" (littéralement la "littérature de poulettes"), un nouveau genre littéraire devenu phénomène mondial. Will Self, enfant terrible et observateur incisif de la société, est la coqueluche du tout-Londres depuis une quinzaine d'années. *The Book of Dave* raconte l'histoire hilarante et incroyable d'un chauffeur de taxi londonien aigri (qui évoquera des souvenirs à quiconque a passé une demi-heure à écouter le discours pompeux d'un taxi) qui enterre le livre où il a recueilli ses propres observations, livre qui sera retrouvé des centaines d'années plus tard et considéré comme un ouvrage sacré par les habitants de l'île de Ham (la mer a tant monté que les îles Britanniques se sont morcelées en de nombreux îlots).

Peter Ackroyd est considéré comme la quintessence de l'auteur londonien et nourrit pour la ville un amour passionné. *Londres, la biographie* est un vibrant hommage à la capitale, tandis que son dernier livre, *Les Contes de Clerkenwell* (*The Clerkenwell Tales*), se déroule dans le Londres du XIVe siècle.

Enfin, le chantre de Hackney, Iain Sinclair, a comme Ackroyd toujours été fasciné et obsédé par la capitale. Salué par la critique, son ambitieux *London Orbital*, voyage à pied le long de la M25, la gigantesque route périphérique de Londres, est à lire absolument. Son dernier ouvrage, *Hackney, That Rose Red Empire,* est une exploration d'un des quartiers les plus célèbres de Londres, qui se transforme radicalement en vue des JO à venir.

Le paysage littéraire actuel

Londres est une ville qui continue de faire rêver écrivains et lecteurs, où se trouvent la plupart des grandes maisons d'édition britanniques et les meilleures librairies du pays. Toutefois,

LE BOOKER PRIZE

Le Man Booker Prize est le plus important des prix littéraires récompensant les œuvres de fiction en Grande-Bretagne. Depuis sa création, en 1969, le Booker Prize a découvert certains des plus grands romans contemporains. En outre, deux prix exceptionnels ont été créés, le "Booker of Bookers" en 1993, et le "Best of the Booker" en 2008, tous deux attribués à Salman Rushdie, faisant de l'auteur le lauréat le plus important de l'histoire de ce prix. Tout Londonien cultivé a son avis sur le Booker Prize : certains n'y voient qu'un outil d'autopromotion pour les maisons d'édition, d'autres se précipitent pour lire non seulement l'œuvre primée, mais aussi toutes celles en lice. Une chose est sûre : le Booker Prize ne laisse personne indifférent, et son lauréat est souvent emblématique des tendances littéraires du moment en Grande-Bretagne. Parmi les lauréats récents, citons *Le Tigre blanc* d'Aravind Adiga en 2008 (Buchet Chastel, 2008) et *Retrouvailles* d'Anne Enright en 2007 (Actes Sud, 2009).

la domination écrasante de quelques puissants acteurs du secteur a tendance à limiter le paysage littéraire : il n'y a presque personne dans le monde de l'édition pour combattre l'hégémonie de quelques maisons plus soucieuses de leurs bénéfices que de faire connaître de grands auteurs.

La quête désespérée (et désespérante) du "prochain carton" que mènent agents et éditeurs est révélatrice de ce contexte. Le meilleur exemple en fut, en 2000, le succès fulgurant de *Sourires de loup* (*White Teeth*), éblouissant premier roman de Zadie Smith sur l'intégration dans le nord de Londres. La jeune écrivaine passa du jour au lendemain de l'anonymat au statut de nouvelle coqueluche de la jeunesse branchée londonienne. *Sourires de loup* était un roman plein de fraîcheur et d'originalité, ce qui a permis à l'éditeur de faire des bénéfices substantiels sur l'à-valoir faramineux qui avait été fait à un auteur inconnu pour un manuscrit non terminé. Les éditeurs courant derrière le pactole n'hésitent pas à débourser des avances de plus en plus importantes pour des livres d'écrivains inconnus dans l'espoir de découvrir la "nouvelle Zadie Smith", ou son homologue masculin. Cela ne se produit presque jamais, et ces sommes colossales misées sur quelques gros paris ne facilitent pas l'émergence d'écrivains moins faciles à "vendre". Ce phénomène désormais courant s'était déjà produit, dans une moindre mesure, pour des livres comme *Brick Lane* de Monica Ali (2003) et *Londonstani* (2006) de Gautam Malkani, même si ce dernier est connu pour avoir été un exemple de premier roman très en vue, acheté avec un à-valoir de taille, mais dont les ventes n'ont pas atteint le niveau attendu.

Mais ce contexte globalement peu encourageant a fait apparaître une scène alternative passionnante qui, quoique réduite, se distingue par son énergie et son goût pour la qualité. Londres compte encore de nombreux petits éditeurs qui placent qualité et innovation avant les talents de relations publiques et les ventes, et des manifestations se tiennent en permanence dans des librairies et certains pubs.

Pour revenir au grand public, les grandes figures des années 1980, comme Martin Amis, Ian McEwan, Salman Rushdie et Julian Barnes, ont toujours le vent en poupe, bien qu'aucun n'ait produit d'ouvrage marquant depuis la fin des années 1990. Même *Saturday* (*Samedi ;* Gallimard, 2008), qui a valu à Ian McEwan le Booker Prize, s'est révélé plutôt décevant. Rushdie a été élevé au rang de chevalier en 2007 pour services rendus à la littérature, au grand dam de nombreux musulmans considérant ses *Versets sataniques* blasphématoires. Vue comme une marque de soutien à la liberté d'expression, la récompense fut en revanche largement saluée en Grande-Bretagne. Nombreux sont cependant ceux qui sentent que Salman Rushdie prend depuis quelques années ses distances avec le Royaume-Uni, alors qu'il est de nationalité britannique et bénéficia longtemps d'une protection policière qui coûta plusieurs millions aux contribuables.

Cela ne veut pas dire pour autant qu'aucune nouvelle plume ne s'est fait connaître depuis dix ans : de remarquables écrivains londoniens sont apparus, de Monica Ali, qui donne vie à l'East End dans *Sept mers et treize rivières* (*Brick Lane*), à Jake Arnott, qui offre une plongée pleine d'esprit dans le monde des gangsters de Soho dans *Crime unlimited : l'histoire de Harry Starks* (*The Long Firm*), en passant par le très branché *Londonstani* de Gautam Malkani.

La scène actuelle se distingue surtout par sa production abondante et de qualité dans la littérature jeunesse. À eux deux, J. K. Rowling et Philip Pullman ont totalement révolutionné la littérature enfantine et la portée de ce type d'ouvrages. Lors de la sortie du dernier volume de la série Harry Potter, à l'été 2007, certains acheteurs n'ont pas hésité pas à faire la queue pendant deux jours, comme pour un méga concert. D'ailleurs J. K. Rowling est une vedette, connue pour être plus riche que la reine elle-même.

Voir l'encadré p. 318 pour d'autres conseils de lecture et des informations sur les événements dans la capitale.

THÉÂTRE

L'histoire du théâtre londonien est sans doute la plus riche au monde, et elle continue de se tisser tous les soirs sur les planches du West End, de South Bank et sur les scènes expérimentales de Londres. Ne pas aller au théâtre pendant son séjour dans la capitale tient du sacrilège. La balade le soir dans ce paradis du théâtre qu'est le West End est en soi un grand moment, lorsque des milliers de spectateurs s'acheminent vers l'une des nombreuses institutions dramatiques du quartier.

L'histoire du théâtre

On sait très peu de chose sur le théâtre à Londres avant la période élisabéthaine. Durant celle-ci, plusieurs théâtres, dont le Globe, sont édifiés sur la rive sud de la Tamise et à Shoreditch. On considère aujourd'hui les auteurs dramatiques de cette époque – Shakespeare, Christopher Marlowe (*Dr Faustus, Edward II*) et le grand rival du "Barde", Ben Jonson (*Volpone, The Alchemist*) – comme des génies intemporels, mais le théâtre d'alors était un divertissement populaire tapageur, où le public buvait tout en invectivant les acteurs. C'est ce qui explique la fermeture rapide des lieux de représentation par les puritains après la guerre civile de 1642.

En 1660, trois ans après le rétablissement de la monarchie, l'ouverture du célèbre Drury Lane Theatre marque le début d'une période de "restauration théâtrale", sous les auspices du libertin Charles II. Pétri d'influences italiennes et françaises, le théâtre de la restauration propose des tragédies (*All for Love* de John Dryden en 1677) et des comédies. Ce sont surtout ces dernières, célèbres pour leur humour burlesque et leurs allusions sexuelles, qui retiennent l'attention du public actuel. Les premières actrices font également leur apparition (dans le théâtre élisabéthain, les rôles féminins étaient interprétés par des hommes), et l'une d'entre elles au moins, Nell Gwyn, aurait été la maîtresse de Charles II.

Malgré le succès remporté au Drury Lane par L'*Opéra des gueux* (*The Beggar's Opera*) de John Gay, en 1728, la farce *She Stoops to Conquer* d'Oliver Goldsmith, en 1773, et *The Rivals* et *School for Scandal* de Richard Sheridan, dans les années 1770, le music-hall supplante le théâtre "sérieux" durant l'ère victorienne. L'opérette comique et légère incarnée par Gilbert et Sullivan (*HMS Pinafore, The Pirates of Penzance, The Mikado*, etc.) fait fureur. Ce n'est qu'à la fin du XIXe siècle que l'émergence de dramaturges de qualité comme Oscar Wilde (*Un mari idéal, L'Importance d'être constant*) et George Bernard Shaw (*Pygmalion*) amorcera un profond changement.

Des auteurs de comédies comme Noel Coward (*Brève rencontre*) et des dramaturges plus graves comme Terence Rattigan (*La Version de Browning*) et J.B. Priestley (*An Inspector Calls*) prennent la relève, mais il faudra attendre les années 1950 et 1960 pour voir la production théâtrale britannique entrer dans une période aussi fertile que l'ère élisabéthaine.

Parfait résumé des bouleversements sociaux de l'époque, *La Paix du dimanche* (*Look Back in Anger*) de John Osborne, joué au Royal Court en 1956, est considéré comme l'emblème d'une génération. Pendant la décennie suivante, une multitude de nouvelles pièces sont créées, notamment *Homecoming* de Harold Pinter, *Loot* de Joe Orton, *Rosencrantz et Guildenstern sont morts* de Tom Stoppard et *Du côté de chez l'autre* (*How the Other Half Loves*) d'Alan Ayckbourn. C'est également à cette période que les plus célèbres des compagnies de théâtre actuelles voient le jour, dont le National Theatre, en 1963, sous la direction de Laurence Olivier.

Le Royal Court, aujourd'hui un peu éclipsé par le National Theatre dans le monde changeant du théâtre londonien, poursuit sa traditionnelle politique d'encouragement des nouveaux dramaturges. Au cours de la dernière décennie, il a ainsi permis l'éclosion d'auteurs aussi talentueux que Jez Butterworth (*Mojo, The Night Heron*), Ayub Khan-Din (*East Is East*), Conor McPherson (*The Weir, Shining City*) et Joe Penhall (*Dumb Show*).

La scène actuelle

Londres reste une ville remarquable pour tout amateur de théâtre. Aucun autre endroit au monde, à l'exception peut-être de New York, n'offre un aussi vaste choix de représentations de qualité, d'excellentes comédies musicales ou de théâtre expérimental. Qu'il s'agisse de voir des vedettes de Hollywood se produire dans de toutes petites salles pour un cachet dérisoire ou d'aller dans le West End pour une comédie musicale inoubliable, Londres est la capitale mondiale du théâtre et un haut lieu de la création.

Après plusieurs saisons désastreuses, qui commencèrent fin 2001, la scène grand public du West End s'est refait une santé en proposant plusieurs immenses succès, tandis que l'art et essai (le *fringe*) continue d'impressionner par ses productions audacieuses et controversées qui permettent au théâtre de faire souvent les gros titres. Les billets les plus recherchés sont incontestablement ceux du National Theatre qui n'a cessé de briller sous la direction de Nicholas Hytner, avec des spectacles comme *History Boys, Jerry Springer – The Opera, Elmina's Kitchen* et *Coram Boy,* salués tant par la critique que par un public nombreux.

Parmi les autres salles expérimentales à la pointe de l'innovation figurent l'Arcola (premier théâtre *carbon-neutral*, ou "neutre en CO^2", au monde, où se tient une saison d'opéra expérimental baptisée Grimebourne), l'Almeida, le Royal Court, le Soho Theatre et le Donmar Warehouse. Directeur artistique de ce théâtre, Michael Grandage a récemment mis en scène *Hamlet* avec Jude Law dans le rôle principal, preuve s'il en faut qu'il est facile de voir tous les soirs de la semaine de grands noms sur les planches londoniennes, que ce soit Ethan Hawke, à l'Old Vic, jouant Treplev dans la nouvelle traduction de Tom Stoppard de *La Mouette* de Tchékhov, ou Dame Judi Dench dans *Madame de Sade* de Mishima, au Wyndham's Theatre.

Ces dernières années, jusqu'à la sortie de scène de Tony Blair en 2007, ont été marquées par la redécouverte de la satire politique et l'introduction d'analyses politiques sérieuses dans de nombreuses productions, tant dans le West End que sur les scènes plus alternatives. *Des choses qui arrivent* (*Stuff Happens*), de David Hare, sur les prémices de la guerre d'Irak, a été monté au National Theatre, de même qu'une mise en scène hautement politique de *Henry V* transposée dans l'Irak sous occupation. De son côté, le Tricycle Theatre a offert à ses spectateurs la pièce *Called to Account,* sur les querelles intestines au sein du gouvernement dans la marche vers la guerre. C'est tout l'establishment de la politique et des médias britanniques qu'éreinte *Who's the Daddy,* inspirée des scandales à répétition suscités par la vie amoureuse de membres de la rédaction du *Spectator,* publication phare de la droite britannique. D'autres productions, comme *A Weapons Inspector Calls* ou *Guantanamo,* témoignent du grand retour de la satire dans les programmations des théâtres londoniens.

Il y en a toutefois pour tous les goûts sur les planches de la capitale, et même le West End jongle entre le sérieux et le frivole. Parmi les pièces récentes largement saluées par la critique figurent *Un tramway nommé Désir*, au Donmar Warehouse, *Arcadia* au Duke of York's Theatre et *Comme il vous plaira* au Globe. Lors de notre séjour, les comédies musicales les plus courues étaient *Oliver!* – avec Rowan Atkinson qui a merveilleusement interprété le rôle de Fagin les six premiers mois avant de devoir quitter la pièce – et *La Cage aux folles* au Playhouse Theatre. De nombreuses autres réussites, de *Sister Act* à *Spamalot,* ont redonné vie au West End et fait de Londres l'une des meilleures villes au monde pour assister à un spectacle musical.

Hommage est largement rendu à Shakespeare sur toutes les scènes de la ville, en particulier par la Royal Shakespeare Company (RSC) et au Globe Theatre. La RSC joue ainsi une ou deux pièces du grand dramaturge chaque année à Londres, mais la compagnie n'a pas pour l'heure de théâtre attitré dans la capitale : ses représentations sont en général créées à Stratford-upon-Avon et transférées plus tard à Londres. En plein air sur la rive sud, le Globe s'efforce quant à lui de faire revivre l'expérience du théâtre élisabéthain : reproduction fidèle du théâtre d'origine, le bâtiment place le spectateur dans une grande proximité avec les acteurs, et la direction du Globe n'aime rien tant que laisser les uns et les autres se chahuter. Depuis son ouverture en 1997, le Globe jouit d'un succès considérable pour sa production dramatique, et pas seulement comme curiosité historique. En poste depuis début 2006, son directeur artistique, Dominic Dromgoole, a replacé les pièces de Shakespeare au centre de la programmation tout en y introduisant une plus large sélection de classiques européens et britanniques, et en montant de nouvelles pièces, ce que Shakespeare lui-même aurait sans aucun doute approuvé.

Mais si tant d'innovation et de bouleversements vous donnent le tournis, filez au St Martin's Theatre, où la même production de *The Mousetrap* (*La Souricière*, d'Agatha Christie) n'a cessé d'être jouée depuis 1952 !

Une liste des théâtres se trouve p. 317.

MUSIQUE

La musique contemporaine, des Kinks à Lily Allen, est sans doute le plus grand apport de Londres au monde artistique. Après plus de quatre décennies au firmament, la capitale britannique reste un foyer de création et un aimant pour les groupes et autres aspirants musiciens du monde entier. Aux talents londoniens vient s'ajouter un flux incessant de styles et de cultures variés : c'est probablement ce qui rend la scène musicale londonienne aussi dynamique.

Le Swinging London

La production prolifique de Londres débuta avec les Kinks et leur parolier Ray Davies, originaire du nord de Londres, dont les chansons constituent une sorte de guide de la capitale. *You Really Got Me*, *All Day and All of the Night* et *Dedicated Follower of Fashion* décrivent avec brio l'esprit contestataire des années 1960, tandis que *Waterloo Sunset* rend hommage à la ville.

Autre groupe londonien, les Rolling Stones obtinrent leur premier cachet à l'ancien Bull & Bush de Richmond, en 1963. Plutôt *rhythm and blues* à l'origine, ils devinrent peu à peu l'incarnation du *rock and roll*, avec succès et fans hystériques à la clé. Leur deuxième titre *I Wanna Be Your Man* est né d'une rencontre fortuite dans la rue avec John Lennon et Paul McCartney, deux gars de Liverpool, qui enregistraient à Abbey Rd et étaient sur le point de créer leur groupe, les Beatles, dont l'ultime concert aurait lieu sur le toit de l'immeuble de leur société, Apple Corps, à Mayfair.

Luttant pour se faire entendre au milieu du vacarme ambiant, les Small Faces, futures icônes des *mods*, débutèrent en 1965 une carrière mémorable. Les Who, originaires de West London, attirèrent l'attention en fracassant leurs guitares sur scène et en balançant des télévisions par les fenêtres de leur hôtel. Le groupe est renommé pour ses opéras rock – et pour s'être contenté trop longtemps de vendre des compilations de ses meilleurs titres. À Londres, Jimi Hendrix a réalisé avec sa guitare des prouesses restées sans égales dans l'histoire de cet instrument ; il décéda dans des circonstances mystérieuses dans un hôtel de West London en 1970. D'une certaine façon, les *Swinging Sixties* prirent fin en juillet 1969, lorsque les Stones donnèrent un concert gratuit à Hyde Park devant plus de 250 000 fans.

Les années 1970

Un groupe local du nom de Tyrannosaurus Rex avait connu jusque-là un succès modéré. En 1970, Tyrannosaurus Rex devint T. Rex ; leur leader Marc Bolan se para de quelques paillettes. Ainsi naquit le premier groupe glam rock de l'histoire. Le glam encourage les jeunes d'une Grande-Bretagne très collet monté à s'émanciper et à vivre comme ils l'entendent. Né à Brixton, David Bowie, "le caméléon de la pop", comme il se nomme lui-même, arrive alors sur le devant de la scène. En 1972, il accède au rang de vedette internationale avec *The Rise and Fall of Ziggy Stardust and the Spiders from Mars*, l'un des meilleurs albums de la décennie. En 1975, Roxy Music mêle rock et pop synthétique et chante *Love Is the Drug*.

Pendant ce temps, un petit groupe du nom de Led Zeppelin se forma en 1968 et posa les bases du heavy metal. Dans les années 1960, un certain Farookh Bulsara, âgé de 17 ans, arriva d'Inde (*via* Zanzibar) et s'installa à Londres. En 1970, il prit le nom de Freddie Mercury. Homme de scène phénoménal, il forma le groupe Queen et devint l'une des plus grandes stars que le *rock and roll* ait jamais connu. Fleetwood Mac, de son côté, faisait fureur aux États-Unis comme en Grande-Bretagne. Son album *Rumours* se place en cinquième position des albums les plus vendus au monde (juste derrière les Pink Floyd, de Cambridge). Bob Marley enregistra son album *Live* au Lyceum Theatre en 1975.

Si le glam avait entrouvert une porte pour la jeunesse britannique, le punk la défonça littéralement, s'attaquant à l'ensemble de l'establishment. Les Sex Pistols étaient les plus provocateurs de tout un ensemble de groupes, dont les Clash et les Damned, qui commencèrent à se produire à Londres en

1976. Le premier single des Pistols en dit long : *Anarchy in the UK*. Suivirent les excellents *God Save the Queen* et *Pretty Vacant*. L'album *Never Mind the Bollocks Here's the Sex Pistols*, sorti un an plus tard, récolta les éloges de la critique.

Leurs compatriotes londoniens, les Clash, avaient su transformer la rage brute de l'époque en une protestation politique acerbe, ce qui leur permit de survivre à tous leurs pairs. Ils affirmaient leur style entre coups de gueule punks et chansons à texte. Les Clash dénonçaient le racisme, l'injustice sociale et la brutalité des forces de l'ordre. La génération désillusionnée avait enfin trouvé un leader. *London Calling* est un vibrant appel aux armes.

En 1977, les Jam, pionniers du punk *et* nostalgiques du courant *mod*, assurèrent la première partie de la tournée des Clash (quelle époque !). Leur leader, Paul Weller, formidable homme de scène, effectua par la suite une carrière solo très réussie.

La sélection

PROMENADE MUSICALE À TRAVERS LONDRES

- Passage pour piétons dans Abbey Rd, St John's Wood – la plus fameuse des couvertures d'album des Beatles
- Heddon Street, Soho – où fut réalisée la photographie pour la pochette de l'album *Ziggy Stardust*
- 23 Brook Street, Mayfair – ancienne demeure des compositeurs Haendel et Hendrix
- St Martin's College, Mayfair – site du premier concert des Sex Pistols
- Queen's Ride, Barnes – arbre contre lequel Marc Bolan trouva la mort dans sa Mini en 1977
- 3 Savile Row, Mayfair – dernier concert des Beatles, sur le toit du bâtiment Apple, en 1969

Les années 1980

Des cendres du punk naissent la *new wave* et les *new romantics*. Guitares et batteries sont remplacées par des synthétiseurs et des boîtes à rythmes. L'image et l'apparence deviennent tout aussi déterminantes que la musique, marquant les années 1980 d'une tonalité kitsch très particulière. Le Londres surfabriqué des années 1980 voit l'apparition des inoubliables Spandau Ballet, Boy George, Bananarama et Wham!. Georgios Panayiotou, chanteur de Wham!, rebaptisé George Michael, effectuera par la suite une brillante carrière solo.

Depeche Mode s'aventure en terrain vierge avec sa nouvelle pop synthétique et l'Américaine Chrissie Hynde, Londonienne d'adoption, crée les Pretenders et devient le premier modèle féminin de rock-star déjantée. Contrairement à d'autres groupes des années 1980, les Pet Shop Boys, petits gars du Nord débarqués à Londres, réussissent à se faire un nom en innovant dans la musique synthétique et à rester plus ou moins en haut de l'affiche pendant près de trois décennies. Citons également Neneh Cherry, qui se lance dans le rap, et Madness, avec sa combinaison ska-pop très réussie, qui évoque Londres dans bon nombre de ses titres et clips vidéo.

Si la fin des années 1980 voit l'avènement des blondinets de Bros et du trio de producteurs faiseurs de tubes Stock/Aitken/Waterman, le salut arrive cependant déjà du Nord avec les Smiths, tandis que les Stone Roses et les Happy Mondays imposent un nouveau son inspiré des récentes raves acid-house, avec des guitares discordantes, des influences psychédéliques et un rythme irrésistible. En même temps que les sucettes Chupa Chups et les pupilles dilatées, la *dance* débarque en trombe à l'été 1988, le *summer of love*. Une génération tout entière adhère à cette mode et un nouveau vocabulaire fait son apparition : techno, musique électronique, hip-hop, garage, house, trance, etc. Aujourd'hui, les pionniers de la culture rave/dance ont vieilli et évolué. Néanmoins, Londres compte toujours parmi les destinations les plus prisées des clubbers (p. 300).

La Britpop

Au début des années 1990, c'est la Britpop qui s'impose. Ce genre, que l'on pourrait définir comme une sorte de retour aux sources (c'est-à-dire aux Beatles), reprend les trois accords de base, regorge de mots d'argot et multiplie les références purement nationales, ce qui lui donne un caractère très *british*. Une confrontation publique eut lieu entre deux des plus grands groupes : Blur, de Londres, et Oasis, de Manchester. Le public était friand de ce type de querelles entre les petits prétentieux de la capitale et les frimeurs de Manchester. Lors du grand duel qui vit les deux groupes sortir un single le même jour, c'est Blur qui l'emporta et prit la place de numéro un. Le bassiste du groupe londonien, Alex James, arborait lors de l'émission *Top of the Pops* un T-shirt "Oasis", grand moment dont se souvient toute une génération.

N'oublions pas de citer l'excellent et fantasque Suede (dissous en 2003) et Elastica (séparé en 2001), mené par la très branchée Justine Frischmann, sans oublier Jarvis Cocker, ancien leader du groupe Pulp. En marge de tous ces groupes, Radiohead (d'Oxford) suit son propre chemin et figure aujourd'hui encore parmi les meilleurs groupes au monde. Les groupes et les fans de Britpop devenant de plus en plus sophistiqués, le genre en tant que tel a disparu vers 1997. Et, si des formations comme Coldplay ont reçu un considérable succès tant commercial que critique, à l'aube du nouveau millénaire, l'air du temps semblait bien être parti souffler ailleurs, abandonnant une scène musicale londonienne devenue guère enthousiasmante.

La sélection

TOP 10 DES ALBUMS LONDONIENS

- Abbey Road – The Beatles
- Exile on Main Street – The Rolling Stones
- The Good The Bad and The Queen – Damon Albarn et al.
- London Calling – The Clash
- Modern Life Is Rubbish – Blur
- Alright, Still – Lily Allen
- The Rise and Fall of Ziggy Stardust and the Spiders from Mars – David Bowie
- Silent Alarm – Bloc Party
- Something Else – The Kinks
- Sound Affects – The Jam

Le XXIe siècle

À l'orée du XXIe siècle, c'est le Londres multiculturel qui mène la danse, pour reprendre les mots de Mike Skinner (*alias* The Streets), dont le premier album, *Original Pirate Material,* a surpris le public londonien en 2002, avant que son deuxième (*A Grand Don't Come for Free*) ne rencontre un succès comparable avec ses histoires puisant dans le quotidien d'un gars d'aujourd'hui. Mêlant les genres, ce jeune rappeur blanc originaire de Birmingham, et vivant aujourd'hui à Brixton, nous livre de vrais petits bijoux multiculturels ouvrant la voie à une nouvelle scène musicale londonienne.

La communauté indo-pakistanaise de Londres a également fait sensation ces derniers temps grâce à Talvin Singh et Nitin Sawhney, qui ont fusionné de la *dance* avec de la musique indienne traditionnelle, créant un effet saisissant. Enfin, le mélange unique de techno jungle et de commentaires politiques d'Asian Dub Foundation trouve une écoute de plus en plus large, même si ce groupe n'a plus le soutien des principales maisons de disque britanniques.

Pete Doherty et Carl Barat sont parvenus à eux seuls à renouveler l'intérêt pour les groupes à guitare après le malaise post-Britpop. The Libertines, formés dans un appartement de Stoke Newington, ont fait sensation en 2002 avec leur premier morceau *What a Waster,* qui entra dans le top 40 sans passer sur les grandes radios, et leur premier album est devenu disque de platine. Malgré ce succès phénoménal, l'entrée par effraction de Pete Doherty chez son compère pour y voler de quoi s'acheter de l'héroïne mit fin au duo. Depuis, Doherty a formé les Babyshambles, qui ont également eu un certain succès, mais restent surtout connus pour la vie privée agitée et les problèmes de drogue de leur leader.

D'autres artistes londoniens sont parvenus sur le devant de la scène ces dernières années, dont Bloc Party et leur rock énergique, le groupe anglo-suédois Razorlight, la pétillante chanteuse pop Lily Allen (de West London) et la très torturée mais extraordinaire diva soul Amy Winehouse (de Southgate).

La scène londonienne aujourd'hui

Le Londres de la musique, qui n'était à la fin des années 1990 qu'un haut lieu de "branchitude" où il fallait être vu, est redevenu de nos jours un des plus grands lieux de création de la planète. Mêlant talents londoniens et provinciaux venus y chercher la gloire, la scène musicale de la capitale regorge de sons enthousiasmants et novateurs, en particulier sur la scène new-wave et électro-pop. La Roux, Florence and the Machine, Little Boots, Hot Chip, MIA et les Klaxons ont tous permis à Londres de redevenir un centre mondial de l'innovation musicale.

Le *grime* et son successeur le *dubstep*, genres musicaux authentiquement londoniens, nés dans l'East End d'une fusion entre hip-hop et influences asiatiques, forment actuellement l'avant-garde du Londres musical. Dizzee Rascal, Lady Sovereign, Lethal Bizzle, Roll Deep, GoldieLocks et Kano en sont probablement les artistes les plus connus – pour une soirée on ne peut plus East End, dénichez un petit concert de l'un d'entre eux pendant votre séjour.

Voir p. 308 pour une liste des salles.

ARTS PLASTIQUES

Si Londres a toujours attiré de grands artistes, de Monet à Van Gogh, les beaux-arts britanniques n'ont jamais vraiment pu rivaliser avec leurs voisins européens. Cela n'empêche pas la capitale de la Grande-Bretagne d'être aussi aujourd'hui la capitale artistique de l'Europe, abritant des musées passionnants et quelques-unes des plus belles collections d'art moderne au monde.

De Holbein à Turner

Il fallut attendre le règne des Tudors pour qu'une scène artistique apparaisse à Londres. L'Allemand Hans Holbein le Jeune (1497-1543) était peintre à la cour d'Henri VIII ; l'une de ses plus belles toiles, *Les Ambassadeurs* (1533), est exposée à la National Gallery (p. 76). Plusieurs grands portraitistes travaillèrent également à la cour au XVIIe siècle : le meilleur fut sans doute Antoon Van Dyck (1599-1641), peintre flamand qui passa les neuf dernières années de sa vie à Londres et exécuta de Charles Ier quelques portraits d'une beauté obsédante, dont *Charles Ier à cheval* (1638), actuellement sur les cimaises de la National Gallery. Charles Ier était grand collectionneur : c'est sous son règne que furent acheminés à Londres les cartons de Raphaël, aujourd'hui au Victoria & Albert Museum (p. 143).

Des artistes britanniques commencèrent à s'imposer au XVIIIe siècle. Thomas Gainsborough (1727-1788), qui élargit l'art du portrait à la petite noblesse, est considéré de nos jours comme le plus grand paysagiste britannique, quoique ses paysages ne soient en réalité que des arrière-plans. William Hogarth (1697-1764), de son côté, se distingua par ses gravures satiriques sur les bas-fonds londoniens du XVIIIe siècle (voir l'encadré ci-dessous).

L'Angleterre compta nombre d'aquarellistes de talent, à commencer par William Blake (1757-1827), poète et graveur, dont certaines des peintures et illustrations romantiques (il illustra ainsi *Le Paradis perdu* de Milton) sont exposées à la Tate Britain (p. 97). Mais John Constable (1776-1837) fut en la matière un artiste plus talentueux et plus mémorable que Blake : étudiant longuement les ciels d'Hampstead Heath, il croqua des centaines de scènes qu'il devait intégrer plus tard dans ses paysages.

J. M. W. Turner (1775-1851), aussi doué avec la peinture à l'huile qu'avec l'aquarelle, est le symbole de l'apogée de l'art britannique du XIXe siècle. Usant avec imagination des couleurs et des nuances de lumière, il créa une atmosphère qui saisit aussi bien le merveilleux et le sublime de la nature que ses aspects inquiétants. Ses œuvres tardives, comme *Snow Storm – Steamboat off a Harbour's Mouth* (*Tempête de neige, vapeur au large d'un port*, 1842), *Peace – Burial at Sea* (*Paix, enterrement en mer*, 1842) et *Rain, Steam, Speed* (*Pluie, vapeur et vitesse*, 1844), visibles aujourd'hui à la Tate Britain et à la National Gallery, témoignent d'un virage vers l'abstrait qui, bien que très décrié en son temps, allait plus tard inspirer Claude Monet et consorts.

Des préraphaélites à Hockney

La confrérie préraphaélite (1848-1854), fondée à Londres, s'imposa brièvement sur la scène artistique. S'inspirant des œuvres des poètes romantiques, ces peintres délaissèrent

ROUÉS ET COURTISANES : LE MONDE SELON HOGARTH

William Hogarth (1697-1764), peintre et graveur, était aussi un satiriste et un spécialiste de ce que l'on appellerait de nos jours la morale réprobatrice. Ses planches atteignirent un tel degré de popularité qu'elles furent piratées, ce qui poussa le Parlement a adopter une loi, le Hogarth Act of 1735, en vue de protéger le droit d'auteur. Ses œuvres sont autant d'aperçus de la vie – en particulier des milieux modestes – du Londres georgien. Le travail de Hogarth est exposé au Sir John Soane's Museum (p. 81) de Holborn, à la Hogarth's House (p. 209) de Chiswick , à la Tate Britain (p. 97) et à la National Gallery (p. 76).

les pastels bucoliques de leur temps au profit de représentations grandioses et audacieuses de légendes médiévales et de beautés vénéneuses.

Par la suite apparurent les deux plus grands peintres britanniques du XXe siècle. En 1945, l'Irlandais tourmenté Francis Bacon (1909-1992) suscita un tollé en exposant ses *Three Studies for Figures at the Base of a Crucifixion* (*Trois études pour une crucifixion*) – aujourd'hui à la Tate Britain. Avec ses formes étranges, à la fois répugnantes et fascinantes, il ne cessa jamais de déranger. Le désordre indescriptible qu'était son atelier était devenu aussi légendaire que ses tableaux mêlant des influences d'artistes aussi différents que Picasso, Velázquez, Van Gogh et Gerald Scarfe. Francis Bacon était connu pour travailler au milieu de monceaux de papier, chiffons à peinture, coupures de journaux et autres détritus. Son homosexualité étant notoire, la mise en vente en 2004 d'un portrait d'une de ses maîtresses fut considérée comme un grand événement dans le monde de l'art, tout comme fit sensation la découverte d'un de ses triptyques oublié dans un musée iranien.

Le critique d'art australien Robert Hughes a décrit Lucian Freud (né en 1922), contemporain de Bacon, comme le "plus grand peintre réaliste vivant". En 2008, le tableau *Benefits Supervisor Sleeping*, peint en 1995 par Freud a été adjugé à 33,6 millions de dollars au Christie's de New York, un record mondial pour un peintre vivant. Depuis les années 1950, Lucian Freud exécute majoritairement des portraits souvent nus, aux couleurs pâles et sourdes, prenant pour modèles des amis ou des proches. Il a également représenté la reine d'Angleterre – habillée. La rumeur attribue à cet homme marié deux fois jusqu'à 40 enfants illégitimes. Son récent autoportrait, *The Painter Is Surprised by a Naked Admirer* ("le peintre surpris par une admiratrice nue"), a mis les médias en émoi, chacun cherchant à deviner l'identité de la mystérieuse femme nue accrochée à ses jambes.

Passé le choc que représentèrent Bacon et Freud dans les années 1940 et 1950, le pop art vint résumer à merveille l'esprit du Swinging London des années 1960. Bien qu'il en rejetât l'étiquette, le brillant David Hockney (1937-) acquit rapidement le statut de fer de lance du pop art avec ses images rappelant le papier glacé des magazines. Installé en Californie, Hockney a connu un virage vers un naturalisme toujours plus marqué, s'inspirant de la mer, du soleil, des baigneurs et des piscines. Deux de ses œuvres les plus célèbres, *Mr and Mrs Clark and Percy* (1971) et *A Bigger Splash* (1974), sont exposées à la Tate Britain.

Aux origines du Britart

Gilbert & George resteront dans les annales comme les artistes conceptuels anglais les plus représentatifs des années 1960. Ils ont à tout le moins ouvert la voie au retentissement qu'allait être le Britart, faisant eux-mêmes autant partie de leur œuvre que leurs productions. Encore au centre de la vie artistique britannique, le couple de Spitalfields fait même désormais partie de l'establishment depuis qu'il a été choisi pour représenter la Grande-Bretagne à la Biennale de Venise en 2005, et que la Tate Modern leur a consacré une retentissante rétrospective en 2007.

Malgré la richesse époustouflante de ses collections, la Grande-Bretagne n'avait jamais montré la voie, dominé ni même activement participé à quelque école ou style artistique. Mais à la fin du XXe siècle, les vaches en tranches, bouse d'éléphants et briques empilées du Britart vinrent mettre un terme à cette discrétion britannique. Difficile de dire si ce mouvement laissera une empreinte durable, mais une chose est sûre : il a fait du Londres des années 1990 le cœur du monde des arts plastiques.

Pour le Britart, tout commence par une exposition baptisée *Freeze*, qui se tient en 1988 dans un entrepôt des Docklands. Organisée par le trublion Damien Hirst, elle fait la part belle à ses camarades frais émoulus du Goldsmiths College. Influencé par la culture pop et le punk, ce mouvement mal défini est rapidement propulsé par le magnat de la publicité Charles Saatchi, qui s'impose en achetant un nombre extraordinaire d'œuvres. On a l'impression qu'il crée lui-même le genre à grands coups de dons et de commandes somptuaires. À partir de 1992, Saatchi organise une série de sept expositions intitulées *Young British Artists* (YBAs) ; les créateurs explosent à l'échelle nationale en 1997, avec l'exposition majeure intitulée *Sensation*, à la Royal Academy.

Les œuvres sont effrontées, décadentes, ironiques, faciles à comprendre et, mieux encore, à "vendre" au public. Choquer semble être la motivation centrale de ces artistes. Hirst présente une vache découpée en tranches conservées dans du formol ; déjà, dans l'un de ses premiers travaux, *A Thousand Years*, des mouches bourdonnaient autour d'une tête de vache en putréfaction. Chris Ofili fait lui aussi dans la provocation avec sa *Holy Virgin Mary*, Madone noire fabriquée, entre autres, à partir de bouses d'éléphant, tandis que les frères Chapman produisent des mannequins d'enfants aux visages surmontés d'organes génitaux. Marcus Harvey propose un portrait de la célèbre meurtrière d'enfants Myra Hindley composé exclusivement d'empreintes de mains enfantines ; vandalisé à plusieurs reprise par le public avec de l'encre et des œufs, sa valeur n'a fait que croître.

Les quartiers de Shoreditch, Hoxton et Whitechapel, où vivaient, travaillaient et sortaient beaucoup de ces artistes, sont devenus l'épicentre du mouvement et les galeries d'art y ont fleuri. On retiendra le nom de la galerie White Cube, dont le propriétaire est l'un des plus généreux mécènes des premiers temps du Britart, Jay Jopling.

Les ondes de choc des expositions londoniennes se propagent un peu partout dans le monde, indignant certaines franges de la société britannique. La gauche tient à défendre le mouvement, les médias s'emballent, traitant certains des artistes en immenses vedettes, et le Britart est sur toutes les lèvres. Cette "école" fera les gros titres pendant une dizaine d'années en ne semblant reposer que sur la gloire et la provocation. Damien Hirst et Tracey Emin sont alors devenus des figures incontournables dans les médias, trop contents de racoler le grand public.

Selon un critique d'art, ce mouvement monté en épingle était le produit d'un "vide culturel" comparable au nouveau costume de l'empereur, que personne n'ose critiquer de crainte de passer pour un benêt. "Des conneries froides, mécaniques et conceptuelles" : telle fut une année la description synthétique donnée par le ministre de la Culture des œuvres nommées au Turner Prize. En 2005, Damien Hirst reconnaissait que certaines de ses œuvres l'agaçaient lui-même.

Tracey Emin (1963-) est devenue la plus connue de ces artistes "provoc", nommée pour le Turner Prize pour une installation, *My Bed*, présentant son lit en désordre. Sur une autre installation intitulée *Everyone I Have Ever Slept with 1963-1995*, elle coud les noms de "tous ceux avec qui [elle a] couché" sur une toile de tente. Tracey Emin apparaît comme la parfaite incarnation du Britart, flattant à la fois le voyeurisme le plus trash du public et son amour de la célébrité. Quand elle a perdu son chat et mis des affiches pour le retrouver, certains les déchirèrent pour en collectionner des morceaux.

Après le Britart

Et tandis que le monde n'avait d'yeux que pour ces figures médiatiques, de nombreux grands artistes travaillaient d'arrache-pied dans l'ombre. Œuvre marquante, l'installation de Richard Wilson *20:50* (1987) consiste en une salle remplie jusqu'à mi-hauteur d'huile recyclée où l'on se déplace en se sentant comme projeté dans l'espace. Dans son œuvre célèbre *24 Hour Psycho*, le vidéaste écossais Douglas Gordon a ralenti *Psychose*, le chef-d'œuvre d'Alfred Hitchcock, si bien que le film perd toute valeur narrative pour n'être plus qu'une sorte de sculpture en mouvement. Gary Hume œuvrait de son côté dans la discrétion, dans cet art moins branché qu'est la peinture : il s'est fait connaître par sa série *Doors*, des peintures grandeur nature de portes d'hôpital, que l'on peut voir comme autant de puissantes allégories du désespoir (ou de simples portes...).

Rachel Whiteread reçoit en 1993 le Turner Prize pour *House*, moulage de béton d'une rangée de maisons de l'East End démolie peu après, dans la polémique, par les autorités. La même semaine, elle remporte les 40 000 £ de dotation du prix du "Pire artiste britannique de l'année", décerné par les anciens musiciens acid house de KLF, qui surpassèrent les provocations du Britart en brûlant un million de livres en billets devant une assemblée de journalistes.

Le grand moment de l'année artistique britannique est désormais la désignation du Turner Prize à la Tate Britain ; il a été attribué en 2008 à Mark Lecky pour son exposition *Industrial Light & Magic*, parmi une sélection très moquée par les médias, et, en 2009 à l'Écossais Richard Wright pour sa magistrale fresque en feuille d'or.

Parmi les grands noms de l'art britannique travaillant à Londres aujourd'hui figurent Banksy, artiste de rue anonyme dont l'œuvre est aujourd'hui connue dans le monde entier et peut encore (de plus en plus rarement) être vue dans les rues de la capitale ; le sculpteur Anthony Gormley, dont l'exposition, en 2009, de personnes lambda se succédant sur le quatrième piédestal de Trafalgar Sq a reçu un accueil mitigé du public, mais qui reste célèbre pour son *Angel of the*

North, qui se dresse du haut de ses 22 m sur le bord de la route A1, près de Gateshead, dans le nord de l'Angleterre ; et Anish Kapoor, un sculpteur indien travaillant à Londres depuis les années 1970, dont les installations et sculptures plaisent énormément aux Londoniens et qui est bien représenté à la Tate Modern (p. 132).

Tracey Emin elle-même, jadis enfant terrible de l'art britannique, est devenue une grande dame de l'establishment artistique. Admise en 2007 à la Royal Academy of Arts, elle a fait ainsi son entrée dans l'élite de l'art britannique et pourra présenter six œuvres à la Summer Exhibition qu'organise tous les ans l'institution. Pour ne rien gâcher, elle a également représenté la Grande-Bretagne à la Biennale de Venise de 2007, deuxième femme artiste de l'histoire à se voir accorder pareil honneur en solo.

CINÉMA ET TÉLÉVISION

Née à Londres, la télévision s'y porte bien. Si les Britanniques déplorent l'abêtissement continu de la BBC et la baisse des exigences des producteurs qui ne cherchent qu'à gagner toujours plus de parts d'audience, nombre de pays se damneraient pour avoir un tel paysage audiovisuel, des superbes documentaires de l'unité d'histoire naturelle de la BBC aux fictions novatrices proposées par toutes les chaînes. Et, malgré l'excellente représentation du Royaume-Uni dans le cinéma mondial, Londres est loin d'être la capitale du grand écran qu'on pourrait imaginer.

Londres et le cinéma

Si les Londoniens sont fiers de leur ville, ils sont rares à en faire une capitale du cinéma, les films britanniques remportant un succès plus qu'aléatoire. Il y a bien eu quelques grandes réussites commerciales, comme le récent *The Queen*, couronné d'un oscar, ou *Casino Royale* et son James Bond revu et corrigé, sans parler des grands succès des années 1990 que furent *Quatre mariages et un enterrement* (*Four Weddings and a Funeral*) et *Shakespeare in Love*. Mais d'aucuns déplorent que le cinéma britannique ne soit pas aussi flamboyant qu'il le devrait, surtout quand on connaît l'influence des Britanniques à Hollywood.

Londres est toutefois une des villes les plus courues au monde pour les tournages. Parmi les derniers convertis figure Woody Allen, pourtant amoureux légendaire de New York, qui a réalisé dans la capitale anglaise ses trois derniers films, *Match Point, Scoop* et *Le rêve de Cassandre* (*Cassandra's Dream*), avant de partir planter sa caméra à Barcelone.

On se souvient bien sûr du quartier du West London qui a donné son nom en 1999 à *Coup de foudre à Notting Hill* (*Notting Hill*), des vieilles ruelles de Borough, qui apparaissent dans deux réalisations aussi dissemblables que *Le Journal de Bridget Jones* (*Bridget Jones's Diary*) et *Arnaques, crimes et botanique* (*Lock, Stock and Two Smoking Barrels*) de Guy Ritchie, mais aussi de la froideur glamour donnée à Smithfield dans *Closer*.

Le mélange d'ancien et d'ultramoderne qui caractérise l'architecture londonienne joue sans doute beaucoup en sa faveur. Ang Lee a ainsi pu tourner *Raisons et sentiments* (*Sense and Sensibility*) dans les parcs et bâtisses néoclassiques sublimes du quartier historique de Greenwich ; la Queen's House d'Inigo Jones apparaît notamment dans les scènes d'intérieur. Dans le film d'époque *Retour à Howard's End* (*Howard's End*) de James Ivory tout comme dans la biographie filmée *Chaplin* apparaît la façade néogothique des St Pancras Chambers, tandis qu'*Elephant Man*, au début des années 1980, avait su exploiter l'ambiance maussade de Shad Thames, quartier alors délaissé, où se trouve aujourd'hui Butler's Wharf.

Il est des films que les Londoniens aiment simplement parce qu'ils montrent des images ordinaires du quotidien de leur ville. Le film de Danny Boyle *28 jours plus tard* (*28 Days Later* ; 2002) se distingue par ses époustouflantes scènes d'ouverture montrant le centre de Londres et les Docklands déserts après l'attaque d'un terrible virus. De même, *Mission Impossible* donne à voir la gare de Liverpool St, et le très divertissant *Loup-garou de Londres* (*An American Werewolf in London*), de John Landis, se termine par une course-poursuite sur Piccadilly Circus.

Certains parlent souvent avec nostalgie de l'âge d'or des comédies des studios londoniens d'Ealing, à l'époque où ceux-ci enregistrèrent une longue série de succès. De 1947 à 1955, date de la cession des studios à la BBC, ils produisirent de grands classiques, tels que *Passeport pour Pimlico* (*Passport to Pimlico*), *Noblesse oblige* (*Kind Hearts and Coronets*), *Whisky à gogo*

(*Whisky Galore*), *L'Homme au complet blanc* (*The Man in the White Suit*), *De l'or en barre* (*The Lavender Hill Mob*) et *Tueurs de dames* (*The Ladykillers*). C'est également durant cette période qu'évoluaient les légendaires réalisateurs Michael Powell et Emeric Pressburger, à qui l'on doit *Colonel Blimp* (*The Life and Death of Colonel Blimp*) et *Les Chaussons rouges* (*The Red Shoes*).

Aujourd'hui, cette ère glorieuse semble révolue : l'industrie se contente désormais de comédies romantiques (par exemple, le soporifique *Love Actually* de Richard Curtis), de drames en costumes (les inévitables adaptations de romans classiques avec Keira Knightley en robe à volants) et de films de gangsters, et continue à alterner périodes fastes et creuses. Les producteurs, les réalisateurs et les acteurs se plaignent du manque d'audace de ceux qui tiennent les cordons de la bourse, tandis que les investisseurs affirment qu'il n'y a pas assez de scénarios dignes d'intérêt.

Outre les investissements privés, un système de financement public est proposé par le UK Film Council. Bien qu'en 2002 celui-ci n'ait fourni qu'une infime portion des 570 millions de livres dépensées pour le cinéma au Royaume-Uni, certains critiques s'opposent à son action. Ainsi, le regretté Alexander Walker de l'*Evening Standard* fut l'un de ceux qui accusa ce système d'entraîner la concrétisation de projets médiocres simplement parce que l'argent nécessaire était disponible.

Dans le même temps, des acteurs britanniques d'envergure comme Ewan McGregor, Ian McKellen, Ralph Fiennes, Jude Law, Liam Neeson, Hugh Grant, Kristin Scott Thomas et Emily Watson partent tous travailler à l'étranger, à l'instar de nombreux réalisateurs anglais, notamment Tony Scott (*Top Gun, True Romance*), Ridley Scott (*Blade Runner, Alien, Thelma et Louise, Gladiator*), Michael Winterbottom (*The Claim*) et Sam Mendes (*American Beauty, Les Noces rebelles*).

Télévision

C'est à Londres que la télévision est née et a grandi. D'abord présentée à Soho en 1926 par John Logie Baird à un groupe de scientifiques triés sur le volet, le public la découvre quelques années plus tard. C'est également à Londres qu'a été créée la British Broadcasting Corporation (BBC), première société de diffusion publique, qui a lancé sur le petit écran des programmes et des personnalités désormais mondialement connus.

Londres s'en tire un peu mieux en matière de production télévisuelle que cinématographique : une grande partie des programmes diffusés dans le monde entier viennent de Grande-Bretagne, des *Teletubbies* à *Qui veut gagner des millions ?* (*Who Wants to be a Millionaire ?*). Il existe cinq chaînes nationales : BBC 1, BBC 2 (créées en 1964), ITV (1955), Channel 4 (1982) et Five (1997). Bien que le câble soit dorénavant disponible et que les services numériques aient été introduits en 1998 (ils devraient complètement remplacer les émissions analogiques d'ici 2012), la BBC puise toujours son financement dans un système de redevances payées par les téléspectateurs. Depuis les toutes premières diffusions de la BBC en 1932 (devenues régulières dès 1936), la télévision britannique a toujours été mue par une éthique de service public. John Reith, premier directeur général de la BBC, avait vis-à-vis du public une attitude assez paternaliste. Selon lui, le rôle de la télévision consistait tout autant à informer et à éduquer qu'à divertir, et il mettait l'accent sur la qualité des émissions.

Il serait trop long de retracer ici l'histoire de la télévision britannique. Néanmoins, toute personne connaissant le sujet sera consciente du nombre incalculable de séries produites : des comédies (*Fawlty Towers, Rising Damp*) et séries policières (*The Sweeney* et *The Professionals*) aux séries cultes (*Le Prisonnier, Chapeau melon et Bottes de cuir* et *Amicalement vôtre*), des comédies des années 1970 (*The Good Life*) à celles des années 1980 (*Brideshead Revisited*), des thrillers (*Edge of Darkness*) aux drames (*The Singing Detective*) : la liste est interminable. Cependant, les deux séries les plus célèbres associées à Londres restent certainement le soap opera *EastEnders* et le drame policier *The Bill.* Ironiquement, la première des deux n'est pas filmée dans l'East End (comme son nom le suggère), mais dans les studios de la BBC, à Elstree, Hertfordshire. Le tournage de *The Bill* se déroule à proximité de l'East End.

Ces dernières années, la Grande-Bretagne, comme bien d'autres pays, a été saisie par la fièvre de la téléréalité. Si *Big Brother* et autres émissions du genre ont perdu de leur importance une dizaine d'années après avoir explosé et changé la télévision à tout jamais, les "télé-crochets" continuent de captiver l'imagination populaire. En témoigne le succès mondial de *Britain's Got Talent* (équivalent de *La France a un incroyable talent*) l'émission de ITV1 qui, en 2008, a fait de Susan Boyle une star en une seule soirée lorsqu'elle a stupéfié les spectateurs avec sa reprise de *I Dreamed a Dream* de la comédie musicale *Les Misérables*.

Les Britanniques ont toujours excellé dans le genre comique, en témoignent les séries *The Office*, qui se déroule dans le Slough, et *Little Britain*, deux réussites planétaires adaptées au États-Unis (ultime rançon du succès). Dans la même veine et plus directement liées à Londres, on retiendra *Nathan Barley*, série de Chris Morris (désormais un peu oubliée) qui raille les branchés de Shoreditch, ainsi que *The Thick of It*, une satire politique qui fait mouche sur l'arrière-salle d'un gouvernement britannique pas si imaginaire à l'ère de la "com" et qui a donné lieu à un film hilarant, *In the Loop*, en 2009.

DANSE

Adeptes de la danse contemporaine, classique ou du mélange des genres, chacun trouvera à Londres un ballet à son goût. Récemment en proie à une nouvelle fièvre *Billy Elliot*, grâce à la comédie musicale au succès continu, la ville s'impose désormais aux côtés de New York et Paris comme l'une des grandes capitales de la danse dans le monde. Elle a été le creuset de changements sans précédents dans l'histoire de la chorégraphie moderne. Même s'il y a plus d'une quinzaine d'années que Matthew Bourne a mêlé danse classique, comédies musicales démodées et danse contemporaine dans sa version entièrement masculine du *Lac des cygnes*, cette création demeure une référence – ce fut l'événement qui permit à la danse de rencontrer le grand public.

Aujourd'hui, son *Lac des cygnes* fait toujours le tour du monde, pendant que Bourne s'attelle à de nouvelles créations, de *Highland Fling* (aux influences écossaises) à *The Car Man* (l'opéra *Carmen* de Bizet revisité à la *West Side Story*). Après avoir présenté une adaptation très personnelle du *Casse-noisette* de Tchaïkovsky avec *Nutcracker!*, il est passé au théâtre en 2004 avec son magnifique *Play Without Words*, un drame en deux actes raconté par le seul biais de gracieux mouvements. Il a par la suite été récompensé pour sa chorégraphie d'*Edward aux mains d'argent* (*Edward Scissorhands*) et, plus récemment, a surpris le West End avec sa chorégraphie d'*Oliver!* au Theatre Royal Drury Lane. D'autres talents londoniens de premier ordre ont renforcé la place de la danse sur la scène mondiale. Rafael Bonachela a ainsi écrit le Showgirl tour de Kylie Minogue (malheureusement interrompu) tandis que Wayne McGregor participait à l'adaptation de *Harry Potter et la Coupe de feu*.

Bourne, Bonachela et McGregor ne sont pas seuls sur le devant de la scène. The Place (p. 172), à Euston, lieu de naissance de la danse contemporaine à Londres dans les années 1960, fait désormais partie des endroits où l'on peut découvrir des pièces d'avant-garde et a récemment été rejoint par Laban (p. 314). Dans le même temps, le Sadler's Wells (p. 315) rénové – berceau du ballet classique britannique au XIXe siècle – poursuit sa programmation éclectique de grands ballets nationaux et de troupes internationales comme Carlos Acosta, Twyla Tharp, le Dance Theatre of Harlem et Alvin Ailey.

Au Royal Opera House de Covent Garden (p. 79), la danseuse étoile Darcy Bussell a pris sa retraite, à seulement 38 ans, quittant le plus haut grade de la hiérachie de l'Opéra. Partie au sommet de sa gloire (son apparition dans le *Apollo* de George Balanchine la même année fut considérée par beaucoup comme sa plus belle prouesse), la plus célèbre danseuse anglaise depuis Margot Fonteyn s'est montrée prudente, plus prudente que son illustre prédécesseure, dont le long déclin avait marqué les esprits.

Ces dernières saisons, le Royal Ballet (principale troupe de danse classique de Londres) a opté pour un programme traditionnel, en dépit de quelques écarts dans le cadre de commandes (dont un ballet dansé sur une musique de Jimi Hendrix). Plusieurs anniversaires consécutifs ont été l'occasion de rétrospectives consacrées aux chorégraphes George Balanchine et Frederick Ashton, ainsi qu'aux danseurs Serge Diaghilev et Ninette de Valois, fondatrice du ballet. Pendant cette période, le Royal Ballet s'est néanmoins démocratisé en offrant des billets à 10 £, comme au National Theatre.

La Rambert Dance Company, basée à Chiswick, fait partie des troupes originales sur lesquelles il est toujours bon de garder un œil. Elle est considérée comme l'une des troupes de danse contemporaine les plus éminentes du Royaume-Uni. Les anciens danseurs du Royal Ballet,

Michael Nunn et William Levitt, figurent dans la même catégorie. Après s'être taillé une réputation grâce à un documentaire télévisé de Channel 4, sous le nom Ballet Boyz d'abord, puis de George Piper Dances, ils se sont récemment associés à l'étoile française Sylvie Guillem, établie à Londres, pour jouer les œuvres du chorégraphe moderne Russell Maliphant, très apprécié. Guillem, régulièrement invitée par le Royal Ballet, s'intéresse également à la danse du sud de l'Inde, très bien représentée à Londres, notamment par Akram Khan, un spécialiste du Kathak, avec lequel elle envisage une collaboration.

Le principal festival de danse de Londres est le Dance Umbrella (☎ 8741 4040 ; www.danceumbrella.co.uk). S'étalant sur six semaines à partir de début octobre, c'est l'un des principaux festivals de danse au monde. On trouvera les programmations du jour sur www.londondance.com. Pour plus d'information sur les lieux de spectacle et les compagnies, reportez-vous p. 312.

CADRE DE VIE ET URBANISME

GÉOGRAPHIE

Le Grand Londres s'étend sur quelque 970 km^2, limités par la M25, la *ring road* (route périphérique). La Tamise fut un élément essentiel du commerce sur lequel Londres a bâti son expansion. Elle divisait la ville en deux, une séparation qui ne fut pas simplement géographique. À l'époque romaine, la rive sud devient un lieu de débauche et de jeux. Pendant près de deux millénaires, les plus mal lotis vivent dans le sud insalubre tandis que les gens respectables et cultivés s'installent sur la rive nord. Le potentiel de la rive sud, appelée South Bank, n'a été mis en valeur qu'au cours de la dernière décennie.

Bien que Londres se soit étendu à partir de la City, celle-ci n'a jamais constitué un cœur à partir duquel la ville aurait rayonné. L'expansion de Londres n'a jamais été planifiée, la ville a plutôt ingurgité petit à petit les localités voisines. Les lecteurs de Dickens le savent bien, Londres ressemble aujourd'hui plutôt à un patchwork de petits villages qu'à une grande ville. Certes, la capitale peut donner l'image d'une jungle goudronnée sans fin mais, en réalité, elle est entourée d'immenses espaces verts (citons Richmond Park et Hampstead Heath) et abrite en son centre des poumons verts comme Regent's Park et Hyde Park.

LE LONDRES VERT

Le plus sérieux problème environnemental du centre de Londres, la pollution et les embouteillages chroniques liés à l'afflux de circulation, a presque disparu depuis qu'en 2003 le maire d'alors, Ken Livingstone, a introduit une "taxe d'embouteillage", la fameuse *congestion charge*, de 5 £ (à présent 8 £) par voiture qui pénètre dans le centre-ville. À l'actif de Livingstone en matière d'environnement, citons aussi la mise en service de bus à pile à hydrogène (à l'essai) et la création en février 2008 d'une Low Emissions Zone (zone à faibles émissions polluantes) où de lourdes taxes sont imposées aux véhicules les plus polluants pénétrant dans le Grand Londres. Le nouveau maire, Boris Johnson, a suscité des inquiétudes lors de sa campagne électorale, car les questions écologiques ne représentaient qu'une part minuscule de son programme. Les partis verts ont été jusque-là très déçus par plusieurs de ses actions, comme l'abandon de la troisième phase de la Low Emissions Zone de Londres et l'annulation de l'extension vers l'ouest de la zone soumise à la "taxe d'embouteillage". Toutefois, lors de la rédaction de ce guide, il était trop tôt pour juger de la politique environnementale de Johnson au poste de maire.

Les *councils* locaux ont également intensifié leurs efforts écologiques : les autorités de Richmond ont été les premières à instaurer un coût de stationnement plus élevé pour les véhicules gourmands en carburant, tandis que celles de Hackney ont ouvert la voie en 2007 en rendant le tri sélectif obligatoire. Le recyclage existe bien à Londres depuis de nombreuses années, mais les bennes communes ont été privilégiées aux poubelles individuelles de tri, et la tendance générale n'était pas très "verte". Si les attitudes commencent à changer et que la plupart des Britanniques font leur devoir, le Royaume-Uni reste globalement un élève médiocre en la matière.

Bien que les eaux troubles de la Tamise semblent refléter un état de pollution avancé, l'état du fleuve s'est amélioré de façon spectaculaire ces dernières années, ses rives devenant des lieux de loisirs de plus en plus courus. En 1962, les effets conjugués des rejets d'égouts non traités et de la pollution industrielle avaient conduit à la disparition quasi totale de la vie aquatique ; aujourd'hui, une dépollution massive permet à 115 espèces de poissons de vivre dans la Tamise, dont le saumon (pour lequel on a construit des échelles spécifiques sur les barrages). Avec eux sont arrivés quelque 10 000 hérons, cormorans et autres oiseaux aquatiques qui se nourrissent de poissons ; on a même vu des loutres sur les tronçons les plus en aval.

Londres abrite plus de parcs et d'espaces verts qu'aucune autre ville de cette taille dans le monde – du petit parc soigneusement entretenu (Holland Park, St James's Park) au parc à demi-sauvage (Richmond Park, Bushy Park). Tous offrent un habitat à bon nombre d'animaux et d'oiseaux.

Le mammifère que vous verrez sans doute le plus souvent sur la terre ferme est l'écureuil gris, importation d'Amérique du Nord qui a envahi tous les grands parcs et décimé la population autochtone d'écureuils roux. Les hérissons sont également présents, mais de moins en moins nombreux, en raison du recours croissant aux tue-limaces en granulés. Hors du centre-ville, en balade après la tombée de la nuit, vous pourrez apercevoir un renard, animal de plus en plus présent qui suscite tantôt l'amour tantôt la haine des habitants. Richmond Park (p. 210) abrite des blaireaux, mais aussi des hardes de cerfs et de daims. L'apparition la plus incongrue d'un mammifère à Londres eut lieu en 2006 : une baleine à bec s'était perdue, remontant la Tamise jusqu'au centre de la capitale. Malgré une longue tentative de sauvetage pour la ramener en mer du Nord, la baleine mourut ; son squelette est visible au Natural History Museum (p. 144).

Les amateurs d'ornithologie, notamment les passionnés d'oiseaux aquatiques, seront ravis. St James's Park (p. 91) regorge de canards, de pélicans et de cygnes royaux. De somptueux grèbes huppés nichent sur le Serpentine, dans Hyde Park (p. 139). Les canaux de Londres sont également le terrain de chasse de bon nombre d'oiseaux aquatiques que vous pourrez apercevoir facilement.

Moineaux, rouges-gorges, merles, mésanges bleues et charbonnières, peuplent tous les parcs. Certains oiseaux sont néanmoins plus intéressants que d'autres. Si vous vous rendez à Holland Park au printemps, vous aurez peut-être la chance d'apercevoir des volées de roitelets huppés. Quant aux crécerelles, elles nichent autour de la Tour de Londres (p. 122), à l'instar de corbeaux captifs plus courants. Les parcs de Barnes et de Wimbledon hébergent bon nombre d'oiseaux et de mammifères.

Plus étonnant encore, des perroquets et perruches parés de couleurs vives sont en liberté à Richmond, à Kew et dans de nombreux autres quartiers du Sud-Ouest londonien, sur les bords de la Tamise. On ignore leur origine, mais ils se multiplient depuis quelques années, le réchauffement climatique faisant visiblement de Londres un habitat propice.

Le London Wildlife Trust (LWT ; ☎ 7261 0447 ; www.wildlondon.org.uk ; Harling House, 47-51 Great Suffolk St, SE1) gère plus de 50 réserves animalières abritant une large variété d'oiseaux et, occasionnellement, des petits mammifères. La Battersea Park Nature Reserve organise des promenades dans des sentiers de randonnée. Le Trent Country Park a même aménagé des circuits dans les bois pour les non-voyants. Certaines zones de Hampstead Heath ont été classées sites d'intérêt scientifique en raison de la richesse de leur histoire naturelle.

Les mains vertes ne manqueront pas les plantes exotiques des très charmants Kew Gardens (p. 211). Les parcs de la ville offrent également une grande variété d'arbres, d'arbrisseaux et de fleurs. Bon nombre de Londoniens sont très fiers de leur jardin privé, souvent de la taille d'un mouchoir de poche mais ressemblant parfois à de petits parcs dans la ville. Certains de ces bijoux peuvent être visités pendant quelques jours en été dans le cadre du National Gardens Scheme (NGS ; ☎ 01483 211535 ; www.ngs.org.uk ; Hatchlands Park, East Clandon, Guildford GU4 7RT). L'argent récolté (environ 3 £) est destiné à une œuvre charitable.

URBANISME ET DÉVELOPPEMENT

La propreté du centre de Londres a été considérablement améliorée ces dernières années et le précédent maire, Ken Livingstone, a été à l'initiative de nombreuses mesures audacieuses et imaginatives visant à rendre la vie et la visite de Londres plus plaisantes encore. Tous les efforts sont aujourd'hui concentrés sur East London et le village olympique ; les habitants de certaines zones de Lea Valley ont dû aller s'installer ailleurs (plusieurs grands camps de Roms étaient installés par là depuis des décennies).

Le plus grand défi que Londres ait à relever est de loger une population toujours croissante, sans empiéter sur la ceinture verte qui entoure la ville. Certaines zones centrales autrefois délaissées, telles Hoxton et Clerkenwell, ont été revalorisées dans les années 1990, et de nombreux jeunes s'y installent, notamment dans d'anciens entrepôts. Le repeuplement des Docklands continue, mais Londres risque de manquer d'espace sous peu. Les constructions, qui allaient bon train avant la crise économique de 2008, ont inévitablement ralenti depuis ; toutefois les quartiers de Hackney et Tower Hamlets étaient toujours en travaux lors de la rédaction de ce guide.

Le gouvernement s'apprête à entrer dans un conflit inévitable avec les écologistes concernant la proposition de régénération du Thames Gateway, ces 60 km de chaque côté du fleuve, s'étendant de l'est de Londres jusqu'à la mer du Nord. Ce projet permettrait de construire 200 000 logements et de créer 300 000 emplois, mais il s'agit d'un emplacement abritant l'une des faunes les plus riches de toute la Grande-Bretagne et incluant 25 km de rives classées par l'UE comme zone spéciale de conservation (ZSC). Pour calmer les esprits, le gouvernement a classé cette zone première "éco-région" du Royaume-Uni, ce qui signifie théoriquement que le développement devra y être durable, peu producteur de carbone et viable sur le plan écologique. Toutefois, les groupes écologistes continuent de faire campagne contre le projet.

INSTITUTIONS POLITIQUES

ADMINISTRATION LOCALE

Lorsque, au XIIe siècle, le roi Richard Cœur de Lion a octroyé à Londres le droit à un gouvernement autonome en échange d'une petite somme d'argent, les partisans se sont écriés : "Londres n'aura d'autre roi que son maire !" Depuis, Londres a bien eu un maire, mais le Grand Londres, où vit et travaille la majorité de la population, a vécu des moments plus tourmentés.

Sous une forme ou une autre, le Greater London Council (GLC) a donc dirigé tranquillement les affaires de la ville pendant quelques siècles, défendant les intérêts locaux et suivant la ligne directrice du gouvernement national. Mais tout a changé lorsque Ken Livingstone, du parti travailliste, est devenu le chef du *Council* dans les années 1980, à l'époque où Margaret Thatcher était Premier ministre. La confrontation entre ces deux personnages que tout oppose était inévitable. Lorsque Livingstone fait campagne pour un système de transports publics moins cher dans la capitale, Thatcher riposte en abolissant en 1986 le GLC, faisant de Londres la seule grande capitale du monde sans gouvernement autonome. Quatorze ans plus tard, le gouvernement travailliste réinstaure une nouvelle version du Council, la Greater London Assembly (GLA), et organise les premières élections au suffrage universel direct d'un maire londonien.

Les 25 membres de la GLA disposent d'un pouvoir limité sur les questions concernant les transports, le développement économique, l'urbanisme, l'environnement, la police, les pompiers, la sécurité et la culture. Cette assemblée est élue à la fois par les circonscriptions du Grand Londres et par Londres. Ce n'est pas un conseil municipal au sens conventionnel du terme, mais elle peut rejeter le budget du maire, former des comités d'investigation spéciaux et demander des comptes publics au maire. À l'heure actuelle, elle est constituée de 11 conservateurs, 8 travaillistes, 3 libéraux démocrates, 2 verts et 1 membre très controversé du British National Party, parti d'extrême droite ayant atteint le seuil de 5% lui donnant son premier siège à la GLA en 2008. Son siège se trouve dans le bâtiment de la GLA, à l'architecture futuriste, à côté du Tower Bridge.

La City a son propre gouvernement sous la forme de la Corporation of London avec, à sa tête, le *Lord Mayor* (lord-maire ; seule la City a un maire qui est aussi un lord ; et, même si le maire de Londres est une figure politique bien plus importante, ce n'est qu'un roturier) et une brochette de conseillers, d'appariteurs et de shérifs aux noms et aux tenues singulières. La Corporation se réunit à Guildhall. Ces hommes, car ce sont presque exclusivement des représentants de la gent masculine, sont élus par les *freemen* et les *liverymen*. Bien que ce gouvernement semble anachronique au début du troisième millénaire, la Corporation of London détient toujours un tiers du Square Mile, un des quartiers les plus riches de Londres, et s'exerce avec succès au mécénat d'art.

Londres est divisée en 33 *boroughs* (13 se trouvent dans le centre) dirigés par des conseils démocratiquement élus bénéficiant d'une autonomie importante. Ils gèrent l'enseignement, ainsi que les questions concernant le nettoyage des rues et le ramassage des ordures. Richmond, le district le plus riche en termes de revenu par habitant, se trouve à l'ouest ; Barking, le plus pauvre, est à l'est.

ADMINISTRATION NATIONALE

Le gouvernement central du Royaume-Uni de Grande-Bretagne et d'Irlande du Nord siège bien entendu dans la capitale. Le Royaume-Uni est une monarchie constitutionnelle dépourvue de constitution écrite régie par les statuts parlementaires, le droit coutumier (inspiré par une jurisprudence datant souvent de plusieurs siècles) et les usages.

Le Parlement se compose de trois entités : le monarque, la Chambre des communes (House of Commons) et la Chambre des lords (House of Lords). Cependant, la reine joue un rôle protocolaire, tandis que la Chambre des communes détient le vrai pouvoir. Celle-ci comprend 646 sièges de représentants élus au suffrage universel tous les 4 ou 5 ans. Chaque circonscription du pays dispose d'un siège à la Chambre : Londres, formée de 72 circonscriptions, compte ainsi 72 représentants à la Chambre des communes.

Le chef du parti détenant le plus grand nombre de sièges à la Chambre des communes devient Premier ministre et désigne un cabinet d'une vingtaine de ministres qui forment le gouvernement. Au moment de la rédaction de ce guide, le Premier ministre travailliste Gordon Brown jouissait d'une confortable avance de 63 sièges sur le reste de l'assemblée. Cette majorité est un legs de Tony Blair, qui a remporté les élections législatives de 2005 avant de laisser son poste de Premier ministre en juin 2007. Le prochain scrutin est prévu à la mi-2010.

Après dix ans de marasme, les conservateurs connaissent depuis quelques années une renaissance. L'éviction de Margaret Thatcher en 1990 avait profondément déchiré le parti, qui dut attendre 2005 et l'arrivée à sa tête de Cameron, alter ego de Tony Blair, pour retrouver un semblant d'unité. David Cameron a opéré un virage progressiste au sein des Tories, force politique que les Britanniques perçoivent souvent comme le *nasty party* (le méchant parti), ainsi que le déplorait il y a quelques années une de ses représentantes. Embrassant la protection de l'environnement et la cause des mères célibataires et des homosexuels, ces nouveaux conservateurs semblent aux antipodes de leurs homologues que fédérait Thatcher dans les années 1980. Mais certains soulignent qu'en dépit de ce vernis écolo et progressiste, le parti conservateur reste fondamentalement celui de l'establishment, Cameron et la majorité de son cabinet sortant tout droit d'Eton et d'Oxbridge (Oxford et Cambridge).

Seul autre parti d'importance au Royaume-Uni, les libéraux démocrates (Liberal Democrats) ne détiennent actuellement que 63 sièges. Menés par le jeune Nick Clegg, les "Lib Dems" forment le troisième parti qui échoue toujours lors des élections majoritaires à un tour. Si beaucoup les considèrent comme une alternative crédible au duel conservateurs-travaillistes (qui se partagent le pouvoir depuis 1922), la réalité du système électoral britannique rend extrêmement difficile pour un troisième parti d'avoir une influence nationale. Cela n'empêche toutefois pas les libéraux démocrates d'avoir un certain pouvoir au niveau local à travers tout le pays.

La Chambre des lords (ou Chambre haute) dispose d'un certain pouvoir qui, aujourd'hui, se limite à la possibilité de retarder la mise en application de nouvelles lois. Ce n'est ensuite qu'une question de temps avant que la reine ne donne son approbation ; une simple formalité puisque cette dernière n'a jamais refusé de signer une loi et qu'elle ne peut s'appuyer sur aucun précédent constitutionnel pour le faire. Pendant des siècles, la Chambre des lords fut constituée de quelque 900 pairs héréditaires (dont le titre était transmis de génération en génération), 25 évêques de l'Église d'Angleterre et 12 lords juges (agissant en tant que juges de la Cour suprême). Mais, en 1999, Tony Blair a "modernisé" l'institution, et la majorité des pairs héréditaires se sont retrouvés à la porte. Seuls 92 ont été autorisés à rester, de manière temporaire. Un nouveau système de pairie à vie a été introduit qui, selon ses détracteurs, permettrait au Premier ministre de placer de fidèles membres du Parlement à des postes où ils n'auront plus à se faire élire par le peuple. Dans la deuxième étape de la réforme (pour laquelle il n'a été fixé aucun calendrier et que le gouvernement n'a pas semblé pressé de mettre en place ces dernières années), seuls des membres élus entreront à la Chambre haute, au détriment des pairs héréditaires qui devront la quitter.

MÉDIAS

Londres est au cœur du système médiatique britannique. C'est une industrie qui réunit quelques-uns des meilleurs, mais également des pires, représentants de la télévision, de la radio et de la presse écrite de la planète.

JOURNAUX

Le principal quotidien londonien est l'*Evening Standard,* journal de centre-droit au format tabloïd, qui publie plusieurs éditions par jour. Après avoir livré une longue bataille contre l'ancien maire Ken Livingstone et être devenu la risée des Londoniens pour ses titres grandiloquents associés à des histoires d'une banalité affligeante, le journal a été racheté en 2009 par le magnat russe Alexander Lebedev, qui a promis de lui donner une nouvelle image, en commençant par une grande campagne publicitaire dans laquelle le journal s'excusait auprès de ses lecteurs pour ses erreurs passées. Les fines bouches pourront y lire les évaluations de Fay Maschler, la critique gastronomique la plus influente de Londres, et les plus stylés ne manqueront pas le supplément du vendredi, *ES*, pour connaître toutes les tendances dans la capitale. *Metro Life* est également un guide utile sur les sorties, qui paraît le jeudi.

Les quotidiens gratuits distribués dans le métro, dans la rue et partout où passent des travailleurs se disputent les faveurs des lecteurs londoniens : *London Lite* et *Metro* (qui appartiennent au groupe Associated Newspapers propriétaire du *Daily Mail*) sont des publications aussi faciles à emporter qu'à lire qui font la part belle à l'actu people, et que l'on trouve en masse sur les sièges des bus et des métros dans toute la capitale.

Les journaux nationaux sont pour la plupart indépendants de tout parti politique, bien qu'il soit facile de deviner leurs orientations. Ainsi, le très conservateur Rupert Murdoch est aussi l'homme le plus influent des médias britanniques détenant, à travers sa News Corp, le *Sun*, le *News of the World*, le *Times* et le *Sunday Times*. C'est une industrie qui s'autorégule, comme en témoigne la mise en place en 1991 de la Press Complaints Commission (PCC), destinée à traiter les plaintes du public. Beaucoup déplorent pourtant l'incapacité de la PCC à maintenir une quelconque discipline parmi les turbulents tabloïds et la comparent à "un chien de garde édenté".

Les quotidiens sont légion et la lutte pour séduire les lecteurs, très rude ; bien que certains journaux soient imprimés en dehors de la capitale, l'information reste centrée sur Londres. Les journaux se divisent en deux grandes catégories : les grands formats (ou *quality papers*) et les tabloïds, bien que la différence se fasse plus sur le contenu que sur le format du papier, la plupart des journaux étant maintenant imprimés sur des formats plus commodes.

Les lecteurs des grands formats sont extrêmement fidèles à leur quotidien. Le *Daily Telegraph*, de droite, est parfois considéré comme un peu vieillot, même si le contenu et la couverture des événements internationaux sont de très bonne qualité. Le *Times* est traditionnellement considéré comme le quotidien de référence ; sa rubrique sportive est particulièrement réussie. À gauche, le *Guardian* possède un style vivant et une ligne éditoriale très progressiste. Sa rubrique artistique est de très bonne tenue et il propose d'excellents suppléments, notamment le *Media Guardian*, véritable bible pour ceux qui travaillent dans le domaine. Pour les cadres, c'est aussi le meilleur journal pour trouver des offres d'emploi intéressantes. À gauche également, l'*Independent* met l'accent sur des informations ou des problèmes négligés par les autres journaux. Les articles sont le plus souvent très bien écrits, et c'est le quotidien de prédilection des centristes sans affiliation politique et autres lecteurs sans chapelle.

Enfin, un dimanche matin à Londres n'est pas envisageable sans les journaux dominicaux, que la plupart des quotidiens publient. Les tabloïds mettent les bouchées doubles en divulguant des potins, des détails croustillants sur les stars et autres attaques mesquines, ou en proposant des suppléments mode. Les journaux de qualité proposent tellement de rubriques et de suppléments qu'il faut deux mains pour s'emparer du moindre exemplaire. L'*Observer*, fondé en 1971, est le plus ancien journal du dimanche et le petit frère du *Guardian*. Il comporte un excellent supplément sport avec la première édition du mois. Même ceux qui n'achètent ordinairement que des journaux "respectables" glissent parfois furtivement un exemplaire du *News of the World* sous leur bras – petit écart du dimanche.

Reportez-vous p. 401 pour une liste des principaux journaux quotidiens et dominicaux.

PRIVATE EYE S'EN PREND À L'ESTABLISHMENT

"C'est une honte !" clame le titre en une du magazine au début du scandale des notes de frais des députés en 2009, au-dessus d'une image du Parlement d'où sort une bulle disant : "Une honte qu'on se soit fait prendre !". Voilà une couverture typique de la publication satirique la plus connue de Londres, *Private Eye*, véritable baromètre de l'actualité politique et culturelle britannique.

Créé en 1961 par un groupe de petits futés parmi lesquels feu le comédien et écrivain Peter Cook, il a gardé le charme un peu amateur de ses débuts. Parodiant les ragots consacrés aux faux pas des personnalités publiques, il n'hésite pas à tourner en dérision tous ceux qui se prennent trop au sérieux. Le magazine est truffé de références "filées" (par exemple, la reine est toujours appelée Brenda, et Rupert Murdoch, le Dirty Digger), de dessins malicieux et de rubriques récurrentes, tel l'éditorial de lord Gnome, une synthèse des magnats de la presse. Un véritable travail d'investigation est effectué par les journalistes du magazine et leurs articles ont plus d'une fois contribué à la chute de personnes haut placées comme Jeffrey Archer ou Robert Maxwell. *Private Eye* est donc haï par de nombreux responsables politiques... mais aussi apprécié – après tout, les ennemis de vos ennemis sont vos amis.

Le fait qu'il perdure est pourtant assez étonnant. Il est régulièrement poursuivi par ses cibles et survit uniquement grâce à la générosité de ses lecteurs. Cependant, son avenir n'est pas menacé. Avec 600 000 exemplaires vendus, son tirage a même atteint son niveau le plus élevé depuis ces dix dernières années. *Private Eye* est de loin le magazine d'actualité le plus lu du pays. Une lecture indispensable, ne serait-ce que pour les dessins.

MAGAZINES

La variété des magazines publiés est impressionnante, de la feuille de chou sur les stars du show-biz jusqu'aux "poids lourds" axés sur la politique. Londres a une vraie passion pour les célébrités (surtout si elles sont obèses, maigres à faire peur ou déchaînées) et *Heat, Closer* et *Grazia* exploitent ce filon. *Glamour*, tout droit importé des États-Unis, est le roi incontesté des magazines sur papier glacé. En effet, les femmes se sont détournées du traditionnel *Cosmopolitan*, qui commence à prendre quelques rides, en faveur de ses rivaux plus jeunes et plus délurés. *Marie Claire*, *Elle* et *Vogue* sont considérés comme les magazines des femmes cultivées, si l'on peut dire. Parmi les magazines masculins "intelligents", citons *GQ* et *Esquire*, et parmi les "moins intelligents", *FHM*, *Loaded*, *Maxim*, *Nuts* et *Zoo*. De nombreux magazines consacrés aux tendances sont publiés à Londres, tels *i-D, Dazed & Confused* et *Vice*, qui bénéficient d'un lectorat fidèle.

Les magazines politiques ont une très grande audience à Londres. Le magazine satirique *Private Eye* (voir l'encadré ci-dessus) n'affiche aucune préférence politique et se moque de tout le monde, sans distinction, même s'il montre une prédilection pour les cibles en position de pouvoir. Pour vous tenir au courant des actualités internationales, achetez *Week*, utile condensé de la presse britannique et étrangère tandis que *The Economist* reste sans rival en termes d'analyse sur la politique internationale et le monde des affaires.

Time Out est le guide par excellence des sorties en ville, notamment artistiques, alors que *Big Issue*, vendu par les sans-abri, est non seulement un projet honorable, mais propose aussi un bon contenu rédactionnel. Londres est une véritable plate-forme éditoriale pour ce qui a trait aux magazines et ses centaines de publications spécialisées (musique, arts visuels, littérature, sport, architecture, etc.) sont renommées dans le monde entier. Pour une liste des principaux magazines de Londres, reportez-vous p. 401.

NOUVEAUX MÉDIAS

Des médias alternatifs originaux s'adressent également à tous ceux qui se sentent marginalisés par les médias grand public. Certains sites méritent d'être visités, notamment l'excellent et original **Urban 75** (www.urban75.com), **Indymedia** (www.uk.indymedia.org), vrai réseau d'informations alternatives, le bulletin d'informations activistes hebdomadaire de **SchNews** (www.schnews.org.uk), le blog londonien **Londonist** (www.londonist.com) et les activistes vidéo de **Undercurrents** (www.undercurrents.org).

Les sites de potins en ligne ont également gagné en notoriété depuis quelques années en se présentant sous un nouvel angle et en révélant, entre autres, les comportements répréhensibles de certaines célébrités. Jetez un coup d'œil à Popbitch (www.popbitch.com), par exemple.

RADIO ET TÉLÉVISION

La BBC, propriétaire de Lonely Planet, est sans doute la plus célèbre entreprise de diffusion du monde et un pilier incontournable du journalisme et de la programmation radiophonique et télévisuelle (p. 181). Son indépendance contrarie régulièrement l'establishment et provoqua, par exemple, la colère du gouvernement britannique, en 2003, du fait de ses enquêtes sur les événements ayant conduit à l'invasion de l'Irak. Lorsque le journaliste de la BBC Andrew Gilligan accusa Alistair Campbell, ancien porte-parole du gouvernement de Tony Blair, d'avoir monté en épingle un dossier de preuves contre le régime irakien afin d'obtenir le soutien de l'opinion publique pour cette guerre, on assista à un concert de protestations et à un échange d'accusations entre Westminster et la BBC. Le Dr David Kelly, principal expert en armement du pays, se suicida après avoir été désigné par le gouvernement comme la source du rapport de la BBC, et lorsque le rapport Hutton accabla la BBC, presque tous les médias le considérèrent comme une tentative du gouvernement pour se blanchir. Le directeur général de la BBC démissionna le jour même et la chaîne, en disgrâce, tient depuis sur le gouvernement des propos beaucoup plus prudents. Mais seulement quatre ans plus tard, la "Beeb" se trouvait à nouveau sur la sellette après la diffusion d'une séquence montée à l'envers dans un documentaire sur la reine. La BBC dut faire face à l'indignation de l'opinion et des autres médias, et malgré les excuses piteuses présentées par son directeur général, Mark Thompson, 2007 fut une bien mauvaise année pour l'audiovisuel public britannique. Un nouveau scandale ne tarda pas à toucher de nombreuses chaînes britanniques lorsqu'on apprit qu'un grand nombre de votes par téléphone n'étaient pas comptabilisés dans plusieurs émissions très connues. Depuis, la BBC, ainsi que d'autres chaînes britanniques, ont renforcé leurs consignes aux producteurs pour que ces scandales ne se répètent pas.

La Grande-Bretagne produit toujours quelques-uns des meilleurs programmes de télé du monde, relevant un peu le niveau des importations américaines, des feuilletons australiens, des sitcoms insipides, des jeux et des talk-shows nationaux.

Nombre de téléspectateurs estiment que les investissements dans les nouvelles technologies nuisent aux grandes chaînes et que la BBC se disperse dans la course à l'audience et la concurrence avec les chaînes commerciales au détriment de sa mission de service public. Le passage du Royaume-Uni à la télévision numérique se fait progressivement, et la diffusion en analogique devrait avoir disparu à l'horizon 2012.

La BBC compte plusieurs stations de radio : BBC 1 s'adresse aux jeunes, BBC 2 à un public d'âge mûr et BBC 3 aux amateurs de classique, BBC 4 est tournée vers la culture, BBC 5 donne la parole aux auditeurs, BBC 6 est plutôt généraliste et BBC 7 diffuse des fictions. XFM est la meilleure radio pour écouter de la bonne musique. Le gouvernement a annoncé en 2007 que Channel 4 allait recevoir l'autorisation d'émettre sur dix nouvelles chaînes de radio numérique, un bouleversement dans ce secteur qui cherche à regagner la fidélité de ses auditeurs.

MODE

Si Londres, ayant perdu son aura de capitale internationale de la mode, a connu quelques années difficiles, elle est revenue au cœur de la création grâce à une brochette de jeunes créateurs de talent qui ont su attirer l'attention de l'élite de la mode.

Giles Deacon est la figure de proue de ce nouveau Londres : sa marque Giles, avec ses coupes bien pensées et ses références hétéroclites, a pris d'assaut la capitale. Autres noms sur toutes les lèvres, ceux des Britanniques Henry Holland, Jonathan Saunders et Christopher Kane et de l'Austro-Grec Marios Schwab, frais émoulu lui aussi de St Martins et qui organise ses défilés à Londres. Chouchou de la nu-rave et autre diplômé de St Martins (pour savoir s'il faut y voir une tendance, lisez l'encadré p. 58), Gareth Pugh a fait beaucoup parler de lui en transposant sur les podiums le look des boîtes de nuit de Shoreditch et en s'imposant sur la scène internationale.

ST MARTINS

La plupart des stars de la mode britannique ont un jour poussé la porte plutôt délabrée de St Martins, sur Charing Cross Rd, la plus fameuse école de stylisme du monde. Fondée en 1854, la Central St Martins School of Art & Design accueillait à ses débuts les rejetons de la bonne société qui y apprenaient à peindre et à dessiner. Un cours de stylisme fut créé dans les années 1940 et, en l'espace de quelques décennies, des candidats du monde entier se bousculaient pour obtenir une place. Aujourd'hui, les cours sont surpeuplés et l'école est critiquée pour choisir ses élèves plus pour leur nom que pour leur talent (comme une certaine Stella McCartney). Les défilés de fin d'année de St Martins (où Stella a fait défiler ses amies Naomi Campbell et Kate Moss) comptent parmi les événements phares du calendrier de la mode et font scandale, les créateurs adoptant des positions très engagées, pour le meilleur comme pour le pire. Le Royal College of Art, moins tape-à-l'œil, accepte uniquement des étudiants de troisième cycle, et sa section mode est tout aussi vénérable – et presque aussi renommée – que celle de St Martins. Certains de ses anciens étudiants font à présent partie de maisons de couture parmi les plus prestigieuses du monde.

L'influence des designers londoniens continue d'ailleurs à s'exercer bien au-delà des rives de la Tamise. Le “British Fashion Pack” travaille toujours pour les grandes maisons du continent comme Chanel, Givenchy et Chloé – quand il ne les dirige pas. Parallèlement, qu'ils y organisent ou non leurs défilés, de grands créateurs comme Alexander McQueen conservent des ateliers à Londres, et certains de ceux qui boudaient la capitale britannique au profit d'autres grandes villes reviennent à Londres présenter leurs collections.

Comparé à l'élégance classique des maisons parisiennes et milanaises ou à la décontraction très *street* de New York, Londres a toujours fait figure d'excentrique. Personne n'a aussi bien résumé cet état d'esprit qu'Isabella Blow, styliste de légende qui découvrit notamment Alexander McQueen, Stella Tennant et Sophie Dahl pendant sa carrière à *Vogue* et *Tatler*. Isabella Blow a mis fin à ses jours en 2007 et, bien que méconnue du grand public, sa disparition causa un grand émoi dans le monde de la mode à Londres. N'apparaissant jamais en public sans un chapeau extravagant signé Philip Treacy, elle avait un charisme qui pouvait susciter enthousiasme et passion autour des heurs et malheurs de la création londonienne. Avec elle, le Londres de la mode a perdu beaucoup de son piquant.

Londres a vu naître ces dernières années une nouvelle tendance, celles des lignes de vêtements conçues par des célébrités pour des magasins bon marché. Karl Lagerfeld et Stella McCartney se sont livrés à l'exercice pour H&M, Kate Moss et Beth Ditto pour Top Shop et Lily Allen pour New Look. Ce fut à chaque fois un grand événement et, même pour la collection de Kate Moss, l'occasion d'une ruée dans les rayons pour toutes les fashionistas.

La mode britannique a toujours été davantage tournée vers les créations plus jeunes et plus innovantes, ce qui explique que l'élégance tirée à quatre épingles façon Gucci n'ait jamais vraiment pris dans la capitale – où elle a peut-être pour seul équivalent les tailleurs pour hommes de Savile Row. La haute couture n'est pas véritablement ancrée dans l'histoire de Londres comme elle l'est à Paris ou à Milan, où styles et tissus sont bien plus classiques et raffinés. Il ne faut pas négliger l'influence du marché sur la création britannique : les clients préfèrent ainsi dépenser 100 £ dans plusieurs articles bon marché (d'où l'essor vertigineux des magasins d'usine) là où Français et Italiens privilégieront l'achat d'une seule pièce, chère mais de bonne facture, qu'ils conserveront longtemps.

C'est pourquoi Londres met l'accent sur des créations inspirées de la rue et surprenantes, s'appuyant sur quelques valeurs sûres qui ont su durer, mêlées à de nouveaux designers en vogue, peu expérimentés mais débordant de talent et d'inventivité. Quiconque s'intéresse de près ou de loin aux tendances de la rue y trouvera son compte, et c'est ce qui fait tout l'attrait de Londres sur la planète mode.

LANGUE

La langue est de loin la plus grande contribution de l'Angleterre au monde moderne. Il s'agit d'un idiome exceptionnellement riche, fort d'environ 600 000 mots de base (alors que l'indonésien ou le malais, par exemple, n'en comptent que 60 000). Aujourd'hui, elle est devenue un melting-pot linguistique. À l'image de l'Angleterre, qui a pillé les trésors du monde entier pour décorer ses musées, la langue anglaise s'est enrichie de mots des langues étrangères qu'elle côtoyait. Le Dr Johnson, rédacteur du premier dictionnaire anglais, avait bien essayé de protéger la langue des influences étrangères (peut-être pour se faciliter la tâche), mais il a visiblement échoué, vu le nombre considérable d'importations acceptées.

Les anglophones n'ont que l'embarras du choix lorsqu'il s'agit de trouver un terme descriptif – nom ou adjectif –, comme n'importe quel dictionnaire des synonymes vous le prouvera rapidement (*fast*, *swiftly*, *speedily*, *rapidly*, *promptly*). Il y a une cinquantaine d'années, les linguistes ont répertorié l'anglais de base, une version abrégée de la langue, en 850 mots – juste assez pour dire tout ce que l'on veut. Mais qu'en est-il du plaisir ? Shakespeare à lui seul aurait apporté plus de 2 000 mots à la langue et des centaines d'expressions idiomatiques telles que *poisoned chalice* (cadeau empoisonné), *one fell swoop* (d'un seul coup), *cold comfort* (maigre consolation) et *cruel to be kind* (qui aime bien châtie bien).

Ceux dont l'anglais est la langue maternelle peuvent s'estimer heureux car elle n'est pas facile à apprendre ; la prononciation et l'orthographe sont plus illogiques et excentriques que dans n'importe quelle autre langue. Prenez par exemple la prononciation de *rough*, *cough*, *through*, *though* et *bough*. Toute tentative de rationaliser l'orthographe anglaise est contrée avec passion par ceux qui se veulent les gardiens du beau langage et s'opposent à la tendance américaine de supprimer le "u" dans des mots comme *colour* et *glamour*.

En termes d'accent, l'anglais standard de la *Received Pronunciation* (RP, ou bonne prononciation) vient de Londres, où il était traditionnellement parlé par les classes supérieures et les élèves des *public schools* (l'enseignement privé). Ce n'est pas la forme la plus facile à comprendre, elle est même parfois presque incompréhensible ("oh, eye nare" est censé signifier "yes, I know"). Ces puristes désespèrent de voir leur langue massacrée par la plupart des Londoniens qui parlent ce que l'on appelle l'*Estuary English*, sorte de sous-cockney qui s'est répandu le long de l'estuaire dans le Londres d'après-guerre. Pour des détails sur le cockney, reportez-vous à l'encadré p. 168.

La BBC est censée arbitrer cette question et, lorsque l'on compare le ton artificiel et franchement hilarant du journal télévisé d'après-guerre avec les éditions actuelles, il est évident que l'anglais standard se situe aujourd'hui dans un registre plus intermédiaire. D'après certains linguistes australiens, la reine elle-même aurait laissé quelques éléments de prononciation de l'Estuary English souiller son impeccable RP.

Certains disent que l'*Estuary English* – aujourd'hui parlé dans un périmètre d'une centaine de kilomètres autour de la capitale – tend à devenir la norme. Selon le guide de conversation français/anglais de Lonely Planet, les caractéristiques principales de ce langage sont : une inflexion plus prononcée, l'utilisation systématique de "*innit*", un "t" glottal qui fait pratiquement disparaître le double "t" dans *butter* et fait que *alright* sonne presque comme "*orwhy*". Plus généralement, c'est une manière de parler plus relâchée, moins articulée, qui arrondit les consonnes et laisse les voyelles gémir toutes seules dans leur coin. Le manque de rythme dans le débit qui peut résulter de l'absence de consonnes semble compensé par l'insertion d'un grand nombre de *fuck* et de *fucking* – jurons dont on prononce bien les consonnes.

Cependant, comme à peu près tout dans cette ville, la langue est en évolution constante, absorbant de nouvelles influences, créant de nouveaux mots d'argot et modifiant progressivement le sens des mots. Si les communautés ethniques commencent tout juste à influer sur la langue, de nombreux jeunes Londoniens imitent volontiers les

LONDRES ET SES LANGUES

Londres est une véritable tour de Babel avec quelque 300 langues parlées dans la ville. Dans plusieurs quartiers de la capitale, l'anglais est en fait la seconde langue. Rendez-vous à Southall si vous voulez voir des panneaux de gare rédigés en hindi, dans Gerrard St, à Soho, pour des cabines téléphoniques avec instructions en chinois, à Golders Green ou Stamford Hill pour des enseignes de magasins en hébreu et en yiddish et à Kingsland Rd, dans l'East End, où *tout* est écrit en turc.

expressions jamaïcaines et ce qu'ils imaginent être le langage hip-hop des banlieues afro-américaines.

À l'image de l'Angleterre, qui a absorbé les vagues successives d'immigrants, la langue anglaise, toujours insatiable, continuera sans doute à se nourrir de nouveaux apports. Pendant ce temps, les différences de classes subsistant, la bataille linguistique continuera à faire rage à Londres.

LONDRES PAR QUARTIER

La sélection

- **Tour de Londres** (p. 122)
  Forteresse historique et écrin des joyaux de la Couronne
- **Cathédrale Saint-Paul** (p. 103)
  Le chef-d'œuvre de Wren dresse son incroyable dôme
- **Abbaye de Westminster** (p. 93)
  Impressionnante et emblématique, elle raconte la royauté
- **Tate Modern** (p. 132)
  Sa collection extraordinaire suscite l'engouement des foules
- **National Gallery** (p. 76)
  Magnifique collection d'art national, l'une des plus belles d'Europe
- **British Museum** (p. 83)
  Une collection superbe (et controversée)
- **Shakespeare's Globe** (p. 133)
  Les pièces du maître jouées comme à l'époque élisabéthaine
- **Hampton Court Palace** (p. 213)
  Le plus grand palais Tudor de la capitale ouvre ses portes tous les jours
- **London Eye** (p. 128)
  Un "œil" emblématique, dont la vue embrasse toute la capitale

LONDRES PAR QUARTIER

"Il faut des années pour apprendre à connaître Londres, et les Londoniens eux-mêmes ne sont jamais tout à fait d'accord sur le nom de tel ou tel quartier."

Observer une carte de Londres et se confronter à une telle immensité peut être déconcertant. Rien de plus normal : les innombrables villes et villages qui ont peu à peu fusionné pour former la mosaïque du Londres moderne continuent de dérouter même des résidents de longue date. Quel que soit le temps que vous passerez dans la capitale, vous découvrirez toujours de nouveaux quartiers dont vous n'aviez jamais entendu parler auparavant.

Avec sa multitude de villages, ses divisions administratives disparates et ses anciennes paroisses, Londres est un labyrinthe où il fait bon se perdre. Son centre est le quartier du West End, dont Soho et Covent Garden forment le cœur, entourés par Bloomsbury l'universitaire, le quartier bohème de Fitzrovia, la très chic Marylebone, l'opulente Mayfair, le quartier royal St James's et le village politique de Westminster. C'est ici que l'on trouve les meilleures boutiques, restaurants et divertissements de Londres.

South Bank, face au West End et à la City sur l'autre rive de la Tamise, est consacrée aux arts, et compte deux sites emblématiques du Londres moderne, la Tate Modern et le London Eye, ainsi que le South Bank Centre. Les quartiers chics qui s'étendent entre Hyde Park et Chelsea comprennent Belgravia, le quartier des VIP, Knightsbridge, la Mecque du shopping, le très huppé Kensington et le grand village de Chelsea, célèbre pour King's Rd. Un séjour à Londres ne serait pas complet sans une visite des musées de South Kensington, une descente chez Harrods et Harvey Nichols à Knightsbridge, ou une balade dans l'immense Hyde Park.

À l'est du West End se trouvent la City , cœur financier de Londres, et les quartiers, autrefois délabrés de Clerkenwell, Shoreditch et Spitalfields, les plus trépidants de Londres. Vous y trouverez le très tendance Hoxton Square avec ses clubs et ses bars, le marché de Spitalfields et l'incroyable Brick Lane, jadis rue des curries où l'on trouve aujourd'hui les meilleures boutiques de vêtements de Londres.

Plus à l'est, vous découvrirez l'East End et les Docklands. L'East End est le Londres authentique, un quartier multiethnique et étonnamment traditionnel, où l'on peut entendre le vrai cockney. Le quartier subit actuellement des transformations en prévision des Jeux olympiques de 2012, qui se tiendront dans la vallée de la River Lea et autour de Stratford, à l'extrême limite de l'East End. Les Docklands sont un autre exemple de réhabilitation urbaine ; tirés vers le haut par l'État et le secteur financier, ses banquiers et ses gratte-ciel rivalisent avec ceux de la City. Le futur appartient aussi à l'Est grâce au Thames Gateway, vaste projet de développement de l'estuaire de la Tamise.

North London est une suite de charmants villages vallonnés, qui sont autant de microcosmes : les classiques Hampstead et Highgate, Primrose Hill et ses célébrités, le très tendance Islington, Stoke Newington et ses hippies et, pour finir, le florissant Crouch End. Entre les villages, on trouve des centres urbains comme Finchley Rd, Camden Town, Holloway et Finsbury Park.

West London est un quartier somptueux et cossu, qui abrite des sites incontournables : Buckingham Palace, le Parlement et Kensington Palace. Il s'enorgueillit également d'un quartier à la mode : Notting Hill, avec son marché, ses boutiques et beaucoup des meilleurs pubs et bars de la ville.

Sur la rive sud, Greenwich est un enchantement avec sa longue histoire de centre maritime et, bien sûr, son lien avec le temps. Les quartiers de Southeast London, Deptford, New Cross et Woolwich, semblent être en passe de rivaliser, sur la rive sud de la Tamise, avec Shoreditch.

South London, vaste quartier résidentiel, possède quant à lui plusieurs visages : Blackheath, Clapham, Putney et Richmond, verdoyants, ou, moins policés, Brixton, Kennington, ainsi que Vauxhall, l'enclave gay de South London.

Southwest London compte des villages urbains comme Putney, Barnes, Richmond, Wimbledon et Kew, et attire de nombreux visiteurs dans ses superbes jardins botaniques, à son tournoi de tennis mondialement célèbre ou dans le palais Tudor d'Henry VIII, à Hampton Court.

Il faut des années pour connaître Londres, les Londoniens eux-mêmes ignorent parfois le nom de certains quartiers. Gardez la tête froide et munissez-vous toujours d'un bon plan, même si c'est en quittant les sentiers battus que vous découvrirez une grande partie du charme de Londres.

0 5 km
0 3 miles
North London (p. 264)
West London (p. 268)
Le West End (p. 67)
De Hyde Park à Chelsea (p. 139)
Clerkenwell, Shoreditch et Spitalfields (p. 152)
La City (p. 103)
South Bank (p. 92)
L'East End et les Docklands (p. 159)
South London (p. 274)
Greenwich et Southeast London (p. 183)
Southwest London (p. 276)
Tamise
Edgware
Friern Barnet
Tottenham
Woodford
Finchley
Wood Green
Walthamstow
Hendon
Golders Green
Highgate
Finsbury Park
Stoke Newington
Leyton
Wembley
Neasden
Highbury
Ilford
Hampstead
Gospel Oak
Dalston
West Hampstead
Kentish Town
Hackney
Stratford
Belsize Park
Camden
Barnsbury
Kingsland
West Ham
Willesden
Islington
De Beauvoir Town
Camden Town
East Ham
Bow
Pentonville
St John's Wood
Kilburn
Somers Town
Bethnal Green
Mile End
Harlesden
Regent's Park
Maida Vale
Bloomsbury
Spitalfields
Fitzrovia
Marylebone
Holborn
Ealing
Whitechapel
Notting Hill
Paddington
Covent Garden
Limehouse
Poplar
Soho
Acton
Bayswater
Mayfair
Southwark
Wapping
Docklands
Silvertown
St James's
Kensington
Knightsbridge
Bermondsey
Rotherhithe
Isle of Dogs
Holland Park
Belgravia
Borough
Charlton
Hammersmith
South Kensington
Westminster
Millwall
Earl's Court
Chelsea
Pimlico
Kennington
West Brompton
Deptford
Woolwich
Brentford
Vauxhall
Nine Elms
Greenwich
Kew
Barnes
Fulham
Walham Green
Battersea
Camberwell
Peckham
New Cross
Isleworth
Blackheath
Brixton
Hounslow
Putney
Clapham
Lewisham
Wandsworth
Eltham
Richmond
Balham
Twickenham
Dulwich Village
Catford
Forest Hill
Dulwich

ITINÉRAIRE À LA CARTE

La meilleure façon de découvrir Londres est de l'aborder morceau par morceau, sans quoi sa taille et la variété de ce que l'on peut y voir et y faire (sans parler de ce que l'on peut manger, boire ou acheter) pourraient provoquer une syncope, à tout le moins un grave épuisement. Pour les besoins de cette rubrique, West London inclut les quartiers de Hyde Park à Chelsea et West London. South London comprend Greenwich et Southeast London, South London et Southwest London.

LIEUX

ACTIVITÉS	À voir	Où se restaurer	Où prendre un verre
Le West End	**National Gallery** (p. 76) **National Portrait Gallery** (p. 78) **Sir John Soane's Museum** (p. 81)	**Gay Hussar** (p. 241) **Busaba Eathai** (p. 246) **Portrait** (p. 243)	**Gordon's Wine Bar** (p. 282) **French House** (p. 281) **Seven Stars** (p. 282)
La City	**Tour de Londres** (p. 122) **Cathédrale Saint-Paul** (p. 103) **Temple Church** (p. 107)	**Paternoster Chop House** (p. 249) **Place Below** (p. 250) **Sweeting's** (p. 249)	**Ye Olde Watling** (p. 284) **Counting House** (p. 284) **Black Friar** (p. 283)
Clerkenwell, Shoreditch et Spitalfields	**Geffrye Museum** (p. 153) **Dennis Severs' House** (p. 156) **Spitalfields Market** (p. 152)	**St John** (p. 256) **Moro** (p. 256) **Modern Pantry** (p. 257)	**Foundry** (p. 287) **George & Dragon** (p. 288) **Jerusalem Tavern** (p. 287)
South Bank	**Tate Modern** (p. 132) **London Eye** (p. 128) **Southwark Cathedral** (p. 135)	**Skylon** (p. 250) **Anchor & Hope** (p. 250) **Applebee's Fish Café** (p. 251)	**George Inn** (p. 285) **King's Arms** (p. 282) **Baltic** (p. 284)
West London	**Victoria & Albert Museum** (p. 143) **Kensington Place** (p. 147) **Leighton House** (p. 179)	**Awana** (p. 253) **Daquise** (p. 254) **Olivo** (p. 256)	**Windsor Castle** (p. 294) **Earl of Lonsdale** (p. 293) **Churchill Arms** (p. 293)
North London	**Zoo de Londres** (p. 171) **Hampstead Heath** (p. 173) **Highgate Cemetery** (p. 173)	**Manna** (p. 264) **Afghan Kitchen** (p. 267) **Wells Tavern** (p. 266)	**Holly Bush** (p. 291) **Elk in the Woods** (p. 292) **Edinboro Castle** (p. 291)
East London	**V&A Museum of Childhood** (p. 162) **Museum of London Docklands** (p. 165) **Ragged School Museum** (p. 163)	**Café Spice Namaste** (p. 260) **El Faro** (p. 262) **Tayyabs** (p. 261)	**Bistrotheque** (p. 289) **Prospect of Whitby** (p. 290) **Grapes** (p. 290)
South London	**Royal Observatory** (p. 184) **Hampton Court Palace** (p. 213) **Imperial War Museum** (p. 192)	**Inside** (p. 272) **Rosie's Deli Cafe** (p. 274) **Lobster Pot** (p. 275)	**Trafalgar Tavern** (p. 295) **Barmy Arms** (p. 298) **So.uk** (p. 296)

COMMENT UTILISER CE TABLEAU

Le tableau présenté ci-dessous vous permet d'organiser une journée bien remplie dans n'importe quel quartier de la ville. Il vous suffit de sélectionner la zone de votre choix, et de composer votre journée en fonction des sites indiqués. Le premier élément de chaque case concerne une attraction célèbre du quartier, tandis que les suivants sont des découvertes à faire hors des sentiers battus.

Shopping	Où se divertir	Où sortir
Selfridges (p. 222) **Liberty** (p. 221) **Habitat** (p. 226)	**Royal Opera House** (p. 315) **Curzon Soho** (p. 316) **Donmar Warehouse** (p. 320)	**Black Gardenia** (p. 302) **Madame Jo Jo's** (p. 303) **Bar Rumba** (p. 301)
Leadenhall Market (p. 231)	**Barbican** (p. 312) **Rhythm Factory** (p. 310)	
Hoxton Boutique (p. 232) **Tatty Devine** (p. 232) **Labour & Wait** (p. 233)	**Sadler's Wells** (p. 315) **93 Feet East** (p. 300) **Macbeth** (p. 288)	**Fabric** (p. 302) **333** (p. 301) **Herbal** (p. 303)
Konditor & Cook (p. 228) **Black + Blum** (p. 228)	**BFI Southbank** (p. 315) **National Theatre** (p. 318) **Royal Festival Hall** (p. 310)	**Ministry of Sound** (p. 304)
Harvey Nichols (p. 229) **Marché de Portobello** (p. 230) **Fortnum & Mason** (p. 221)	**Royal Albert Hall** (p. 313) **Electric Cinema** (p. 316) **Coronet** (p. 316)	**Notting Hill Arts Club** (p. 304)
Camden Market (p. 230) **Housmans** (p. 233) **Camden Passage** (p. 231)	**Hampstead Heath Ponds** (p. 325) **Everyman Hampstead** (p. 316) **Almeida Theatre** (p. 320)	**Scala** (p. 304) **Egg** (p. 302) **Koko** (p. 303)
Broadway Market (p. 233) **Fabrications** (p. 233) **Burberry Factory Shop** (p. 233)	**Arcola Theatre** (p. 320) **Whitechapel Art Gallery** (p. 159) **Café Oto** (p. 309)	**Bethnal Green Working Men's Club** (p. 301) **Passing Clouds** (p. 304) **Dalston Superstore** (p. 292)
Brixton Market (p. 230) **Joy** (p. 235)	**Ritzy Picturehouse** (p. 317) **Battersea Arts Centre** (p. 320)	**Matter** (p. 304) **02 Academy Brixton** (p. 309) **Dogstar** (p. 302)

LE GRAND LONDRES

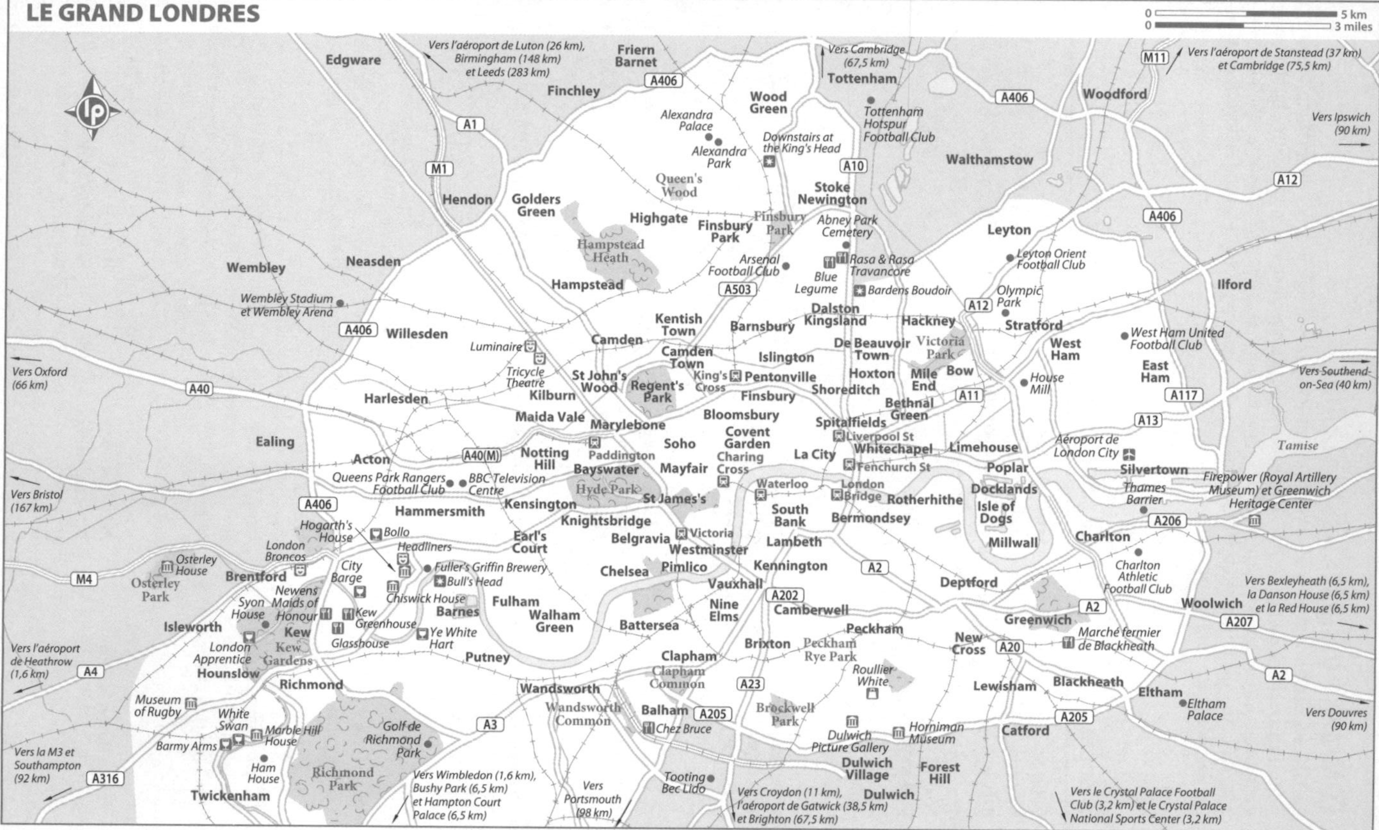

LE WEST END

Où prendre un verre p. 280 ; Où se restaurer p. 240 ; Shopping p. 218 ; Où se loger p. 342

Londres a toujours su séduire. Samuel Johnson s'extasiait sur sa "magnifique immensité", tandis que Henry James affirmait que la capitale britannique abritait "la plupart des formes de vie possibles". Et toute la complexité, le chaos et la vitalité qui les a tant fascinés se trouve concentrés dans le West End, le centre physique, culturel et social de Londres. Que vous soyez un visiteur novice, régulier ou résident, c'est là que vous vous extasierez ou que vous battrez le pavé le plus souvent. Le West End est un terme vague (chaque Londonien a sa propre définition des quartiers), et les différents éléments qui le composent sont souvent hétéroclites. Les Londoniens se plaignent parfois de la foule qui envahit West End, mais la plupart sont sous le charme de ce quartier monumental et majestueux, truffé de sites à découvrir et résolument urbain.

Au centre, Soho (ci-dessous), est réputé pour son histoire, encensé pour sa vie nocturne déjantée et ses excellents restaurants et bars. Non loin, le quartier verdoyant de Bloomsbury abrite le British Museum (p. 83), et compense le caractère sulfureux de Soho par sa réputation intellectuelle : les campus universitaires y sont légion, et c'est là que Virginia Woolf et les autres auteurs de son mouvement ont vécu. Touristes et badauds affluent à Covent Garden (p. 73) pour admirer ses artistes de rue, ses boutiques et ses théâtres. Chinatown (ci-dessous) dégage une atmosphère authentique, mais attention au choix du restaurant. À Leicester Sq (p. 73), quartier des cinémas et des attrape-touristes, se massent vsiteurs, fêtards du week-end et revendeurs de billets à la sauvette. Avec Holborn et le Strand (p. 80), la ville chatouille les berges de la Tamise.

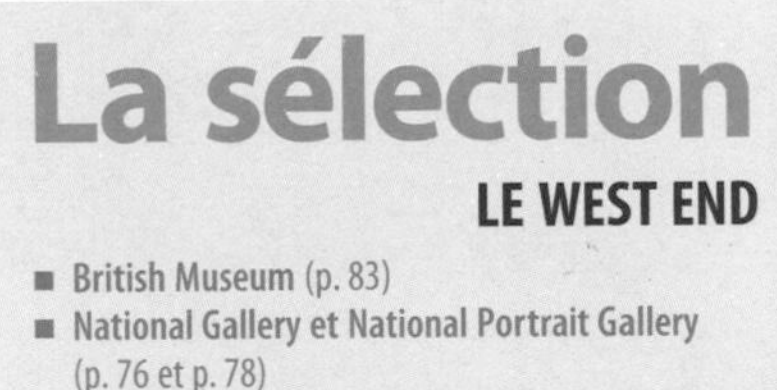

Piccadilly Circus (p. 71) brille de mille feux publicitaires. Les Londoniens l'adorent malgré la densité du trafic et la foule qui s'y presse. L'imposant Trafalgar Square (p. 73) est le lieu de rendez-vous des célébrations et des manifestations. La place compte également les meilleures galeries de la ville, tandis que c'est à Westminster (p. 93) que les grandes décisions politiques se prennent avant le *breakfast*, sous les auspices de l'abbaye de Westminster. St James's Park (p. 91), et son atmosphère reposante, mène jusqu'à Buckingham Palace (p. 90), que l'on ne présente plus, même si l'on peut dire que vous n'y trouverez guère de Londoniens. Si vous êtes en quête d'une zone de West End qui ne soit ni bondée ni surchargée de trafic, arpentez les quartiers aristocratiques de Mayfair (p. 93) et de St James's (p. 87), ou rendez-vous du côté de Marylebone (p. 99), véritable village doté d'une pittoresque High Street bordée de boutiques et de restaurants petits, mais chics.

Le meilleur moyen de découvrir West End, et Londres, c'est de marcher. Il est possible de rallier à pied la plupart des sites, et si vraiment cela fait trop, vous pourrez vous reposer dans un bus. Le métro dessert la plupart des sites, mais il est parfois plus rapide d'aller à pied de l'un à l'autre (ex : Covent Garden et Leicester Sq ou Piccadilly). Munissez-vous de la carte Oyster (voir p. 392) si vous avez l'intention de prendre les transports publics, sans quoi deux ou trois trajets en métro risquent de vous coûter une petite fortune.

SOHO ET CHINATOWN

Bien qu'il n'y ait pas à proprement parler de site à visiter à Soho, l'énergie qui s'en dégage en fait l'un des quartiers les plus populaires de Londres. Soho tient son nom d'un terme de chasse hérité des Tudors : c'étaient les terres de chasse de l'aristocratie sous le règne d'Henry VIII. Son statut privilégié fut mis à mal lorsque les habitants qui se retrouvèrent sans abri à la suite du Grand Incendie s'y réfugièrent, suivis par de nombreuses immigrants, qui donnèrent à Soho son image mauvais garçon et anarchiste qu'il conserve aujourd'hui (dans une moindre mesure). Une myriade de communautés se partage le quartier : on y trouve le cœur traditionnel de la scène gay de Londres, de nombreuses entreprises de médias, un "quartier rouge", des boutiques, des restaurants, des théâtres, des cafés, des discothèques et, bien entendu, des touristes qui prennent facilement part à l'animation.

Soho est délimité par les quatre Circus : Oxford, Piccadilly, Cambridge et St Giles. Wardour St scinde le quartier en deux : High Soho à l'est, et Low, ou West Soho en face. Old Compton St s'est imposée comme la rue principale et la rue la plus gay de Londres. Le seul marché aux fruits et légumes du West End se trouve sur Berwick St, une rue charmante. Épicentre de la mode des sixties, Carnaby St et Newburgh St, sortent de 10 ans de règne de boutiques attrape-touristes et redeviennent un quartier tendance pour le shopping.

SOHO SQUARE ET SES ENVIRONS Plan p. 70

À l'extrémité nord de Soho, vous débouchez sur Soho Sq, bien arboré. Au printemps et en été, on vient y lézarder au soleil, déjeuner entre collègues ou pique-niquer. Créée en 1681, la place s'appelait à l'origine King's Sq, raison

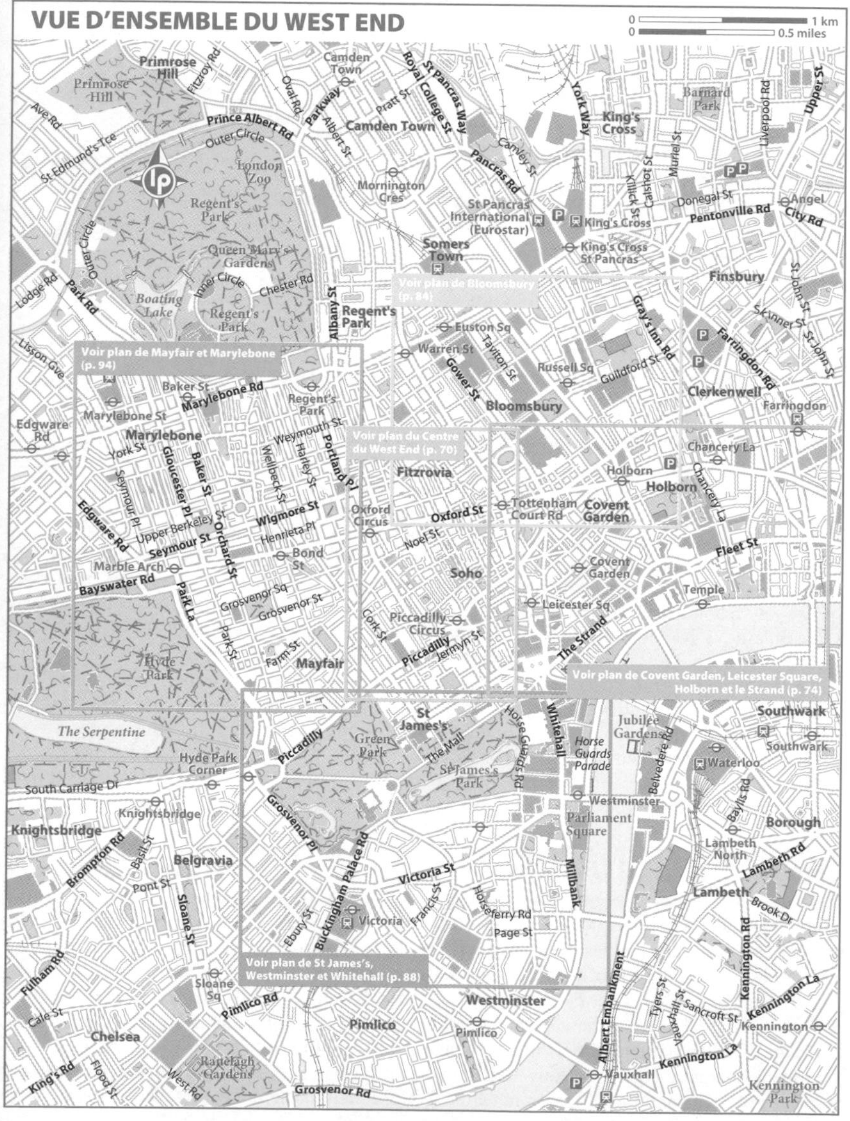

Also at:

83-84 Marylebone High Street
London W1U 4QW
020 7224 2295

61 Cheapside
London EC2V 6AX
020 7248 1117

158 -164 Fulham Road
London SW10 9PR
020 7373 4997

51 South End Road
London NW3 2QB
020 7794 8206

193 Haverstock Hill
London NW3 4QL
020 7794 4006

and

www.dauntbooks.co.uk

SEXE, DROGUE ET ROCK 'N' ROLL : L'HISTOIRE DE SOHO

L'identité de Soho s'est forgée au fil des nombreuses vagues d'immigration. Le développement résidentiel débute au XVIIe siècle, après que le Grand Incendie a ravagé la majeure partie de la ville. Un afflux de réfugiés grecs et huguenots puis, au XVIIIe siècle, d'Italiens, de Chinois et autres artisans et radicaux, remplacent les bourgeois de Soho, qui partent s'installer à Mayfair. Au cours du siècle suivant, Soho n'est guère qu'un bidonville dont les habitants pauvres sont fréquemment frappés par le choléra. Malgré tout, l'ambiance cosmopolite de Soho attire les écrivains et les artistes, et le quartier surpeuplé devient un centre de divertissement où restaurants, tavernes et cafés se multiplient.

Au XXe siècle, une nouvelle vague d'immigrants européens s'installe. Pendant les deux décennies qui suivent la Seconde Guerre mondiale, Soho devient alors une enclave bohème. Le fameux club de Ronnie Scott, situé à l'origine sur Gerrard St, rythme le quartier de ses accents jazz, tandis que des géants tels que Jimi Hendrix, les Rolling Stones et Pink Floyd font leurs premières scènes au légendaire Marquee Club, autrefois sur Wardour St. La réputation miteuse de Soho le précède, mais lorsque les centaines de prostituées du "Square Mile" sont chassées de la rue pour finir dans des vitrines, il devient le "quartier rouge" de la ville, royaume de la pornographie, des boîtes à strip-tease et des clubs louches. Peu après, c'est la libération gay, et dès les années 1980, Soho devient le centre de la scène gay de Londres, tel qu'on le connaît aujourd'hui. Ce quartier dégage un véritable esprit de communauté, palpable notamment le samedi et le dimanche matin, quand il prend des allures de village.

pour laquelle la statue de Charles II trône dans la partie nord. Au centre, une petite maison de style pseudo-Tudor, la cabane du jardinier, possède un ascenseur qui menait aux abris souterrains. Outre le fait d'être un coin de verdure, Soho Sq (comme le reste de Soho) est un centre médiatique : la 20th Century Fox et le British Board of Film Classification y ont leurs bureaux.

Au sud de Soho Sq, sur Dean Street, arrêtez-vous devant le n°28, où Karl Marx et sa famille ont vécu de 1851 à 1856. Marx, sa femme Jenny et leurs quatre enfants vivaient dans une pauvreté extrême, sans toilettes ni eau courante. Dans cet appartement, trois de leurs enfants moururent de pneumonie. Alors que le père du communisme passait ses journées au British Museum à faire des recherches pour *Le Capital*, il vivait principalement d'articles qu'il rédigeait pour des journaux ainsi que de l'aide financière de son collègue et ami Friedrich Engels. La famille Marx ne dut son salut qu'à un important héritage de la famille de Mme Marx qui leur permit de déménager vers le quartier plus salubre de Primrose Hill. C'est aujourd'hui une rue animée, bordée de boutiques, de bars et autres lieux de consommation : Marx doit se retourner dans sa tombe.

Casanova, le séducteur, et Thomas de Quincey, l'écrivain opiomane, vécurent dans Greek St, tandis que Mozart résida pendant un an, de 1764 à 1765, dans Frith St (au n°20), une rue parallèle.

CHINATOWN Plan p. 70

Juste au nord de Leicester Sq, l'ambiance change du tout au tout. Lisle St et Gerrard St sont en effet le point de convergence de la communauté chinoise de Londres. Quoique moins étendu que les quartiers chinois de nombreuses grandes villes (il se limite aux deux rues citées plus haut), c'est un lieu animé avec des portiques orientaux factices, des panneaux de signalisation en chinois, des lanternes rouges, énormément de restaurants et d'incroyables supermarchés asiatiques. À l'origine, le Chinatown londonien se trouvait plus à l'est, près de Limehouse, mais il a été déplacé après les bombardements de la Seconde Guerre mondiale. Pour le voir en pleine effervescence, visitez-le lors du Nouvel An chinois, fin janvier/début février (p. 16). Attention : ici, la qualité de la cuisine varie fortement – beaucoup d'établissements sont de médiocres pièges à touristes, mais plusieurs bons restaurants ont ouvert récemment. Pour les meilleures adresses, consultez le chapitre *Où se restaurer*, p. 240.

PHOTOGRAPHERS' GALLERY Plan p. 70

☎ 0845 262 1618 ; www.photonet.org.uk ; 16-18 Ramillies St W1 ; entrée libre ; 🕐 11h-18h mar, mer et sam, 11h-20h jeu-ven, 12h-18h dim ; ⊖ Oxford Circus ; ♿

Depuis décembre 2008, cette géniale institution a quitté sa galerie proche de Leicester Sq, et ses nouveaux locaux lui vont à ravir. Conçue par le cabinet O'Donnell + Tuomey Architects, la galerie comporte deux étages d'exposition, un joli café, une librairie bien fournie et une boutique au dernier étage pour s'offrir un tirage original. La prestigieuse Deutsche Börse Photography Competition (tous les ans du 9 février au 8 avril) est un concours très important pour les photographes contemporains ; parmi ses vainqueurs,

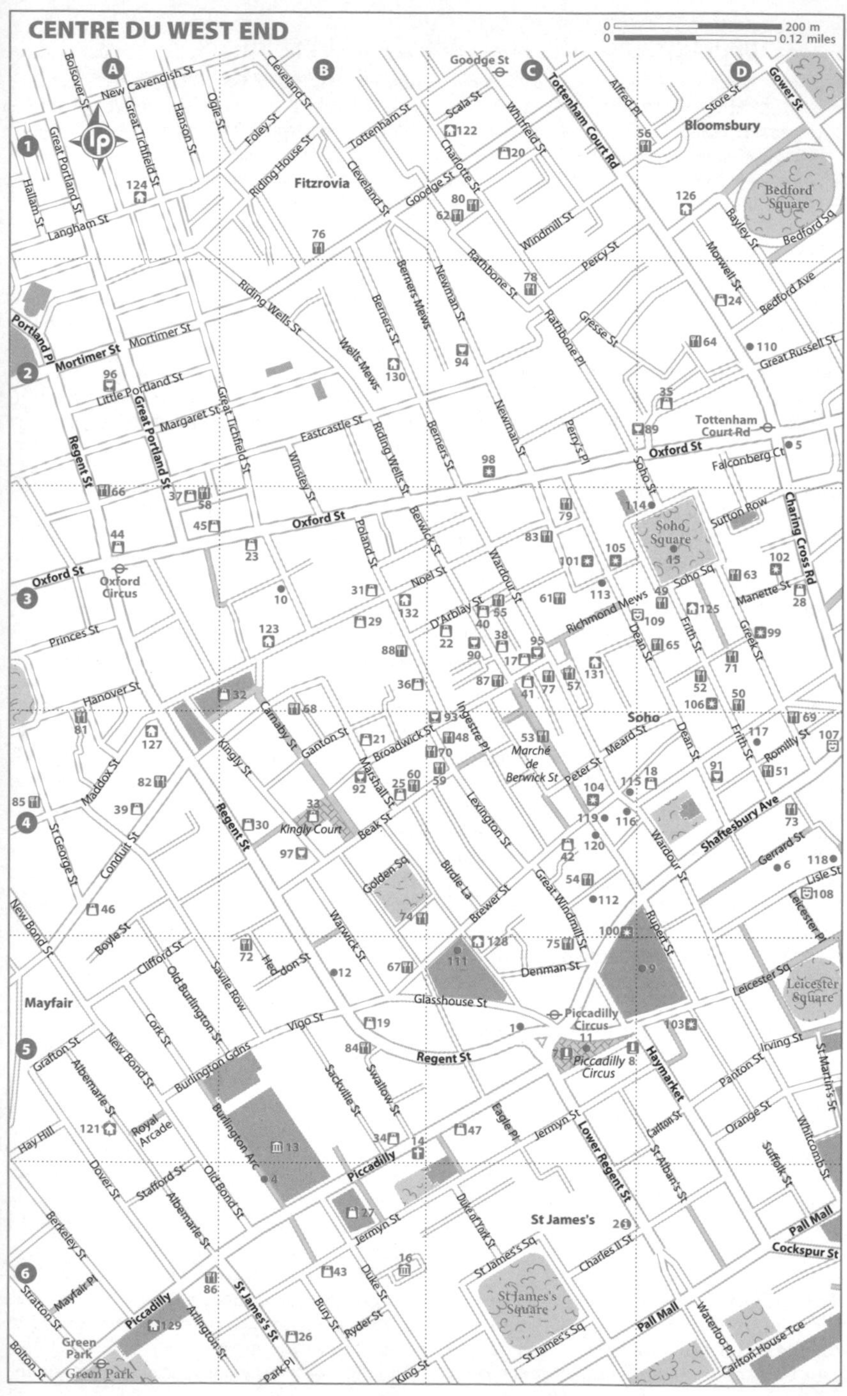
CENTRE DU WEST END
0 200 m
0 0.12 miles
A
B
C
D
1
2
3
4
5
6
Fitzrovia
Bloomsbury
Soho
Mayfair
St James's
Goodge St
Tottenham Court Rd
Oxford Circus
Piccadilly Circus
Green Park
Bedford Square
Soho Square
Leicester Square
St James's Square
Marché de Berwick St
Kingly Court
Royal Arcade
Bolsover St
New Cavendish St
Great Titchfield St
Hanson St
Ogle St
Cleveland St
Foley St
Riding House St
Tottenham St
Scala St
Charlotte St
Whitfield St
Alfred Pl
Store St
Gower St
Great Portland St
Hallam St
Langham St
Goodge St
Windmill St
Bayley St
Bedford Sq
Morwell St
Percy St
Rathbone St
Berners Mews
Newman St
Berners St
Riding Wells St
Wells Mews
Gresse St
Rathbone Pl
Bedford Ave
Great Russell St
Portland Pl
Mortimer St
Little Portland St
Margaret St
Eastcastle St
Perry's Pl
Regent St
Winsley St
Oxford St
Soho St
Falconberg Ct
Sutton Row
Charing Cross Rd
Poland St
Berwick St
Wardour St
Noel St
D'Arblay St
Richmond Mews
Dean St
Soho Sq
Manette St
Frith St
Greek St
Princes St
Hanover St
Carnaby St
Ganton St
Broadwick St
Ingestre Pl
Meard St
Romilly St
Maddox St
Kingly St
Marshall St
Peter St
Lexington St
Shaftesbury Ave
Gerrard St
Lisle St
Leicester Pl
St George St
Conduit St
Beak St
Golden Sq
Birdie La
Brewer St
Great Windmill St
Rupert St
New Bond St
Boyle St
Clifford St
Old Burlington St
Savile Row
Heddon St
Warwick St
Denman St
Glasshouse St
Leicester Sq
Cork St
Vigo St
Grafton St
Albemarle St
Burlington Gdns
Sackville St
Swallow St
Haymarket
Irving St
Panton St
St Martin's St
Hay Hill
Dover St
Burlington Arc
Stafford St
Old Bond St
Piccadilly
Eagle Pl
Jermyn St
Lower Regent St
Carlton St
St Alban's St
Orange St
Suffolk St
Whitcomb St
Berkeley St
Duke of York St
Charles II St
Pall Mall
Cockspur St
Mayfair Pl
Stratton St
Arlington St
St James's St
Duke St
Bury St
Ryder St
St James's Sq
Waterloo Pl
Carlton House Tce
Bolton St
Park Pl
King St

on compte Richard Billingham, Luc Delahaye, Andreas Gursky, Boris Mikhailov ou Juergen Teller. La galerie expose toujours des photographes excellents dont le travail interpelle.

PICCADILLY CIRCUS Plan ci-contre

⊖ Piccadilly Circus

Avec Big Ben et Trafalgar Sq, c'est la carte postale londonienne typique. Malgré la densité de la foule et du trafic, les panneaux lumineux et l'effervescence de Piccadilly Circus donnent tout le piquant d'un séjour à Londres. C'est la nuit que la place est la plus impressionnante, lorsque les illuminations tranchent sur le noir du ciel.

Conçu par John Nash dans les années 1820, le carrefour tient son nom de la rue Piccadilly, elle-même nommée ainsi au XVIIe siècle d'après les

CENTRE DU WEST END

RENSEIGNEMENTS
- Boots 1 C5
- Centre des Visiteurs de Grande-Bretagne 2 C6

À VOIR (p. 67)
- Burlington Arcade 4 B6
- Centre Point 5 D2
- Chinatown 6 D4
- Statue d'Éros 7 C5
- Statue des Chevaux d'Hélios 8 C5
- London Trocadero 9 D5
- Photographer's Gallery 10 B3
- Piccadilly Circus 11 C5
- Regent Street 12 B5
- Royal Academy of Arts 13 B5
- St James's Piccadilly 14 B5
- Soho Square 15 D3
- White Cube Gallery 16 B6

SHOPPING (p. 218)
- Agent Provocateur 17 C3
- Algerian Coffee Stores 18 D4
- Aquascutum 19 B5
- Bang Bang Exchange 20 C1
- Marché de Berwick St (voir 53)
- Beyond The Valley 21 B4
- BM Soho 22 C3
- Borders 23 B3
- Computer Shops 24 D2
- Do Shop 25 B4
- DR Harris 26 B6
- Fortnum & Mason 27 B6
- Foyle's 28 D3
- Grant & Cutler 29 B3
- Hamleys 30 B4
- Harold Moore's Records 31 B3
- Liberty 32 B3
- Marshmallow Mountain 33 B4
- Minamoto Kitchoan 34 B5
- On the Beat 35 D2
- Phonica 36 B3
- Ray's Jazz Shop (voir 28)
- Reiss 37 A3
- Revival 38 C3
- Rigby & Peller 39 A4
- Sister Ray 40 C3
- Sounds of the Universe 41 C3
- Tatty Devine 42 C4
- Taylor of Old Bond Street 43 B6
- Topshop & Topman 44 A3
- Urban Outfitters 45 A3
- Vintage House (voir 18)
- Vivienne Westwood 46 A4
- Waterstone's 47 C5

OÙ SE RESTAURER (p. 240)
- Andrew Edmunds 48 C4
- Arbutus 49 D3
- Bar Italia 50 D3
- Bar Shu 51 D4
- Barrafina 52 D3
- Berwick Street Market 53 C4
- Bocca di Lupo 54 C4
- Breakfast Club Soho 55 C3
- Busaba Eathai 56 D1
- Busaba Eathai Wardour St 57 C3
- Carluccio's 58 A3
- Fernandez & Wells 59 C4
- Fernandez & Wells Café 60 B4
- Fernandez & Wells Espresso Bar 61 C3
- Fino 62 C1
- Gay Hussar 63 D3
- Hakkasan 64 D2
- Hamburger Union Soho 65 D3
- Kerala 66 A3
- Kulu Kulu 67 B5
- La Trouvaille 68 B3
- Maison Bertaux 69 D4
- Mildred's 70 C4
- Milk Bar 71 D3
- Momo 72 B5
- New World 73 D4
- Nordic Bakery 74 B4
- Nosh Bar 75 C5
- Ooze 76 B1
- Princi 77 C3
- Rasa Samudra 78 C2
- Red Veg 79 C3
- Roka 80 C1
- Sakura 81 A4
- Sketch 82 A4
- Star Café 83 C3
- Veeraswamy 84 B5
- Wild Honey 85 A4
- Wolseley 86 A6
- Yauatcha 87 C3
- Yo! Sushi 88 B3

OÙ PRENDRE UN VERRE (p. 280)
- Bradley's Spanish Bar 89 D2
- Coach & Horses (voir 69)
- Endurance 90 C3
- French House 91 D4
- John Snow 92 B4
- Milk & Honey 93 C4
- Newman Arms 94 C2
- Player 95 C3
- Social 96 A2
- Two Floors 97 B4

OÙ SORTIR (p. 300)
- 100 Club 98 C2
- Amused Moose Soho 99 D3
- Bar Rumba 100 C4
- Black Gardenia 101 C3
- Borderline 102 D3
- Comedy Camp (voir 112)
- Comedy Store 103 D5
- Madame Jo Jo's 104 C4
- Pizza Express Jazz Club 105 C3
- Ronnie Scott's 106 D3
- Soho Theatre (voir 109)

ARTS (p. 312)
- Curzon Soho 107 D4
- Prince Charles 108 D4
- St James's Piccadilly (voir 14)
- Soho Theatre 109 D3

ACTIVITÉS SPORTIVES (p. 324)
- Central YMCA 110 D2
- Third Space 111 C5

SCÈNE GAY ET LESBIENNE (p. 332)
- Barcode 112 C4
- Candy Bar 113 C3
- Edge 114 D3
- Freedom 115 C4
- Friendly Society 116 C4
- Ku Bar Frith St 117 D4
- Ku Bar Lisle Street & Ku Klub 118 D4
- Prowler 119 C4
- Shadow Lounge (voir 119)
- Yard 120 C4

OÙ SE LOGER (p. 342)
- Brown's 121 A5
- Charlotte Street Hotel 122 C1
- Courthouse Hotel Kempinski 123 B3
- Grange Langham Court Hotel 124 A1
- Hazlitt's 125 D3
- Myhotel Bloomsbury 126 D1
- Number 5 Maddox Street 127 A4
- Piccadilly Backpackers 128 C5
- Ritz 129 A6
- Sanderson 130 B2
- Soho Hotel 131 C3
- YHA Oxford St 132 B3

cols empesés (les *picadils*), accessoires vestimentaires de l'époque, et qui faisaient la fortune d'un tailleur des environs. Au centre de la place s'élève la célèbre statue de plomb "Angel of Christian Charity", érigée en l'honneur du philanthrope et abolitionniste du travail des enfants, lord Shaftesbury. Lors de son inauguration en 1893, la statue fit l'objet de critiques qui valurent à son auteur une retraite anticipée. À l'origine coulée en or, la sculpture fut remplacée par celle que l'on voit aujourd'hui. Au fil du temps, l'ange fut pris pour Eros, le dieu de l'Amour, et la confusion est restée (vous verrez même dans le métro des panneaux indiquant "Eros"). C'est un lieu de rendez-vous pratique pour les touristes, cependant, si vous craignez la foule, retrouvez-vous plutôt sous la statue des Horses of Helios au coin de Haymarket, plus calme.

D'après les plans dessinés par John Nash, Regent St et Piccadilly devaient être les rues les plus élégantes de la ville (voir ci-dessous). Cependant, contrarié par les planificateurs urbains, Nash ne put réaliser son projet. Ces rêves de grandeur sont bien loin : Piccadilly Circus est désormais envahi par les touristes et entouré de rues comme Coventry St, truffées de vendeurs de pacotille. Coventry St débouche sur Leicester Sq, tandis que Shaftesbury Ave conduit à la zone des théâtres du West End. La rue Piccadilly elle-même mène au sanctuaire de Green Park. Sur Haymarket, arrêtez-vous devant la New Zealand House (construite en 1959 sur le site de l'hôtel Carlton, bombardé pendant la guerre), où le chef révolutionnaire vietnamien Ho Chi Minh (1890-1969) officia comme serveur en 1913. Parcourez Lower Regent St et mesurez toute la majesté de Westminster.

À l'est de la place, découvrez London Trocadero (plan p. 70 ; ☎ 0906 888 1100 ; www.troc.co.uk ; 1 Piccadilly Circus W1 ; entrée libre ; 🕑 10h-1h), immense centre commercial sans âme qui réunit, sur six niveaux, jeux high-tech (au prix en conséquence) pour les plus jeunes, restaurants à l'américaine et bowling.

REGENT STREET Plan p. 70

Regent St constitue la ligne de démarcation entre le populaire Soho et le quartier résidentiel huppé de Mayfair. Elle fut conçue par John Nash pour relier en grande pompe la résidence citadine du régent aux espaces verts de Regent's Park. Au départ, l'architecte voulait en faire le pivot central du nouveau plan qu'il prévoyait pour cette partie de la ville. Hélas, son projet ne vit jamais le jour. Nash avait heurté trop de sensibilités et dut revoir ses ambitions à la baisse. Quelques devantures élégantes semblent dater d'une période antérieure à leur création (dans les années 1920, lorsque la rue fut remodelée). Pour le reste, comme partout ailleurs à Londres, les grandes enseignes de magasins prennent peu à peu le dessus. Citons le célébrissime Hamleys (p. 227), première boutique de jouets de Londres, et le grand magasin Liberty (p. 221).

ROYAL ACADEMY OF ARTS Plan p. 70

☎ 73008000 ; www.royalacademy.org.uk ; Burlington House, Piccadilly W1 ; tarif variable ; 🕑 10h-18h, 10h-22h ven ; ⊖ Green Park ; ♿

La première école d'art de Grande-Bretagne a été fondée en 1768, mais n'a intégré ces murs qu'au siècle suivant. L'endroit est idéal pour se cultiver gratuitement, grâce aux salles John Madejski's Fine Rooms, où des tableaux de peintres aussi divers que Constable, Reynolds, Gainsborough, Turner ou Hockney sont exposés en accès libre. Des expositions ayant rencontré un grand succès populaire, comme *Byzance* et *Kuniyoshi*, ont ramené les galeries de l'académie à la vie. La célèbre *Summer Exhibition* (de début juin à la mi-août), qui expose l'art proposé par le grand public depuis près de 250 ans, reste le plus grand événement du lieu.

L'Annenberg Courtyard, une cour pavée flambant neuve savamment mise en lumière, est animée de fontaines qui flanquent la statue du fondateur de l'Academy, Joshua Reynolds, parfois remplacée ou accompagnée d'œuvres variées (et curieuses).

BURLINGTON ARCADE Plan p. 70

51 Piccadilly W1 ; ⊖ Green Park

Jouxtant le côté ouest de la Burlington House – résidence de la Royal Academy of Arts –, la curieuse Burlington Arcade, de 1819, a su conserver l'ambiance de cette époque. Aujourd'hui, c'est une galerie commerciale destinée à une clientèle fortunée. Elle est renommée pour ses Burlington Berties, ces gardes en uniforme qui patrouillent les lieux, prêts à réprimander quiconque commettrait des délits, comme courir, mâcher du chewing-gum ou tout autre acte non respectueux des lieux. Le fait que la galerie ait jadis abrité une maison close n'est mentionné nulle part.

ST JAMES'S PICCADILLY Plan p. 70

☎ 7734 4511 ; 197 Piccadilly W1 ; ☎ 8h-19h ; ⊖ Green Park/Piccadilly Circus

Seule église construite par Christopher Wren sur un site vierge (la plupart des autres remplaçaient des lieux de culte anéantis par le Grand

Incendie), cet édifice d'allure avenante, élégant et discret, se distingue radicalement du style pompeux des églises les plus célèbres de l'architecte. Dessinée par Wren, la flèche toute simple ne fut ajoutée qu'en 1968. L'église est réputée pour ses œuvres sociales : elle offre des services de conseil, présente des concerts le midi et le soir et héberge un petit marché d'antiquités (10h-18h le mardi) ainsi qu'une foire artisanale (10h-18h du mercredi au dimanche).

WHITE CUBE GALLERY Plan p. 70

☎ 7930 5373 ; www.whitecube.com ; 25-26 Mason's Yard SW1; entrée libre ; 10h-18h mar-sam ; ⊖ Piccadilly Circus

Sœur jumelle de la galerie d'Hoxton originale (p. 153), cette institution a accueilli la très médiatisée *"For the Love of God"*, de Damien Hirst, en 2007, et la première exposition de Tracey Emin des cinq dernières années, en 2009. Le succès de ces événements profite désormais aux Young British Artists (YBAs).

Ayant pour écrin Mason's Yard, une cour traditionnelle de maisons de briques et un vieux pub, le White Cube ressemble à un bloc de glace : blanc, géométrique et anguleux. Le contraste entre les deux styles fonctionne bien, et la cour fait souvent office de jardin pour la galerie les soirs de vernissage populaire.

COVENT GARDEN ET LEICESTER SQUARE

Covent Garden, là où palpite le cœur touristique de Londres, est aussi beau et agréable que peuvent l'être les endroits touristiques. À l'est de Soho, le quartier est dominé par la place qui attire des milliers de touristes sous ses arcades abritant boutiques, étals, cafés en plein air et pubs, ainsi que des artistes de rue que l'on rencontre souvent devant l'église Saint-Paul. La plupart des Londoniens préfèrent éviter le flot humain qui remplit l'endroit, mais il faut voir ce quartier au moins une fois. Si vous le pouvez, venez après 23 heures : la place est calme et presque vide, mis à part quelques musiciens ambulants, et vous pourrez profiter pleinement de son charme rétro et du design d'Inigo Jones. Le lundi s'y tient un marché d'antiquités.

Au nord de la place, le Royal Opera House a bénéficié, à la fin des années 1990, d'une reconstruction sans concession mais intelligente qui en fait l'un des plus beaux Opéras du monde. Les environs de Covent Garden sont un paradis du lèche-vitrines, des grandes enseignes de Long Acre aux petites boutiques des rues transversales. Neal St, quant à elle, a perdu son titre de rue la plus cool de Londres, mais les petites rues adjacentes conservent cette atmosphère légendaire. Neal's Yard est une petite cour charmante bordée de restaurants végétariens aux prix excessifs. Quant à Floral St, c'est là que des designers frimeurs comme Paul Smith ont leurs boutiques.

L'histoire de Covent Garden s'inscrit en rupture avec son caractère d'aujourd'hui : au XIIIe siècle, c'était un couvent et son jardin (en anglais, le mot *convent*, qui fut déformé en *covent*, signifie couvent), dépendant de l'abbaye de Westminster et qui devint la propriété de John Russell, le premier comte de Bedford, en 1552. Ce sont ses descendants qui développèrent le quartier, engageant Inigo Jones pour transformer un potager en une place au XVIIe siècle. Il en résulta une élégante place à l'italienne, bordée de l'église Saint-Paul à l'ouest, et dont les maisons élevées aux façades harmonisées commencèrent à attirer la haute société convoitant les quartiers résidentiels du centre. Le très animé marché aux fruits et aux légumes, immortalisé dans *My Fair Lady* (sous forme de marché aux fleurs) était le centre névralgique de la place. La bonne société de Londres en quête d'animation, notamment des écrivains tels que Fielding ou Boswell, se retrouvait ici dans les coffee houses, les théâtres, les tripots et les maisons closes. Le crime devint monnaie courante, entraînant la formation d'un corps de police bénévole appelé les Bow Street Runners (voir le Londres georgien, p. 26). En 1897, Oscar Wilde fut accusé d'attentat à la pudeur par le tribunal de Bow St, aujourd'hui fermé. Un marché aux fleurs dessiné par Charles Fowler fut construit là où se trouve désormais le London's Transport Museum.

Au cours des années 1970, il s'avéra de plus en plus difficile de maintenir le marché aux fruits et légumes en raison de la circulation routière et, en 1974, celui-ci fut déplacé. Les promoteurs immobiliers convoitèrent l'endroit, et il fut envisagé de détruire le marché pour y construire une route. Grâce à la ténacité des habitants qui manifestèrent pendant des semaines, la place fut sauvée et transformée en ce que vous voyez aujourd'hui.

TRAFALGAR SQUARE Plan p. 74

⊖ Charing Cross

Trafalgar Sq joue un rôle de premier plan à Londres : c'est ici que des milliers de gens en

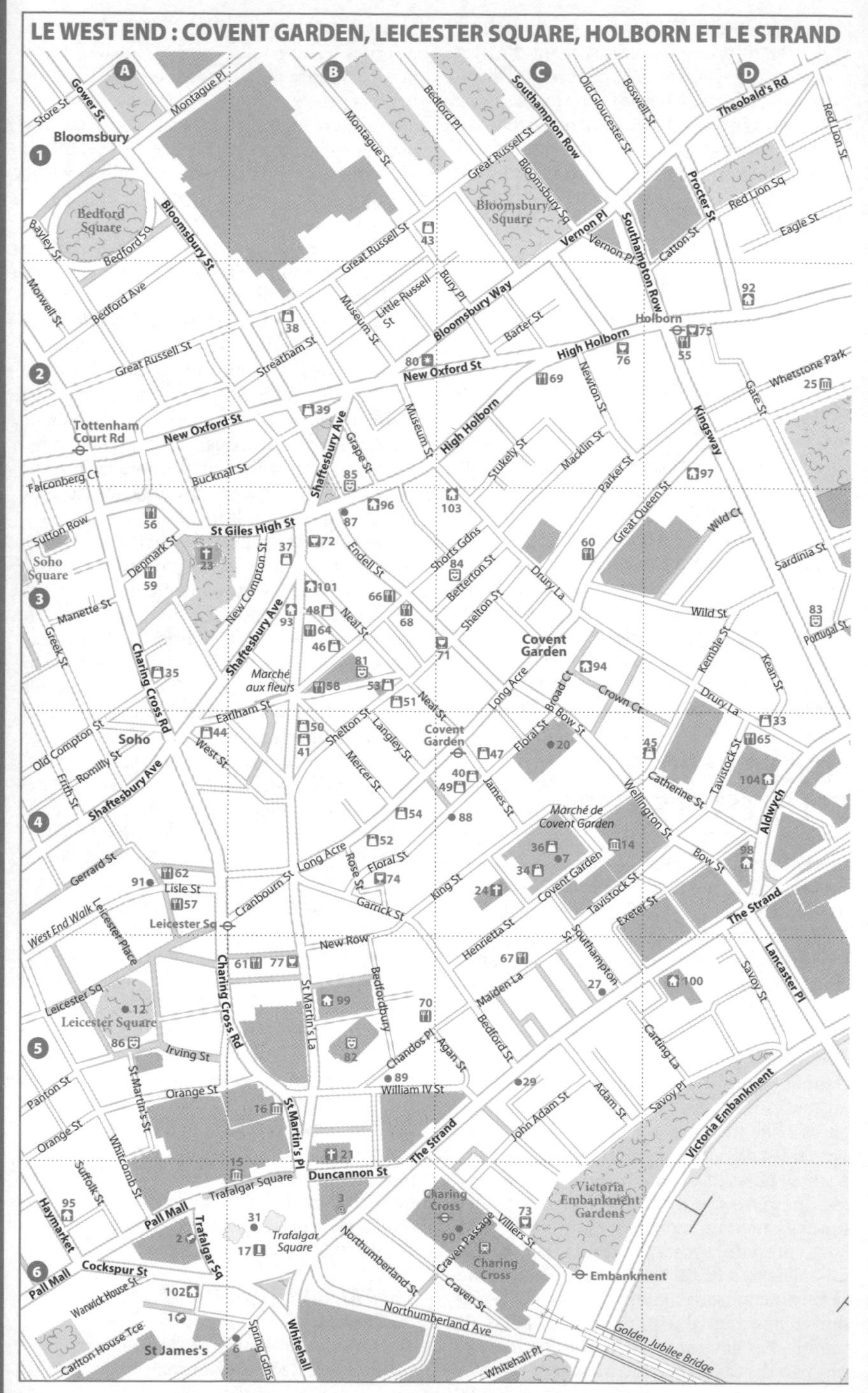
LE WEST END : COVENT GARDEN, LEICESTER SQUARE, HOLBORN ET LE STRAND
A
B
C
D
1
2
3
4
5
6
Gower St
Store St
Montague Pl
Bloomsbury
Bedford Square
Bedford Sq
Bayley St
Morwell St
Bedford Ave
Bloomsbury St
Montague St
Bedford Pl
Southampton Row
Old Gloucester St
Boswell St
Theobald's Rd
Red Lion St
Great Russell St
Bloomsbury Square
Bloomsbury Sq
Vernon Pl
Southampton Row
Procter St
Red Lion Sq
Eagle St
Catton St
Museum St
Little Russell St
Bury Pl
Bloomsbury Way
Barter St
Holborn
High Holborn
New Oxford St
Streatham St
Newton St
Whetstone Park
Gate St
Kingsway
Tottenham Court Rd
New Oxford St
Shaftesbury Ave
Grape St
Museum St
High Holborn
Stukely St
Macklin St
Parker St
Falconberg Ct
Bucknall St
Sutton Row
St Giles High St
Soho Square
Denmark St
New Compton St
Endell St
Shorts Gdns
Betterton St
Drury La
Great Queen St
Wild Ct
Sardinia St
Manette St
Shaftesbury Ave
Neal St
Shelton St
Wild St
Portugal St
Greek St
Charing Cross Rd
Covent Garden
Kemble St
Kean St
Marché aux fleurs
Earlham St
Neal St
Long Acre
Broad Ct
Crown Ct
Drury La
Old Compton St
Soho
Shelton St
Langley St
Covent Garden
Bow St
Floral St
West St
Romilly St
Frith St
Mercer St
James St
Catherine St
Tavistock St
Wellington St
Aldwych
Marché de Covent Garden
Gerrard St
Long Acre
Rose St
Floral St
Bow St
Lisle St
King St
Covent Garden
Tavistock St
Exeter St
The Strand
West End Walk
Leicester Place
Cranbourn St
Garrick St
Leicester Sq
New Row
Henrietta St
Southampton St
Lancaster Pl
Savoy St
Bedfordbury
Maiden La
Leicester Sq
Leicester Square
St Martin's La
Chandos Pl
Agar St
Bedford St
Carting La
Irving St
Panton St
St Martin's St
Orange St
William IV St
John Adam St
Adam St
Savoy Pl
Victoria Embankment
Orange St
Whitcomb St
St Martin's Pl
The Strand
Suffolk St
Trafalgar Square
Duncannon St
Charing Cross
Villiers St
Victoria Embankment Gardens
Haymarket
Pall Mall
Trafalgar Sq
Trafalgar Square
Northumberland St
Craven Passage
Charing Cross
Embankment
Pall Mall
Cockspur St
Warwick House St
Craven St
Northumberland Ave
Golden Jubilee Bridge
Carlton House Tce
St James's
Spring Gdns
Whitehall
Whitehall Pl

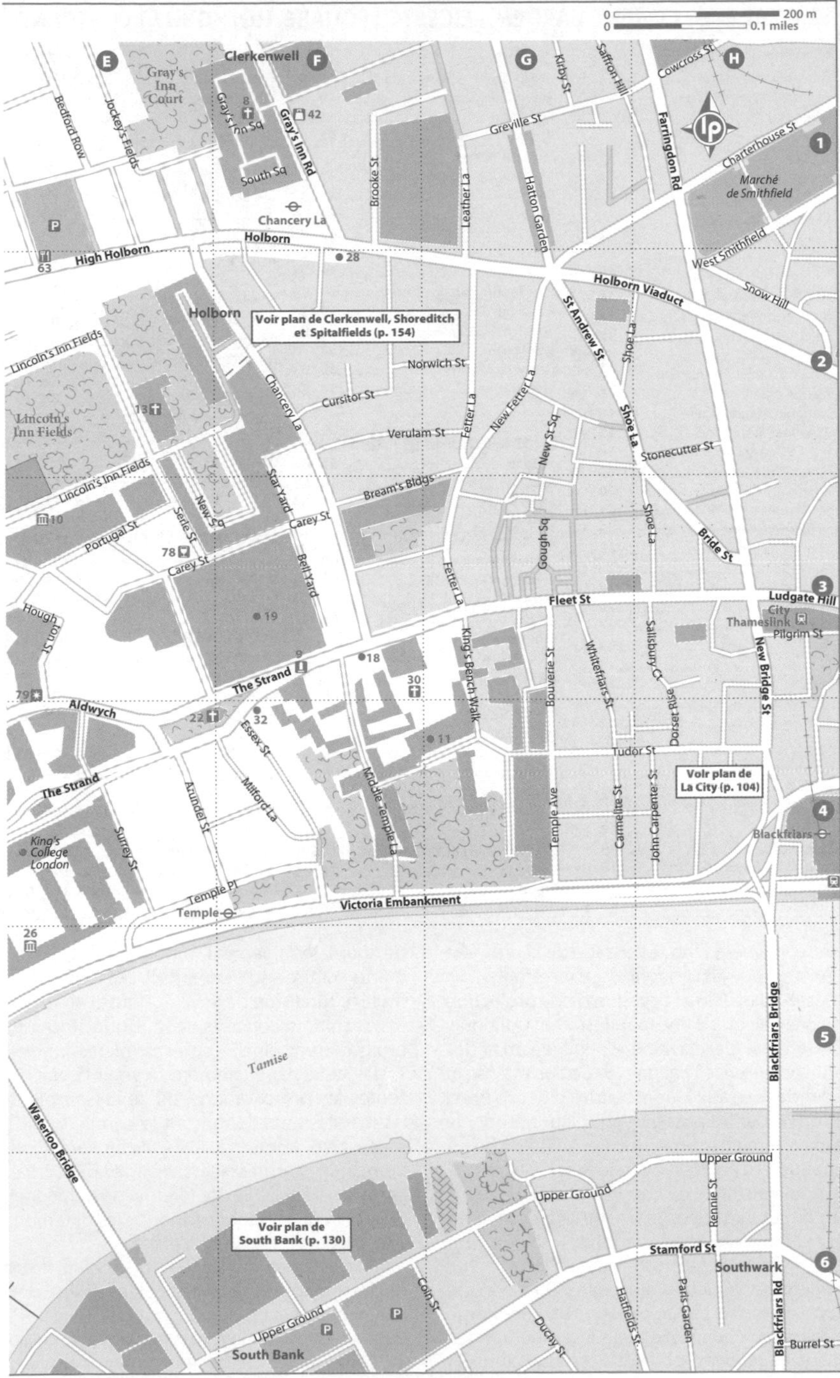

0 200 m
0 0.1 miles
E
F
G
H
1
2
3
4
5
6
Clerkenwell
Gray's Inn Court
Gray's Inn Sq
South Sq
Gray's Inn Rd
42
8
Bedford Row
Jockey's Fields
Chancery La
Holborn
High Holborn
63
28
Brooke St
Leather La
Greville St
Kirby St
Saffron Hill
Hatton Garden
Cowcross St
Farringdon Rd
Charterhouse St
Marché de Smithfield
West Smithfield
Snow Hill
Holborn Viaduct
St Andrew St
Shoe La
Voir plan de Clerkenwell, Shoreditch et Spitalfields (p. 154)
Holborn
Lincoln's Inn Fields
Lincoln's Inn Fields
13
Chancery La
Norwich St
Cursitor St
Verulam St
Fetter La
New Fetter La
New St Sq
Stonecutter St
Star Yard
New Sq
Serle St
Bream's Bldgs
Carey St
Portugal St
10
78
Bell Yard
Gough Sq
Shoe La
Bride St
Fetter La
Hough ton St
19
Fleet St
Ludgate Hill
City Thameslink
Pilgrim St
79
The Strand
9
18
30
King's Bench Walk
Bouverie St
Whitefriars St
Salisbury Ct
Dorset Rise
New Bridge St
Aldwych
22
32
Essex St
11
Tudor St
The Strand
Arundel St
Milford La
Middle Temple La
Temple Ave
Carmelite St
John Carpenter St
Voir plan de La City (p. 104)
King's College London
Surrey St
Blackfriars
Temple Pl
Temple
Victoria Embankment
26
Tamise
Waterloo Bridge
Blackfriars Bridge
Upper Ground
Upper Ground
Rennie St
Voir plan de South Bank (p. 130)
Stamford St
Southwark
Coin St
Hatfields St
Paris Garden
Duchy St
Upper Ground
South Bank
Blackfriars Rd
Burrel St

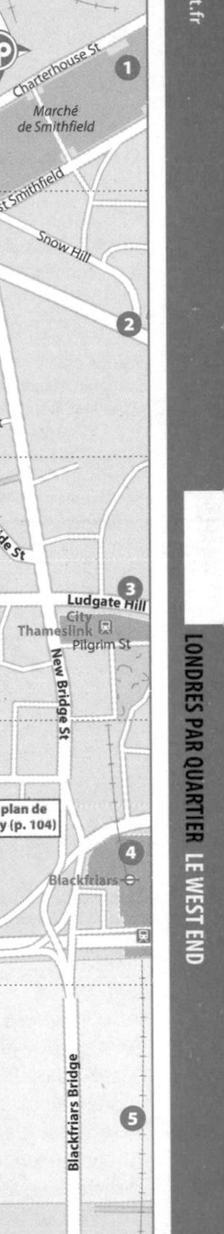

lonelyplanet.fr
LONDRES PAR QUARTIER LE WEST END

LE WEST END : COVENT GARDEN, LEICESTER SQUARE, HOLBORN ET LE STRAND

RENSEIGNEMENTS

British Council 1 A6
Ambassade du Canada 2 A6
easyEverything 3 B6

À VOIR (p. 73, 80)

Admiralty Arch 6 B6
Canada House (voir 2)
Covent Garden Piazza 7 C4
Gray's Inn 8 F1
Griffin (ancien emplacement du Temple Bar) 9 F3
Hunterian Museum 10 E3
Inner Temple 11 G4
Leicester Square 12 A5
Lincoln's Inn 13 E2
London Transport Museum 14 C4
National Gallery 15 B6
National Portrait Gallery 16 B5
Colonne de Nelson 17 B6
Prince Henry's Room 18 F3
Royal Courts of Justice 19 F3
Royal Opera House 20 C4
St Martin-in-the-Fields 21 B5
St Clement Danes 22 E4
St Giles-in-the-Fields 23 A3
Église Saint-Paul 24 C4
Sir John Soane's Museum 25 D2
Somerset House 26 E5
Stanley Gibbons 27 C5
Staple Inn 28 F2
Strand 29 C5
Temple Church 30 F3
Trafalgar Square 31 B6
Twinings 32 F4

SHOPPING (p. 219)

Aram 33 D4
Benjamin Pollock's Toyshop 34 C4
Blackwell's 35 A3
Marché de Covent Garden 36 C4
Forbidden Planet Megastore 37 B3
Gosh! 38 B2
James Smith & Sons 39 B2
Karen Millen 40 C4
Koh Samui 41 B4
Konditor & Cook 42 F1
London Review Bookshop 43 B1
Magma 44 A4
Molton Brown 45 D4
Neal's Yard Dairy 46 B3
Oasis 47 C4
Office 48 B3
Paul Smith 49 C4
Poste Mistress 50 B4
Space NK 51 B3
Stanford's 52 B4
Urban Outfitters 53 B3
Warehouse 54 B4

OÙ SE RESTAURER (p. 243, 244)

Asadal 55 D2
Assa 56 A3
Baozi Inn 57 A4
Canela 58 B3
Giaconda Dining Room 59 A3
Great Queen Street 60 C3
J Sheekey 61 B5
Jen Café 62 A4
Matsuri 63 E2
Monmouth Coffee Company 64 B3
Portrait (voir 16)
Primrose Bakery 65 D4
Rock & Sole Plaice 66 B3
Rules 67 C5
Scoop 68 B3
Shanghai Blues 69 C2
Wahaca 70 B5

OÙ PRENDRE UN VERRE (p. 281, 282)

Cross Keys 71 C3
Freud 72 B3
Gordon's Wine Bar 73 C6
Lamb & Flag 74 B4
Polski Bar 75 D2
Princess Louise 76 C2
Salisbury 77 B5
Seven Stars 78 E3

OÙ SORTIR (p. 300)

Chuckle Club 79 E3
Fly 80 B2

ARTS (p. 312)

Donmar Warehouse 81 B3
London Coliseum 82 B5
Peacock Theatre 83 D3
Poetry Café 84 C3
Royal Opera House (voir 20)
St Martin-in-the-Fields (voir 21)
Shaftesbury 85 B2
tkts Leicester Sq 86 A5

ACTIVITÉS SPORTIVES (p. 324)

Oasis 87 B3
Sanctuary 88 C4

SCÈNE GAY ET LESBIENNE (p. 332)

G Spot 89 B5
Heaven 90 C6
Ku Bar 91 A4

OÙ SE LOGER (p. 343)

Citadines Apart'Hotel 92 D2
Covent Garden Hotel 93 B3
Fielding Hotel 94 C3
Haymarket 95 A6
High Holborn Residence 96 B3
Kingsway Hall 97 D2
One Aldwych 98 D4
St Martin's Lane 99 B5
Savoy 100 D5
Seven Dials Hotel 101 B3
Trafalgar 102 A6
Travelodge 103 C3
Waldorf Hilton 104 D4

liesse viennent fêter le passage de la nouvelle année, et que les Londoniens se rassemblent en masse, aussi bien à l'occasion d'une projection en plein air que d'une manifestation politique. Cette vaste place avait été négligée au fil des années, encerclée par une circulation intense et abandonnée aux innombrables pigeons prêts à fondre sur les passants pour leur dérober la moindre miette de nourriture. Mais les choses changèrent en 2000 lorsque Ken Livingstone, le nouveau maire de Londres, s'engagea dans un projet audacieux et imaginatif visant à en faire l'espace imaginé par John Nash au début du XIXe siècle. Au nord, devant la National Gallery, les véhicules ont cédé la place à une zone piétonne. La National Gallery elle-même a fait peau neuve, avec une façade et un hall d'entrée rénovés, et il est désormais interdit de nourrir les pigeons. D'innombrables événements culturels se tiennent ici, qui reflètent le multiculturalisme de la ville : nouvel an russe, juif et chinois, concerts de musique africaine, projections de films, etc. Ces dernières années, Trafalgar Sq est également devenu le lieu de toutes les protestations, où se rassemblent les manifestants dénonçant le conflit israélo-palestinien, la guerre civile au Sri Lanka, ou s'emparant d'autres sujets sensibles de l'actualité internationale. Le site Internet www.london.gov.uk/trafalgarsquare annonce les différents événements prévus sur la place.

Maintenant que l'on y circule à pied, il est plus aisé d'apprécier la place et les splendides bâtiments qui la bordent : la National Gallery, la National Portrait Gallery et la remarquable église St Martin-in-the-Fields, récemment rénovée.

La cérémonielle Pall Mall descend vers le sud-ouest depuis le haut de la place. Au sud-ouest se dresse l'Admiralty Arch (p. 79), qui enjambe The Mall, l'avenue conduisant à Buckingham Palace. À l'ouest se situe la Canada House (1827), conçue par Robert Smirke. Haute de 52 m, la Colonne Nelson (du haut de laquelle l'amiral surveille sa flotte au sud-ouest) occupe le centre de la place depuis 1843 et commémore la victoire de l'amiral face à Napoléon devant le cap de Trafalgar, en Espagne, en 1805.

NATIONAL GALLERY Plan p. 74

☎ 7747 2885 ; www.nationalgallery.org.uk ; Trafalgar Sq WC2 ; entrée libre, tarifs variables pour les expositions temporaires ; 🕐 10h-18h jeu-mar, 10h-21h mer ; ⊖ Charing Cross ; ♿

Avec plus de 2 000 tableaux d'Europe occidentale, la National Gallery figure parmi les plus vastes galeries du monde. Néanmoins, c'est la qualité plus que la quantité des œuvres qui impressionne. Chaque année, près de cinq millions de visiteurs s'y pressent pour admirer les peintures les plus marquantes de chaque grande époque de l'histoire de l'art, comme celles de Giotto, Léonard de Vinci, Michel-Ange, Titien, Velázquez, Van Gogh et Renoir, pour ne citer que quelques artistes. Malgré l'affluence, les salles restent spacieuses, parfois même feutrées, et ne sont jamais surchargées. Les meilleurs moments pour une visite sont le matin en semaine et le mercredi soir (après 18h) lorsqu'il y a moins de monde. Si vous avez le temps d'effectuer plusieurs visites, concentrez-vous sur une section à la fois afin de profiter pleinement de l'époustouflante collection.

L'immensité et l'agencement des lieux pouvant s'avérer déroutants, nous vous recommandons de vous munir de l'un des plans gratuits de la galerie disponibles à l'entrée. Pour procéder par ordre chronologique, commencez par l'aile Sainsbury, côté ouest, qui abrite des peintures datant de 1260 à 1510. Dans ces 16 salles, la Renaissance est à l'honneur avec des artistes tels que Giotto, Léonard de Vinci, Botticelli, Raphaël et Titien. Cette aile comprend également la galerie Micro, où une dizaine d'ordinateurs vous permettent d'explorer la base de données picturales, de trouver l'emplacement de votre œuvre favorite ou de créer votre visite personnalisée.

L'aile ouest est dédiée à la Renaissance tardive (1510-1600) représentée par Michel-Ange, Titien, le Corrège, le Greco et Bronzino. Rubens, Rembrandt et Caravage, quant à eux, ont élu domicile dans l'aile nord (North Wing ; 1600-1700). La partie la plus fréquentée de la galerie est, à juste titre, l'aile est (East Wing ; 1700-1900), notamment les nombreuses œuvres des impressionnistes et post-impressionistes, dont Van Gogh, Gauguin, Cézanne, Monet, Degas et Renoir. Bien qu'elle ne se démarque guère en si illustre compagnie, l'extraordinaire exposition des paysagistes britanniques du XVIIIe siècle, avec Gainsborough, Constable et Turner, mérite également le coup d'œil.

La collection de la galerie s'arrête en 1900 ; pour l'art du XXe siècle, rendez-vous à la Tate Modern (p. 132), et à la Tate Britain (p. 97) pour l'art britannique.

Les expositions temporaires, généralement payantes et pour lesquelles il faut souvent réserver son entrée à l'avance, se tiennent au sous-sol de l'aile Sainsbury.

LES QUATRE SOCLES

Trois des quatre socles situés aux angles de Trafalgar Sq sont occupés par d'illustres personnages, dont le roi George IV à cheval, le général Charles Napier et le général sir Henry Havelock. Le dernier, destiné à l'origine à accueillir Guillaume IV, est longtemps resté vacant ces 150 dernières années. En 1999, la Royal Society of Arts lance un projet au nom sans surprise, le Fourth Plinth Project (www.london.gov.uk/fourthplinth) (le quatrième socle), destiné à exposer les œuvres d'artistes contemporains. La première, l'étonnant *Ecce Homo* de Mark Wallinger (1999), représentait Jésus, bien petit sur son énorme socle, symbolisant ainsi l'illusion humaine de la grandeur. Puis vinrent *Regardless of History* de Bill Woodrow (2000) et *Monument* de Rachel Whiteread (2001), une copie en résine du socle retourné.

Depuis, la mairie a repris les rênes du projet en conservant le thème de l'art contemporain avec *Alison Lapper Pregnant* de Marc Quinn(2005), une statue d'Alison Lapper, artiste qui subit les effets de la thalidomide, suivi de *Model for a Hotel 2007* par Tomas Schütte (2007). La réalisation la plus intéressante à ce jour a sans doute été *One & Other* (2009) d'Anthony Gormley, qui ne représentait pas un objet inanimé, mais consistait simplement en un espace susceptible d'être occupé par des individus – chaque personne passait une heure sur le socle, réalisant une performance, parlant d'un sujet donné ou se tenant simplement assis. Le projet a été mené 24h/24 pendant 100 jours consécutifs. Les règles précisaient que les participants devaient être seuls sur le socle, qu'ils pouvaient emporter tout ce qu'ils désiraient, et qu'ils pouvaient faire ce que bon leur semblait, dans les limites de la légalité.

À VOIR À LA NATIONAL GALLERY

- *La Pencôte* (*Pentecost*) – Giotto
- *La Vierge à l'enfant avec sainte Anne* (*Virgin and Child with St Anne and St John the Baptist*) – Léonard de Vinci
- *Les Époux Arnolfini* (*The Arnolfini Portrait*) – Van Eyck
- *Vénus et Mars* (*Venus and Mars*) – Botticelli
- *Retable Ansidei* (*The Ansidei Madonna*) – Raphaël
- *La Madone aux œillets* (*The Madonna of the Pinks*) – Raphaël
- *Le Chapeau de paille* – Rubens
- *Charles I* – Van Dyck
- *Bacchus et Ariane* (*Bacchus and Ariadne*) – Titien
- *La Mise au tombeau* (*The Entombment*) – Michel-Ange
- *La Toilette de Vénus* (*Rokeby Venus*) – Velázquez
- *Le souper à Emmaüs* (*The Supper at Emmaus*) – Caravage
- *Les Baigneurs* (*Bathers*) – Cézanne
- *Les Tournesols* (*Sunflowers*) – Van Gogh
- *Le Bassin aux nymphéas* (*The Water Lily Pond*) – Monet
- *Miss Lala au cirque Fernando* (*Miss La La*) – Degas
- *La Charette de foin* (*The Hay-Wain*) – Constable
- *Le Téméraire* (*The Fighting Temeraire*) – Turner

L'encadré ci-dessus répertorie un certain nombre des chefs-d'œuvre du musée. Cependant, si vous souhaitez plonger au cœur du sujet, procurez-vous un audioguide thématique ou complet (une contribution volontaire de 3,50 £ est recommandée) dans le hall central. Pour une introduction générale, joignez-vous à l'une des visites guidées gratuites partant du guichet d'information de l'aile Sainsbury tous les jours à 11h30 et 14h30 (ainsi qu'à 18h30 le mercredi). Le musée propose également des parcours et des feuilles d'activité destinés aux enfants.

Les nouvelles National Dining Rooms (☎ 7747 2525 ; www.thenationaldiningrooms.co.uk ; 🕑 10h-17h dim-mar, 10h-20h30 mer), dans l'aile Sainbury, sont une adjonction récente et magnifique à la galerie. Dirigée par Oliver Peyton (le gérant talentueux de l'Inn the Park à St James's Park ; voir p. 246), c'est une excellente adresse qui sert une cuisine britannique de qualité au restaurant et de bonnes pâtisseries dans la boulangerie.

NATIONAL PORTRAIT GALLERY Plan p. 74

☎ 7306 0055 ; www.npg.org.uk ; St Martin's Pl WC2 ; entrée libre, tarifs variables pour les expositions temporaires ; 🕑 10h-18h sam-mer, 10h-21h jeu-ven ; ⊖ Charing Cross/Leicester Sq ; ♿

Parfaite pour mettre un nom sur les visages qui ont fait l'histoire de la Grande-Bretagne durant les cinq derniers siècles, la galerie abrite un fonds de quelque 10 000 œuvres, qui sont régulièrement exposées en alternance, dont l'une des premières acquisitions du musée : le célèbre portrait de Shakespeare par Chandos. Bien que l'on ait découvert récemment que le portrait du poète offert par Flower à la Royal Shakespeare Company était un faux du XIXe siècle, la National Portrait Gallery estime que celui-ci a réellement été peint du vivant de Shakespeare.

Pour suivre la chronologie de l'exposition, prenez l'immense escalator qui mène à l'étage puis redescendez. Le premier étage est consacré à la famille royale, et il ne faut pas manquer les deux portraits de la reine réalisés par Andy Warhol. Le rez-de-chaussée expose des personnages contemporains représentés à l'aide d'un grand nombre de supports, notamment la sculpture et la photographie. Parmi les œuvres les plus populaires, citons *David* de Sam Taylor-Wood, un portrait vidéo de David Beckham endormi après un entraînement de football, qui a suscité l'intérêt subit d'un grand nombre d'admiratrices pour cette partie de la galerie. Celle-ci organise un concours annuel de photographies auquel participent certains des meilleurs photographes contemporains.

Des audioguides (une contribution de 3,50 £ est suggérée) commentent environ 200 portraits et vous permettent d'entendre les voix de certains des sujets présentés. Le Portrait Café et la librairie se trouvent au sous-sol. Le restaurant le Portrait (p. 243), au dernier étage, jouit d'une vue splendide sur Westminster.

ST MARTIN-IN-THE-FIELDS Plan p. 74

☎ renseignements/billetterie 7766 1100, ☎ pour le *brass-rubbing* (estampage d'après une plaque de laiton) 7766 1122 ; www.stmartin-in-the-fields.org ; Trafalgar Sq WC2 ; entrée gratuite, *brass-rubbing* à partir de 4,50 £ ; 🕑 8h-18h30, atelier de *brass-rubbing* 10h-19h lun-mer, 10h-21h jeu-sam, 11h30-18h dim, concerts en soirée 19h30 ; ⊖ Charing Cross

Cette église paroissiale royale qui allie magnifiquement les styles classique et baroque a été construite par James Gibbs (1682-1754) en 1726. Grâce à un projet de rénovation de 36 millions de livres achevé fin 2007, l'église comporte un nouveau pavillon d'entrée, un foyer et plusieurs nouvelles structures à l'arrière, dont des locaux consacrés à l'aide sociale de la communauté chinoise de Londres et de nombreux sans-abri. Sans oublier la salle principale, où se tiennent la messe et des concerts en anglais, en mandarin et en cantonais, ainsi que le célèbre café de la crypte, où sont organisés chaque année plus de 150 concerts de musique classique et de jazz, à la lumière des bougies.

Des fouilles à des fins de restauration ont permis de mettre au jour dans la cour de l'église un sarcophage romain en calcaire de 1,5 tonne renfermant un squelette humain. On trouve également dans cette cour les tombes des artistes du XVIIIe siècle Reynolds et Hogarth.

COVENT GARDEN PIAZZA Plan p. 74

⊖ Covent Garden

Première place londonienne construite sur plan, Covent Garden est aujourd'hui envahie de touristes qui viennent faire les boutiques sous les pittoresques arcades, écouter les musiciens ambulants, payer le prix fort aux terrasses des cafés et des bars et, occasionnellement, regarder les numéros de statues vivantes des artistes de rue.

Sur son côté ouest se dresse l'église Saint-Paul (☎ 7836 5221 ; www.actorschurch.org ; Bedford St WC2 ; entrée libre ; 🕒 8h30-17h30 lun-ven, 9h-13h dim). Le comte de Bedford, qui avait chargé Inigo Jones de concevoir la place, voulait que l'église soit la plus simple possible, guère plus qu'une "grange". L'architecte répondit en érigeant "la plus belle grange d'Angleterre". Considérée depuis longtemps comme l'église des acteurs en raison de son association avec le monde du théâtre, elle contient des plaques commémoratives en l'honneur de personnalités telles que Charlie Chaplin et Vivien Leigh. Le premier spectacle de guignol d'Angleterre eut lieu devant l'édifice en 1662.

La petite cour du fond est idéale pour un pique-nique.

LONDON TRANSPORT MUSEUM Plan p. 74

☎ 7379 6344 ; www.ltmuseum.co.uk ; Covent Garden Piazza WC2 ; adulte/senior/étudiant/tarif réduit/moins de 16 ans 10/8/6/5 £/gratuit ; 🕒 10h-18h sam-jeu, 11h-18h ven ; ⊖ Covent Garden ; ♿

Le musée a rouvert fin 2007, après 22 millions de livres de travaux de rénovation qui ont donné un coup de fouet à la collection existante, allant des bus tirés par des chevaux jusqu'aux transports d'aujourd'hui, en passant par les taxis, les trains et bien d'autres moyens de locomotion. Le musée a en outre rassemblé de nouvelles pièces ayant trait aux réseaux de transport d'autres grandes villes et d'innombrables affiches originales, et s'est doté d'un auditorium de 120 places à but pédagogique. Les affiches (à partir de 10 £) constituent d'excellents souvenirs.

ADMIRALTY ARCH Plan p. 74

⊖ Charing Cross

Depuis Trafalgar Sq, le Mall passe sous les trois arches de cet imposant monument édouardien en pierre conçu par Aston Webb en 1910 en l'honneur de la reine Victoria. La grande arche centrale est réservée aux défilés royaux et aux visites d'État.

ROYAL OPERA HOUSE Plan p. 74

☎ 7304 4000 ; www.roh.org.uk ; Bow St WC2 ; adulte/tarif réduit/étudiant 9/8/7 £ ; 🕒 visites guidées 10h30, 12h30 et 14h30 lun-ven, 10h30, 11h30 et 13h30 sam ; ⊖ Covent Garden ; ♿

Au nord-est de Covent Garden Piazza se tient l'étincelant Royal Opera House, presque entièrement refait à neuf. Exceptionnelles, les visites guidées vous emmènent derrière la scène, où vous découvrirez la fièvre qui précède la préparation, les réglages et les essayages dans l'un des Opéras les plus productifs du monde. Mieux vaut téléphoner avant de s'y rendre, car les horaires peuvent être modifiés sans préavis. Bien entendu, le meilleur moyen de profiter pleinement des lieux est d'assister à une représentation (p. 315).

LEICESTER SQUARE Plan p. 74

⊖ Leicester Sq

Cinémas et méga-clubs se disputent la vedette sur cette place d'une esthétique contestable, qui aurait bien besoin d'un lifting. Envahie par la foule le week-end, elle est le terrain de jeu des buveurs le soir venu. Il y a quelques années, les pickpockets constituaient un problème sérieux, jusqu'à ce qu'une forte présence policière améliore la situation. Gardez tout de même un œil sur vos affaires, surtout quand la place est bondée. C'est ici que passent en avant-première les grosses productions britanniques, ainsi que la majorité des projections du London Film Festival. Le cinéma Odeon possède les plus grands écrans du pays, mais ses tarifs sont en conséquence (17 £ !). La place aujourd'hui contraste singulièrement avec ce qu'elle était au XIXe siècle. Elle était alors si appréciée que des artistes comme Joshua Reynolds et William Hogarth choisirent de s'y établir. Dans le modeste parc se dresse une petite statue de Charlie Chaplin, qui doit plus sa présence à l'importance cinématographique de Leicester Sq qu'à un quelconque lien historique entre le comédien et ce quartier.

ST GILES-IN-THE-FIELDS Plan p. 74

☎ 7240 2532 ; 60 St Giles High St ; 🕒 9h-16h lun-ven ; ⊖ Tottenham Court Rd

Construite dans la campagne qui s'étendait autrefois entre la City et Westminster, l'église St Giles attire plus par son histoire que par son architecture, plutôt quelconque : les environs de St Giles High St souffrirent en effet de la pire réputation de tout Londres. La structure actuelle est la troisième à occuper le site d'une chapelle construite au XIIe siècle pour la léproserie voisine. Jusqu'en 1547, date de fermeture de celle-ci, les condamnés à mort emmenés à Tyburn (p. 149) pour y être exécutés s'arrêtaient aux portes de l'église et avalaient, pour dernier rafraîchissement, une grande tasse de bière soporifique puisée dans le St Giles's Bowl. À partir de 1650, ils furent enterrés sur le terrain de l'église. C'est également dans les environs de St Giles que débuta la grande peste de 1665. À l'époque victorienne, c'était le quartier le plus sordide de Londres, souvent cité par Dickens. Aujourd'hui, les choses n'ont pas beaucoup changé à en juger par les rues sinistres et les drogués qui errent dans le quartier.

À l'intérieur de l'édifice, notons la présence du pupitre qui fut utilisé pendant 40 ans par John Wesley, fondateur du méthodisme.

HOLBORN ET LE STRAND

Ce secteur – condensé ici par souci de commodité – couvre approximativement le carré délimité par la City à l'est, Covent Garden à l'ouest, High Holborn au nord et la Tamise au sud. Grandeur déchue : telle est l'expression qui semble le caractériser le mieux. Le Strand, qui relie Westminster à la City, figurait parmi les plus prestigieuses rues de Londres, abritant de fabuleuses demeures construites par des personnes fortunées et des aristocrates. Cette riche histoire ne transparaît guère aujourd'hui. Cependant, si le quartier est principalement devenu un secteur commercial dépourvu de charme, il est sauvé par plusieurs joyaux architecturaux, de splendides galeries et les paisibles Inns of Court, berceau du droit britannique. Derrière le Strand s'étendent les Victoria Embankment Gardens, un lieu agréable pour pique-niquer, flâner et admirer la vue, au-delà de la Tamise, sur le quartier restauré de South Bank.

Fleet St, autrefois la Mecque du journalisme britannique, doit son nom à la rivière Fleet qui, aux XVIIe et XVIIIe siècles, charriait les entrailles et autres déchets peu ragoûtants rejetés par le Smithfield Market (p. 117) en amont. Cette rivière et son affluent Holborn (lequel a donné son nom à l'actuel quartier) furent comblés à la fin du XVIIIe siècle. La River Fleet est désormais souterraine. À l'époque victorienne, la zone comptait parmi les plus misérables de la ville. Après les efforts d'assainissement entrepris au début du XXe siècle, le quartier connut une seconde phase de rénovation au lendemain de la Seconde Guerre mondiale. C'est à partir de cette époque que les commerces actuels s'y installèrent.

SOMERSET HOUSE Plan p. 74

☎ 7845 4600 ; www.somerset-house.org.uk ; The Strand WC2 ; entrée libre ; House 10h-18h, Great Court 7h30-23h ; ⊖ Temple/Covent Garden

En passant sous l'arche qui marque l'entrée de ce chef-d'œuvre palladien, on a du mal à s'imaginer que la magnifique cour, aux 55 fontaines jaillissantes, servait de parking aux fonctionnaires avant les grands travaux de rénovation effectués en 2000 ! Conçue en 1775 par William Chambers pour les administrations royales, elle héberge aujourd'hui trois fabuleux musées. En hiver, la cour se transforme en une patinoire populaire, tandis qu'en été elle accueille des concerts et une pataugeoire improvisée pour les enfants. Derrière la résidence, une jolie terrasse ensoleillée et un café surplombent la rive.

DES RIVIÈRES SOUTERRAINES

La Tamise n'est pas la seule rivière de Londres. Au fil des siècles, beaucoup ont été détournées sous terre où elles coulent, invisibles. Certaines ne survivent que dans les noms de lieu : Hole Bourne, Wells, Tyburn, Walbrook et Westbourne. Cette dernière fut endiguée en 1730 pour former le lac Serpentine dans Hyde Park. La plus célèbre de toutes est la rivière Fleet, qui naît de deux sources, l'une à Hampstead, l'autre à Kenwood, puis coule vers le sud en passant par Camden Town, King's Cross, Farringdon Rd, avant d'arriver à New Bridge St, où elle se déverse dans la Tamise à Blackfriars Bridge. Pendant des siècles, ce fut un égout à ciel ouvert, utilisé par les bouchers pour jeter les entrailles d'animaux. Dans l'une de ces pièces, Ben Jonson, le dramaturge élisabéthain, décrit un voyage sur la Fleet par une chaude nuit d'été. Chaque coup de rame "déchargeait une odeur pestilentielle aussi chaude que vos intestins lâchant toute leur charge d'excréments". Après le Grand Incendie de Londres en 1666, l'architecte Christopher Wren entreprit de creuser et d'élargir un tronçon de la Fleet pour faire un canal. Ce dernier fut cependant couvert en 1733, tout comme le reste de la rivière 30 ans plus tard.

Immédiatement sur votre droite lorsque vous pénétrez dans l'enceinte de la Somerset House par le Strand, vous verrez le Courtauld Institute of Art (☎ 7848 2526 ; www.courtauld.ac.uk ; adulte/tarif réduit/étudiant britannique 5/4 £/gratuit, entrée libre ; 10h-14h lun ; h10h-18h), une superbe galerie sous l'autorité du Courtauld Institute of Arts, l'académie d'histoire de l'art la plus illustre du Royaume-Uni. Si vous n'aimez pas la foule, offrez-vous une visite tranquille dans cet endroit merveilleux pour admirer les toiles de Rubens, Botticelli, Cranach, Cézanne, Degas, Renoir, Manet, Monet, Matisse, Gauguin, Van Gogh, Toulouse-Lautrec et bien d'autres. Des déjeuners-conférences portant sur des œuvres ou des thèmes particuliers ont lieu tous les lundis et vendredis à 13h15. Vous pouvez vous restaurer au petit café et au restaurant l'Admiral 2.

ROYAL COURTS OF JUSTICE Plan p. 74

☎ 7936 6000 ; 460 the Strand ; entrée libre ; 9h-16h30 lun-ven ; ⊖ Temple

Au croisement du Strand et de Fleet St se dressent les Royal Courts of Justice, mélange gargantuesque de flèches et de pinacles gothiques et de pierre de Portland lustrée conçu en 1874 par G. E. Street. À l'intérieur du grand hall, vous pourrez voir une exposition dédiée aux costumes utilisés pour les audiences, ainsi qu'une liste des affaires criminelles jugées par la Cour le jour même. Si "l'esprit du crime" vous intéresse et que vous décidez d'y assister, laissez votre appareil photo et attendez-vous à une sécurité digne d'un aéroport.

LE STRAND Plan p. 74

⊖ Charing Cross

À l'époque de sa construction, à la fin du XIIe siècle, le Strand (qui signifie plage en vieil anglais et en allemand) s'étendait le long de la Tamise. Ses majestueuses maisons de pierre, construites pour la noblesse, comptaient parmi les résidences les plus prestigieuses de par leur emplacement dans une rue reliant la City à Westminster, les deux centres du pouvoir. Ce prestige est demeuré le même pendant sept siècles, le Premier ministre du XIXe siècle Benjamin Disraeli la qualifiant même de "rue la plus élégante d'Europe". Le quartier abrita l'ancien Cecil Hotel, l'hôtel Savoy, le Simpson's, King's College et la Somerset House.

Les temps modernes ont été moins tendres avec le Strand : la rue est désormais surchargée de bureaux, de bouis-bouis et de boutiques de souvenirs, et malgré la présence du Savoy (en rénovation lors de notre passage), du bâtiment de l'ancien Simpson's et de la magnifique Somerset House qui illuminent la rue, il est difficile de lui trouver autant d'attrait qu'autrefois. Il lui reste tout de même quelques charmes, tels que Twinings au n° 216, un salon de thé ouvert par Thomas Twining en 1706, qui serait la plus vieille entreprise de la capitale exerçant au même endroit et détenue par la même famille. C'est également le centre de la philatélie londonienne, avec la Mecque du collectionneur de timbres et de pièces Stanley Gibbons au n° 339.

SIR JOHN SOANE'S MUSEUM Plan p. 74

☎ 7405 2107 ; www.soane.org ; 13 Lincoln's Inn Fields WC2 ; entrée libre, contribution suggérée 3 £ ; 10h-17h mar-sam et 18h-21h 1er mar du mois ; ⊖ Holborn

Ce petit musée, l'un des sites les plus exceptionnels de Londres, est aussi une demeure à la fois belle et ensorcelante. Elle fut la résidence de l'architecte sir John Soane (1753-1837). Le musée est à l'image de son goût, fin et excentrique.

Fils de maçon, Soane est surtout réputé pour avoir conçu l'édifice de la Bank of England. Tout au long de sa vie, il s'inspira d'idées qu'il recueillit lors d'un grand tour d'Italie. Il épousa une femme aisée et utilisa sa fortune pour bâtir cette maison et celle d'à côté, consacrée depuis fin 2007 à des expositions et à des activités pédagogiques.

Inscrite au patrimoine anglais, la maison est telle que sir John l'a laissée à sa mort et constitue en elle-même une curiosité. Elle comporte une coupole en verre qui diffuse de la lumière jusqu'au sous-sol, une salle lanterne remplie de statues, des pièces à l'intérieur d'autres pièces, et une galerie de peintures où, en faisant pivoter les tableaux, on fait apparaître une seconde toile sur l'autre face. S'y trouvent également les œuvres favorites de Soane, dont des Canaletto et des Turner, des esquisses de Christopher Wren et de Robert Adam. Une galerie spécialement construite à cet effet abrite l'original du *Rake's Progress* de William Hogarth, série de caricatures sur les bas-fonds londoniens de la fin du XVIIIe siècle (voir l'encadré p. 45). Vous devrez demander au gardien qu'il ouvre les panneaux pour voir les tableaux. Parmi les acquisitions étonnantes de Soane, vous découvrirez un sarcophage égyptien couvert de hiéroglyphes, une imitation de presbytère et des chaînes d'esclaves.

Les groupes de sept personnes ou plus doivent réserver et ne sont pas admis le samedi, jour d'affluence majeure. Vous gagnerez à vous y rendre le premier mardi du mois, en soirée : le musée est alors éclairé aux bougies, ce qui rend l'atmosphère encore plus magique.

HUNTERIAN MUSEUM Plan p. 74

☎ 7869 6560 ; www.rcseng.ac.ukmuseums ; Royal College of Surgeons, 35-43 Lincoln's Inn Fields WC2 ; entrée libre ; 10h-17h mar-sam ; ⊖ Holborn

La collection de spécimens anatomiques du chirurgien pionnier John Hunter (1728-1793) a inspiré ce musée un peu morbide, peu connu et pourtant fantastique. On y trouve des bizarreries telles que ce squelette de géant de 2,3 m, la moitié du cerveau du mathématicien Charles Babbage, et même le dentier de Winston Churchill. Une rénovation efficace il y a quelques années a estompé le côté sordide de la présentation, et permet désormais d'observer décemment des objets tels que des systèmes digestifs d'animaux, conservés dans du formol conformément aux us de la médecine légale, ou encore cet "organe d'audition" d'une baleine bleue. À l'étage, une exposition de techniques de chirurgie plastique, aussi impressionnante que rebutante. Une visite guidée gratuite est organisée tous les mercredis à 13h.

ST CLEMENT DANES Plan p. 74

☎ 7242 8282 ; Strand WC2 ; 8h30-16h30 lun-ven, 9h-15h30 sam, 9h-12h30 dim ; ⊖ Temple

À 9h, 12h et 15h, le carillon de cette église égrène une vieille comptine anglaise du XVIIIe siècle, *Oranges and Lemons*. De l'édifice érigé par sir Christopher Wren en 1682, seuls les murs et un clocher ajouté par James Gibbs en 1719 survécurent aux bombardements nazis. Après la guerre, l'église fut reconstruite à la mémoire des aviateurs alliés. Aujourd'hui, c'est la chapelle de la Royal Air Force (RAF), et quelque 800 plaques d'ardoise arborant les écussons des différents escadrons sont incrustés dans le dallage de la nef. La statue controversée qui se dresse devant l'église est celle de sir Arthur Harris, l'officier de la RAF responsable des bombardements pendant la dernière guerre qui réduisirent Dresde (ville d'Allemagne orientale) en cendres et firent quelque 10 000 victimes parmi les civils.

LES INNS OF COURT

Au milieu de la folie urbaine du West End, ce quartier recèle quelques coins secrets d'un calme presque parfait. Regroupées dans Holborn et Fleet St, les Inns of Court, avec leurs allées tranquilles, leurs vastes étendues et leur atmosphère détendue, forment une sorte d'oasis urbain. Tout avocat à Londres appartient à l'une des quatre Inns, qui comptent parmi leurs anciens membres des noms aussi prestigieux qu'Oliver Cromwell, le Mahatma Gandhi, Charles Dickens ou Margaret Thatcher. Il faudrait toute une vie pour pénétrer les subtilités du protocole des Inns qui rappelle un peu la franc-maçonnerie (les deux organisations datent du XIIIe siècle). Contentez-vous donc de goûter à l'atmosphère romanesque des lieux.

Gray's Inn (plan p. 74 ; ☎ 7458 7800 ; Gray's Inn Rd WC1 ; domaine 10h-16h lun-ven, chapelle 10h-18h lun-ven ; ⊖ Holborn/Chancery Lane). Détruite pendant la Seconde Guerre mondiale, reconstruite, puis agrandie, la Gray's Inn présente moins d'intérêt que la Lincoln's Inn. Néanmoins, ses paisibles jardins restent très plaisants. C'est dans le hall d'origine qu'eut lieu la toute première représentation de *Comedy of Errors* de Shakespeare.

Inner Temple (plan p. 74 ; ☎ 7353 8559 ; King's Bench Walk EC4 ; ⊖ Temple/Blackfriars). Franchissez la voûte à côté de la Prince Henry's Room et vous parviendrez à l'Inner Temple, vaste ensemble regroupant certains des plus beaux bâtiments des abords du fleuve. L'église fut conçue et construite par les Templiers entre 1161 et 1185. Le week-end, vous devrez généralement entrer par Victoria Embankment.

Lincoln's Inn (plan p. 74 ; ☎ 7405 1393 ; Lincoln's Inn Fields WC2 ; domaine 9h-18h lun-ven, chapelle 12h30-14h30 lun-ven ; ⊖ Holborn). La Lincoln's Inn, la plus pittoresque des quatre, possède une chapelle, une place et des jardins charmants où il fait bon se promener, surtout en début ou en fin de journée, lorsque l'endroit est déserté. La cour elle-même, bien que fermée au public, est visible au travers des grilles. Relativement intacte, elle comprend des bâtiments originaux du XVe siècle, dont la Tudor Lincoln's Inn Gatehouse, dans Chancery Lane. Inigo Jones a prêté son concours au plan de la chapelle, qui date de 1623 et demeure en assez bon état.

Staple Inn (plan p. 74 ; Holborn ; ⊖ Chancery Lane). La façade garnie de boutiques du XVIe siècle représente l'intérêt majeur de la Staple Inn (1589), la dernière des huit Inns of Chancery remplacées par les Inns of Court au XVIIIe siècle. Les bâtiments, essentiellement des reconstructions d'après-guerre, abritent désormais l'Institute of Actuaries et sont officiellement interdits au public (mais un coup d'œil discret ne semble gêner personne). Sur le même trottoir de Holborn, mais plus près de Fetter Lane, se tient la Barnard's Inn, réhabilitée en 1991. Il s'agit de la demeure habitée par Pip et Herbert Pocket dans *Great Expectations* (*Les Grandes Espérances*) de Dickens.

BLOOMSBURY

Un peu au nord de Covent Garden, et pourtant déjà si loin, tant de par le style que l'atmosphère, voici Bloomsbury, quartier arboré et centre universitaire et intellectuel de Londres. C'est ici que se trouve l'université de Londres, ainsi que ses nombreuses facultés et campus disséminés le long des rues. Sans oublier, à l'ombre des arbres et entouré de demeures georgiennes et victoriennes, ce qui est peut-être le plus beau musée du monde : le British Museum. Ses magnifiques places furent autrefois peuplées par le "Bloomsbury Group", un groupe d'artistes et d'écrivains comptant dans leurs rangs Virginia Woolf et EM Forster, dont le récit des histoires d'amour entrecroisées est aussi fascinant que les œuvres. Charles Dickens, Charles Darwin, William Butler Yeats et George Bernard Shaw ont également vécu ici et dans les environs, comme l'atteste le nombre de plaques bleues un peu partout. De nos jours, Bloomsbury demeure une terre d'élection pour les étudiants, les librairies et les cafés, tout en restant relativement peu commerciale. En son centre, Russel Sq, la plus vaste place verte de Londres, a meilleure figure que jamais suite à une remise à neuf effectuée il y a quelques années. C'est un endroit merveilleux pour déjeuner en regardant les passants.

BRITISH MUSEUM Plan p. 84

☎ 7323 8000, visites guidées ☎ 7323 8181 ; www.thebritishmuseum.ac.uk ; Great Russell St WC1 ; entrée libre, contribution suggérée 3 £ ; 🕓 galeries 10h-17h30 sam-mer, jusqu'à 20h30 jeu-ven, Great Court 9h-18h dim-mer, jusqu'à 23h jeu-sam ; ⊖ Tottenham Court Rd/Russell Sq ; ♿

C'est l'un des sites les plus visités de Londres (voir aussi l'encadré p. 87) : en moyenne cinq millions de visiteurs franchissent tous les ans son magnifique portique d'entrée sur Great Russell St (certains choisissent l'entrée de la Montague Pl, plus calme). C'est aussi l'un des plus anciens musées du monde : son histoire débuta en 1749 par un don du médecin Hans Sloane, qui finit par léguer sa collection au pays. Aujourd'hui, le musée possède un fonds de quelque 7 millions de pièces, enrichi au fil des années par de judicieuses acquisitions ou par le "pillage" très controversé des ouvrages d'art de l'Empire britannique. Vous ferez un voyage complet et passionnant parmi des vestiges du patrimoine culturel mondial, avec des galeries dédiées à l'Égypte, à l'Asie occidentale, à la Grèce, à l'Orient, à l'Afrique, à l'Italie, aux Étrusques, aux Romains, à l'Angleterre préhistorique et romaine et aux antiquités médiévales.

Le musée est imposant. Si vous avez du temps, prévoyez plutôt plusieurs visites ciblées. Une visite guidée peut être intéressante. Le musée organise tout au long de la journée neuf visites guidées eyeOpener gratuites de 50 minutes ciblant des salles particulières. En outre, des conférences eyeOpener spotlight portant sur différents thèmes de la collection ont lieu tous les jours à 13h15. Enfin, les visites guidées Highlights (adulte/tarif réduit 8/5 £), qui font le tour des principaux chefs-d'œuvre du musée en 90 minutes, partent tous les jours à 10h30, 13h et 15h. Sinon, le guichet d'information possède toute une série d'audioguides (3,50 £), dont un spécialement destiné aux familles avec la voix de l'acteur, écrivain et présentateur télé Stephen Fry. Un audioguide consacré aux marbres du Parthénon (les marbres Elgin) est disponible dans la salle correspondante. Vous pouvez également consulter, sur l'un des 50 ordinateurs, la base de données Compass. Celle-ci vous permet d'effectuer une visite virtuelle du musée, de planifier votre propre circuit ou d'obtenir des informations sur les pièces exposées.

Le British Museum prévoit la construction d'une annexe majeure dans l'angle nord-ouest du musée, qui devrait être achevée en 2012. Ce nouveau bâtiment comportera entre autres une galerie consacrée aux expositions et un centre de conservation scientifique.

BRUNSWICK CENTRE Plan p. 84

www.brunswick.co.uk ; The Brunswick WC1 ; ⊖ Russell Sq

Ce merveilleux complexe des années 1960 comporte des appartements, des restaurants, des commerces et un cinéma. En 2006, un budget de 24 millions de livres a permis de transformer ce lieu lugubre en une jolie place aérée aux couleurs crème, et les chalands se pressent désormais dans le centre tous les jours de la semaine. L'architecte du bâtiment original, Patrick Hodginson, qui s'est chargé de la rénovation, affirme que le centre correspond désormais à ce qu'il avait imaginé dans les années 1960, les autorités municipales ayant à l'époque bridé son projet. Pour en savoir plus, consultez le site Internet.

DICKENS HOUSE MUSEUM Plan p. 84

☎ 7405 2127 ; www.dickensmuseum.com ; 48 Doughty St WC1 ; adultes/moins de 16 ans/tarif réduit 5/3/4 £ ; 🕓 10h-17h lun-sam ; 11h-17h dim ; ⊖ Russell Sq

Le grand écrivain victorien a vécu tel un nomade dans Londres, se déplaçant à tant de reprises

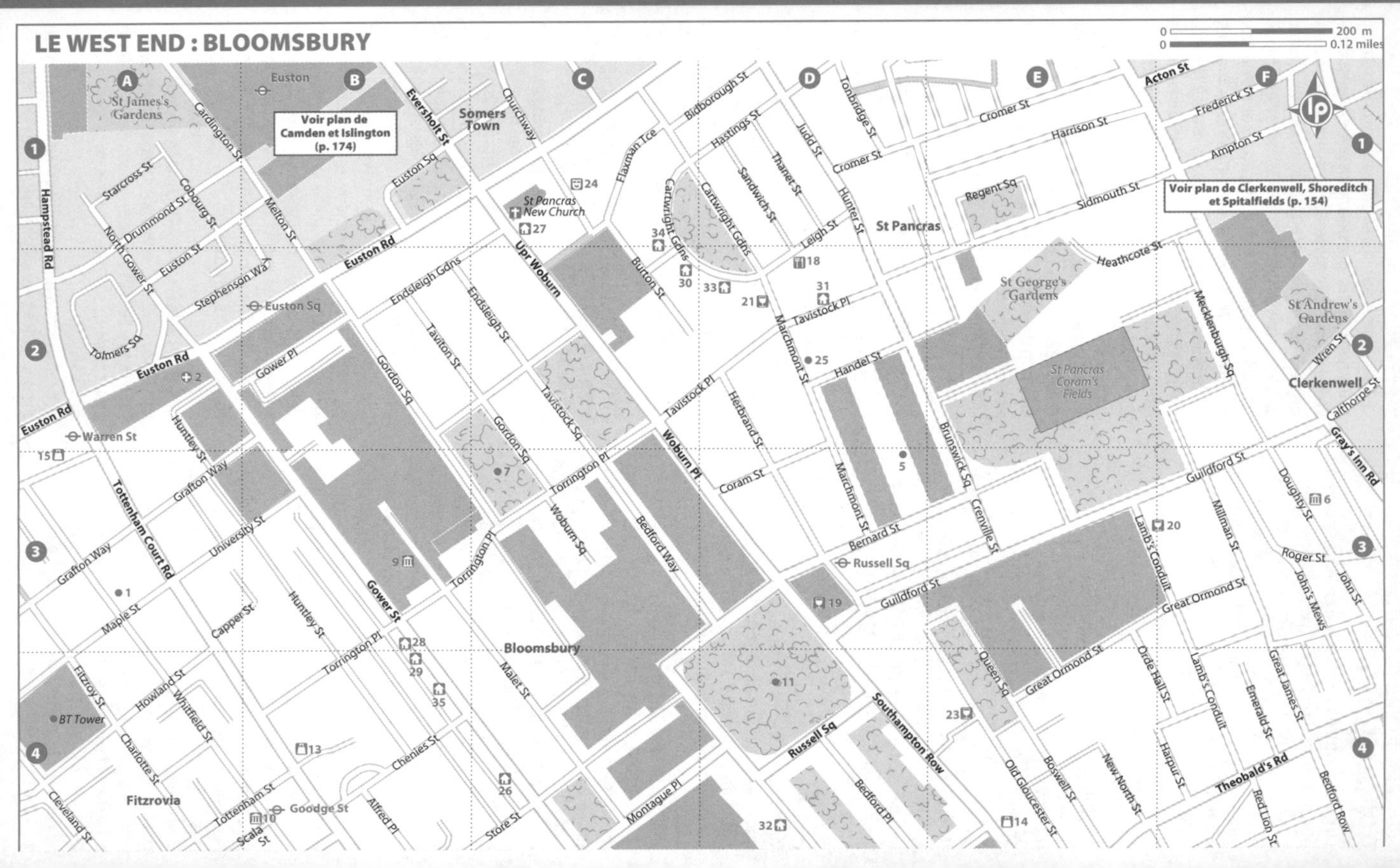
LE WEST END : BLOOMSBURY
0 200 m
0 0.12 miles
A B C D E F
1 2 3 4
Voir plan de Camden et Islington (p. 174)
Voir plan de Clerkenwell, Shoreditch et Spitalfields (p. 154)
St James's Gardens
Euston
Somers Town
St Pancras
St Pancras New Church
St George's Gardens
St Andrew's Gardens
St Pancras Coram's Fields
Clerkenwell
Bloomsbury
Fitzrovia
BT Tower
Euston Sq
Warren St
Russell Sq
Goodge St
Hampstead Rd
Euston Rd
Tottenham Court Rd
Cardington St
Starcross St
Cobourg St
Drummond St
North Gower St
Euston St
Stephenson Way
Tolmers Sq
Melton St
Eversholt St
Churchway
Flaxman Tce
Bidborough St
Hastings St
Sandwich St
Thanet St
Judd St
Tonbridge St
Cromer St
Harrison St
Acton St
Frederick St
Ampton St
Regent Sq
Sidmouth St
Heathcote St
Mecklenburgh Sq
Wren St
Calthorpe St
Gray's Inn Rd
Doughty St
Guildford St
Millman St
Roger St
John's Mews
John St
Great James St
Emerald St
Lamb's Conduit
Great Ormond St
Orde Hall St
Harpur St
New North St
Boswell St
Old Gloucester St
Theobald's Rd
Red Lion St
Bedford Row
Queen Sq
Southampton Row
Bedford Pl
Montague Pl
Store St
Chenies St
Alfred Pl
Tottenham St
Scala St
Cleveland St
Charlotte St
Whitfield St
Howland St
Fitzroy St
Maple St
Grafton Way
University St
Capper St
Huntley St
Torrington Pl
Gower St
Malet St
Gower Pl
Gordon Sq
Taviton St
Endsleigh Gdns
Endsleigh St
Upr Woburn
Tavistock Sq
Woburn Sq
Bedford Way
Woburn Pl
Burton St
Cartwright Gdns
Leigh St
Hunter St
Tavistock Pl
Marchmont St
Handel St
Herbrand St
Coram St
Bernard St
Brunswick Sq
Grenville St
1 2 5 6 7 9 10 11 13 14 15 18 19 20 21 23 24 25 26 27 28 29 30 31 32 33 34 35

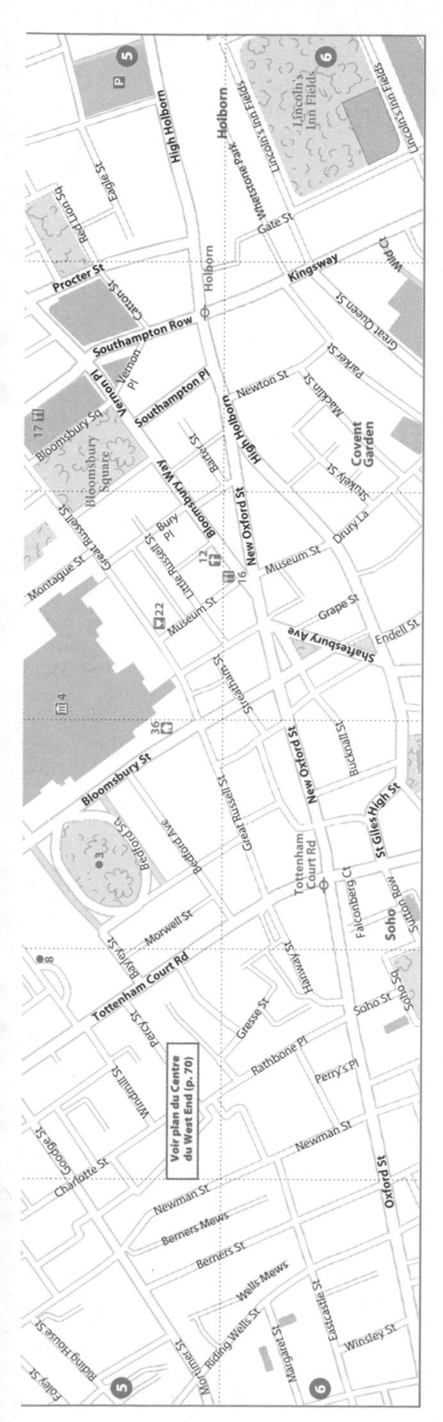

qu'il a laissé dans son sillage un nombre de plaques bleues inégalé. Cette jolie maison à quatre étages est la seule qui reste avant qu'il ne déménage dans le Kent. Il y séjourna à peine deux ans et demi (1837-1839), mais c'est là que son œuvre prit son essor : accablé par les dettes, les décès et la charge d'une famille toujours plus nombreuse, il y rédigea *The Pickwick Papers*, *Nicholas Nickleby* et *Oliver Twist*. Sauvée de la démolition, la maison a ouvert ses portes en devenant un musée fascinant en 1925. Le salon familial a été fidèlement reconstitué, tandis que les 10 autres pièces regorgent de souvenirs. Dans la Dressing Room, vous pourrez voir des textes que Dickens préparait et annotait pour ses tournées de lecture. On peut également admirer le bureau recouvert de velours qu'il utilisait pour ses lectures publiques.

NEW LONDON ARCHITECTURE

Plan ci-contre

☎ 7636 4044 ; www.newlondonarchitecture.org ; Building Centre, 26 Store St WC1 ; entrée libre ; 9h-18h lun-ven, 10h-17h sam, fermé dim ; ⊖ Goodge St

Excellent moyen de comprendre comment s'oriente le développement architectural de Londres, ce musée dont l'exposition permanente change régulièrement captivera et stimulera l'imagination de tous ceux qui aiment la ville. Une immense maquette de la capitale indiquant les nouvelles zones de construction met en lumière l'étendue des projets destinés aux Jeux olympiques de 2012, ainsi que les plans de réhabilitation de différents quartiers. Des photographies et des détails de bâtiments individuels facilitent la localisation de chaque nouvelle structure : vous pourrez vous rendre sur place pour les voir *in situ* ou les remarquer au hasard de votre visite. Au sous-sol, une bonne librairie est consacrée aux livres d'architecture.

PETRIE MUSEUM OF EGYPTIAN ARCHAEOLOGY Plan ci-contre

UCL ; ☎ 7679 2884 ; www.petrie.ucl.ac.uk ; University College London, Malet Pl WC1 ; entrée libre ; 13h-17h mar-ven, 11h-14h sam ; ⊖ Goodge St

Si vous êtes féru d'égyptologie, ce musée tranquille et souvent méconnu vous ravira. En effet, ses quelque 80 000 pièces constituent l'une des collections les plus impressionnantes du monde en matière d'archéologie égyptienne et soudanaise. Derrière des vitrines, dans une ambiance très studieuse, sont disposées des pièces allant des fragments de poterie au plus ancien vêtement de la planète (2 800 av. J.-C.).

LE WEST END : BLOOMSBURY

RENSEIGNEMENTS
Marie Stopes International ... 1 A3
University College Hospital ... 2 A2

À VOIR (p. 83)
Bedford Square ... 3 C5
British Museum ... 4 D5
Brunswick Centre ... 5 D3
Dickens House Museum ... 6 F3
Gordon Square ... 7 C3
New London Architecture ... 8 B5
Petrie Museum of Egyptian Archaeology ... 9 B3
Pollock's Toy Museum ... 10 B4
Russell Square ... 11 D4
St George's Bloomsbury ... 12 D5

SHOPPING (p. 218)
Habitat ... 13 B4
Heal's ... (voir 13)
Shepherds ... 14 E4
Sterns Music ... 15 A3

OÙ SE RESTAURER (p. 245)
Abeno ... 16 D6
Hummus Bros ... 17 E5
North Sea Fish Restaurant ... 18 D2

OÙ PRENDRE UN VERRE (p. 282)
King's Bar ... 19 D3
Lamb ... 20 F3
Lord John Russell ... 21 D2
Museum Tavern ... 22 D5
Queen's Larder ... 23 E4

ARTS (p. 312)
Place ... 24 C1

SCÈNE GAY ET LESBIENNE (p. 332)
Gay's the Word ... 25 D2

OÙ SE LOGER (p. 344)
Academy Hotel ... 26 C4
Ambassadors Bloomsbury ... 27 C1
Arosfa ... 28 B3
Arran House Hotel ... 29 B4
Crescent Hotel ... 30 C2
Generator ... 31 D2
Grange Blooms Hotel ... 32 D4
Harlingford Hotel ... 33 D2
Hotel Cavendish ... (voir 29)
Jenkins Hotel ... 34 C1
Jesmond Hotel ... 35 B4
Morgan Hotel ... 36 C5
Ridgemount Hotel ... (voir 35)

Le musée doit son nom au professeur William Flinders Petrie (1853-1942), qui découvrit une large partie des objets exposés lors de ses fouilles et qui en fit don à l'université en 1933. L'accès au musée se fait par la Science Library de l'université.

POLLOCK'S TOY MUSEUM Plan p. 84

☎ 7639 3452 ; www.pollockstoymuseum.com ; 1 Scala St W1; adulte/enfant 3/1,50£ ; 10h-17h lun-sam ; ⊖ Goodge St

Destiné autant aux enfants qu'aux adultes, ce musée est tout à la fois effrayant et fascinant. On y entre par la boutique, truffée de jouets en bois et de jeux divers. L'exploration commence par l'ascension d'un escalier étroit et grinçant où sont exposées des poupées encadrées en provenance d'Amérique latine, d'Afrique, d'Inde et d'Europe. À l'étage, on découvre la collection de théâtres miniatures du musée, dont beaucoup ont été réalisés par Benjamin Pollock lui-même, le premier fabricant victorien de cet objet populaire. Après une nouvelle volée d'escalier, on se trouve nez à nez avec les jouets en métal et de drôles de poupées en chemise de nuit. À mesure que l'on avance dans les escaliers et sur le plancher grinçant, les poupées vous suivent de leurs yeux brillants. Après avoir grimpé trois séries d'escaliers, vous en redescendrez quatre et vous retrouverez comme par magie dans la boutique.

LES PLACES DE BLOOMSBURY

Plans p. 84 et p. 70

Russell Square se trouve au cœur de Bloomsbury. Créée à l'origine en 1800 par Humphrey Repton, elle était sombre et sale jusqu'à ce qu'enfin on élague les arbres, on taille les plantes et on lui offre une fontaine de 10 m de haut.

Le centre du Bloomsbury littéraire était **Gordon Square**, où résidèrent, à des époques diverses, les personnalités suivantes : Bertrand Russell au n°57 ; Lytton Strachey au n°51 ; Vanessa et Clive Bell, John Maynard Keynes et la famille Woolf au n°46 ; Strachey, Dora Carrington et Lydia Lopokova (future épouse de Keynes) au n°41. Ces lieux de mémoire, pour beaucoup aujourd'hui propriétés de l'université, ne portent pas tous une plaque bleue (voir l'encadré p. 146).

Jusque dans les années 1990, le séduisant **Bedford Square**, unique place georgienne intacte de Bloomsbury, abritait de nombreuses maisons d'édition londoniennes, qui furent rachetées par de grandes sociétés internationales et déplacées. Parmi elles figuraient Jonathan Cape, Chatto et le Bodley Head (créé par Virginia Woolf et son mari Leonard). Elles ont grandement contribué à entretenir la légende du groupe de Bloomsbury en publiant des collections inépuisables de lettres, de souvenirs et de biographies.

ST GEORGE'S BLOOMSBURY Plan p. 84

☎ 7405 3044 ; Bloomsbury Way WC1 ; 9h30-17h30 lun-ven, 10h30-12h30 dim ; ⊖ Holborn/Tottenham Court Rd

Superbement restaurée en 2005, cette église est une création de l'architecte Nicholas Hawksmoor. Construite en 1731, elle se distingue par son portique classique surmonté de chapiteaux corinthiens et par sa flèche inspirée du mausolée d'Halicarnasse. Cette dernière est couronnée d'une statue de George Ier en costume romain.

BRITISH MUSEUM : TRÉSORS ET CONTROVERSES

La première chose que vous verrez, et la plus impressionnante, sera la Great Court, avec son spectaculaire toit de verre et d'acier conçu par Norman Foster en 2000. C'est la plus grande place couverte d'Europe. En son centre se trouve la célèbre Reading Room (salle de lecture), l'ancienne British Library, fréquentée par tous les grands lettrés de l'Histoire : George Bernard Shaw, le Mahatma Gandhi, Oscar Wilde, William Butler Yeats, Karl Marx, Lénine, Charles Dickens, Thomas Hardy...

L'extrémité nord du niveau inférieur abrite les nouvelles et fantastiques Sainsbury African Galleries, un voyage à travers l'art et la culture des sociétés africaines d'hier et d'aujourd'hui.

Ne ratez pas la King's Library. Datant de 1820, c'est l'espace néoclassique le plus époustouflant de Londres, où se tient une exposition permanente, *Enlightenment: Discovering the World in the 18th Century*.

L'un des joyaux du musée est la Pierre de Rosette (salle 4), découverte en 1799. Rédigée en deux formes différentes d'ancien égyptien et en grec, c'est la clé qui a permis de déchiffrer les hiéroglyphes.

Autre petit bijou, les Sculptures du Parthénon (Parthenon Marbles ; salle 18). On pense que ces marbres représentent la grande procession jusqu'au temple qui avait lieu lors des panathénées, pour l'anniversaire d'Athéna, l'un des plus grands événements de la Grèce antique.

Ils sont plus connus sous le nom de Marbres d'Elgin (du nom de Lord Elgin, l'ambassadeur britannique qui les achemina jusqu'en Angleterre en 1806), bien que ce nom soit sujet à controverse en raison du différend opposant le British Museum au gouvernement grec, qui veut rapatrier les pièces à Athènes. Le nouveau musée de l'Acropole à Athènes a été construit spécialement en 2009 pour accueillir ces œuvres, en réponse aux objections selon lesquelles il n'existait aucun lieu en mesure de les conserver en Grèce. Le British Museum a alors proposé de prêter les marbres à Athènes pendant 3 ou 4 mois, comme cela se fait couramment. Idée qui a été rejetée par le gouvernement grec. Selon un sondage publié dans le *Guardian* en juin 2009, la majorité des personnes interrogées considèrent que les marbres devraient retourner en Grèce – mais l'issue du différend est encore incertaine.

Préparez-vous à quelques frayeurs dans la Mexican Gallery (salle 27), au pied de l'escalier est. Dans cette salle est exposé le Masque mosaïque de Tezcatlipoca (*The Skull of the Smoking Mirror*), une mosaïque de turquoises constituée à partir d'un crâne humain.

Les salles 33 et 34, plus sereines, abritent les collections asiatiques et leurs magnifiques sculptures Amaravati (salle 33a), déesses indiennes, Shivas dansants et Bouddhas de cuivre et de pierre méditant en tailleur.

On raconte que des malfaiteurs essayèrent de dérober l'impressionnant Trésor de l'Oxus (salle 52), mais les Britanniques ont récupéré et ramené au musée la collection d'objets perses en or, datant du VIIe au IVe siècle av. J.-C. et originaires de Persepolis, ancienne capitale de la Perse.

L'infortuné Homme de Lindow (salle 50), datant du Ier siècle, semble avoir été frappé à la tête avec une hache, puis garroté. Ses restes ont été conservés dans une tourbière jusqu'en 1984, lorsqu'une machine à couper la tourbe l'a sectionné en deux.

L'ancienne Percival David Foundation of Chinese Art (salle 95) est désormais conservée au musée. Avec quelque 1 700 pièces, il s'agit de la plus grande collection de porcelaines chinoises des Xe au XVIIIe siècle, en dehors de Chine. Sir Percival David en fit don à l'université de Londres en 1950, à condition que chacune des pièces soit exposée en permanence. En 2009, la collection a finalement été transférée au British Museum. Parmi les incontournables, citons les David Vases (1351), premières porcelaines chinoise bleues et blanches portant des dates et des inscriptions.

FITZROVIA

Précurseur de Soho, Fitzrovia, à l'ouest de Bloomsbury, est devenu dans l'après- guerre une enclave bohème peuplée d'artistes et d'écrivains désargentés qui fréquentaient ses nombreux pubs, notamment la Fitzroy Tavern. On y trouve aujourd'hui des centaines d'entreprises de presse, et encore plus de bars et de restaurants dans Charlotte St qui font le plein après les heures de bureau. Rares sont les touristes qui s'y aventurent, car le site principal du quartier, la BT Tower des années 1960 (naguère la structure la plus élevée de Londres), est fermé depuis de nombreuses années en raison des menaces terroristes.

ST JAMES'S

St James's est le quartier où l'aristocratie vient se divertir dans des clubs exclusivement réservés aux gentlemen (plutôt du genre Navy que go-go danseuses), et dont les goûts raffinés sont comblés par les nombreuses galeries, les magasins historiques et les bâtiments élégants. Malgré un important développement commercial, son élitisme demeure intact, comme vous le constaterez en pénétrant dans le

LE WEST END : ST JAMES'S, WESTMINSTER ET WHITEHALL

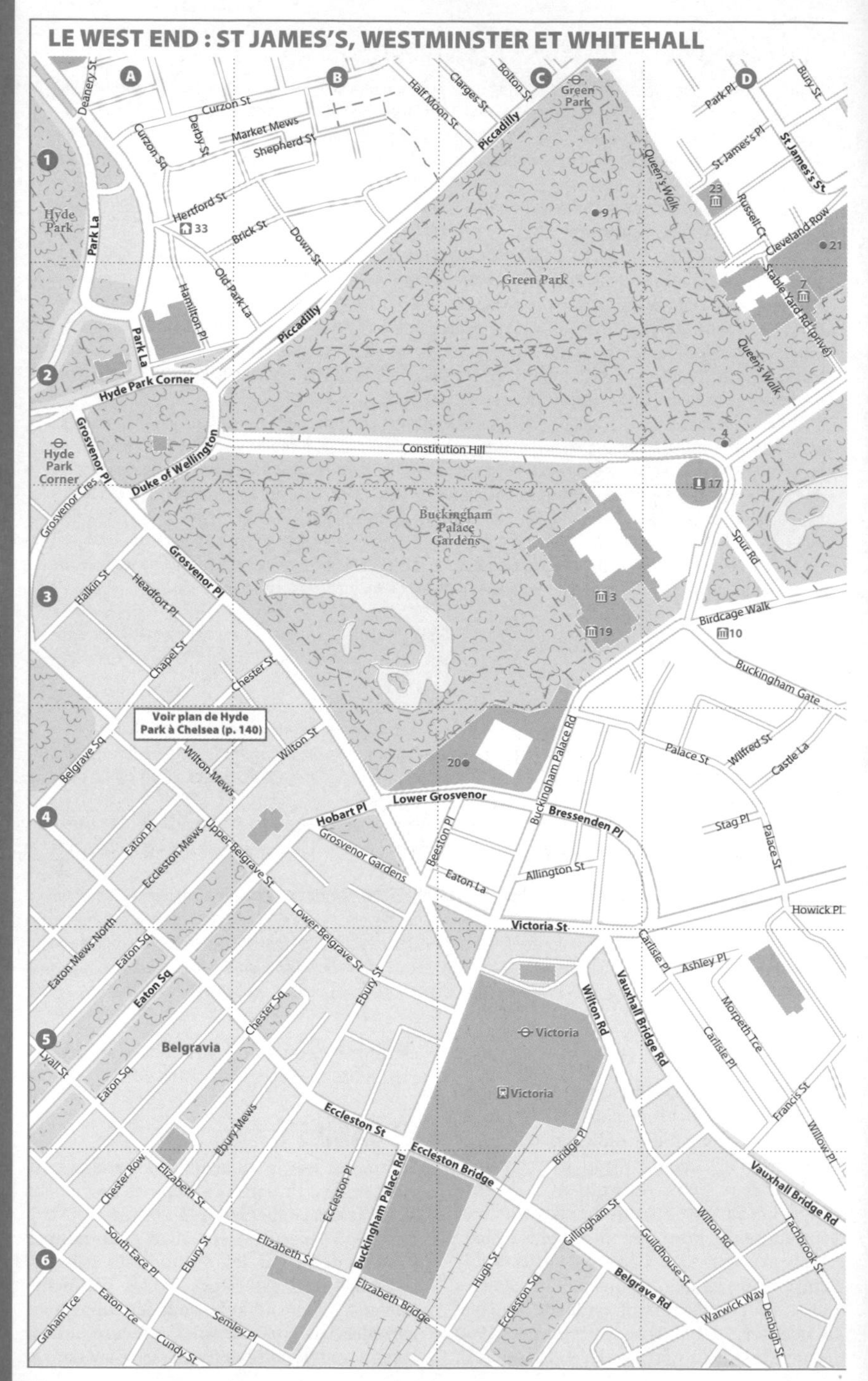

0 500 m
0 0.2 miles
E
F
G
H
1
2
3
4
5
6
King St
Pall Mall
St James's
Carlton House Tce
The Mall
Marlborough Rd
Horse Guards Rd
Whitehall
Whitehall Pl
Whitehall Ct
Victoria Embankment
Horse Guards Ave
St James's Park
Lac de St James's Park
Downing St
Richmond Tce
King Charles St
Parliament St
Portcullis House
Westminster
Great George St
Bridge St
Westminster Bridge
Birdcage Walk
Old Queen St
Queen Anne's Gate
Dartmouth St
Storey's Gate
Parliament Square
Parliament Sq
Broad Sanctuary
Tothill St
St James's Park
Petty France
Broadway
Old Palace Yard
Caxton St
Dean's Yard
Great Smith St
Great College St
Abingdon St
Tamise
Victoria St
Artillery Row
Strutton Ground
Old Pye St
Archbishop's Park
Millbank
Francis St
Great Peter St
Tufton St
Greycoat Pl
Chadwick St
Monck St
Marsham St
Francis St
Greencoat Pl
Rochester Row
Greycoat St
Medway St
Elverton St
Horseferry Rd
Horseferry Rd
Lambeth Bridge
Maunsel St
Vincent Sq
Rutherford St
Page St
Greencoat Pl
Westminster
Regency St
Terrain de sport de la Westminster School
Vincent St
Marsham St
Vincent Sq
Hide Pl
Erasmus St
Bul. St
Regency St
Chapter St
Charlwood St
Osbert St
Douglas St
Herrick St
John Islip St
Millbank
8
13
15
18
31
11
1
16
5
6
28
24
2
34
27
12
22
14
30
25
32
29
35
26

LE WEST END : ST JAMES'S, WESTMINSTER ET WHITEHALL

À VOIR (p. 87, 93, 98)
Banqueting House 1 G1
Big Ben 2 H3
Buckingham Palace 3 C3
Billetterie de Buckingham Palace (été seulement) 4 D2
Cabinet War Rooms .... (voir 6)
Cénotaphe 5 G2
Churchill Museum 6 G2
Clarence House 7 D2
Duke of York Column 8 F1
Green Park 9 C1
Guards Museum 10 D3
Horse Guards Parade 11 G1
Houses of Parliament 12 H3
Institute of Contemporary Arts 13 F1
Jewel Tower 14 H4
National Police Memorial 15 F1
No 10 Downing Street 16 G2
Queen Victoria Memorial 17 D2
Queen's Chapel 18 E1
Queen's Gallery 19 C3
Royal Mews 20 C4
St James's Palace 21 D1
Entrée St Stephen's 22 H3
Spencer House 23 D1
St James's Park 24 E3
St John's, Smith Square 25 G5
Tate Britain 26 G6
Abbaye de Westminster 27 G3
Westminster Pier 28 H2

SHOPPING (p. 218)
Shepherds 29 E5

OÙ SE RESTAURER (p. 246, 248)
Cinnamon Club 30 F4
Inn the Park 31 F1
Nobu .... (voir 33)
Vincent Rooms 32 E5

ARTS (p. 312)
ICA Cinema .... (voir 13)
Institute of Contemporary Arts .... (voir 13)
St John's, Smith Square .... (voir 25)
Abbaye de Westminster .... (voir 27)

OÙ SE LOGER (p. 346)
Metropolitan 33 A1
Sanctuary House Hotel 34 F3
Wellington 35 E5

TRANSPORTS (p. 383)
Thames River Services .... (voir 28)
Westminster Passenger Services Association .... (voir 28)

siège du Londres royal par l'allée triomphale du Mall qui longe le magnifique St James's Park, avant d'aboutir à Buckingham Palace et au Queen's Driveway.

L'ensemble vit le jour lorsque Charles II déménagea à St James's Palace au XVIIe siècle, suivi de sa cour et de toute l'aristocratie. Au siècle suivant, lorsque les superbes places georgiennes Berkeley, Hanover et Grosvenor furent aménagées, St James's était déjà très largement peuplé. En 1900, c'était le quartier le plus en vogue de Londres : théâtres, restaurants et boutiques y abondaient. Savile Row, d'ailleurs, reste toujours la rue attitrée des tailleurs, Old Bond St et New Bond St, celles des joailliers et Cork St, celle des objets d'art coûteux. Certains résidents ne pouvant suivre ce train de vie ont déménagé, cédant la place à des commerces, des bureaux et des ambassades, celle des États-Unis dominant notamment Grosvenor Sq.

BUCKINGHAM PALACE Plan p. 88

☎ 7766 7300 ; ☎ 7766 7324 pour accès handicapés ; www.the-royal-collection.org.uk ; Buckingham Palace Rd SW1 ; adulte/enfant/tarif réduit/famille 15,50/8,75/14/39,75 £ ; 9h30-16h30 28 juil-25 sept (entrée toutes les 15 min) ; ⊖ St James's Park/Victoria/Green Park ; accès sur réservation

Construit en 1705 pour le duc de Buckingham, ce palais sert de résidence à la famille royale depuis 1837, date à laquelle St James's Palace fut rejeté pour son manque d'éclat. On ne peut le rater : il s'élève à l'extrémité du Mall, à la jonction de St James's Park et de Green Park, devant un immense rond-point dominé par le Queen Victoria Memorial, haut de 25 m. Les billets pour le palais sont vendus à la billetterie (9h15-17h, été seulement) située à l'entrée des visiteurs, dans Buckingham Palace Rd.

Après une série de crises et de révélations embarrassantes au début des années 1990, les spécialistes en communication de la famille royale s'employèrent à regagner l'affection du public, auquel on décida pour la première fois d'ouvrir les portes du palais. Toutefois, seules 19 salles sur 661 sont accessibles, et uniquement en août et septembre lorsque la reine part en villégiature en Écosse. Précisons aussi que le droit d'entrée est exorbitant.

Chaque été, avant l'arrivée des foules, les salles concernées sont dénudées, et les tapis remplacés par des carpettes industrielles, si bien qu'elles ne paraissent plus très somptueuses. La visite commence par la salle des Gardes, bien trop petite pour abriter la garde royale (Ceremonial Guard), cantonnée d'ailleurs dans les pièces voisines. Vous apercevrez ensuite la salle à manger d'apparat (toute de damas rouge et de meubles Régence) ; le salon bleu, au plafond orné de délicates moulures signées John Nash ; le salon blanc, où sont reçus les ambassadeurs étrangers ; et la salle de bal où ont lieu les réceptions et les banquets officiels. Le clou du circuit est la salle du trône, avec ses deux fauteuils royaux frappés des monogrammes "ER" et "P" sous un dais évoquant irrésistiblement un décor d'opérette.

Mais la partie la plus intéressante de la visite demeure la galerie de portraits, longue de 76,5 m, qui rassemble des chefs-d'œuvre d'artistes tels Van Dyck, Rembrandt, Canaletto, Poussin,

Canova et Vermeer (même si vous pouvez en voir d'autres du même acabit gratuitement à la National Gallery). Une promenade dans les jardins est un autre point fort des lieux, qui vous donnera à coup sûr des sensations royales.

RELÈVE DE LA GARDE Plan p. 88

Changing of the Guard ; ☎ 7766 7300 ; Buckingham Palace, Buckingham Palace Rd SW1 ; 11h30 tlj avr-juil, un jour sur deux si le temps le permet août-mars ; ⊖ St James's Park/Victoria

Un incontournable de Londres, si toutefois vous arrivez à fendre la foule. La relève de la garde se tient dans la cour du palais, ce qui permet aux touristes d'admirer (parfois de très loin) les rutilants uniformes rouges et les bonnets à poil des soldats, qui marchent en s'égosillant pendant un peu plus d'une demi-heure.

QUEEN'S GALLERY Plan p. 88

☎ 7766 7300 ; www.the-royal-collection.com ; aile sud de Buckingham Palace ; adulte/enfant/tarif réduit 8,50/4,25/7,50 £ ; 10h-17h30 ; ⊖ St James's Park/Victoria ;

Des œuvres représentatives de plus de cinq siècles de goûts royaux en matière de peinture, sculpture, céramique, mobilier et joaillerie sont exposées tour à tour dans cette splendide galerie. Conçue à l'origine par Nash pour servir de serre, elle fut convertie en chapelle pour la reine Victoria en 1843, puis détruite par un bombardement en 1940. Elle renaquit sous sa forme actuelle en 1962. Des travaux de rénovation d'une valeur de 20 millions de livres ont eu lieu en 2002 pour le jubilé d'or de la reine Elizabeth II. Ceux-ci ont permis d'agrandir le hall d'entrée ainsi que l'espace dévolu aux expositions (trois fois plus grand), et d'ajouter un portique grec dorique et un centre multimédia. L'entrée se fait par Buckingham Gate.

ROYAL MEWS Plan p. 88

☎ 7766 7302 ; www.the-royal-collection.com ; Buckingham Palace Rd SW1 ; adulte/enfant/tarif réduit 7,50/4,80/6,75 £ ; 11h-16h mars-juil, 10h-17h août-sept ; ⊖ Victoria ;

Au sud du palais, les Royal Mews, ancienne fauconnerie, abritent aujourd'hui les écuries – où logent les superbes chevaux royaux – ainsi que les opulents véhicules des monarques. Ne manquez pas l'étonnant carrosse en or de 1762, qui a servi pour tous les couronnements depuis George III, et le Glass Coach de 1910, réservé aux mariages royaux. Les Mews ferment en juin pendant les quatre jours que dure le concours hippique de Royal Ascot.

ST JAMES'S PARK Plan p. 88

☎ 7930 1793 ; The Mall SW1 ; 5h-tombée de la nuit ; ⊖ St James's Park

C'est l'un des plus petits parcs de Londres, mais aussi l'un des plus agréables. Il offre en outre une très belle vue sur le London Eye, Westminster, St James's Palace, Carlton Terrace et la Horse Guards Parade. De la passerelle qui enjambe St James's Park Lake, le panorama sur Buckingham Palace est exceptionnel (à vos appareils photo !). Le lac central est peuplé de canards, d'oies, de cygnes et autres volatiles, et les rochers de sa rive sud servent de pied-à-terre à des pélicans (nourris tous les jours à 15h). Certains des parterres de fleurs sont inspirés des parterres "florifères" originaux de John Nash, et mêlent arbustes, fleurs et arbres, sous lesquels se rassemblent tous les jours des retraités munis de sacs remplis de noisettes et de pain pour nourrir les écureuils. Au printemps et en été, les Londoniens comme les touristes viennent y prendre le soleil, pique-niquer et profiter du beau temps, même s'ils sont parfois un peu trop nombreux à avoir cette idée.

Non loin du café et restaurant très apprécié l'**Inn the Park** (p. 246) se trouve le **National Police Memorial**, constitué d'une colonne de marbre et d'une autre de verre. Imaginé, bizarrement, par le réalisateur Michael Winner (*Un justicier dans la ville*) et conçu, moins bizarrement, par l'architecte Norman Foster et l'artiste Per Arnoldi, il rend hommage aux 1 600 "bobbies" (policiers londoniens) morts en service.

Vous verrez également un merveilleux **jardin ouvrier** dans le parc, près de l'entrée côté Mall et du café-restaurant l'Inn the Park, ouvert au printemps et en été (mai à octobre). À l'origine, il fut créé à l'image des jardins ouvriers de la Seconde Guerre mondiale qui se développèrent à Londres et dans le reste du Royaume-Uni. On y cultive des fruits et légumes, les plantes aromatiques ont leur propre jardin, et les lieux se prêtent à une agréable balade, surtout avec des enfants.

ST JAMES'S PALACE Plan p. 88

Cleveland Row SW1 ; fermé au public ; ⊖ Green Park

Pour apprécier pleinement l'étonnante loge Tudor de ce palais, unique vestige d'un bâtiment ordonné en 1530 par l'insatiable Henry VIII, mieux vaut passer par St James's St, au nord du parc. Ce palais ayant été habité par les rois et les reines pendant plus de trois siècles, les ambassadeurs étrangers sont toujours accrédités auprès de la "cour de St James", même si les réceptions ont lieu à Buckingham.

La princesse Diana, qui détestait ce lieu, y vécut jusqu'à son divorce avec Charles et son déménagement à Kensington Palace en 1996. C'est pourtant à St James's Palace que les autorités jugèrent bon d'exposer son cercueil après son décès en 1997. Le prince Charles et ses fils séjournèrent à St James's jusqu'en 2004 avant de partir s'installer dans la Clarence House voisine, abandonnant le palais à quelques membres de second rang de la famille royale et à la princesse Anne, sœur de Charles, connue pour son caractère irascible.

CLARENCE HOUSE Plan p. 88

☎ 7766 7303, 7766 7324 pour accès handicapés ; Cleveland Row SW1 ; visite guidée adulte/tarif réduit 7,50/4 £ ; 9h30-17h août-oct ; ⊖ Green Park ; ♿ accès sur réservation

Lorsque la reine mère s'est éteinte en 2002, le prince Charles a fait effectuer dans son ancienne demeure de Clarence House des travaux de rénovation qui ont coûté aux contribuables britanniques la coquette somme de 4,6 millions de livres. Les "résidences royales sont préservées à l'intention des générations futures", a-t-il affirmé. En attendant, les générations *actuelles* doivent payer pour visiter cinq salles officielles à la faveur des vacances d'été du prince et de Camilla. L'attraction majeure est la petite collection d'art de feue la reine mère, qui comporte un tableau du dramaturge Noël Coward ainsi que d'autres de W.S. Sickert et de sir James Gunn. Entrée uniquement possible dans le cadre d'une visite guidée et réservation obligatoire (longtemps à l'avance). Pour l'accès handicapé, réservez également bien à l'avance. Conçue par John Nash au début du XIXe siècle, la demeure a subi d'importantes modifications depuis.

SPENCER HOUSE Plan p. 88

☎ 7499 8620 ; www.spencerhouse.co.uk ; 27 St James's Pl SW1 ; entrée et visite guidée adulte/tarif réduit 9/7 £ ; 10h30-17h45 dim, dernière entrée 16h45, fermé en jan et août ; ⊖ Green Park ; ♿

Juste à l'extérieur du parc, Spencer House fut construite dans le style palladien entre 1756 et 1766 pour le premier comte Spencer, un ancêtre de la princesse Diana. Les Spencer ont quitté les lieux en 1927 et la grande demeure a été convertie en bureaux. En 1987, Lord Rothschild l'a rendue à son ancienne gloire grâce à d'onéreux travaux de restauration. Les huit pièces somptueusement meublées sont uniquement accessibles dans le cadre d'une visite guidée.

Les jardins, qui ont retrouvé leur aspect du XVIIIe siècle, ouvrent uniquement entre 14h et 17h certains dimanches d'été. Ils étaient entièrement fermés en 2009 ; consultez le site Internet pour connaître les tarifs à partir de 2010.

QUEEN'S CHAPEL Plan p. 88

Marlborough Rd SW1 ; offices uniquement, 8h30 et 11h15 avr-juil ; ⊖ St James's Park

Les sites royaux ne laissent généralement pas sans voix, mais celui-ci a toutefois quelque chose d'émouvant : c'est ici que les membres contemporains de la famille royale, de la princesse Diana à la reine mère, ont reposé avant leurs obsèques. Initialement dessinée par Inigo Jones dans le style palladien, la Queen's Chapel fut la première église post-Réforme d'Angleterre dédiée au culte catholique. Autrefois, elle faisait partie de St James's Palace mais en fut séparée après un incendie. Baignée par une superbe lumière qui perce au travers des grands vitraux surplombant l'autel, elle possède un intérieur tout simple doté de très belles pièces du XVIIe siècle.

GREEN PARK Plan p. 88

Piccadilly W1 ; 5h-tombée de la nuit ; ⊖ Green Park

Moins apprêté que le parc St James's adjacent, Green Park, avec son parc aux chênes magnifiques et gigantesques et ses pelouses vallonnées n'est jamais aussi bondé que St James's. Autrefois, on venait s'y battre en duel. Pendant la Seconde Guerre mondiale, il fut transformé en potager.

GUARDS MUSEUM Plan p. 88

☎ 7976 0850 ; www.theguardsmuseum.com ; Wellington Barracks, Birdcage Walk SW1; adulte/enfant/tarif réduit 3/gratuit/2 £ ; 10h-16h fév-déc, dernière entrée 15h30 ; ⊖ St James's Park; ♿

Si vous étiez derrière la foule à la relève de la garde et que vous n'avez rien vu, venez ici à 10h50, tous les jours entre avril et août, et admirez les gardes se mettre en formation devant le musée pour partir au pas vers Buckingham Palace. Vous découvrirez en outre l'histoire des cinq régiments d'infanterie, et leur rôle dans les campagnes militaires depuis Waterloo, dans ce petit musée ouvert au XVIIe siècle sous le règne de Charles II. Il est rempli d'uniformes, de peintures à l'huile, de médailles et d'objets ayant appartenu aux soldats. Son principal attrait réside peut-être dans l'immense collection de soldats de plomb de la boutique.

INSTITUTE OF CONTEMPORARY ARTS Plan p. 88

ICA ; ☎ 7930 3647 ; www.ica.org.uk ; The Mall SW1 ; entrée libre, tarifs variables pour les expositions ; 12h-22h30 lun, 12h-2h mar-sam, 12h-23h dim ; Charing Cross ou Piccadilly Circus ;

Installé dans un bâtiment traditionnel sur le Mall, l'ICA, comme on l'appelle ici, rompt avec la tradition. C'est ici que Picasso et Henry Moore ont tenu leur première exposition au Royaume-Uni. Depuis, l'ICA se situe résolument à la pointe du monde artistique britannique et de sa controverse, et propose une excellente gamme de films, soirées musicales ou dansantes, photographies, art, théâtre, conférences, œuvres multimédias ou lectures de livres expérimentaux, progressistes, radicaux ou obscurs. Certaines expositions présentent peu d'intérêt, et il est arrivé à l'Institut de décerner un prix de sculpture d'une valeur de 26 000 £ à une œuvre de piètre qualité ; mais en général, son programme est sensationnel. Le plus : l'ICA Bar & Restaurant (12h-1h mar-sam, 12h-23h lun, 12h-22h30 dim), autorisé à servir de l'alcool. Le complexe abrite également une librairie, une galerie, un cinéma et un théâtre.

En haut de l'escalier longeant l'ICA et débouchant sur Waterloo Pl, la colonne du Duke of York a été érigée en 1834 en l'honneur d'un des fils de George III. Bien qu'elle ne mesure que 6 m de moins que la colonne Nelson de Trafalgar Sq, elle n'a jamais bénéficié de la même cote de popularité.

MAYFAIR

Londres compte de nombreux quartiers cossus, mais aucun n'est plus huppé que celui-ci. Remontez Old Bond St et vous vous apercevrez bientôt que vous entrez dans le quartier le plus élitiste de la capitale, chasse gardée des aristocrates et des plus vieilles fortunes du royaume. Bon ton, puissance et richesse comme autrefois exsudent entre Mayfair (le quartier le plus coté sur l'échelle immobilière) et Chelsea.

Mayfair s'étend à l'ouest de Regent St. C'est là que se retrouve toute la bonne société, reconnaissable à ses cuillères en argent et à sa mode tape-à-l'œil d'un autre âge. Mais à l'extrémité sud-ouest du quartier, bordant Hyde Park, Shepherd Market se situe presque à l'emplacement de la foire populaire et décadente qui a donné son nom au quartier. La foire fut interdite en 1730, et aujourd'hui, "l'ancien village du centre de Mayfair" est une minuscule enclave de pubs et de bistrots.

HANDEL HOUSE MUSEUM Plan p. 94

☎ 7495 1685 ; www.handelhouse.org ; 25 Brook St W1 ; adulte/enfant/tarif réduit 5/2/4,50 £ ; 10h-18h mar-sam (jusqu'à 20h jeu) et 12h-18h dim ; Bond St ;

Situé dans Mayfair, ce bâtiment du XVIIIe siècle, où Georg Friedrich Haendel vécut pendant 36 ans jusqu'à son décès en 1759, a été transformé en musée fin 2001. Reconstitué à l'image de ce qu'il devait être à l'époque du grand compositeur d'origine allemande, l'intérieur rassemble des œuvres d'art empruntées à différents musées. Parmi les pièces exposées figurent les premières éditions de ses opéras et oratorios. Néanmoins, le simple fait de se tenir dans le lieu même où Haendel composa et joua pour la première fois des morceaux comme *Water Music*, *Le Messie*, *Zadok the Priest* et *Fireworks Music* suffit au bonheur de ses admirateurs. Le musée a organisé de nombreuses manifestations pour célébrer le 250e anniversaire de la mort de l'artiste. L'accès au musée se fait par Lancashire Ct.

Ironie du sort, le n°23 de la même rue (qui fait désormais partie du musée) fut la résidence d'un musicien radicalement différent : le guitariste américain Jimi Hendrix (1942-1969) qui y demeura de 1968 à sa mort.

WESTMINSTER

ABBAYE DE WESTMINSTER Plan p. 88

☎ 7222 5152 ; www.westminster-abbey.org ; Dean's Yard SW1 ; adulte/moins de 11 ans/11-17 ans/tarif réduit 15/gratuit/6/12 £ ; 9h30-15h45 lun-ven (jusqu'à 18h mer), 9h30-13h45 sam, dernière entrée 1h avant la fermeture ; Westminster ;

L'abbaye de Westminster est l'un des sites les plus sacrés et les plus symboliques pour la royauté anglaise. C'est également le lieu où la nation rend hommage à ses idoles du monde politique et artistique, lieu grandiose qui n'a pas son équivalent dans le monde. À l'exception d'Édouard V et d'Édouard VIII, tous les souverains britanniques y ont été couronnés depuis Guillaume le Conquérant en 1066. En outre, la plupart des monarques, d'Henry III (mort en 1272) à George II (mort en 1760) y ont été enterrés.

L'abbaye est un lieu de culte grandiose. Bien qu'elle mêle plusieurs styles architecturaux, elle est considérée comme le plus bel exemple de style gothique anglais primitif (1180-1280) encore intact. L'église d'origine fut érigée au XIe siècle par le roi Édouard le Confesseur (futur saint Édouard), lequel est enterré dans la chapelle située derrière le maître-autel.

LE WEST END : MAYFAIR ET MARYLEBONE

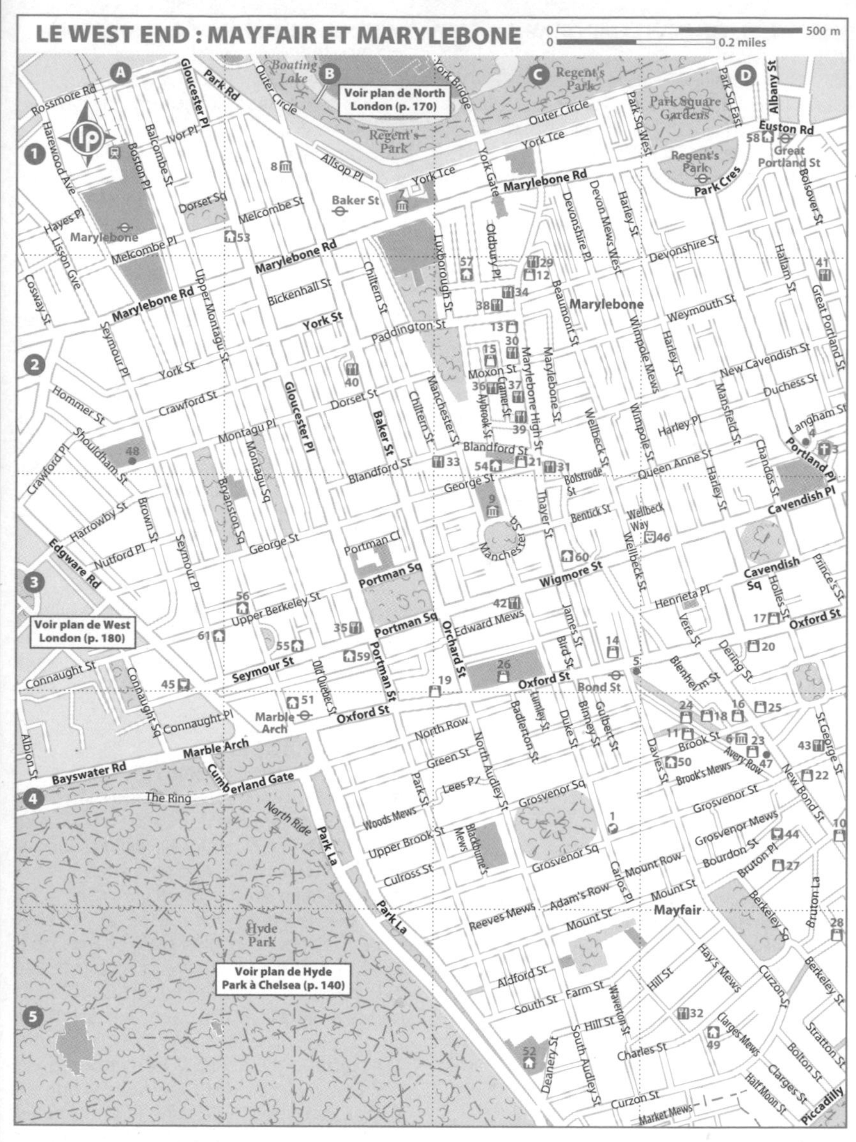

Henry III (règne 1216-1272) entama la construction d'un nouveau bâtiment mais n'en vit pas son achèvement : la nef gothique, de style français, fut terminée en 1388. L'immense et somptueuse chapelle d'Henry VII fut ajoutée en 1519. À l'inverse de Saint-Paul, l'abbaye de Westminster n'a jamais été une cathédrale ; c'est une église "collégiale royale" directement gérée par la Couronne.

Loin de nous l'idée de déprécier sa valeur architecturale, mais l'abbaye est probablement plus impressionnante de l'extérieur que de l'intérieur. Celui-ci est rempli à craquer de petites chapelles, de tombes royales élaborées et de monuments dédiés à différents grands noms de l'Histoire. Étant l'une des églises les plus visitées de la chrétienté, Westminster, comme on peut s'y attendre, est parfois bondée.

LE WEST END : MAYFAIR ET MARYLEBONE

RENSEIGNEMENTS
Consulat du Canada 1 C4

À VOIR (p. 93, 99)
All Souls Church 3 D2
Broadcasting House 4 D2
Flatiron Building 5 C3
Handel House Museum 6 D4
Madame Tussaud 7 B1
Sherlock Holmes Museum 8 B1
Wallace Collection 9 C3

SHOPPING (p. 218)
Burberry 10 D4
Butler & Wilson 11 D4
Cath Kidston 12 C2
Daunt Books 13 C2
French Connection UK 14 C3
Ginger Pig 15 C2
Jigsaw 16 D4
John Lewis 17 D3
Kurt Geiger 18 D4
Marks & Spencer 19 C3
Miss Selfridge 20 D3
Monocle Shop 21 C2
Mulberry 22 D4
Paul Smith Sale Shop 23 D4
Poste 24 D4
Pringle 25 D4
Selfridges 26 C3
Stella McCartney 27 D4
Wright & Teague 28 D5

OÙ SE RESTAURER (p. 246, 248)
Eat & Two Veg 29 C2
Fishworks 30 C2
Golden Hind 31 C2
Gordon Ramsay at Claridge's .... (voir 50)
Greenhouse 32 D5
Il Baretto 33 C2
Le Pain Quotidien 34 C2
Locanda Locatelli 35 B3
Marylebone Farmers' Market 36 C2
Natural Kitchen 37 C2
Ping Pong 38 C2
Providores & Tapa Room 39 C2
Reubens 40 B2
Villandry 41 D2
Wagamama 42 C3
Wallace .... (voir 9)
Wild Honey 43 D4

OÙ PRENDRE UN VERRE (p. 283)
Guinea 44 D4
Salt Whisky Bar 45 A3

ARTS (p. 312)
Wigmore Hall 46 D3

ACTIVITÉS SPORTIVES (p. 324)
Elemis Day Spa 47 D4
Seymour Leisure Centre 48 A2

OÙ SE LOGER (p. 346, 347)
Chesterfield 49 D5
Claridge's 50 D4
Cumberland Hotel 51 B4
Dorchester 52 C5
Dorset Square Hotel 53 B1
Durrants Hotel 54 C2
Edward Lear Hotel 55 B3
Glynne Court Hotel 56 B3
Hotel La Place 57 C2
International Students' House 58 D1
Leonard Hotel 59 B3
Mandeville 60 C3
Sumner Hotel 61 A3

Juste après la barrière donnant accès à l'entrée nord, la **Statesmen's Aisle** (nef des Hommes d'État) abrite d'imposantes statues en marbre d'hommes politiques et d'éminentes personnalités de la vie publique. Gladstone (qui est enterré ici) et Disraeli, Premiers ministres Whig (libéral) et Tory (conservateur) qui dominèrent la vie politique à la fin de l'ère victorienne, sont placés côte à côte. Non loin, se dresse le monument consacré au ministre de l'Intérieur Robert Peel, qui créa en 1829 la force de police métropolitaine dont les agents furent bientôt surnommés les "bobbies".

À l'extrémité est du sanctuaire, face à l'entrée de la chapelle d'Henry VII, se trouve le **Coronation Chair** (trône du couronnement), un fauteuil plutôt ordinaire sur lequel auraient été couronnés tous les monarques depuis le XIIIe siècle. En haut des marches, sur votre gauche, se situe l'étroite **Queen Elizabeth Chapel**, dans laquelle Elizabeth Ire et sa demi-sœur "Bloody Mary" (Marie la Sanglante) partagent un tombeau très travaillé.

La **Henry VII Chapel**, à l'extrême est de l'abbaye, comporte d'exceptionnelles voûtes circulaires. Derrière l'autel de la chapelle, on peut apercevoir l'opulent sarcophage d'Henry VII et de sa femme, Elizabeth d'York.

Au-delà de l'autel est aménagée la **Royal Air Force (RAF) Chapel**, avec en arrière-plan le vitrail commémorant son heure de gloire, la fameuse bataille d'Angleterre. À proximité, une plaque signale l'endroit où reposait le corps d'Oliver Cromwell avant la Restauration ; il fut alors exhumé, pendu et décapité. Les corps des deux petits princes assassinés (dit-on) dans la Tour de Londres en 1483 sont enterrés ici. La nef sud de la chapelle contient le **tombeau de Marie Stuart** (Mary Queen of Scots), décapitée sur l'ordre de sa cousine Elizabeth et avec l'approbation de son fils, le futur Jacques Ier.

La **Chapel of St Edward the Confessor** (chapelle de Saint-Édouard-le-Confesseur), lieu le plus sacré de l'abbaye, se trouve à l'est du sanctuaire, derrière le maître-autel. Il est possible que l'accès en soit restreint afin de protéger son sol datant du XIIIe siècle. Saint Édouard fut le fondateur de l'abbaye, consacrée quelques semaines avant sa mort. Son tombeau fut légèrement modifié après la destruction de l'original pendant la Réforme.

Le transept sud abrite le **Poets' Corner** (coin des Poètes), où se trouvent les tombes de nombreux grands écrivains anglais ou des monuments à leur mémoire (un mémorial à cet endroit étant le plus grand honneur que la reine puisse accorder). Juste au nord, vous verrez la **Lantern**, cœur de l'abbaye, où se déroulent les couronnements. Lorsque vous êtes au centre, tournez-vous vers l'est : vous ferez alors face au sanctuaire, avec son opulent maître-autel conçu par George Gilbert Scott en 1897. Derrière vous, le chœur d'Edward Blore (milieu du XIXe siècle) est une prodigieuse structure bleue, rouge et or de style gothique victorien. Les moines qui s'y recueillaient autrefois ont été remplacés par les garçons de la Choir School et les vicaires laïcs qui chantent aux offices quotidiens.

L'entrée du cloître date du XIIIe siècle, le reste de l'édifice étant du XIVe siècle. À l'est, au bout d'un corridor partant du cloître, se tiennent trois musées gérés par l'English Heritage. L'octogonale Chapter House (9h30-17h avr-sept, 10h-17h oct, 10h-16h nov-mars) possède l'un des carrelages médiévaux les mieux préservés d'Europe ainsi que des traces de fresques religieuses. Elle servait de salle de réunion pour la Chambre des communes pendant la seconde moitié du XIVe siècle. À droite de l'entrée dans Chapel House se trouve la plus vieille porte du Royaume-Uni, qui daterait d'il y a 950 ans. La Pyx Chamber (salle du Coffre ; 10h-16h30) adjacente, l'un des rares vestiges de l'abbaye d'origine, renferme les trésors de l'abbaye et des objets liturgiques. L'Abbey Museum (10h30-16h) expose les masques mortuaires de plusieurs générations de membres de la famille royale, des effigies en cire représentant Charles II et William III (juché sur un tabouret pour être aussi grand que sa femme Mary) ainsi que des armoiries et des vitraux.

Pour accéder au College Garden (10h-18h mar-jeu avr-sept, 10h-16h mar-jeu oct-mars), jardin vieux de 900 ans, passez par Dean's Yard et par les Little Cloisters près de Great College St.

Du côté ouest du cloître, se trouve le Scientists' Corner (coin des Scientifiques), où repose sir Isaac Newton. La Musicians' Aisle (nef des Musiciens) est installée dans une section du bas-côté nord.

La sortie s'effectue par la porte ouest, dominée par deux tours créées par Nicholas Hawksmoor et achevées en 1745. Juste au-dessus de cette porte, des niches du XVe siècle abritent les pièces les plus récentes ajoutées à l'abbaye : 10 statues de martyrs du XXe siècle. Dévoilées en 1998, celles-ci comprennent notamment Martin Luther King et saint Maximilien Kolbe, prêtre polonais assassiné par les nazis à Auschwitz.

À droite en sortant, un monument dédié à toutes les victimes de l'oppression, de la violence et de la guerre dans le monde vous adresse cette bouleversante supplique : "Vous tous qui passez ici, n'est-ce donc rien pour vous ?" (*"All you who pass by, is it nothing to you?"*).

Des visites guidées de 1 heure 30 (☎ 7222 7110 ; lun-sam ; 3 £) ont lieu plusieurs fois par jour. L'une des meilleures façons de voir l'abbaye est d'assister à un office, en particulier celui du soir (17h en semaine, 15h le week-end). La grand-messe du dimanche est célébrée à 11h.

HOUSES OF PARLIAMENT Plan p. 88

Parlement ; Visitor's Gallery ☎ 7219 4272 ; www.parliament.uk ; St Stephen's Entrance, St Margaret St SW1 ; entrée libre ; pendant les sessions parlementaires 14h30-22h30 lun, 11h30-19h mar et mer, 11h30-18h30 jeu, 9h30-15h ven ; Westminster Parliament ;

C'est dans le somptueux palais de Westminster que se trouvent les Houses of Parliament : la House of Commons (Chambre des communes) et la House of Lords (Chambre des lords). Le palais fut construit entre 1840 et 1860, au plus fort de la vogue néogothique, par Charles Barry, assisté pour les intérieurs par Augustus Pugin. Son élément extérieur le plus caractéristique est la tour de l'horloge, la célèbre Big Ben. En fait, Ben est le nom du carillon suspendu à l'intérieur. Ce surnom lui vient de Benjamin Hall, commissaire des travaux lors de l'achèvement de la tour en 1858. Pesant 13 tonnes, Big Ben sonne le Nouvel An chaque année depuis 1924. Elle est nettoyée tous les 5 ans par un personnel spécialisé qui descend en rappel. Pour mieux admirer l'ensemble, postez-vous sur la rive est du Lambeth Bridge. À l'autre extrémité du palais se dresse la Victoria Tower, achevée en 1860.

La Chambre des communes est l'endroit où siègent les députés (Members of Parliament, ou MPs) qui proposent et discutent des nouvelles lois et questionnent le Premier ministre ainsi que les membres du gouvernement. En 2009, le scandale des dépenses inconsidérées des MPs a rendu ces élus (du moins ceux qui étaient encore membres du Parlement) plus célèbres que jamais, mais, il faut le dire, pour de mauvaises raisons. Les meilleurs moments pour assister à un débat sont les séances de questions au Premier ministre. Vous devrez réserver votre billet auprès de l'ambassade britannique de votre pays de résidence.

La disposition de la Chambre des communes se fonde sur celle de la St Stephen's Chapel du palais de Westminster d'origine. La Chambre actuelle, conçue par Giles Gilbert Scott, a remplacé celle qui fut détruite par une bombe en 1941. Bien que les députés soient au nombre de 646, la Chambre ne contient que 437 sièges. Les membres du gouvernement s'assoient à droite du Speaker (le président) et les membres de l'opposition à gauche. Le Speaker prend place sur une chaise gracieusement mise à disposition par l'Australie, tandis que les ministres prononcent leurs allocutions d'une tribune offerte par la Nouvelle-Zélande.

Lorsque le Parlement tient session, les visiteurs peuvent accéder à la House of Commons Visitors' Gallery via la St Stephen's Entrance. Prévoyez au moins une heure ou deux d'attente, sauf si vous vous êtes procuré un billet à l'avance. Les vacances parlementaires durent trois mois l'été, et quelques semaines à Pâques et à Noël. Mieux vaut donc appeler auparavant pour savoir si le Parlement est en session. Pour connaître l'ordre du jour, consultez le panneau à côté de l'entrée, ou bien le *Daily Telegraph* ou encore la rubrique "Today in Parliament" du gratuit *Metro*, bien qu'il faille admettre que les débats laissent à désirer pour des raisons d'absentéisme et de manque d'enthousiasme. Les sacs et les appareils photo sont inspectés avant votre entrée dans la galerie, et vous ne pourrez pas passer la porte de sécurité avec une valise ou un sac à dos.

Après le jet d'un préservatif rempli de poudre violette sur Tony Blair en mai 2004 par l'association de défense des pères *Fathers 4 Justice* et l'irruption de militants pro-chasse dans la Chambre des communes en septembre de la même année, les mesures de sécurité ont été renforcées. Un écran pare-balle a notamment été installé entre le public et les MPs.

En attendant de passer le contrôle, admirez à gauche l'étonnante charpente du Westminster Hall. Ajoutée entre 1394 et 1401, celle-ci est le plus vieil exemple connu de charpente à blochets et a été qualifiée de "plus belle structure encore existante de menuiserie médiévale anglaise". Érigé en 1099, le Westminster Hall représente la plus ancienne partie du palais de Westminster, résidence principale de la monarchie anglaise du XIe siècle au début du XVIe siècle. Salle de banquet pour les fêtes du couronnement au Moyen Âge, le Hall servit aussi de tribunal jusqu'au XIXe siècle. C'est ici que furent jugés William Wallace (1305), Thomas More (1535), Guy Fawkes (1606) et Charles Ier (1649). Au XXe siècle, on y exposa la dépouille mortelle de plusieurs monarques et celle de Winston Churchill.

La House of Lords Visitors' Gallery (☎ 7219 3107 ; entrée libre ; 🕑 14h30-22h lun-mer, 11h-13h30 et 15h-19h30 jeu, 11h-15h ven) est aussi ouverte au public. Bercé par les doux ronflements des pairs, vous pourrez admirer le bel intérieur gothique dont la conception précipita la mort d'Augustus Pugin (1812-1852) pour cause de surmenage.

Pendant les vacances parlementaires d'été, des visites guidées (☎ 0870 906 3773 ; St Stephen's Entrance, St Margaret St ; adulte/enfant/tarif réduit 12/5/8 £) de 1 heure 15 vous permettent de découvrir les deux Chambres ainsi que d'autres bâtiments historiques. Les horaires étant susceptibles de changer, renseignez-vous auparavant par téléphone ou sur le site www.parliament.uk.

TATE BRITAIN Plan p. 88

☎ 7887 8000 ou 7887 8888 ; www.tate.org.uk ; Millbank SW1 ; entrée libre, tarifs variables pour les expositions ; 🕑 10h-17h50 ; ⊖ Pimlico ; ♿

On pourrait croire cette galerie au plus mal depuis que son rejeton, la Tate Modern (p. 132), lui a ravi la vedette et la moitié de sa collection lors de son inauguration en 2000. Il n'en est rien. En fait, cette partition s'est révélée très bénéfique pour les deux galeries. La vénérable Tate Britain, construite en 1897, a pris ses aises dans l'espace ainsi gagné, le dotant de la plus belle collection d'art britannique du XVIe siècle au XXe siècle.

Organisées par ordre chronologique, les galeries contiennent certains des chefs-d'œuvre d'artistes tels que Constable et Gainsborough (des salles entières leur sont dédiées) ainsi que Hogarth, Reynolds, Stubbs, Blake et Henry Moore, entre autres. Jouxtant le bâtiment principal, la Clore Gallery abrite la superbe collection des Turner, comprenant aujourd'hui les deux classiques *Shade and Darkness* et *Light and Colour*, volés en 1994 et retrouvés neuf ans plus tard.

N'allez pas penser pour autant que tous les modernes et les contemporains sont au Tate Modern : la Tate Britain possède des salles dédiées à Lucian Freud, Francis Bacon, David Hockney et Howard Hodgkin. C'est également là que sont exposés Anthony Gormley et la rebelle Tracey Emin. Chaque année, d'octobre à début décembre, la Tate Britain accueille aussi le prestigieux prix Turner d'art contemporain, qui suscite souvent des polémiques.

Des visites guidées thématiques gratuites (1 heure) ont lieu plusieurs fois par jour, généralement en heures pleines (dernière visite à 15h). En outre, des conférences gratuites de 15 minutes sur les toiles, les peintres et les styles se tiennent dans la Rotunda (13h15 mar-jeu). Des visites avec audioguides (adulte/tarif réduit 3,50/3 £) permettent de découvrir la collection. Il est très agréable de visiter la Tate en nocturne (Late at Tate), le premier vendredi de chaque mois jusqu'à 22h. Le bateau qui relie les deux galeries vous permettra de passer une fabuleuse journée artistique (voir p. 133).

HORSE GUARDS PARADE Plan p. 88

Relève de la garde à cheval ; ☎ 0906 866 3344 ; 🕑 11h lun-sam, 10h dim ; ⊖ Westminster

Moins courue que celle de Buckingham Palace, la relève de la garde à cheval a lieu quotidiennement au niveau de l'entrée officielle des palais royaux (en face de la Banqueting House). Une version allégée de cette même cérémonie se déroule à 16h lors de la relève des gardes à pied. C'est aussi ici que se tient en juin la cérémonie du Trooping of the Colour, célébrant en grande pompe l'anniversaire officiel de la reine (née en vérité un 21 avril, période de l'année pâtissant d'une météo moins favorable).

Aujourd'hui, ce terrain de manœuvres et ses bâtiments, construits en 1745 pour héberger les "Life Guards" de la reine, sont proposés comme site pour la plage de beach-volley pendant les Jeux olympiques de 2012 (voir www.london2012.org).

ST JOHN'S, SMITH SQUARE Plan p. 88

☎ 7222 1061 ; www.sjss.org.uk ; Smith Sq, Westminster SW1 ; ⊖ Westminster/St James's Park

Située au cœur de Westminster, cette église remarquable fut construite par Thomas Archer en 1728, conformément à une loi de 1711 (Fifty New Churches Act), laquelle prévoyait la construction de 50 nouvelles églises dans la ville alors en pleine croissance. Des cinquante prévues, seule St John's et une douzaine d'autres virent le jour. Avec ses quatre tours d'angle et ses façades monumentales, cette église fut largement critiquée au long du premier siècle de son existence. La reine Anne l'aurait, dit-on, comparée à un tabouret (mais on raconte aussi que c'est elle-même qui l'aurait voulu ainsi). Aujourd'hui, l'édifice est considéré, de l'avis général, comme un chef-d'œuvre du baroque anglais. Après avoir été frappé par une bombe au cours de la dernière guerre, il a été transformé dans les années 1960 en une salle de concerts classiques (p. 314) réputée pour son excellente acoustique.

Le restaurant The Footstool, installé sous le plafond voûté de la crypte, accueille les clients du lundi au vendredi à l'heure du déjeuner, ainsi qu'avant et après les concerts du soir.

WHITEHALL

La large Whitehall et son extension, Parliament St, relient Trafalgar Sq à Parliament Sq. Bâtiments publics, statues, monuments et autres éléments d'intérêt historique abondent dans ces deux artères.

CHURCHILL MUSEUM ET CABINET WAR ROOMS Plan p. 88

☎ 7930 6961 ; www.iwm.org.uk ; Clive Steps, King Charles St SW1 ; adulte/moins de 16 ans/senior et étudiant 13/gratuit/10,40 £ ; 🕑 9h30-18h, dernière entrée 17h ; ⊖ Charing Cross/Westminster ; ♿

Dans le bunker où Winston Churchill, son gouvernement et ses généraux se réunissaient pendant la Seconde Guerre mondiale, six millions de livres ont été dépensées pour mettre en place une immense exposition consacrée à l'illustre homme d'État. Cet excellent musée multimédia vient s'ajouter aux très évocatrices Cabinet War Rooms, où les chefs d'état-major dormaient, mangeaient et élaboraient une stratégie pour vaincre Hitler, fermement convaincus qu'ils étaient protégés des bombes ennemies par la carapace de béton de 3 m au-dessus de leur tête (en fait, celle-ci n'aurait pas résisté si la zone avait été touchée). Ensemble, ces deux sections font oublier le franc-tireur et le médiocre politique qu'était Churchill en temps de paix pour souligner l'efficacité de l'homme au cigare en temps de guerre.

Le Churchill Museum contient toutes sortes d'affiches, d'objets et d'effets personnels, comme ses cigares, un vase le représentant sous les traits d'un bouledogue, son ancien uniforme du Privy Council ou son horrible veste en velours rouge. Le musée ne tait donc pas les faiblesses de son héros. Néanmoins, il commence par sa vraie force : ses discours exaltants qui émeuvent tout visiteur posté devant les écrans sur lesquels ils sont projetés. "Je n'ai rien d'autre à offrir que du sang, du labeur, des larmes et de la sueur", "Nous lutterons jusque sur les plages", "Jamais dans l'histoire de l'humanité n'a-t-on vu un si grand nombre devoir autant à un si petit nombre". Ailleurs, on prétend même que Churchill a inspiré la fameuse réplique d'Orson Welles sur la Suisse et les coucous à l'occasion d'un discours qu'il a tenu devant le Parlement plusieurs années avant le tournage du *Troisième Homme* (*The Third Man*).

On peut voir des séquences bien montées sur les grandioses funérailles de Churchill en 1965, ainsi qu'une immense ligne de vie interactive présentée sur une table. Il suffit de toucher une année sur l'écran pour que celle-ci se développe en mois et jours à sélectionner.

Contrastant radicalement avec le musée, les anciennes Cabinet War Rooms sont quasiment telles qu'elles étaient après la victoire en août 1945. Tout a été préservé : la salle où le Cabinet s'est réuni à plus de 100 reprises ; la Telegraph Room dotée d'une ligne réservée à la communication avec Roosevelt ; la pièce exiguë des dactylos ; le placard à balais transformé en bureau pour Churchill ; et les nombreuses chambres.

Vous verrez le poste de radiodiffusion où Churchill prononça quatre de ses discours vibrants à la nation, notamment un sur "le feu" que les Allemands allumèrent dans le cœur des Britanniques en lançant le Blitz sur Londres. Dans la Chief of Staff's Conference Room, les murs sont couverts d'immenses cartes originales retrouvées en 2002. Sur celui de droite, vers le bas, quelqu'un (peut-être Churchill lui-même) a dessiné un petit bonhomme représentant un Hitler assommé.

Très instructif et divertissant, l'audioguide gratuit relate quantité d'anecdotes, dont certaines sur les personnes qui travaillaient ici, au centre névralgique de l'effort de guerre britannique – et que leur chef irascible n'autorisait même pas à siffler pour détendre l'atmosphère.

BANQUETING HOUSE Plan p. 88

☎ 0870 751 5178 ; www.hrp.org.uk ; Whitehall SW1 ; adulte/moins de 16 ans/tarif réduit 4,80/gratuit/4 £ ; 🕒 10h-17h lun-sam ; ⊖ Westminster/Charing Cross ; réservation indispensable ♿

Ce bâtiment est l'unique vestige du palais Tudor de Whitehall, qui bordait autrefois Whitehall sur presque toute sa longueur avant de brûler en 1698. Conçu par Inigo Jones à son retour d'Italie, il fut le premier édifice Renaissance d'Angleterre et ne ressemblait à l'époque à aucune autre construction du pays. Apparemment, les Anglais l'ont détesté pendant plus d'un siècle.

Un buste à l'extérieur commémore les événements du 30 janvier 1649 : Charles Ier, accusé de trahison par Cromwell après la guerre civile, fut exécuté sur un échafaud bâti contre une fenêtre du premier étage. Une fois la monarchie rétablie avec Charles II, l'endroit devint inévitablement une sorte de sanctuaire royaliste. Au premier étage, une immense pièce presque vide possède un plafond garni de neuf panneaux peints par Rubens en 1635. Commandés par Charles Ier, ceux-ci représentent le "droit divin" des rois.

On l'utilise encore de temps à autre pour des banquets officiels et des concerts ; le reste du temps, elle est accessible au public, sauf lorsqu'elle est louée pour un événement. Mieux vaut s'en assurer à l'avance.

CENOTAPH Plan p.88

Whitehall SW1 ; ⊖ Westminster/Charing Cross

Ce cénotaphe (signifiant "tombe vide" en grec), construit en 1920 par Edwin Luytens, est le principal monument britannique dédié aux citoyens du Commonwealth tués pendant les deux guerres mondiales. La reine et d'autres notables y déposent des coquelicots le deuxième dimanche de novembre, Remembrance Sunday (Dimanche du Souvenir).

N°10 DOWNING STREET Plan p. 88

www.number10.gov.uk ; 10 Downing St SW1 ; ⊖ Westminster/Charing Cross

Un numéro très célèbre suivi d'un code postal prestigieux pour le Premier ministre britannique. Le chef du gouvernement britannique y possède son bureau officiel depuis que George II a cédé la demeure à Robert Walpole en 1732. Il y réside également depuis les grands travaux de rénovation effectués en 1902. Comme l'a déclaré Margaret Thatcher, fille d'épicier : ici, le Premier ministre "habite au-dessus de la boutique".

Bien que très célèbre, le n°10 n'est qu'un petit bâtiment dans une rue ordinaire, ne soutenant guère la comparaison avec la Maison Blanche, par exemple. Un *bobby* stoïque monte la garde à l'extérieur, mais on ne peut s'approcher de trop près : la rue a été barricadée par un large portail en fer forgé lorsque Margaret Thatcher était Premier ministre.

Rompant avec la tradition, Tony Blair s'était installé avec sa famille dans les locaux un peu plus spacieux du n°11, traditionnellement réservés au chancelier, lequel déménagea au n°10. Son successeur, Gordon Brown, a renoué avec la tradition en investissant le n°10.

MARYLEBONE

MADAME TUSSAUD'S Plan p. 94

☎ 0870 400 3000 ; www.madame-tussauds.com ; Marylebone Rd NW1 ; adulte/moins de 16 ans 25/21 £ ; 🕒 9h30-17h30 lun-ven, 9h-18h sam-dim ; ⊖ Baker St ; ♿

Nous n'avons guère envie de vous présenter Madame Tussaud's, ce musée incroyablement kitsch au prix d'entrée exorbitant, pourtant nous sommes bien obligés de le faire puisque c'est l'un des plus courus de la ville, visité chaque année par plus de trois millions de personnes. À chacun ses goûts... Iront ceux qui aiment ces célébrités de cire plus vraies que nature (des Windsors aux acteurs de cinéma).

Madame Tussaud's existe depuis plus de deux siècles. Sa célèbre fondatrice (suisse d'origine) commença par façonner des masques mortuaires de personnages exécutés pendant la Révolution française. Arrivée à Londres en 1803, elle exposa une trentaine de ses œuvres sur Baker St, non loin de l'emplacement actuel du bâtiment, qui renferme le musée de cire depuis 1885.

Le musée remporta un franc succès à l'époque victorienne, car les modèles présentés constituaient pour les visiteurs la seule possibilité de voir des personnages qui avaient defrayé la chronique, la photographie demeurant alors peu répandue, sans même parler d'images animées.

Madame Tussaud's aime à réaliser des enquêtes auprès du public pour savoir quels personnages remportent le plus ses faveurs. Vous pourrez ainsi vous prendre en photo auprès de la silhouette de Kate Moss (qui ressemble très peu à l'original), de la statue du prince Charles, dont le matériau est en harmonie avec sa sensibilité écologique, ou encore en compagnie des stars pétrifiées dans la Blush Room (Jennifer Lopez rougira peut-être si vous lui chuchotez à l'oreille). Les fans de Bollywood seront comblés par un Shahrukh Khan tout sourire. La dernière nouveauté de la collection est le souriant maire de Londres Boris Johnson, et sur le site Internet, vous découvrirez une vidéo de l'homme politique à côté de sa statue, affirmant devant des journalistes que Madame Tussaud's est "l'un des sites londoniens qui permettra à la ville de sortir de la crise". C'est donc pour la bonne cause.

La séance photo peut se poursuivre avec les grands hommes politiques dans la salle du World Stage et les célébrités du moment dans la Premiere Room. La fameuse Chamber of Horrors qui présente avec force détails les épouvantables crimes de Jack l'Éventreur récolte généralement un franc succès auprès des enfants. Vous pouvez aussi prendre place dans le Spirit of London "time taxi", et traverser les siècles et l'histoire de Londres en 5 minutes à bord d'un faux taxi londonien (un temps qui peut malgré tout paraître interminable, compte tenu du faible intérêt des commentaires). Dans l'ancien Planetarium de Londres, devenu le Stardome, vous pourrez assister à la projection d'un film animé amusant et instructif de Nick Park, le créateur de *Wallace et Gromit*, où des extraterrestres côtoient des célébrités.

Qu'arrive-t-il à ceux dont la gloire s'éteint aussi rapidement qu'un feu de paille ? Contrairement à la croyance populaire, ils ne sont pas fondus mais relégués dans un placard.

Si vous voulez éviter les files d'attente interminables (notamment en été), achetez vos billets en ligne pour une tranche horaire précise. Cela vous reviendra aussi moins cher.

WALLACE COLLECTION Plan p. 94

☎ 7563 9500 ; www.wallacecollection.org ; Hertford House, Manchester Sq W1 ; entrée libre ; 10h-17h ; ⊖ Bond St ; ♿

Probablement l'une des meilleures petites galeries d'art de Londres (relativement inconnue des Londoniens eux-mêmes), la Wallace Collection nous replonge avec délice dans la vie aristocratique du XVIIIe siècle. Cette somptueuse demeure restaurée de style italianisant renferme un véritable trésor : tableaux, porcelaines, objets d'art et meubles des XVIIe et XVIIIe siècles rassemblés par une même famille sur plusieurs générations et légués à la nation par la veuve de sir Richard Wallace (1818-1890), à la condition qu'ils soient toujours exposés dans le centre de Londres.

Parmi les nombreuses raisons de visiter ce lieu – outre l'accueil chaleureux du personnel –, citons des tableaux de Rembrandt, Hals, Delacroix, Titien, Rubens, Poussin, Van Dyck, Velázquez, Reynolds et Gainsborough, exposés dans la superbe Great Gallery. À voir également : une spectaculaire collection d'armures médiévales et Renaissance (dont certaines peuvent être endossées), un fumoir au sol recouvert de carrelage Minton, de magnifiques chandeliers et un grand escalier passant pour être l'un des plus beaux exemples d'architecture intérieure à la française. Le musée propose également des expositions temporaires (payantes) ainsi que des manifestations à thème très prisées mettant en scène Marie-Antoinette et des aristocrates français du XVIIIe siècle, avec bal en costume d'époque (vérifier sur le site Internet l'événement en cours au moment de votre visite). Ajoutez à cela l'excellent Café Bagatelle, aménagé dans la cour intérieure sous une véranda (on se croirait en Espagne), et vous avez là l'une des plus fabuleuses attractions londoniennes.

SHERLOCK HOLMES MUSEUM Plan p. 94

☎ 7935 8866 ; www.sherlock-holmes.co.uk ; 221b Baker St ; adulte/enfant 6/4 £ ; 9h30-18h ; ⊖ Baker St

Le Sherlock Homes Museum est domicilié au 221b Baker St, alors que le célèbre détective aurait résidé dans l'immeuble Abbey National, plus bas dans la rue. Les inconditionnels du héros londonien apprécieront les trois étages de souvenirs victoriens, les fameux chapeaux du détective, les chandelles, les flammes vacillantes dans l'âtre, voire la statue de cire du professeur Moriarty et "*the Man with the Twisted Lip*" (l'homme à la lèvre retroussée). D'aucuns regretteront toutefois le manque d'informations sur l'auteur, sir Arthur Conan Doyle.

BROADCASTING HOUSE Plan p. 94

☎ 0870 603 0304 ; www.bbc.co.uk ; Portland Pl ; ⏲ boutique 9h30-18h lun-sam, 10h-17h30 dim ; ⊖ Oxford Circus

En face de l'église All Souls se dresse la Broadcasting House, bâtiment symbolique depuis lequel la BBC émit à partir de 1932, et d'où sont encore diffusées la majorité de ses émissions de radio. Vous y trouverez une boutique contenant toutes sortes de produits dérivés des programmes de la BBC. Aujourd'hui, la plupart des activités de la société se concentrent toutefois dans l'imposant complexe vitré de Shepherd's Bush (consultez le site Internet si vous souhaitez réserver vos places pour assister à un enregistrement). La vaste annexe qui était en construction lors de notre passage accueillera les nouveaux bureaux du World Service.

ALL SOULS CHURCH Plan p. 94

☎ 7580 3522 ; www.allsouls.org ; Langham Pl W1 ; ⏲ 9h-18h, tlj sauf sam ; ⊖ Oxford Circus

Nash bâtit cette charmante église pour adoucir l'interruption brutale de Regent St au nord. Avec son porche circulaire entouré d'une colonnade et son clocher effilé, elle évoque irrésistiblement un temple de la Grèce antique. L'édifice ne plut guère lorsqu'il fut construit, en 1824, comme en témoigne un dessin humoristique de l'époque, signé George Cruikshank, qui montre Nash fort inconfortablement assis sur la pointe de son clocher avec la légende suivante : *"Nashional Taste!!!"*. L'All Souls Church, objet de bombardements massifs durant le Blitz, fut rénovée en 1951. Désormais, c'est l'une des églises les plus originales du centre de Londres.

LE WEST END
Promenade

1 Covent Garden Piazza

L'endroit est très touristique, nous vous l'accordons, mais il faut absolument découvrir la merveilleuse Inigo Jones Piazza (p. 79) et ses artistes de rue dont certains contribuent avec talent à l'animation autour de la cathédrale Saint-Paul.

2 Chinatown

Évitez Leicester Sq, descendez Lisle St qui vous mène aux fausses portes orientales marquant l'entrée de Chinatown (p. 67). Dans les effluves d'épices, choisissez votre restaurant chinois. Nous vous recommandons les excellents Jen Café (p. 244) et Baozi Inn (p. 244).

3 Shaftesbury Avenue

Vous entrez dans la rue des théâtres. C'est en effet dans Shaftesbury Ave que se concentrent la plupart des prestigieux établissements du West End. Les vedettes d'Hollywood comme Juliette Lewis, Jessica Lange et Christian Slater se sont produites ici, sans oublier le célèbre acteur britannique Daniel Radcliffe.

4 Piccadilly Circus

Carrefour trépidant et toujours encombré, mais néanmoins élégant, Piccadilly Circus (p. 71) fourmille, comme Times Sq, de gigantesques enseignes lumineuses, de boutiques en veux-tu en voilà, et de touristes.

5 Piccadilly

À bonne distance du tohu-bohu populaire de Piccadilly Circus, le quartier de Piccadilly prend déjà les airs aristocratiques de St James et Mayfair tout proches. Entrez dans l'église St James's Piccadilly (p. 72), le seul édifice que sir Christopher Wren construisit sur un sol vierge, puis attardez-vous au marché dont les étals vendent de l'artisanat et des antiquités. Vous pourrez prendre un café au milieu des pigeons qui se disputent les miettes de pain ou aller jusqu'à Minamoto Kitchoan (p. 224), une confiserie japonaise, si vous préférez un thé vert accompagné de petites douceurs.

La Royal Academy of Arts (p. 72), la brillante école des beaux-arts, abrite de nombreuses expositions payantes ou gratuites. Les installations dans la cour sont souvent très originales.

6 Green Park

Passez le Ritz et tournez à gauche dans Green Park (p. 186), un petit parc tranquille aux espaces dégagés et aux chênes séculaires, éclairé le soir par d'anciens becs de gaz.

7 Buckingham Palace

Vous pourrez admirer le palais de la reine (p. 90), mais si vous voulez visiter certaines salles (uniquement ouvertes pendant l'été), mieux vaut acheter un billet à l'avance. Foulez le Mall grandiose où se déroulent souvent des processions. Sa Majesté dans sa limousine l'emprunte aussi, escortée par ses gardes.

8 St James's Park

Le plus petit mais le plus agréable de tous les parcs londoniens, St James's (p. 91) est magnifique

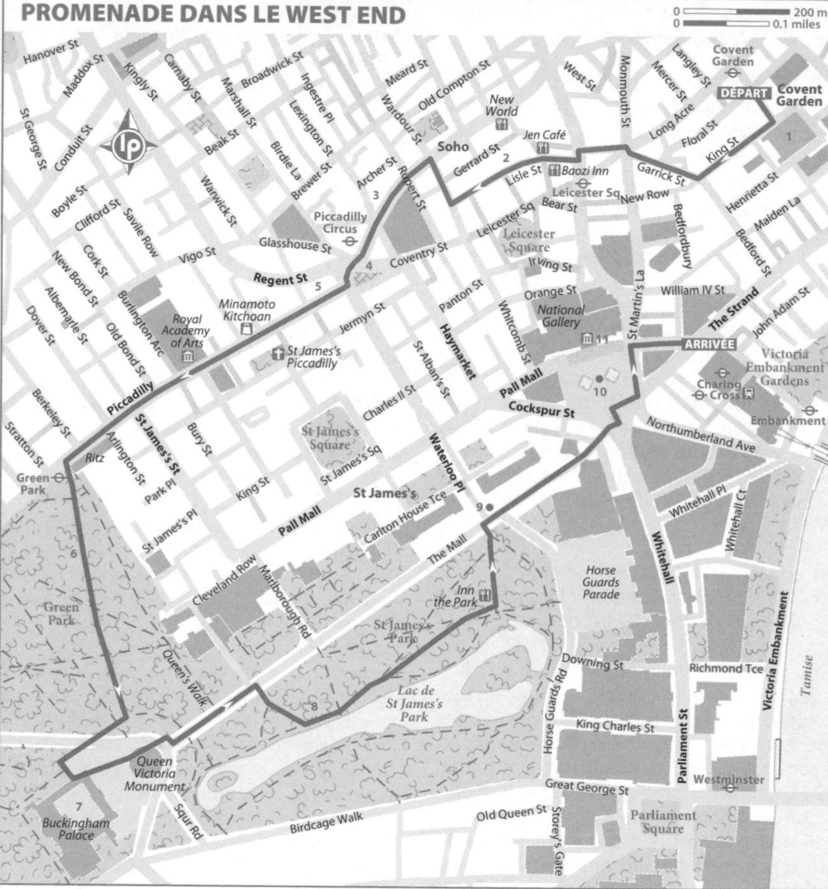

À PIED

Départ Station de métro Covent Garden
Arrivée Trafalgar Sq (station de métro Charing Cross)
Distance 4 km
Durée 1 heure 15
Pause ravitaillement Jen Café (p. 244), Baozi Inn (p. 244), Inn the Park (p. 246), National Dining Rooms (p. 78)

tant en été qu'en hiver. On peut y nourrir les canards, les cygnes ou les écureuils. Il compte même des pélicans. Le café à l'élégante architecture de bois Inn the Park (p. 246) vous accueille pour une part de gâteau ou de la cuisine anglaise moderne. C'est l'un des endroits les plus romantiques pour un dîner.

9 Institute of Contemporary Arts

Allez voir la dernière exposition au très branché ICA (p. 93). Vous en ressortirez enthousiasmé ou déçu.

10 Trafalgar Square

Autre aimant à touristes, Trafalgar Square (p. 73) vaut cependant la peine d'être vu pour sa belle composition architecturale. Le côté sud de la place offre une splendide vue sur Big Ben.

11 National Gallery

Accordez-vous quelques heures pour apprécier au mieux l'époustouflante collection de la National Gallery (p. 76). Vous mériterez ensuite un bon déjeuner ou dîner dans les toutes nouvelles National Dining Rooms, un espace de restauration servant une excellente cuisine anglaise.

LA CITY

Où prendre un verre p. 283 ; Où se restaurer ; p. 249 ; Où se loger p. 348

Les anciennes rues de la City, sanctifiées par des siècles d'histoire, sont les plus fascinantes de Londres. Le "Square Mile" (environ 2,6 km²) s'étend toujours sur le périmètre où les Romains établirent la ville fortifiée voici 2 000 ans. Ce timbre-poste rassemble à lui seul plus d'histoire que tout le reste de la ville.

Les petites rues et les églises anciennes coexistent aujourd'hui avec les gratte-ciel et les longs immeubles occupés par les bureaux de la Bourse, de la Banque d'Angleterre et nombre d'autres institutions financières. Très peu de gens vivent aujourd'hui dans la City, qui fut la cible de violents bombardements pendant le Blitz. Le flot incessant des employés crée l'animation, mais le week-end, c'est une ville fantôme, comme en semaine après 21h, quand chacun a repris le métro vers son domicile.

LA CITY

- **Cathédrale Saint-Paul** (ci-dessous)
- **Tour de Londres** (p. 122)
- **Museum of London** (p. 107)
- **30 St Mary Axe** (p. 118)
- **Temple Church** (p. 107)

Le centre de gravité de la City est le chef-d'œuvre de sir Christopher Wren, la cathédrale Saint-Paul (ci-dessous), qui a survécu à tous les aléas de l'histoire depuis 1697. On ne peut venir à Londres sans visiter ce joyau. Au nord, s'étend Smithfield, où se déroula pendant des siècles la fameuse foire de St Bartholomew, lieu aussi de sanglantes exécutions publiques et des bûchers de sorcières. À l'est de Smithfield, le Barbican (p. 119) est un vaste complexe dédié à l'art dont l'architecture enchante ou rebute, selon les goûts. Personnellement, nous adorons.

Un peu plus à l'est, le quartier Bank abrite sans surprise de nombreuses institutions financières parmi les plus importantes du pays, dont la Banque d'Angleterre. C'est certainement l'endroit le plus morne de la City : les pubs n'y sont ouverts que du lundi au vendredi et pour déjeuner, vous n'aurez le choix qu'entre des sandwichs achetés au Marks & Spencer ou de la haute cuisine (avec 5 plats au menu, encore faut-il pouvoir se le permettre…). L'architecture fantastique du quartier compense toutefois largement ce manque d'animation, qu'il s'agisse de la Lloyd's of London, du "Gherkin" (30 St Mary Axe ; p. 118) ou du merveilleux Leadenhall Market (p. 120).

En s'éloignant encore, toujours à l'est, on débouche dans le quartier de Tower Hill qui abrite la célèbre Tour de Londres (p. 122) et, juste à côté, l'emblématique Tower Bridge (p. 125). Cette zone est dominée par de tristes immeubles de bureaux, égayée par les poches de couleurs que forment les quartiers multiculturels d'Aldgate et de Whitechapel et du beaucoup plus huppé Wapping. Le manque d'espaces propices à la convivialité de la City est amplement compensé par sa richesse en sites historiques et en musées fascinants.

SMITHFIELD ET ST PAUL'S

CATHÉDRALE SAINT-PAUL

Plan p. 104 et p. 106

☎ 7236 4128 ; www.stpauls.co.uk ; St Paul's Churchyard EC4 ; adulte/7-16 ans/senior/étudiant 11/3,50/10/8,50 £ ; 8h30-16h (dernière entrée) lun-sam ; ⊖ St Paul's ; ♿ limité

Bénéficiant d'une situation exceptionnelle sur Ludgate Hill, la cathédrale Saint-Paul figure parmi les édifices emblématiques de Londres. Chef-d'œuvre de sir Christopher Wren, elle fut terminée en 1710 et remplaça l'ancien bâtiment détruit lors du Grand Incendie de 1666. Ce joyau architectural, qui arbore fièrement la plus grande coupole de la capitale, a vu se dérouler bien des événements au cours de ses trois siècles d'existence. L'édifice actuel est toutefois le cinquième à se dresser sur le site, lieu de culte depuis près de 1 400 ans. Saint-Paul avait bien failli ne jamais voir le jour, les planches initiales de sir Christopher Wren ayant été rejetées. Il en fut décidé autrement : depuis la première messe en 1697, la cathédrale a accueilli les enterrements de Lord Nelson, du duc de Wellington et de Winston Churchill, a reçu Martin Luther King et a été le lieu du mariage de Charles et Diana. Pour les Londoniens, l'immense coupole qui perce au milieu des gratte-ciel bien plus hauts de la City, est un symbole de résistance et de fierté – miraculeusement épargné par le Blitz. Après avoir subi des rénovations de grande ampleur en l'honneur de son 300e anniversaire en 2010, la cathédrale a aujourd'hui bien plus fière allure, même si à l'heure où nous écrivons

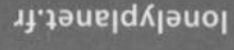

LA CITY

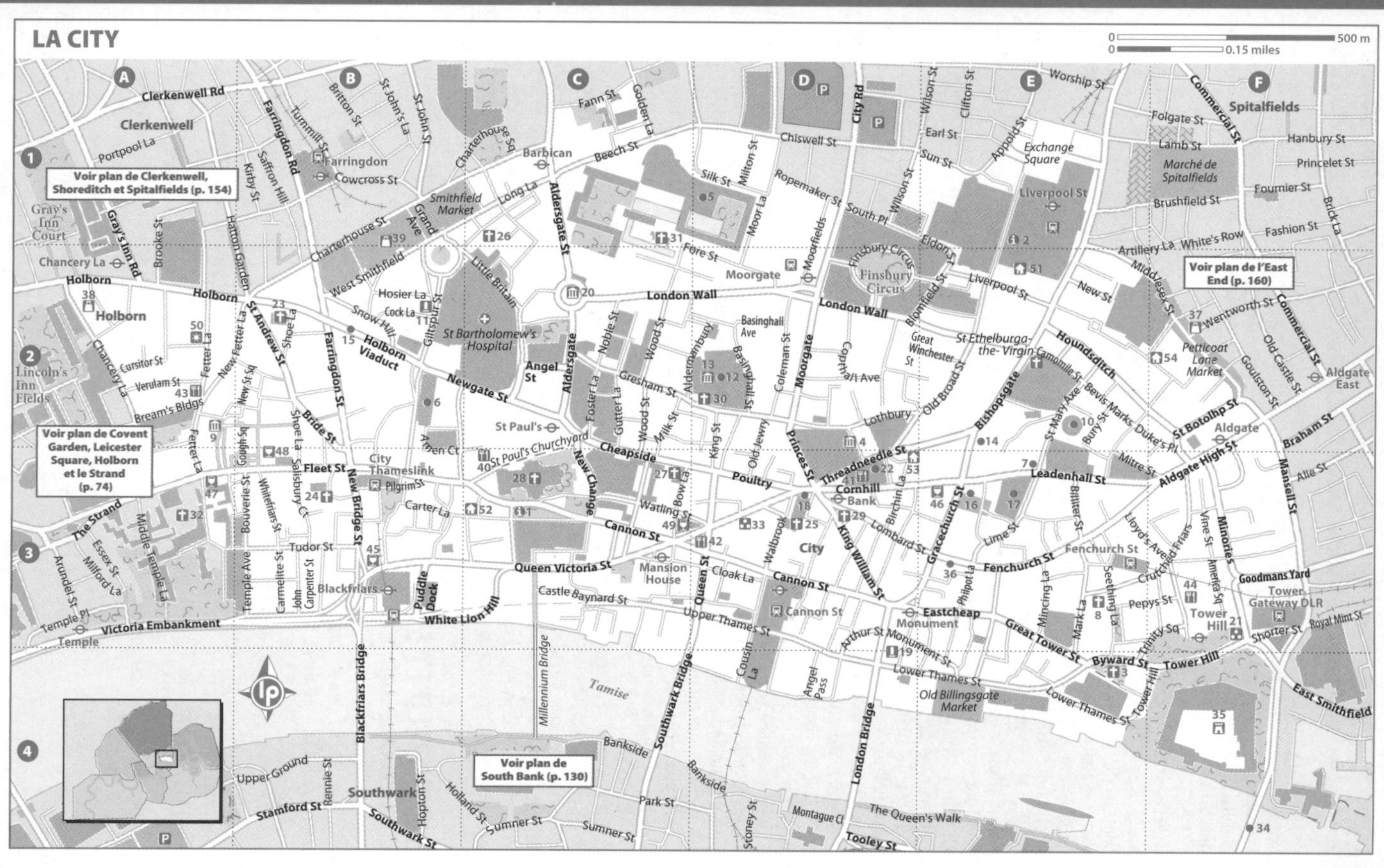
0 500 m
0 0.15 miles
A
B
C
D
E
F
1
2
3
4
Voir plan de Clerkenwell, Shoreditch et Spitalfields (p. 154)
Voir plan de Covent Garden, Leicester Square, Holborn et le Strand (p. 74)
Voir plan de l'East End (p. 160)
Voir plan de South Bank (p. 130)
Clerkenwell Rd
Clerkenwell
Portpool La
Gray's Inn Court
Gray's Inn Rd
Chancery La
Holborn
Lincoln's Inn Fields
Farringdon Rd
Farringdon
Cowcross St
Smithfield Market
Charterhouse St
West Smithfield
Barbican
Aldersgate St
London Wall
Moorgate
Liverpool St
Exchange Square
Spitalfields
Commercial St
Marché de Spitalfields
Brick La
Finsbury Circus
St Bartholomew's Hospital
Little Britain
Newgate St
Holborn Viaduct
Fleet St
New Bridge St
Farringdon St
St Andrew St
St Paul's
St Paul's Churchyard
Cheapside
New Change
Poultry
Princes St
Threadneedle St
Cornhill
Bank
King William St
Lombard St
Gracechurch St
Bishopsgate
Houndsditch
Leadenhall St
Aldgate
Aldgate High St
Aldgate East
Mansell St
Minories
Fenchurch St
Fenchurch St
Great Tower St
Eastcheap
Monument
Cannon St
Queen Victoria St
Mansion House
Blackfriars
Puddle Dock
White Lion Hill
Victoria Embankment
Temple
The Strand
Upper Thames St
Lower Thames St
Old Billingsgate Market
Tower Hill
Tower Gateway DLR
Byward St
East Smithfield
Tamise
Blackfriars Bridge
Millennium Bridge
Southwark Bridge
London Bridge
Bankside
Southwark
Southwark St
Stamford St
Upper Ground
The Queen's Walk
Tooley St
City

LA CITY

RENSEIGNEMENTS
City Information Centre 1 C3
Office du tourisme de Liverpool St.. 2 E1

À VOIR (p. 126)
All Hallows-by-the-Tower 3 E4
Bank of England Museum 4 D2
Barbican 5 D1
Central Criminal Court (Old Bailey) 6 B2
Cheese Grater (Leadenhall Building) 7 E3
Church of St Olave 8 E3
Dr Johnson's House 9 A2
Gherkin (30 St Mary Axe) 10 E2
Golden Boy of Pye Corner 11 B2
Guildhall 12 D2
Guildhall Art Gallery 13 D2
Helter Skelter (Bishopsgate Tower) 14 E2
Holborn Viaduct 15 B2
Leadenhall Market 16 E3
Lloyd's of London 17 E3
Mansion House 18 D3
Monument 19 D4
Museum of London 20 C2
Amphithéâtre romain .... (voir 13)
Mur romain 21 F3
Royal Exchange 22 D3
St Andrew Holborn 23 B2
St Brides, Fleet St 24 B3
St Stephen Walbrook 25 D3
St Bartholomew-the-Great 26 C1
St Mary-le-Bow 27 C3
Cathédrale Saint-Paul 28 C3
St Mary Woolnoth 29 D3
St Lawrence Jewry 30 D2
St Giles Cripplegate 31 C1
Temple Church 32 A3
Temple de Mithras (vestiges) 33 D3
Tower Bridge 34 F4
Tour de Londres 35 F4
Walkie Talkie (20 Fenchurch St) 36 E3

SHOPPING (p. 227)
Leadenhall Market .... (voir 16)
Petticoat Lane Market 37 F2
Silver Vaults 38 A2
Smithfield Market 39 B1

OÙ SE RESTAURER (p. 249)
Leadenhall Market .... (voir 16)
Paternoster Chop House 40 C3
Royal Exchange Grand Café & Bar 41 D3
Place Below .... (voir 27)
Smithfield Market .... (voir 39)
Sweeting's 42 D3
White Swan Pub & Dining Room 43 A2
Wine Library 44 F3

OÙ PRENDRE UN VERRE (p. 283)
Black Friar 45 B3
Counting House 46 E3
El Vino 47 A3
Ye Olde Cheshire Cheese 48 B3
Ye Olde Watling 49 C3

OÙ SORTIR (p. 300)
Volupté 50 A2

ARTS (p. 312)
Barbican .... (voir 5)
Cathédrale Saint-Paul .... (voir 28)

OÙ SE LOGER (p. 348)
Andaz Liverpool Street 51 E2
YHA London St Paul's 52 C3
Threadneedles 53 D3
Travelodge Liverpool Street 54 F2

ces lignes, une partie de sa façade était encore sous les échafaudages.

Malgré l'histoire fascinante et l'intérieur grandiose de l'édifice, les gens ont souvent pour principal intérêt de grimper dans la coupole afin de profiter de la vue époustouflante sur Londres. Constituée en fait de trois coupoles imbriquées les unes dans les autres, elle a fait la renommée de l'architecte Wren. Seuls quelques rares dômes à travers le monde (la plupart en Italie) le surpassent en taille. Les 530 marches, sur trois étages, mènent à son sommet. Situé à la croisée du transept de la cathédrale, le dôme est soutenu par huit colonnes massives, disposées autour d'une aire circulaire pavée. Postez-vous donc d'abord à la croisée, puis dirigez-vous vers la porte à l'ouest du transept sud. Quelque 30 m plus haut (259 marches !), vous accéderez à la galerie intérieure qui court autour de sa base. Il s'agit de la **Whispering Gallery** (galerie des murmures), ainsi appelée parce que le moindre mot chuchoté près d'un mur s'entend du mur d'en face, distant de 32 m.

Si vous poursuivez votre ascension (119 marches supplémentaires), vous parviendrez à la **Stone Gallery** (galerie de pierre), dont la plate-forme extérieure offre une vue panoramique de Londres, hélas occultée pour une bonne part par la présence de piliers et autres dispositifs anti-suicide.

Plus raides et plus étroites que les précédentes, les 152 marches en acier restantes conduisent à la **Golden Gallery** (galerie d'or). À condition de ne pas être claustrophobe, le jeu en vaut la chandelle : d'ici, à 111 m au-dessus du sol, la ville s'étend à vos pieds, sans aucun garde-fou pour obstruer la vue. Difficile de trouver spectacle plus impressionnant.

Tout en bas, au niveau de son sol en carrelage noir et blanc, Saint-Paul ne manque pas non plus de grandeur. Juste en dessous de la coupole, par exemple, se trouvent une boussole et une épitaphe rédigée pour Wren par son fils : *Lector, si monumentum requiris, circumspice* (Lecteur, si tu cherches mon tombeau, regarde autour de toi).

Le bas-côté nord abrite la **All Souls' Chapel**, la **Chapel of St Dunstan** (archevêque de Canterbury au Xe siècle) et le grandiose Duke of Wellington Memorial (1875). Dans la chapelle du transept nord figure le célèbre tableau de Holman Hunt, **La Lumière du monde**, représentant le Christ frappant à une porte envahie par la végétation qui, symboliquement, ne peut être ouverte que de l'intérieur. Viennent ensuite, au centre, l'éblouissant **chœur**, aux voûtes et aux plafonds resplendissants de mosaïques dans des tons verts, bleus, rouges et or, ainsi que

CATHÉDRALE SAINT-PAUL

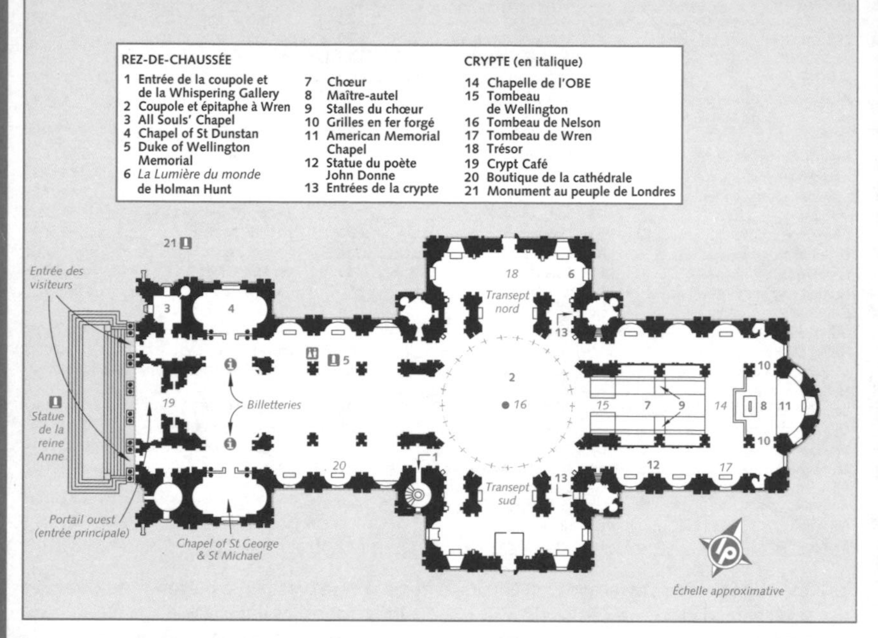

le maître-autel. Des deux côtés, admirez les fines sculptures des **stalles du chœur** de Grinling Gibbons et les **grilles en fer forgé** de Jean Tijou, qui séparent les bas-côtés de l'autel (ces deux artistes ont également travaillé sur le Hampton Court Palace). Passez derrière l'autel, surmonté d'un baldaquin massif en chêne doré, pour découvrir l'**American Memorial Chapel**, dédiée aux 28 000 Américains basés au Royaume-Uni qui périrent pendant la dernière guerre.

En suivant le déambulatoire, côté sud, vous verrez ensuite le **monument à John Donne** (1573-1631). Cet ancien doyen de Saint-Paul, également poète métaphysique, est célèbre pour ce vers immortel : "Ne demande pas pour qui sonne le glas, il sonne pour toi".

Sur le côté est des transepts nord et sud, des escaliers descendent à la **crypte**, au trésor et à la **chapelle de l'OBE** (Order of the British Empire), réservée aux mariages, enterrements et autres offices religieux des membres de l'Ordre. La crypte rassemble les monuments d'environ 300 sommités militaires, dont Florence Nightingale et Lord Kitchener, tandis que le duc de Wellington et l'amiral Nelson sont tous les deux enterrés ici, ce dernier reposant dans un sarcophage noir placé exactement sous le centre de la coupole. Sur les murs autour, des plaques commémorent le sacrifice des sujets du Commonwealth britannique disparus au cours des divers conflits armés du XXe siècle.

La crypte contient aussi le **tombeau de Wren**, ainsi que des mémoriaux dédiés à l'architecte Edwin Lutyens, au peintre Joshua Reynolds et au poète William Blake. Les projets contestés de Wren et sa maquette finale sont exposés dans une niche. Saint-Paul fait partie des 50 commandes confiées à l'éminent architecte après le Grand Incendie qui réduisit en cendres la majeure partie de la ville.

Le **trésor** accueille des expositions temporaires et n'est pas toujours ouvert, mais lorsque c'est le cas, il mérite un coup d'œil. Sont également installés dans la crypte le **Crypt Café** (⏲ 9h-17h lun-sam, 10h30-17h dim), le restaurant **Refectory** (⏲ 9h-17h30 lun-sam, 10h30-17h30 dim) et une **boutique** (⏲ 9h-17h lun-sam, 10h30-17h dim).

Juste à l'extérieur du transept nord se dresse un **monument au peuple de Londres**. Très simple, il rend hommage aux 32 000 civils tués (et aux 50 000 autres qui furent gravement blessés) dans la City pendant la dernière guerre. Également sur votre gauche se situe la **Temple Bar**, l'une des portes d'origine de la ville de Londres. Cette arche de pierre médiévale enjambait autrefois Fleet St à un endroit signalé par un griffon (plan p. 74), mais elle fut déplacée dans le Middlesex en 1878. Après la remise à neuf de Paternoster Sq en 2003, elle fit un retour trimphal dans le centre de Londres.

Les audioguides (adulte/senior et étudiant 4/3,50 £) durent 45 minutes. Les visites guidées (adulte/tarif réduit/moins de 16 ans 3/1/2,50/1 £) de 90 à 120 minutes partent du guichet des visiteurs à 10h45, 11h15, 13h30 et 14h. Des concerts d'orgue gratuits sont organisés à Saint-Paul à 17h presque tous les dimanches ; par ailleurs, la cathédrale accueille régulièrement des concerts d'artistes de renom (programme sur le site Internet). L'office du soir (chanté) a lieu à 17h du lundi au samedi et à 15h15 le dimanche.

L'accès aux personnes handicapées est limité. Appelez pour plus d'informations.

MUSEUM OF LONDON Plan p. 104

☎ 7001 9844 ; www.museumoflondon.org.uk ; London Wall EC2 ; entrée libre ; 🕑 10h-18h ; ⊖ Barbican/St Paul ; ♿

C'est l'un des musées les plus attrayants de la capitale, pourtant largement boudé par les visiteurs. On ne s'en étonnera pas quand on aura enfin trouvé cet édifice caché dans la jungle de béton du Barbican. Mais, dès lors, commencera un fascinant voyage à travers l'histoire de Londres, du village anglo-saxon à la grande place financière mondiale. Dernièrement, le rez-de-chaussée, couvrant la période de 1666 à aujourd'hui, était fermé pour rénovation ; mais sa réouverture était prévue pour début 2010.

La première galerie, appelée London Before London (Londres avant Londres), retrace le développement de la vallée de la Tamise depuis 450 millions d'années. S'aidant des techniques multimédias pour insuffler vie aux pièces exposées et présentant d'impressionnants fossiles et silex taillés derrière des vitrines flambant neuves, elle redonne vie aux anciens campements qui existaient bien avant la capitale. Juste à côté, l'ère romaine est présentée de façon encore plus interactive, de nombreuses pièces et maquettes permettant d'imaginer la ville à l'époque de l'apogée romaine. Le reste de l'étage est consacré aux périodes saxonne, médiévale, Tudor et Stuart, jusqu'au Grand Incendie de 1666.

L'agréable jardin, dans la cour centrale du bâtiment, se prête particulièrement bien à un petit interlude, tout comme le Museum Café voisin, qui sert des repas légers de 10h à 17h30 (à partir de 11h30 le dimanche). Si la journée est ensoleillée, préparez des sandwichs à déguster dans le parc juste à côté, le Barber Surgeon's Herb Garden.

En arrivant, cherchez l'entrée 7 du Barbican ; avant de partir, n'oubliez pas de faire un tour dans la librairie, bien fournie, et renseignez-vous sur les expositions temporaires qui sont organisées dans le musée.

TEMPLE CHURCH Plan p. 104

☎ 7353 3470 ; www.templechurch.com ; Temple EC4 ; entrée libre ; 🕑 habituellement 14-16h mer-dim, vérifier par téléphone ou par e-mail ; ⊖ Temple/Chancery Lane

Cette magnifique église se dresse dans les murs du temple érigé par les légendaires Templiers, ordre de moines-soldats fondé au XIIe siècle pour protéger les pèlerins en route vers Jérusalem. L'Ordre s'installa ici vers 1160, abandonnant son ancienne résidence de Holborn. Aujourd'hui, cette vaste oasis piétonnière comprenant de beaux bâtiments et de charmants espaces verts accueille deux Inns of Court (abritant les chambres des avocats officiant dans la ville), le Middle Temple et le Lesser Temple.

Temple Church présente une structure bien particulière : la nef circulaire (consacrée en 1185 et bâtie sur le modèle de l'église du Saint-Sépulcre à Jérusalem) jouxte le chœur (édifié en 1240), centre de l'église actuelle. Considérablement endommagées par une bombe en 1941, ces deux parties ont été merveilleusement restaurées. Leur principal intérêt réside dans les effigies en pierre grandeur nature des neuf chevaliers qui ornent le sol de la nef circulaire. Parmi eux, le comte de Pembroke, qui fit office de médiateur entre le roi Jean et les barons rebelles et accéléra ainsi la signature de la Grande Charte en 1215. Ces dernières années, l'église est devenue un lieu de pèlerinage d'un autre genre : les lecteurs du *Da Vinci Code* y affluent en masse.

Vérifiez les horaires d'ouverture à l'avance, car ils changent fréquemment. En semaine, l'accès le plus simple s'effectue via Fleet St, puis Inner Temple Lane. Le week-end, vous devez entrer par Victoria Embankment.

CENTRAL CRIMINAL COURT (OLD BAILEY) Plan p. 104

Tribunal correctionnel ; ☎ 7248 3277 ; angle Newgate St et Old Bailey St ; entrée libre ; 🕑 généralement 10h-13h et 14h-17h lun-ven ; ⊖ St Paul's

On dit souvent que la réalité dépasse la fiction. En effet, lorsque vous aurez assisté à un procès à l'Old Bailey, plus aucune série judiciaire télévisée ne trouvera grâce à vos yeux. Bien sûr, il est trop tard pour voir le romancier Jeffrey Archer se faire inculper pour parjure. Trop tard aussi pour assister à l'annulation de la peine de prison injustifiée requise contre la bande des Quatre de Guildford, à la suite d'un attentat terroriste de l'IRA. Trop tard encore pour assister à la condamnation de Peter Sutcliffe, l'éventreur du Yorkshire. Cependant, l'Old Bailey demeure synonyme de crime spectaculaire et de notoriété. Même si vous assistez à un procès relativement ordinaire, le simple fait de vous retrouver à l'endroit où des célébrités, tels les frères jumeaux Kray et Oscar Wilde (dans un bâtiment antérieur à celui-ci), ont comparu, est un événement en soi.

La Central Criminal Court a été surnommée "Old Bailey" d'après la rue dans laquelle elle se dresse : *baillie* signifiait "cour fortifiée" en français normand. Le bâtiment actuel a ouvert ses portes en 1907, sur les sites de l'ancienne Old Bailey et de la Newgate Prison. Curieusement, l'effigie de la justice tenant un glaive et une balance, au-dessus de la coupole en cuivre, n'a *pas* les yeux bandés (synonyme d'impartialité). Un manquement à la tradition qui aura inspiré plus d'une remarque sarcastique venant du banc des accusés.

Vous aurez le choix entre 18 tribunaux, dont les plus anciens – les tribunaux 1, 2 et 3 –, où se déroulent en général les affaires les plus intéressantes. Appareils photo, matériel vidéo, téléphones portables, grands sacs, nourriture et boissons sont interdits à l'intérieur et il n'y a ni vestiaires, ni casiers. Mieux vaut donc ne rien emporter, sauf peut-être quelque chose qui puisse vous servir de coussin (une veste, par exemple), car les places assises ne sont pas très confortables. Pour assister à un procès médiatique, présentez-vous de bonne heure.

DR JOHNSON'S HOUSE Plan p.104

☎ 7353 3745 ; www.drjohnsonshouse.org ; 17 Gough Sq EC4 ; adulte/enfant/tarif réduit/famille 4,50/1,50/3,50/10 £ ; 🕓 11h-17h30 lun-sam mai-sept, 11h-17h lun-sam oct-avr ; ⊖ Chancery Lane/ Blackfriars

Cette splendide maison georgienne, bâtie en 1700, est l'une des rares en ville à avoir été si bien préservée. Aujourd'hui, le petit Gough Sq où elle se tient, étouffé par d'immenses immeubles de bureaux, n'est pas facile à trouver. Si elle a été conservée, c'est avant tout parce qu'elle était la demeure du grand Samuel Johnson, auteur du premier vrai dictionnaire d'anglais (que recopiaient ses six aides dans le grenier) et de cette phrase célèbre : "Lorsqu'un homme en a assez de Londres, c'est qu'il en a assez de la vie".

Le musée ne rend pas vraiment justice à l'esprit brillant du Dr Johnson, mais la paisible demeure est merveilleusement préservée, décorée de meubles et d'autres objets ayant appartenu au grand homme (sa brique provenant de la Grande Muraille de Chine est certainement la pièce la plus insolite). Les nombreux tableaux le représentant, lui et ses disciples, dont son domestique noir Francis Barber et son secrétaire-biographe James Boswell, ne renseignent guère, hélas, sur cette personnalité hors du commun. Un objet plus révélateur sans doute est la chaise qu'il occupait dans le pub du quartier, l'Old Cock Tavern sur Fleet St.

Une vidéo assez ennuyeuse et des brochures racontent comment le lexicographe et six employés ont élaboré dans le grenier, pendant son séjour ici de 1748 à 1759, le premier dictionnaire d'anglais. Les enfants adoreront les costumes de cérémonie de l'époque georgienne exposés au dernier étage. Dans le grenier, des expositions temporaires sont consacrées à la vie au XVIIIe siècle.

De l'autre côté de Gough Sq, une statue du chat de Johnson se tient au-dessus de la citation complète, expliquant pourquoi un homme qui en a assez de Londres en a aussi assez de l'existence : "Car Londres a tout ce que la vie peut apporter ".

ST BARTHOLOMEW-THE-GREAT

Plan p.104

☎ 7606 5171 ; www.greatstbarts.com ; West Smithfield EC1 ; adulte/tarif réduit 4/3 £ ; 🕓 8h30-17h mar-ven (jusqu'à 16h mi-nov à mi-fév), 10h30-16h sam et 8h-20h dim tte l'année ; ⊖ Farringdon/Barbican

Datant de 1123, cette spectaculaire église normande constituait une partie du monastère des chanoines augustiniens avant de devenir la paroisse de Smithfield en 1539, à la suite des mesures hostiles au monarchisme prises par Henry VIII. Ses authentiques voûtes normandes, ses pierres noircies et usées, ses sculptures en bois sombre et son éclairage tamisé y font régner une atmosphère de quiétude surannée (surtout lorsque les touristes sont peu nombreux, comme c'est souvent le cas).

(Suite page 117)

LA TAMISE

Durant 2 000 ans, la Tamise a été la seule constante du paysage sans cesse changeant de Londres, et c'est autour d'elle que s'est organisée la vie de la capitale. En dépit de son importance et de sa renommé internationale, le "Father Thames" n'est pas très étendu, mais ce n'est pas la longueur qui compte pour les Londoniens, qui ont toujours nourri une grande affection pour le fleuve. Le meilleur moyen d'apprécier la Tamise – et les nombreux bâtiments emblématiques qui ponctuent ses berges – c'est assis à l'avant d'un bateau qui descend cet axe fluvial (p. 390). Nous avons recensé dans cette rubrique certains des points forts de cette croisière.

Traversée du Hungerford Foot Bridge (p. 128) sous le regard du London Eye

DU LAMBETH BRIDGE AU GOLDEN JUBILEE BRIDGE

En partant de Pimlico vers le nord, vous laissez la Tamise rurale derrière vous. Les écluses cèdent la place à des jetées, les rives bordées d'arbres à des quais en béton… La Tamise revêt ses vêtements de travail.

❶ Cygnes
Tous les cygnes de la Tamise sont la propriété de la reine et de deux pensions pour animaux de la City. En juillet, ils sont *upped* (rassemblés), *nicked* (bagués) et recensés.

❷ Church of St Mary-at-Lambeth
Cette église du XIVe siècle renferme un musée d'histoire de la Garde (p. 195) et de magnifiques vitraux, dont *The Peddler of Lambeth*, en l'honneur d'un donateur qui céda à la paroisse un acre de terre à condition d'être immortalisé sur un vitrail en compagnie de son chien.

❸ Big Ben
Les aiguilles de l'horloge la plus célèbre du monde (p. 96), fièrement dressée au-dessus du Parlement, se sont déjà arrêtées sous le poids de la neige ou des étourneaux qui s'y perchaient ; ces incidents mis à part, elles ont toujours indiqué l'heure exacte (ou presque), et ce depuis près de 170 ans.

❹ Statue de Queen Boudicca
Près de Westminster Pier se dresse une majestueuse statue de bronze (1905) de la reine de la tribu celte des Iceni (p. 20) et de ses trois filles, qui donnèrent du fil à retordre aux Romains en 60 av. J.-C.

❺ County Hall
Siège du London County Council, renommé en 1965 Greater London Council jusqu'à sa dissolution par le gouvernement de Margaret Thatcher en 1986, ce grandiose bâtiment incurvé (p. 129) abrite des musées et des hôtels.

❻ London Eye
À l'instar de la tour Eiffel, cette (très) grande roue (p. 128) commémorant le passage à l'an 2000, dont l'installation devait être provisoire, est devenue l'un des symboles de la ville.

❼ Golden Jubilee Bridge
Inauguré en 2002 pour marquer le 50e anniversaire du couronnement de la reine, ces deux passerelles évoquant des voiles de bateau sont accrochées sur les côtés du pont ferroviaire de Hungerford.

❽ Charing Cross Station
Faisant quelque peu penser à un casque viking, la gare ferroviaire a été couverte en 1990 par l'Embankment Place, un complexe postmoderne de bureaux et de magasins, d'une surface de 32 000 m^2, conçu par Terry Farrell.

JUBILEE BRIDGE AU MILLENNIUM BRIDGE

Ce tronçon est très axé sur le divertissement, avec le Southbank Centre, le National Theatre et le British Film Institute. Le Waterloo Bridge offre les plus belles vues sur le fleuve.

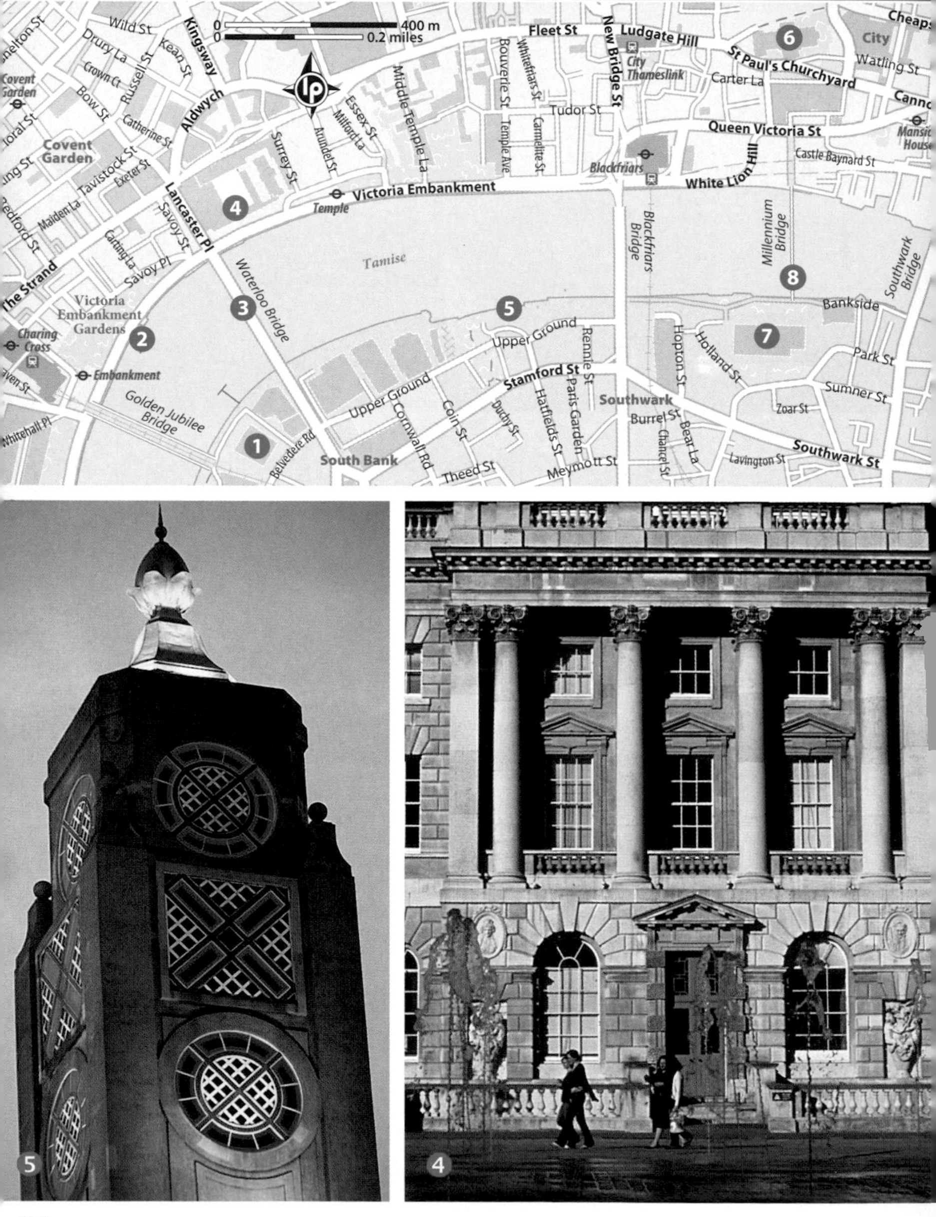

❶ Royal Festival Hall
Le Royal Festival Hall (p. 129), qui, durant des décennies, a contribué à façonner le visage du Southbank Centre, a subi un lifting et paraît désormais plus moderne que jamais.

❷ Cleopatra's Needle
Sculpté à la demande des pharaons il y a quelque 3 500 ans à Alexandrie, cet obélisque de 20 mètre de hauteur fut présenté à Londres par le vice-roi d'Égypte en 1819 et érigé ici six décennies plus tard.

❸ Waterloo Bridge
Inauguré en 1939, au moment où éclatait la Seconde Guerre mondiale, ce pont offre des vues sur le fleuve qui ont inspiré nombre de musiciens, des Kinks (*Waterloo Sunset*) à Jools Holland (*Waterloo Bridge*).

❹ Somerset House
Bâti à l'emplacement d'un palais Renaissance, ce beau bâtiment palladien (année 1770 ; voir p. 80), où était encore récemment installé le fisc, abrite désormais des musées.

❺ Oxo Tower
Cette tour Art déco restaurée en 1996, dont les fenêtres éclairées au néon forment les lettres O-X-O, est un véritable rêve de designer. La tour et son restaurant panoramique (p. 250) ont permis de redorer le blason de "l'autre rive".

❻ Cathédrale Saint-Paul
Christopher Wren dut faire preuve de ruse pour la faire construire selon ses plans, mais le dôme de ce chef-d'œuvre est désormais bel et bien là, au-dessus de la ville. Quelque 28 bombes incendiaires touchèrent la cathédrale durant le Blitz, mais elle fut rapidement restaurée. Voir p. 103.

❼ Tate Modern
Site le plus visité de Londres, la Tate attire des foules grâce à ses collections, mais c'est le cube de verre de deux étages rajouté au toit du bâtiment par Herzog et de Meuron en 2000, illuminé la nuit, qui crée la magie des lieux. Voir p. 132.

❽ Millennium Bridge
C'est l'un des plus beaux (et sans doute le plus utile) des fameux "projets du millénaire" inaugurés en 2000. Cette véritable "lame de lumière" relie la Tate Modern à la cathédrale Saint-Paul. Voir p. 133.

DU MILLENNIUM BRIDGE AU TOWER BRIDG

C'est là que les sites historiques de Londres se taillent la part du lion, notamment deux de ses ponts les plus célèbres. Sur le tronçon qui les sépare, commence à couler la Tamise des marins au long cours et des navigateurs.

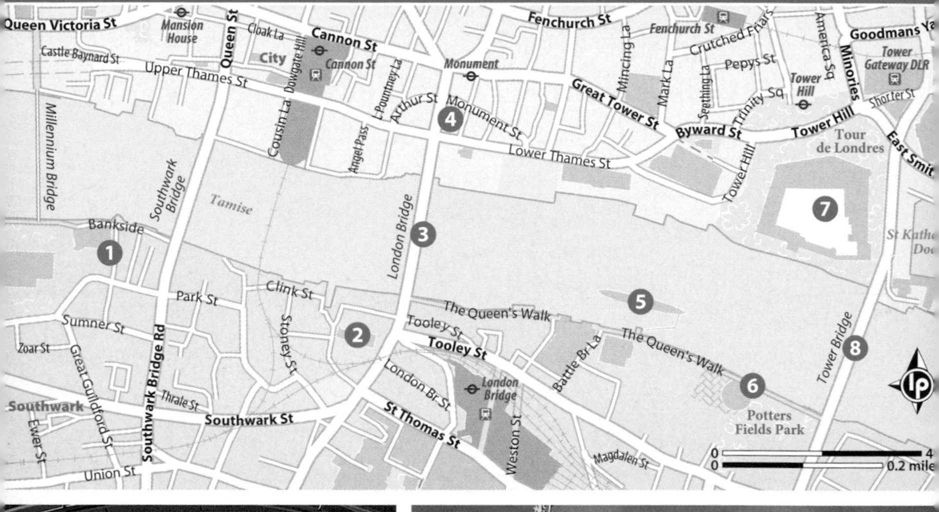

❶ Shakespeare's Globe
Réplique minutieuse du théâtre original de Shakespeare (p. 133), acclamé lors de son inauguration en 1997, le Globe représente, avec la Tate Modern, l'un des joyaux de la rive sud.

❷ Southwark Cathedral
Il y avait déjà une église sur ce site il y a près d'un millénaire et elle fut reconstruite plusieurs fois au fil des siècles, mais la cathédrale d'aujourd'hui est en majeure partie victorienne. Voir p. 135.

❸ London Bridge
Seul pont londonien à traverser la Tamise de l'époque romaine à 1750, ce pont (p. 135) se serait "effondré" en 1014 à la suite d'une attaque viking (ce qui a inspiré une célèbre comptine pour enfants : *London Bridge is falling down*).

❹ Monument
Cette haute colonne (p. 119) surmontée d'une urne en flammes commémore le Grand Incendie de 1666. Le maire d'alors, réveillé en pleine nuit, aurait accueilli la nouvelle du sinistre par un "Fi ! Une femme pourrait l'éteindre en pissant dessus !"

❺ HMS Belfast
Ce grand vaisseau (p. 136), qui tire son nom des chantiers navals de Belfast où il fut construit, a combattu durant les deux guerres mondiales. C'était quasiment une épave lorsque l'Imperial War Museum l'acheta en 1972.

❻ City Hall
Surnommé "l'œuf" ou "le testicule" par les Londoniens, cet édifice de verre conçu par Sir Norman Foster est transparent aussi bien au sens littéral que figuratif. Il est actuellement interdit aux visiteurs pour des raisons de sécurité.

❼ Tour de Londres
Les habitants les plus célèbres de la tour sont les corbeaux, auxquels on rogne les ailes pour qu'ils ne puissent s'envoler. La légende veut que si les corbeaux la quittent, la White Tower s'effondrera et un grand malheur s'abattra sur l'Angleterre. Voir p. 122.

❽ Tower Bridge
Souvent confondu avec le London Bridge, ce pont victorien (p. 125) est aussi (si ce n'est plus) emblématique de la capitale que ne le sont la Tour de Londres et le London Eye. Il est toujours en activité, et se lève un millier de fois par an.

L'O2 (l'ancien Millenium Dome ; p. 187) vu de la Tamise

(Suite de la page 108)

C'est ici que le peintre William Hogarth fut baptisé et que le politicien Benjamin Franklin fit son apprentissage en tant qu'imprimeur. L'église se dresse à l'angle du domaine du St Bartholomew's Hospital, du côté le plus proche de Smithfield Market. Le fait que plusieurs scènes du film oscarisé *Shakespeare in Love* (et certaines parties de *Quatre Mariages et un enterrement*) y aient été tournées est une autre raison du succès des lieux. Les équipes chargées du repérage des sites de tournage ne l'ont pas choisi au hasard : St Bartholomew-the-Great figure parmi les lieux de culte les plus étonnants de la capitale.

ST BRIDE'S, FLEET STREET

Plan p. 104

☎ 7427 0133 ; www.stbrides.com ; St Bride's Lane EC4 ; 🕑 8h-18h lun-ven, 11h-15h sam, 10h-13h et 17h-19h30 dim ; ⊖ St Paul's/Blackfriars

Bien que Rupert Murdoch ait délocalisé l'industrie de la presse à Wapping dans les années 1980, cette petite église près de Fleet St demeure "l'église des journalistes". Des bougies brûlaient ici dans les années 1990 pour les reporters John McCarthy et Terry Anderson qui furent longtemps otages au Liban, et une plaque commémorative rend compte de tous les journalistes morts en Irak.

Dans la cryptene est retracée une histoire de l'imprimerie, concise et bien présentée, qui débute en 1500, lorsque la première presse de William Caxton fut déplacée à côté de l'église après la mort de ce dernier. La crypte était toutefois fermée pour une période indéfinie lors de notre passage. St Bride's revêt également un intérêt sur le plan architectural. Dessinée par sir Christopher Wren en 1671, elle est surmontée d'une flèche (rajoutée en 1703) qui aurait inspiré la première pièce montée.

ST ANDREW HOLBORN

Plan p. 104

☎ 7353 3544 ; Holborn Viaduct EC4 ; 🕑 9h-16h30 lun-ven ; ⊖ Chancery Lane

Cette église, qui occupe le coin sud-est de Holborn Circus, est mentionnée pour la première fois au Xe siècle. Reconstruite par Wren en 1686, elle est la plus vaste de ses églises paroissiales. L'intérieur fut gravement endommagé par les bombardements de la Seconde Guerre mondiale, si bien que l'essentiel du décor actuel remonte au XVIIe siècle et provient d'autres églises.

GOLDEN BOY OF PYE CORNER

Plan p 104

Angle Cock Lane et Giltspur St ; ⊖ St Paul's/Farringdon

Cette petite statue à l'effigie d'un garçon corpulent faisant face au St Bartholomew's Hospital, au croisement de Cock Lane et Giltspur St, porte une inscription quelque peu étrange : "À la mémoire de l'incendie de Londres provoqué par le péché de gourmandise en 1666". Tout s'éclaire lorsque l'on sait que le Grand Incendie démarra dans une boulangerie située dans Pudding Lane, avant de s'éteindre enfin à Pye (Pie) Corner (*pie* signifie tarte en anglais), où la statue se dresse aujourd'hui. Beaucoup interprétèrent ce signe comme un châtiment que Dieu infligea aux Londoniens pour leur gloutonnerie.

SMITHFIELD MARKET

Plan p. 104

West Smithfield EC1 ; 🕑 4h-12h lun-ven ; ⊖ Farringdon

Smithfield est le dernier marché à viande du centre de Londres. Il aurait été jadis un pré bien plat où l'on menait paître les animaux, d'où son nom. Son histoire toutefois est loin d'évoquer des souvenirs pastoraux. Il fut construit sur le champ de foire de St Bartholomew, de sinistre renommée, car on y brûlait des sorcières. C'est aussi là qu'on exécuta en 1305 le leader de l'indépendance écossaise William Wallace (une grande plaque sur le mur de St Bart's Hospital, au sud du marché, rappelle l'événement), puis en 1381 Wat Tyler, l'instigateur de la Révolte des Paysans. Dickens dresse de ce lieu un tableau horrible dans *Oliver Twist*. Ce marché constituait autrefois les bas-fonds de Londres, jonché d'entrailles et d'excréments d'animaux. Aujourd'hui, c'est une annexe très chic de Clerkenwell, comptant d'innombrables bars et restaurants. Le marché lui-même occupe un bâtiment splendide, mais constamment sous la menace d'être détruit et transformé en bureaux.

HOLBORN VIADUCT

Plan p. 104

⊖ St Paul's/Farringdon

Cet imposant viaduc de fer fut édifié en 1869 dans le but d'embellir le quartier et de relier Holborn à Newgate St, en enjambant la vallée creusée autrefois par la Fleet. Ses quatre statues de bronze représentent le Commerce, l'Agriculture (au nord), les Sciences et les Beaux-Arts (au sud).

BANK

Par sa nature même, tout ce qui se passe à la City a lieu derrière des portes closes. Cependant, Bank est la station de métro idéale pour découvrir les grands édifices financiers, politiques ou religieux, nombreux, de la City. En effet, sa sortie principale se situe au croisement de sept rues, toutes bordées de banques. Princes St au nord-ouest vous conduit au Guildhall, et Threadneedle St au nord-est mène au Bank of England Museum. (Pour les panneaux à suivre, consultez le plan p. 104.)

À la jonction de Threadneedle St et de Cornhill à l'est se dresse l'imposant édifice à colonnades du **Royal Exchange**. C'est le troisième bâtiment construit sur le site choisi à l'origine, en 1564, par Thomas Gresham. Le bâtiment n'est plus une institution financière depuis les années 1980, et abrite aujourd'hui des boutiques haut de gamme.

Plus au sud, à l'angle de Lombard St et de King William St, s'élèvent les tours jumelles de **St Mary Woolnoth** (☎ 7626 9701 ; 🕑 8h-17h lun-ven), érigées par Nicholas Hawksmoor en 1717. Les grandes colonnes corinthiennes de cette église, la seule que l'architecte ait jamais bâtie dans la City, donnent un avant-goût de la Christ Church, qu'il réalisa à Spitalfields.

Entre King William St et Walbrook se dresse l'imposante **Mansion House** (☎ 7626 2500 ; www.cityoflondon.gov.uk ; visite guidée adulte/tarif réduit 6/4 £), avec son portique, résidence officielle du Lord Mayor de Londres. Œuvre de George Dance l'Ancien, elle fut érigée au milieu du XVIIIe siècle. Elle n'est pas ouverte au public, sauf lors de la visite guidée hebdomadaire, qui part à 14h le mardi, devant St Stephen Walbrook. Le nombre de participants est limité à 40 ; pour les billets, les premiers arrivés sont les premiers servis. L'intérieur, somptueux, comprend une impressionnante collection d'art et une fabuleuse salle de banquet.

Dans Walbrook, après la City of London Magistrates Court, vous trouverez **St Stephen Walbrook** (☎ 7626 9000 ; www.stephenwalbrook.net ; 39 Walbrook EC4 ; 🕑 11h-16h lun-jeu, jusqu'à 15h ven), construite en 1672. Édifice léger et aérien, cette église est considérée par beaucoup comme la plus belle réalisation de Christopher Wren dans la City, son coup d'essai avant de s'attaquer à la cathédrale Saint-Paul. Seize piliers à chapiteaux corinthiens soutiennent la coupole et le plafond, tandis que son vaste espace central est occupé par un gros bloc de pierre gris-beige, un autel moderne conçu par le sculpteur Henry Moore, surnommé "le camembert" par ses détracteurs.

Queen Victoria St part vers le sud-ouest depuis Bank. À une courte distance sur la gauche, face à l'immeuble Temple Court, au n°11, vous passerez devant les vestiges du **temple de Mithra** (IIIe siècle). Ce site fut mis au jour dans les années 1950 durant la construction de la Bucklersbury House, un immeuble de bureaux dans Walbrook St. Peu après, l'ensemble du site fut transporté à son emplacement actuel pour y être exposé. Cela dit, il n'y a pas grand-chose à voir et si vous vous intéressez à ce dieu perse et à son culte, mieux vaut aller au Museum of London (p. 107), où sont exposées des sculptures et des boîtes à encens en argent découvertes dans le temple. On parle actuellement de ramener les vestiges du temple à Walbrook, dans le cadre d'un projet de réaménagement du quartier mené par sir Norman Foster. Espérons que ces pièces exceptionnelles y seront mieux mises en valeur.

À l'ouest de Bank s'étend le quartier de Poultry. Le bâtiment moderne qui fait l'angle, avec ses strates de pierre blonde et rose, est l'œuvre de Stirling Wilford. Au-delà, Poultry se prolonge en Cheapside, site d'un grand marché médiéval. Sur la gauche se dresse un autre chef-d'œuvre de Christopher Wren, **St Mary-le-Bow** (☎ 7248 5139 ; www.stmarylebow.co.uk ; Cheapside EC2 ; 🕑 7h-18h lun-mer, 7h-18h30 jeu, jusq'à 16h ven), bâtie en 1673, dont on dit que la portée des cloches détermine qui est cockney et qui ne l'est pas, une zone qui devait être bien plus grande qu'aujourd'hui avant que le trafic n'envahisse la ville. On admirera sa flèche délicate, l'une des plus belles réalisations de l'architecte, et ses étonnants vitraux modernes.

30 ST MARY AXE Plan p. 104

Gherkin ; ☎ 7071 5023 ; www.30stmaryaxe.com ; St Mary Axe EC3 ; ⊖ Aldgate/Bank

Surnommé "the Gherkin" (le cornichon) en raison de sa forme particulière, le 30 St Mary Axe – son nom officiel – demeure le gratte-ciel le plus distinctif de Londres. Bien que légèrement moins haut que la NatWest Tower voisine, il domine toute la ville. Ce "cornichon érotico-futuriste" est devenu l'un des emblèmes de Londres, au même titre que Big Ben ou le London Eye.

Construit en 2002–2003 selon un projet maintes fois primé de Norman Foster, il est le premier gratte-ciel écologique de Londres. L'architecte a réparti les bureaux en spirale autour de jardins paysagers intérieurs. Les fenêtres s'ouvrent et les jardins renouvellent l'air des pièces, réduisant ainsi au minimum le recours à la climatisation. Le principal combustible est le gaz, un éclairage basse consommation est utilisé et la conception de l'immeuble maximise l'entrée de la lumière naturelle, limitant la consommation d'électricité.

Ses 41 étages abritent essentiellement les bureaux du géant de la réassurance Swiss Re et il n'est pas possible actuellement de le visiter. Le splendide restaurant du dernier étage n'est ouvert qu'aux employés et à leurs invités. On peut cependant y être admis en louant, très longtemps à l'avance, une salle à manger privée. Certaines années, lorsque le Gherkin participe au magnifique Open House Weekend (www.openhouse.org.uk), qui a lieu en septembre, ses portes sont ouvertes aux communs des mortels. C'est alors immanquablement l'un des sites les plus courus de la capitale.

MONUMENT Plan p. 104

☎ 7626 2717 ; www.themonument.info ; Monument St EC3 ; adulte/ 5-15 ans/tarif réduit 3/1/2 £ ; 🕑 9h30-17h30 ; ⊖ Monument

La tour érigée par sir Christopher Wren en 1677, appelée le Monument, offre sans conteste un des meilleurs points de vue sur Londres en raison de son emplacement central et de sa hauteur. Le panorama embrasse la Tamise, Saint-Paul et la City, soit le cœur vibrant de la capitale. Cette immense colonne commémore le Grand Incendie de Londres de 1666, dont les conséquences pesèrent lourd sur l'histoire de la ville. Situé à proximité du London Bridge, au sud-est de King William St, le monument se dresse à 60,6 m exactement de la boulangerie de Pudding Lane où le feu se déclara, et mesure précisement 60,6 m de haut. Pour atteindre la plate-forme panoramique, située sous l'urne de feu en bronze doré qui surmonte la tour, il faut gravir un impressionnant escalier en colimaçon composé de 311 marches étroites. De retour en bas, on vous remettra un certificat attestant que vous avez accompli l'ascension !

BARBICAN Plan p. 104

Renseignements ☎ 7638 8891 ; standard ☎ 7638 4141 ; www.barbican.org.uk ; Silk St EC2 ; 🕑 9h-23h lun-sam, 10h30-23h dim ; ⊖ Barbican/Moorgate

Les avis des Londoniens sont très partagés sur l'architecture de ce vaste complexe immobilier et culturel qui fut bâti au cœur de la City. Le Barbican doit son nom au mur de fortification romain qui protégeait le Londinium de l'époque, mais son architecture est un pur produit des années 1960-1970. Construit sur une immense surface dévastée par les bombardements de la Seconde Guerre mondiale, le complexe ouvrit ses portes progressivement entre 1969 et 1982. Il faut admettre que cette citadelle de béton brut ne pouvait être, selon l'expression anglaise, "la tasse de thé" de tout le monde. Or, bien que classé bâtiment le plus laid de la capitale dans des sondages récents, beaucoup de Londoniens voient quelque chose de très beau dans sa cohésion et son ambition, qui était d'intégrer St Giles Cripplegate, l'église locale de Shakespeare, dans un ensemble "brave-new-world" avec des espaces publics agrémentés de lacs et de petites pièces d'eau. Après une rénovation de 7 millions de livres en 2005, le Barbican jouit d'une cote de popularité nettement supérieure à celle de l'autre colosse moderniste de Londres, le South Bank Centre. Les architectes des milieux branchés ont toujours apprécié les appartements du Barbican, et ceux des trois grandes tours qui jouxtent le complexe comptent parmi les plus recherchés de la capitale.

Abritant le London Symphony Orchestra, le Barbican est encore aujourd'hui un centre culturel inégalé, fier de ses trois cinémas, où passent à la fois films commerciaux et indépendants, et de ses deux théâtres dans lesquels on peut applaudir des troupes de passage ou des spectacles de danse d'une qualité exceptionnellle. Très prisée, la Barbican Gallery (🕑 11h-20h, jusqu'à 18h mar et jeu) propose d'excellentes expositions temporaires.

Reportez-vous au chapitre *Arts* pour plus de détails sur les théâtres (p. 317), les cinémas (p. 315) et les salles de concert (p. 312).

LLOYD'S OF LONDON Plan p. 104

1 Lime St EC3 ; ⊖ Aldgate/Bank

Pendant qu'à l'intérieur les courtiers de cette banque de réputation internationale assurent tout, des avions et des bateaux aux jambes des stars de Hollywood, à l'extérieur les passants tombent en admiration devant les conduites en inox et les escaliers de l'édifice. Le Français Alain Robert, dit "Spiderman", qui pratique l'escalade libre, l'apprécie tellement qu'il en a grimpé la façade à main nue en 2003.

Le bâtiment de la Lloyd's est l'œuvre de Richard Rogers, l'un des architectes du Centre Pompidou à Paris. Véritable révolution architecturale lors de sa construction, en 1986, cet édifice a vu surgir depuis de nombreuses autres structures du même acabit dans le paysage londonien et paraît presque petit à côté du géant situé en face, le Gherkin (voir p. 118). Mais son postmodernisme contraste toujours radicalement avec l'aspect ancien du Leadenhall Market voisin.

On peut observer ses ascenseurs de verre filer à toute allure le long de la façade. Hélas, l'accès à ces derniers ainsi qu'à l'ensemble du bâtiment est strictement réservé aux employés et aux comités d'entreprise, qui doivent réserver à l'avance. Certaines années, le bâtiment de la Lloyd's est ouvert au public pendant l'Open House Weekend (www.openhouse.org.uk), une occasion rare que ne manqueront pas les amateurs d'architecture moderne.

LEADENHALL MARKET Plan p. 104

www.leadenhallmarket.co.uk ; Whittington Ave EC1 ; espaces publics 24h/24, horaires des boutiques variables ; Bank

En pénétrant dans cette galerie couverte faiblement éclairée, sorte de petite enclave victorienne ouverte sur Gracechurch St, vous aurez la sensation d'être propulsé dans le passé. Un marché se tient sur ce site depuis l'ère romaine, mais les pavés ne sont pas d'origine et les pièces en fer forgé que l'on voit aujourd'hui datent de la fin du XIXe siècle. Même les restaurants et les magasins modernes ont adopté le style d'époque. Le marché fait une apparition sous le nom de "chemin de Traverse" dans le film *Harry Potter à l'école des sorciers*. Pour plus de détails sur les marchandises en vente, reportez-vous à l'encadré p. 231.

BANK OF ENGLAND MUSEUM

Plan p. 104

☎ 7601 5545 ; www.bankofengland.co.uk ; Bartholomew Lane EC2 ; entrée libre ; audioguide 1 £ ; 10h-17h lun-ven ; Bank

Lorsque Jacques II déclara la guerre à la France au XVIIe siècle, il se rendit vite compte qu'il n'avait pas les fonds nécessaires pour financer ses forces armées. Un négociant écossais du nom de William Paterson eut alors l'idée de créer une banque de fonds collectifs qui servirait à prêter de l'argent au gouvernement. C'est ainsi que naquirent, en 1694, la Bank of England… et la notion de dette nationale. La banque gagna vite en envergure et vint s'installer sur ce site en 1734. Pendant la crise financière de la fin du XVIIIe siècle, une caricature fit son apparition représentant l'institution comme une vieille femme hagarde. C'est probablement ce qui lui valut le surnom de "Old Lady of Threadneedle St" qui lui colle à la peau depuis. Aujourd'hui, la Bank of England est chargée de maintenir l'intégrité de la livre sterling et du système financier britannique. Gordown Brown, en tant que Chancelier de l'Échiquier (ministre des Finances), lui confia aussi en 1997 la tâche de fixer les taux d'intérêt. Sa structure d'origine, de toute beauté, fut érigée par sir John Soane, architecte de talent. Cependant, au début du XXe siècle, les gouverneurs jugèrent bon de la démolir en grande partie afin de la remplacer par un bâtiment quelconque, purement utilitaire, qu'ils allaient vite regretter.

Loin d'être aussi ennuyeux qu'on pourrait le croire, même s'il n'égale pas les grands musées de Londres, le musée retrace l'évolution de la monnaie et l'histoire de cette vénérable institution. Sa pièce maîtresse, le Bank Stock Office, est une reconstitution d'après-guerre de la banque de Soane, remplie de mannequins en costumes d'époque placés derrière les guichets en acajou d'origine. Les autres salles regorgent d'objets en tout genre : photographies, pièces de monnaie, lingots d'or (vous pourrez en soulever un : il pèse son poids) et mousquets utilisés autrefois pour défendre la banque.

GUILDHALL Plan p. 104

☎ 7606 3030 ; www.cityoflondon.gov.uk ; Gresham St EC2 ; entrée libre ; 9h-17h, fermé lors d'événements officiels ; Bank/St Paul ;

Le Guildhall, au cœur du fameux "Square Mile", est le siège du gouvernement de la City depuis près de 800 ans. Le bâtiment actuel, datant du début du XVe siècle, est le seul bâtiment séculier en pierre à avoir résisté au Grand Incendie de 1666, bien qu'il fût alors sévèrement endommagé, de même que durant le Blitz en 1940.

La plupart des visiteurs s'arrêteront d'abord dans l'impressionnant Great Hall, où sont exposés les bannières et les blasons des 12 grandes confréries londoniennes qui régnaient autrefois en maîtres sur la City. C'est ici, dans cette vaste salle garnie d'imposants chandeliers et de monuments de style religieux, que l'on élit encore aujourd'hui le Lord Mayor et les Sherifs. L'endroit étant souvent fermé à l'occasion d'événements officiels, mieux vaut téléphoner à l'avance. D'autre part, le conseil municipal s'y réunit tous les troisièmes jeudis du mois (sauf en août) à 13h. Le Guildhall accueille aussi la cérémonie de remise du Man

Booker Prize, le prix littéraire britannique le plus prestigieux.

Parmi les œuvres à voir (lorsque le hall est ouvert), citons les statues de Winston Churchill, de l'amiral Nelson, du duc de Wellington et des deux Premiers ministres Pitt l'Ancien et le Jeune. Dans la galerie des Ménestrels, à l'extrémité ouest, se dressent les statues des géants bibliques Gog et Magog, considérés traditionnellement comme les gardiens de la ville. Ce sont des copies modernes des originaux du XVIIIe siècle détruits pendant le Blitz. Les vitraux du Guildhall furent également anéantis par les bombardements, mais un vitrail moderne, dans l'angle sud-ouest, détaille l'histoire de la City. On y verra notamment Dick Whittington, premier Lord Mayor de Londres, en compagnie de son fameux chat.

Sous le Great Hall se trouve la plus grande crypte médiévale de Londres, comportant 19 vitraux ornés des armoiries des confréries. Le seul moyen de la voir consiste à se joindre à l'une des visites guidées (☎ 7606 1463) gratuites.

Les bâtiments à l'ouest abritent les bureaux de la Corporation of London, ainsi que la Guildhall Library (☎ 7606 1461 ; Aldermanbury EC2 ; 🕑 9h30-17h lun-sam), bibliothèque fondée vers 1420 selon les dernières volontés de Richard "Dick" Whittington. Elle est divisée en trois sections : ouvrages imprimés, manuscrits, et estampes, cartes et dessins. Au même endroit, le Clockmakers' Museum (☎ 7332 1868 ; Guildhall Library, Aldermanbury EC2 ; entrée libre ; 🕑 9h30-16h45 lun-sam) possède une collection de plus de 700 horloges et montres, dont certaines datent de cinq siècles. Le musée ferme parfois une heure ou deux le lundi, le temps de remonter les horloges.

GUILDHALL ART GALLERY ET AMPHITHEATRE ROMAIN Plan p. 104

☎ 7332 3700 ; www.guildhall-art-gallery.org.uk ; Guildhall Yard EC2 ; adulte/senior et étudiant 2,50/1 £, entrée libre ven et tlj après 15h30 ; 🕑 10h-17h lun-sam, 12h-16h dim ; ⊖ Bank

La galerie de la City of London procure un regard fascinant sur la politique qui émana du Square Mile durant ces derniers siècles, grâce à une riche collection de peintures sur la ville couvrant les XVIIIe et XIXe siècles. Une vaste frise intitulée *The Defeat of the Floating Batteries* (1791), dépeignant la victoire britannique lors du siège de Gibraltar en 1782, fut mise à l'abri un mois avant qu'une bombe allemande ne tombe sur la galerie (1941). Enroulée pendant 50 ans, elle fut restaurée, brillamment, en 1999.

Une arrivée encore plus récente est une statue de l'ex-Premier ministre Margaret Thatcher, qui dut être exposée à l'intérieur d'une vitrine de protection. Et pour cause : elle fut décapitée à coup de batte de cricket par un fou furieux juste après son installation en 2002. Aujourd'hui, après quelques délicates opérations cervicales, la Dame de fer a finalement retrouvé sa place à côté des tableaux de Londres, mais son héritage n'en demeure pas moins controversé.

Mais c'est ailleurs que réside l'intérêt majeur du musée. En effet, dans les profondeurs de son soubassement se cachent les vestiges archéologiques de l'amphithéâtre du Londres romain (le colisée). Découverts en 1988, lorsque débutèrent enfin les travaux de construction d'une nouvelle galerie (l'originale ayant été détruite pendant le Blitz), ils furent immédiatement déclarés monument historique et le nouvel édifice fut érigé tout autour. Seules subsistent certaines parties des murs de pierre longeant l'entrée est. Cependant, les places assises manquantes ont été artistiquement recréées par un trompe-l'œil noir et vert fluorescent, tandis que des silhouettes 3D représentent les spectateurs et les gladiateurs. Les cris de la foule augmentent en intensité lorsque vous atteignez la scène centrale, au bout du tunnel d'entrée, vous donnant une idée de l'ambiance qui régnait dans l'amphithéâtre du Londres romain. Des marques sur la place devant le Guildhall indiquent où se situait l'édifice original, vous permettant d'en imaginer l'échelle.

ST LAWRENCE JEWRY Plan p. 104

☎ 7600 9478 ; Gresham St EC2 ; entrée libre ; 🕑 7h30-14h15 ; ⊖ Bank ; ♿

Lorsque l'on contemple l'église officielle de la Corporation of London, extrêmement bien conservée, on a du mal à croire qu'elle fut presque entièrement détruite lors de la Seconde Guerre mondiale. Avec ses murs d'albâtre immaculés et ses dorures, elle fait honneur à sir Christopher Wren, qui la fit bâtir en 1678, ainsi qu'à ceux qui la restaurèrent ultérieurement. Sur le buffet d'orgue à l'extrémité ouest, on remarquera les armoiries de la City of London. La Commonwealth Chapel arbore les drapeaux de toutes les nations membres. Des concerts de piano y ont lieu le lundi à 13h, ainsi que des récitals d'orgue le mardi à la même heure (gratuits).

Comme son nom l'indique, cette église s'élève dans l'ancien quartier juif, dont le centre était Old Jewry, la rue située au sud-est.

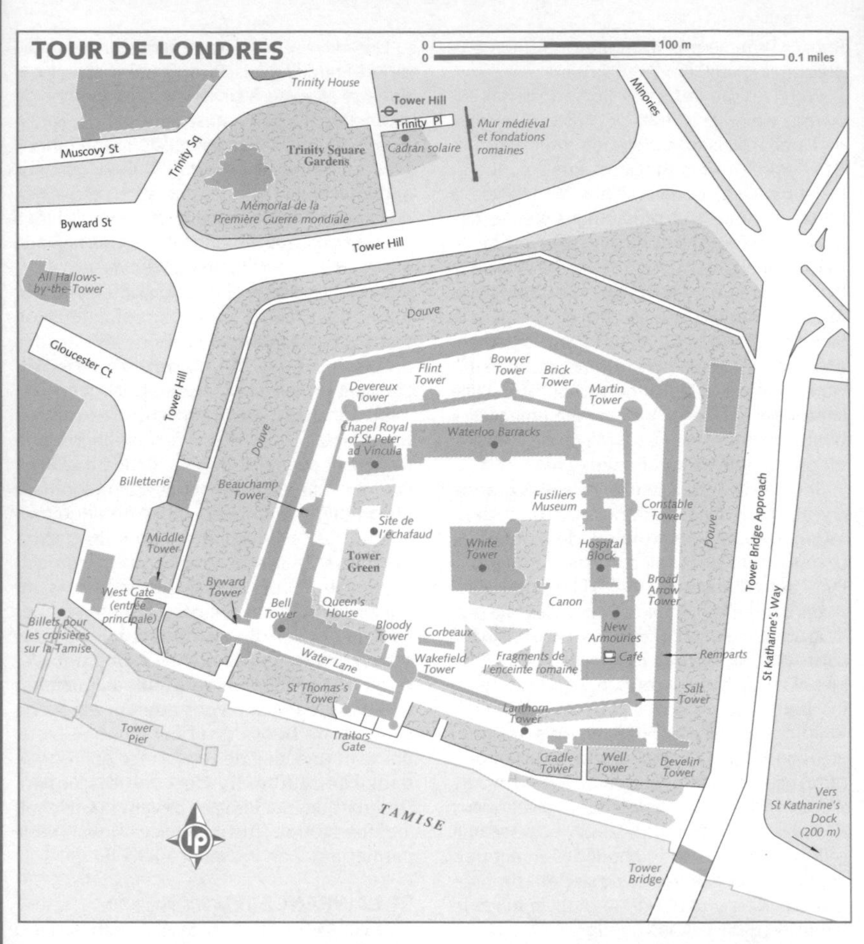

Le quartier a malheureusement été le théâtre d'un pogrom : quelque 500 Juifs y furent massacrés en 1262, lors d'un soulèvement populaire "vengeur" contre un prêteur juif. En 1290, Édouard Ier expulsa toute la communauté juive de Londres vers les Flandres. Celle-ci ne revint pas avant la fin du XVIIe siècle.

TOWER HILL

TOUR DE LONDRES Plan p. 104

☎ 0844 482 7777 ; www.hrp.org.uk ; Tower Hill EC3 ; adulte/5-15 ans/senior et étudiant/famille 17/9,50/14,50/47 £ ; 9h-17h30 mar-sam et 10h-17h30 dim-lun mars-oct, 9h-16h30 tlj nov-fév, dernière entrée 30 min avant fermeture ; Tower Hill ; limité

Voici l'authentique noyau de la ville, dont l'histoire est aussi lugubre et sanglante que fascinante. La Tour de Londres, malgré son tarif de plus en plus élevé et les hordes de touristes qui l'envahissent tout au long de l'été, doit absolument figurer en première place sur votre liste des monuments à voir. Au fil des siècles, meurtres et intrigues régnèrent en ses murs. Aussi, votre visite sera-t-elle pimentée de maintes histoires d'emprisonnement et d'exécution.

La tour est en réalité un château, pas si imposant que cela, même si au Moyen Âge la White Tower devait écraser les pauvres huttes de la paysannerie serrées autour des murs. Commencé sous le règne de Guillaume le Conquérant (1066-1087), il sera toujours la propriété du monarque (et parfois sa résidence à Londres). De loin le château médiéval le mieux conservé de Londres, la Tour est l'un des quatre sites de la capitale inscrits au patrimoine mondial de l'Unesco (avec l'abbaye de Westminster, les Kew Gardens et le Maritime Greenwich), qui ne manque pas d'exercer sa fascination sur tous ceux qui s'intéressent à l'histoire, à la monarchie et à la guerre.

Avec plus de deux millions de visiteurs par an, la tour est prise d'assaut à la saison touristique. Mieux vaut alors acheter son billet à l'avance et s'y rendre en fin de journée. Vous pouvez vous procurer des billets en ligne (et bénéficier d'une réduction de 1 £) ou dans n'importe quelle station de métro jusqu'à une semaine à l'avance, ce qui vous épargnera une longue attente à l'arrivée. Sachez aussi qu'après 15h, les groupes ont généralement quitté les lieux, et il est nettement plus agréable de s'y promener. En hiver, l'affluence est bien moindre et ces consignes ne s'appliquent donc pas.

Le mieux est de commencer par la visite guidée gratuite (1 heure) que proposent les Yeoman Warders, qui donne vie aux moindres recoins de la tour. Gardiens de la tour depuis 1485, les **Yeoman Warders** doivent avoir servi au moins 22 ans dans les British Armed Forces. Surnommés affectueusement les "beefeaters" (car on leur servait autrefois d'énormes portions de bœuf), ils sont aujourd'hui au nombre de 35, dont une femme, Moira Cameron, la première à les avoir rejoints en 2007. Gardiens officiels de la Tour et des joyaux de la Couronnne durant la nuit, ils œuvrent essentiellement comme guides et posent aussi auprès des touristes impressionnés par leur fière allure. Ces visites partent de la Middle Tower toutes les 30 minutes, tous les jours de 9h30 (10h le dimanche) à 15h30 (14h30 en hiver). Les Yeoman Warders proposent également huit conférences (35 min) et des circuits (45 min) sur des thèmes particuliers. La première visite débute à 9h30 du lundi au samedi (à 10h15 le dimanche en été, 11h30 en hiver) et la dernière à 17h15 (15h en hiver). Les audioguides à régler soi-même, disponibles en 9 langues pour 4 £ à l'accueil sur Water Lane, n'ont bien sûr pas le charme théâtral des Yeoman Warders.

Vous entrez par la West Gate et traversez la passerelle reliant la **Middle Tower** à la **Byward Tower**. Devant vous se dresse alors la **Bell Tower**, laquelle contient les cloches sonnant le couvre-feu. Thomas More, homme politique et auteur de *Utopia*, y fut emprisonné en 1534, avant son exécution, pour avoir refusé de reconnaître Henry VIII comme le nouveau chef suprême de l'Église d'Angleterre, à la place du pape. À gauche, on aperçoit les **fenêtres de l'ancien hôtel de la monnaie** (casements of the former Royal Mint), qui furent transférées dans un nouveau bâtiment au nord-est du château, en 1812.

En remontant la **Water Lane** qui s'intercale entre les murailles, vous arrivez à la célèbre **Traitor's Gate**, la terrible porte par laquelle entraient les prisonniers conduits ici en bateau. Au-dessus de la porte, les salles de la **St Thomas's Tower** donnent une idée des appartements d'Édouard Ier (1272-1307). C'est aussi là que les archéologues sont parvenus à remonter aux constructions d'origine à travers les transformations successives. En face de la St Thomas's Tower s'élève la **Wakefield Tower**, construite par Henry III entre 1220 et 1240. Son étage supérieur, auquel on accède via la St Thomas's Tower, a été richement meublé d'un trône (une réplique de l'original) et d'un immense candélabre, afin de restituer au mieux l'apparence de cette antichambre du palais à l'époque d'Édouard Ier. Il est quasi certain que Henry VI y fut assassiné pendant la guerre des Deux-Roses (XVe siècle) entre les maisons de Lancaster et de York.

Une exposition, **Torture at the Tower**, vous attend au sous-sol de la Wakefield Tower. Celle-ci suggère cependant que la torture n'a pas été pratiquée autant en Angleterre que sur le continent, car la présentation se limite à un chevalet de torture, une paire de menottes et un instrument, la "Scavenger's Daughter", qui servait à comprimer violemment les corps des prisonniers. Pour vous y rendre, pénétrez dans la cour en passant sous l'arche faisant face à la Traitors' Gate.

Ce faisant, vous verrez aussi la **White Tower**, au centre de la cour, avec ses quatre tourelles surmontées de girouettes dorées. Elle possède des vestiges d'architecture normande, dont un âtre et des toilettes. Néanmoins, la majeure partie de son intérieur est consacrée à la collection de canons, d'armes à feu et d'armures pour hommes et chevaux provenant des Royal Armouries de Leeds. Parmi les pièces les plus remarquables, citons l'armure de 2 m conçue pour John of Gaunt et la petite armure d'enfant, confectionnée pour le prince Henry, fils de Jacques Ier. Ne manquez pas non plus l'armure d'Henry VIII, de forme presque carrée pour tenir compte de la corpulence du monarque dans sa quarantaine.

La pelouse qui s'étend entre la Wakefield Tower et la White Tower est peuplée des fameux corbeaux de la Tour. Selon la légende, si ces oiseaux quittaient la tour, cela annoncerait la chute du royaume, c'est pourquoi leurs ailes sont rognées pour écarter cette éventualité. Les repas des volatiles se composent de morceaux de viande : un spectacle impressionnant.

En face de la Wakefield Tower et de la White Tower, la Bloody Tower renferme une exposition dédiée à l'aventurier élisabéthain sir Walter Raleigh. Il y fut emprisonné à trois reprises par sa capricieuse souveraine, qui le soumit notamment à un pénible interlude carcéral de 1605 à 1616. Elle doit son sinistre surnom à l'épisode sanglant des "Princes de la tour" au cours duquel Édouard V et son jeune frère furent assassinés. On accuse généralement leur oncle Richard III de ce crime, mais il est possible que Henry VII en soit responsable.

À côté de la Bloody Tower, les maisons Tudor noir et blanc à colombages sont maintenant habitées par le personnel de la tour. La Queen's House, où Anne Boleyn vécut ses derniers jours en 1536, sert aujourd'hui de logement de fonction au Resident Governor ; elle n'est pas accessible au public.

Au nord de la Queen's House, de l'autre côté de Tower Green, se trouve le site de l'échafaud, où sept personnes furent décapitées sous les Tudors : deux des six femmes d'Henry VIII, Anne Boleyn et Catherine Howard, toutes deux accusées d'adultère ; Jane Rochford, dame d'honneur de Catherine Howard ; Margaret Pole, comtesse de Salisbury, descendante de la maison de York ; Lady Jane Grey, âgée de 16 ans, rivale de Mary Ire, fille d'Henry, pour l'accession au trône ; William, Lord Hastings ; et Robert Devereux, comte d'Essex, ancien favori de la reine Elizabeth Ire. Ces malheureux furent exécutés dans l'enceinte de la tour pour épargner au souverain du moment l'embarras des exécutions publiques à Tower Hill, lesquelles rameutaient généralement des milliers de spectateurs. Dans le cas de Robert Devereux, les autorités redoutaient peut-être aussi un soulèvement populaire en sa faveur.

Derrière l'échafaud, se trouve la Beauchamp Tower, où étaient enfermés les prisonniers de haut rang, dont Anne Boleyn et Lady Jane Grey. Vous découvrirez les complaintes écrites de la main des condamnés sur les murs.

Au même endroit, la Chapel Royal of St Peter ad Vincula (Saint-Pierre-aux-Liens) est un rare exemple d'architecture religieuse Tudor. C'est aussi le lieu où étaient inhumés les condamnés décapités dans l'enceinte de la tour ou à Tower Hill, non loin. Toutefois, la chapelle se visite exclusivement en groupe (individuellement, après 16h30 seulement). Le cas échéant, attendez qu'un groupe passe près de vous et joignez-vous à lui, ou bien assistez à un office religieux (le dimanche à 9h).

À l'est de cette chapelle et au nord de la White Tower se tient un bâtiment pris d'assaut par les visiteurs : les Waterloo Barracks, qui abritent les joyaux de la Couronne. Vous passerez devant quelques séquences du couronnement de la reine Elizabeth II, accompagnées d'une musique de circonstance, avant de parvenir à la chambre forte (observez les portes d'entrée, qui pourraient, semble-t-il, résister à une attaque nucléaire). Une fois à l'intérieur, on admirera des sceptres, des plateaux, des orbes et, bien sûr, des couronnes royales. Un tapis roulant défile lentement devant la dizaine de couronnes qui constituent les pièces maîtresses de l'exposition. On évoquera surtout la Couronne impériale d'État (Imperial State Crown), d'une valeur de 27,5 millions de livres sterling, sertie de diamants (2 868 pour être exact), de saphirs, d'émeraudes, de rubis et de perles, et la couronne de platine de la défunte reine mère, sertie du célèbre diamant Koh-I-Noor (Montagne de Lumière) de 105 carats. Entouré de légendes, ce diamant du XIVe siècle a été réclamé par l'Inde et l'Afghanistan. Il a la réputation de conférer un immense pouvoir à son propriétaire, à condition qu'il s'agisse d'une femme (les hommes seraient condamnés à mourir dans d'atroces souffrances). La présentation des joyaux de la Couronne sera repensée en vue du Jubilé de diamant de la reine en 2012, mais la date exacte de ce changement était encore inconnue à l'heure où nous écrivions ces lignes.

Derrière les Waterloo Barracks, la Bowyer Tower fut la prison de George, duc de Clarence, frère et rival d'Édouard IV. Une légende tenace, mais peut-être non fondée, veut qu'il ait été noyé dans un tonneau de Malmsey (vin de Madère).

À l'est des Waterloo Barracks se trouve le Fusiliers Museum, géré par le Royal Regiment of Fusiliers. Il retrace l'histoire des Royal Fusiliers depuis 1685 et possède des maquettes de batailles. Une vidéo de 10 min vous présentera le régiment moderne.

Dans l'angle sud-est de la cour intérieure, vous apercevrez les briques rouges des New Armouries ("nouveaux dépôts d'armes") qui abritent le New Armouries Café. On peut y déjeuner d'un sandwich ou d'un menu avec soupe, onéreux.

L'enceinte de la tour comprend quantité d'autres attractions ainsi que des églises, des boutiques et des toilettes. Veillez toutefois à vous ménager quelques instants pour effectuer une promenade sur les remparts. La Wall Walk (promenade sur les remparts) débute à la Salt Tower (XIIIe siècle), qui servait probablement à entreposer le salpêtre dont on avait besoin pour fabriquer la poudre, puis passe par la Broad Arrow Tower, qui abrite une exposition sur les trafiquants de poudre emprisonnés dans cette tour dont les murs portent encore leurs nombreuses inscriptions. Elle se termine à la Martin Tower, où vous verrez d'anciennes couronnes, conçues pour que les pierres puissent en être retirées. La plus vieille est celle de George Ier surmontée du globe et de la croix de la couronne de Jacques II. C'est dans la Martin Tower que le colonel Thomas Blood tenta de dérober les joyaux de la Couronne en 1671, déguisé en prêtre.

Enfin, ceux qui s'intéressent aux cérémonies et rituels obscurs de la monarchie britannique ne manqueront pas la Key Ceremony, qui se déroule chaque soir à 21h30. À côté de ce verrouillage élaboré des grandes portes, la relève des gardes au palais de Buckingham apparaît comme une attraction touristique inventée de fraîche date. Depuis 600 ans, les gardes perpétuent chaque jour cette cérémonie des clés. Elle n'eut que 30 minutes de retard lorsqu'une bombe tomba sur la Tour de Londres durant le Blitz, comme si rien ne s'était passé. Ah, la fameuse maîtrise de soi britannique ! Assister à la cérémonie est gratuit, mais selon un autre rituel antique, il vous faudra faire la demande des billets, très recherchés, par la poste. Pour plus de détails, consultez le site Web.

Pour les personnes handicapées, l'accès à la tour est limité. Téléphonez pour plus d'informations.

ENVIRONS DE LA TOUR DE LONDRES Plan p. 122

Bien que la tour soit inscrite au patrimoine mondial de l'Unesco, le quartier au nord du monument est relativement décevant (surtout avec les travaux qui y sont effectués depuis quelques années). À la sortie de la station de métro Tower Hill, un gigantesque cadran solaire en bronze illustre l'histoire de Londres, de l'an 43 à 1982. Il est installé sur une plate-forme d'où l'on peut voir les Trinity Square Gardens voisins, où se dressait jadis l'échafaud de Tower Hill et occupé de nos jours par le mémorial d'Edwin Lutyens, dédié aux marins victimes de la Première Guerre mondiale. Sur la pelouse jouxtant l'entrée d'un passage souterrain, vous apercevrez un morceau du mur médiéval construit sur des fondations romaines et, devant celui-ci, une statue moderne de l'empereur Trajan (règne 98-117). À l'autre extrémité du tunnel se dresse une poterne (ou porte) du XIIIe siècle.

TOWER BRIDGE Plan p. 104

⊖ Tower Hill

Après Big Ben, le Tower Bridge est sans doute l'emblème de Londres le plus connu dans le monde. Vu de près, ce pont ne déçoit pas. Ses tours néogothiques et ses suspensions de couleur bleue attirent d'emblée le regard. Construit en 1894 pour combler l'absence d'un point de passage à l'est, il fut doté d'un mécanisme de bascule, révolutionnaire pour l'époque, permettant de dégager la voie aux bateaux en 3 minutes. Si le port de Londres n'est plus aujourd'hui qu'un souvenir, le pont n'est pas désaffecté pour autant et se lève encore environ 1 000 fois par an et jusqu'à 10 fois par jour l'été. Pour connaître l'heure du prochain mouvement, appelez le ☎ 7940 3984, ou consultez le site mentionné ci-après.

La Tower Bridge Exhibition (☎ 7940 3985 ; www.towerbridge.org.uk ; adulte/moins de 5 ans/5-15 ans/senior et étudiant/famille 7/gratuit/3/5/à partir de 10,50 £ ; 🕓 10h-18h30 avr-oct, 9h30-18h nov-mars, dernière entrée 1h avant la fermeture) explique le fontionnement du pont. Si ces considérations techniques ne vous intéressent pas, vous pourrez toujours profiter de la vue sur la Tamise depuis l'intérieur du bâtiment. Lors de nos recherches, le pont subissait un programme de rénovation échelonné sur trois ans, qui devrait s'achever en 2011. D'ici là, il se peut que certaines parties soient couvertes d'échafaudages, mais le pont et les expositions demeurent ouverts au public.

ALL HALLOWS-BY-THE-TOWER Plan p. 104

☎ 7481 2928 ; www.ahbtt.org.uk ; Byward St EC3 ; entrée libre ; 🕓 8h-18h lun-ven, 10h-17h sam-dim ; ⊖ Tower Hill

C'est dans cette paroisse que le célèbre Samuel Pepys nota ses observations sur le Grand Incendie de Londres en 1666. Reconstruit après la Seconde Guerre mondiale, l'édifice s'avère assez plaisant. La flèche de cuivre a été rajoutée en 1957. On remarquera la chaire provenant d'une église de Wren, sur Cannon St, détruite pendant la guerre, les superbes fonts baptismaux du XVIIe siècle, œuvre du sculpteur Grinling Gibbons, et quelques bannières modernes intéressantes. Des visites gratuites de l'église commencent à 14h tous les jours et durent 20 minutes.

Cependant, une église nommée All-Hallows ("tous les saints") existe sur cet emplacement depuis 675, et la partie la plus intéressante des lieux est incontestablement l'étonnante crypte (*undercroft*) saxonne. Vous y verrez un dallage romain recomposé, les murs de l'église saxonne du VIIe siècle, des pièces de monnaie ainsi que diverses références à l'histoire locale.

William Penn, fondateur de la Pennsylvanie, y fut baptisé en 1644 (un monument lui est dédié dans la crypte) et John Quincy Adams, 6e président des États-Unis, s'y maria en 1797.

LA CITY

Promenade

1 Dr Johnson's House

Trouvez votre chemin jusqu'à cette demeure georgienne (p. 108), préservée comme par miracle en plein cœur de la City. Vous y découvrirez l'étonnante vie du Dr Johnson, et son esprit brillant, puis vous pourrez poursuivre jusqu'à son pub préféré, le Ye Olde Cheshire Cheese, sur Fleet St (voir p. 284).

2 Cathédrale Saint-Paul

Chef-d'œuvre de sir Christopher Wren, cette cathédrale (p. 103), qui aurait pu disparaître du ciel de Londres pendant le Blitz, dessine toujours sa populaire silhouette. Suivez la foule pour découvrir l'intérieur grandiose, la fascinante crypte, la Whispering Gallery (galerie des murmures) et, depuis sa fameuse coupole, des vues époustouflantes sur la capitale.

3 Museum of London

Ce merveilleux musée (p. 107), peu engageant de l'extérieur, est cependant l'un des plus intéressants de la ville. Entièrement consacré à l'histoire de la capitale, il retrace toutes les phases de son développement : du village anglo-saxon à la ville trois fois élue pour les Jeux olympiques.

4 Barbican

Construit sur le site de l'ancienne tour de guet romaine, d'où son nom, le Barbican (p. 119) est le fabuleux centre culturel de la City et un monument architectural à lui tout seul – qu'on aime ou qu'on déteste – mais qui mérite la visite. Découvrez aussi la serre, les

À PIED

Départ Station de métro Chancery Lane
Arrivée Tower Bridge (station de métro Tower Hill)
Distance 2 km
Durée 2 heures
Pause ravitaillement Place Below (p. 250)

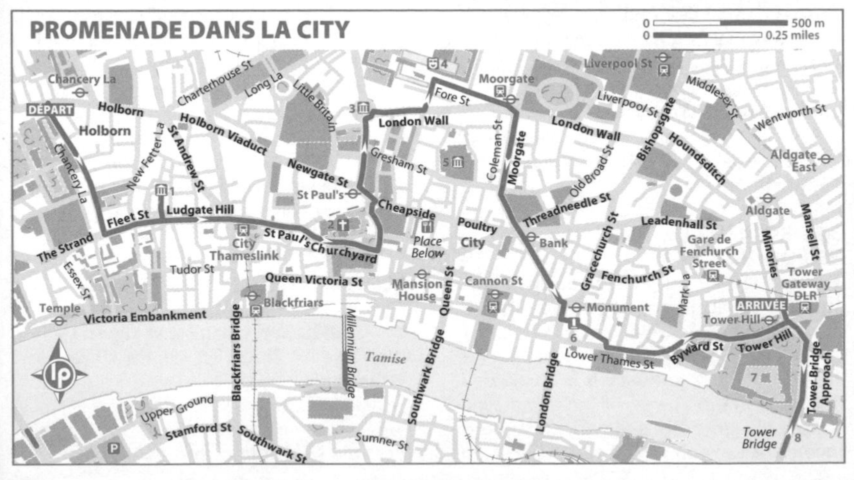

lacs et St Giles' Cripplegate, l'église de la paroisse où habitait Shakespeare.

5 Guildhall

Jadis véritable cœur de la City et siège du pouvoir et de l'influence, le Guildhall (p. 120) abrite aujourd'hui la Corporation of London, qui gère non seulement la City mais aussi nombre de grands parcs londoniens. Ici, vous entrez dans le monde des confréries et de ses rituels insolites, mais visitez aussi l'excellente galerie du Guildhall, puis remontez deux millénaires dans le temps à la découverte des vestiges archéologiques de l'amphithéâtre romain.

6 Monument

La colonne (p. 119), qui commémore le Grand Incendie de Londres de 1666, offrira – à ceux qui n'ont pas le vertige – un superbe panorama sur la City. Le Monument, au milieu des nombreux buildings qui l'entourent, donne malgré tout l'impression qu'on s'élève très haut. On peut donc imaginer qu'au XVIIe siècle il devait vraiment en imposer !

7 Tour de Londres

À l'intérieur de ses épais murs de pierre, la Tour de Londres (p. 122) renferme une somme fabuleuse de l'histoire du royaume. La White Tower, les joyaux de la Couronne, les Yeoman Warders, le site de l'échafaud et la Traitor's Gate sont autant d'évocations d'un passé fascinant. À la fin de cette promenade, consacrez au moins une demi-journée à sa visite.

8 Tower Bridge

Pont à bascule révolutionnaire de l'époque victorienne, alors le plus grand du monde, le Tower Bridge (p. 125) est devenu dès sa réalisation un symbole de Londres. Il faut le traverser à pied pour vraiment apprécier la Tamise à son point le plus large. La Tower Bridge Exhibition, qui explique le fonctionnement de l'ouvrage, offre aussi une vue spectaculaire.

SOUTH BANK

Où prendre un verre p. 284 ; Où se restaurer p. 250 ; Shopping p. 227 ; Où se loger p. 349

Jusqu'à la fin des années 1990, le Sud du centre de Londres était considéré comme le secteur oublié de la capitale – délabré, négligé et sans grand intérêt pour les visiteurs à l'exception des théâtres de Southbank. Aujourd'hui, tout a changé et cette métamorphose de la rive sud de la Tamise est tout bonnement époustouflante. C'est ici que l'ancien et le nouveau Londres se confrontent, et tous deux en sortent vainqueurs. En effet, deux des principaux emblèmes du Londres moderne font face à deux de ses plus vieilles icônes. La grande roue London Eye (ci-dessous), que l'on peut qualifier de "roue de la bonne fortune", a été érigée de l'autre côté du fleuve par rapport au bâtiment néogothique du Parlement de Westminster, tandis que la Bankside Power Station désaffectée est devenue la Tate Modern (p. 132), le site le plus visité de Londres, face à l'auguste cathédrale Saint-Paul.

South Bank est constitué de cinq zones qui se suivent, se fondant les unes dans les autres sans véritable frontière. D'ouest en est, ce sont : le quartier autour de la gare de Waterloo et le complexe culturel rénové de Southbank Centre (p. 129) avec ses théâtres ; ses salles de concert et ses musées ; Bankside et, au sud de celui-ci, Southwark, qui se distingue par l'impressionnant Millennium Bridge (p. 133) s'élançant, entre la Tate Modern et le théâtre du Globe, vers la rive opposée ; Borough, dont le marché de produits alimentaires est le plus populaire de Londres, et enfin Bermondsey, fier d'une petite série de musées appréciés comme le London Dungeon (p. 135) et le Design Museum (p. 137).

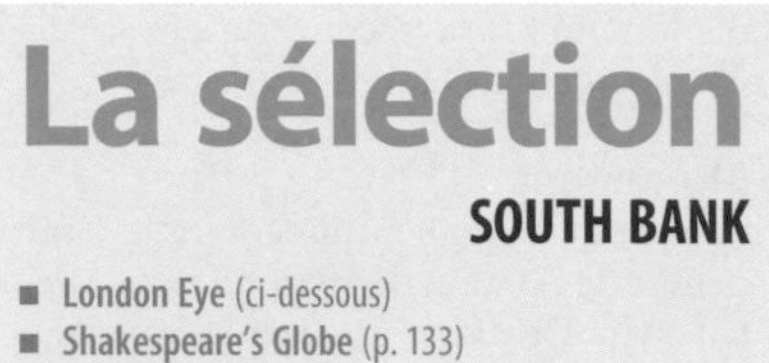

- London Eye (ci-dessous)
- Shakespeare's Globe (p. 133)
- Tate Modern (p. 132)
- London Bridge Experience et London Tombs (p. 135)
- Borough Market (p. 137)

La meilleure façon de découvrir ce quartier est de s'y promener à pied. Si vous suivez le Silver Jubilee Walkway et le Thames Path (p. 210) en longeant South Bank sur la rive sud du fleuve – l'une des promenades les plus agréables de la ville – vous serez en position idéale pour en apprécier l'ensemble. Et la Tamise est ici de tous les paysages.

WATERLOO

En 1951, le gouvernement décida de faire oublier à la population qu'elle était encore rationnée six ans après la fin de la guerre en organisant une célébration nationale appelée Festival of Britain. Celle-ci laissa un héritage permanent dans la capitale : le Royal Festival Hall.

L'amas d'immeubles en béton connu sous le nom de South Bank Centre se dresse toujours, mais il a subi d'importants travaux de rénovation ces dernières années. En termes d'esthétique et de popularité, le nouveau centre n'égalera jamais l'impressionnant County Hall ni l'emblématique London Eye, mais, désormais beaucoup plus agréable à l'œil, il reste le complexe culturel le plus important de Londres.

Waterloo, triomphalement baptisé d'après le champ de bataille belge où Napoléon fut vaincu par les Anglo-Prussiens, était dominé par les marécages jusqu'au XVIIIe siècle. Tout changea avec la construction de ponts entre Westminster sur la rive nord de la Tamise et Waterloo. La gigantesque gare de Waterloo fut achevée en 1848.

LONDON EYE Plan p.130

☎ 0870 500 0600 ; www.londoneye.com ; Jubilee Gardens SE1 ; adulte/4-15 ans/senior 17/8,50/14 £ ; 10h-20h oct-avr, 10h-21h mai, juin et sept, 10h-21h30 juil-août, fermé pour maintenance 1re sem de jan ; ⊖ Waterloo ; ♿

Il est difficile de se rappeler à quoi ressemblait Londres avant que la grande roue London Eye, qui fait désormais partie du paysage, ne commence à tourner à l'extrémité sud-est des Jubilee Gardens en l'an 2000. Elle a non seulement complètement modifié la ligne d'horizon de South Bank mais, haute de 135 m, elle se voit également depuis d'autres endroits inattendus de cette ville plutôt plate (comme Kennington ou Mayfair). Un tour – ou un vol, comme on dit ici – dans l'une de ses 32 nacelles de verre, où prennent place jusqu'à 28 personnes, restera une expérience inoubliable. Chaque année, 3,5 milliards de personnes tentent l'aventure. La rotation lente et gracieuse dure 30 minutes et, lorsque le ciel est dégagé, la plus grande roue du monde offre une vue qui s'étend à 40 km à la ronde. Vous économiserez de l'argent et éviterez les files d'attente en achetant votre billet en ligne.

COUNTY HALL Plan p. 130

Riverside Bldg, Westminster Bridge Rd SE1 ; ⊖ Westminster/Waterloo ; ♿

Commencé en 1909 mais achevé en 1922, cet imposant bâtiment à la façade ornée de courbes et de colonnes renferme un musée et une galerie d'art, un vaste aquarium, un autre musée consacré à l'industie cinématographique locale et deux hôtels.

De nos jours, il semble qu'aucune grande ville européenne ne soit complète sans un musée mettant à l'honneur Salvador Dalí. Le **Dalí Universe** (☎ 0870 744 7485 ; www.thedaliuniverse.com ; adulte/7-15 ans/15-18 ans/senior et étudiant/famille 14/7/9/12/38 £ ; 🕒 9h30-18h lun-jeu, 9h30-19h ven-dim) est le plus grand du monde, exposant 500 œuvres du prolifique artiste surréaliste. Peintures, gravures, sculptures et autres habillent des salles faiblement éclairées et organisées par thème : Sensualité et Fémininité, Religion et Mythologie, Rêves et Fantaisie. Retrouvez les montres qui se gondolent dans le tableau *Persistance de la mémoire*, le sofa en forme des lèvres de Mae West, le téléphone langouste et la sculpture de l'Éléphant spatial aux longues pattes. À côté, la **Fine Art Gallery** conserve 100 œuvres de Picasso. Elle ouvre aux mêmes horaires que le Dalí Universe et l'entrée est incluse dans le tarif général.

Le **London Sea Life Aquarium** (☎ 7967 8000 ; www.sealife.co.uk ; adulte/3-14 ans/senior et étudiant/famille 15,25/11,75/13,25/50 £ ; 🕒 10h-18h lun-ven, 10h-19h sam-dim ; ♿) compte parmi les plus grands d'Europe ; l'équipe dirigeante a changé et grâce aux nouvelles indications, il est encore plus plaisant. Les poissons et autres créatures marines sont regroupés en 15 zones selon leur origine géographique (du Pacifique à l'Atlantique) et des eaux tempérées aux eaux tropicales. Les récifs coralliens (zone 8) et la forêt tropicale (zone 10) sont passionnants, et un passage des requins vous attend en fin de parcours. La zone 11 est consacrée à l'histoire de la Tamise.

Le **Movieum** (☎ 7202 7040 ; www.themovieum.com ; adulte/5-16 ans/senior et étudiant 17/13/15 £ ; 🕒 10h-17h lun-ven, 10h-18h sam-dim ; ♿) est très cher, mais cette attraction consacrée à l'industrie du film britannique est étonnamment bien conçue. Divisée en plusieurs genres – fantaisie, comédies musicales, drames, horreur, science-fiction, etc. –, elle s'intéresse au cinéma dans son ensemble et présente notamment des accessoires de *Star Wars* et *Superman* (tournés aux Els-tree Studios à Hertfordshire). Vous pourrez manipuler beaucoup d'éléments : filmez-vous au volant d'un cabriolet vintage dans Londres ou en train de voler avec Superman. Découvrez aussi à la fin la grande salle circulaire. La production d'un film n'aura plus de secrets pour vous, du maquillage au son en passant par l'animation et l'animatronique.

TOPOLSKI CENTURY Plan p. 130

☎ 7620 1275 ; www.topolskicentury.org.uk ; 150-152 Hungerford Arches, Concert Hall Approach SE1 ; entrée libre ; 11h-19h lun-sam, 12h-18h dim ; ⊖ Waterloo ; ♿

Sous les arcades du Hungerford Bridge est présenté le chef-d'œuvre de Feliks Topolski (1907-1989). Cet artiste britannique d'origine polonaise réalisa des fresques sur carton ou toile (avec de la peinture Dulux) sur plus de 180 m de long, retraçant l'histoire du XXe siècle depuis ses débuts bohèmes à Varsovie jusqu'à sa mort en 1989. Les fresques ne seront sans doute pas du goût de tous et l'intérêt artistique de l'ensemble est contestable, mais il est intéressant de voir le regard porté par un homme sur le monde au cours de plus de 80 ans.

SOUTHBANK CENTRE

Plan p. 130

☎ 0871 663 2500 ; www.southbankcentre.co.uk ; Belvedere Rd SE1 ; ⊖ Waterloo ; ♿

Dans le dédale de béton parsemé d'allées du **Southbank Centre**, entre le pont de Hungerford et celui de Waterloo, le bâtiment phare reste le plus ancien d'entre eux, le **Royal Festival Hall**, érigé en 1951 dans le cadre du Festival of Britain afin de remonter le moral de la population d'après-guerre. Avec sa façade légèrement incurvée, en verre et pierre de Portland, il a été mieux accueilli par les Londoniens que ses voisins des années 1970. De récents travaux de rénovation (90 millions de livres) ont permis d'aménager de nouvelles voies piétonnes, des librairies, des magasins de musique et des boutiques d'alimentation, ainsi que le restaurant **Skylon** (p. 250).

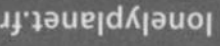

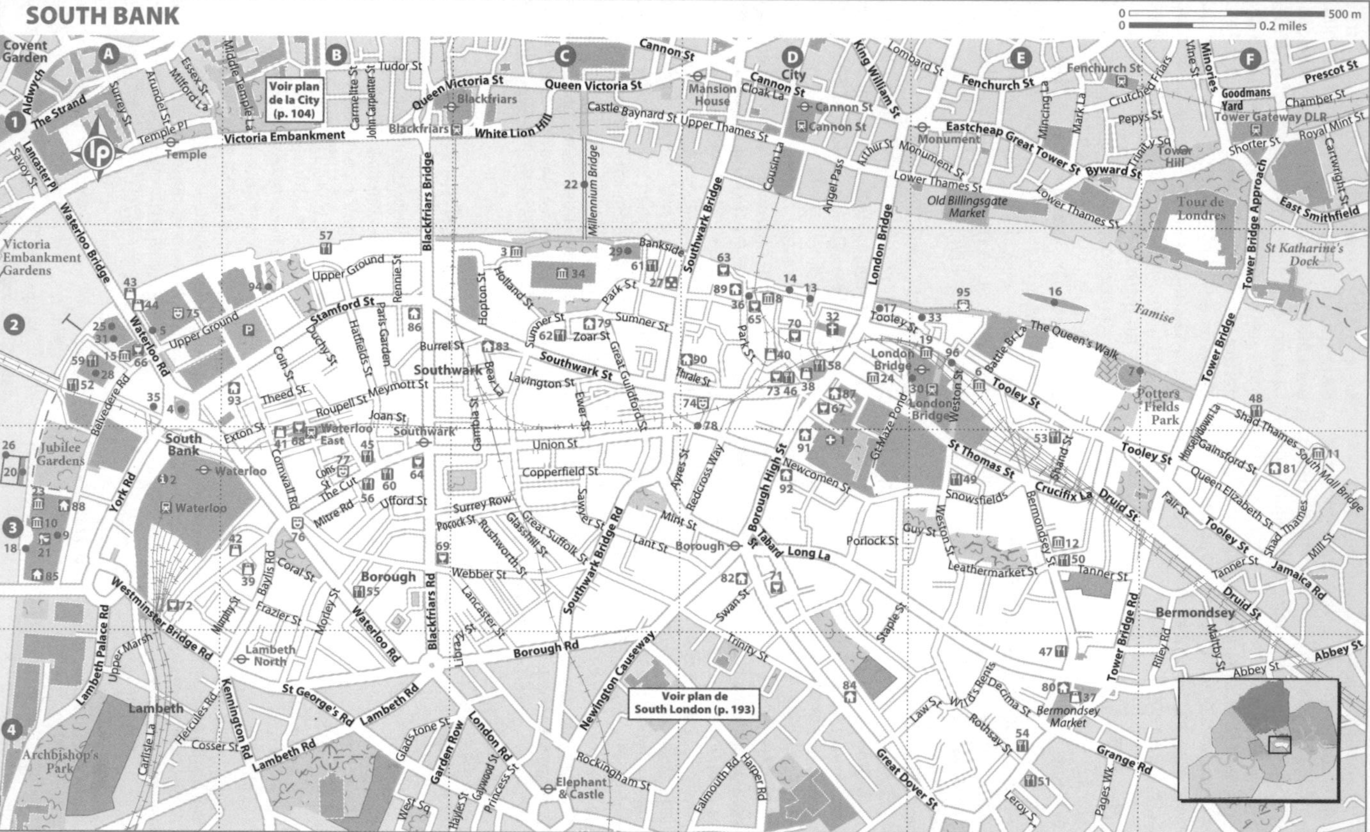
SOUTH BANK
0 500 m
0 0.2 miles
Voir plan de la City (p. 104)
Voir plan de South London (p. 193)
Covent Garden
Aldwych
The Strand
Lancaster Pl
Savoy St
Surrey St
Arundel St
Temple Pl
Temple
Milford La
Essex St
Middle Temple La
Victoria Embankment
Carmelite St
John Carpenter St
Tudor St
Blackfriars
Queen Victoria St
White Lion Hill
Castle Baynard St
Cannon St
Mansion House
Upper Thames St
Cloak La
City
Cousin La
Angel Pass
King William St
Arthur St
Monument
Monument St
Lower Thames St
Lombard St
Eastcheap
Fenchurch St
Great Tower St
Old Billingsgate Market
Mincing La
Mark La
Byward St
Pepys St
Crutched Friars
Trinity Sq
Tower Hill
Vine St
Minories
Goodmans Yard
Tower Gateway DLR
Chamber St
Royal Mint St
Prescot St
Cartwright St
East Smithfield
Shorter St
Tower Bridge Approach
Tower Bridge
Tour de Londres
St Katharine's Dock
Tamise
Waterloo Bridge
Victoria Embankment Gardens
Blackfriars Bridge
Millennium Bridge
Southwark Bridge
London Bridge
Waterloo Rd
Upper Ground
Stamford St
Duchy St
Coin St
Hatfields St
Paris Garden
Rennie St
Burrel St
Southwark St
Hopton St
Holland St
Sumner St
Bankside
Park St
Zoar St
Great Guildford St
Southwark
Meymott St
Joan St
Roupell St
Theed St
Waterloo East
The Cut
Cornwall Rd
Exton St
Waterloo
South Bank
Belvedere Rd
Jubilee Gardens
York Rd
Westminster Bridge Rd
Lambeth Palace Rd
Upper Marsh
Carlisle La
Lambeth
Archbishop's Park
Hercules Rd
Cosser St
Kennington Rd
Lambeth North
Murphy St
Baylis Rd
Coral St
Frazier St
Morley St
Mitre Rd
Ufford St
Cons St
Borough
St George's Rd
Lambeth Rd
Gladstone St
Garden Row
London Rd
Blackfriars Rd
Webber St
Pocock St
Surrey Row
Rushworth St
Glasshill St
Great Suffolk St
Library St
Lancaster St
Borough Rd
Gambia St
Bear La
Lavington St
Ewer St
Union St
Copperfield St
Sawyer St
Southwark Bridge Rd
Newington Causeway
Elephant & Castle
Rockingham St
Mint St
Lant St
Ayres St
Redcross Way
Thrale St
Borough High St
Tabard St
Swan St
Trinity St
Harper Rd
Falmouth Rd
Newcomen St
Long La
Porlock St
Guy St
St Thomas St
Gt Maze Pond
London Bridge
Tooley St
Weston St
Snowsfields
Leathermarket St
Bermondsey St
Crucifix La
Shand St
Battle Br La
The Queen's Walk
Potters Fields Park
Druid St
Tanner St
Tower Bridge Rd
Bermondsey
Maltby St
Abbey St
Riley Rd
Grange Rd
Pages Wk
Bermondsey Market
Decima St
Rothsay St
Law St
Staple St
Great Dover St
Leroy St
Fair St
Queen Elizabeth St
Gainsford St
Horselydown La
Shad Thames
South Moll Bridge
Mill St
Jamaica Rd
Wild's Rents
Princess St
Gaywood St
Hayles St
West Sq

Un peu au nord, le Queen Elizabeth Hall, deuxième plus grande salle de concert du centre, accueille orchestres de chambre, quartets, chœurs, ballets et même parfois des opéras. La Purcell Room est plus modeste.

La Hayward Gallery (☎ 0870 663 2509 ; www.southbankcentre.co.uk/find/hayward-gallery-visual-arts ; 7-9 £ ; 🕑 10h-18h, jusqu'à 22h ven) est un espace phare pour les grandes expositions d'art contemporain international. Sa forteresse de béton gris datant de 1968 s'harmonise parfaitement avec les œuvres modernes.

Le marché aux livres South Bank Book Market (🕑 11h-19h), où l'on trouve des gravures et des livres d'occasion, s'installe tous les jours en face du BFI Southbank (p. 315), sous les arcades du Waterloo Bridge.

BFI IMAX CINEMA Plan ci-contre

Renseignements et réservations ☎ 0870 787 2525 ; www.bfi.org.uk/imax ; 1 Charlie Chaplin Walk SE1 ; adulte/4-14 ans/senior et étudiant à partir de 9/5,75/6,25 £ ; 🕑 6 projections 11h-21h, projection suppl à 23h30 sam ; ⊖ Waterloo ; ♿

Le British Film Institute IMAX Cinema est installé sur un rond-point animé (qui devrait devenir piétonnier dans un avenir assez proche). On y projette les habituels documentaires 2D et en IMAX 3D sur les voyages, l'espace et les animaux, d'une durée de 40 minutes à 1 heure 30, ainsi que des gros succès comme *Star Trek* (la séance pour les DMR et films numériques coûte 13,50/8,75/9,75 £). Le bâtiment en forme de tambour est assis sur des "ressorts" destinés à réduire les vibrations

SOUTH BANK

RENSEIGNEMENTS
Guy's Hospital ... 1 D3
London Visitor Centre ... 2 A3
Office du tourisme de Southwark ... (voir 36)

À VOIR (p. 128)
Bankside Gallery ... 3 C2
BFI IMAX Cinema ... 4 A2
BFI Southbank ... 5 A2
Borough Market ... (voir 38)
Britain at War Experience ... 6 E2
City Hall ... 7 E2
Clink Prison Museum ... 8 D2
County Hall ... 9 A3
Dalí Universe & Fine Arts Gallery ... 10 A3
Design Museum ... 11 F3
Fashion & Textile Museum ... 12 E3
Golden Hinde ... 13 D2
Boutique du Golden Hinde (billetterie) ... 14 D2
Hayward Gallery ... 15 A2
HMS Belfast ... 16 E2
London Bridge Experience & Cellars ... 17 D2
London Duck Tours ... 18 A3
London Dungeon ... 19 E2
London Eye ... 20 A3
London Sea Life Aquarium ... 21 A3
Millennium Bridge ... 22 C1
Movieum ... 23 A3
National Theatre ... (voir 75)
Old Operating Theatre Museum & Herb Garret ... 24 D2
Purcell Room ... (voir 25)
Queen Elizabeth Hall ... 25 A2
RIB London Voyages ... 26 A3
Rose Theatre ... 27 C2
Royal Festival Hall ... 28 A2
Shakespeare's Globe ... 29 C2
Shard of Glass (London Bridge Tower) ... 30 E2
South Bank Book Market ... (voir 44)
Southbank Centre ... 31 A2
Southwark Cathedral ... 32 D2
St Olaf House ... 33 E2
Tate Modern ... 34 C2
Toploski Century ... 35 A2
Vinopolis ... 36 D2
Waterloo Millennium Pier ... (voir 20)

SHOPPING (p. 227)
Bermondsey Market ... 37 E4
Black + Blum ... (voir 57)
Borough Market ... 38 D2
Ian Allan ... 39 B3
Konditor & Cook ... 40 D2
Konditor & Cook ... 41 B3
Radio Days ... 42 B3
Riverside Walk ... 43 A2
South Bank Book Market ... 44 A2

OÙ SE RESTAURER (p. 250)
Anchor & Hope ... 45 B3
Applebee's Fish Café ... 46 D2
Bermondsey Kitchen ... 47 E4
Borough Market ... (voir 38)
Butler's Wharf Chop House ... 48 F2
Champor-Champor ... 49 E3
Garrison Public House ... 50 E3
Hartley ... 51 E4
Konditor & Cook ... (voir 41)
Le Pain Quotidien ... 52 A2
Magdalen ... 53 E3
Manze's ... 54 E4
Masters Super Fish ... 55 B3
Mesón Don Felipe ... 56 B3
Oxo Tower Restaurant & Brasserie ... 57 B2
Roast ... 58 D2
Skylon ... 59 A2
Tas ... 60 B3
Tas Pide ... 61 C2
Tsuru ... 62 C2

OÙ PRENDRE UN VERRE (p. 284)
Anchor Bankside ... 63 D2
Baltic ... 64 B3
Bar Blue ... 65 D2
Concrete ... 66 A2
George Inn ... 67 D2
King's Arms ... 68 B3
Laughing Gravy ... 69 B3
Rake ... 70 D2
Royal Oak ... 71 D3
Scooterworks ... 72 A3
Wine Wharf ... 73 D2

OÙ SORTIR (p. 310)
Royal Festival Hall ... (voir 28)

ARTS (p. 312)
Menier Chocolate Factory ... 74 D2
National Theatre ... 75 A2
Old Vic ... 76 B3
Shakespeare's Globe ... (voir 29)
Southbank Centre ... (voir 31)
Southwark Cathedral ... (voir 32)
Young Vic ... 77 B3

SCÈNE GAY ET LESBIENNE (p. 332)
XXL ... 78 D2

OÙ SE LOGER (p. 349)
Bankside House ... 79 C2
Bermondsey Square Hotel ... 80 E4
Butler's Wharf Residence ... 81 F3
Dover Castle Hostel ... 82 D3
Express by Holiday Inn ... 83 C2
Great Dover St Apartments ... 84 D4
London Marriott County Hall ... 85 A3
Mad Hatter ... 86 B2
Orient Espresso ... 87 D2
Premier Inn ... 88 A3
Premier Inn ... 89 D2
Southwark Rose Hotel ... 90 D2
St Christopher's Inn ... 91 D3
St Christopher's Village ... 92 D3
Stamford St Apartments ... 93 B2

TRANSPORTS (p. 383)
London Bicycle Tour Company ... 94 B2
London Bridge City Pier ... 95 E2
On Your Bike ... 96 E2

causées par la circulation au-dessus et le métro en dessous. La nuit, sa façade change de couleur. C'est la plus grande salle du pays avec 477 places et un écran de 20 m de haut sur 26 m de large.

NATIONAL THEATRE Plan p. 130

☎ 7452 3000 ; www.nationaltheatre.org.uk ; South Bank SE1 ; ⊖ Waterloo ; ♿

Cet étendard du théâtre britannique comprend trois auditoriums : l'Olivier, le Lyttelton et le Cottesloe. Ouvert en 1976 et modernisé il y a une dizaine d'années grâce à des travaux s'élevant à 42 millions de livres, il a connu une véritable renaissance artistique sous la direction de Nicholas Hytner. Des visites des coulisses (adulte/tarif réduit/famille 5,90/4,90/12,70 £ ; 🕓 6 visites/jour lun-ven, 2/jour sam, 1/jour dim)) de 1 heure 15 sont également proposées ; consultez le site Internet pour les horaires exacts.

BANKSIDE ET SOUTHWARK

Ayant toujours échappé à l'administration de la City, Bankside fut à l'époque élisabéthaine le Sodome et Gomorrhe de Londres – un sulfureux rassemblement de maisons closes, de fosses pour les combats d'ours et de prisons. Les théâtres étant interdits dans la City, le Globe Theatre et le Rose Theatre furent construits ici. Aujourd'hui, les divertissements du quartier ont gagné en distinction : le Globe est devenu respectable et une centrale électrique désaffectée abrite la galerie d'art moderne la plus courue du monde (et le site le plus visité de Londres).

TATE MODERN Plan p. 130

Renseignements et réservations ☎ 7887 8000 ; www.tate.org.uk ; Queen's Walk SE1 ;entrée libre, expositions spéciales 8-10 £ ; 🕓 10h-18h dim-jeu, 10h-22h ven-sam ; ⊖ St Paul's/Southwark/London Bridge ; ♿

L'engouement du public pour cette extraordinaire galerie d'art moderne ne semble pas près de retomber, une décennie après son ouverture. Des critiques d'art reconnus ont parfois pourfendu son populisme, en particulier l'"art participatif" exposé dans la salle des Turbines, le Turbine Hall : les diapos de Carl Höller connues sous le nom de *Test Site*, *The Weather Project* d'Olafur Eliasson, l'énorme fissure dans le sol baptisée *Shibboleth* et *Bodyspacemotionthing* de Doris Salcedo, et la sculpture géométrique "escaladable" de Robert Morris, exposée pour la première fois à Londres en 1971 et recréée en 2009. Cela dit, les quelque 5 millions de visiteurs annuels qui érigent la Tate Modern au rang de galerie contemporaine la plus appréciée de Londres ne semblent pas du même avis. Aussi incroyable que cela puisse paraître, le British Museum ne vient qu'en deuxième position.

Dans un sens, les critiques n'ont cependant pas tort : en réalité, cet "effet Tate Modern" tient davantage au bâtiment et à son emplacement qu'aux œuvres, principalement du XXe siècle, exposées là. En transformant la Bankside Power Station désaffectée, construite entre 1947 et 1963 et fermée en 1981, les grands architectes suisses Herzog et de Meuron ont remporté le prix Pritzker (2001), la plus prestigieuse récompense d'architecture. Ils ont conservé la cheminée centrale, rehaussé le bâtiment de deux étages tout de verre habillé et réaménagé la vaste salle des Turbines (Turbine Hall) en un hall d'entrée époustouflant : un coup de maître ! Et puis, il y a bien sûr la vue splendide sur la Tamise et la cathédrale Saint-Paul, notamment depuis l'Espresso bar du 4e. Le musée abrite également un café au 2e et des espaces où se reposer en surplomb du Turbine Hall. À l'angle sud-est, une extension spectaculaire en verre de 11 étages, aux lignes imbriquées de blocs et de pentes, conçue par les mêmes architectes, est prévue pour 2012.

La collection permanente occupant les niveaux 3 et 5 est présentée à la fois par thème et par ordre chronologique. Ainsi, *States of Flux* est consacré aux mouvements d'avant-garde du début du XXe siècle, dont le cubisme et le futurisme, *Poetry and Dream* au surréalisme à travers des thèmes et des techniques variées, et *Material Gestures* à la peinture et à la sculpture européennes et américaines des années 1940-1950. La nouvelle galerie *Energy and Process* met à l'honneur l'*Arte Povera*, l'art révolutionnaire des années 1960.

Plus de 60 000 œuvres tournent sans cesse, les conservateurs ayant à leur disposition des tableaux de Georges Braque, Henri Matisse, Piet Mondrian, Andy Warhol, Mark Rothko, Roy Lichtenstein et Jackon Pollock, ainsi que des pièces de Joseph Beuys, Marcel Duchamp, Damien Hirst, Rebecca Horn, Claes Oldenburg et Auguste Rodin. Au niveau 4, réservé aux expositions spéciales, des rétrospectives ont été consacrées dans le passé à Edward Hopper, Frida Kahlo, August Strindberg, au nazisme et à l'art "dégénéré", aux "mauvais garçons" Gilbert & George, ansi qu'aux constructivistes russes Alexandre Rodchenko et Lioubov Popova. Des audioguides proposant quatre circuits différents sont disponibles moyennant 2 £. Des visites guidées des principales attractions (gratuites) partent tous les jours à 11h, 12h, 14h et 15h.

La navette fluviale Tate Boat (www.tate.org.uk/tatetotate ; aller adulte/5-16 ans/étudiant 5/2,50/3,35 £ ; ttes les 40 min 10h10-16h50) relie la Tate Modern (Bankside Pier) à la Tate Britain (Millennium Pier). Le bateau au départ de la Tate Britain circule de 10h30 à 17h10, tous les jours, également toutes les 40 minutes. Réductions pour les détenteurs de la Travelcard.

SHAKESPEARE'S GLOBE Plan p. 130

☎ 7902 1400, réservations 7401 9919 ; www.shakespeares-globe.org ; 21 New Globe Walk SE1 ; exposition et visite guidée du théâtre adulte 7,50-10,50 £, 5-15 ans 4,50-6,50 £, senior et étudiant 6,50-8,50 £, famille 20-28 £ ; 9h-12h30 et 13h-17h lun-sam, 9h-11h30 et 12h-17h dim fin avr à mi-oct, 9h-17h mi-oct à fin avr ; ⊖ St Paul's/London Bridge ;

Le Shakespeare's Globe comprend le Globe Theatre reconstruit et, en dessous, une galerie d'exposition, dont l'entrée permet la visite guidée du théâtre (départ toutes les 15-30 minutes), sauf les jours où ont lieu des matinées ; la visite, moins chère, se déroule alors au proche Rose Theatre (ci-contre). La galerie est consacrée au Londres élisabéthain, à l'art théâtral et au combat pour la reconstruction du Globe au XXe siècle. Les effets spéciaux et les costumes d'époque sont particulièrement intéressants, tout comme les enregistrements de certaines des meilleures représentations des pièces de Shakespeare.

Le Globe original – connu sous le nom de "Wooden O" (O de bois) en raison de sa forme circulaire dont le centre est à ciel ouvert – fut construit en 1599 avec du bois récupéré du Theatre situé sur Curtain Rd, dans Shoreditch, démoli en 1576. Le Globe fut fermé en 1642, après que la guerre civile anglaise eut été remportée par les puritains, qui considéraient les théâtres comme d'épouvantables lieux de perdition. Deux ans après, il fut démoli. En dépit de l'immense popularité de Shakespeare dans le monde, qui ne faiblit jamais au cours des siècles, le Globe n'était plus qu'un souvenir lointain quand un acteur américain, Sam Wanamaker (devenu plus tard réalisateur), commença à en rechercher les traces en 1949. Le fait que ses fondations aient disparu sous une rangée de maisons georgiennes classées ne le découragea pas. En 1970, il fonda le Globe Playhouse Trust et commença à réunir les fonds nécessaires pour reconstruire un théâtre à la mémoire de l'ancien. Le chantier commença en 1987, à quelque 200 m du site original du Globe, mais Wanamaker mourut quatre ans avant son ouverture, en 1997.

Le nouveau Globe a été minutieusement reconstruit avec 600 chevilles en chêne (la structure ne contient pas un seul clou, ni la moindre vis), des briques cuites comme à l'époque des Tudors, et du chaume du Norfolk, que les pigeons sont censés ne pas aimer. On poussa même le souci d'authenticité jusqu'à mélanger au plâtre des poils de chèvre, de la chaux et du sable, comme on le faisait au temps de Shakespeare. Contrairement aux autres théâtres où se joue Shakespeare, le Globe est une réplique fidèle de l'original, ce qui n'est pas sans présenter quelques inconvénients : l'arène à ciel ouvert retentit des vrombissements des avions et les 700 places du parterre où l'on se tient debout sont souvent balayées par la pluie. Les deux "authentiques" colonnes corinthiennes en faux marbre masquent aussi une bonne partie de la vue aux spectateurs les plus proches de la scène. Le Swan at the Globe gère un pub au niveau de la Piazza et une brasserie ouverte midi et soir (déjeuner seulement le dimanche). Depuis le premier étage, le point de vue sur la Tamise et la City est fabuleux.

ROSE THEATRE Plan p. 130

☎ 7902 1400 ; www.rosetheatre.org.uk ; 56 Park St SE1 ; adulte/5-15 ans/senior et étudiant/famille 7,50/4,50/6,50/20 £ ; 13h-17h lun-sam, 12h-17h dim fin avr à mi-oct ; ⊖ London Bridge ;

Le Rose, pour lequel Christopher Marlowe et Ben Jonson écrivirent leurs plus belles pièces, et où Shakespeare apprit son art, est unique par ses fondations d'origine du XVIe siècle qui furent mises à jour. Découvertes en 1989 sous un immeuble de bureaux proche du Southwark Bridge, elles ont été recouvertes d'une couche protectrice de béton. Géré par le Globe Theatre voisin, le Rose est uniquement ouvert au public quand des matinées ont lieu dans le premier, et ne se visite qu'en groupe.

MILLENNIUM BRIDGE Plan p. 130

Inauguré en l'an 2000, le Millenium Bridge est sans conteste le plus utile des projets dits du Millennium. Il permet désormais le passage de la rive sud de la Tamise à la rive nord, entre la Tate Modern et les marches de Peter's Hill au pied de la cathédrale Saint-Paul. L'élégante passerelle piétonne, œuvre de sir Norman Foster et d'Antony Caro, est très spectaculaire, surtout lorsqu'elle est illuminée la nuit par des fibres optiques. La vue sur Saint-Paul côté Southbank est devenue l'une des images emblématiques de Londres. Le Millennium Bridge était pourtant parti d'un mauvais pied, ayant dû être fermé trois jours après son ouverture en juin 2000 en raison des alarmantes vibrations provoquées par le passage des piétons. Des travaux d'une durée de 18 mois et d'un montant de quelque 5 millions de livres ont remédié au problème.

GOLDEN HINDE Plan p. 130

☎ 7403 0123, réservations 0870 011 8700 ; www.goldenhinde.com ; St Mary Overie Dock, Cathedral St SE1 ; adulte/tarif réduit /famille 7/5/20 £ ; 10h-17h30 ; ⊖ London Bridge

Certes, on dirait une attraction de parc à thème, et les enfants l'adorent. Mais sitôt sur le pont de cette réplique du fameux vaisseau Tudor de sir Francis Drake, on est immédiatement saisi d'une grande admiration pour l'amiral et ses 40 à 60 marins – d'assez petite taille : 1 m 60 en moyenne. Ce petit galion hébergea Drake et ses compagnons durant plus de trois ans, de 1577 à 1580, alors qu'ils étaient les premiers navigateurs à effectuer le tour du monde en bateau. En découvrant ce navire reconstitué, on ne peut que s'émerveiller : l'équipage actuel, de taille bien supérieure à celui d'origine, a sorti en mer cette réplique d'à peine 37 m de long au fil des 20 années qui suivirent son inauguration en 1973.

Les billets s'achètent à la Golden Hinde Shop (Pickfords Wharf, 1 Clink St SE1). Vous pouvez aussi passer la nuit à bord moyennant 39,95 £ par personne, dîner (ragoût et pain) et petit-déjeuner (pain et fromage) compris.

VINOPOLIS Plan p. 130

☎ 0870 241 4040, réservations 7940 8300 ; www.vinopolis.co.uk ; 1 Bank End SE1 ; visites guides 19,50-32,50 £ ; 12h-22h lun, jeu et ven, 11h-21h sam, 12h-18h dim ; ⊖ London Bridge ; ♿

Vinopolis, qui s'étend sous plus d'un hectare de voûtes ferroviaires datant de l'époque victorienne dans Bankside, témoigne de l'amour des Londoniens pour le vin. Une visite guidée des lieux fournit un aperçu assez sommaire du monde des vins. Cependant, si vous avez suffisamment de temps et de patience, et que vous souhaitez en apprendre davantage sur la production viticole et les variétés régionales du monde entier, de la France à l'Afrique du Sud, de la Californie à l'Australie (et de quelques pays moins connus comme la Thaïlande et la Géorgie) vous ne serez pas déçu. Sachez toutefois que l'audioguide est indispensable pour comprendre le sens de l'exposition. Le visiteur découvre l'histoire du vin, les vignobles, les variétés de raisin, les caractéristiques régionales et l'harmonie des mets et des vins. Toutes les visites, notamment le Vinopolis Grapevine (19,50 £), comportent au moins 5 dégustations à différents points du circuit. Les visites Vinopolis Vineyard (25 £), Spirit of Vinopolis (27,50 £) et Vinopolis Celebration (32,50 £) incluent des dégustations de vins supplémentaires et la découverte d'autres alcools.

CLINK PRISON MUSEUM Plan p. 130

☎ 7403 0900 ; www.clink.co.uk ; 1 Clink St SE1 ; adulte/tarif réduit/famille 5/3,50/12 £ ; 10h-18h lun-ven, 10h-19h sam-dim ; ⊖ London Bridge

Voici donc la célèbre prison dont le nom a donné naissance à l'expression "in the clink" (en prison). Située dans le parc de Winchester Palace, une zone de 32 hectares appelée Liberty of the Clink administrée non pas par la ville mais par les évêques de Winchester, c'était autrefois un cachot privé où étaient enfermés prostituées, débiteurs, voleurs et même des comédiens. À l'intérieur, le petit musée sombre, qui avait bien besoin d'un coup de neuf lors de notre passage, témoigne des conditions de vie misérables des prisonniers, obligés de payer leur nourriture et leur "logement", et expose quelques instruments de torture.

BANKSIDE GALLERY Plan p. 130

☎ 7928 7521 ; www.banksidegallery.com ; 48 Hopton St SE1 ; entrée libre ; 11h-18h ; ⊖ St Paul's/Southwark/London Bridge ; ♿

Siège de la Royal Watercolour Society et de la Royal Society of Painter-Printmakers, cette plaisante galerie à la mode ne possède pas de collection permanente. Ses expositions tournantes présentent aquarelles, planches imprimées et gravures. Téléphonez ou consultez le site Internet pour le programme : lors de soirées, des artistes viennent parfois présenter leur travail.

BOROUGH ET BERMONDSEY

Bien que certains endroits de ces deux quartiers soient encore assez décrépits, la zone est une valeur de plus en plus sûre. Ceux qui font la mode vous diront que ce sera bientôt "le nouveau Hoxton". Toutes les conditions sont en effet réunies : un marché branché, une communauté d'artistes vivant dans des bâtiments aménagés en lofts (comme dans l'ancienne usine à confitures Hartley), et un nombre croissant de gastropubs, restaurants et cafés branchés, sur et dans les environs de la très prisée Bermondsey St. Le HMS *Belfast*, le London Bridge Experience et plusieurs musées du quartier, notamment le Fashion & Textile Museum de la créatrice Zandra Rhodes, valent aussi la peine d'être explorés.

SOUTHWARK CATHEDRAL Plan p. 130

☎ 7367 6700 ; www.southwark.anglican.org/cathedral ; Montague Close SE1 ; entrée libre, contribution suggérée 4 £ ; ⏲ 8h-18h lun-ven, 9h-18h sam-dim ; ⊖ London Bridge ; ♿

La structure la plus ancienne de cette cathédrale relativement petite est le charmant retrochoir (arrière-chœur), à l'extrémité est, qui abrite quatre chapelles et faisait partie au XIIIe siècle du prieuré St Mary over the Water (St Mary Overie). Cependant, la majeure partie de l'édifice, dont la nef, est de style victorien (1897).

Vous entrez par le portail sud-ouest et, immédiatement à gauche, se dresse le Marchioness memorial, monument à la mémoire des 51 victimes du *Marchioness*, un bateau de touristes qui heurta un dragueur sur la Tamise, près du Southwark Bridge, en 1989. Remontez l'aile nord de la nef et, sur votre gauche, vous découvrirez le tombeau à baldaquin et aux couleurs vives de John Gower, poète du XIVe siècle qui fut le premier à écrire en anglais. Le transept nord abrite aussi une plaque à la mémoire de Lionel Lockyer (un docteur charlatan célèbre pour ses pilules) et une épitaphe pleine d'humour. Sur le côté est du transept nord, vous trouverez la Harvard Chapel, nommée d'après John Harvard, le fondateur de l'université éponyme à Cambridge, dans le Massachusetts, qui fut baptisé ici en 1607.

Pénétrez dans le chœur pour admirer le grand écran, datant du XVIe siècle, qui le sépare de l'arrière-chœur, cadeau de l'évêque de Winchester en 1520. Sur le sol du chœur, sous les orgues, une plaque indique le tombeau d'Edmond Shakespeare, acteur et frère du grand homme, mort en 1607.

Dans l'aile sud de la nef, un monument à William Shakespeare, en albâtre vert, montre le dramaturge allongé devant un relief du Globe Theatre original et de la Southwark Cathedral. Au-dessus, sur le vitrail dessiné par Christopher Webb, on aperçoit des personnages des *Songes d'une nuit d'été*, de *Hamlet* et de *La Tempête*. À côté du monument, une plaque à la mémoire de Sam Wanamaker (1919-1993), l'acteur et réalisateur américain à l'origine de la reconstruction du Globe Theatre.

LONDON BRIDGE EXPERIENCE ET LONDON TOMBS Plan p. 130

☎ 0800 043 4666 ; www.londonbridgeexperience.com ; 2-4 Tooley St SE1 ; adulte/moins de 16 ans/tarif réduit/famille 21,95/16,95/17,95/64,95 £ ; ⏲ 10h-18h ; ⊖ London Bridge

La dernière attraction de Londres, qui mêle histoire et hystérie, "éducation et divertissement" ("*edutainement*", comme on appelle ici un phénomène qui se répand malheureusement), est de loin la plus effrayante. Installée sous les voûtes du New London Bridge (1831), la partie historique vous fera voyager à travers les époques les plus célèbres de la capitale – des Romains aux Vikings, de l'"Old London Bridge" (1209) de Peter de Colechurch, avec tous ses commerces, à l'Américain Robert McCulloch, qui paya 2,50 $US en 1967 pour transporter le pont démantelé jusqu'en Arizona. Le spectacle s'adressant avant tout aux enfants, l'accent est mis sur des personnages comme le "Keeper of the Heads" dont la tâche consiste à conserver les têtes (momifiées) des personnes exécutées, qui étaient exposées sur le pont. À la fin de cette leçon d'histoire somme toute légère, vous descendrez à la découverte d'une série de tombeaux et de fosses communes de pestiférés remontant au XIVe siècle, qui ne manquent pas de jouer sur toutes les peurs qui sont en nous. Préparez-vous à subir l'obscurité, les rongeurs (animés électroniquement), la claustrophobie (vous devrez vous faufiler dans un tunnel gonflable) et les zombis (d'habiles comédiens) qui tenteront de vous effrayer en sautant devant, derrière et sur les côtés. Nous en tremblons encore. Économisez jusqu'à 50% en réservant en ligne.

LONDON DUNGEON Plan p. 130

☎ 7403 7221, réservations 0871 423 2240 ; www.thedungeons.com ; 28-34 Tooley St SE1 ; adulte/5-15 ans/tarif réduit 21,95/15,95/19,95 £ ; ⏲ 10h30-17h ; ⊖ London Bridge

Sous les arches du pont du chemin de fer sur Tooley St, le London Dungeon, dit-on, vit le jour quand un enfant se plaignit à ses parents que la Chambre des Horreurs de Madame Tussaud's n'était pas assez effrayante. Le but n'a pas été atteint, mais quelle poule aux œufs d'or !

La visite débute par une promenade dans un labyrinthe de miroirs (*the Labyrinth of the Lost*). Viennent ensuite une valse parmi les aliénés de Bedlam, un petit séjour dans une chambre de torture, une échappée "à travers" le Grand Incendie de Londres (les flammes étant représentées par des pans de tissu peints et balayés en tous sens...). Vous attendent encore le diabolique barbier de Fleet St, Sweeney Todd, et Jacques l'Éventreur, le fameux tueur en série de l'époque victorienne, les mains encore dégoulinantes du sang des cinq prostituées qu'il coupa en morceaux. La nouvelle attraction, *Surgery: Blood & Guts* (chirurgie : sang et entrailles) s'inspire de l'Old Operating Theatre Museum, juste à l'angle.

Les meilleurs moments, cependant, sont vaudevillesques : être condamné à mort par un juge à perruque fou, pour des crimes inventés de toutes pièces, ou traverser la Traitor's Gate à bord de la barge du bourreau. Une nouvelle attraction vous sauvera in extremis d'un saut vers la mort au bout de la corde du pendu.

Afin d'éviter les impressionnantes files d'attente pour ce festival de l'épouvante qui dure 90 minutes, mieux vaut acheter ses billets en ligne. En fonction du créneau horaire choisi, le prix des billets peut tomber à 16,95/10,95/13,95 £ pour les adultes/enfants de 5-15 ans/tarif réduit. Les horaires varient dans l'année : consultez le site Internet.

HMS BELFAST Plan p. 130

☎ 7940 6300; www.hmsbelfast.iwm.org.uk; Morgan's Lane, Tooley St SE1; adulte/moins de 16 ans/tarif réduit 10,70/gratuit/8,60 £ ; 🕑 18h mars-oct, 10h-17h nov-fév ; ⊖ London Bridge

Ancré au milieu de la Tamise, en face du Potters Fields Park, le HMS *Belfast* est un fantastique jouet pour les enfants de tous les âges. Sorti en 1938 des chantiers navals Harland & Wolff de Belfast, il servit pendant la Seconde Guerre mondiale, notamment au cours du débarquement, et pendant la guerre de Corée.

Le croiseur n'intéressera pas seulement ceux qui aiment la marine car, avec ses cinq ponts et ses quatre plates-formes, il offre une description passionnante de la vie à bord d'un bateau de guerre, de la salle des chaudières aux cabines. La salle des opérations a été reconstruite afin de montrer le rôle que joua ce navire dans la bataille du cap Nord en 1943, au large de la Norvège : c'est en effet le HMS *Belfast* qui coula le navire de guerre allemand *Scharnhorst*. Vous aurez la possibilité de visiter la cabine de l'amiral et de vous asseoir dans son fauteuil ; sur le pont supérieur, vous pourrez faire semblant de viser avec les canons.

BRITAIN AT WAR EXPERIENCE Plan p. 130

☎ 7403 3171 ; www.britainatwar.co.uk ; 64-66 Tooley St SE1 ; adulte/5-15 ans/tarif réduit/famille 11,45/5,50/6,50/29 £ ; 🕑 10h-17h avr-oct, 10h-16h30 nov-mars ; ⊖ London Bridge

Sous une autre arche du chemin de fer, sur Tooley St, le musée Britain at War Experience a pour but de faire connaître aux nouvelles générations comment la Seconde Guerre mondiale affecta la vie quotidienne des Londoniens, tout en jouant sur la fibre de la nostalgie pour la génération qui a connu cette période. Ce musée, qui rend hommage au courage des gens ordinaires, est bien pensé – bien que certaines attractions plutôt désuètes vous donnent l'impression d'être dans un téléfilm à petit budget.

Vous descendrez en ascenseur jusqu'à la réplique d'une station de métro, équipée de bas-flanc, de distributeurs de thé, de masques à gaz et même d'une bibliothèque de prêt (comme certains stations en possédèrent, qui servaient pendant les attaques aériennes), avant de passer dans les salles remplies d'objets d'époque : unes de journaux, affiches et carnets de rationnement du ministère de l'Alimentation. Un studio de radio de la BBC diffuse des discours prononcés, entre autres figures nationales ou internationales, par Winston Churchill et Edward Murrow, ou par Hitler et Lord Haw Haw. Le Rainbow Corner est la reconstitution d'un club fréquenté par les GI's américains. Enfin, vous remonterez à la surface dans les décombres encore fumants d'une boutique détruite par une bombe, au milieu des sauveteurs qui évacuent blessés – et morts.

OLD OPERATING THEATRE MUSEUM ET HERB GARRET Plan p. 130

☎ 7188 2679 ; www.thegarret.org.uk ; 9a St Thomas St SE1 ; adulte/moins de 16 ans/tarif réduit/famille 5,60/3,25/4,60/13,75 £ ; 🕑 10h30-17h ; ⊖ London Bridge

Dans la tour de St Thomas Church (1703), en haut d'un escalier étroit aux 32 marches usées, vous débouchez dans un remarquable musée, mais quel thème ! Celui des épouvantables traitements médicaux en vogue dans les hôpitaux du XIXe siècle. La mansarde (*herb garret*), utilisée par l'apothicaire de St Thomas Hospital, rend heureusement hommage à des thérapies plus douces. Les bouquets de plantes aromatiques accrochés dans le musée atténuent l'effet que produisent les objets horribles qui sont présentés.

Le clou du musée est certainement l'ancienne salle d'opération victorienne, adjacente à la mansarde. Vous verrez des instruments tranchants et effrayants utilisés par les médecins du XIXe siècle, et pourrez observer les conditions très sommaires dans lesquelles ils opéraient : sans asepsie, ni anesthésie, sur une table en bois placée au centre de ce qui ressemble à un amphithéâtre universitaire. Les chirurgiens devaient faire au plus vite : une minute était préconisée pour une amputation. Une boîte de sciure était placée sous la table pour recevoir le sang et les organes enlevés. Les récits de l'époque décrivent les tabliers des chirurgiens "raides et puants de pus et de sang". Le samedi à 14h, une conférence et une démonstration vous éclaireront sur cette chirurgie victorienne contre la montre, et le dimanche à la même heure, vous en saurez plus sur la fabrication des médicaments de l'époque.

FASHION & TEXTILE MUSEUM Plan p. 130

☎ 7407 8664 ; www.ftmlondon.org ; 83 Bermondsey St SE1 ; adulte/tarif réduit/moins de 12 ans 5/3 £/gratuit ; 🕑 11h-18h mer-dim ; ⊖ London Bridge ; ♿

À l'avant-garde de la mode de rue, riche en créateurs tels que Stella McCartney, Matthew Williamson et Vivienne Westwood, Londres est l'un des temples de la mode et le projet de Zandra Rhodes, la créatrice aux cheveux roses, a ici toute sa raison d'être. L'intérieur sobre en béton tranche avec les audacieuses couleurs orange et rouge de l'édifice, et les pièces sont exposées au rez-de-chaussée et sur la mezzanine. Pas de collection permanente, mais des expositions trimestrielles, dont, récemment, une rétrospective sur la mode suédoise et une autre sur l'évolution des sous-vêtements.

DESIGN MUSEUM Plan p. 130

☎ 7403 6933, renseignements (boîte vocale) 0870 833 9955 ; www.designmuseum.org ; 28 Shad Thames SE1 ; adulte/moins de 12 ans/étudiant/tarif réduit 8,50/gratuit/5/6,50 £ ; 🕑 10h-17h45 ; ⊖ Tower Hill/London Bridge ; ♿

Fondé par sir Terence Conran dans un entrepôt des années 1930, le Design Museum propose un programme tournant d'expositions consacrées au design contemporain. À la fois populistes et populaires, les dernières ont abordé toutes sortes de sujets, des chaussures Manolo Blahnik aux voitures de Formule 1, du centenaire de la Ford T au Velcro, ce matériau miracle. Au rez-de-chaussée, vous trouverez un café décontracté, le White Café (🕑 10h-17h30) et, à l'étage, un établissement plus formel, le Blue Print Café. Il est prévu que le musée déménage d'ici deux ou trois ans dans l'ancien Commonwealth Institute (plan p. 182 ; Kensington High St W8 ; ⊖ High Street Kensington), dans le Holland Park.

BOROUGH MARKET Plan p. 130

☎ 7407 1002 ; www.boroughmarket.org.uk ; angle Southwark St et Stoney St SE1 ; 🕑 11h-17h jeu, 12h-18h ven, 9h-16h sam ; ⊖ London Bridge

Le "garde-manger" de Londres, présent ici sous différentes formes depuis le XIIIe siècle, a connu un immense renouveau ces dernières années. Il attire aujourd'hui une foule de gourmets, confirmés ou amateurs, ainsi que nombre de touristes. Voir aussi p. 263.

SOUTH BANK

Promenade

1 County Hall

En face des Houses of Parliament, de l'autre côté du Westminster Bridge, ce bâtiment monumental (p. 129) fut le siège du gouvernement local de Londres de 1922 à 1986, date à laquelle le Premier ministre Margaret Thatcher supprima le Greater London Council. Il abrite aujourd'hui des musées et des hôtels.

2 BFI Southbank

Le nouveau siège rutilant tant attendu du British Film Institute (p. 131), sur South Bank, ravit autant les amateurs que les historiens. Chaque année, ses quatre salles projettent des milliers de films, et la médiathèque permet d'en visionner d'autres sortis des archives.

3 Millennium Bridge

Élégante "lame de lumière" dessinée par sir Norman Foster, cette passerelle piétonne (p. 133) reliant les rives nord et sud de la Tamise réunit toutes les vertus que l'on attend de l'architecture contemporaine : modernité, esthétique et fonctionnalité.

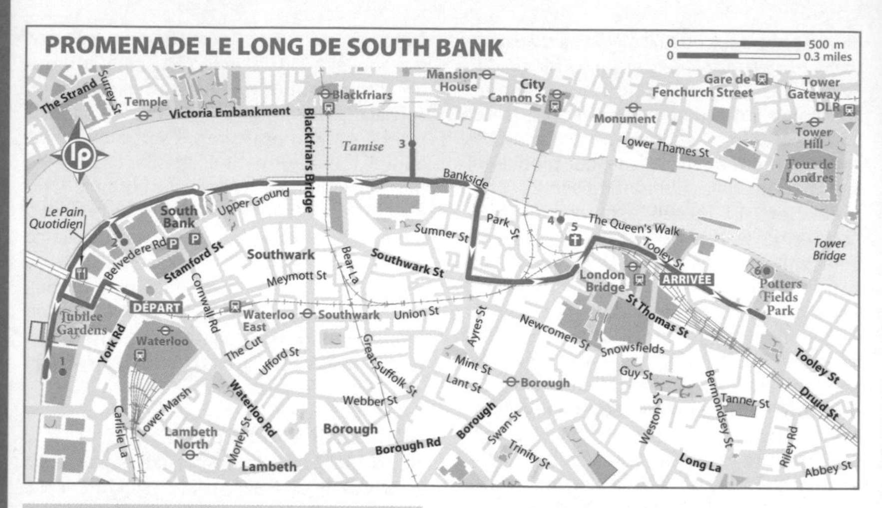

À PIED

Départ Station de métro Waterloo
Arrivée Station de métro London Bridge
Distance 2,5 km
Durée 2 heures
Pause ravitaillement Le Pain Quotidien (p. 249)

Elle est empruntée tous les jours par quelque 10 000 personnes.

4 Golden Hinde

Depuis l'incendie qui endommagea le *Cutty Sark* (p. 185), le **Golden Hinde** (p. 134) est le seul navire à voiles ouvert aux visiteurs dans une ville qui fut pourtant jadis le plus grand et le plus riche port du monde. Le galion est petit mais sa visite est fascinante.

5 Southwark Cathedral

Parfois appelée la "Cendrillon des cathédrales anglaises", **Southwark** (p. 135) est souvent délaissée des touristes. Pourtant, elle mérite une visite, notamment en raison de ses connotations historiques. Un monument à Shakespeare, qui destinait à l'origine ses plus grands chefs-d'œuvre aux théâtres aux alentours de Bankside, y occupe une place de choix.

6 City Hall

Surnommé l'œuf – ou le testicule par certains… – en raison de sa forme globulaire, ce **bâtiment de verre** (☎ 7983 4100 ; www.london.gov.uk ; The Queen's Walk SE1 ; entrée libre ; 🕐 8h30-18h lun-jeu, 8h30-17h30 ven ; ⊖ Tower Hill/London Bridge ; ♿) ressemble aussi à un scaphandre d'astronaute. Il abrite une spectaculaire rampe en spirale qui s'élève de la salle d'assemblée jusqu'au toit, récemment équipé de panneaux solaires.

DE HYDE PARK À CHELSEA

Où prendre un verre p. 286 ; Où se restaurer p. 253 ; Shopping p. 228 ; Où se loger p. 351

Le secteur qui s'étend entre Hyde Park – le plus vaste parc royal de Londres – et Chelsea se caractérise par son élégance. En effet, de tous les quartiers du centre de Londres, c'est Kensington et Chelsea qui remportent la palme du brut moyen le plus élevé. Mais au-delà des propriétés de millionnaires et des boutiques glamour, ce secteur abrite également certains des sites les plus importants de la capitale, notamment des musées, et une population des plus cosmopolites.

Depuis le début du XVIe siècle, époque à laquelle le chancelier (et futur martyr) Thomas More s'y est installé, Chelsea a toujours figuré parmi les quartiers les plus en vogue de Londres. À la fois proche de la City et de Westminster et en retrait derrière un large méandre du fleuve, ce "village de palais" devint l'un des lieux de résidence les plus prisés de la capitale. Après son absorption par l'agglomération du Grand Londres au XXe siècle, le quartier sut conserver son ambiance aristocratique, parvenant même à lui adjoindre un côté bohème. Sa principale artère, King's Road (ci-dessous), joua un rôle essentiel au cours des *Swinging sixties*, et Chelsea participa activement au mouvement punk dans les années 1970.

La sélection
À VOIR DANS LES MUSÉES DE SOUTH KENSINGTON

- Le Squelette de diplodocus (p. 144), Natural History Museum
- Les salons Morris, Gamble et Poynter (p. 143), Victoria & Albert Museum
- La Fashion Room (p. 143), Victoria & Albert Museum
- Le module de commande d'Apollo 10 (p. 144), Science Museum
- Les Cartons de Raphaël (p. 143), Victoria & Albert Museum

Belgravia, avec ses Squares de stuc blanc, est connu pour son élitisme depuis sa création par Thomas Cubitt au XIXe siècle. C'est une enclave charmante, essentiellement résidentielle, contenant de pittoresques ruelles pavées, de nombreuses ambassades et quelques merveilleux pubs à l'ancienne.

Knightsbridge, autrefois célèbre pour ses bandits de grand chemin et ses beuveries, renferme désormais certains des centres commerciaux les plus réputés de Londres, en particulier Harrods (p. 228) et Harvey Nichols (p. 229). À l'ouest et au nord-ouest, Kensington est un autre quartier chic. Son axe principal, Kensington High St, est une enfilade animée de boutiques haut de gamme et de magasins de chaînes. Au nord s'étend Holland Park, une zone résidentielle abritant d'élégantes demeures construites autour d'un parc boisé.

Grâce au prince Albert et à l'Exposition universelle de 1851, South Kensington est avant tout le quartier des musées, avec trois des plus prestigieuses institutions de Londres dans la même rue : le Natural History Museum (p. 144), le Science Museum (p. 144) et le Victoria & Albert Museum (p. 143). Au nord de ce remarquable trio s'élève l'Albert Memorial (p. 148), merveilleusement rénové.

Les splendides Hyde Park et Kensington Gardens (que l'on peut considérer comme une seule et vaste étendue de verdure), bordés d'hôtels de luxe et de boutiques prestigieuses, préservent les quartiers huppés de Knightsbridge et de Kensington du bruit et de la frénésie du West End et tiennent la populace à bonne distance.

Victoria s'enorgueillit de la cathédrale de Westminster, mais c'est avant tout un nœud de transport grâce à ses grandes gares ferroviaire et routière, offrant des hébergements sans charme. Le quartier possède tout de même un soupçon de personnalité. Pimlico, en revanche, malgré son apparence chic, s'avère totalement insipide. Il renferme toutefois de splendides entrepôts du début du XIXe siècle et offre d'excellents points de vue sur la Battersea Power Station, de l'autre côté du fleuve.

CHELSEA ET BELGRAVIA

KING'S ROAD Plan p. 140

⊖ Sloane Sq/South Kensington

Au XVIIe siècle, Charles II installa à Chelsea un nid d'amour pour sa maîtresse Nell Gwyn, une vendeuse d'oranges devenue actrice au Drury Lane Theatre. Pour revenir à Hampton Court Palace, il empruntait un chemin de ferme qui prit bientôt le nom de King's Rd. À la pointe de la mode durant les psychédéliques années 1960 et les anarchiques années 1970, la rue demeure toujours un lieu en vogue (quoique de façon plus empruntée).

Au début de la rue, la nouvelle Saatchi Gallery (☎ 7823 2363 ; www.saatchi-gallery.co.uk ; Duke of York's HQ, King's Rd SW3 4SQ ; entrée libre ; 🕑 10h-18h), fondée par Charles Saatchi, mécène d'artistes britanniques comme Damien Hirst et Tracey Emin, accueille des expositions temporaires sur 6 500 m².

CHELSEA OLD CHURCH Plan ci-dessous

☎ 7795 1019 ; angle Cheyne Walk et Old Church St SW3 ; 🕑 14h-16h mar-jeu, 13h30-17h30 dim ; ⊖ Sloane Sq ; ♿

Cette église se tient derrière une statue de bronze de Thomas More (1477-1535), ancien chancelier (et saint catholique) qui fut exécuté pour avoir osé s'opposer au projet d'Henry VIII de s'instituer chef suprême de

DE HYDE PARK À CHELSEA

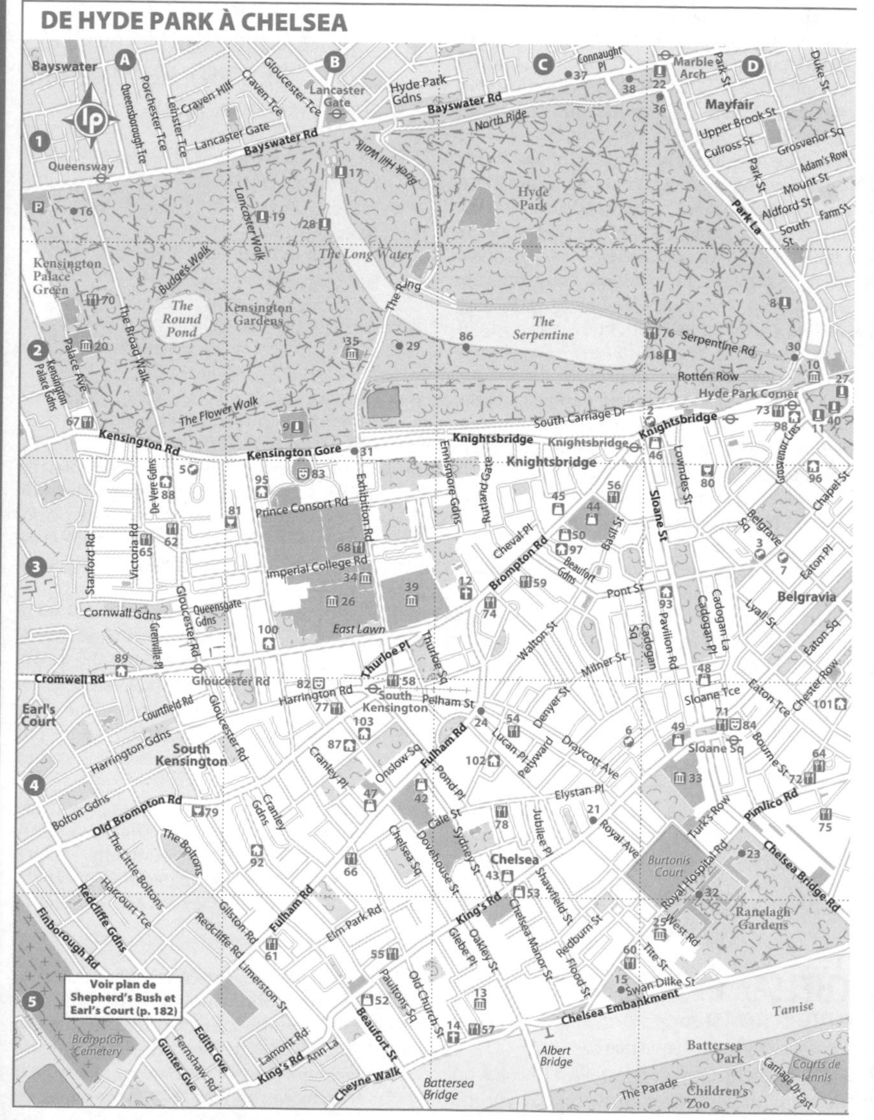

l'Église d'Angleterre. L'église renferme des éléments originaux comme la More Chapel au sud, de style Tudor. On pense que la dépouille de Thomas More est enterrée dans l'église ; sa tête, après avoir été exhibée sur le London Bridge repose aujourd'hui loin de là, dans St Dunsdan's Church, à Canterbury. À l'extrémité ouest du bas-côté sud se trouvent les seuls livres enchaînés que vous trouverez dans une église londonienne (ceci, bien sûr,

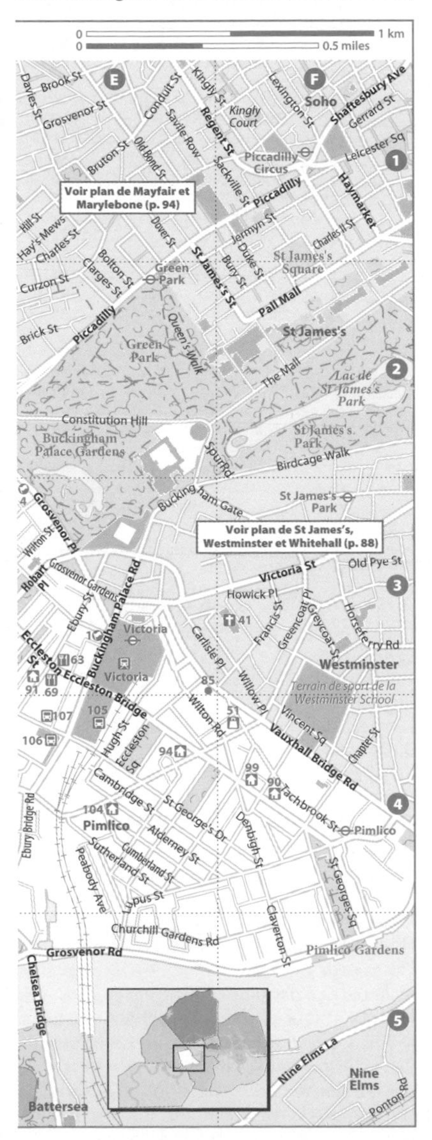

pour éviter les vols), dont deux exemplaires du *Book of Martyrs* de Foxe, datant de 1684 et une Bible connue sous le nom de *Vinegar Bible* (1717).

CARLYLE'S HOUSE Plan ci-contre

☎ 73527087 ; www.nationaltrust.org.uk ; 24 Cheyne Row ; adulte/enfant/famille 4,90/2,50/12,30 £ ; 14h-17h mer-ven, 11h-17h sam-dim mi-mars à oct ; ⊖ Sloane Sq

De 1834 jusqu'à sa mort en 1881, le grand essayiste et historien victorien Thomas Carlyle a vécu dans cette maison de trois étages, qui devint le premier sanctuaire littéraire de Londres en 1895. Dans son bureau mansardé et insonorisé, il écrivit sa célèbre *Histoire de la Révolution française* ; selon la légende, une employée de maison aurait accidentellement jeté au feu le manuscrit achevé, obligeant Carlyle à le réécrire entièrement.

Cette charmante maison datant de 1708 n'est pas très grande ; vous verrez aussi la cuisine, la salle à manger, le salon et la chambre, et il y a un petit jardin à l'arrière. Elle n'a quasiment pas changé depuis l'époque où Carlyle y vivait et recevait les visites de Chopin, Tennyson ou Dickens.

CHELSEA PHYSIC GARDEN Plan ci-contre

☎ 7352 5646 ; www.chelseaphysicgarden.co.uk ; 66 Royal Hospital Rd SW3 ; adulte/5-15 ans et étudiant 8/5 £ ; 🕒 12h-17h mer-ven (jusqu'à 22h mer juil-août), 12h-18h dim avr-oct, 12h-17h tlj pendant le Chelsea Flower Show, 10h-16h pendant les Snowdrop Days (deux 1ers sam-dim de fév) ; ⊖ Sloane Sq ; ♿

Créé en 1676 par l'Apothecaries' Society pour permettre aux étudiants de se pencher sur les plantes médicinales et leurs pouvoirs curatifs, ce havre secret au milieu de la jungle urbaine compte parmi les plus anciens jardins botaniques d'Europe. Il compte de nombreuses essences et plantes rares. Les parcelles incluent un jardin pharmaceutique garni de plantes utilisées en médecine occidentale contemporaine, un jardin dédié aux médecines traditionnelles du monde entier, et un autre, très odorant, voué à la parfumerie et l'aromathérapie. On entre par Swan Walk.

ROYAL HOSPITAL CHELSEA Plan ci-contre

☎ 7881 5200 ; www.chelsea-pensioners.co.uk ; Royal Hospital Rd SW3 ; entrée libre ; 🕒 10h-12h et 14h-16h avr-sept, 10h-12h et 14h-16h lun-sam oct-mars ; ⊖ Sloane Sq ; appeler pour ♿

Conçue par Christopher Wren, cette superbe structure fut construite en 1692 pour accueillir

DE HYDE PARK À CHELSEA

RENSEIGNEMENTS
Ambassade de Belgique ... 1 E3
Consulat de France ... 2 D2
Ambassade d'Irlande ... 4 E3

À VOIR (p. 139)
7 July Memorial ... 8 D2
Albert Memorial ... 9 B2
Apsley House ... 10 D2
Brompton Oratory ... 12 C3
Carlyle's House ... 13 C5
Chelsea Old Church ... 14 C5
Chelsea Physic Garden ... 15 C5
Diana, Princess of Wales Memorial Playground ... 16 A1
Statue d'Edward Jenner ... 17 B1
Holocaust Memorial Garden ... 18 D2
Sculpture de John Hanning Speke ... 19 B1
Kensington Palace ... 20 A2
Kings Road ... 21 C4
Marble Arch ... 22 D1
Margaret Thatcher Infirmary ... 23 D4
Michelin House ... 24 C4
National Army Museum ... 25 D5
Natural History Museum ... 26 B3
Orangerie ... (voir 70)
Statue de Peter Pan ... 28 B1
Princess Diana Memorial Fountain ... 29 B2
Queen Elizabeth Gate ... 30 D2
Royal Albert Hall ... (voir 83)
Royal Geographical Society ... 31 B2
Royal Hospital Chelsea ... 32 D4
Saatchi Gallery ... 33 D4
Science Museum ... 34 B3
Serpentine Gallery ... 35 B2
Speaker's Corner ... 36 D1
Tyburn Convent ... 37 C1
Gibet de Tyburn Tree ... 38 C1
Victoria & Albert Museum ... 39 B3
Wellington Arch ... 40 D2
Abbaye de Westminster ... 41 F3

SHOPPING (p. 228)
Butler & Wilson ... 42 B4
Habitat ... 43 C4
Harrods ... 44 C3
Harrods 102 ... 45 C3
Harvey Nichols ... 46 D2
Joseph ... 47 B4
Lulu Guinness ... 48 D3
Peter Jones ... 49 D4
Rigby & Peller ... 50 C3
Rippon Cheese Stores ... 51 F4
Rococo Chocolates ... 52 B5
Steinburg & Tolkien ... 53 C4

OÙ SE RESTAURER (p. 252)
Awana ... 54 C4
Bibendum ... (voir 24)
Byron ... 55 B5
Capital ... 56 C3
Cheyne Walk Brasserie ... 57 C5
Daquise ... 58 B4
Frankie's ... 59 C3
Gordon Ramsay ... 60 C5
Haché ... 61 B5
Jakob's ... 62 A3
Jenny Lo's Tea House ... 63 E3
La Poule au Pot ... 64 D4
Launceston Place ... 65 A3
Lucio ... 66 B4
Min Jiang ... 67 A2
Ognisko ... 68 B3
Olivo ... 69 E3
Orangery ... 70 A2
Oriel ... 71 D4
Pimlico Road Farmers Market ... 72 D4
Pizza on the Park ... 73 D2
Racine ... 74 C3
Roussillon ... 75 D4
Serpentine Bar & Kitchen ... 76 D2
South Kensington Farmers Market ... 77 B4
Tom's Kitchen ... 78 C4

OÙ PRENDRE UN VERRE (p. 286)
Drayton Arms ... 79 A4
Nag's Head ... 80 D3
Queen's Arms ... 81 B3

ARTS (p. 313)
Ciné Lumière ... 82 B4
Royal Albert Hall ... 83 B3
Royal Court Theatre ... 84 D4

ACTIVITÉS SPORTIVES (p. 324)
Queen Mother Sports Centre ... 85 E3
Serpentine Lido ... 86 C2

OÙ SE LOGER (p. 350)
Aster House ... 87 B4
Astor Hyde Park ... 88 A3
Astor Kensington ... 89 A3
Astor Victoria ... 90 F4
B+B Belgravia ... 91 E3
Blakes ... 92 B4
Cadogan Hotel ... 93 D3
easyHotel Victoria ... 94 E4
Gore ... 95 B3
Halkin ... 96 D3
Knightsbridge Hotel ... 97 C3
Lanesborough ... 98 D2
Luna Simone Hotel ... 99 F4
Meininger ... 100 B3
Morgan House ... 101 D4
Myhotel Chelsea ... 102 C4
Number Sixteen ... 103 B4
Windermere Hotel ... 104 E4

TRANSPORTS (p. 383)
Terminal des bus Green Line ... 105 E4
Gare routière de Victoria ... 106 E4
Gare routière de Victoria (arrivées) ... 107 E4

les anciens combattants, fonction qu'elle remplit avec dignité depuis le règne de Charles II. Aujourd'hui, elle abrite encore plusieurs centaines de vétérans, connus sous le nom de Chelsea Pensioners, reconnaissables, en certaines occasions, à leurs manteaux bleu foncé l'hiver et à leurs redingotes écarlates l'été. En 2009, la nouvelle Margaret Thatcher Infirmary a ouvert ses portes, en partie grâce aux dons mobilisés par le Chelsea Pensioners Appeal (une souscription publique).

Le musée possède une immense collection de médailles de guerre léguées par d'anciens résidents et vous pourrez jeter un œil au réfectoire de l'hôpital (Great Hall), au porche Octagon, à la chapelle et aux cours. Les horaires d'ouverture varient considérablement dans l'année, mais les portes ouvrent généralement à 10h et ferment entre 16h30 et 20h30 du lundi au samedi (ouverture à 14h le dimanche).

NATIONAL ARMY MUSEUM Plan p. 140

☎ 7881 2455 ; www.national-army-museum.ac.uk ; Royal Hospital Rd SW3 ; entrée libre ; 10h-17h30 ; Sloane Sq ;

Idéalement situé à côté du Royal Chelsea Hospital, ce musée retrace sur quatre niveaux l'histoire de l'armée britannique à travers celles et ceux qui risquèrent leur vie pour servir leur roi et leur patrie. Il cherche à illustrer à la fois les horreurs et la gloire de la guerre. Parmi les meilleures expositions, citons celle dédiée aux "Redcoat" (nom donné aux soldats britanniques, de la bataille d'Azincourt en

1415 jusqu'à la Révolution américaine), celle décrivant l'affrontement tactique entre Napoléon et le duc de Wellington à Waterloo et celle du squelette du cheval de Napoléon. Un intérêt particulier est également accordé aux animaux ayant servi la nation en temps de guerre ou de paix.

KNIGHTSBRIDGE, KENSINGTON ET HYDE PARK

VICTORIA & ALBERT MUSEUM

Plan p. 140

☎ 7942 2000 ; www.vam.ac.uk ; Cromwell Rd SW7 ; entrée libre ; 10h-17h45, jusqu'à 22h ven ; ⊖ South Kensington ;

Le Museum of Manufactures, comme s'appelait le Victoria & Albert Museum (V&A) à l'origine, fut ouvert en 1852. Consacré aux arts décoratifs, il comprend près de 4,5 millions d'objets recueillis au fil des années en Grande-Bretagne et sur toute la planète, certains datant d'il y a 3 000 ans. Il fait partie du legs que le prince Albert fit à la nation après le succès phénoménal de l'Exposition universelle de 1851, avec pour but d'"améliorer le goût du public en matière de design" et d'"appliquer les beaux-arts aux objets utilitaires". On peut affirmer que cet objectif – toujours le même aujourd'hui – a été pleinement atteint.

En entrant sous le splendide **chandelier de Dale Chihuly** en verre soufflé bleu et jaune, procurez-vous un plan du musée (gratuit ; don recommandé 1 £) au guichet d'information. (Si l'entrée principale dans Cromwell Rd est surchargée, prenez celle d'Exhibition Rd.) Joignez-vous à l'une des **visites introductives** gratuites (45 minutes à 1 heure) qui partent toutes les heures de 10h30 à 16h30 du grand hall de réception.

Ses 145 galeries abritent la plus vaste collection d'**arts décoratifs** au monde, rassemblant une multitude d'objets, dont d'anciennes céramiques chinoises, des esquisses d'architecture moderniste, des bronzes coréens, des sabres japonais, des cartons de Raphaël, de fascinantes œuvres d'art indien et islamique, des sculptures de Rodin, des tenues de l'ère élisabéthaine, des vêtements sortis tout droit des derniers défilés de mode parisiens, des bijoux anciens, un poste de TSF des années 1930... Choisissez les parties que vous souhaitez visiter et tenez-vous en à ce programme.

Le niveau 1 (rez-de-chaussée) est consacré pour l'essentiel à l'art indien, chinois, japonais, coréen, du Sud-Est asiatique et européen. La collection de sculptures italiennes de la Renaissance est la plus riche du monde après l'Italie, mais la sculpture française, allemande et espagnole est aussi remarquablement représentée. Une des attractions les plus visitées du musée, les **Cast Courts**, dans la salle 46a, abritent des moulages de plâtre rassemblés à l'époque victorienne, tel celui du *David* de Michel-Ange acheté en 1858. C'est Henry Cole, le curateur de l'époque, qui commanda des moulages de tous les grandes œuvres européennes pour servir aux étudiants des beaux-arts.

La **collection de photographies** (salle 38a) est l'une des meilleures du pays, avec plus de 500 000 clichés rassemblés depuis 1852. Ne manquez pas le Londres du XIXe siècle photographié par Lady Clementina Hawarden. La **Fashion Room** (salle 40) est aussi un temps fort du musée. On y suit la mode, des costumes élisabéthains aux robes de Vivienne Westwood en passant par les tenues des années 1980 d'Armani et les modèles plébiscités lors des derniers défilés. Une fascinante exposition de sous-vêtements féminins montre le "progrès en la matière" depuis le carcan que représentait le corset de l'époque victorienne à la liberté procurée par les créations sexy et luxueuses d'Agent Provocateur.

La **Jameel Gallery** (salle 42) présente plus de 400 objets provenant du monde islamique : céramiques, textiles, tapis, travail du verre et du bois. Toutes ces pièces, représentant une période allant du Caliphat au VIIIe siècle jusqu'aux années d'avant la Première Guerre mondiale, couvrent aussi un vaste espace géographique, de l'Espagne à l'Afghanistan. Le clou de l'exposition reste toutefois le somptueux **tapis Ardabil** provenant d'Iran et datant du milieu du XVIe siècle, le plus ancien conservé au monde (et l'un des plus grands).

Le **John Madejski Garden**, un jardin paysager, occupe une jolie cour intérieure ombragée où vous pourrez reprendre vos esprits. Traversez-le pour rejoindre les **boudoirs** d'origine, datant des années 1860 (**salons Morris, Gamble et Poynter**), qui ont ont été transformés par le cabinet d'architectes McInnes, Usher et McKnight (MUMA) en 2006. Le MUMA a également rénové les **galeries Médiévale et Renaissance** du V&A, désormais situées à droite de l'entrée principale.

Les **British Galleries**, qui passent en revue tous les aspects du design britannique de 1500 à 1900, occupent les niveaux 2 et 4. On peut y admirer le bureau d'Henri VIII et le "Great Bed of Ware" datant de la fin du XVIe siècle, un lit assez grand pour accueillir cinq personnes et conçu pour faire la publicité d'une auberge de Hertfordshire. Shakespeare le mentionne dans *La Nuit des Rois*. Au niveau 4 également, l'Architecture gallery (salles 127 à 128a) est consacrée à la description des styles architecturaux, avec vidéos, maquettes et plans. Dans les salles 70 et 73, au niveau 4, on découvre une partie de la Gilbert Collection : or, argent, mosaïques, boîtes en or et miniatures en émail, conservés à la Somerset House jusqu'en 2008.

Les expositions temporaires du V&A – comme *Kylie Minogue* (2007), *Cold War Modern Design: 1945-1970* (2008) ou *Hats* du styliste fou Stephen Jones (2009) – sont passionnantes et attirent une foule de visiteurs (l'entrée s'applique en plus du tarif du V&A). Consultez le calendrier sur le site Internet. Un excellent programme de conférences, d'ateliers et d'événements est également proposé, sans oublier la boutique du musée, exceptionnelle.

NATURAL HISTORY MUSEUM

Plan p. 140

☎ 7942 5000 ; www.nhm.ac.uk ; Cromwell Rd SW7 ; entrée libre ; 🕓 10h-17h50 ; ⊖ South Kensington ; ♿

Cette institution monumentale répond aux ambitions de l'époque victorienne en matière de collecte et de classification. Les Life Galleries (galeries de la Vie ; zone bleue), à l'intérieur du bâtiment néogothique (1880) de Cromwell Rd, vous transportent à l'époque poussiéreuse du gentleman scientifique. Le bâtiment principal du musée, en brique et terre cuite bleue et sable, conçu par Alfred Waterhouse, est tout aussi impressionnant que le colossal squelette de diplodocus occupant le hall central, juste après l'entrée principale. Rien n'égalera ensuite l'échelle de cette première vision, sauf peut-être la gigantesque baleine bleue, un peu plus loin.

À la vue du squelette, les enfants, principaux fans de ce musée, tirent leurs parents vers la galerie des dinosaures, à gauche du Central Hall, pour voir battre de la queue le rugissant tyrannosaure animé, star incontestée du musée.

Les Life Galleries, à droite du Central Hall (zone verte), sont remplies de fossiles et de vitrines d'oiseaux empaillés, et baignent dans une ambiance surannée hypnotisante. On découvre aussi l'étonnante salle des créatures du monde rampant, le mur vidéo de la galerie de l'écologie et le vaste Darwin Centre (zone orange), dédié à la taxonomie (étude du monde naturel), avec quelque 450 000 spécimens en bocaux, notamment un calamar géant de 8,6 m baptisé Archie, présentés lors de visites guidées gratuites (toutes les 30 min, réservation conseillée). La nouvelle section du centre expose quelque 28 millions d'insectes et 6 millions de plantes à l'intérieur d'un "cocon géant".

Pour gagner la deuxième partie du musée, les Earth galleries (galeries de la Terre ; zone rouge), le mieux est d'entrer par Exhibition Rd. Ici, l'ambiance victorienne désuète cède la place à un cadre moderne et élégant : les murs noirs du Earth Hall sont tapissés de cristaux, de roches et de pierres précieuses. Un escalator vous hissera à l'intérieur d'une sphère évidée jusqu'à des expositions sur la composition géologique de notre planète.

Volcans, séismes et tempêtes sont traités aux étages supérieurs, mais l'attraction reine, dans la Restless Surface Gallery, est la maquette du tremblement de terre de Kobé, qui reconstitue l'effet du séisme de 1995, qui fit 6 000 victimes, sur une petite épicerie japonaise. Les présentations des niveaux inférieurs se penchent sur l'écologie, exposent des gemmes et des pierres précieuses ou détaillent le processus de formation des planètes.

Le Wildlife Garden (ouvert d'avril à septembre) reconstitue une série d'habitats des plaines britanniques. Fascinante exposition temporaire qui pourrait devenir permanente, la Butterfly Jungle (adulte/enfant et senior/famille 6/4/17 £ ; 🕓 10h-18h mai à fin sept) est une tente en forme de tunnel plantée sur l'East Lawn (pelouse est), où évolue une kyrielle de papillons.

SCIENCE MUSEUM Plan p. 140

☎ 0870 870 4868 ; www.sciencemuseum.org.uk ; Exhibition Rd SW7 ; entrée libre, cinéma IMAX adulte/tarif réduit 8/6,25 £, simulateur Motionride 2,50/1,50 £ ; 🕓 10h-18h ; ⊖ South Kensington ; ♿

Avec sept étages d'expositions interactives et pédagogiques, le Science Museum est à la fois instructif, amusant et très complet. Sachez qu'un ambitieux projet de modernisation est prévu (pour un budget de 150 millions de livres). Le musée sera peut-être fermé en partie ou complètement lors de votre passage ; téléphonez ou consultez le site Internet.

Au rez-de-chaussée, l'Energy Hall rénové se concentre sur des machines grandeur nature issues de la révolution industrielle, décrivant comment les premières locomotives à vapeur telles *Puffing Billy* (1813) et *Stephenson's Rocket* aidèrent la Grande-Bretagne à devenir "l'atelier du monde" au début du XIXe siècle. Des animations montrent le fonctionnement des machines et sont accompagnées d'explications générales détaillées, dont une sur les luddites, qui s'opposaient au progrès technique.

Impossible de manquer l'immense Energy Ring (anneau d'énergie) suspendu à côté de la galerie Energy: Fuelling the Future, au 2e étage. Les enfants peuvent enregistrer leur nom puis poser des questions concernant l'énergie : les réponses apparaissent sur un téléscripteur défilant à l'intérieur de l'anneau. Au même niveau, vous pourrez voir une reproduction du calculateur mécanique de Charles Babbage (1834), considéré aujourd'hui comme le précurseur de l'ordinateur.

Paradis des enfants, les galeries Flight et Launchpad du 3e étage présentent des planeurs, des montgolfières et de vieux avions, comme le *Gipsy Moth,* avec lequel Amy Johnson gagna l'Australie en 1930. Ce niveau comprend également un simulateur de vol, Motionride (accès payant). Le 1er étage renferme des expositions sur la nourriture et le temps, tandis que les 4e et 5e étages sont consacrés à l'histoire de la médecine et de la science vétérinaire.

Les adultes nostalgiques seront ravis par les vieilles voitures et le module de commande d'Apollo 10, dans la galerie Making of the Modern World (la fabrique du monde moderne), au rez-de-chaussée. Cependant, petits et grands auront certainement une préférence pour la Wellcome Wing, aile high-tech répartie sur plusieurs étages à l'arrière du bâtiment. Le cinéma IMAX projette l'habituelle panoplie de films de voyage, d'aventures spatiales et d'attaques de dinosaures en 3D. Au 1er étage, on découvre une extraordinaire exploration de l'identité intitulée Who am I? (Qui suis-je ?) ainsi que d'autres expositions interactives pour les enfants.

APSLEY HOUSE Plan p. 140

☎ 7499 5676 ; www.english-heritage.org.uk ; 149 Piccadilly W1 ; adulte/5-15 ans/tarif réduit/famille 5,70/2,90/4,80/17,50 £, avec la Wellington Arch 7/3,50/6/17,50 £ ; 11h-17h mer-dim avr-oct, 11h-16h mer-dim nov-mars ; ⊖ Hyde Park Corner

Cette étonnante demeure renferme des objets consacrés à la vie et à l'époque du duc de Wellington. Il s'agissait jadis du premier bâtiment en vue lorsque l'on pénétrait dans la ville par l'ouest, d'où son surnom de "number one London". Toujours l'une des plus belles maisons de la capitale mais dominant désormais le cauchemardesque rond-point de Hyde Park Corner, l'Apsley House fut imaginée par Robert Adam pour le baron Apsley à la fin du XVIIIe siècle, puis vendue au premier duc de Wellington, vainqueur de Napoléon à Waterloo, qui y vécut pendant 35 ans jusqu'à sa mort en 1852.

En 1947, la maison fut léguée à la nation, ce qui a dû surprendre les descendants du duc, qui occupent encore un appartement sur place. Aujourd'hui, 10 salles sont ouvertes aux visiteurs, qui peuvent les découvrir à leur rythme, équipés d'un audioguide. Cette magnifique demeure a conservé bon nombre de ses meubles et collections d'origine. Au sous-sol sont rassemblés des objets ayant trait à la personne de Wellington, notamment ses médailles, quelques anciennes caricatures amusantes et son masque mortuaire. Au rez-de-chaussée, vous verrez une étonnante collection de porcelaine, et une partie de l'argenterie du duc. La cage d'escalier est dominée par une stupéfiante sculpture d'Antonio Canova de 3,4 m de haut, représentant Napoléon dans son plus simple appareil. Les salles du 1er étage sont ornées de tableaux de Velàzquez, Rubens, Van Dyck, Brueghel et Murillo. Néanmoins, la plus intéressante des toiles reste certainement le portrait du duc peint par Goya. Il y a quelques années, on a découvert que le visage du frère de Napoléon, Joseph Bonaparte, figurait sous celui du duc. Apparemment, l'artiste avait parié sur la victoire de Napoléon à la bataille de Waterloo et a dû effectuer une rapide "retouche" à l'annonce de la victoire de Wellington.

WELLINGTON ARCH Plan p. 140

☎ 7930 2726 ; www.english-heritage.org.uk ; Hyde Park Cnr W1 ; adulte/5-15 ans/tarif réduit/famille 3,50/1,80/3/17,50 £, avec l'Apsley House 7/3,50/6/17,50 £ ; 10h-17h mer-dim avr-oct, 10h-16h mer-dim nov-mars ; ⊖ Hyde Park Corner ; ♿

En face de l'Apsley House, sur le petit îlot de verdure au centre du rond-point de Hyde Park Corner, se dresse l'équivalent britannique de l'Arc de triomphe, si ce n'est que celui-ci commémore la "défaite" de la France (plus précisément celle de Napoléon face au duc de Wellington). Érigée en 1826, cette arche néoclassique était surmontée autrefois d'une statue disproportionnée de Wellington à cheval. Celle-ci fut démontée en 1883 et remplacée quelques années plus tard par la plus grande sculpture de bronze du Royaume-Uni, intitulée *Peace Descending on the Quadriga of War* (1912).

Pendant des années, le monument hébergea le plus petit poste de police de la capitale, avant d'être rénové et transformé en un espace d'exposition de trois étages évoquant le projet des plaques bleues (Blue Plaques Sheme ; voir l'interview ci-dessous) concernant les monuments historiques (au 1er étage), les mémoriaux de guerre australiens et néo-zélandais s'élevant

LA PAROLE À UNE LONDONIENNE : EMILY COLE

Emily Cole a grandi à Palmers Green, dans West London, et vit désormais à Walthamstow. Elle est responsable du projet Blue Plaques Scheme de l'association English Heritage, qui depuis près de 150 ans commémore le lien entre un édifice et une personne célèbre au moyen d'une plaque ronde en céramique bleue. Elle a également dirigé la publication du livre magnifiquement illustré *Lived in London: Blue Plaques and the Stories Behind Them*, l'ouvrage le plus ambitieux publié à ce jour sur le sujet.

Pourquoi la couleur bleue ? Au début du XXe siècle, on utilisait des plaques marron, mais elles étaient trop discrètes. C'est le bleu qui ressort le mieux sur les matériaux de construction de Londres – la brique rouge, la brique jaune, le stuc. Mais ces plaques ont été créées spécialement pour Londres. Elles seraient affreuses ailleurs, à Bath par exemple, où les plaques sont en bronze.

Le projet semble comporter plus de règles qu'un livre de grammaire. La plus importante est la règle "20/100 ans" : la personne proposée doit être décédée depuis au moins 20 ans ou avoir dépassé le centenaire de sa naissance. Pendant quelque temps dans les années 1960, cette période de 20 ans a été réduite à 10 ans. Ce n'était pas assez pour s'assurer que la célébrité de la personne soit pérenne.

Avec l'idée du "quart d'heure de gloire", peut-on imaginer que tous les édifices porteront un jour une plaque ? Actuellement, on compte 800 plaques bleues et on en ajoute un maximum de 15 nouvelles par an. Londres est immense et en perpétuelle expansion – certains habitants vivent dans des quartiers où il n'y a quasiment aucune de nos plaques. Je ne vous parle pas ici des plaques installées par d'autres institutions, comme le Westminster City Council, la Corporation of London ou l'Ealing Civic Society.

Dans certains quartiers – je pense notamment à Chelsea – on a l'impression que chaque édifice est orné d'une plaque alors qu'ailleurs on n'en voit aucune. S'agit-il d'une situation classique ? Jusqu'à la création du Greater London Council en 1965, le projet se concentrait sur le centre de Londres. C'est pourquoi on trouve une forte concentration de plaques dans des secteurs comme Bloomsbury (p. 83), très fréquenté par les écrivains, les peintres et les architectes. Covent Garden (p. 73) compte énormément de plaques d'étrangers (Benjamin Franklin, Herman Melville, Heinrich Heine) en raison des nombreuses pensions qui existaient naguère dans le quartier.

Mais n'y a-t-il pas des manques ? Staline a vécu quelques années dans Jubilee St à Stepney Green, mais quasiment personne ne le sait. Staline ne correspond absolument pas à notre définition d'un "homme ayant contribué au bonheur ou au bien-être de l'humanité" ! Les gens se plaindraient si nous accordions des plaques à des personnages comme lui ! Le GLC s'est trouvé dans une une position délicate en attribuant une plaque à Lénine, "Fondateur de l'URSS". Dans les années 1960, une plaque de Karl Marx installée à Chalk Farm a été tellement vandalisée qu'elle a été déplacée sur un autre édifice associé à Marx, à Soho.

Le public propose, le comité dispose. Pourquoi certaines propositions sont-elles rejetées ? Parfois, la numérotation de la rue a changé et on s'aperçoit que la personne proposée ne vivait pas dans l'édifice en question. Mais la plupart du temps, la personne n'a pas vécu suffisamment longtemps à Londres, ou la ville n'a pas réellement eu d'influence sur sa vie ou son travail.

Et on se retrouve avec des plaques du type "Washington a dormi ici". Il est difficile de résumer une vie en 19 mots, le maximum autorisé sur une plaque. La plaque de Gandhi à Bow, dans l'East London, ne comporte aucune explication : son nom parle de lui-même. Certaines plaques sont poétiques. L'une de nos préférées est celle du scientifique Luke Howard à Tottenham : "Baptiseur de nuages".

Où peut-on vous trouver en dehors de votre travail ? J'adore les grands espaces de Londres et ma vie tourne en grande partie autour des édifices. Idéalement, j'allie ces deux éléments et je passe la journée dans un secteur comme Hampton Court. En soirée, j'aime assister à un concert au **Luminaire** (p. 309) à Kilburn, au 12 Bar Club (☎ 7240 2622 ; www.12barclub.com ; 22-23 Denmark St WC2 ; ⊖ Tottenham Court Rd), à Soho, ou au Green Note (☎ 7485 9899 ; www.greennote.co.uk ; 106 Parkway, NW1 ; ⊖ Camden Town), à Camden. Je suis fille de musicien et le paysage musical est fabuleux à Londres. Mais je ressens aussi le besoin de m'échapper. Londres est tellement au cœur de ma vie qu'il est parfois bon de prendre le large.

Interview réalisée par Steve Fallon

à proximité (2e étage) et les arcs de triomphe du monde entier (3e étage). Les balcons (accessibles en ascenseur) offrent une vue inoubliable sur Hyde Park, Buckingham Palace et le Parlement.

MICHELIN HOUSE Plan p. 140

81 Fulham Rd SW3 ; ⊖ South Kensington

Même si vous ne pouvez vous offrir un repas au Bibendum (p. 253), le restaurant installé dans la Michelin House, venez jeter un coup d'œil à son extraordinaire architecture Art nouveau. Elle fut bâtie pour Michelin par François Espinasse entre 1905 et 1911 et entièrement restaurée en 1985. Le célèbre bonhomme Michelin figure sur un vitrail moderne, tandis que l'entrée est décorée de carreaux de céramique représentant des voitures du début du XXe siècle.

KENSINGTON PALACE Plan p. 140

☎ 0844 482 5170 ; www.hrp.org.uk ; Kensington Gardens W8 ; adulte/5-16 ans/tarif réduit/famille 12,50/6,25/11/34 £, parc et jardins gratuits ; 🕓 10h-18h mars-oct, 10h-17h nov-fév ; ⊖ Queensway/Notting Hill Gate/High St Kensington

Kensington Palace avait déjà une longue histoire derrière lui lorsque Diana vint s'y installer avec la sœur de la reine, la princesse Margaret, après son divorce en 1996 avec le prince Charles. Érigé en 1605, il devint la résidence royale favorite en 1689, sous le règne de Guillaume et Marie d'Orange, statut qu'il conserva jusqu'à l'arrivée sur le trône de George III, qui déménagea à Buckingham. Par la suite, la famille royale y séjourna occasionnellement, et la reine Victoria y naquit en 1819.

Aux XVIIe et XVIIIe siècles, Kensington Palace fut diversement restauré par sir Christopher Wren et William Kent. Les audioguides vous mèneront donc à travers les appartements lambrissés, étonnamment petits, datant du temps de Guillaume, et ceux plus grandioses réalisés par Kent. Pour la plupart des visiteurs cependant, l'attraction majeure est la Royal Ceremonial Dress Collection, qui rassemble des tenues et accessoires datant du XVIIIe siècle à nos jours, avec, entre autres, certaines des plus étonnantes robes de Diana.

La plus belle pièce est la Cupola Room, où se déroulait la cérémonie d'intronisation des chevaliers au nobilissime ordre de la Jarretière (en anglais *The most Noble Order of the Garter* – plus haute distinction du royaume), et où la reine Victoria fut baptisée. Le blason de l'ordre est peint sur le plafond en trompe-l'œil (à l'allure voûtée mais plat, en réalité). La reine Marie recevait ses visiteurs dans les Queen's Apartments, non loin.

La King's Gallery, la plus large et la plus longue des State Apartments, comporte une partie de la collection d'art royale, dont la seule toile connue de Van Dyck représentant un sujet classique. Au plafond, William Kent a peint l'histoire de l'*Odyssée*, mais son cyclope a deux yeux !

Le King's Drawing Room est dominé par un tableau peu attrayant de Cupidon et Vénus, dont l'auteur, Giorgio Vasari (1511-1574), un maniériste italien, est plus connu pour ses ouvrages historiques sur la Renaissance. Ce salon offre une vue splendide sur le parc et les jardins. On aperçoit notamment le Round Pond, un étang autrefois rempli de tortues et sur lequel les amateurs de modèles réduits font aujourd'hui voguer des bateaux.

Le King's Staircase, l'escalier du roi, est orné de merveilleuses fresques de William Kent, qui s'est représenté enturbanné sur la fausse coupole.

Près du palais, le Sunken Garden (jardin) atteint le summum de sa splendeur en été. L'orangerie voisine, conçue en 1704 par Vanbrugh et Hawksmoor pour servir de serre, héberge un salon de thé charmant mais assez formel, The Orangery (p. 254).

KENSINGTON GARDENS Plan p. 140

☎ 7298 2000 ; www.royalparks.org.uk ; 🕓 6h-tombée de la nuit ; ⊖ Queensway/High St Kensington/Lancaster Gate

Un peu à l'ouest de Hyde Park, de l'autre côté du lac Serpentine, ces jardins appartiennent à juste titre au Kensington Palace. L'ensemble, palais et jardins, est devenu une sorte de sanctuaire à la mémoire de la princesse Diana depuis sa mort en 1997.

Si vous avez des enfants, emmenez-les au Diana, Princess of Wales Memorial Playground, une aire de jeu située dans l'angle nord-ouest des jardins, où les attendent de belles attractions, notamment des tipis et un bateau de pirates.

L'art tient une place de choix dans ces jardins. La célèbre statue de Peter Pan de George Frampton est proche du lac. De l'autre côté s'élève une statue d'Edward Jenner, inventeur du vaccin contre la variole. À l'ouest du lac Serpentine, on peut admirer une sculpture de John Hanning Speke, l'explorateur qui découvrit le Nil.

SERPENTINE GALLERY Plan p. 140

☎ 7402 6075, renseignements (boîte vocale) 7298 1515 ; www.serpentinegallery.org ; Kensington

Gardens W8 ; entrée libre ; 10h-18h tlj ; Knightsbridge ;

Qui imaginerait trouver dans ce salon de thé peu avenant de style années 1930, caché dans la verdure des jardins de Kensington, l'une des galeries d'art contemporain les plus importantes de Londres ? Parmi les artistes à l'honneur récemment, citons Damien Hirst, Andreas Gursky, Louise Bourgeois, Gabriel Orozco, Tomoko Takahashi et eff Koons. Ses immenses baies vitrées inondent de lumière naturelle les œuvres exposées, en faisant un espace rêvé pour des expositions de sculpture et des présentations interactives.

Chaque année, un architecte majeur (n'ayant jamais rien réalisé au Royaume-Uni) est engagé pour construire un nouveau pavillon d'été, ouvert de mai à octobre. Parmi les architectes ayant pris part à ce projet, citons Alvaro Siza, Oscar Niemeyer, Daniel Libeskind, Zaha Hadid et les associés de SANAA Kazuyo Sejima et Ryue Nishizawa, à l'origine du fascinant New Museum, dans le quartier du Bowery à New York. Lectures, conférences et projections en plein air sont organisées dans la galerie.

ALBERT MEMORIAL Plan p. 140

7495 0916 ; www.royalparks.org.uk/parks/kensington_gardens ; visites guidées 45 min adulte/tarif réduit 5/4,50 £ ; visites guidées 14h et 15h 1er dim du mois ; Knightsbridge/Gloucester Rd

Sur le côté sud de Kensington Gardens, face au Royal Albert Hall, sur Kensington Gore, ce monument dédié à Albert (1819-1861), l'époux allemand de la reine Victoria, affiche une extravagance tout à fait contraire à la volonté de ce dernier. En effet, Albert aurait déclaré qu'il ne voulait pas d'un monument, et que si celui-ci devait ressembler aux habituelles monstruosités, cela heurterait son humeur de savoir son effigie à la merci de tous les quolibets. Contre la volonté du prince, le Lord Mayor (avec l'accord de Victoria) engagea George Gilbert Scott pour construire en 1872 ce monument gothique tape-à-l'œil de 53 m de haut. La statue dorée de 4,25 m représentant le prince en train de feuilleter le catalogue de l'Exposition universelle, entouré de 187 figurines symbolisant les continents (Asie, Europe, Afrique et Amérique) ainsi que les arts, l'industrie et les sciences fut érigée en 1876. Le monument fut rendu à l'admiration du public en 1998, après de coûteux travaux de restauration.

ROYAL ALBERT HALL Plan p.140

7589 3203, réservations visites guidées 0845 401 5045 ; www.royalalberthall.com ; Kensington Gore SW7 ; South Kensington ;

Cet immense amphithéâtre de brique rouge à coupole, orné d'une frise à carreaux de Minton, est la salle de concerts la plus prestigieuse du pays. Elle accueille chaque été les célèbres Promenade Concerts ("the Proms" ; voir p. 313) de la BBC. Érigé en 1871, ce bâtiment n'était pas destiné à recevoir des concerts, mais plutôt à abriter un "hall des arts et des sciences". Lors du lancement des travaux, la reine Victoria le baptisa "Royal Albert", à la grande surprise des personnes assistant à la cérémonie. Ainsi cette stucture ovale passa-t-elle les 133 premières années de son existence à tourmenter les musiciens et l'audience par son acoustique déplorable (on raconte qu'une œuvre jouée ici était entendue deux fois, tant l'écho y était prononcé). Début 2004, d'importants travaux ont été accomplis pour installer la climatisation, moderniser les coulisses, déplacer l'entrée au sud du bâtiment et améliorer l'acoustique. On peut dorénavant y effectuer une visite guidée (7959 0558 ; adulte/tarif réduit 8/7 £ ; ttes les heures 10h-15h30 ven-mar) de 45 minutes, qui part de la billetterie porte 12.

ROYAL GEOGRAPHICAL SOCIETY

Plan p. 140

7591 3000 ; www.rgs.org ; 1 Kensington Gore SW7 ; entrée libre ; 10h-18h30 lun-ven ; South Kensington ;

Un peu à l'est du Royal Albert Hall se dresse le siège de la Royal Geographical Society, fondée en 1830, un édifice en brique rouge de style Queen Anne (1874), facilement reconnaissable aux statues des légendaires explorateurs David Livingstone et Ernest Shackleton trônant à l'extérieur. La société organise régulièrement des conférences (surtout le lundi soir) et des expositions de photos. La Foyle Reading Room (7591 3044 ; adulte/étudiant 10 £ par jour/gratuit ; 10h-18h30 lun, 10h-17h mar-ven) comprend une collection de plus d'un demi-million de cartes, photos, livres et manuscrits. On entre par Exhibition Rd.

HYDE PARK Plan p. 140

7298 2000 ; www.royalparks.org.uk ; 5h30-minuit ; Hyde Park Corner/Marble Arch/Knightsbridge/Lancaster Gate

Le parc le plus vaste de Londres s'étend sur quelque 142 hectares de jardins soigneusement entretenus et de vastes étendues de graminées d'aspect sauvage. Au printemps s'épanouissent les roses uniques de la splendide Rose Gardens, une roseraie plantée en 1994, et, en été, une foule nombreuse s'y prélasse au soleil, pique-nique ou joue au Frisbee. Le parc offre aussi un cadre magnifique à des concerts en plein air, des manifestations en tout genre et des célébrations royales. C'est ici que sont tirées les salves de canon et que la garde à cheval traverse le parc tous les matins pour se rendre à la Horse Guard's Parade dans Whitehall.

Hyde Park est séparé des Kensington Gardens par le Serpentine, une petit lac en forme de "L", issu de l'endiguement de la Westbourne River dans les années 1730, très plaisant pour le canotage en été. Henry VIII confisqua le parc, appartenant à l'Église, en 1536, pour en faire un terrain de chasse destiné à la Cour. Plus tard, il devint un lieu de duels, d'exécutions et de courses de chevaux. Premier parc royal ouvert au public au début du XVIIe siècle, il est resté dans les annales pour avoir accueilli l'Exposition universelle de 1851. Pendant la Seconde Guerre mondiale, il fut reconverti en un immense champ de pommes de terre.

On adore ou on déteste l'opulente Queen Elizabeth Gate (conçue par Giuseppe Lund et David Wynne en 1993 en hommage à la reine mère) qui conduit à Park Lane près de Hyde Park Corner. À l'ouest de la porte, l'Holocaust Memorial Garden (1983) est une simple pierre dans un bosquet d'a rbres, portant une citation des Lamentations : "Pour toi je pleure, des flots de larmes coulent de mes yeux à cause de la destruction de mon peuple". Au nord de la porte, le nouveau 7 July Memorial comporte 52 colonnes carrées en Inox commémorant les victimes des attentats terroristes de Londres en juillet 2005. Au sud-ouest, l'Australian War Memorial, inauguré en 2003, déroule sa courbe de granit vert pâle.

PRINCESS DIANA MEMORIAL FOUNTAIN Plan p. 140

Kensington Gardens W2 ; ⊖ Knightsbridge

En face de la Serpentine Gallery des jardins de Kensington et de l'autre côté de West Carriage Drive s'élève une fontaine érigée en 2004 en souvenir de la princesse de Galles. "Douves sans château" s'étalant "tel un collier" près du Serpentine Bridge, au sud-ouest de Hyde Park, ce double bassin circulaire fut conçu par Kathryn Gustafson pour inviter les visiteurs, particulièrement les enfants, à patauger dans l'eau. Plusieurs personnes s'étant blessées en dérapant sur le granit lisse, un chemin de gravier a été aménagé autour de la fontaine. Les visiteurs sont pourtant toujours aussi nombreux à se rassembler sur le site, pour contempler l'eau qui coule des deux côtés du point culminant de la fontaine ou prendre un bain de soleil – les gardes veillant à ce que personne ne saute dans l'eau.

SPEAKERS' CORNER Plan p.140

⊖ Marble Arch

Le coin nord-est de Hyde Park est traditionnellement réservé aux acrobaties rhétoriques et aux grandes déclamations. C'est le seul endroit du Royaume-Uni où des manifestants peuvent se réunir sans autorisation officielle. Cette mesure fut instaurée en 1872 suite aux graves émeutes, 17 ans auparavant, au cours desquelles 150 000 personnes s'insurgèrent contre la Sunday Trading Bill (projet de loi qui interdisait le commerce le dimanche). Le Speakers' Corner fut jadis fréquenté par Karl Marx, Lénine, George Orwell et William Morris. Si un sujet vous tient à cœur, vous pouvez donc venir le dimanche vous en ouvrir en haranguant la foule, mais sachez que vos seuls compagnons seront probablement des déjantés, des fanatiques religieux ou des touristes hilares.

MARBLE ARCH Plan p. 140

⊖ Marble Arch

Conçue en 1827 par John Nash, cette arche se dressait à l'origine devant Buckingham Palace. Jugée trop modeste pour la résidence royale (et, accessoirement, trop étroite pour permettre le passage des carrosses royaux), elle gagna en 1851 son emplacement actuel dans l'angle nord-est de Hyde Park. Un petit appartement de trois pièces, utilisé comme poste de police jusqu'en 1950, est niché à l'intérieur du monument. Seuls les membres de la famille royale et la King's Troop Royal Horse Artillery sont légalement autorisés à passer sous le portail central. Une plaque sur le rond-point indique l'endroit où se dressait autrefois la potence triangulaire (à trois pieds) de Tyburn Tree. Entre 1571 et 1783, pas moins de 50 000 personnes y auraient été exécutées, la plupart ayant auparavant croupi un temps dans la Tour de Londres (p. 122). Au cours du XVIe siècle, de nombreux catholiques furent exécutés en raison de leur religion et le site devint ensuite un lieu de pèlerinage catholique.

TYBURN CONVENT Plan p. 140

☎ 7723 7262 ; www.tyburnconvent.org.uk ; 8 Hyde Park Pl W2 ; entrée libre ; 🕓 6h30-8h30, visites de la crypte 10h30, 15h30 et 17h30 tlj ; ⊖ Marble Arch

Un couvent fut fondé ici en 1903, non loin du site du gibet de Tyburn Tree (p. 149). La crypte renferme les reliques de quelque 105 martyrs, ainsi que des peintures commémorant leur vie et leur mort. Une communauté fermée de religieuses bénédectines est encore établie ici.

BROMPTON ORATORY Plan p. 140

☎ 7808 0900 ; www.bromptonoratory.com ; 215 Brompton Rd SW7 ; 🕑 7h-20h ; ⊖ South Kensington

Également connue sous le nom de London Oratory ou d'Oratory of St Philip Neri, cette église catholique romaine de style baroque italien fut construite en 1884. Elle comporte une profusion de marbre et de statues et compte Tony et Cherie Blair (l'ancien Premier ministre britannique et son épouse) parmi ses fidèles. Il y a cinq offices quotidiens en semaine (dont un en latin à 18h), quatre le samedi et neuf le dimanche entre 7h et 19h.

VICTORIA & PIMLICO

WESTMINSTER CATHEDRAL

Plan p. 140

☎ 7798 9055 ; www.westminstercathedral.org.uk ; Victoria St SW1 ; cathédrale entrée libre, tour adulte/tarif réduit/famille 5/2,50/11 £ ; 🕑 cathédrale 7h-19h, tour 9h30-12h30 et 13h-17h tlj avr-nov, jeu-dim déc-mars ; ⊖ Victoria ; ♿

Datant du XIXe siècle, la cathédrale de John Francis Bentley est le siège de l'Église catholique d'Angleterre et d'Écosse. C'est un exemple très abouti d'architecture néobyzantine, avec une tour très particulière, composée de bandes de brique rouge et de pierre blanche. Les travaux commencèrent en 1896 et, bien que les fidèles aient commence à y affluer sept ans plus tard, l'argent vint à manquer et l'intérieur ne fut jamais achevé.

Par endroits, l'intérieur est enjolivé de mosaïques et orné de 100 types de marbre ; ailleurs, il n'y a que de la brique nue. Les 14 Stations du Chemin de Croix (1918), bas-reliefs très réputés d'Eric Gill, et l'atmosphère sombre et prenante en font un lieu de paix contrastant avec le bruit de la circulation extérieure. Du clocher haut de 83 m (accessible en ascenseur), la vue est époustouflante. Il y a six offices quotidiens du dimanche au vendredi et cinq le samedi.

HYDE PARK

Promenade

1 Hyde Park Corner

Grimpez sur le balcon du Wellington Arch (p. 145) pour des vues inoubliables sur la capitale. Sur le même petit îlot de gazon se dresse l'Australian War Memorial (p. 149), un mur de granit de la couleur des eucalyptus.

> **À PIED**
>
> Départ Hyde Park Corner
>
> Arrivée Station de métro Lancaster Gate
>
> Distance 3 km
>
> Durée Environ 1 heure 30
>
> Pause ravitaillement Un café et une part de gâteau au Lido Café (ci-contre), une pinte de fin de parcours au Swan (ci-contre)

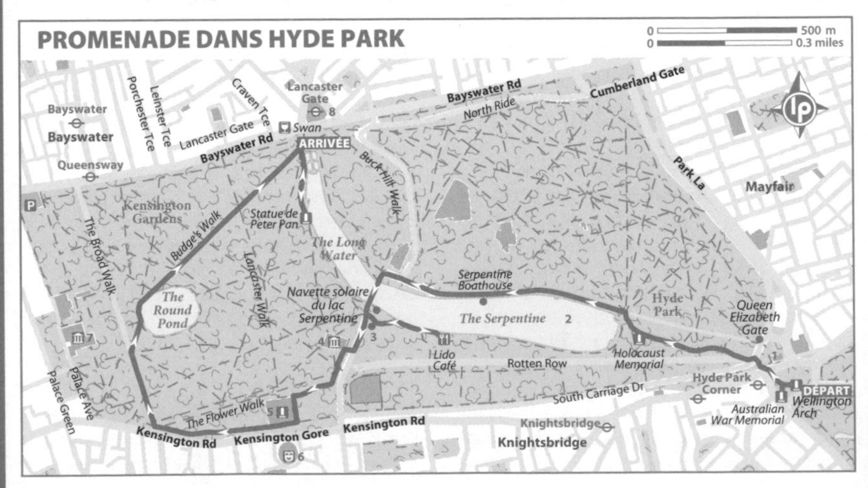

2 The Serpentine

Longez la rive nord du lac et arrêtez-vous pour louer un pédalo auprès de la Serpentine boathouse (☎ 7262 1330 ; adulte/enfant 30 min 6/2 £, 1 heure 8/3 £ ; ⌚ 10h-16h fév-mars, 10h-18h avr-juin, 10h-19h juil-août, 10h-17h sept-oct, 10h-17h sam-dim nov). La navette solaire du lac Serpentine (aller/aller-retour adulte 2,50/4,50 £, enfant 1/1,50 £, famille 6/10 £ ; ⌚ départ ttes les 30 min 12h-17h), bateau utilisant uniquement l'énergie solaire, vous transporte du hangar à bateaux à la Princess Diana Memorial Fountain.

3 Princess Diana Memorial Fountain

Après des débuts difficiles, cette fontaine-mémorial (p. 149) en granit posée sur une pelouse impeccable est devenue un lieu de détente apprécié. Du point le plus élevé, l'eau coule dans les deux directions avant de se déverser dans un petit bassin en contrebas. Il est permis d'y tremper les pieds, mais pas de se baigner. De là, vous pourrez marcher jusqu'au Lido Café (☎ 7706 7098 ; ⌚ 9h-20h avr-oct, 10h-16h nov-mars).

4 Serpentine Gallery

Cet ancien salon de thé figure aujourd'hui parmi les meilleures galeries d'art (p. 147) contemporain de la ville, accueillant des expositions intéressantes et les pavillons d'été temporaires conçus par des grands noms de l'architecture.

5 Albert Memorial

L'opulent Albert Memorial (p. 148) n'est pas à l'image du prince Albert, le mari de la reine Victoria, aimé de tous pour son humilité.

6 Royal Albert Hall

Un autre mémorial dédié à l'époux de la reine Victoria, devenu la salle de concert (p. 148) la plus célèbre de Grande-Bretagne. Tous les artistes de renom et les grandes œuvres de la nation se sont retrouvés sur sa scène, dont le poème de Blake *Jerusalem*, chanté par des chœurs pour célébrer le droit de vote accordé aux femmes en 1928.

7 Kensington Palace

Arrêtez-vous dans cette résidence royale (p. 147) à la longue histoire qu'habita aussi la princesse Diana. Découvrez ses magnifiques appartements ainsi que les expositions permanentes et temporaires, avant de vous reposer sur les pelouses tentantes du parc.

8 Lancaster Gate

Il y a foule d'autres choses à voir dans le parc, à condition d'avoir le temps, l'énergie et la force de résister à l'envie d'aller s'allonger sur l'herbe ou de s'arrêter au Swan (☎ 7262 5204 ; 66 Bayswater Rd W2 ; ⌚ 10h-23h) ou à l'Island Restaurant & Bar (☎ 7551 6070 ; Lancaster Tce W2 ; ⌚ 12h-23h). Sans oublier également la statue de Peter Pan (p. 147).

CLERKENWELL, SHOREDITCH ET SPITALFIELDS

Où prendre un verre p. 286 ; Où se restaurer ; p. 256 ; Shopping p. 229 ; Où se loger p. 353

Ces trois quartiers post-industriels réhabilités au nord-est de la City restent le véritable moteur de la capitale et, pour nombre de visiteurs, son cœur battant. Quoique l'on en pense, c'est sans conteste l'un des meilleurs endroits de la capitale pour sortir (bars, shopping, restaurants, sorties culturelles…). L'enclave est formée de trois quartiers très différents : Clerkenwell, au nord de la City ; Shoreditch et son prolongement nord, Hoxton, s'étendant en gros entre la station de métro Old St jusqu'à l'est de Shoreditch High St ; et Spitalfields, centré autour du marché du même nom et de Brick Lane, la principale artère de Banglatown (un secteur dont le surnom vient de son importante communauté bengali).

Le phénomène Shoreditch se développa à la fin des années 1990 quand toutes sortes de créatifs, chassés par les loyers prohibitifs du West End, se mirent à acheter des entrepôts dans ce désert urbain abandonné à son sort après la faillite de l'industrie textile. En quelques années, le quartier s'embourgeoisa, se couvrant de bars ultra-chics, de clubs branchés, de galeries et de restaurants pour accueillir la nouvelle population de créatifs, free-lance et professionnels des médias. Sa situation, à une courte distance à pied de la City, et ses habitués, prêts à dépenser et à faire la fête, expliquent son succès.

Pourtant, alors que l'on annonçait l'effondrement de la scène de Shoreditch, ce quartier réhabilité ne cesse de prospérer. De nouvelles constructions redonnent vie à certains des endroits les plus pauvres de Londres, gagnant même les quartiers voisins de Hackney et de Bethnal Green.

Clerkenwell et Spitalfields, qui flanquent Shoreditch, ont aussi profité de la renaissance du quartier. L'historique Clerkenwell est désormais le plus riche des trois, avec nombre d'anciens entrepôts vides reconvertis en appartements et bureaux onéreux. Rassemblant beaucoup de sites historiques, il abrite aussi le superclub **Fabric** (p. 302) et de succulents restaurants. Spitalfields, quartier très diversifié qui a connu des vagues successives d'immigration au fil des siècles, est centré sur son marché jadis historique. Malheureusement, il n'est plus que l'ombre de ce qu'il était après une rénovation récente ayant fait la part trop belle aux restaurants de chaînes. Malgré tout, le quartier reste l'un des plus tendance et passionnants de Londres – une simple promenade vers Brick Lane suffit pour s'en convaincre.

La sélection

CLERKENWELL, SHOREDITCH ET SPITALFIELDS

- **Dennis Severs' House** (p. 156)
- **Geffrye Museum** (ci-contre)
- **Spitalfields Market** (p. 231)
- **St John's Gate** (ci-contre)
- **White Cube Gallery** (ci-contre)

CLERKENWELL

CHARTERHOUSE Plan p. 154

☎ 7251 5002 ; Charterhouse Sq EC1 ; entrée 10 £ ; visites guidées 14h15 mer avr-août ; ⊖ Barbican/Farringdon

Il faut réserver près d'une année à l'avance pour pouvoir pénétrer dans cette ancienne chartreuse, dont la pièce maîtresse est une salle Tudor dotée d'une charpente à blochets restaurée. D'avril à août, les visites guidées de 2 heures attirent une foule nombreuse. Elles débutent à la loge du XIVe siècle, sur Charterhouse Sq, puis traversent la Preachers' Court (dont la partie ouest abrite trois cellules monacales d'origine), la Master's Court, le Great Hall et la Great Chamber, où la reine Elizabeth Ire séjourna à plusieurs reprises.

Ce monastère fut fondé en 1371 par les chartreux, l'ordre le plus strict de l'Église romaine : les moines s'abstiennent de manger de la viande et font vœu de silence, vœu seulement interrompu trois heures le dimanche. Durant la Réforme, les protestants pendirent trois de ces prieurs à **Tyburn** (p. 149) et envoyèrent une douzaine de moines à Newgate, où ils moururent de faim enchaînés. En 1537, l'édifice fut confisqué par Henry VIII, avant d'être racheté en 1611 par Thomas Sutton, alors "le roturier le plus riche d'Angleterre". Sutton, célèbre en vertu de la **Sutton House** (p. 162), ouvrit une maison pour les gentlemen démunis ; elle loge aujourd'hui la trentaine de personnes (qu'on appelle "frères") responsables des visites guidées.

Pour obtenir un billet, envoyez une enveloppe cachetée, libellée à vos nom et adresse, une lettre indiquant au moins trois mercredis souhaités entre avril et août, et un chèque à l'ordre de la "Charterhouse" à l'adresse suivante : Tour Bookings, Charterhouse, Charterhouse Sq, London EC1M 6AN. Sinon, moins compliqué, vous pouvez simplement vous présenter durant l'Open House weekend (www.openhouse.org.uk).

ST JOHN'S GATE Plan p. 154

⊖ Barbican/Farringdon

Étonnamment, cette porte médiévale barrant St John's Lane est d'époque. Construite au début du XVIe siècle, elle fit l'objet d'importants travaux de rénovation trois siècles plus tard. Durant les croisades, les chevaliers de Saint-Jean-de-Jérusalem tinrent lieu d'infirmiers et établirent à Clerkenwell un prieuré qui couvrait à l'origine quelque 4 hectares. La porte fut construite en 1504 pour rehausser l'entrée de leur église, St John's Clerkenwell, sur St John's Sq.

Si la plupart des bâtiments furent détruits lorsque Henry VIII décida de fermer les couvents du pays entre 1536 et 1540, la porte subsista et connut par la suite un destin original. Sous le règne de la reine Anne, le père de William Hogarth y ouvrit sans grand succès un café où l'on parlait latin. À l'époque de sa restauration, au XIXe siècle, elle abritait l'Old Jerusalem Tavern. Un pub au nom proche se trouve à l'angle de Britton St (voir p. 287).

Dans la porte même, le petit Order of St John Museum (☎ 7324 4005 ; www.sja.org.uk/museum ; St John's Lane EC1) était fermé pour rénovation lors de notre enquête. Il devrait rouvrir en 2010. Essayez de participer à une visite guidée (adulte/senior 5/4 £ ; 11h et 14h30 mar, ven et sam) de St John's Gate et des vestiges restaurés de l'église. Vous y verrez une belle crypte normande renfermant un robuste monument en albâtre à la gloire d'un chevalier castillan (1575), un monument délabré montrant le squelette de William Weston, le dernier prieur, enveloppé d'un linceul, ainsi que des vitraux où sont représentés les principaux protagonistes de l'histoire. Vous admirerez également la somptueuse salle capitulaire (Chapter Hall) où l'ordre se réunit tous les trois mois.

BUNHILL FIELDS Plan p. 154

Bunhill Row EC1 ; 8h-19h lun-ven, 9h30-19h sam-dim avr-sept, 9h30-16h oct-mars ; ⊖ Old St

Ce cimetière situé un peu à l'extérieur des murs de la City sert de lieu de sépulture depuis plus de 1 000 ans (le nom "Bunhill" viendrait du surnom plutôt macabre de "Bone Hill", la colline des os). C'est sans doute le cimetière "dissident" (n'appartenant pas à l'église anglicane) le plus célèbre du pays. Vous pourrez y voir les tombes de géants littéraires comme Daniel Defoe, John Bunyan ou William Blake. Très agréable pour une promenade, c'est l'un des rares espaces verts dans cette zone très construite. De l'autre côté de City Rd, à l'est du cimetière, se trouve la Wesley's Chapel, construite en 1778, résidence, lieu de travail et de prière de John Wesley, fondateur de l'église méthodiste.

KARL MARX MEMORIAL LIBRARY

Plan p. 154

☎ 7253 1485 ; www.marx-memorial-library.org ; 37a Clerkenwell Green EC1 ; entrée libre ; 13h-18h lun-jeu ; ⊖ Farringdon

Clerkenwell possède une histoire mouvementée. Pauvre et mal famé à l'époque victorienne, le quartier fut colonisé par des immigrés italiens au XIXe siècle. Le révolutionnaire Mazzini y habita et Garibaldi y fit un bref séjour en 1836. Pendant son exil européen, Lénine, qui habitait non loin à Finsbury, publia 17 livraisons de son fameux bulletin bolchevique *Iskra* (L'Étincelle) à partir de ce bâtiment, en 1902 et 1903. Des exemplaires en sont conservés dans l'actuelle bibliothèque, aux côtés d'une multitude d'autres ouvrages socialistes. Les non-membres y ont accès entre 13h et 14h.

SHOREDITCH ET HOXTON

WHITE CUBE GALLERY Plan p. 154

☎ 7930 5373 ; www.whitecube.com ; 48 Hoxton Sq N1 ; entrée libre ; 10h-18h mar-sam ; ⊖ Old St

Jay Jopling, galeriste des stars du Brit Art quand le mouvement était à son firmament, a gagné sa réputation dans les années 1990 en exposant des artistes alors inconnus comme Damien Hirst, Antony Gormley ou Tracey Emin. Ce "cube" de Hoxton Sq porte bien son nom et, même si la galerie fait désormais partie de l'establishment, il est toujours intéressant d'aller voir les dernières expositions. Il existe une autre White Cube Gallery (p. 73) à St James's.

GEFFRYE MUSEUM Plan p. 154

☎ 7739 9893 ; www.geffrye-museum.org.uk ; 136 Kingsland Rd E2 ; admission sur donation ; 10h-17h mar-sam, 12h-17h dim ; ⊖ Old St/Liverpool St ; ♿

CLERKENWELL, SHOREDITCH ET SPITALFIELDS

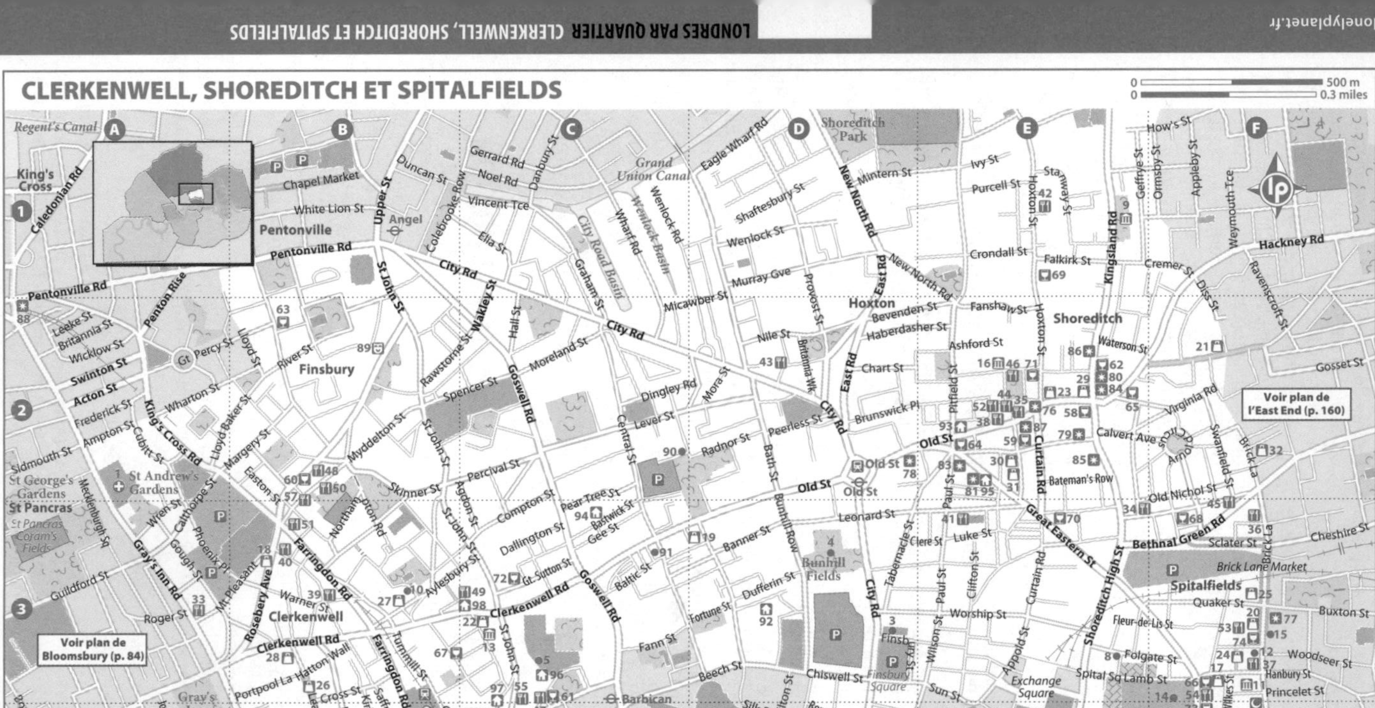

CLERKENWELL, SHOREDITCH ET SPITALFIELDS

RENSEIGNEMENTS
- UCL Eastman Dental Hospital 1 A2

À VOIR (p. 152)
- Brick Lane Great Mosque 2 F4
- Britannic House 3 D3
- Bunhill Fields 4 D3
- Charterhouse 5 C3
- Christ Church, Spitalfields 6 F4
- Church of St Ethelreda 7 B4
- Dennis Severs' House 8 E3
- Geffrye Museum 9 E1
- Karl Marx Memorial Library 10 B3
- Museum of Immigration & Diversity 11 F3
- Old Truman Brewery 12 F3
- Order of St John Museum .... (voir 13)
- St John's Gate 13 C3
- Spitalfields Market 14 F3
- Vat House 15 F3
- White Cube Gallery 16 E2

SHOPPING (p. 229)
- Absolute Vintage 17 F3
- Antoni & Alison 18 B3
- Bread & Honey 19 D3
- Brick Lane 20 F3
- Marché aux fleurs de Columbia Road 21 F2
- Craft Central 22 C3
- Hoxton Boutique 23 E2
- Junky Styling 24 F3
- Laden Showrooms 25 F3
- Leather Lane Market 26 B3
- Lesley Craze Gallery 27 B3
- Magma 28 B3
- No-one 29 E2
- Spitalfields Market .... (voir 14)
- Start Made to Measure 30 E2
- Start Menswear 31 E2
- Sunday UpMarket .... (voir 12)
- Tatty Devine 32 F2

OÙ SE RESTAURER (p. 256)
- Aki 33 A3
- Boundary 34 E3
- Breakfast Club 35 E2
- Brick Lane Beigel Bake 36 F3
- Café 1001 .... 37 F3
- Canteen .... (voir 14)
- Cay Tre 38 E2
- Clark's .... (voir 50)
- Coach & Horses 39 B3
- Eagle 40 B3
- Eyre Brothers 41 E3
- F Cooke 42 E1
- Fifteen 43 D2
- Furnace 44 E2
- Green & Red 45 F3
- Hoxton Apprentice 46 E2
- Le Café du Marché 47 C3
- Medcalf 48 B2
- Mesón Los Barriles .... (voir 14)
- Modern Pantry 49 C3
- Moro 50 B2
- Quality Chop House 51 B3
- Real Greek 52 E2
- Route Master 53 F3
- St John Bread & Wine 54 F3
- St John 55 C3
- Smiths of Smithfield 56 C4
- Square Pie Company .... (voir 14)
- Strada 57 B2

OÙ PRENDRE UN VERRE (p. 286)
- Bar Kick 58 E2
- Bricklayers Arms 59 E2
- Café Kick 60 B2
- Charterhouse Bar 61 C3
- Dreambagsjaguarshoes 62 E2
- Filthy McNasty's 63 B2
- Foundry 64 E2
- George & Dragon 65 E2
- Golden Heart 66 F3
- Jerusalem Tavern 67 B3
- Loungelover 68 F3
- Macbeth 69 E1
- Mother Bar .... (voir 76)
- Old Blue Last 70 E3
- Red Lion 71 E2
- Slaughtered Lamb 72 C3
- Ten Bells 73 F4
- Vibe Bar 74 F3
- Ye Olde Mitre 75 B4

OÙ SORTIR (p. 300)
- 333 .... 76 E2
- 93 Feet East 77 F3
- Aquarium 78 D2
- Cargo 79 E2
- Catch 80 E2
- East Village 81 E2
- Fabric 82 C4
- Favela Chic 83 E2
- Herbal 84 E2
- Last Days of Decadence 85 E2
- On the Rocks 86 E2
- Plastic People 87 E2
- Scala 88 A2

ARTS (p. 312)
- Sadler's Wells 89 B2

SPORTS ET ACTIVITÉS (p. 324)
- Ironmonger Baths 90 C2

SCÈNE GAY ET LESBIENNE (p. 332)
- Ghetto 91 C3

OÙ SE LOGER (p. 353)
- City YMCA EC1 .... 92 D3
- Express by Holiday Inn 93 E2
- Finsbury Residences 94 C3
- Hoxton Hotel 95 E2
- Malmaison 96 C3
- Rookery 97 C3
- Zetter 98 C3

Ce charmant hospice du XVIIIe siècle couvert de lierre, certainement le site le plus accessible de Shoreditch, vous ensorcelle avant même d'y pénétrer. Établi dans ces murs, le Geffrye Museum retrace l'histoire de l'architecture d'intérieur de la classe moyenne aisée anglaise, de l'époque élisabéthaine jusqu'à la fin du XIXe siècle. Une extension post-moderne fut ajoutée en 1998. Elle abrite plusieurs pièces du XXe siècle (un appartement des années 1930, une pièce style années 1950, des meubles et un loft londonien contemporain parsemé de meubles suédois en kit) ainsi qu'un charmant jardin de plantes aromatiques, une galerie accueillant des expositions temporaires, un centre de design exposant les travaux de la communauté locale, une boutique et un restaurant.

Ajout également récent, l'admirable reconstitution de l'intérieur d'un ancien hospice (adulte/moins de 16 ans 2 £/gratuit) impressionne par son souci du détail, comme ce journal d'époque laissé ouvert sur la table du petit-déjeuner. Le décor est toutefois si précieux que cette petite maison de retraite n'ouvre que deux fois par mois (habituellement un mercredi et un samedi).

SPITALFIELDS

Serré autour de son marché éponyme et de la formidable Hawksmoor Christ Church, Spitalfields, cette partie de la capitale située entre la City et Shoreditch, a connu de nombreuses vagues d'immigration au fil du temps. Peuplé tour à tour par des huguenots fuyant la France, des juifs, des Irlandais et, plus récemment, des immigrés arrivant d'Inde et du Bangladesh, Spitalfields reste l'un des quartiers les plus cosmopolites de la ville.

Ne manquez pas le Spitalfields Market, beau marché victorien, qui constitue l'une des visites incontournables de tout week-end shopping à Londres (voir p. 231).

BRICK LANE Plan p. 154

Brick Lane est le centre d'un quartier surnommé Banglatown, où vit une communauté bengali prospère. Dans cette rue située au sud de l'Old Truman Brewery, se succèdent des restaurants de curries, des boutiques de saris et de tissus et des supermarchés indiens. La qualité des curries locaux ayant hélas fortement baissé, mieux vaut se rabattre sur les restaurants indiens de Whitechapel (p. 260).

Juste après Hanbury St, vous parviendrez à l'Old Truman's Brewery, qui fut autrefois la plus grande brasserie de Londres. La demeure du directeur, sur la gauche, est de1740. L'ancienne Vat House et son campanile hexagonal, en face, datent du début du XIXe siècle, et l'Engineer's House, à côté, de 1830. La brasserie cessa de produire de la bière en 1989. Dans les années 1990, elle devint le siège d'une multitude de labels musicaux indépendants, de petites boutiques, ainsi que de clubs et de bars en vogue. Au nord, Brick Lane montre un autre visage, avec ses excellents magasins de vêtements ou de disques, ses librairies, ses boutiques de bagels (qui comptent parmi les meilleures de la ville) et ses nombreux bars et cafés.

DENNIS SEVERS' HOUSE Plan p. 154

☎ 7247 4013 ; www.dennisseversshouse.co.uk ; 18 Folgate St E1 ; dim/lun/lun soir 8/5/12 £ ; 🕓 12h-16h dim, 12h-14h le lun suivant 1er et 3e dim du mois, tous les lun soir (horaires variables) ; ⊖ Liverpool St

Méli-mélo d'objets en fouillis, cette étrange demeure doit son nom à l'Américain excentrique, aujourd'hui décédé, qui en fit la restauration, transformant la résidence en une sorte de "scène de nature morte". En effet, les visiteurs pénètrent dans un fabuleux décor georgien qui semble réellement habité par une famille de tisserands huguenots, nombreux dans le quartier de Spitalfields au XVIIIe siècle : repas à moitié terminés, lits défaits, odeurs provenant de la cuisine, parquets qui craquent, comme si les habitants venaient tout juste de quitter les lieux. Si l'attraction s'avère des plus fascinantes en journée, les visites *Silent Night* qui ont lieu tous les lundis soir à la lueur des bougies sont encore plus impressionnantes (réservation indispensable).

D'autres demeures georgiennes charmantes se trouvent dans la même rue, au nord de Spitalfields Market. Elles furent occupées par des huguenots qui, fuyant les persécutions religieuses en France, s'y installèrent à la fin du XVIIe siècle. La présence de ces fileurs de soie est évoquée par le nom de rues telles que Fleur-de-Lis et Nantes Passage. D'autres maisons georgiennes restaurées s'alignent sur Fournier St.

BRICK LANE GREAT MOSQUE Plan p. 154

Brick Lane Jamme Masjid ; 59 Brick Lane E1 ; 🕓 sam-jeu ; ⊖ Liverpool St

La mosquée de Brick Lane est le meilleur exemple de tous les brassages de population que connut le quartier pendant ces derniers siècles. Construit en 1743, ce lieu de culte fut d'abord une église protestante, la New French Church des huguenots puis, en 1819, une chapelle méthodiste, avant de se transformer en 1898 en Grande Synagogue pour les réfugiés juifs en provenance de Russie et d'Europe centrale. Enfin, en 1976, changeant à nouveau de confession, il devint la Grande Mosquée. Visites autorisées en dehors des heures de prière.

CHRIST CHURCH, SPITALFIELDS

Plan p. 154

☎ 7859 3035 ; www.christchurchspitalfields.org ; Commercial St E1 ; 🕓 11h-16h mar, 13h-16h dim ; ⊖ Liverpool St

C'est dans cette église aujourd'hui restaurée, à l'angle de Commercial St et de Fournier St, pratiquement en face du marché de Spitafields, que de nombreux tisserands allaient se recueillir. Conçue par Nicholas Hawksmoor et achevée en 1729, cette magnifique structure de style baroque anglais arbore un clocher élancé surmontant un porche porté par quatre belles colonnes toscanes.

MUSEUM OF IMMIGRATION & DIVERSITY Plan p. 154

☎ 7247 5352 ; www.19princeletstreet.org.uk ; 19 Princelet St E1 ; entrée libre, contribution grandement appréciée ; ⊖ Liverpool St/Shoreditch

Édifiée en 1719, cette superbe maison de ville huguenote abritait une famille de tisserands prospères avant d'accueillir successivement des immigrants polonais, irlandais puis juifs, lesquels érigèrent une synagogue dans le jardin en 1869. Fidèle à son passé multiculturel, elle héberge désormais un musée de l'Immigration et de la Diversité dont les expositions, soigneusement pensées, s'adressent aux adultes comme aux enfants. Le bâtiment ayant hélas urgemment besoin de travaux de réparation, il n'ouvre que par intermittence (généralement une dizaine de fois par an). Consultez le site pour vous renseigner sur les dates et pour ne pas manquer l'occasion de visiter cet endroit magnifique.

UN DIMANCHE À SPITALFIELDS ET SHOREDITCH

Promenade

1 Spitalfields Market

Le meilleur marché (p. 231) de la capitale et une sortie privilégiée le week-end pour faire des emplettes : vêtements, disques ou nourriture. Quand vous vous en approchez par Liverpool St, vous découvrez la nouvelle version du marché qui, tout en essayant de garder un esprit indépendant (on y refuse la présence de grandes chaînes), n'a pas le charme bourru et spontané que possédait l'ancien. Entrez dans le bâtiment du vieux marché pour vous perdre dans ses innombrables étals.

> **À PIED**
>
> **Meilleur moment** Dimanche matin
> **Départ** Station de métro Liverpool St
> **Arrivée** Station de métro Old St
> **Distance** 3 km
> **Durée** 1 heure
> **Pause ravitaillement** Étals d'alimentation derrière le Sunday UpMarket (p. 231), Brick Lane Beigel Bake (p. 259), un verre à Horton Sq

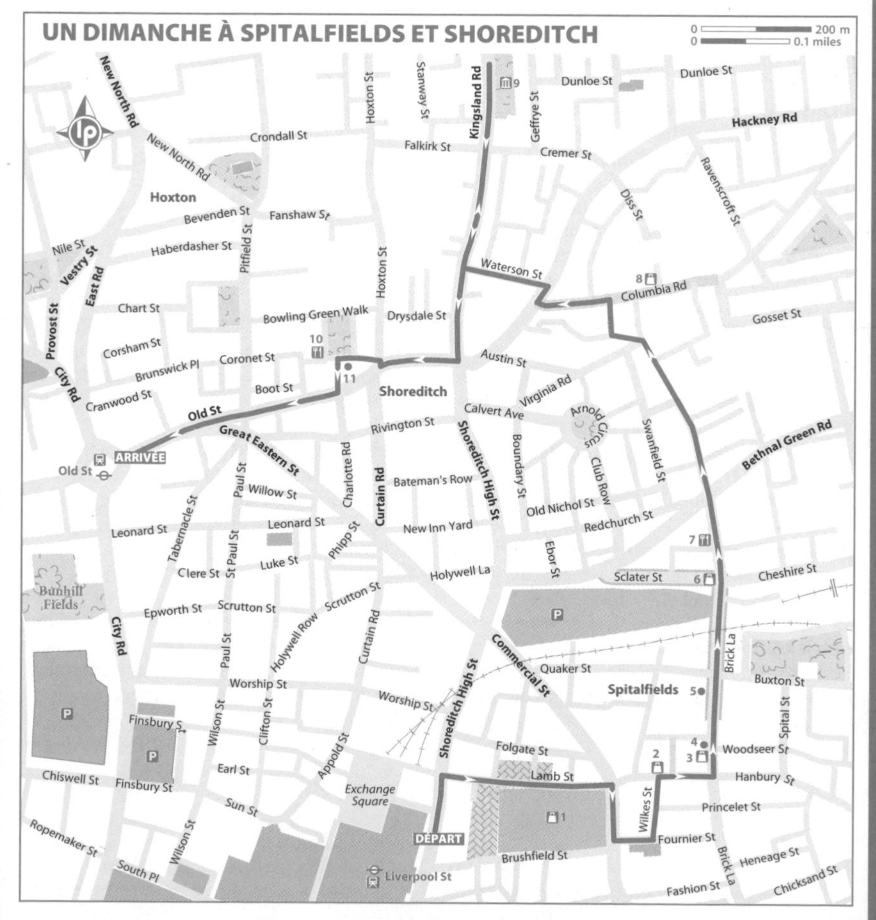

2 Absolute Vintage

Comment ne pas trouver chaussure à son pied dans cette excellente boutique (p. 223) qui croule sous les modèles de grandes marques en toutes couleurs et toutes tailles ! Des souliers de l'époque de nos grands-mères se sont glissés dans la collection. À l'arrière, vous trouverez également des vêtements pour hommes et femmes.

3 Sunday UpMarket

Ayant perdu une précieuse surface d'éventaire avec le développement du nouveau marché, les jeunes stylistes ont déplacé leur propre marché (p. 231) dans l'Old Truman Brewery. Le nouvel espace est agréable et plus aéré, comptant de nombreux étals de vêtements originaux, de musique et d'artisanat. Le rayon d'alimentation (à l'extrémité de Brick Lane) offre un choix extraordinaire de produits du monde entier : on s'y régale aussi bien de plats de légumes éthiopiens que de délicats mets japonais.

4 Old Truman Brewery

C'était au milieu du XVIIIe siècle la plus grande brasserie (p. 156) de Londres. La demeure du directeur, sur la gauche, est de 1740. L'ancienne Vat House date du début du XIXe siècle, et l'Engineer's House, à côté, de 1830. On reconnaît aussi une rangée d'écuries. La brasserie, qui ferma en 1989, fait maintenant partie intégrante du Sunday UpMarket.

5 Brick Lane

En 1550, Brick Lane était une petite route de campagne menant à des briquetteries. Au XVIIIe siècle, pavée, elle était bordée des maisons et des chaumières des tisserands de Spitalfields. Aujourd'hui, le sud de cette rue (p. 156) débordante d'animation est occupé par des restaurants de curries pour touristes. Tous les noms de rues dans le quartier sont indiqués en bengali et en anglais.

6 Brick Lane Market

Le dimanche, allez faire de bonnes affaires, surtout dans les vêtements, à Brick Lane, aux environs de la station de métro de Shoreditch qui doit bientôt rouvrir. Le marché (p. 231) est particulièrement intéressant pour les meubles. Poussez la balade jusqu'à Cheshire St, trésor de petites boutiques de nouveaux designers et de collections griffées.

7 Brick Lane Beigel Bake

Tout au bout de Brick Lane, quelques-unes des premières familles juives à s'être installées dans le quartier ont ouvert cette excellente boulangerie de bagels (p. 259). Ouverte 24h/24, elle ne désemplit pas, appréciée des promeneurs sur le marché le dimanche et des fêtards de Shoreditch le soir.

8 Columbia Road Flower Market

Tous les dimanches, dès l'aube, ses stands se remplissent de fleurs fraîchement coupées, de plantes en pot et d'orchidées qui attendent d'embellir les jardinets ou les rebords de fenêtre des Londoniens. Allez-y tôt le matin pour admirer le marché (p. 231) dans toute sa splendeur ; cela dit, c'est vers la fin, aux alentours de midi, que se réalisent les meilleures affaires. Si vous êtes en appétit, faites un tour du côté des étals d'alimentation derrière les principaux vendeurs de fleurs.

9 Geffrye Museum

Dans un hospice victorien, voici un passionnant musée (p. 153) dédié à la décoration intérieure anglaise à travers les époques. À la fin de votre promenade, faites une pause dans le joli café vitré à l'arrière, et découvrez le jardin d'herbes aromatiques.

10 Hoxton Square

Faites une halte au passage dans Hoxton Sq, un petit parc agréable où il se passe toujours quelque chose et, si le temps le permet, prenez un verre aux terrasses très animées.

11 White Cube Gallery

Première des deux créations de Jay Jopling, pionnier du Brit Art, cette galerie (p. 153) accroche toujours sur ses murs d'un blanc immaculé des œuvres amusantes ou décriées.

L'EAST END ET LES DOCKLANDS

Où prendre un verre p. 289 ; Où se restaurer p. 260 ; Shopping p. 233 ; Où se loger p. 354

Whitechapel, dans l'East End, n'est peut-être qu'à quelques pas de la City, et les quartiers au nord-est, comme Bethnal Green ou Mile End ne sont qu'à une ou deux stations de métro... mais le contraste des styles est étonnant. Traditionnellement, l'East End est le quartier de la classe ouvrière. Les vagues d'immigrants qui s'y sont succédé lui ont conféré une ambiance particulière, curieux mélange d'innombrables cultures : celle des huguenots français, des Irlandais, des juifs et des Bengalis, que l'on ressent de diverses manières. Délabré et abandonné au début des années 1980, l'East End commence à s'embourgeoiser. Des signes de prospérité commencent à apparaître dans les quartiers autour de Whitechapel et d'Aldgate, les prix de l'immobilier ont augmenté à Mile End, Bethnal Green et Bow, et les constructions se multiplient à Hackney et Dalston.

Si vous vous intéressez au Londres moderne et multiculturel, il faut absolument visiter l'East End. Outre plusieurs musées intéressants et bien dotés, vous trouverez dans Whitechapel les meilleurs restaurants asiatiques de Londres question qualité/prix et certains des marchés les plus colorés. Vous pourrez également visiter la Whitechapel Art Gallery (p. 159), récemment agrandie, ou vous offrir une promenade à vélo dans le Victoria Park (p. 164), l'un des plus beaux parcs de la capitale.

À quelques pas des pavés qui mènent aux entrepôts, aux quais et aux bassins qui contribuèrent dès le XVIIIe siècle à la fabuleuse richesse de Londres, les Docklands, dans le prolongement sud de l'East End, constituent un monde de contrastes. Ponts vertigineux sur les docks et gratte-ciel futuristes se découpent sur le ciel, véritable aperçu du Londres de demain. Mais le quartier est aussi riche en histoire, comme le rappelle le Museum of London Docklands (p. 165).

La sélection

L'EAST END ET LES DOCKLANDS

- Whitechapel Art Gallery (ci-dessous)
- Museum of London Docklands (p. 165)
- Canary Wharf Tower (p. 167)
- Ragged School Museum (p. 163)
- Victoria Park (p. 164)

EAST END

Whitechapel

Whitechapel High St, principale artère de l'East End, bourdonne de langues asiatiques, africaines et moyen-orientales, et ses boutiques animées vendent aussi bien des en-cas indiens que des tissus nigériens ou des bijoux turcs, tandis que se côtoient, avec plus ou moins de facilités, les innombrables groupes ethniques du quartier. S'il reste chaotique et pauvre, l'endroit n'en demeure pas moins plein de vie et d'aspiration. Une expérience à ne pas manquer.

WHITECHAPEL ART GALLERY

Plan p. 160

☎ 7522 7888 ; www.whitechapelgallery.org ; 77-82 Whitechapel High St E1 ; entrée libre ; 11h-18h mar-dim, 11h-21h jeu ; ⊖ Aldgate East ; ♿

Installée dans un bâtiment Art nouveau depuis 1899, cette galerie avant-gardiste s'est désormais étendue à la bibliothèque voisine, doublant sa surface d'exposition, avec désormais un total de dix galeries. Fondée par le philanthrope Canon Samuel Barnett à la fin du XIXe siècle pour ouvrir la population de l'Est londonien à l'art, elle s'est fait connaître en exposant indifféremment artistes établis ou émergents, dessinateurs de bandes dessinées ou architectes avec, entre autres grands noms, Jackson Pollock (sa première exposition au Royaume-Uni), Gary Hume, Robert Crumb ou Mies van der Rohe. C'est ici qu'a été exposé pour la première fois le *Guernica* de Picasso en 1939. Une tapisserie de ce tableau, emprunté au bâtiment des Nations unies à New York, a d'ailleurs été exposée en 2009, pour marquer la réouverture. Les expositions, aux thèmes ambitieux, changent tous les deux mois (consultez le programme sur le site Internet) et la galerie accueille aussi des concerts, des lectures poétiques, des débats et des projections de films jusqu'à tard le jeudi et parfois le vendredi. Et ne manquez pas les fantastiques "sculptures sociales" qui occupent différents espaces (éphémères) un peu partout. Citons aussi l'excellente librairie, la Whitechapel Gallery Dining Room (p. 260), et le café très design du 1er étage.

WHITECHAPEL BELL FOUNDRY

Plan ci-dessous

☎ 7247 2599 ; www.whitechapelbellfoundry.co.uk ; 32-34 Whitechapel Rd E1 ; visite guidée 10 £ ; visites guidées 10h et 14h sam, boutique 9h30-16h15 lun-ven ; ⊖ Aldgate East

Présente sur ce site de Whitechapel depuis 1738, c'est la fonderie de cloches la plus ancienne, déjà en activité en 1570 ailleurs dans le quartier. Elle produisit, entre autres, Big Ben (1858 ; p. 96) et la Liberty Bell (cloche de la liberté, 1752) de Philadelphie, aux États-Unis. Après le 11 septembre 2001, une nouvelle cloche y a été fondue pour la Trinity Church de New York. Les visites guidées de 1 heure 30 le samedi (25 personnes maximum) affichent souvent

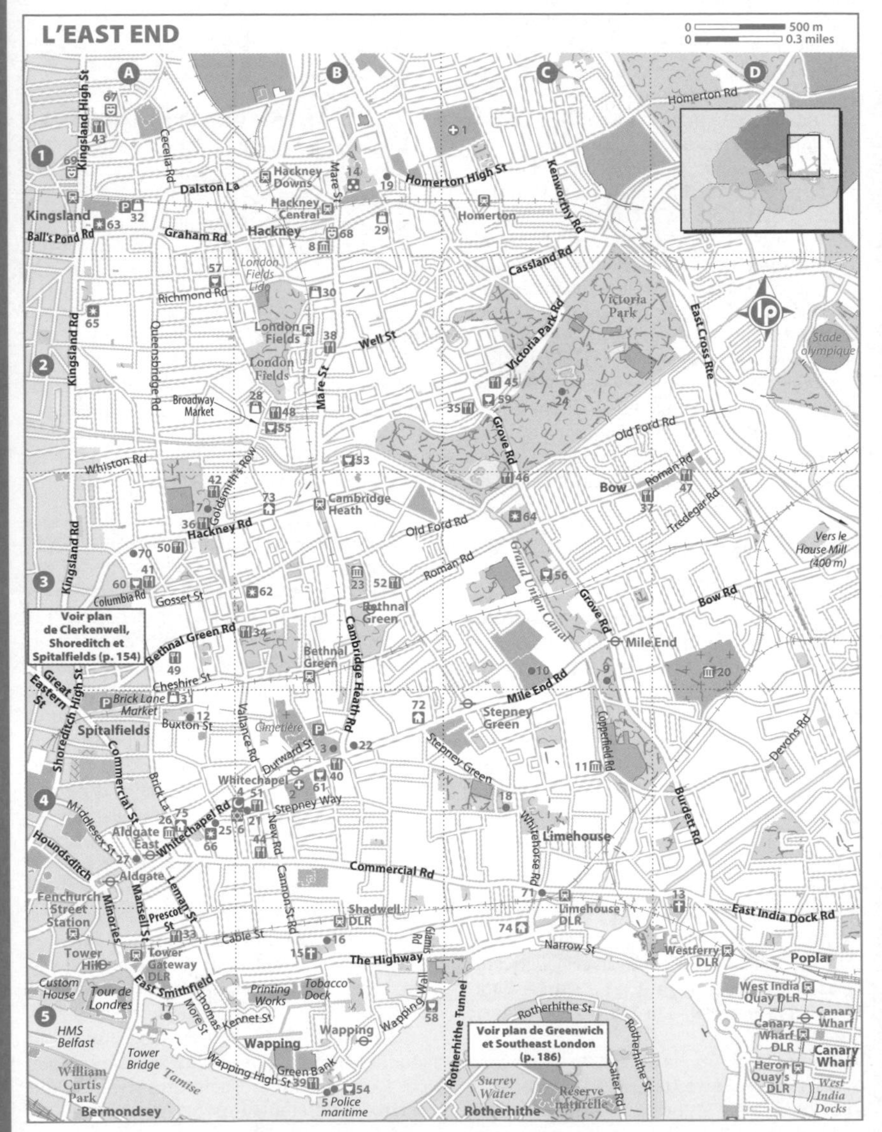

complet un an à l'avance. En semaine, vous pourrez voir de petites expositions dans le hall d'entrée et faire un tour dans la boutique.

WHITECHAPEL ROAD

Plan ci-contre

À quelques pas de la station de métro Whitechapel, vous trouverez l'imposante East London Mosque (46-92 Whitechapel Rd E1), et derrière elle, sur Fieldgate St, la Great Synagogue (Grande Synagogue ; 1899).

Cable St, un peu au sud de Commercial Rd, en direction de Wapping, abrite l'ancien bâtiment du St George's Town Hall (236 Cable St E1), devenu bibliothèque, au coin de Library Place. Sur le mur est de l'édifice, en face de Library Place, une vaste fresque commémore les émeutes de Cable St, en octobre 1936. Le fasciste britannique Oswald Mosley, accompagné d'une poignée de ses "chemises noires", tenta d'intimider la communauté juive, mais fut repoussé de manière retentissante par la population (juive et non juive).

Vous vous trouvez à présent en plein cœur du territoire de Jack l'Éventreur : la première de ses cinq victimes, Mary Ann Nichols, fut assassinée le 31 août 1888 dans l'actuelle Durward St, juste derrière la station de métro Whitechapel, au nord.

Whitechapel Rd elle-même contient quelques adresses tristement célèbres. Citons notamment le Blind BeggarPub (☎ 7247 6195 ; 337 Whitechapel Rd E1), juste avant le croisement avec Cambridge Heath Rd. C'est ici que le célèbre gangster Ronnie Kray tua d'un coup de feu George Cornell en 1966, lors d'une guerre des gangs pour le contrôle du crime organisé dans l'East End. Il fut emprisonné à vie et mourut en 1995.

Après ce carrefour, l'histoire de ce quartier traditionnellement pauvre prend un tour plus philantropique. On y verra ainsi une statue de William Booth, fondateur de l'Armée du Salut en 1865, et les Trinity Green Almshouses, petites maisons construites pour les marins blessés et les vétérans en 1695. Perpendiculaires à la rue, les deux rangées de maisons font face à une étendue champêtre et à une chapelle dotée d'une tour de l'horloge.

L'EAST END

RENSEIGNEMENTS

Homerton Hospital	1	C1
Royal London Hospital	2	B4

À VOIR (p. 159)

Blind Beggar	3	B4
Mosquée d'East London	4	B4
Execution Dock	5	B5
Great Synagogue	6	B4
Hackney City Farm	7	A3
Hackney Museum	8	B1
Mile End Park	9	C3
Queen Mary	10	C3
Ragged School Museum	11	C4
Spitalfields City Farm	12	A4
St Anne's, Limehouse	13	D4
St Augustine's Tower	14	B1
St George-in-the-East	15	B5
St George, Hôtel de ville	16	B5
St Katharine's Dock	17	A5
Stepping Stones Farm	18	C4
Sutton House	19	B1
Cimetière-parc de Tower Hamlets	20	D3
Tower House	21	B4
Trinity Green Almshouses	22	B4
University of London	(voir 10)	
V&A Museum of Childhood	23	B3
Victoria Park	24	C2
Whitechapel Bell Foundry	25	A4
Whitechapel Gallery	26	A4
Statue de William Booth	(voir 22)	
Women's Library	27	A4

SHOPPING (p. 233)

Broadway Market	28	B2
Burberry Factory Shop	29	B1
Carhartt	30	B2
Fabrications	(voir 28)	
Labour & Wait	31	A4
Ridley Road Market	32	A1

OÙ SE RESTAURER (p. 260)

Broadway Market	(voir 28)	
Café Spice Namaste	33	A5
E Pellici	34	B3
Fish House	35	C2
Frizzante@City Farm	36	A3
G Kelly	37	C3
Green Papaya	38	B2
Il Bordello	39	B5
Kolapata	40	B4
Laxeiro	41	A3
Little Georgia	42	A3
Mangal Ocakbasi	43	A1
Mirch Masala	44	B4
Namo	45	C2
Pavilion Café du Victoria Park	46	C3
Ridley Road Market	(voir 32)	
Roman Road Market	47	D3
Santa Maria del Buen Ayre	48	B2
Tas Firin	49	A3
Taste of Bitter Love	50	A3
Tayyabs	51	B4
Thai Garden	52	B3
Whitechapel Gallery Dining Room	(voir 26)	
Wild Cherry	(voir 52)	

OÙ PRENDRE UN VERRE (p. 289)

Bistrotheque	53	B2
Captain Kidd	54	B5
Dove Freehouse	55	B2
Palm Tree	56	C3
Prince Arthur	57	A2
Prospect of Whitby	58	B5
Royal Inn on the Park	59	C2
Royal Oak	60	A3
Urban Bar	61	B4

OÙ SORTIR (p. 300)

Bethnal Green Working Men's Club	62	B3
Cafe Oto	63	A1
Jongleurs Bow	64	C3
Passing Clouds	65	A2
Rhythm Factory	66	A4

ARTS (p. 312)

Arcola Theatre	67	A1
Hackney Empire	68	B1
Rio Cinema	69	A1

SCÈNE GAY ET LESBIENNE (p. 332)

Joiners Arms	70	A3
White Swan	71	C4

OÙ SE LOGER (p. 354)

40 Winks	72	B4
Days Hotel	73	B3
Express by Holiday Inn	74	C5
Old Ship	(voir 68)	
RCA City Hotel	75	A4

WOMEN'S LIBRARY Plan p. 160

☎ 7320 2222 ; www.thewomenslibrary.ac.uk ; Old Castle St E1 ; entrée libre ; ⏲ 9h30-17h30 lun-mer et ven, 9h30-20h jeu, 10h-16h sam ; ⊖ Aldgate East ; ♿

Juste à côté de la Whitechapel Art Gallery, la Women's Library, qui appartient à la London Metropolitan University, renferme une collection unique de livres et de documents traitant de l'histoire des femmes. Elle comprend une salle de lecture ouverte au public, des archives et un musée. Des conférences et des expositions y ont souvent lieu (la dernière s'intitulait *Between the Covers : Women's Magazines and their Readers*). Le bâtiment moderne intègre la façade du Goulston Square Wash House, l'un des plus anciens bains publics de Londres.

Bethnal Green et Hackney

Voici le véritable East End, incarné par Bethnal Green, le quartier le plus pauvre de Londres à l'époque victorienne, et le tentaculaire Hackney, dont le nom saxon, de *haccan* (tuer avec une hache ou une épée) et *ey* (rivière), indique un lieu de bataille. C'est l'une des zones les plus cosmopolites de la capitale, habitée par une forte population d'Afro-Caribéens, de Bengalis, de Turcs et de Kurdes. Aucun de ces quartiers ne figure au programme d'un circuit touristique traditionnel, mais tous deux méritent amplement une visite.

V&A MUSEUM OF CHILDHOOD Plan p. 160

☎ 8983 5200, renseignements (boîte vocale) 8983 5235 ; www.vam.ac.uk/moc ; angle Cambridge Heath Rd et Old Ford Rd E2 ; entrée libre ; ⏲ 10h-17h45 ; ⊖ Bethnal Green ; ♿

Installé dans un bâtiment rénové de l'époque victorienne déplacé de South Kensington en 1866, cette branche du Victoria & Albert Museum (p. 143) est destinée aussi bien aux enfants –avec ses salles d'activités, espaces interactifs, jeux et jouets – qu'aux adultes nostalgiques venus admirer les jouets anciens. Des figurines en ivoire (dont une "poupée" datant de 1 300 av. J.-C.) aux jeux vidéo, en passant par les ours en peluche, les Meccano et les Lego, c'est toute l'histoire du jouet qui est retracée ici.

SUTTON HOUSE Plan p. 160

☎ 8986 2264 ; www.nationaltrust.org.uk ; 2 et 4 Homerton High St E9 ; enfant/adulte/famille 2,90/80p/6,60 £ ; ⏲ 12h30-16h30 jeu-dim fév-fin déc ; ⊖ Hackney Central, 🚌 38, 106, 277 ou 394

Abandonnée, puis investie par des squatteurs dans les années 1980, cette demeure, baptisée Bryk Place lors de sa contruction en 1535 par un éminent courtisan d'Henri VIII, sir Ralph Adleir, aurait pu connaître une fin tragique. Elle a cependant fini par être placée sous la tutelle du National Trust et magnifiquement restaurée.

La première salle historique, le Linenfold Parlour, est une vraie splendeur : ses lambris de chêne Tudor ont été sculptés de manière à ressembler à des tentures. Parmi les autres pièces intéressantes figurent la Great Chamber, toute lambrissée, le bureau victorien, le parloir georgien et l'étrange reconstitution d'une cuisine Tudor. Sur le site, vous trouverez un agréable café et une boutique.

À l'ouest de Sutton House, dans les jardins de la St John's Church, la St Augustine's Tower (☎ 8986 0029 ; www.hhbt.org.uk ; Mare St E8), du XIIIe siècle, est tout ce qu'il reste d'une église démolie en 1798. La tour et ses 135 marches sont accessibles les jours d'ouverture. Voir le site Internet pour plus de détails.

HACKNEY MUSEUM Plan p. 160

☎ 8356 3500 ; www.hackney.gov.uk/cm-museum ; Hackney Learning & Technology Centre, 1 Reading Lane E8 ; entrée libre ; ⏲ 9h30-17h30 mar, mer et ven, 9h30-20h jeu, 10h-17h sam ; 🚆 Hackney Central, 🚌 38, 106, 277 ou 394 ; ♿

Ce petit musée, qui retrace l'histoire d'un des quartiers les plus cosmopolites du pays, est particulièrement esthétique. Les pièces sont présentées dans des panneaux composés de casiers translucides, déclinant différents tons d'une même couleur, tandis qu'une vitrine tout en verre rassemble des objets caractéristiques des différentes communautés – juifs, Chinois, Indiens, etc. Jusqu'au bateau saxon millénaire, découvert dans les marais du Springfield Park en 1987, qui a été placé à même le sol, sur des carreaux en verre.

Cette présentation très design n'interfère pourtant en rien avec les objets exposés, qui vont des zootropes à la cuisine de rêve des années 1950. Des écouteurs permettent d'entendre des histoires racontées par des membres des communautés elles-mêmes.

Mile End et Victoria Park

Ce carrefour animé, coincé entre les Docklands, Hackney, Bow, Stratford Marsh et Mile End, est une zone résidentielle de plus en plus recherchée. Elle abrite quelques bons bars et restaurants, un parc original, financé par une loterie, et un

LE VIEUX MACDONALD A UNE FERME…

Pour apprendre aux jeunes Londoniens que les pis des vaches n'ont pas la forme de bouteilles de lait, des fermes ont été installées ces dernières décennies en plusieurs endroits de la ville, avec de vrais animaux (bovins, ovins et porcins. Plus prisées des Londoniens que des visiteurs, elles offrent aussi un bon moyen de sortir des sentiers battus. L'entrée est toujours gratuite. Beaucoup possèdent un centre éducatif et la plupart sont fermés le mardi.

Freightliners Farm (plan p. 174 ; ☎ 7609 0467 ; www.freightlinersfarm.org.uk ; Sheringham Rd N7 ; 10h-16h45 mar-dim été, 10h-16h mar-dim hiver ; ⊖ Highbury & Islington)

Hackney City Farm (plan p. 160 ; ☎ 7729 6381 ; www.hackneycityfarm.co.uk ; 1a Goldsmith's Row E2 ; 10h-16h30 mar-dim ; ⊖ Bethnal Green)

Kentish Town City Farm (plan p. 170 ; ☎ 7916 5421 ; www.ktcityfarm.org.uk ; 1 Cressfield Close, en retrait de Grafton Rd NW5 ; 9h-17h tlj ; ⊖ Kentish Town)

Mudchute Park & Farm (plan p. 166 ; ☎ 7515 5901 ; www.mudchute.org ; Pier St E14 ; 9h-17h tlj été, 10h-16h tlj hiver ; DLR Mudchute)

Spitalfields City Farm (plan p. 160 ; ☎ 7247 8762 ; www.spitalfieldscityfarm.org ; Weaver St E1 ; 10h-16h30 mar-dim ; ⊖ Shoreditch)

Stepping Stones Farm (plan p. 160 ; ☎ 7790 8204 ; Stepney Way E1 ; 10h-16h mar-dim ; ⊖ Stepney Green, DLR Limehouse)

Surrey Docks Farm (plan p. 186 ; ☎ 7231 1010 ; www.surreydocksfarm.org.uk ; South Wharf, Rotherhithe St SE16 ; 10h-17h mar-dim ; ⊖ Rotherhithe)

Vauxhall City Farm (plan p. 193 ; ☎ 7582 4204 ; www.vauxhallcityfarm.info ; Tyers St, off Kennington Lane SE11 ; 10h-14h30 jeu-dim ; ⊖ Vauxhall)

autre plus traditionnel, au sein du Victoria Park, véritable poumon vert de l'East End. Un peu à l'ouest de la Mile End Station, le campus de la Queen Mary, University of London (plan p. 160 ; ☎ 7882 5555 ; www.qmul.ac.uk ; Mile End Rd E1 ; ⊖ Mile End) abrite le Novo Sephardic Cemetery, cimetière créé en 1733 par des juifs espagnols et portugais. Au milieu des années 1970, lors de l'agrandissement de l'établissement scolaire, près de 7 500 tombes furent vidées et les restes – dont ceux du célèbre boxeur Daniel Mendoza (p. 164) – enterrés dans des emplacements non marqués à Brentwood. À l'est, de l'autre côté de l'autoroute A12, se trouve Stratford et l'Olympic Park (plan p. 66 ; www.london2012.org), aujourd'hui en construction, mais qui sera au centre de toutes les attention l'été 2012 lorsqu'auront lieu les Jeux olympiques. Pour un aperçu de ce qu'il deviendra, joignez vous à une visite guidée Blue Badge (☎ 7495 5504 ; www.toursof2012sites.com ; adulte/enfant 8/5 £ ; 11h sam-dim), qui dure environ 1 heure 30. Elle part de la station de métro Bromley-By-Bow et se termine à la station Pudding Mill Lane DLR, mais consultez le site Internet pour être informé d'un changment éventuel.

MILE END PARK Plan p. 160

www.towerhamlets.gov.uk; ⊖ Mile End

Ce parc de 36 hectares forme une étroite coulée verte entre Burdett Rd et Grove Rd, délimité aussi par le Grand Union Canal. Superbement réaménagé en l'an 2000, il intègre désormais une piste de karting, un centre pour les enfants de moins de 10 ans, un mur d'escalade couvert et un stade en cours de rénovation. Sa pièce maîtresse reste toutefois le "pont vert", de l'architecte Piers Gough, planté d'arbres et de buissons, qui enjambe la bruyante Mile End Rd.

RAGGED SCHOOL MUSEUM

Plan p. 160

☎ 8980 6405 ; www.raggedschoolmuseum.org.uk ; 46-50 Copperfield Rd E3 ; entrée libre, contribution suggérée 2 £ ; 10h-17h mer et jeu, et 14h-17h 1er dim du mois ; ⊖ Mile End

Le Ragged School Museum, un musée d'histoire sociale, abrite la reproduction d'une salle de classe victorienne. Située au 1er étage, celle-ci contient des bancs et des tables en bois, des ardoises, de la craie, des encriers et des bouliers, et ravira les enfants comme leurs parents. À l'époque victorienne, le mot *ragged* (qui signifie "en haillons") désignait les vêtements généralement déchirés et sales des écoliers, d'où le nom du musée. Ce dernier rend aussi hommage au Dr Joseph Barnardo, qui fonda la première école gratuite pour les petits pauvres de l'East End dans ce même bâtiment, au cours des années 1860.

LE PÈRE DE LA "BOXE SCIENTIFIQUE"

Daniel Mendoza (1764-1836), le père de la "boxe scientifique", qui se surnommait lui-même "Mendoza le Juif", fut le premier boxeur aux poings nus à utiliser vitesse et stratégie sur le ring. Né à Aldgate, il quitta l'école à 13 ans pour faire des petits boulots, comme porteur, s'attirant des sarcasmes (on le traitait d'*outsider*) qui le poussaient à la bagarre. Il fut finalement découvert par le "gentleman boxer" Richard Humphreys, de 20 ans son aîné, qui le prit sous son aile et commença à l'entraîner. Mendoza développa un style de combat radicalement opposé à la norme d'alors, selon laquelle les deux combattants se faisaient face et se tapaient dessus jusqu'à ce que l'un des deux s'effondre.

Mendoza entama une carrière pleine de succès sur le ring, mais finit par se disputer avec son mentor. Son combat le plus célèbre fut un règlement de compte entre les deux, en 1788. Alors que Mendoza s'apprêtait à administrer le coup de grâce, l'assistant de Humphreys lui attrapa la main. Le moment a été immortalisé dans la gravure *Foul Play*, exposée à la National Portrait Gallery (p. 78). Mendoza combattit Humphreys "à la régulière" deux fois encore, remportant la victoire à chaque fois.

Mendoza fut le premier sportif de l'histoire britannique à être élevé au rang d'idole – un véritable David Beckham du XVIIIe siècle. Il amassa (et perdit) une véritable fortune, écrivit ses Mémoires ainsi qu'un livre, *The Art of Boxing* (L'Art de la boxe), et fréquenta les puissants (y compris des membres de la famille royale). On vendit même des images et des bibelots à son effigie. Et, plus important encore, il fit avancer la cause des juifs dans ce pays qui ne les tolérait que depuis un siècle. Les gens découvrirent qu'un juif pouvait et savait se défendre – et gagner.

Le premier dimanche du mois, à 14h15 et 15h30, une maîtresse sévère en costume victorien, Miss Perkins, apprend aux "élèves" à lire, à écrire et à compter.

TOWER HAMLETS CEMETERY PARK

Plan p. 160

☎ 07904 186 981 ; www.towerhamletscemetery.org ; Southern Grove E3 ; entrée libre ; 7h-tombée de la nuit ; ⊖ Mile End/Bow Rd

Ouvert en 1841, ce cimetière de 13 hectares fut le dernier de la série des Magnificent Seven, nom donné aux cimetières créés en banlieue – dont Highgate (p. 175) et Abney Park (p. 177), à Stoke Newington – sur décret du Parlement pour faire face à la rapide augmentation de la population londonienne. Quelque 270 000 âmes y trouvèrent le repos, jusqu'à ce que plus personne n'y soit accepté en 1966 et qu'il soit transformé en parc et réserve naturelle en 2001. Aujourd'hui, c'est un lieu paisible, dont les monuments victoriens sont envahis par le lierre. Des visites guidées de 2 heures ont généralement lieu à 14h le 3e dimanche du mois.

HOUSE MILL

Plan p. 66

☎ 8980 4626 ; www.housemill.org.uk ; Three Mill Lane, Three Mills Island E3 ; adulte/tarif réduit 3/1,50 £ ; 11h-16h 1er dim mars-déc, 13h-16h 2e, 3e et 4e dim mai-oct ; ⊖ Bromley-by-Bow

Dernier des trois moulins qui se dressaient jadis sur cette petite île de la rivière Lea, le House Mill (1776) fonctionna comme écluse régulant la marée et moulut du grain pour une distillerie proche jusqu'en 1940. Des visites, à la demande, d'environ 45 minutes, vous emmènent dans ses quatre étages qui relatent l'histoire fascinante des industries traditionnelles de l'East End. Petit café et boutique sur place.

VICTORIA PARK

Plan p. 160

☎ 8985 1957 277ou 425 ; www.towerhamlets.gov.uk ; aube-crépuscule ; ⊖ Mile End, 277 ou 425

Si la verdure du Mile End Park ne vous suffit pas, remontez Grove Rd vers le nord depuis la station de métro Mile End jusqu'au Victoria Park, le "Regent's Park de l'East End". Cette étendue verdoyante de 87 hectares abrite des lacs, des fontaines, un terrain de bowling, un parc à daims et des courts de tennis. Victoria Park fut le premier parc public à voir le jour dans l'East End en 1845, suite à une pétition de 30 000 signatures présentée à la reine Victoria par le député local. Au début du XXe siècle, ce fut le Speaker's Corner de l'East End. Pendant la Seconde Guerre mondiale, il ferma ses portes au public pour devenir un site de l'artillerie anti-aérienne et un camp de prisonniers de guerre italiens et allemands.

Wapping et Limehouse

L'accès au quartier d'entrepôts de Wapping se fait par le St Katharine's Dock (plan p. 160 ; www.skdocks.co.uk ; ⊖ Tower Hill), construit en 1828 après la destruction de 1 250 logements "insalubres", faisant quelque 11 300 sans-abri. C'est aujourd'hui une marina pour yachts de luxe, entourée de cafés, de restaurants et de boutiques mignonettes des années 1980.

Traditionnellement, le quartier était habité par les marins et les dockers. L'un des sites historiques les plus prisés est l'Execution Dock (plan p. 160 ; Wapping New stairs ; 🚌 100, ⊖ Wapping), à proximité de l'ancien poste de police fluviale au 94 Wapping High St E1. On y pendait les pirates prisonniers dont les corps étaient ensuite enchaînés à un pieu à marée basse et abandonnés jusqu'à ce qu'ils aient été submergés par trois marées.

Limehouse ne présente pas d'intérêt particulier, si ce n'est qu'elle fut le premier Chinatown de Londres à la fin du XIXe siècle, fondé par quelque 300 marins débarqués du sud de la Chine. Son nom apparaît également dans le *Le Portrait de Dorian Gray* d'Oscar Wilde (1891), quand le protagoniste passe dans le quartier en quête d'opium. Aujourd'hui, le site le plus remarquable est St Anne's, Limehouse (plan p. 160 ; ☎ 7515 0977 ; www.stanneslimehouse.org ; angle Commercial Rd et Three Colt St E1 ;DLR Westferry), la première église conçue par Nicholas Hawksmoor. Elle peut encore se targuer de posséder le plus haut clocher de la ville (60 m). En fait, la Trinity House (service des phares britanniques) l'utilise toujours comme repère pour aider les bateaux à naviguer sur les couloirs de la Tamise, d'où le drapeau blanc de la Royal Navy qui flotte à son sommet.

LES DOCKLANDS

À contempler les gratte-ciel ultra-modernes qui dominent aujourd'hui l'Isle of Dogs et le Canary Wharf, on a du mal à imaginer que, du XVIe au milieu du XXe siècle, ce site fut le centre du plus grand port du monde, la plaque tournante de l'Empire britannique et de son énorme commerce planétaire. C'est ici que les cargos venus des quatre coins du monde déchargeaient leurs marchandises, apportant des emplois à une communauté ouvrière très soudée. Cette prospérité prit fin lorsque les bombardements du Blitz endommagèrent gravement les docks.

Après la Seconde Guerre mondiale et la fin de l'Empire, les docks de Londres n'étaient plus en mesure de répondre aux transformations technologiques et politiques d'après-guerre. De gigantesques navires et porte-conteneurs exigeaient des ports en eau profonde et de nouvelles techniques de chargement et déchargement. À partir du milieu des années 1960, les docks fermèrent les uns après les autres, aussi vite qu'ils avaient ouvert. Le nombre des dockers passa de 50 000 en 1960 à environ 3 000 en 1980.

La métropole financière qui existe aujourd'hui commença par la London Docklands Development Corporation (LDDC), un organisme créé par le gouvernement Thatcher pendant la période audacieuse des années 1980 pour désengorger la City. Cet ensemble assez artificiel vécut des débuts difficiles : les grands blocs d'immeubles n'attiraient guère de locataires, le Docklands Light Railway – principal moyen de transport – connut de sérieux problèmes de mise en route et la célèbre Canary Wharf Tower dut être sauvée de la banqueroute à deux reprises. Aujourd'hui, cependant, plusieurs groupes de presse et géants financiers, comme Citigroup et HSBC, s'y sont installés et possèdent leurs propres immeubles.

Les Docklands offrent un monde de contrastes : un paysage dominé par des édifices futuristes et des ponts spectaculaires qui enjambent les docks, véritable aperçu du Londres de demain, et un passé chargé d'histoire encore bien présent dans le quartier.

MUSEUM OF LONDON DOCKLANDS

Plan p. 166

☎ 7001 9844 ; www.museumindocklands.org.uk ; No 1 Warehouse, West India Quay E14 ; adulte/tarif réduit/après 16h30 5/3 £/gratuit ; 🕑 10h-18h ; ⊖ Canary Wharf, DLR West India Quay ; ♿

Lorsque vous pénétrez dans cet entrepôt réhabilité, vieux de deux siècles, ayant servi à stocker le sucre, le rhum et le café, ne vous attendez pas à un simple récit sur les docks : le musée retrace l'histoire complète de la Tamise depuis l'arrivée des Romains en l'an 43. Cependant, les passages les plus intéressants sont ceux consacrés à l'histoire locale, à l'image de la transformation controversée des Docklands délabrés dans les années 1980 et des bouleversements sociaux qui l'ont accompagnée.

La visite guidée débute au 3e étage (prenez l'ascenseur jusqu'au dernier étage) par le village romain de Londinium – ne manquez pas le ravissant bol romain en verre bleu, découvert en morceaux sur un chantier à Prescot St E1 en 2008 – et remonte jusqu'à nos jours. Découvrez les maquettes du London Bridge et le *Rhinebeck Panorama* (1805-1810), immense aquarelle murale représentant l'Upper London Pool, la partie de la Tamise située entre le London Bridge et le Tower Bridge. London, Sugar & Slavery, une nouvelle galerie excellemment conçue, examine le rôle de la capitale dans le trafic transatlantique d'esclaves.

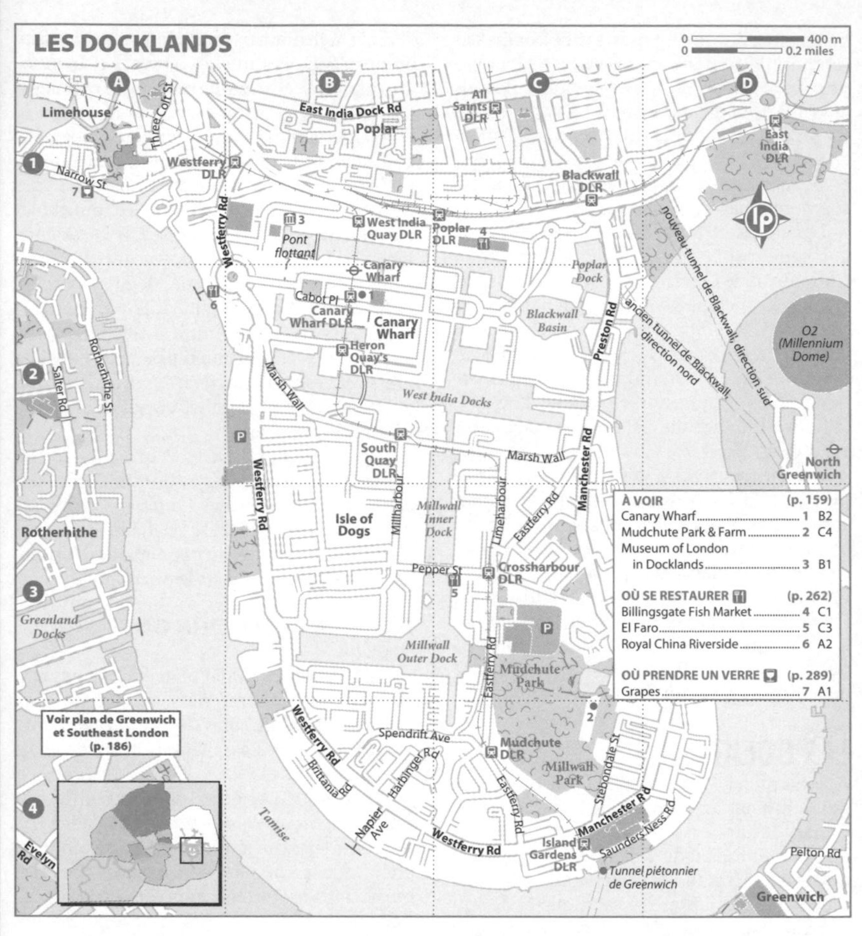

Les enfants seront ravis par les attractions comme Sailortown (belle reconstitution à l'identique des rues pavées, bars et pensions d'une communauté de dockers au XIXe siècle et du Chinatown voisin) et surtout la galerie interactive Mudlarks, où les 5-12 ans découvrent l'histoire de la Tamise en déchargeant un cargo, en essayant d'anciens casques de plongée, en apprenant à utiliser des treuils et même en construisant une maquette du Canary Wharf.

ISLE OF DOGS Plan ci-dessus

DLR Westferry, West India Quay, Canary Wharf

La question de savoir si cette zone est bel et bien une île reste très disputée, de même que l'origine de son nom. À proprement parler, il s'agit d'une péninsule de terre sur la rive nord de la Tamise. Cependant, si l'on exclut les routes et les liaisons de transport, elle pourrait *presque* être séparée du rivage au niveau de West India Docks. Les étymologistes débattent encore de l'origine de *dogs* dans l'appellation de cette île. Selon certains, le nom viendrait des chenils royaux qui s'y trouvaient sous le règne dHenry VIII. D'autres affirment qu'il s'agirait d'une altération du mot flamand *dijk* (digues), lequel fait référence au travail qu'accomplirent en ce lieu les ingénieurs flamands au XIXe siècle.

Une chose est certaine, Canary Wharf est la pièce maîtresse de l'Isle of Dogs. Si vous souhaitez voir à quoi l'île ressemblait autrefois, faites un tour au **Mudchute Park & Farm** (p. 163).

CANARY WHARF Plan ci-dessus

⊖ Canary Wharf, DLR Canary Wharf

La **Canary Wharf Tower** de Cesar Pelli, haute de 244 m, érigée en 1991 sur One Canada Sq, un "prisme surmonté d'une pyramide", veille sur un énorme centre financier. Autour, d'autres édifices plus récents abritent les locaux de HSBC et Citigroup, ainsi que les bureaux de Bank of America, Barclays, Morgan Stanley et du Crédit Suisse, entre autres. Il a fallu beaucoup de temps pour en arriver là. La Canary Wharf Tower, qui demeure l'édifice le plus élevé du Royaume-Uni et l'un des projets immobiliers les plus importants d'Europe, a dû être sauvée à deux reprises du marasme financier avant que ses espaces de bureaux n'atteignent leur taux d'occupation actuel.

À PIED

Départ Station de métro Tower Hill
Arrivée Station de métro Whitechapel
Distance 4 km
Durée Environ 2 heures
Pause ravitaillement Mirch Masala (p. 261)

WAPPING ET WHITECHAPEL
Promenade

1 St Katharine's Dock

Après avoir traversé le Tower Bridge à pied en venant de la Tour de Londres, vous arrivez à ce symbole marquant "l'entrée" dans les Docklands. Après sa fermeture en 1968, St Katharine (p. 164) fut le premier des docks de Londres à être réhabilité.

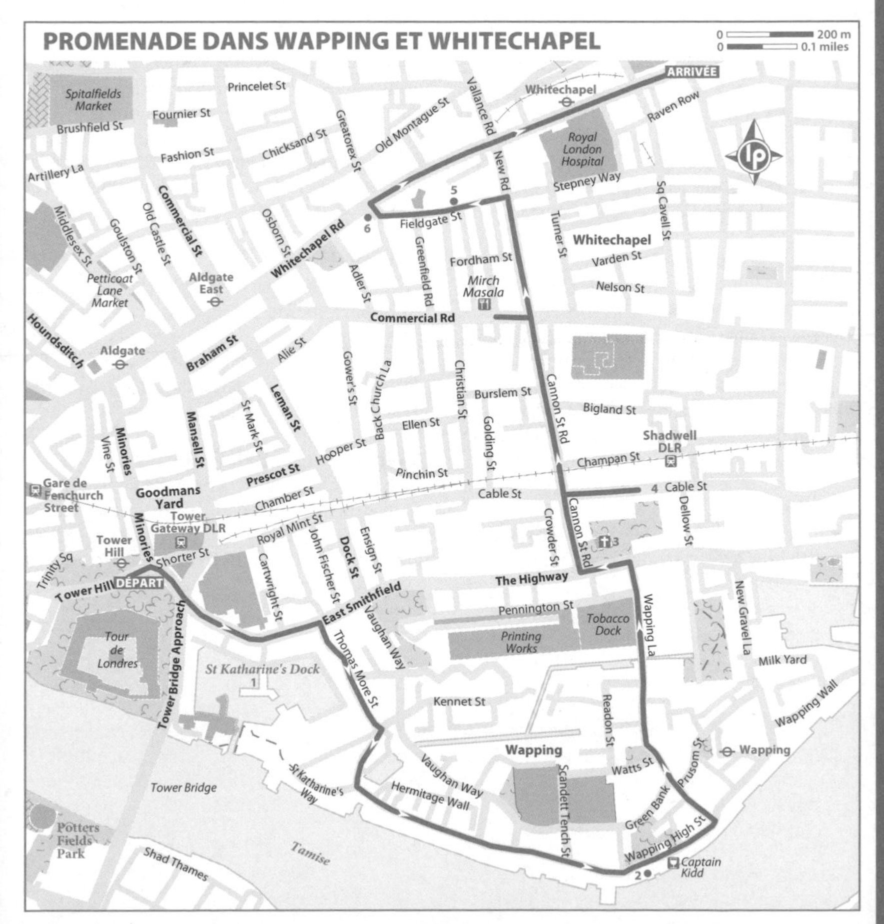

LE COCKNEY ET SES RIMES

Certains visiteurs arrivent à Londres en s'attendant à rencontrer une majorité de citadins parlant cockney. Traditionnellement, ne pouvait être et parler cockney que ceux qui avaient été bercés dès la naissance par le son des Bow Bells (les cloches de St Mary-le-Bow, à Cheapside). Or, peu de gens vivant dans la City, la plupart des Cockneys ne peuvent être que de l'East End.

Le terme de cockney est souvent utilisé pour décrire quelqu'un qui parle aussi l'*Estuary English* (dans lequel on ne prononce pas les "t" et les "h" et qui fait beaucoup usage des coups de glotte – le son des deux "t" de "bottle"). En fait, le cockney est avant tout connu pour son argot rimé. Les marchands de rues de Londres l'ont probablement inventé pour se parler sans être compris par la police. Selon un code établi, des locutions rimées remplacent des noms communs et des verbes. Ainsi "*going up the apples and pears*" veut dire grimper les escaliers ("*up the stairs*"), "*trouble and strife*", épouse ("*wife*"), "*telling porky pies*", mentir ("*telling lies*") et "*would you Adam and Eve it ?*", le croiriez-vous ? ("*Would you believe it ?*"). Mais avec l'habitude, le deuxième mot qui rime est abandonné. Très peu de gens, s'il en existe encore, parlent le cockney pur, mais beaucoup le comprennent. Vous le trouverez encore dans des expressions comme "*use your loaf*" ("utilisez votre pain", *loaf,* entendu au sens de tête), "*ooh, me plates of meat*" ("oh, mes plats de viande"... mes pieds) ou "*e's me best china*" ("où est ma meilleure assiette de porcelaine"... mon pote). Et lorsqu'un journal a annoncé les résultats des victoires des séries télévisées britanniques en titrant : "*East Enders* [la série gagnante, Ndlr] *is TV we can Adam and Eve in*", la plupart des Londoniens ont compris.

2 Execution Dock

Parmi les plus célèbres personnages exécutés sur ce **site historique** (p. 165), à quelques pas de Wapping High St, citons le capitaine William Kidd, pendu en 1701 pour ses actes de piraterie. Le **Captain Kidd pub** (p. 290), point de repère local, n'est pas loin.

3 St George-in-the-East

Il ne reste plus de cette **église** (☎ 7481 1345 ; www.stgite.org.uk ; 16 Canon St Rd E1), érigée par Nicholas Hawksmoor en 1729 et gravement endommagée durant le Blitz, qu'une ancienne coquille entourant un petit noyau moderne. Elle fut fermée un temps dans les années 1850 parce que son pasteur y avait introduit la détestable liturgie romaine (c'est-à-dire catholique).

4 Cable Street

Cette **rue** (p. 161), où l'on fabriquait des cordes à la fin du XVIIIe siècle, était jadis de la longueur standard de l'encablure, mesure utilisée dans la marine équivalant à 600 pieds ou 180 m. Elle est connue aussi pour la révolte de ses habitants qui chassèrent les fascistes britanniques de l'East End. Plus courte et plus étroite, Twine Ct part de Cable St vers le sud.

5 Tower House

Cet énorme **bâtiment** (41 Fieldgate St E1) réaménagé en appartements fut autrefois une auberge puis un meublé où séjournèrent Staline et les écrivains Jack London et George Orwell. Ce dernier l'évoque en détail dans *Dans la dèche à Paris et à Londres* (1933).

6 Whitechapel Bell Foundry

En activité depuis 450 ans, cette **fonderie** (p. 160) a produit les cloches les plus prestigieuses du monde, dont Big Ben et la Liberty Bell de Philadelphie, en Pennsylvanie.

NORTH LONDON

Où prendre un verre p. 290 ; Où se restaurer p. 264 ; Shopping p. 233 ; Où se loger p. 354

North London se compose d'une nébuleuse de petits quartiers dont la plupart sont d'anciens villages qui ont peu à peu été engloutis par la métropole au fil des siècles.

Débutant au nord de Euston Rd, ce quartier comprend King's Cross et Camden Town, deux noms évocateurs pour les Londoniens. Historiquement, King's Cross a toujours été l'un des quartiers les plus sordides de la capitale, mais une rénovation de la station de métro, l'ouverture de la magnifique gare internationale St Pancras et la réhabilitation urbaine qui avance lentement mais sûrement rendent King's Cross de plus en plus fréquentable, même si c'est encore loin d'être notre quartier de prédilection. Camden est une bête encore plus curieuse : méprisé par les Londoniens pour son marché touristique (p. 172) et ses habitants "ringards", il se révèle un quartier vivant, rempli de bars, de restaurants et de joyaux architecturaux si l'on s'éloigne du Lock et de Camden High St.

Les réactions sont quasi unanimement positives lors de la visite des quartiers chics de Primrose Hill, Belsize Park et Hampstead : tout le monde souhaiterait vivre dans ces charmants villages urbains arborés que personne ne peut s'offrir. Calmes et d'un charme discret, il n'est pas surprenant qu'ils soient les quartiers préférés des vedettes. Mais pour une promenade, Primrose Hill et Hampstead Heath sont ouverts à tous (n'essayez pas de vous balader à Belsize Park, car il n'a de parc que le nom).

Le très huppé Highgate, à l'autre extrémité de l'immense Hampstead Heath, est le point culminant de Londres et certainement le village urbain le plus charmant. À force de gravir ses pentes, les habitants de Highgate ont même développé une musculature particulière des mollets. Les proches quartiers de Crouch End et Muswell Hill sont moins chics mais conservent une atmosphère très classe moyenne aisée, tandis que le village plus populaire de Stoke Newington, à Hackney, est un mélange sympathique de hippies, de yuppies, de couples de gays et lesbiennes, auxquels s'ajoutent des groupes de juifs orthodoxes et de musulmans turcs, tout le monde vivant dans une étonnante harmonie.

Hampstead et Highgate, qui offrent un large éventail de choses à faire et à voir, doivent figurer en tête de votre liste. North London recèle aussi l'un des espaces verts les plus vastes et les plus merveilleux de la capitale, Regent's Park (ci-dessous), où se trouve le célèbre zoo de Londres et dont le beau Regent's Canal longe la lisière nord.

La sélection

NORTH LONDON

- Hampstead Heath (p. 173)
- British Library (p. 172)
- Highgate Cemetery (p. 173)
- Camden Market (p. 172)
- Kenwood House (p. 176)

REGENT'S PARK

REGENT'S PARK Plan p. 170

☎ 7486 7905 ; 🕔 5h-tombée de la nuit ; ⊖ Baker St/ Regent's Park

Regent's Park est le plus élaboré des parcs londoniens. Il fut créé aux environs de 1820 par John Nash, qui prévoyait d'y construire des palais destinés à l'aristocratie. Si son projet ne fut jamais mené à bien (comme tant d'autres à cette époque), il suffit de voir les bâtiments construits le long de l'Outer Circle, et surtout les demeures de style palladien décorées de stuc érigées sur Cumberland Tce, pour se faire une idée de ce que l'architecte aurait pu réaliser.

À l'instar de beaucoup d'autres parcs londoniens, celui-ci fut d'abord un terrain de chasse royal, puis une terre agricole, avant d'être réaménagé en lieu de détente et de loisirs au cours du XVIIIe siècle. Aujourd'hui, Regent's Park est un havre de paix en plein cœur de la capitale, organisé mais décontracté, animé mais paisible, londonien et cosmopolite tout à la fois. Parmi ses nombreuses attractions figurent le zoo de Londres, le Grand Union Canal au nord (un lac d'agrément) et un théâtre en plein air dans les Queen Mary's Gardens, où Shakespeare est à l'honneur durant les mois d'été. On y trouve également des étangs et des parterres de fleurs colorés, des roseraies au paroxysme de leur beauté au mois de juin et des terrains de foot. Des matchs de softball (sorte de base-ball simplifié) sont par ailleurs organisés en été.

lonelyplanet.fr

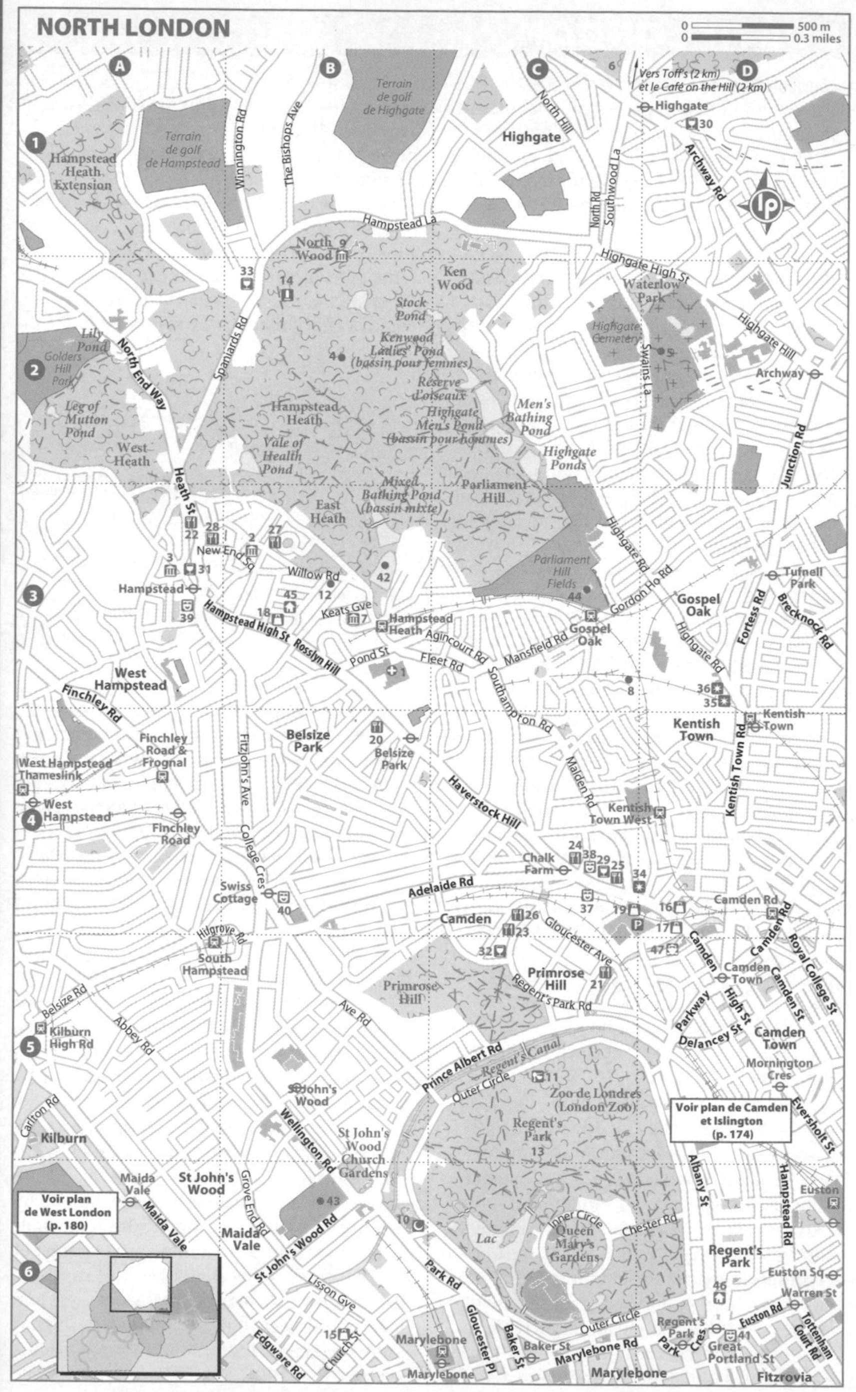
NORTH LONDON
500 m
0.3 miles
Vers Toff's (2 km) et le Café on the Hill (2 km)
Terrain de golf de Highgate
Terrain de golf de Hampstead
Hampstead Heath Extension
Winnington Rd
The Bishops Ave
North Hill
Highgate
Southwood La
North Rd
Archway Rd
Hampstead La
North Wood
Ken Wood
Highgate High St
Waterlow Park
Stock Pond
Kenwood Ladies' Pond (bassin pour femmes)
Réserve d'oiseaux
Highgate Men's Pond (bassin pour hommes)
Men's Bathing Pond
Highgate Ponds
Highgate Cemetery
Swains La
Highgate Hill
Archway
Junction Rd
Lily Pond
Golders Hill Park
North End Way
Spaniards Rd
Leg of Mutton Pond
West Heath
Hampstead Heath
Vale of Health Pond
Mixed Bathing Pond (bassin mixte)
Parliament Hill
East Heath
Heath St
New End Sq
Willow Rd
Parliament Hill Fields
Highgate Rd
Gordon Ho Rd
Tufnell Park
Hampstead
Keats Gve
Hampstead Heath
Agincourt Rd
Mansfield Rd
Gospel Oak
Fortess Rd
Brecknock Rd
Hampstead High St
Rosslyn Hill
Pond St
Fleet Rd
Southampton Rd
West Hampstead
Finchley Rd
Kentish Town
Kentish Town Rd
Belsize Park
Finchley Road & Frognal
West Hampstead Thameslink
Fitzjohn's Ave
Haverstock Hill
Maiden Rd
Kentish Town West
Finchley Road
College Cres
Chalk Farm
Swiss Cottage
Adelaide Rd
Camden Rd
Camden
Gloucester Ave
Hilgrove Rd
South Hampstead
Primrose Hill
Regent's Park Rd
Camden Town
Camden High St
Royal College St
Camden St
Parkway
Delancey St
Belsize Rd
Kilburn High Rd
Abbey Rd
Ave Rd
Prince Albert Rd
Regent's Canal
Outer Circle
Zoo de Londres (London Zoo)
Mornington Cres
Voir plan de Camden et Islington (p. 174)
Eversholt St
Carlton Rd
Kilburn
St John's Wood
Wellington Rd
St John's Wood Church Gardens
Regent's Park
Albany St
Hampstead Rd
Maida Vale
St John's Wood
Grove End Rd
Euston
Voir plan de West London (p. 180)
Maida Vale
St John's Wood Rd
Chester Rd
Inner Circle
Lac
Queen Mary's Gardens
Park Rd
Regent's Park
Euston Sq
Lisson Gve
Warren St
Church St
Marylebone
Gloucester Pl
Baker St
Outer Circle
Park Cres
Regent's Park
Euston Rd
Tottenham Court Rd
Edgware Rd
Marylebone Rd
Great Portland St
Marylebone
Fitzrovia

NORTH LONDON

RENSEIGNEMENTS
Royal Free Hospital 1 B3

À VOIR (p. 169)
Burgh House 2 B3
Fenton House 3 A3
Hampstead Heath 4 B2
Entrée du Highgate Cemetery 5 D2
Highgate Wood 6 C1
Keats House 7 B3
Kentish Town City Farm 8 C3
Kenwood House 9 B1
London Central Islamic Centre & Mosque 10 B6
London Zoo (entrée) 11 C5
No 2 Willow Road 12 B3
Regent's Park 13 C5
Sculptures de Henry Moore et Barbara Hepworth 14 B2

SHOPPING (p. 233)
Alfie's Antiques Market 15 B6
Camden Canal Market 16 D4
Camden Lock Market 17 D4
Rosslyn Delicatessen 18 B3
Stables 19 C4

OÙ SE RESTAURER (p. 264)
Belgo Noord .... (voir 25)
Black & Blue 20 B4
Engineer 21 C5
La Gaffe 22 A3
Manna 23 C4
Marine Ices 24 C4
Nando's 25 C4
Trojka 26 C4
Wells Tavern 27 B3
Woodlands 28 A3

OÙ PRENDRE UN VERRE (p. 290)
Bartok 29 C4
Boogaloo 30 D1
Holly Bush 31 A3
Proud Camden .... (voir 19)
Queen's 32 C5
Spaniard's Inn 33 B2

OÙ SORTIR (p. 300)
Barfly@the Monarch 34 D4
Bull & Gate 35 D3
Forum 36 D3
Roundhouse 37 C4

ARTS (p. 312)
Enterprise 38 C4
Everyman Hampstead 39 A3
Hampstead Theatre 40 B4
Hen and Chickens Theatre .... (voir 41)
Jongleurs .... (voir 17)
Kenwood House .... (voir 9)
Lowdown at the Albany 41 D6

SPORTS ET ACTIVITÉS (p. 324)
Hampstead Heath Ponds 42 B3
Lord's Cricket Ground 43 B6
Parliament Hill Lido 44 C3

OÙ SE LOGER (p. 354)
Hampstead Village Guesthouse 45 B3
La Gaffe .... (voir 22)
Melia White House 46 D6
Parliament Hill Lido .... (voir 44)

TRANSPORTS (p. 383)
London Waterbus Company 47 D5

À l'ouest du parc se dresse le London Central Islamic Centre & Mosque (☎ 7725 2213 ; www.icuk.org ; 146 Park Rd NW8 ; ⊖ Marylebone), un imposant édifice blanc à la coupole scintillante. À condition d'enlever vos chaussures et de vous vêtir décemment, vous pourrez y pénétrer. Mais l'intérieur est d'une sobriété extrême.

ZOO DE LONDRES Plan ci-contre

☎ 7722 3333 ; www.zsl.org/london-zoo ; Outer Circle, Regent's Park NW1 ; adulte/enfant/tarif réduit 16,80/13,30/15,30 £ plus don facultatif de 1,70 £ pour protéger les espèces menacées ; 10h-17h30 mi-mars à oct, 10h-16h nov-jan, 10h-16h30 fév à mi-mars ; ⊖ Baker St/Camden Town

Fondés en 1828, ces jardins zoologiques comptent parmi les plus vieux du monde. C'est ici qu'est né le mot "zoo". Après une période peu reluisante dans les années 1990, le zoo de Londres est devenu l'un des plus modernes du monde. Il est actuellement sur le point de mettre en œuvre un vaste programme de modernisation à long terme. L'accent est mis sur la conservation, l'éducation et la reproduction, avec moins d'espèces et plus d'espace pour les animaux.

Ses derniers aménagements ont donné naissance au Gorilla Kingdom, un projet comprenant un programme de protection des gorilles au Gabon dans le but de sauvegarder l'habitat des gorilles occidentaux et de les protéger, en fournissant du travail aux communautés locales et aux anciens braconniers. Le zoo compte trois gorilles – Zaire, Effie et Mjukuu – qui vivent sur leur propre île, disposant d'un espace de 1 600 m².

L'espace Clore Rainforest Lookout and Nightzone est un pavillon très intéressant où paresseux, singes et roussettes déambulent et volent librement parmi les visiteurs dans une salle reconstituant l'environnement tropical humide de la forêt sud-américaine. Les singes en particulier aiment y vagabonder, mais attention, ils considèrent l'endroit comme leur territoire !

L'élégant et joyeux bassin des pingouins (Penguin Pool), créé par Berthold Lubetkin en 1934, est l'une des structures modernistes les plus fameuses de Londres, mais les pingouins, qui ne l'appréciaient guère, se baignent désormais dans un bassin ordinaire.

Il faut également visiter les espaces Butterfly Paradise, Into Africa et Meet the Monkeys. En 2008, la Mappin Terrace (qui accueillait jadis les ours polaires) a rouvert pour l'exposition Outback, un petit morceau d'Australie abritant wallabies et émeus, et présentant les problèmes qui attendent les animaux des pays chauds en raison du réchauffement climatique.

L'une des meilleures façons de visiter le zoo consiste à emprunter l'un des bateaux sillonnant le canal depuis Little Venice ou Camden. Il est également possible de s'y rendre à pied, via le chemin de halage qui longe le canal. Vous pourrez aussi visiter le charmant zoo pour enfants, construit presque exclusivement à l'aide de matériaux écologiques, et assister toute l'année à de nombreuses manifestations et attractions (baignade des éléphants ou repas des pingouins).

LORD'S CRICKET GROUND Plan p. 170

☎ 7616 8595 ; réservations 7432 1000 ; www.lords.org ; St John's Wood Rd NW8 ; visites guidées plein tarif/enfant et tarif réduit/famille 14/8/38 £ ; visites guidées hors matchs 10h, 12h et 14h avr-sept, 12h et 14h oct-mars ; St John's Wood

Cette "maison du cricket" est incontournable pour tous les amateurs de ce sport anglais par excellence : réservez pour assister aux meilleurs matchs, mais ne vous privez pas des visites guidées (90 minutes), passionnantes et pleines d'anecdotes, qui permettent de voir le terrain et les installations, y compris la fameuse Long Room, où les membres du club assistent aux matchs entourés des portraits de grandes vedettes du jeu. Elles vous font aussi découvrir le musée, qui réunit de nombreux souvenirs et attirera les fans, jeunes ou moins jeunes. C'est ici que se trouve la célèbre petite urne contenant les Cendres (*Ashes*), trophée le plus disputé du cricket, actuellement aux mains des Anglais.

Le terrain lui-même est dominé par le spectaculaire centre de presse, une construction dont la forme rappelle celle d'un gigantesque radio-réveil. Ne manquez pas non plus la célèbre girouette personnifiée par un vieil homme baptisé "Father Time", ni le superbe Mound Stand très moderne en forme de tente.

CAMDEN

CAMDEN MARKET Plan p. 174

Angle Camden High St et Buck St NW1 ; 9h-17h30 jeu-dim ; Camden Town/Chalk Farm

Bien qu'il ait cessé depuis longtemps d'être à la mode, le marché de Camden attire le chiffre impressionnant de 10 millions de visiteurs par an et se classe en tête du palmarès des sites touristiques de Londres. Les stands d'artisanat regroupés à l'origine autour de Camden Lock (une écluse sur le Grand Union Canal) s'étendent dorénavant sous différentes formes sur toute la distance séparant les stations de métro Camden Town et Chalk Farm, au nord. Vous y trouverez un peu de tout, en particulier une multitude de pièges à touristes (voir p. 230 pour plus de renseignements). Le grave incendie de 2008 dans le quartier du Camden Canal Market n'a pas entamé la popularité incroyable du marché – l'endroit est complètement bondé le week-end (mieux vaut donc le visiter en semaine).

KING'S CROSS ET EUSTON

BRITISH LIBRARY Plan p. 174

☎ 0870 444 1500 ; www.bl.uk ; 96 Euston Rd NW1 ; entrée libre ; 10h-18h lun et mer-ven, 9h30-20h mar, 9h30-17h sam, 11h-17h dim ; King's Cross

En 1998, la British Library emménagea dans un bâtiment flambant neuf situé entre les stations de métro King's Cross et Euston, non sans susciter quelques critiques. Les détracteurs de l'édifice, d'un coût de 500 millions de livres (alors le plus cher du Royaume-Uni), lui reprochaient les lignes droites de sa façade en brique rouge conçue par Colin St John Wilson qui, selon le prince Charles, rappellerait celle d'un "bâtiment des services secrets". Cela dit, même ceux qui n'apprécient guère l'extérieur de l'édifice ne peuvent rien trouver à redire à son intérieur, exceptionnellement spacieux et serein.

Principale bibliothèque du pays, elle recueille les dépôts légaux des publications britanniques et conserve une copie de chaque exemplaire, ainsi que des manuscrits historiques, des livres et des cartes du British Museum. La bibliothèque compte un peu plus de 300 km de rayonnages, répartis sur quatre étages de sous-sol, et peut accueillir jusqu'à 12 millions d'ouvrages.

Au cœur du bâtiment se niche la merveilleuse King's Library, riche des 65 000 volumes de la collection du roi fou George III, légués à la nation par son fils George IV en 1823. Elle est aujourd'hui installée dans une tour de verre de six étages, haute de 17 m. À votre gauche en entrant, vous trouverez une excellente librairie et des salles d'exposition.

La plus grande partie du complexe est dédiée au stockage et à la recherche universitaire, mais plusieurs expositions sont ouvertes au public, dont la John Ritblat Gallery, sous-titrée "Treasures of the British Library", qui couvre presque 3 000 ans d'écriture sur tous les continents. Parmi les principaux documents exposés, citons la *Magna Carta* (1215), le *Codex Sinaiticus*, première version complète du Nouveau Testament, rédigé en grec au IVe siècle, une Bible de Gutenberg (1455), premier livre occidental imprimé à l'aide de caractères mobiles, des éditions originales de Shakespeare (1623), des manuscrits de certains des auteurs britanniques les plus célèbres (Lewis Carroll, Jane Austen, George Eliot, Thomas Hardy, etc.) et même certaines des premières paroles de chansons des Beatles, écrites à la main.

Sur les National Sound Archive Jukeboxes, vous pourrez écouter des enregistrements historiques, notamment celui de Thomas

Edison, qui date de 1877 (le tout premier jamais réalisé !), ainsi qu'une lecture d'*Ulysse* par James Joyce, et le fameux discours prononcé par Nelson Mandela au procès de Rivonia en 1964. La sélection disponible change régulièrement. L'exposition Turning the Pages vous permettra de feuilleter virtuellement, sur un écran d'ordinateur, quelques ouvrages exceptionnels, tels que *Les Heures Sforza*, le *Sûtra du diamant* et un carnet de Léonard de Vinci.

L'exposition philatélique, à côté de la John Ritblat Gallery, provient de collections commencées en 1891 grâce au legs Tapling. Elle comporte aujourd'hui plus de 80 000 pièces, dont des timbres fiscaux et postaux, de la papeterie et des cachets inauguraux de presque tous les pays à différentes époques.

Le Workshop of Words, Sounds and Images (atelier d'étude des mots, des sons et des images) rend compte de l'évolution de l'écriture et de la communication écrite en examinant avec soin le travail des premiers scribes, imprimeurs et relieurs. Pour ce qui est du son, il compare des enregistrements réalisés sur différents supports, des cylindres de cire datant du début du XXe siècle aux CD actuels.

L'accès aux salles de lecture (*reading rooms*) est réservé aux détenteurs d'une carte. Consultez le site pour connaître les démarches à effectuer pour en obtenir une et les conditions à remplir.

Des visites guidées (adulte/enfant 8/6,50 £ ; 🕒 15h lun, mer, ven, 10h30 et 15h sam) vous font découvrir les espaces publics de la bibliothèque, y compris celle qui vous conduit dans l'une des salles de lecture (🕒 11h30 et 15h dim). Pour réserver, téléphonez au ☎ 01937-546 546. D'autres circuits, dont des visites gratuites des salles de lecture expliquant comment sont rangés les livres, et des visites des ateliers de conservation, sont aussi régulièrement organisés – voir le site Internet pour plus de détails.

LONDON CANAL MUSEUM Plan p. 174

☎ 7713 0836 ; www.canalmuseum.org.uk ; 12-13 New Wharf Rd N1 ; adulte/enfant/étudiant 3/1,50/2 £ ; 🕒 10h-16h30 mar-dim et jours fériés ; ⊖ King's Cross

Ce musée original est aménagé dans un ancien entrepôt de glace (doté d'un puits profond où la marchandise gelée était stockée). Construit dans les années 1860, il retrace l'histoire de Regent's Canal, décrit le commerce de la glace et l'évolution des crèmes glacées à travers des représentations, des photographies, des expositions et des documentaires d'archives. Ce commerce était très développé à Londres à la fin de l'époque victorienne. En 1899, quelque 35 000 tonnes de glace furent importées de Norvège.

HAMPSTEAD ET HIGHGATE

HAMPSTEAD HEATH Plan p. 170

☎ 7485 4491 ; ⊖ Hampstead, Gospel Oak/Hampstead Heath/ 🚌 214 ou C2 arrêt Parliament Hill Fields

Avec ses vastes forêts et ses prairies ondoyantes, Hampstead Heath paraît à mille lieues de la City (mais n'en est en fait qu'à quelques kilomètres). Ses 320 hectares, en majorité des bois, des collines et des champs, accueillent une centaine d'espèces d'oiseaux. C'est un lieu merveilleux pour se promener. Particulièrement agréable, le sommet de Parliament Hill est un rendez-vous prisé des amateurs de cerfs-volants et offre une vue panoramique sur toute la ville. On peut aussi monter en direction de North Wood ou se perdre dans West Heath.

Si vous n'aimez pas la marche à pied, vous pourrez vous rabattre sur les bassins, où l'on peut se baigner (très beaux bassins séparés pour hommes et femmes et un bassin mixte, moins agréable ; voir p. 325). Quelques secteurs ont également été aménagés pour le football, le cricket et le tennis. Les amateurs d'art se précipiteront à la Kenwood House (p. 176), mais n'oublieront pas de s'arrêter en chemin pour admirer les sculptures d'Henry Moore et de Barbara Hepworth.

Pour se désaltérer, il n'y a pas meilleure adresse que la Spaniard's Inn (p. 292), réputée hantée, où règne une atmosphère unique. Son histoire est fascinante et sa terrasse, sensationnelle.

De jour comme de nuit, West Heath est un site de rencontres gay si bien établi que la police veille souvent afin de protéger les hommes qui y passent leurs soirées. Non loin de la gare de Hampstead Heath, sur South Green, se trouvent des toilettes parmi les plus anciennes de Grande-Bretagne, construites en 1897 et rénovées en 2000. Elles furent le lieu de drague favori du dramaturge homosexuel Joe Orton. L'écrivain George Orwell, qui travaillait dans une librairie juste en face, les utilisait sans doute de temps en temps dans leur fonction première.

HIGHGATE CEMETERY Plan p. 170

☎ 8340 1834 ; www.highgate-cemetery.org ; Swain's Lane N6 ; adulte/moins de 16 ans 3 £/gratuit ; 🕒 10h-17h lun-ven et 11h-17h sam-dim avr-oct, jusqu'à 16h tlj nov-mars ; ⊖ Highgate

NORTH LONDON : CAMDEN ET ISLINGTON

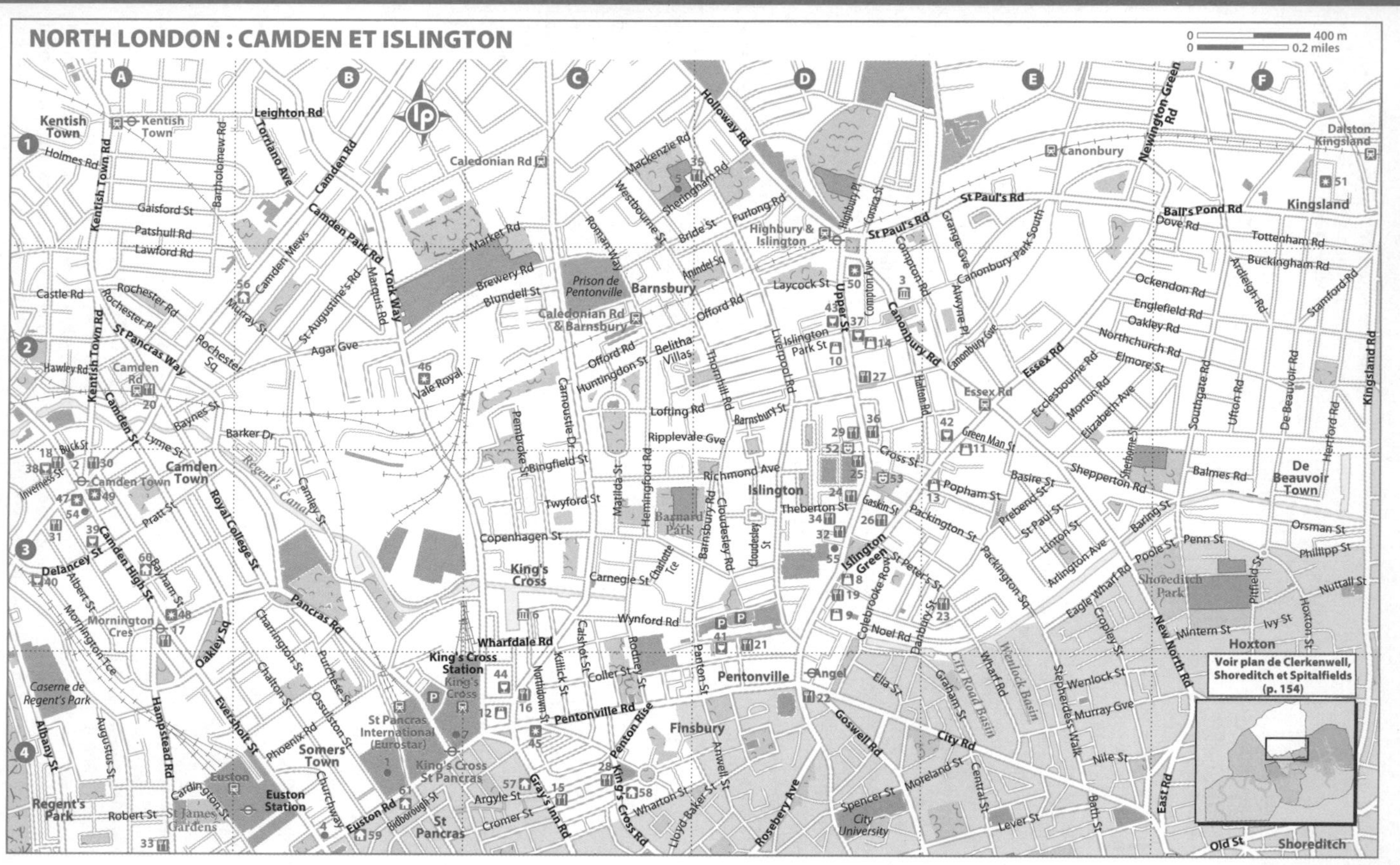

NORTH LONDON : CAMDEN ET ISLINGTON

À VOIR (p. 172, 177)
British Library 1 B4
Camden Market 2 A3
Estorick Collection of Modern Italian Art 3 D2
Euston Fire Station 4 B4
Freightliners Farm 5 C1
London Canal Museum 6 C3
St Pancras Chambers (édifice victorien de la gare St Pancras) 7 B4

SHOPPING (p. 230, 233)
Annie's Vintage Costumes & Textiles 8 D3
Camden Market (voir 2)
Camden Passage 9 D3
Gill Wing 10 D2
Haggle Vinyl 11 E2
Housmans 12 C4
Past Caring 13 E3
Sampler 14 D2

OÙ SE RESTAURER (p. 264, 266)
Acorn House 15 C4
Addis 16 C4
Afghan Kitchen (voir 8)
Asakusa 17 A3
Bar Gansa 18 A3
Breakfast Club 19 D3
Camino (voir 15)
Castle's 20 A2
Chapel Market 21 D3
Diwana Bhel Poori House 22 D4
Duke of Cambridge 23 E3
Gallipoli 24 D3
Gallipoli Again 25 D3
Giraffe 26 D3
Islington Farmers Market 27 D2
Konstam at the Prince Albert 28 C4
Le Mercury 29 D2
Mango Room 30 A3
Market 31 A3
Masala Zone 32 D3
Mestizo 33 A4
Metrogusto 34 D3
Morgan M 35 D1
Ottolenghi 36 D2
Ravi Shankar (voir 22)

OÙ PRENDRE UN VERRE (p. 290-292)
25 Canonbury Lane 37 D2
Bar Vinyl 38 A3
Crown & Goose 39 A3
Edinboro Castle 40 A3
Elbow Room 41 D3
Elk in the Woods (voir 19)
Embassy 42 E2
Hope & Anchor 43 D2
Ruby Lounge 44 C4

OÙ SORTIR (p. 300)
Big Chill House 45 C4
Egg 46 B2
Jazz Café 47 A3
Koko 48 A3
Underworld 49 A3
Union Chapel 50 D2
Vortex Jazz Club 51 F1

ARTS (p. 312)
Almeida Theatre 52 D2
King's Head (voir 24)
Little Angel Theatre 53 D3

SCÈNE GAY ET LESBIENNE (p. 332)
Black Cap 54 A3
Green 55 D3

OÙ SE LOGER (p. 354)
66 Camden Square 56 B2
Ashlee House 57 C4
Clink 58 C4
Premier Inn 59 B4
St Christopher's Inn Camden 60 A3
YHA St Pancras International 61 B4

Surtout connu pour être le lieu de sépulture de Karl Marx, Christina Rosetti, George Eliot (le pseudonyme de Mary Ann Evans) et d'autres éminents mortels, le Highgate Cemetery s'étend sur un domaine de 20 hectares ponctué de tombeaux de famille victoriens décorés à l'extrême. Le cimetière est divisé en deux par Swain's Lane. Du côté est, vous pourrez visiter la tombe de Karl Marx, régulièrement fleurie par les rares ambassades de pays communistes à Londres. Cette section du cimetière, relativement préservée, constitue un lieu de promenade plaisant, mais n'a rien de particulier. C'est la partie ouest, avec son ambiance très spéciale, qui constitue l'attrait principal des lieux. Pour la visiter, vous devrez suivre une visite guidée. Celle-ci vous conduira à travers un labyrinthe de chemins sinueux pour atteindre le Circle of Lebanon, où les tombes sont disposées en cercle et dominées par un majestueux cèdre âgé de plusieurs siècles. Très avenants, les guides vous indiqueront volontiers les différents symboles utilisés selon les époques, ainsi que les tombes occupées par de célèbres défunts, tels que le savant Michael Faraday ou encore le fondateur de l'exposition canine Charles Cruft. Les *Dissenters* (dissidents de l'Église anglicane) étaient enterrés à l'écart dans la forêt. Les **visites guidées** (adulte/8-15 ans 5/1 £) partent à 14h du lundi au vendredi sauf de décembre à février (réservation par téléphone) et toutes les heures de 11h à 16h le samedi et le dimanche (dernière visite à 15h de décembre à février ; sans réservation). Les enfants de moins de huit ans ne sont pas autorisés à prendre part aux visites du cimetière ouest.

Le cimetière fonctionne toujours, et la dernière célébrité à l'avoir rejoint est le dissident russe Alexandre Litvinenko, décédé en 2006 dans des circonstances dramatiques, après avoir absorbé un isotope radioactif du polonium 210 versé dans son thé à l'hôtel Mayfair. Le cimetière ferme lors des enterrements, téléphonez à l'avance pour savoir s'il est ouvert.

HIGHGATE WOOD Plan p. 170

lever du jour-tombée de la nuit ; ⊖ Highgate

S'étendant sur plus de 28 hectares dans une ancienne forêt, ce parc constitue un merveilleux lieu de promenade à tout moment de l'année. Il abrite une faune nombreuse : près de 70 espèces d'oiseaux y ont été recensées, ainsi que 5 types de chauves-souris, 12 sortes de papillons et 80 sortes d'araignées. On y trouve aussi une immense clairière centrale, destinée aux activités sportives, une aire de jeux très fréquentée et un parcours de découverte pour les plus jeunes. S'ajoutent à cela des activités proposées à l'année, de la fauconnerie à l'observation des chauves-souris.

KEATS HOUSE Plan p. 170

☎ 7435 2062 ; www.keatshouse.org.uk ; Wentworth Pl, Keats Grove NW3 ; ⊖ Hampstead, Hampstead Heath

Cette élégante demeure de style Régence, qui a rouvert mi-2009 après des travaux de réaménagement, a hébergé l'enfant prodige des poètes romantiques de 1818 à 1820. Entouré de généreux amis, Keats se laissa convaincre par Charles Armitage Brown de venir faire une retraite ici. Il y rencontra sa fiancée, Fanny Brawne, qui habitait la maison voisine. Assis sous le prunier du jardin (aujourd'hui remplacé), il écrivit en 1819 son poème le plus célèbre, *Ode to a Nightingale* (*Ode à un rossignol*). Des documents originaux tels que des lettres du poète et le manuscrit original de *Bright Star* seront exposés dans le cadre du nouveau projet. La maison possède un cachet certain, dû en partie à la collection de meubles Régence rassemblés ici ces dernières années.

KENWOOD HOUSE Plan p. 170

☎ 8348 1286 ; www.english-heritage.org.uk ; Hampstead Lane NW3 ; entrée libre ; maison 11h-16h, Suffolk Collection (à l'étage) 11h-16h jeu-dim ; ⊖ Archway/Golders Green puis 210

Site le plus impressionnant de Hampstead, cette splendide demeure néoclassique, à la limite nord de la lande, se dresse au milieu de superbes jardins paysagers menant à un lac pittoresque, autour duquel se déroulent des concerts classiques en été (voir p. 312). La demeure fut retouchée par Robert Adam au XVIIIe siècle. Elle échappa aux griffes des promoteurs grâce à Lord Iveagh Guinness, qui la légua à la nation en 1927. Le legs d'Iveagh comprend une série de prestigieux tableaux signés Gainsborough, Reynolds, Turner, Hals, Vermeer et Van Dyck, et constitue l'une des plus belles petites collections d'art du pays.

Le grand escalier de Robert Adam et la bibliothèque, l'une des 14 pièces ouvertes au public, méritent un détour. La Suffolk Collection occupe le premier étage. Elle comporte des portraits jacobéens réalisés par William Larkin, ainsi que certains portraits royaux des Stuarts de Van Dyck et Lely. Visites guidées de la maison (adulte/tarif réduit 2/1 £) tous les jours à 14h30.

L'excellent Brew House Café sert de légers en-cas ou des repas complets (environ 7,50 £). Dans le jardin, une vaste et superbe terrasse attend les convives.

N°2 WILLOW ROAD Plan p. 170

☎ 7435 6166, 0149 475 5570 ; www.nationaltrust.org.uk ; 2 Willow Rd ; entrée visite guidée comprise adulte/enfant 5,30/2,80 £ ; 12h-17h jeu-sam avr-oct, 11h-17h sam mars-nov, visites guidées 12h, 13h et 14h tlj plus 11h sam, fermée déc-fév ; ⊖ Hampstead, Hampstead Heath

Les amateurs d'architecture moderne iront jeter un œil à cette maison, partie centrale d'un bâtiment constitué de trois habitations, conçue par Ernö Goldfinger en 1939 pour en faire sa résidence. Bien que l'architecte ait suivi les principes georgiens, beaucoup trouveront qu'elle ressemble étrangement à l'architecture omniprésente des années 1950. Si cette ressemblance est évidente aujourd'hui, Goldfinger fit figure de précurseur à l'époque où il créa le 2 Willow Road. Les édifices bâtis ultérieurement n'en sont souvent que de pâles imitations. L'intérieur, avec ses espaces de rangement ingénieusement conçus et sa collection d'œuvres d'art de Henry Moore, Max Ernst et Bridget Riley, présente un intérêt certain et est accessible à tous. Entrée avec visite guidée jusqu'à 15h. Passé cette heure, les visites libres sont permises.

BURGH HOUSE Plan p. 170

☎ 7431 0144 ; www.burghhouse.org.uk ; New End Sq NW3 ; entrée libre ; 12h-17h mer-dim, 14h-17h jours fériés, sur rendez-vous sam ; ⊖ Hampstead

Si vous êtes dans le quartier, faites un détour par ce manoir de la fin du XVIIe siècle de style Queen Anne qui abrite le Hampstead Museum, consacré à l'histoire locale, une petite galerie d'art et le charmant Buttery Garden Café (11-17h30 mer-sam) où l'on peut déjeuner correctement et pour un prix raisonnable (sandwichs 5 £).

FENTON HOUSE Plan p. 170

☎ 7435 3471 ; www.nationaltrust.org.uk ; Windmill Hill, Hampstead Grove NW3 ; adulte/enfant 5,70/2,80 £ ; 14h-17h mer-ven, 11h-17h sam-dim avr-oct, 14h-17h sam-dim mars ; ⊖ Hampstead

Fenton House est l'une des plus anciennes maisons de Hampstead. Ayant appartenu à un marchand à la fin du XVIIe siècle, elle est agrémentée d'un très joli jardin clos, comprenant une roseraie et un verger, et renferme une belle collection de porcelaines et d'instruments de musique à clavier, dont un clavecin de 1612 sur lequel joua Haendel. On peut également y voir des tapisseries brodées datant du XVIIe siècle et des meubles originaux de style georgien. Billets combinés avec le 2 Willow Rd disponibles.

ISLINGTON

ESTORICK COLLECTION OF MODERN ITALIAN ART Plan p. 174

☎ 7704 9522 ; www.estorickcollection.com ; 39a Canonbury Sq N1 ; adulte/tarif réduit/étudiant 5/3,50 £/gratuit ; 11h-18h mer-sam, 12h-17h dim ; Highbury & Islington

Installée dans une maison georgienne classée, l'Estorick Collection concerne essentiellement le futurisme (*futurismo* en italien), un mouvement artistique italien du début du XXe siècle, avec des œuvres d'artistes réputés comme Giacomo Balla, Umberto Boccioni, Gino Severini et Ardengo Soffici. La collection de peintures, de dessins, d'eaux-fortes et de sculptures amassée par l'écrivain et marchand d'art américain Eric Estorick et son épouse Salome comprend également des dessins et un tableau de l'illustre Amedeo Modigliani. Bien conçues, les expositions temporaires ont présenté nombre de mouvements artistiques du XXe siècle, ainsi que des artistes moins connus d'Italie et d'ailleurs. Le musée comprend aussi une bibliothèque bien fournie, un café et une boutique. Hautement recommandé.

MUSWELL HILL ET CROUCH END

ALEXANDRA PARK ET PALACE Plan p. 66

☎ 8365 2121 ; www.alexandrapalace.com ; Alexandra Palace Way N22 ; Alexandra Palace

Érigé en 1873, l'Alexandra Palace devait être le pendant du Crystal Palace. Hélas, il fut entièrement détruit par un incendie 16 jours seulement après son inauguration. Encouragés par les chiffres de fréquentation, les investisseurs décidèrent de le reconstruire. Il rouvrit ainsi à peine deux ans plus tard. Malgré son théâtre, son musée, sa salle de lecture, sa bibliothèque et son grand hall, renfermant l'un des orgues les plus imposants du monde, l'Alexandra Palace ne put rivaliser avec le Crystal Palace. Des prisonniers de guerre allemands y furent détenus pendant la Première Guerre mondiale et, en 1936, c'est là que fut enregistrée la toute première émission télévisée du monde – une émission de variétés appelée *Here's Looking at You*. Le palais fut victime d'un nouvel incendie en 1980, mais reconstruit une troisième fois et rouvert en 1988. Aujourd'hui, "Ally Pally" (surnom affectueux donné au palais) sert de centre de conférences et de lieu d'exposition. Il a été doté d'installations supplémentaires, dont une patinoire couverte, des manèges (en été) et le panoramique Phoenix Bar & Beer Garden. Des soirées club et des concerts sont aussi régulièrement organisés.

Le parc environnant s'étend sur quelque 196 hectares. On y trouve des jardins publics, une réserve naturelle, un parc de cervidés et diverses infrastructures sportives (lac de canotage, espace golf *pitch-and-putt* et un skate parc). Idéal pour une sortie en famille.

STOKE NEWINGTON

ABNEY PARK CEMETERY Plan p. 66

www.abney-park.org.uk ; Stoke Newington Church St N16 ; entrée libre ; 8h-tombée de la nuit ; Stoke Newington, 73, 106, 149, 243, 276, 476

Surnommé à tort le "Highgate des pauvres" par certains, cet endroit magique fut racheté et aménagé par une société privée en 1840. Il était destiné à servir de cimetière pour pallier le manque de concessions dans le centre de Londres. Premier cimetière pour les dissidents de l'Église anglicane, il renferme les tombes de nombreux presbytériens, quakers et baptistes influents. Parmi eux, le fondateur de l'Armée du Salut, William Booth, dont l'imposante pierre tombale vous accueille à l'entrée de Church St. Laissé à l'abandon depuis les années 1950 et envahi par la végétation, le cimetière est devenu un sanctuaire pour les oiseaux et les plantes, un lieu de drague gay et le repaire de certains junkies de Hackney. En plein cœur du cimetière, la chapelle abandonnée semble tout droit sortie d'un film d'horreur, et il règne sur les lieux une atmosphère presque surnaturelle.

HAMPSTEAD ET HIGHGATE

Promenade

1 N°2 Willow Rd

Plongez dans le monde fascinant du modernisme à Hampstead Heath, et découvrez l'œuvre pionnière d'Ernö Goldfinger, le n°2 Willow Rd (p. 176) tenu par les formidables dames du National Trust. Certes il ressemble à d'autres bâtiments modernes, mais celui-ci était le tout premier.

2 Hampstead Heath

L'un des espaces verts les plus charmants de Londres. Les collines et les bois de ce magnifique et immense parc (p. 173) sont une invitation à la poésie (Keats vivait tout près ; voir p. 176). Découvrez la vue qui s'étend depuis Parliament Hill et piquez une tête dans les étangs ou la fabuleuse piscine du Parliament Hill Lido (p. 325).

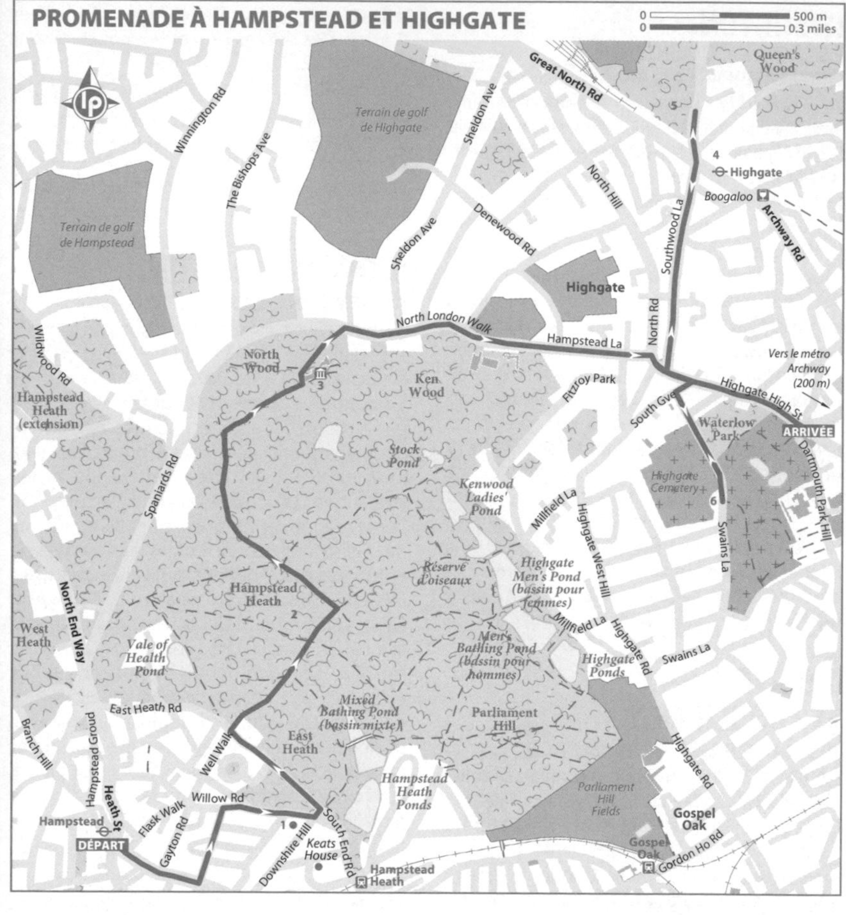

3 Kenwood House

À la limite nord du parc, cette gigantesque demeure (p. 176) abrite deux superbes collections d'art britannique, et possède de magnifiques intérieurs ainsi que de charmants jardins, tout cela libre d'accès.

4 Highgate Village

En montant vers le point culminant de Londres, vous tomberez sous le charme de Highgate Village, avec ses jolies boutiques, ses pubs et ses cafés.

5 Highgate Wood

Enfoncez-vous dans l'épais feuillage de ce joli bois (p. 175), où de nombreuses activités vous attendent comme l'observation des oiseaux, des papillons, ou des chauves-souris au crépuscule. Les enfants adorent le sentier de découverte de la nature.

À PIED

Départ Station de métro Hampstead
Arrivée Station de métro Archway
Distance 8 km
Durée 3 heures
Pause ravitaillement Boogaloo (p. 291)

6 Highgate Cemetery

En descendant Highgate Hill, vous emprunterez Swain's Lane qui mène au cimetière (p. 173) le plus célèbre de Londres. Ne manquez pas la visite de la partie ouest du cimetière. Il est certes pénible de participer à une visite en groupe, mais c'est dans cette partie que vous comprendrez pourquoi Highgate est la dernière demeure la plus recherchée de Londres.

WEST LONDON

Où prendre un verre p. 293 ; Où se restaurer p. 268 ; Shopping p. 234 ; Où se loger p. 356

Le secteur qui s'étend à l'ouest de Hyde Park figure parmi les plus vibrants de Londres. Rares sont les quartiers qui affichent une telle diversité – multiculturalisme (la communauté caribéenne de Notting Hill, les Polonais de Hammersmith et les expatriés australiens d'Earl's Court), bars divertissants (Portobello Rd et Westbourne Grove), ainsi que parcs et demeures grandioses (arpentez les petites rues de Holland Park).

À l'ouest de Primrose Hill s'étendent les quartiers aisés de St John's Wood et de Maida Vale – deux quartiers verdoyants avec de belles maisons, un canal ravissant et de jolies boutiques.

Notting Hill compte de nombreux magasins, restaurants et pubs à l'ambiance très caractéristique. L'étroite Portobello Rd, cœur et âme du quartier, est réputée pour son marché considéré comme l'un des meilleurs de la capitale (p. 230). Le célèbre carnaval de Notting Hill (p. 17) auquel le quartier a donné son nom est un événement majeur qui marque l'été londonien. Dans l'angle nord-est, Westbourne Grove, toujours très branché, regorge de magasins chics, de pubs, de galeries d'art et d'ateliers d'artistes.

En dépit du manque d'attrait architectural de Shepherd's Bush Green et du chaos qui y règne, ce carrefour de l'Ouest londonien est un lieu assez agréable où flâner, qui offre des hébergements bon marché de même que des restaurants et bars originaux. Généralement associé au tentaculaire BBC TV Centre (p. 181), inauguré en 1960 dans la White City voisine, le quartier avait en fait acquis sa célébrité mondiale 50 ans auparavant, en accueillant, en 1908, les Jeux olympiques de Londres et l'Exposition universelle.

Earl's Court est un quartier animé et cosmopolite, à la population importante et mobile, composée notamment de Polonais (qui restent) et d'Australiens (qui ne restent généralement pas). C'est un mélange étonnant de vulgarité et d'élégance : des ivrognes d'Earl's Court Rd qui avalent des litres de bière en canette, vous passez l'instant d'après aux bars gay et aux cafés rétro de Old Brompton Rd.

West Brompton est encore plus calme et anodin, mais abrite l'un des plus beaux cimetières de Londres. Il est agréable de s'y promener.

Hammersmith offre un tout autre visage : c'est un quartier très urbanisé, dominé par un immense échangeur et rond-point. Peu de choses y attirent les visiteurs, à part quelques bons restaurants et les célèbres Riverside Studios (p. 317).

MUSEUM OF BRANDS, PACKAGING & ADVERTISING Plan p. 180

☎ 7908 0880 ; www.museumofbrands.com ; 2 Colville Mews, Lonsdale Rd W11 ; adulte/7-16 ans/tarif réduit/famille 5,80/2/3,50/14 £ ; 10h-18h mar-sam, 11h-17h dim ; Notting Hill Gate

Trouvaille inattendue en plein cœur de Notting Hill, le musée des marques et de la publicité est dû au designer Robert Opie, qui collectionne les objets publicitaires depuis l'âge de 16 ans. Assez peu moderne (il n'y avait qu'un écran TV lors de notre visite), l'endroit intéressera surtout les Britanniques nostalgiques, car la quasi-totalité des marques viennent du Royaume-Uni.

LINLEY SAMBOURNE HOUSE Plan p. 182

☎ 7602 3316, 7938 1295 ; www.rbkc.gov.uk/linleysambournehouse ; 18 Stafford Tce W8 ; adulte/enfant/tarif réduit 6/1/4 £ ; visites guidées 11h15 et 14h15 mer, 11h15, 13h, 14h15 et 15h30 sam-dim mi-sept à mi-juin ; High St Kensington

Nichée derrière Kensington High St, c'était la demeure du dessinateur de *Punch* et photographe amateur Linley Sambourne et de sa femme Marion de 1875 à 1914. (Sambourne était l'arrière-grand-père d'Anthony Armstrong-Jones, Lord Snowdon, ancien époux de la princesse Margaret.) Les propriétaires n'ont jamais modifié la décoration ni enlevé quoi que ce soit. Les visiteurs pourront donc voir une maison confortable, caractéristique de celle d'une famille moyenne de l'époque victorienne, avec boiseries foncées, tapis turcs et vitraux. Neuf pièces sont ouvertes à la visite, uniquement dans le cadre des visites guidées de 1 heure 30. (Le week-end, le guide revêt un costume d'époque, sauf à la première visite.)

LEIGHTON HOUSE Plan p. 182

☎ 7602 3316 ; www.leightonhouse.co.uk ; 12 Holland Park Rd W14 ; 11h-17h30 mer-lun ; High St Kensington

Sise dans une rue tranquille proche du Holland Park et conçue en 1866 par George Aitchison, la Leighton House a été la demeure de Frederic Lord Leighton (1830-1896), peintre du retour

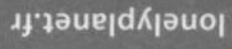

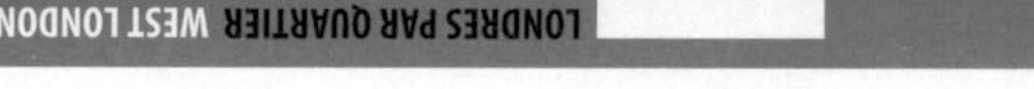

WEST LONDON

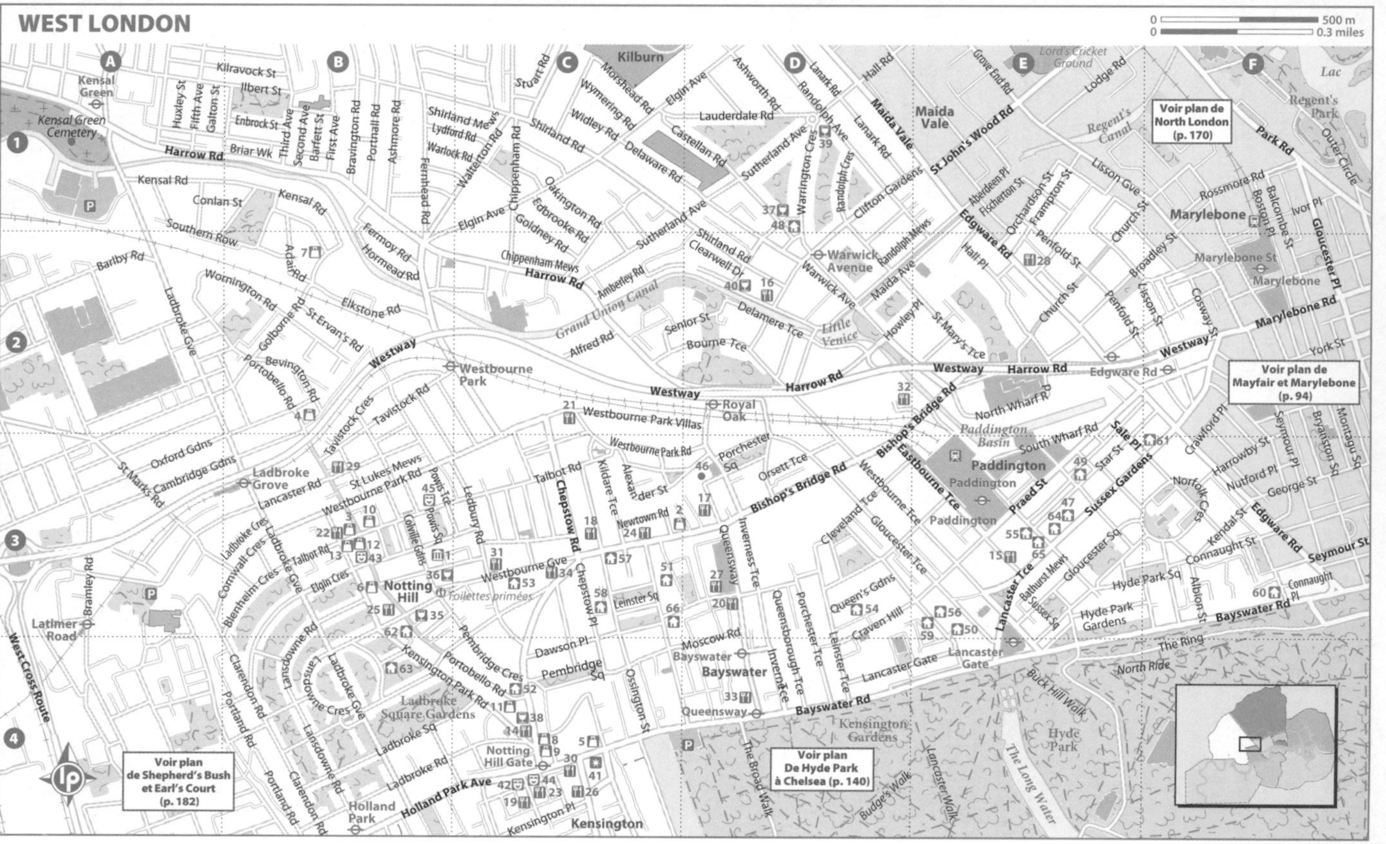

500 m
0.3 miles
Voir plan de North London (p. 170)
Voir plan de Mayfair et Marylebone (p. 94)
Voir plan De Hyde Park à Chelsea (p. 140)
Voir plan de Shepherd's Bush et Earl's Court (p. 182)
Kensal Green
Kensal Green Cemetery
Kilburn
Maida Vale
Lord's Cricket Ground
Regent's Canal
Regent's Park
Lac
Marylebone
Warwick Avenue
Little Venice
Grand Union Canal
Westbourne Park
Royal Oak
Paddington
Paddington Basin
Edgware Rd
Ladbroke Grove
Notting Hill
Toilettes primées
Bayswater
Queensway
Lancaster Gate
Notting Hill Gate
Holland Park
Kensington
Latimer Road
Kensington Gardens
Hyde Park
The Long Water
Ladbroke Square Gardens
Harrow Rd
Kensal Rd
Westway
St John's Wood Rd
Park Rd
Gloucester Pl
Marylebone Rd
Bishop's Bridge Rd
Eastbourne Tce
Praed St
Sussex Gardens
Sale Pl
Edgware Rd
Seymour St
Bayswater Rd
Lancaster Tce
Chepstow Rd
Holland Park Ave
West Cross Route
The Broad Walk
Lancaster Walk
Buck Hill Walk
North Ride
The Ring

WEST LONDON

À VOIR (p. 179)
- Museum of Brands, Packaging & Advertising ... 1 B3

SHOPPING (p. 234)
- Al Saqi ... 2 C3
- Books for Cooks ... (voir 3)
- Ceramica Blue ... 3 B3
- Honest Jon's ... 4 B2
- Music & Video Exchange ... 5 C4
- Marché de Portobello Road ... 6 B3
- Rellik ... 7 B2
- Retro Man ... 8 C4
- Retro Woman ... 9 C4
- Rough Trade ... 10 B3
- Sharpeye ... 11 C4
- Spice Shop ... 12 B3
- Travel Bookshop ... 13 B3

OÙ SE RESTAURER (p. 268)
- Arancina ... 14 C4
- ASK ... 15 E3
- Boathouse ... 16 D2
- Churrería Española ... 17 D3
- Commander Porterhouse & Oyster Bar ... 18 C3
- Costa's Fish Restaurant ... 19 C4
- Couscous Café ... 20 D3
- Cow ... 21 C2
- E&O ... 22 B3
- Electric Brasserie ... (voir 43)
- Fish Shop ... (voir 26)
- Geales ... 23 C4
- Gourmet Burger Kitchen ... 24 C3
- Humble Pie ... 25 B3
- Kensington Place ... 26 C4
- Le Café Anglais ... 27 D3
- Mandalay ... 28 E2
- Market Thai ... 29 B3
- Notting Hill Farmers Market ... 30 C4
- Ottolenghi ... 31 C3
- Pearl Liang ... 32 D2
- Royal China Queensway ... 33 D4
- Taqueria ... 34 C3

OÙ PRENDRE UN VERRE (p. 293)
- Earl of Lonsdale ... 35 B3
- Lonsdale ... 36 B3
- Prince Alfred ... 37 D1
- Twelfth House ... 38 C4
- Warrington ... 39 D1
- Waterway ... 40 D2

OÙ SORTIR (p. 300)
- Notting Hill Arts Club ... 41 C4

ARTS (p. 312)
- Coronet ... 42 C4
- Electric Cinema ... 43 B3
- Gate Picturehouse ... 44 C4
- Tabernacle ... 45 B3

SPORTS ET ACTIVITÉS (p. 324)
- Porchester Baths ... 46 D3

OÙ SE LOGER (p. 356)
- Cardiff Hotel ... 47 E3
- Colonnade ... 48 D1
- easyHotel Paddington ... 49 E3
- Elysee Hotel ... 50 E3
- Garden Court Hotel ... 51 C3
- Gate Hotel ... 52 C4
- Guesthouse West ... 53 C3
- Hempel ... 54 D3
- Hotel Indigo ... 55 E3
- Lancaster Hall Hotel ... 56 E3
- Miller's Residence ... 57 C3
- New Linden Hotel ... 58 C3
- Oxford Hotel London ... 59 E3
- Parkwood Hotel ... 60 F3
- Pavilion Hotel ... 61 F3
- Portobello Gold ... 62 B3
- Portobello Hotel ... 63 B4
- Stylotel ... 64 E3
- Stylotel Suites ... 65 E3
- Vancouver Studios ... 66 C3

à l'Antiquité gréco-romaine en Angleterre. Le rez-de-chaussée est décoré dans un style orientaliste, à l'image de l'Arab Hall, une merveille rajoutée en 1879 et tapissée de carreaux de céramique bleus et verts provenant de Rhodes, du Caire, de Damas et d'Iznik, en Turquie. Au centre, une fontaine émet un doux murmure. Même les moucharabiehs garnissant les fenêtres et la galerie viennent de Damas. La maison, qui était en cours de restauration lors de nos recherches, renferme des toiles préraphaélites de Burne-Jones, Watts, Millais et de Lord Leighton lui-même.

BROMPTON CEMETERY Plan p. 182

☎ 7352 1201 ; www.royalparks.gov.uk ; Old Brompton Rd SW5 ; visites guidées 4 £ ; 8h-tombée de la nuit tlj, visites guidées 14h dim ; ⊖ West Brompton/Fulham Broadway

Ce cimetière figure au nombre des "Sept magnifiques" qui furent créés au début du XIXe siècle, au moment où explosait la démographie de Londres. Vaste étendue, entre Fulham Rd et Old Brompton Rd, il abrite d'un côté une chapelle flanquée de colonnades calquées sur Saint-Pierre de Rome. La résidente la plus célèbre du cimetière est Emmeline Pankhurst, pionnière de la lutte pour le droit de vote des femmes en Grande-Bretagne. Il a également inspiré bon nombre des personnages de Beatrix Potter. Ayant passé son enfance dans les environs avant d'aller vivre dans le Nord, celle-ci a repris de nombreux noms de défunts reposant au cimetière de Brompton pour les immortaliser dans ses livres. C'est le cas, par exemple, de M. Nutkin, M. McGregor, Jeremiah Fisher, Tommy Brock – et même d'un certain Peter Rabbitt…

Les visites guidées, de 2 heures, partent à 14h le dimanche du South Lodge, près de l'entrée dans Fulham Rd.

BBC TELEVISION CENTRE Plan p. 66

☎ 0370 901 1227 ; www.bbc.co.uk/tours ; Wood Lane W12 ; visites adulte/9-15 ans et étudiant/senior/famille 9,50/7/8,50/27 £ ; sur rdv lun-sam ; ⊖ White City ;

Si la production télévisée vous intéresse, voilà l'occasion rêvée de visiter un vaste complexe de studios et de bureaux depuis lesquels sont diffusés les programmes de la BBC dans le monde. La visite guidée est obligatoire, elle dure deux heures et il faut réserver deux jours à l'avance (enfants de moins de 9 ans non admis, 9 visites par jour). Vous découvrirez les BBC News et Weather Centres ainsi que les studios où sont préparées les émissions. Et, qui sait, vous aurez peut-être la chance d'apercevoir une célébrité.

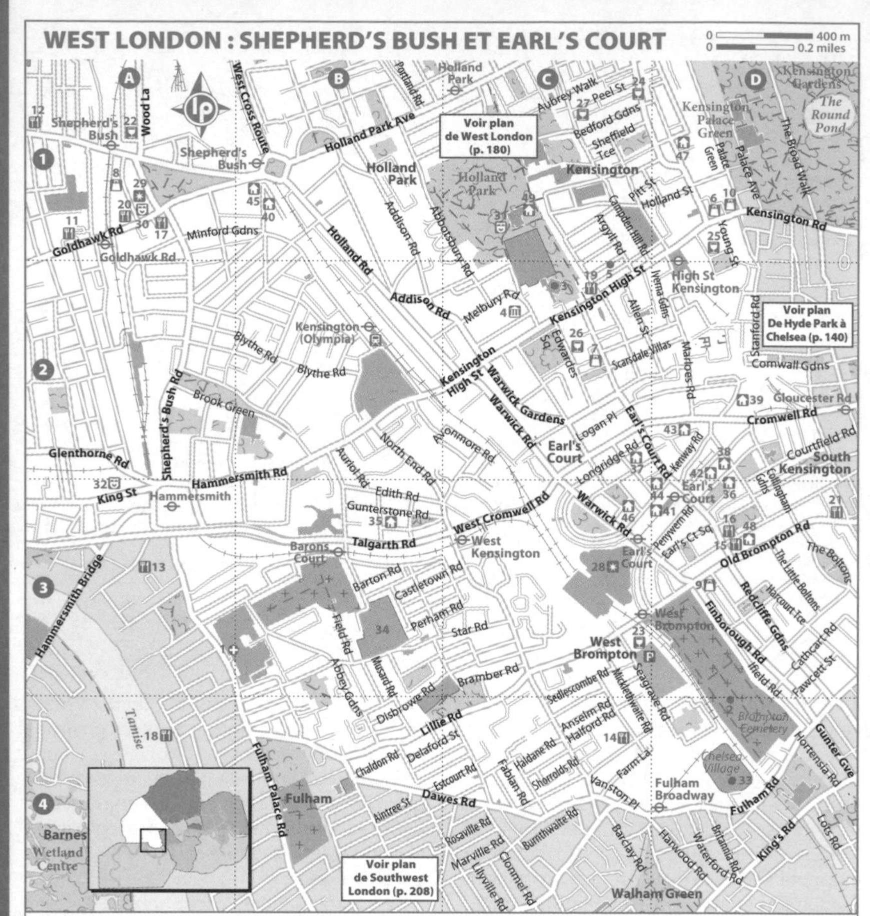

RENSEIGNEMENTS

Charing Cross Hospital 1 A3

À VOIR (p. 179)

Brompton Cemetery 2 D4
Ancien institut du Commonwealth 3 C2
Leighton House 4 C2
Linley Sambourne House 5 C2

SHOPPING (p. 218)

Miss Sixty 6 D1
Orsini 7 C2
Shepherd's Bush Market 8 A1
Troubadour Wines 9 D3
Urban Outfitters 10 D1

OÙ SE RESTAURER (p. 270)

Blah Blah Blah 11 A1
Esarn Kheaw 12 A1
Gate 13 A3
Harwood Arms 14 C4
Krungtap 15 D3
Mr Wing 16 D3
Patio 17 A1
River Café 18 A4
Sticky Fingers 19 C2
Tatra 20 A1
Tendido Cero 21 D3

OÙ PRENDRE UN VERRE (p. 294)

Albertine Wine Bar 22 A1
Atlas 23 C3
Churchill Arms 24 C1
Greyhound 25 D1
Scarsdale Arms 26 C2
Troubadour ..... (voir 9)
Windsor Castle 27 C1

OÙ SORTIR (p. 300)

Earl's Court Exhibition Centre 28 C3
Shepherd's Bush Empire 29 A1

ARTS (p. 312)

Bush Theatre 30 A1
Korn/Ferry Opera Holland Park 31 C1
Lyric Hammersmith 32 A3

SPORTS ET ACTIVITÉS (p. 324)

Chelsea Football Club 33 D4
K Spa ..... (voir 40)
Queen's Club 34 B3

OÙ SE LOGER (p. 358, 360)

Ace Hotel 35 B3
Barkston Hostel 36 D3
Barmy Badger Backpackers 37 C2
base2stay 38 D2
easyHotel Earl's Court 39 D2
K West 40 B1
Mayflower 41 D3
Merlyn Court Hotel 42 D2
Rockwell 43 D2
Rushmore 44 D3
St Christopher's Shepherd's Bush 45 B1
Twenty Nevern Square 46 C3
Vicarage Hotel 47 D1
YHA Earl's Court 48 D3
YHA Holland House 49 C1

GREENWICH ET SOUTHEAST LONDON

Où prendre un verre p. 295 ; Où se restaurer p. 272 ; Shopping p. 235 ; Où se loger p. 360

Southest London évoque avant tout une succession de petits villages, ce qu'étaient d'ailleurs bon nombre de ces faubourgs jusqu'à la fin du XIXe siècle. S'il existe des traces d'une colonisation préhistorique à Greenwich, Woolwich et Forest Hill, ce secteur n'en resta pas moins, pendant des millénaires, aux marges de la grande ville.

Greenwich, sur les rives de la Tamise, est un endroit exceptionnel. Paré d'une architecture splendide, le quartier entretient des liens forts avec la mer, la science, la royauté et bien sûr le temps. Depuis que Greenwich a été choisi comme repère du premier méridien de longitude, le Greenwich Mean Time régit toutes les horloges et montres du monde entier.

Aujourd'hui classés au patrimoine mondial de l'Unesco, les étendues verdoyantes de Greenwich et ses bâtiments aux airs de pièces montées lui confèrent un charme un peu champêtre. Cette atmosphère tranquille vous accompagne, dans une moindre mesure, alors que vous vous dirigez vers le sud-est et un Londres que peu de visiteurs connaissent, comme Dulwich, site de la plus vieille galerie d'art publique de Grande-Bretagne, ou Eltham, qui possède un palais Art déco ainsi qu'un palais Tudor datant du XIVe siècle.

À l'ouest de Greenwich, on découvre les quartiers plus agités de Deptford et New Cross, une sorte de zone de transition, où des studios d'enregistrement s'installent dans d'anciens garages, où des galeries et des centres artistiques se glissent entre les traiteurs traditionnels de *pie 'n' mash* (tourte au bœuf et purée), et où les pubs se transforment en bars.

La sélection

GREENWICH ET SOUTHEAST LONDON

- **National Maritime Museum** (ci-dessous)
- **British Music Experience** (p. 187)
- **Royal Observatory** (p. 184)
- **Thames Barrier** (p. 188)
- **Eltham Palace** (p. 189)

GREENWICH

Greenwich (*grinnitch*) s'étend au sud-est du centre de Londres, là où la Tamise devient plus large et plus profonde. Il s'en dégage une sensation d'espace rare dans la ville. Paisible quartier aux allures de village qui s'enorgueillit de son Royal Observatory et du fabuleux National Maritime Museum, Greenwich est classé au patrimoine mondial de l'Unesco depuis 1997. Greenwich sera l'un des points d'orgue de votre séjour à Londres. Prévoyez une journée entière pour visiter le quartier comme il se doit, surtout si vous prévoyez de descendre le fleuve jusqu'à la Thames Flood Barrier, en passant par l'étonnant O2 (l'ancien Millennium Dome).

Greenwich abrite un extraordinaire encastrement de bâtiments classiques ; tous les grands architectes du siècle des Lumières y ont laissé leur marque, en grande partie grâce au mécénat royal. Au début du XVIIe siècle, Inigo Jones érigea l'une des premières demeures Renaissance d'Angleterre, la Queen's House, encore intacte aujourd'hui. Charles II, qui appréciait particulièrement le quartier, demanda à sir Christopher Wren d'y bâtir le Royal Observatory et une partie du Royal Naval College, que John Vanbrugh acheva au début du XVIIe siècle.

Pratiquement tous les sites de Greenwich sont accessibles depuis la station DLR de Cutty Sark. Cependant, pour y parvenir plus vite depuis le centre de Londres, il est possible de prendre un train grandes lignes depuis Charing Cross ou London Bridge jusqu'à la gare de Greenwich. Depuis les Docklands, une autre solution consiste à emprunter le tunnel piétonnier long de 370 m qui passe sous la Tamise, achevé en 1902. Les ascenseurs menant au tunnel fonctionnent de 7h à 19h du lundi au samedi et de 10h à 17h30 le dimanche. En dehors de ces horaires vous devrez descendre (et gravir !) entre 88 et 100 marches (accessibles 24h/24).

NATIONAL MARITIME MUSEUM Plan p. 186

☎ 8858 4422, renseignements (boîte vocale) 8312 6565 ; www.nmm.ac.uk ; Romney Rd SE10 ; entrée libre ; 10h-17h ; Greenwich, DLR Cutty Sark ;

Un peu austère au premier abord, ce musée conçu pour conter la longue et tortueuse histoire de cette nation maritime qu'est la Grande-Bretagne est le site le plus impressionnant de Greenwich. Dès que vous aurez pénétré dans ce magnifique édifice néoclassique, vous serez conquis. Un sentiment qui ira croissant lorsque vous entrerez dans la Neptune Court avec son toit de verre pour progresser vers le reste de ce musée de trois étages.

Les expositions sont organisées par thème. Elles se concentrent sur les explorateurs, le Londres maritime, l'art et la mer et bien plus encore. Parmi les clous de la visite, mentionnons la péniche d'or de 19 m de long construite en 1732 pour Frédéric, prince de Galles, ainsi que l'immense hélice de bateau installée au premier niveau. Vous pourrez également contempler l'uniforme que l'amiral Horatio Nelson portait lorsqu'il fut abattu (ainsi que la balle), ainsi qu'une réplique du canot de sauvetage *James Caird*, à bord duquel l'explorateur polaire Ernest Shackleton et une poignée de ses hommes prirent place après le naufrage de l'*Endurance* lors de leur mission épique en Antarctique. Les vitraux restaurés du Baltic Exchange, détruits par l'IRA en 1992, sont désormais dédiés aux victimes de la Seconde Guerre mondiale.

Les écolos visiteront *Planet Ocean*, une exposition sur la science, l'histoire, la santé et l'avenir de la mer, au niveau 1. Les enfants adoreront mettre à feu un canon à l'exposition *All Hands*, ou faire rentrer un bateau-citerne au port en utilisant un véritable simulateur de bord au niveau 2. Jusqu'aux passionnés de mode et aux créateurs qui trouveront leur bonheur au rez-de-chaussée dans les sections *Rank and Style* (uniformes navals) et *Passengers* (anciennes affiches de voyage et reconstitution du bar à cocktails d'un paquebot).

ROYAL OBSERVATORY Plan p. 186

☎ 8858 4422, renseignements (boîte vocale) 8312 6565 ; www.nmm.ac.uk/places/royal-observatory ; Greenwich Park, Blackheath Ave SE10 ; entrée libre ; 🕑 10h-17h ; Greenwich, DLR Cutty Sark ; ♿

Suite à d'importants travaux de rénovation, le Royal Observatory est désormais divisé en deux. La moitié nord, qui a trait à la mesure du temps, se trouve dans l'Observatory original que Charles II fit construire en 1675 sur une hauteur au milieu de Greenwich Park, dans l'espoir que soit découverte par l'astronomie une méthode pour établir la longitude en mer. Il abrite l'Octagon Room, conçue par Wren, ainsi que la Sextant Room, à côté, où John Flamsteed (1646-1719), le premier astronome royal, effectua ses observations et ses calculs.

L'Observatoire royal divise le globe terrestre en deux hémisphères, et la Meridian Courtyard (🕑 10h-17h sept-avr, 10h-20h mai-août) vous permet d'avoir un pied dans l'hémisphère ouest et l'autre dans l'hémisphère est. Tous les jours à 13h, depuis 1833, la balle rouge du temps située en haut de l'Observatoire royal tombe inlassablement pour marquer le temps. Admirez le superbe panorama sur Greenwich et espionnez les autres touristes en visitant l'exceptionnelle Camera Obscura.

La moitié sud est consacrée à l'astronomie et renferme l'ultra-moderne Peter Harrison Planetarium (☎ 8312 8565 ; www.nmm.ac.uk/astronomy ; adulte/enfant/famille 6/4/16 £ ; 🕑 spectacle ttes les heures 13-16h lun-ven, 11h-17h sam-dim), d'une capacité de 120 places, équipé d'un projecteur laser numérique qui peut projeter le ciel tout entier sur sa coupole plaquée de bronze. C'est le plus perfectionné d'Europe. Des galeries retracent l'histoire de l'astronomie et des expositions interactives abordent des sujets tels que les météorites, les missions spatiales et la gravité.

OLD ROYAL NAVAL COLLEGE Plan p. 186

☎ 8269 4799 ; www.oldroyalcollege.org ; King William Walk SE10 ; entrée libre ; Greenwich, DLR Cutty Sark

Lorsque le roi Guillaume et la reine Marie chargèrent Christopher Wren, en 1692, de construire un hôpital et un hospice pour les anciens combattants blessés de la marine, l'architecte décida de le diviser en deux corps afin de ne pas obstruer la vue du fleuve depuis la Queen's House (p. 185), au sud, le chef-d'œuvre miniature d'Inigo Jones. Aujourd'hui, il a aussi vue sur Canary Wharf (p. 166) et les gratte-ciel des Docklands (p. 165) au nord.

Prévu initialement pour les blessés de la bataille de La Hague, dont les Anglais sortirent vainqueurs contre les Français en 1692, l'hôpital fut construit sur le site de l'Old Greenwich Palace, Placentia, où Henry VIII vit le jour en 1491. En 1869, le bâtiment fut transformé en un collège naval. Aujourd'hui, l'Old Royal Naval College n'a de maritime que le nom. Il abrite en effet l'University of Greenwich et le Trinity College of Music.

Deux salles principales sont ouvertes au public. Dans le King William Building, le Painted Hall (🕑 10h-17h tlj) est l'une des plus belles salles de banquet d'Europe. Elle est presque entièrement recouverte de peintures murales décoratives d'un style "baroque allégorique", exécutées par le peintre James Thornhill, qui s'était aussi chargé de la coupole de la cathédrale Saint-Paul. La peinture murale du Lower Hall représente l'intronisation de Guillaume et

Marie entourés des symboles de la vertu. Aux pieds de Guillaume, on peut voir Louis XIV vaincu, soumis, un drapeau roulé à la main. Quelques marches plus haut, voici l'Upper Hall, dont le mur occidental représente George Ier et sa famille. En bas à droite, Thornhill s'est peint lui-même, montrant son travail du doigt.

À côté du hall supérieur, la Nelson Room fut conçue à l'origine par Nicholas Hawksmoor, puis utilisée comme fumoir ; elle est désormais ouverte au public. En janvier 1806, c'est ici que le corps du grand héros de la marine britannique reposa avant ses funérailles à Saint-Paul. Aujourd'hui, la salle abrite une réplique en plâtre de la statue de la colonne Nelson de Trafalgar Sq, et des objets concernant l'amiral. Si vous regardez la cour depuis la fenêtre, vous verrez que les pavés représentent l'Union Jack (drapeau britannique).

Une visite guidée (☎ 8269 4791 ; adulte/moins de 16 ans 5 £/gratuit ; visites 11h30 et 14h) de 1 heure 30 part du Painted Hall pour vous conduire dans des lieux habituellement fermés au public : la crypte jacobéenne de l'ancien palais de Placentia, et la Skittle Alley (salle de jeu de quilles) victorienne, vieille de 140 ans, avec ses énormes quilles et boules de bois, sculptées à la main.

En face du Painted Hall, la chapelle (10h-17h lun-sam, 12h30-17h dim) du Queen Mary Building est décorée dans un style rococo plus léger. Son extrémité est dominée par un tableau du XVIIIe siècle signé de l'artiste américain Benjamin West représentant la préservation de saint Paul après le naufrage de Malte (*The Preservation of St Paul after Shipwreck at Malta*). C'est une pièce magnifique, mais elle doit sa renommée à son orgue et à son acoustique. Cela vaut la peine de venir le premier dimanche du mois à 15h pour le récital d'orgue gratuit (50 minutes) ou le dimanche à 11h pour l'eucharistie.

QUEEN'S HOUSE Plan p. 186

☎ 8858 4422, renseignements (boîte vocale) 8312 6565 ; www.nmm.ac.uk/places/queens-house ; entrée libre ; 10h-17h ; Greenwich, DLR Cutty Sark ;

Cet édifice fut d'abord baptisé House of Delight (maison de charme), un nom qui lui sied à merveille. Premier bâtiment palladien construit par l'architecte Inigo Jones après son retour d'Italie, son extérieur s'avère nettement plus attrayant que la collection d'art qu'il contient, même si celle-ci comprend quelques œuvres de Turner, Holbein, Hogarth et Gainsborough. Entamé en 1616 pour Anne du Danemark, épouse de Jacques Ier, le bâtiment ne fut achevé qu'en 1638 pour devenir la résidence de Charles Ier et de la reine Henrietta Maria. Le Great Hall est la salle principale : un superbe espace cubique, doté d'un sol carrelé élaboré et d'un escalier hélicoïdal, le Tulip Staircase (des tulipes ornent la balustrade en fer forgé) menant à une galerie au niveau 2, où sont exposés des marines et des portraits provenant des collections du National Maritime Museum. Ne manquez pas les tableaux figurant dans l'Historic Greenwich Gallery, au niveau 1.

RANGER'S HOUSE (WERNHER COLLECTION) Plan p. 186

☎ 8853 0035 ; www.english-heritage.org.uk ; Greenwich Park, Chersterfield Walk SE10 ; adulte/5-15 ans/tarif réduit 5,70/2,90/4,80 £ ; visites guidées 11h30 et 14h30 lun-mer, 11h-17h dim début avr-sept ; Greenwich, DLR Cutty Sark

Cette élégante villa georgienne à l'extrémité sud-ouest de Greenwich Park fut construite en 1723 et abritait autrefois le gardien du parc. Elle expose aujourd'hui une collection de 700 œuvres d'art (tableaux du Moyen Âge et de la Renaissance, porcelaine, argenterie, tapisseries, etc.) rassemblées par Julius Wernher (1850-1912), fils d'un ingénieur des chemins de fer d'origine allemande qui fit fortune dans les mines de diamants d'Afrique du Sud au XIXe siècle. La collection de bijoux de la Renaissance espagnole est la plus belle d'Europe, et la roseraie devant la maison vous laisse bouche bée.

CUTTY SARK Plan p. 186

☎ 8858 2698 ; www.cuttysark.org.uk ; Cutty Sark Gardens SE10 ; Greenwich, DLR Cutty Sark

Emblématique de Greenwich, le dernier des grands clippers qui naviguèrent entre l'Angleterre et la Chine au XIXe siècle subissait d'importants travaux de rénovation (25 millions de livres) en 2007 lorsqu'un incendie endommagea près de 50% de la "structure" du bateau. Heureusement, la moitié du mobilier et des équipements, dont le mât, avait été retirée pour être restaurée. Lors de nos recherches, une tranche supplémentaire de travaux s'élevant à 10 millions de livres avait été lancée. Le *Cutty Sark* devrait ainsi bientôt renaître de ses cendres.

FAN MUSEUM Plan p. 186

☎ 8305 1441, 8858 7879 ; www.fan-museum.org ; 12 Croom's Hill SE10 ; adulte/7-16 ans et tarif réduit/famille 4/3/10 £ ; 11h-17h mar-sam, 12h-17h dim ; Greenwich, DLR Cutty Sark ;

Le seul musée du monde consacré intégralement aux éventails possède une

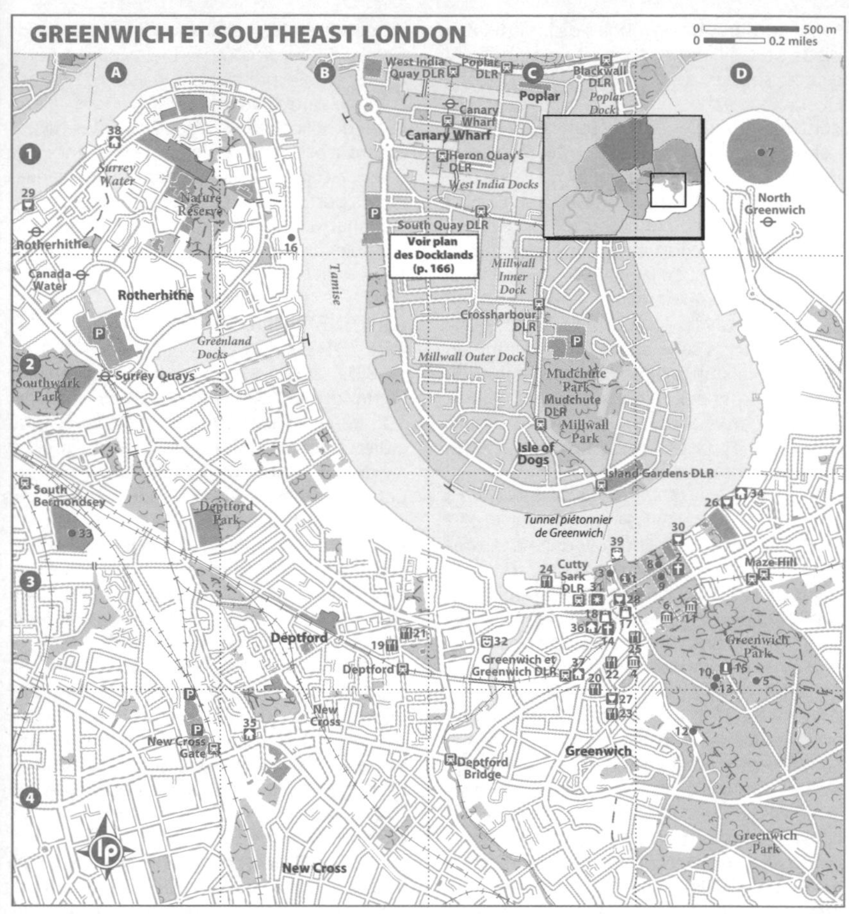

magnifique collection de pièces en ivoire, en écaille, en plumes de paon ou en tissu plié. Celle-ci comprend des versions kitsch alimentées par piles et d'immenses éventails ornementaux gallois. Certaines expositions temporaires du 1er étage sont extraordinaires et des ateliers de confection d'éventails se déroulent le premier samedi de chaque mois. La demeure georgienne qui renferme la collection dispose également d'un jardin de style japonais agrémenté d'une orangerie (thé complet/léger 4,50/3,50 £ ; 15h-17h mar et dim) décorée de belles fresques en trompe-l'œil, qui sert l'*afternoon tea* deux fois par semaine.

ST ALFEGE CHURCH Plan p. 186

8691 8337 ; Church St SE10 ; entrée libre ; 10h-16h lun-sam, 13h-16h dim ; Greenwich, DLR Cutty Sark

Conçue par Nicholas Hawksmoor en 1714 pour remplacer un bâtiment du XIIe siècle, cette église paroissiale abrite une fresque restaurée de James Thornhill (qui décora aussi le Painted Hall du Royal Naval College et la cathédrale Saint-Paul). Saint Alfege était archevêque de Canterbury. Il fut tué ici par des Vikings en 1012.

GREENWICH PARK Plan ci-dessus

8858 2608 ; www.royalparks.gov.uk ; lever du jour-tombée de la nuit ; Greenwich/Maze Hill, DLR Cutty Sark

Avec sa grande avenue, ses immenses espaces découverts, sa roseraie, ses allées pittoresques ainsi qu'un impressionnant panorama sur la Tamise s'étendant jusqu'aux Docklands depuis le sommet de la colline près de la statue du général Wolfe, face au Royal Observatory,

GREENWICH ET SOUTHEAST LONDON

RENSEIGNEMENTS
Office du tourisme de Greenwich........1 C3

À VOIR (p. 183)
British Music Experience........(voir 7)
Chapelle de Old Royal Naval College........2 D3
Cutty Sark........3 C3
Fan Museum........4 C3
Greenwich Park........5 D3
National Maritime Museum........6 D3
Nelson Room........(voir 9)
O2 (ancien Millennium Dome)........7 D1
Old Royal Naval College........8 D3
Painted Hall........9 D3
Peter Harrison Planetarium........10 D3
Queen's House........11 D3
Ranger's House........12 D4
Royal Observatory........13 D3
St Alfege Church........14 C3
Statue du général Wolfe........15 D3
Surrey Docks Farm........16 B1

SHOPPING (p. 235)
Arty Globe........(voir 17)
Compendia........17 C3
Emporium........18 C3
Greenwich Market........(voir 17)

OÙ SE RESTAURER (p. 271)
AJ Goddard........19 B3
Inside........20 C3
Manze's........21 B3
Rivington Grill........22 C3
Royal Teas........23 C4
SE10 Restaurant & Bar........24 C3
Spread Eagle........25 C3

OÙ PRENDRE UN VERRE (p. 295)
Cutty Sark Tavern........26 D3
Greenwich Union........27 C4
INC Bar........28 C3
Mayflower........29 A1
Trafalgar Tavern........30 D3

OÙ SORTIR (p. 300)
Matter........(voir 7)
Up the Creek........31 C3

ARTS (p. 312)
Laban........32 C3

SPORTS ET ACTIVITÉS (p. 324)
Millwall Football Club........33 A3

OÙ SE LOGER (p. 360)
Harbour Master's House........34 D3
New Cross Inn........35 B4
Number 16 St Alfege's........36 C3
St Christopher's Inn Greenwich........37 C3
YHA London Thameside........38 A1

TRANSPORTS (p. 383)
Greenwich Pier........39 C3

le vaste Greenwich Park est l'un des plus beaux parcs de Londres. D'une superficie de 73 hectares, c'est le plus ancien parc royal clos. Il fut partiellement réalisé par Le Nôtre, qui dessina les jardins du palais de Versailles pour Louis XIV. Greenwich Park comporte plusieurs sites historiques, un salon de thé à côté du Royal Observatory, un café derrière le National Maritime Museum et un enclos à cerfs dans son angle sud-est.

O2 (ANCIEN MILLENNIUM DOME)
Plan ci-contre

☎ 8463 2000, réservations 0844 856 0202 ; www.theo2.co.uk ; Millennium Way SE10 ; ⊖ North Greenwich

Large de 380 m, le Millennium Dome (renommé O2) a coûté 750 millions de livres à construire et son entretien revient chaque année à 5 millions de livres. Fermé à la fin 2000, bien loin d'avoir attiré les 12 millions de visiteurs prévus, il n'a quasiment plus servi jusqu'en 2007. Depuis, il a accueilli de grands événements, comme les concerts de Madonna, Prince, Justin Timberlake ou Barbara Streisand dans son 02 Arena de 23 000 places, ainsi que des groupes de soul, pop et jazz dans l'IndigO2 (2 350 places). De célèbres expositions (*Toutankhamon et l'âge d'or des pharaons* ou encore la controversée *Body Worlds*, présentant des corps humains) et des manifestations sportives y ont également eu lieu. Plusieurs bars, clubs et restaurants sont installés sous ce qui fut à l'origine qualifié de "chapiteau le plus sophistiqué du monde".

BRITISH MUSIC EXPERIENCE Plan p. 186

☎ 0844 847 1761 ; www.britishmusicexperience.com ; Millennium Way SE10 ; adulte/enfant et tarif réduit/famille 15/12/40 £ ; 10h-19h ; ⊖ North Greenwich

Notre attraction préférée dans la "bulle" de l'O2 retrace l'histoire de la musique populaire britannique de 1945 à aujourd'hui dans une série de huit galeries pleines d'instruments et de costumes de scène, de musique, de lumière et de boutons à pousser. L'ensemble est on ne peut plus interactif : filmez-vous en train de jouer de la guitare, de chanter ou de danser et remplissez la puce de votre billet d'entrée d'informations que vous pourrez ensuite télécharger sur votre ordinateur une fois chez vous. Ne manquez pas l'expérience du Finale, durant lequel vous jouez avec des hologrammes devant un public en délire (en vidéo).

DEPTFORD ET NEW CROSS Plan ci-contre

Deptford/New Cross, DLR Cutty Sark puis 77 ou 25

Ces dernières années, Deptford et son extension sud, New Cross, un peu au-dessus de Deptford Creek à l'ouest de Greenwich, ont connu une certaine renaissance grâce aux studios d'enregistrement et magasins de musique, aux boutiques, aux galeries d'art, au célèbre institut de danse Laban (p. 314) et autres lieux de culture et de création. C'est ici que le dramaturge élisabéthain Christopher Marlowe a trouvé la mort, poignardé lors d'une rixe de taverne. Le quartier se découvre idéalement à pied (p. 190).

CHARLTON ET WOOLWICH

Qu'il s'agisse des fortins de l'âge du fer ou des monumentales écluses contemporaines sur la Tamise, l'homme a toujours cherché à laisser son empreinte sur ces quartiers. L'un des monuments les plus pérennes a été le Royal Arsenal, qui rejoignit ici les docks royaux d'Henry VIII aux XVIe et XVIIe siècles. Lorsqu'il ferma ses portes en 1994, un musée s'y installa.

THAMES BARRIER Plan p. 66

⊖ North Greenwich puis 🚌 161 ou 472, 🚆 Charlton puis 🚌 177 ou 180

Cette écluse d'aspect futuriste a été installée pour protéger Londres des inondations. Comme le réchauffement de la planète augmente la vulnérabilité de la ville à l'élévation du niveau de la mer et aux grandes marées, elle devrait acquérir une importance croissante ces prochaines années. Achevée en1982, l'écluse est dotée de 10 portes mobiles reliées à 9 piliers en béton, chacune aussi haute qu'un immeuble de cinq étages. Les toits argentés des pylônes abritent les mécanismes permettant de lever et de baisser les ponts. Ils offrent une vision surréaliste des écluses enjambant la rivière, tels des géants de métal.

Si Londres a besoin d'un tel système de digues, c'est que le niveau des eaux s'est élevé de 60 cm par siècle, alors que le lit du fleuve a rétréci. À l'époque des Romains, on pense que la Tamise mesurait environ 800 m de large à hauteur de l'emplacement du London Bridge, contre à peine 250 m aujourd'hui. Deux fois par jour, la Tamise connaît des marées hautes et basses tout à fait modestes, tandis qu'une marée plus forte se produit tous les 15 jours. Il y a danger lorsque celle-ci coïncide avec une importante houle imprévue, qui repousse des tonnes d'eau vers l'amont du fleuve. Les écluses ont été construites pour éviter le débordement du fleuve et l'inondation des habitations proches. Aujourd'hui, les écologistes parlent déjà de la nécessité de mettre en place un mécanisme de barrage plus grand, plus large et plus proche de l'embouchure du fleuve, avant que l'écluse actuelle n'arrive en bout de course (en 2030).

Nous vous conseillons de voir l'écluse lorsqu'elle est levée. Elle l'est notamment lors du contrôle des mécanismes, qui a lieu chaque mois. Pour en connaître les dates et les horaires, contactez le site du Thames Barrier Information Centre (☎ 8305 4188 ; www.environment-agency.gov.uk/thamesbarrier ; 1 Unity Way SE18 ; adulte/5-16 ans/tarif réduit 3,50/2/3 £ ; 🕒 10h30-16h30 avr-sept, 11h-15h30 oct-mars).

Si vous venez du centre de Londres, prenez un train jusqu'à la gare de Charlton depuis Charing Cross ou London Bridge. Ensuite, il vous faudra longer Woolwich Rd jusqu'à Eastmoor St, qui part au nord vers le centre. Si vous venez de Greenwich, prenez le bus 177 ou 180 dans Romney Rd et descendez à l'arrêt Thames Barrier (près d'Holborn College, dans Woolwich Rd). La station de métro la plus proche est North Greenwich, d'où vous pouvez prendre le bus 472 ou 161. Des bateaux font également la liaison avec l'écluse, mais ils n'accostent pas là. Pour plus de détails, voir p. 390.

FIREPOWER (ROYAL ARTILLERY MUSEUM) Plan p. 66

☎ 88557755 ; www.firepower.org.uk ; Royal Arsenal, Woolwich SE18 ; adulte/5-15 ans/tarif réduit/famille 5/2,50/4,50/12 £ ; 🕒 10h30-17h mer-dim ; DLR Woolwich Arsenal, ⊖ North Greenwich puis 🚌 161 ou 472, DLR Cutty Sark puis 🚌 177 ou 180

Ce lieu n'est conseillé ni aux pacifistes ni aux personnes nerveuses. En effet, Firepower est une démonstration cacophonique et violente du développement de l'artillerie à travers les âges. La History Gallery retrace l'histoire de l'artillerie depuis l'utilisation des catapultes jusqu'à celle des ogives nucléaires. Le spectacle multimédia de 15 minutes *Field of Fire* montre la rude tâche des artilleurs, depuis la Première Guerre mondiale jusqu'à la guerre en Bosnie. Le musée comporte un hall d'artillerie bourré d'armes et de véhicules du XXe siècle ainsi qu'une galerie des médailles rassemblant 7 000 pièces. La Camo Zone comprend quatre activités différentes (1,50 £ chacune, ou 4,50 £ les quatre), dont un stand de tir et des tanks télécommandés. Le musée n'est que bruit et pétarade, mais les enfants en redemandent !

GREENWICH HERITAGE CENTRE Plan p. 66

☎ 8854 2452 ; www.greenwichheritage.org ; Royal Arsenal, Artillery Sq SE18 ; entrée libre ; 🕒 9h-17h mar-sam ; DLR Woolwich Arsenal, ⊖ North Greenwich puis 🚌 161 ou 472, DLR Cutty Sark puis 🚌 177 ou 180

Si vous avez visité Firepower et que vous souhaitez en savoir plus sur la riche histoire de Greenwich, ce centre situé juste à côté retrace l'histoire du Royal Arsenal et des Woolwich Dockyards. Les témoignages télévisés d'anciens employés et d'habitants sont particulièrement intéressants. Ne manquez pas les *Millennium Embroideries*, huit panneaux brodés datant de 1998 représentant des périodes clés de l'histoire locale, des Celtes à la fin du XXe siècle. Il devrait y en avoir au moins une d'exposée.

DULWICH ET FOREST HILL

Perdues dans l'immensité de South London ou le métro ne s'aventure pas, Dulwich (*dulitch*) et Forest Hill sont des banlieues tranquilles et arborées, dotées d'une belle architecture. Toutes deux recèlent des musées remarquables qui valent le détour.

DULWICH PICTURE GALLERY Plan p. 66

☎ 8693 5254 ; www.dulwichpicturegallery.org.uk ; Gallery Rd SE21 ; adulte/enfant et étudiant/tarif réduit 5/gratuit/4 £ ; 10h-17h mar-ven, 11h-17h sam-dim ; West Dulwich ;

Il s'agit de la galerie d'art publique la plus ancienne du Royaume-Uni. Elle fut conçue par sir John Soane entre 1811 et 1814 pour abriter la collection de tableaux du Dulwich College, parmi lesquels des toiles de Raphaël, Rembrandt, Rubens, Reynolds, Gainsborough, Poussin, Lely, Van Dyck et bien d'autres. C'est un lieu magnifique et plein de charme, mais les 12 salles n'offrent guère de place pour exposer les œuvres, et il est difficile d'admirer les tableaux à loisir. Choix inhabituel, les collectionneurs, Noel Desenfans et le peintre sir Peter Francis Bourgeois, ont choisi d'illuminer ce sanctuaire par une lumière mystérieuse que créent des vitres teintées disposées entre les tableaux. Une annexe (3 £ suppl) accueille des expositions temporaires souvent remarquables ; la dernière en date a été *Canaletto en Angleterre, 1746-1755*. Des visites guidées gratuites du musée sont proposées à 15h les samedi et dimanche.

Le musée se trouve à 10 minutes à pied de la gare de West Dulwich. Pour vous y rendre, prenez Gallery Rd, qui débute quasiment en face de la gare, puis remontez-la vers le nord. Pratique, le bus P4 relie la galerie au Horniman Museum.

HORNIMAN MUSEUM Plan p. 66

☎ 8699 1872 ; www.horniman.ac.uk ; 100 London Rd SE23 ; entrée libre ; 10h30-17h30 ; Forest Hill ;

Ce musée est un endroit extraordinaire. Frederick John Horniman, marchand de thé et collectionneur dans l'âme, fit construire en 1901 ce bâtiment Art nouveau avec sa tour d'horloge et ses mosaïques, expressément pour abriter sa collection. Aujourd'hui, vous pourrez y admirer, pêle-mêle, un morse empaillé, des retables vaudous provenant d'Haïti et du Bénin, la maquette d'un récif des Fidji et une magnifique collection d'accordéons. Merveilleux.

Le rez-de-chaussée et le premier étage abritent la galerie d'histoire naturelle, cœur de la collection d'Horniman, avec les habituels squelettes d'animaux et spécimens conservés dans du formol. Au niveau inférieur du rez-de-chaussée se trouve l'African Worlds Gallery, première galerie permanente du Royaume-Uni dédiée à la culture et à l'art africains et afro-caraïbes. À côté, la Music Gallery expose des instruments allant des castagnettes d'Égypte vieilles de 3 500 ans aux tout premiers claviers anglais en passant par des gamelans indonésiens et des percussions ghanéennes. Des écrans tactiles permettent d'en écouter la sonorité, et des vidéos de les voir en action. La Centenary Gallery retrace l'histoire du premier centenaire du musée. L'aquarium au sous-sol est petit, mais très moderne. Le café, installé en partie dans l'étonnant conservatoire, est magnifique, tout comme les jardins (7h30-tombée de la nuit lun-sam, à partir de 8h dim) de 6,5 hectares sur le versant de la colline, offrant une vue jusqu'au lointain centre de Londres.

Pour venir depuis la gare de Forest Hill, tournez à gauche dans Devonshire Rd en sortant de la gare, puis à droite dans London Rd. Le musée se trouve sur votre droite à environ 500 m.

ELTHAM

Eltham était une étape favorite des souverains Plantagenêts. Lorsque les faveurs royales des Tudors allèrent à Greenwich, l'Eltham Palace fut laissé à l'abandon pendant plus de cinq siècles. Ce n'est que dans les années 1930, lorsque la riche famille Courtauld vint y bâtir sa fabuleuse demeure, que les vestiges du palais d'origine (XIVe siècle) furent restaurés.

ELTHAM PALACE Plan p. 66

☎ 8294 2548 ; www.english-heritage.org.uk ; Court Rd SE9 ; palais et jardin adulte/5-15 ans/tarif réduit/famille 8,30/4,20/7,10/20,80 £, jardin seulement adulte/enfant/tarif réduit 5,30/2,70/4,30 £ ; 10h-17h dim-mer avr-oct, 11h-16h dim-mer nov-fin déc, fév et mars, fermé fin déc-jan ; Eltham ;

Cette maison Art déco fut construite entre 1933 et 1937 par le riche marchand de textiles Stephen Courtauld (frère de Samuel, célèbre mécène et fondateur du Courtauld Institute of Art) et sa femme Virginia. L'impressionnant hall d'entrée avec son dôme et son immense tapis circulaire à motifs géométriques, les salles de bains en marbre et les installations électriques sophistiquées attestent que le couple avait autant de goût que de fortune. Il avait par ailleurs en guise d'animal domestique, ce qui était très à la mode à l'époque, un lémurien. On peut voir au cours de la visite la cage chauffée de cette bête choyée du nom de "Mah-jongg".

Le palais royal bâti à cet emplacement en 1305 fut un temps la maison d'enfance d'Henry VIII, avant que les Tudors ne partent pour Greenwich. Il n'en reste que peu de vestiges, hormis le Great Medieval Hall, restauré. Sa très belle charpente est généralement placée en troisième position après celles du Westminster Hall (p. 97) et du Hampton Court Palace (p. 213). Les 8 hectares de jardin comprennent un jardin de rocailles et une douve avec un pont-levis qui fonctionne.

BEXLEYHEATH

Autrefois appelé Bexley New Town et dominé par de grands espaces ouverts, ce joli quartier de banlieue à l'est d'Eltham recèle deux demeures historiques importantes.

DANSON HOUSE Hors plan p. 66

☎ 8303 6699 ; www.dansonhouse.com ; Danson Park, Bexleyheath DA6 ; adulte/enfant/tarif réduit 6/gratuit/5 £ ; 🕑 11h-17h mer, jeu, dim et lun fériés fin mars-oct, 11h-17h mar-jeu, dim et lun fériés juin-août ; 🚆 Bexleyheath puis 20 min de marche au sud-ouest

Cette villa palladienne fut construite en 1766 par John Boyd, fils d'un marchand de sucre et lui-même dirigeant de l'East India Company. Après une restauration de 10 ans achevée en 2005, la maison a retrouvé son style georgien originel, grâce, notamment, à la découverte d'une série d'aquarelles superbes représentant les intérieurs, réalisées en 1805 par la fille du second propriétaire, Sarah Johnston. Admirez dans la salle à manger les nombreux bas-reliefs et fresques, éloge de l'amour et du romantisme, ou encore la bibliothèque et la salle de musique avec son orgue en état de fonctionnement, l'escalier en colimaçon impressionnant qui dessert les étages supérieurs et les cuisines victoriennes (ouvertes occasionnellement). Le jardin anglais est délicieux, et il est possible de louer des barques (☎ 8303 2828 ; 30/60 min matin 5/7,50 £, après-midi 7,50/10 £ ; 🕑 10h-17h sam-dim, 10h-20h juil-août) sur le grand lac du Danson Park, bordé de splendides demeures Art déco le long de Danson Rd.

RED HOUSE Hors plan p. 66

☎ 8304 9878 ; www.nationaltrust.org.uk ; 13 Red House Lane, Bexleyheath DA6 ; adulte/5-15 ans/famille 6,90/3,45/17,25 £ ; 🕑 11h-16h45 mer-dim mars-fin nov, 11h-16h45 ven-dim fin nov-fin déc ; 🚆 Bexleyheath puis 20 min de marche vers le sud

De l'extérieur, cette maison de brique rouge construite en 1859 par l'architecte victorien William Morris ressemble à une maison de pain d'épice. Les neuf chambres ouvertes au public portent toutes les caractéristiques du style Arts and Crafts qu'affectionnait Morris : un peu d'art gothique ici, du symbolisme religieux là, un rayon de soleil style Art nouveau ailleurs. Le mobilier conçu par Morris et par le designer de la maison Philip Webb est mis en valeur, tout comme le sont les tableaux et les vitraux d'Edward Burne-Jones. La visite guidée est obligatoire, et doit être réservée. Les jardins ont été dessinés par Morris pour "habiller" la maison. Remarquez le puits au toit conique qui s'inspire des séchoirs à houblon du Kent voisin.

DEPTFORD ET NEW CROSS

Promenade

1 Creekside

Cette rue pavée parallèle à Deptford Creek est jalonnée de galeries et d'ateliers d'artistes accueillant des expositions qui changent régulièrement, notamment l'APT Gallery (☎ 8694 8344 ; www.aptstudios.org ; 6 Creekside SE8) et l'Art Hub (☎ 8691 5140 ; www.arthub.org.uk ; 5-9 Creekside SE8).

2 Laban

Reconnu comme la plus grande école de danse contemporaine (p. 314) et la mieux équipée d'Europe, l'établissement est situé dans un bâtiment revêtu de plastique. Sa construction a coûté 23 millions de livres et son architecture a été récompensée. Érigé à l'extrémité nord de Creekside, il a été conçu par les mêmes architectes que la Tate Modern. Les monticules de débris extraits du parvis recouverts de gazon sont particulièrement innovants.

3 Statue de Pierre le Grand

Cette étrange statue (Glaisher St SE8) de Pierre Ier de Russie, doté d'une toute petite tête, avec à ses pieds, une créature ressemblant à un gnome, commémore un séjour de quatre mois que fit le tsar à Deptford en 1698 pour en apprendre plus sur l'art de la construction navale. Grand fêtard, Pierre séjourna avec le chroniqueur John Evelyn et ses fêtes bien arrosées endommagèrent la demeure de l'écrivain.

4 St Nicholas Church

Cette église (☎ 8692 2749 ; Deptford Green SE8 ; 🕑 9h30-12h30 mer-sam) de la fin du XVIIe siècle possède un mémorial en l'honneur du dramaturge Christopher Marlowe, assassiné à Deptford lors d'une rixe de taverne à l'âge de 29 ans en 1593. La bagarre aurait éclaté au moment de déterminer qui paierait l'addition. Les os et le crâne au-dessus de l'entrée auraient inspiré le célèbre pavillon pirate "Jolly Roger".

5 Albury Street

Cette charmante rue est bordée de bâtiments georgiens où logeaient naguère les officiers de marine de Deptford, notamment (d'après la légende) Lord Nelson et Lady Hamilton. Remarquez les délicates sculptures de bois qui ornent de nombreux porches.

6 St Paul's Church

Au sud d'Albury St, cette église baroque (☎ 8692 7449 ; Mary Ann Gardens SE8) fut bâtie en 1730. Son cimetière abrite la tombe de Mydiddee, Tahitien revenu avec le capitaine Bligh (du célèbre *Bounty*) sur le *Providence* qui mourut presque immédiatement à Deptford en 1793.

7 Marché de Deptford

Ce marché (Deptford High St SE8 ; 8h30-15h mer, ven et sam) coloré comprenant des étals de nourriture, de vêtements et des puces, se tient au centre de Deptford trois jours par semaine. Au sud-ouest, découvrez l'Albany (☎ 8692 4446 ; www.thealbany.org.uk ; Douglas Way SE8), un centre artistique et communautaire animé proposant des comédies, des productions musicales et théâtrales, et doté d'un charmant café.

À PIED

Départ Station DLR Depford Bridge
Arrivée Gare de Depford
Distance 2,5 km
Durée 2 heures
Pause ravitaillement AJ Goddard (p. 258)

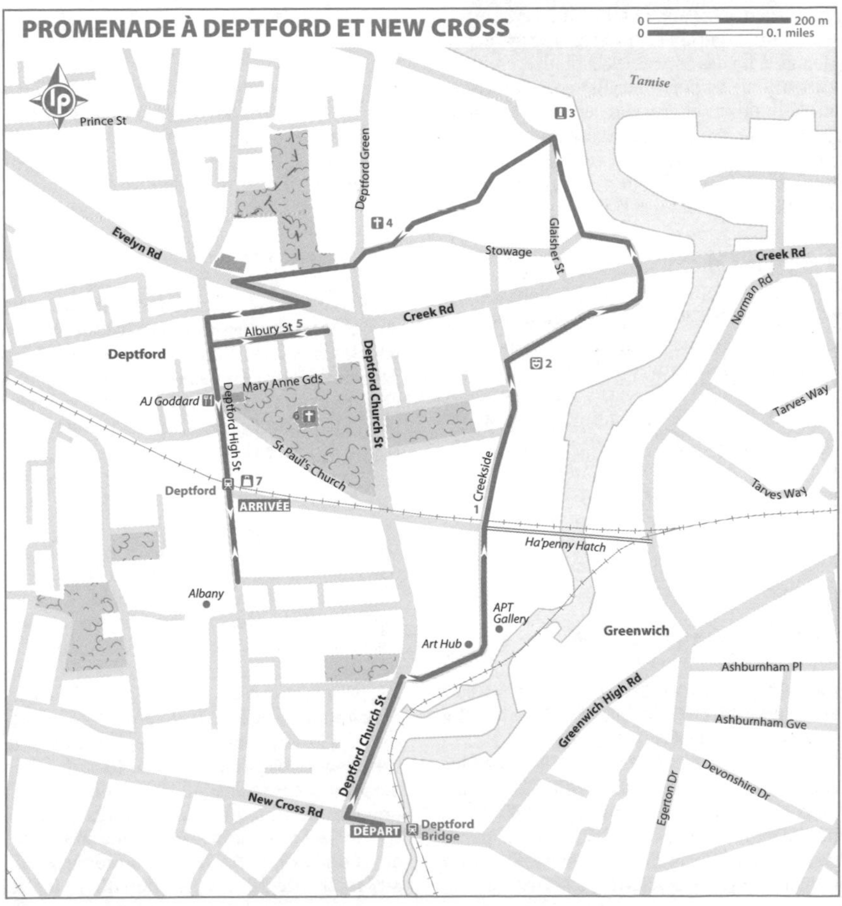

SOUTH LONDON

Où prendre un verre p. 295 ; Où se restaurer p. 274 ; Shopping p. 235

Les Londoniens considèrent encore la Tamise comme l'immense frontière entre le nord et le sud qu'elle était au Moyen Âge. En réalité, le fossé psychologique entre les deux rives est plus profond que jamais. De nombreux Londoniens du nord refusent de croire qu'il puisse y avoir quelque chose d'intéressant de l'autre côté du fleuve. Mais en vérité la rive sud n'est pas si austère. Ces dernières années, même d'anciens Londoniens du nord ont découvert les avantages, notamment le prix abordable des logements et le style de vie décontracté, de l'ancienne "rive B" (en référence au grand nombre de villes dont le nom commence par cette lettre : Battersea, Brixton, Balham, etc).

Le Brixton anarchique et artistique est sans conteste le quartier le plus intéressant. Outre ses discothèques, les spectacles de l'O2 Academy Brixton (p. 309) ou les films du légendaire Ritzy (p. 317), on vient goûter aux saveurs afro-antillaises du marché de Brixton (p. 230).

Clapham a longtemps été l'étendard du Sud londonien grâce aux nombreux restaurants et bars haut de gamme bordant sa rue principale depuis la fin des années 1980. Plus récemment, l'attention s'est portée sur Battersea, avec son parc magnifique et l'annonce de la conversion de la monolithique Battersea Power Station. Kennington compte déjà quelques ravissantes rues bordées de maisons georgiennes mitoyennes. Ce n'est donc qu'une question de temps avant que "Little Portugal" (l'extension sud de Stockwell) ne s'embourgeoise à son tour.

Quant à Lambeth, elle s'enorgueillit du siège épiscopal de l'Église d'Angleterre et de l'un des plus beaux musées de Londres.

La sélection

SOUTH LONDON

- **Battersea Park** (p. 196)
- **Battersea Power Station** (p. 196)
- **Brixton Market** (p. 230)
- **Imperial War Museum** (ci-dessous)
- **Lambeth Palace** (ci-contre)

LAMBETH

Le nom de Lambeth signifie "débarcadère boueux", ce qui indique que cette zone, tout comme le secteur voisin de Waterloo, était essentiellement couverte de marécages non bâtis jusqu'au XVIIIe siècle. Apparemment, les seuls notables suffisamment courageux pour s'y installer avant cette époque étaient les archevêques de Canterbury, qui commencèrent dès le XIIIe siècle à circuler dans des barques depuis leur palais de Lambeth au bord de l'eau. Ce fut l'arrivée des ponts il y a 250 ans, puis du chemin de fer qui finit par relier le secteur à Londres.

IMPERIAL WAR MUSEUM

Plan ci-contre

☎ 7416 5320 ; www.iwm.org.uk ; Lambeth Rd SE1 ; entrée libre ; 🕑 10h-18h ; ⊖ Lambeth North/ Southwark ; ♿ limité

Ne vous laissez pas impressionner par les avions, les tanks et autres engins militaires parqués dans le hall d'entrée de cet ancien hôpital psychiatrique. En effet, une large partie des six étages du musée se penche plutôt sur le coût humain et social des conflits.

Qui plus est, si l'accent est supposément placé sur les interventions militaires impliquant les forces britanniques ou celles du Commonwealth au XXe siècle, le terme de "guerre" est employé ici dans un sens large. Ainsi, le musée ne s'intéresse pas uniquement aux deux conflits mondiaux, à la Corée et au Vietnam, mais couvre également la guerre froide, l'espionnage et même la lutte contre l'apartheid en Afrique du Sud.

Au cœur de ce musée de six étages, une exposition chronologique sur les deux guerres mondiales située au niveau inférieur du rez-de-chaussée. La *Trench Experience* vous plonge dans le terrible quotidien des tranchées de la Somme pendant la Première Guerre mondiale. Plus effrayante encore, la *Blitz Experience* vous conduit dans un abri pendant un bombardement de la Seconde Guerre mondiale avant de vous faire traverser les rues dévastées de l'East End.

Les étages supérieurs renferment les deux sections les plus édifiantes et émouvantes : la très complète **Holocaust Exhibition** (déconseillée aux moins de 14 ans) au troisième étage, et une galerie très dure, **Crimes against Humanity**, sur les génocides perpétrés au Cambodge, en Yougoslavie et au Rwanda (déconseillée aux moins de 12 ans). Au deuxième étage, des peintures de guerre réalisées par des artistes tels que Stanley Spencer et John Singer Sargent sont exposées.

Les **audioguides** pour visiter la collection permanente coûtent 4/3 £ adulte/tarif réduit. Les expositions temporaires, dont l'entrée est payante, abordent des thèmes comme les reportages de guerre, le camouflage et les techniques de guerre modernes, et (nous adorons) le rôle des animaux dans les conflits, de la Première Guerre mondiale à nos jours.

LAMBETH PALACE Plan p. 193

Palace Rd SE1 ; ⊖ Lambeth North

La loge Tudor en brique rouge qui jouxte l'église St Mary-at-Lambeth commande l'accès

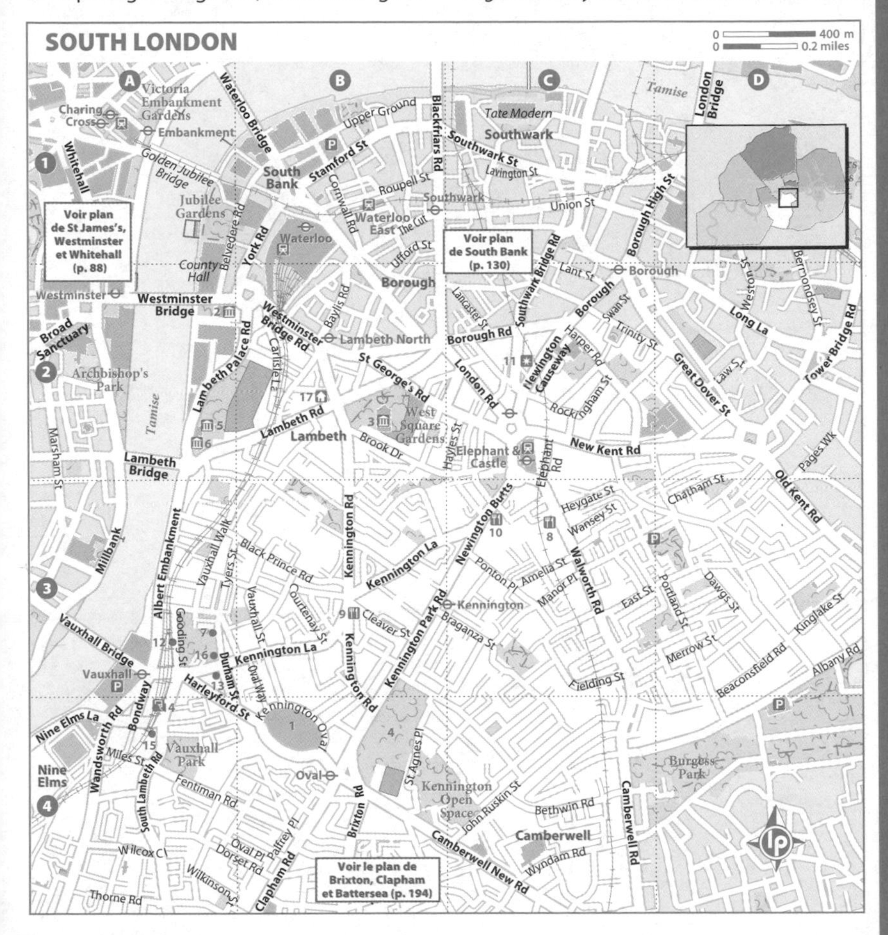

SOUTH LONDON

À VOIR (p. 192)
- Brit Oval ... 1 B4
- Florence Nightingale Museum ... 2 A2
- Imperial War Museum ... 3 B2
- Kennington Park ... 4 B4
- Lambeth Palace ... 5 A2
- Museum of Garden History ... 6 A2
- Vauxhall City Farm ... 7 A3

OÙ SE RESTAURER (p. 274)
- Dragon Castle ... 8 C3
- Kennington Tandoori ... 9 B3
- Lobster Pot ... 10 C3

OÙ SORTIR (p. 300)
- Ministry of Sound ... 11 C2

SPORTS ET ACTIVITÉS (p. 324)
- Brit Oval ... (voir 1)

SCÈNE GAY ET LESBIENNE (p. 332)
- Area ... 12 A3
- Eagle ... 13 A3
- Fire ... 14 A4
- Hoist ... 15 A4
- Royal Vauxhall Tavern ... 16 A3

OÙ SE LOGER (p. 355)
- Days Hotel (Waterloo) ... 17 B2

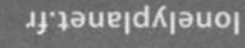

SOUTH LONDON : BRIXTON, CLAPHAM ET BATTERSEA

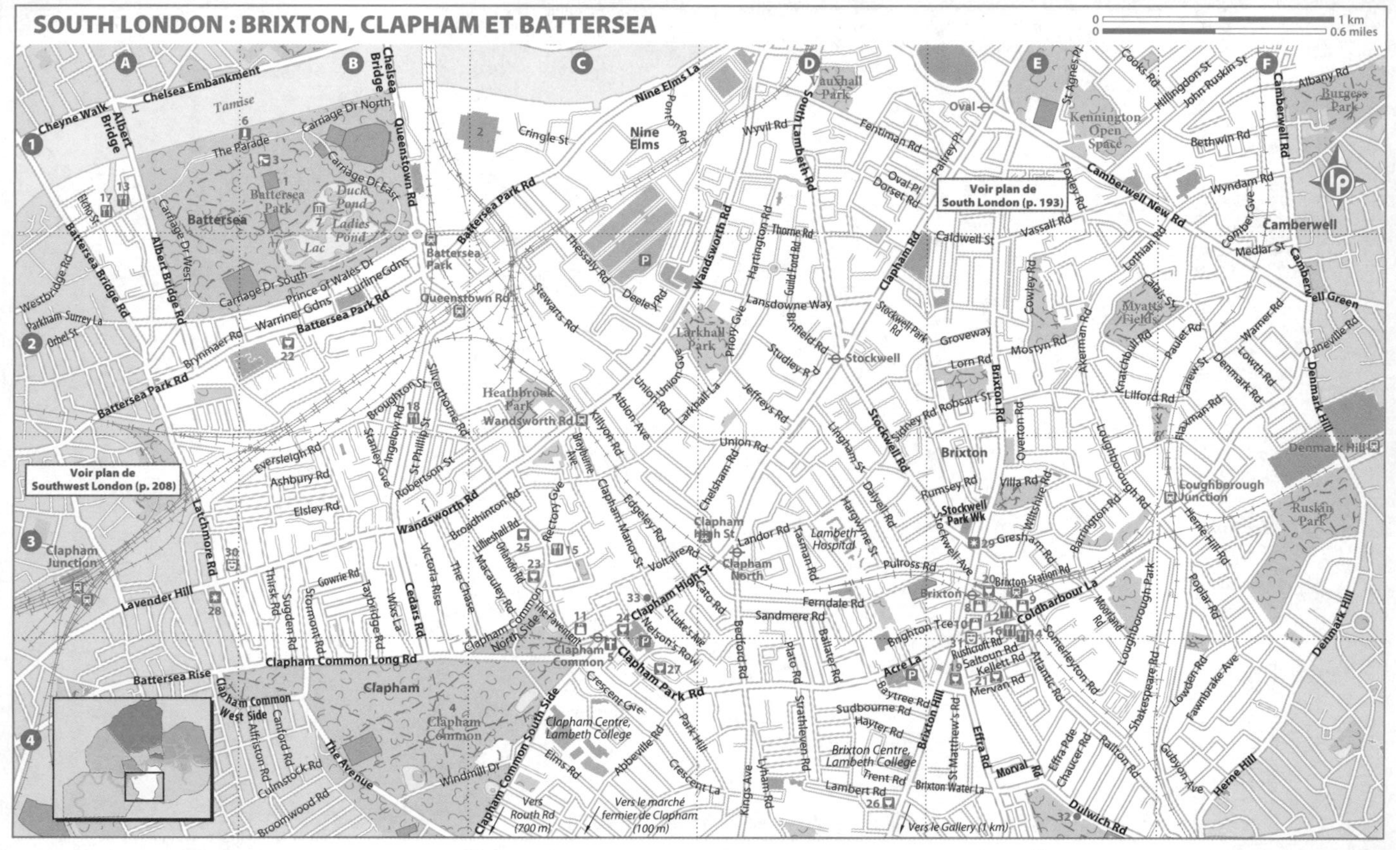

SOUTH LONDON : BRIXTON, CLAPHAM ET BATTERSEA

À VOIR (p. 195)
- Battersea Park ... 1 B1
- Battersea Power Station ... 2 C1
- Zoo pour enfants ... 3 B1
- Clapham Common ... 4 B4
- Holy Trinity Church ... 5 C4
- Pagode de la paix ... 6 B1
- Pump House Gallery ... 7 B1

SHOPPING (p. 235)
- Brixton Market ... 8 E3
- Brixton Village ... 9 E3
- Bullfrogs ... (voir 11)
- Joy ... 10 E3
- Oliver Bonas ... 11 C3

OÙ SE RESTAURER (p. 274)
- Asmara ... 12 E3
- Brixton Market ... (voir 8)
- Butcher & Grill ... 13 A1
- Franco Manca ... (voir 8)
- Fujiyama ... 14 E3
- Grafton House ... 15 C3
- Lounge Café ... 16 E3
- Ransome's Dock ... 17 A1
- Rosie's Deli Cafe ... (voir 8)
- Santa Maria del del Sur ... 18 B2

OÙ PRENDRE UN VERRE (p. 295)
- Babalou ... 19 E4
- Brixton Bar & Grill ... 20 E3
- Dogstar ... (voir 14)
- Effra ... 21 E4
- Lost Society ... 22 B2
- Prince of Wales ... 23 C3
- So.uk ... 24 C3
- Tim Bobbin ... 25 C3
- White Horse ... 26 D4
- White House ... 27 C4

OÙ SORTIR (p. 300)
- Dogstar ... (voir 14)
- Jongleurs Battersea ... 28 A3
- O2 Academy Brixton ... 29 E3

ARTS (p. 312)
- Battersea Arts Centre ... 30 A3
- Ritzy Picturehouse ... 31 E4

SPORTS ET ACTIVITÉS (p. 324)
- Brockwell Park Lido ... 32 E4

SCÈNE GAY ET LESBIENNE (p. 332)
- Two Brewers ... 33 C3

au Lambeth Palace, résidence londonienne de l'archevêque de Canterbury. Si le palais n'est généralement pas ouvert au public, les jardins le sont parfois. Pour plus de détails, renseignez-vous auprès d'un office du tourisme (p. 402).

MUSEUM OF GARDEN HISTORY Plan p. 193

☎ 7401 8865 ; www.museumgardenhistory.org ; St Mary-at-Lambeth, Lambeth Palace Rd SE1 ; entrée libre, contribution suggérée 3 £ ; 10h30-17h mar-dim ; ⊖ Lambeth North

Contrairement aux attractions botaniques des Kew Gardens, qui s'adressent à un large public, le Museum of Garden History, situé dans l'église de St Mary-at-Lambeth, est plutôt réservé aux vrais amateurs de jardinage. Son atout majeur : le charmant jardin labyrinthe, réplique d'un jardin du XVIIe siècle, aux topiaires formant des entrelacs élaborés. Les mordus de jardinage apprécieront les expositions dédiées aux Tradescant, père et fils, jardiniers de Charles Ier puis de Charles II au XVIIe siècle. Globe-trotters et grands collectionneurs de plantes exotiques, ils rapportèrent l'ananas à Londres. Les autres préféreront peut-être rendre hommage au Captain William Bligh (le fameux capitaine du *Bounty*), enterré ici (il vécut et mourut près de là, au 100 Lambeth Rd). L'excellent café sert des plats végétariens.

FLORENCE NIGHTINGALE MUSEUM

Plan p. 193

☎ 7620 0374 ; www.florence-nightingale.co.uk ; St Thomas's Hospital, 2 Lambeth Palace Rd SE1 ; adulte/senior, étudiant et enfant/famille 5,80/4,80/16 £ ; 10h-17h lun-ven, 10h-16h30 sam-dim ; ⊖ Westminster/Waterloo ; ♿

Attenant au St Thomas's Hospital, ce petit musée conte l'histoire de Florence Nightingale (1820-1910), courageuse héroïne de guerre, qui emmena une équipe d'infirmières en Turquie en 1854 pendant la guerre de Crimée. Elle y travailla à l'amélioration des conditions de vie des soldats avant de revenir à Londres pour fonder une école d'infirmières à St Thomas en 1859. Elle devint si populaire que des photographies de la gentille "dame à la lampe", dans le style de cartes de baseball, étaient vendues de son vivant. Nombre de ses détracteurs révisionnistes la taxent d' "administratrice rusée à l'affut de publicité". Elle fut, certes, l'une des premières célébrités du monde moderne, mais il est indéniable qu'elle a amélioré les conditions d'existence de milliers de soldats sur les champs de bataille et sauvé quelques vies au passage. Difficile d'imaginer exploit plus glorieux.

BRIXTON

"*We gonna rock down to Electric Avenue*", chantait Eddy Grant en 1983. Cette rue, un peu à gauche en sortant de la station Brixton, fut en effet l'une des première de Londres à être éclairées à l'électricité, en 1888. Dans un registre bien plus sombre, le titre *Guns of Brixton* des Clash (1979) évoquait les émeutes des années 1980 et le clivage entre les habitants et les forces de police. Et ce ne sont là que deux facettes de ce quartier cosmopolite, vibrant et animé.

Peuplé à peine un an après l'invasion normande de 1066, Brixton demeura un village isolé et lointain jusqu'au XIXe siècle, date à laquelle le nouveau Vauxhall Bridge (1810) et la voie ferrée (1860) le relièrent au centre de Londres.

Néanmoins, les années qui façonnèrent le plus le Brixton contemporain furent les années "Windrush", dans l'après-guerre, lorsque les immigrants arrivèrent des Antilles britanniques en réponse à l'appel du gouvernement britannique pour pallier la pénurie de main-d'œuvre (le *Windrush* fut l'un des principaux navires qui amenèrent ces immigrants au Royaume-Uni). La lune de miel s'acheva une génération plus tard, lorsque le déclin économique et l'hostilité entre la police et la minorité noire (représentant seulement 29% de la population de Brixton à l'époque) entraînèrent les émeutes de 1981, 1985 et 1995, qui eurent lieu dans Railton Rd et Coldharbour Lane.

Depuis, l'ambiance générale s'est résolument améliorée. La flambée du prix des logements a éveillé l'intérêt des agents immobiliers, et des enclaves bourgeoises côtoient désormais des rues délabrées (voir ci-contre).

BATTERSEA ET WANDSWORTH

Derrière la fière silhouette de la Battersea Power Station, ce quartier situé au sud-ouest de Lambeth, le long de la Tamise, fut un site industriel jusque dans les années 1970. Aujourd'hui, ses usines et entrepôts désaffectés cèdent la place à de luxueux appartements. Les résidents du cossu Chelsea sont même prêts à franchir la Tamise pour en faire le "Chelsea du sud".

Un peu en aval de la Tamise, le quartier ouvrier de Wandsworth, parent pauvre de Battersea, plus aisé, s'est également embourgeoisé ces dernières années. Il est fréquemment qualifié de "Nappy Valley" (vallée des couches) : il semblerait que Wandsworth ait le taux de natalité le plus élevé de tous les comtés de Londres.

BATTERSEA POWER STATION Plan p. 194

www.batterseapowerstation.com ; Battersea Park

Toute une génération a pu voir ce bâtiment sur la couverture de l'album *Animals* des Pink Floyd sorti en 1977. Avec ses quatre cheminées lui donnant l'air d'une table renversée, la Battersea Power Station suscite autant de rejet que d'admiration. Construite par Giles Gilbert Scott en 1933 avec deux cheminées (les deux autres ont été ajoutées en 1955), elle a cessé de fonctionner en 1983. Depuis, d'innombrables projets ont tenté de la rescuciter. En novembre 2006, l'usine fut vendue à un nouveau groupe d'investisseurs ; le précédent, Parkview International, propriétaire pendant plus de douze ans (depuis 1993), voulait démolir les cheminées et transformer la "nef" du bâtiment en un complexe de divertissement ouvert 24h/24, avec restaurants, hôtels, boutiques, cinémas, etc. L'avenir de la centrale semble plus incertain que jamais avec l'arrivée d'un nouveau "plan d'ensemble". Cela dit, l'usine pourrait, selon une proposition censée, abriter le nouvel Energy Technologies Institute créé par le gouvernement pour aider la recherche de nouvelles technologies afin de lutter contre le changement climatique.

BATTERSEA PARK Plan p. 194

8871 7530 ; www.batterseapark.org; lever du jour-tombée de la nuit ; Battersea Park

Ces 50 hectares d'espaces verts s'étendent entre l'Albert Bridge et le Chelsea Bridge. Avec ses sculptures d'Henry Moore et sa pagode de la Paix, érigée en 1985 par une communauté de bouddhistes japonais à la mémoire d'Hiroshima, l'apparence paisible du lieu cache un passé trouble. En effet, c'est là que le roi Charles II fut victime d'une tentative d'assassinat en 1671 et qu'un duel opposa le duc de Wellington à un adversaire l'accusant de trahison en 1829. La récente rénovation du parc a permis le réaménagement paysager du XIXe siècle, et les splendides terrasses au bord de l'eau ont été embellies. En outre, les jardins du Festival of Britain, dont les spectaculaires Vista Fountains, ont été restaurés. Le parc comporte aussi des lacs, de nombreuses infrastructures sportives, une galerie d'art, la Pump House Gallery (8871 7572 ; www.wandsworth.gov.uk/gallery ; Battersea Park SW11 ; entrée libre ; 11h-17h mer-dim) et un petit zoo pour enfants (7924 5826 ; www.batterseaparkzoo.co.uk ; adulte/2-15 ans/famille 6,50/4,95/20,50 £ ; 10h-17h avr-oct, 10h-16h nov-mars).

WANDSWORTH COMMON Plan p. 208

Wandsworth Common/Clapham Junction

Plus sauvage et plus vert que le terrain communal voisin de Clapham, Wandsworth Common est investi, lorsque le temps s'y prête, par des couples avec poussettes. Dans la partie ouest, vous apercevrez un ensemble charmant de rues connues sous le nom de "toast rack" (porte-toasts) en raison de leur alignement. Les rues de Baskerville, Dorlcote, Henderson, Nicosia, Patten et Routh sont bordées de maisons georgiennes. La plaque bleue au 3 Routh Rd indique qu'ici vivait l'ancien Premier ministre David Lloyd George.

CLAPHAM

Le "*man on the Clapham omnibus*" (l'homme dans l'omnibus de Clapham) – expression utilisée en droit anglais depuis le début du XXe siècle pour désigner une personne de bon

(Suite page 205)

ARCHITECTURE

Stalles ornementées du chœur et mosaïques des plafonds de la cathédrale Saint-Paul (p. 103)

ARCHITECTURE

L'abbaye de Westminster (p. 93), le plus bel édifice gothique anglais de Londres

À la différence d'autres grandes villes du monde, Londres s'est développé de façon organique, voire hasardeuse. La capitale a conservé des traces architecturales de chaque période de sa longue histoire, mais elles sont souvent cachées : un bout de mur romain dans le hall d'un bâtiment postmoderne proche de Saint-Paul, un relais de poste datant de la Restauration niché au fond d'une cour non loin d'une grande rue de Borough… Londres est une ville pour les explorateurs. En le gardant à l'esprit, on pourra faire des découvertes à presque tous les coins de rue.

LES FONDATIONS

La ville fut fondée sur la colonie romaine fortifiée de Londinium, établie en 43 sur les rives nord de la Tamise – à l'emplacement approximatif de l'actuelle City. Il en subsiste peu de traces en dehors des musées, mais vous pourrez voir le temple de Mithras (p. 118), construit en 240 et déplacé à l'extrémité est de Queen Victoria St, dans la City. Des pans du mur d'enceinte romain (plan p. 104 ; ⊖ Tower Hill), sur lesquels une autre muraille fut bâtie au Moyen Âge, demeurent à la sortie de la station de métro Tower Hill, ainsi qu'en contrebas de Bastion Highwalk, à côté du Museum of London.

Arrivés dans la région après le déclin de l'Empire romain, les Saxons, ayant trouvé Londinium trop petite à leur goût, s'installèrent plus au nord de la Tamise. Vers la fin des années 1990, les fouilles menées par les archéologues du Museum of London à l'occasion de la rénovation du Royal Opera House (p. 79) mirent au jour d'importants vestiges de la colonie saxonne de Lundenwic, notamment des maisons avec clayonnages enduits de torchis. Rien de comparable toutefois avec le témoignage *in situ* que constitue, au nord-ouest de la Tour de Londres, l'église saxonne All Hallows-by-the-Tower (p. 125), avec sa voûte impressionnante et ses murs datant du VIIe siècle.

Avec l'arrivée de Guillaume le Conquérant en 1066, le pays expérimente ses premières réalisations d'architecture normande avec la White Tower (p. 123), tour de guet trapue au cœur de la Tour de Londres. L'église de St Bartholomew-the-Great (p. 108), à Smithfield, arbore elle aussi des voûtes normandes, et une nef jalonnée de colonnes. La porte ouest et le porche délicatement sculpté de Temple Church (p. 107), à l'intérieur de l'Inner Temple, sont d'autres remarquables exemples d'architecture normande.

Les tours néogothiques de Tower Bridge (p. 125)

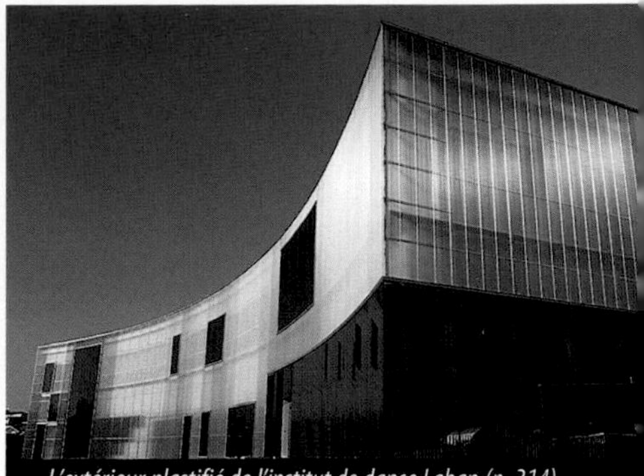
L'extérieur plastifié de l'institut de danse Laban (p. 314)

LE LONDRES MÉDIÉVAL

L'abbaye de Westminster (p. 93), agrandie et réaménagée entre le XIIe et le XIVe siècle, évoque avec splendeur l'art déployé par les maîtres maçons du Moyen Âge. La Church of St Ethelburga-the-Virgin (plan p. 104 ; 78 Bishopsgate EC2 ; ⊖ Aldgate), non loin du métro Liverpool St, est la plus belle église médiévale encore visible dans la City ; elle fut restaurée à la suite des attentats à la bombe de l'IRA de 1993. Datant du XVe siècle, la Church of St Olave (plan p. 104 ; Hart St EC3 ; ⊖ Tower Hill), au nord-ouest de Tower Hill, est l'une des rares églises paroissiales gothiques à subsister dans la City. Quant à la crypte copieusement restaurée de l'église St Ethelreda (plan p. 154 ; Ely Pl EC1 ; ⊖ Chancery Lane), au nord d'Holborn Circus, elle date d'environ 1250.

Les édifices séculiers médiévaux se font plus rares encore. On admirera tout de même la Jewel Tower (plan p. 88 ; Abingdon St SW1 ; ⊖ St James's Park) bâtie en calcaire oolithique face aux Houses of Parliament, qui remonte à 1365, et bien entendu la Tour de Londres (p. 122) érigée pour l'essentiel au Moyen Âge. Construite en 1378, la Staple Inn (plan p. 74 ; High Holborn WC1 ; ⊖ Chancery Lane), à Holborn, arbore cependant une façade à colombages (1589) principalement de l'époque élisabéthaine. Elle a par ailleurs subit d'importants travaux de restauration au milieu du XXe siècle.

TROIS ARCHITECTES

Le grand architecte londonien de la première moitié du XVIIe siècle, Inigo Jones (1573-1652), vécut un an et demi en Italie où il fut conquis par le style palladien. Parmi ses œuvres maîtresses figurent Banqueting House (1622 ; p. 99), à Whitehall, et Queen's House (1635 ; p. 185), à Greenwich, et, dans un style plus dépouillé, l'église Saint-Paul (plan p. 74 ; ⊖ Covent Garden), à Covent Garden. Souvent oubliée, cette église fut dessinée par Jones vers 1630 et décrite comme "la plus jolie grange d'Angleterre".

L'architecte qui imprima le plus fortement sa marque sur Londres reste sir Christopher Wren (1632-1723), auteur de la monumentale cathédrale Saint-Paul (1710 ; p. 103), mais également de ravissantes églises du centre de Londres. Il en supervisa la construction, généralement sur l'emplacement d'anciennes églises médiévales détruites lors du Grand Incendie. On lui doit aussi le Royal Hospital Chelsea (1692 ; p. 141) et l'Old Royal Naval College (p. 184), commencé en 1694 à Greenwich. Ces édifices néoclassiques, hauts et aérés, possèdent une grâce que n'avaient pas leurs prédécesseurs.

Détail du Painted Hall, Old Royal Naval College (p. 184)

SÉSAME OUVRE-TOI

Si vous voulez jeter un coup d'œil à l'intérieur de bâtiments auxquels vous n'avez normalement pas accès, choisissez le mois de septembre. Durant un week-end (généralement le 3e du mois), l'association **Open House London** (☎ 3006 7008 ; www.londonopenhouse.org) obtient des propriétaires de plus de 700 bâtiments privés qu'ils ouvrent leurs portes gratuitement au public. Des édifices importants, dont certains sont répertoriés dans ce chapitre (comme le 30 St Mary Axe, le City Hall, la Lloyd's of London, les Royal Courts of Justice, etc.) participent également à cette opération portes ouvertes. L'association organise également toute l'année des **visites** (p. 391) de 3 heures conduites par des architectes.

Si vous voulez savoir vers où se dirige Londres en matière d'architecture, visitez le site du **New London Architecture** (www.newlondonarchitecture.org) ou le **Building Centre** (plan p. 84 ; ☎ 7692 4000 ; www.buildingcentre.co.uk ; 26 Store St WC1E ; entrée libre ; 9h30-18h lun-ven, 10h-17h sam ; Tottenham Court Rd ou Goodge St). En plus d'expositions temporaires et d'une librairie exceptionnelle, vous y découvrirez une maquette au 1/1 500e en diorama de Londres, réactualisée régulièrement et couvrant toute la ville, de Paddington, à l'ouest, aux Royal Docks, à l'est, et de Battersea, au sud, à King's Cross, au nord.

Nicholas Hawksmoor (1661-1736), disciple de Wren, collabora avec lui à la construction de plusieurs églises avant de faire carrière en solo. **Christ Church** (1729 ; p. 156) à Spitalfields (restaurée), **St George's Bloomsbury** (plan p. 84 ; Bloomsbury Way WC1 ; Holborn), datant de 1731, **St Anne's Limehouse** (1725 ; p. 165) et **St George-in-the-East** (1726 ; p. 168) à Wapping figurent parmi ses plus belles réalisations, que l'on classe habituellement dans le style baroque anglais.

LE STYLE GEORGIEN

La période georgienne voit le retour du classicisme (ou néo-palladianisme), sous l'égide notamment de Robert Adam (1728-1792), dont la plupart des œuvres seront détruites sous l'ère victorienne. Il en subsiste cependant une magnifique illustration : **Kenwood House** (1773 ; p. 176), à Hampstead Heath.

La renommée d'Adam sera – à juste titre – éclipsée par l'arrivée de John Nash (1752-1835) dont la contribution au paysage architectural londonien est comparable à celle de Wren. Nash est notamment le concepteur de Regent's Park et des élégants *crescents* environnants. Pour doter Londres d'une "colonne vertébrale", il créera **Regent Street** (p. 72 ; Piccadilly Circus), axe nord-sud traversant la ville en ligne droite de Regent's Park à St James's Park, qui entraînera la création de Trafalgar Sq, le développement du Mall et de l'extrémité ouest du Strand.

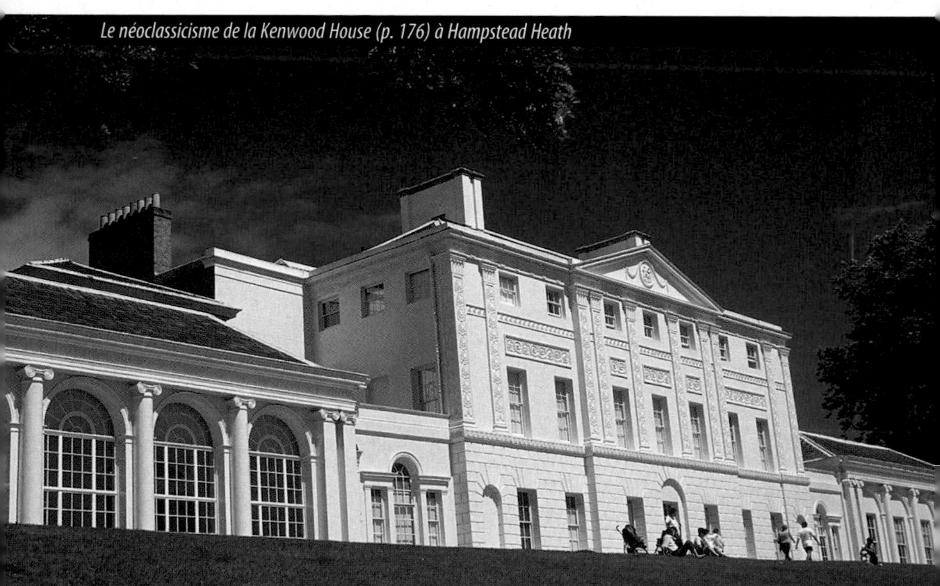
Le néoclassicisme de la Kenwood House (p. 176) à Hampstead Heath

La salle centrale du néogothique Natural History Museum (p. 144)

Contemporain de Nash, John Soane (1753-1837) fut l'architecte de la **Bank of England** (plan p. 104 ; Threadneedle St EC2 ; ⊖ Bank), achevée en 1833 (dont une grande partie fut perdue lors de la reconstruction du bâtiment par Herbert Baker, 1925-1939), ainsi que de la **Dulwich Picture Gallery** (1814 ; p. 189). Robert Smirke (1780-1867) fut en 1823 le bâtisseur du **British Museum** (p. 83), dans le plus pur style Renouveau grec.

LE GOTHIQUE REVISITÉ

Le mouvement qui émergea au XIXe siècle prônait un style néogothique très décoratif. Les représentants les plus célèbres de ce Victorian High Gothic ou "Gothick" (jeu de mots sur l'idée de lourdeur, *thick* voulant dire épais) avaient pour nom George Gilbert Scott (1811-1878), Alfred Waterhouse (1830-1905), Augustus Pugin (1812-1852) et Charles Barry (1795-1860). L'on doit notamment à Scott le très élaboré **Albert Memorial** (1872 ; p. 148) à Kensington Gardens ainsi que **St Pancras Chambers** (1874 ; plan p. 174 ; ⊖ Kings Cross St Pancras). Waterhouse dessina quant à lui le flamboyant **Natural History Museum** (1880 ; p. 144), tandis que Pugin et Barry collaboraient à partir de 1840 au projet des **Houses of Parliament** (p. 96), après la destruction du palais de Westminster lors de l'incendie de 1834. On doit le dernier grand édifice néo-gothique londonien, les **Royal Courts of Justice** (1882 ; p. 81), à George Edmund Street.

La mise en avant du savoir-faire de l'artisan et des matériaux utilisés pour la construction de ces édifices aboutit à la naissance du mouvement dit Arts and Crafts – ou "Art nouveau britannique". À sa tête on trouve William Morris (1834-1896), dont l'œuvre est notamment représentée par la Green Dining Room du **Victoria & Albert Museum** (p. 143) et par sa propre résidence de Bexleyheath, **Red House** (1860 ; p. 190). L'**Euston Fire Station** (plan p. 174 ; 172 Euston Rd NW1 ; ⊖ Euston), construite en 1902 en face de St Pancras New Church, symbolise magnifiquement ce courant architectural.

FLIRT AVEC LE MODERNISME

Peu d'édifices publics notables furent construits durant les quinze premières années du XXe siècle, en dehors de l'**Admiralty Arch** (1910 ; p. 76), représentatif du style baroque édouardien d'Aston Webb (1849-1930), également concepteur, en 1911, du **Queen Victoria Memorial** (plan p. 88 ; ⊖ St James's Park) en face de Buckingham Palace (dont il travailla la façade). Le **County Hall** (p. 129), dessiné par Ralph Knott en 1909, ne fut achevé qu'en1922.

La flèche de l'église St Martin-in-the-Fields (p. 78)

La BT Tower est inscrite au patrimoine britannique (ci-desso

Dans l'entre-deux-guerres, l'architecture anglaise ne connaît pas d'élan de créativité particulier même si elle est marquée par l'œuvre d'Edwin Lutyens (1869-1944), parfois classée "Art déco britannique". On lui doit le **Cenotaph** (1920 ; p. 99) de Whitehall ainsi que, en 1927, l'imposante **Britannic House** (plan p. 154 ; Finsbury Sq EC2), actuelle Triton Court, de Moorgate.

C'est à cette époque que les architectes européens introduisent le modernisme, qui ne s'illustrera que par des œuvres modestes. Le Russe Berthold Lubetkin (1901-1990) en laissera un souvenir mémorable avec sa **Penguin Pool**, au **zoo de Londres** (p. 171), et sa rampe de béton en spirale. Construite en 1934, elle serait la plus ancienne structure moderniste de Londres. La **St Olaf House** (plan p. 130 ; Tooley St SW1 ; ⊖ London Bridge), petit immeuble de bureaux en face de la Tamise, fut conçue par H.S. Goodhart-Rendel en 1928. C'est l'un des plus beaux bâtiments Art déco de la ville.

L'APRÈS-GUERRE ET LA RECONSTRUCTION

Les bombardements hitlériens entraînent les plus importantes destructions depuis le Grand Incendie, avec pour conséquence immédiate une pénurie chronique du logement après-guerre. Lotissements à bas prix et tours inesthétiques apparaissent un peu partout dans les secteurs bombardés, responsables aujourd'hui encore de la dégradation du paysage urbain.

Conçu par Robert Matthew et J. Leslie Martin pour le Festival of Britain de 1951, le **Royal Festival Hall** (p. 129), premier bâtiment public de style moderniste à Londres, suscita lors de son ouverture autant d'approbations que de critiques. Il ne se trouva personne en revanche pour encenser le **National Theatre** (p. 132) de Denys Lasdun, réalisation d'Art brut achevée en 1976 après un chantier de dix ans.

Les années 1960 voient proliférer les grandes tours ordinaires en verre et en béton dont la plus impopulaire reste **Centre Point** (plan p. 70 ; New Oxford St WC1 ; ⊖ Tottenham Court Rd), érigée en 1967. Cette tour jadis vilipendée figure aujourd'hui au patrimoine national en tant que digne représentante d'un style particulier et ne peut, de ce fait, subir de modification extérieure. La **BT Tower** (plan p. 84 ; 60 Cleveland St W1), construite en 1964 et dessinée par Eric Bedford, est elle aussi inscrite au patrimoine anglais.

En dehors des routes, la construction stagne à Londres dans les années 1970, tandis que vers la fin des années 1980, la récession inflige un coup d'arrêt aux opérations de développement et de spéculation engagées dans les Docklands et la City. En 1984, qualifiant de "furoncle abominable sur le visage d'un ami élégant et bien-aimé" une proposition d'extension moderne de la National Gallery, le Prince Charles creusa un peu plus le fossé séparant traditionnalistes et modernistes. Son Altesse enfonça le clou six ans plus tard avec la publication de *A Vision of Britain,* pamphlet réactionnaire prenant la défense de la "tradition anglaise", puis à nouveau près de 20 ans plus tard en critiquant le redéveloppement des Chelsea Barracks, poussant les promoteurs à abandonner le projet. C'est ce qui explique, en partie, que le paysage urbain londonien n'ait jamais rien eu à voir à avec celui de New York ou de Hong Kong.

LE POSTMODERNISME

L'architecture contemporaine naît dans la City et les Docklands réhabilités au milieu des années 1980. La première vit ainsi l'édification, en 1986, de la **Lloyd's of London** (plan p. 104 ; ⊖ Aldgate ou Bank) de sir Richard Rogers, une œuvre maîtresse "sens dessus dessous" où s'entremêlent conduites et tuyaux, verre et acier. Dans les Docklands, le **1 Canada Square** (1991), de Cesar Pelli, avec ses 244 m de haut, occupe la place d'honneur. Surnommé Canary Wharf (p. 167), on l'aperçoit depuis le centre de Londres.

Avec l'arrivée au pouvoir du jeune parti New Labour, l'approche du nouveau millénaire et un contexte économique florissant, l'attention se porte à nouveau sur la construction d'édifices publics, dont certains définiront par la suite le Londres du XXIe siècle.

La **Tate Modern** (Herzog et de Meuron, 1999 ; p. 132) connut un succès au-delà des espérances les plus folles de ses concepteurs. À partir de l'ancienne Bankside Power Station désaffectée (sir Giles Gilbert Scott, 1963), ils créèrent une galerie d'art qui se plaça d'emblée parmi les dix sites les plus visités de Londres et remporta le plus prestigieux prix international d'architecture, le Pritzker (2000). L'étonnant **Millennium Bridge** (sir Norman Foster et Antony Caro, 2000 ; p. 133), premier pont construit sur la Tamise dans le centre de Londres depuis le Tower Bridge en 1894, connut quelques problèmes de stabilité à ses débuts, mais est aujourd'hui très apprécié et très fréquenté. Même le cancre de l'année 2000, le **Millennium Dome** (sir Richard Rogers), a retrouvé une nouvelle jeunesse sous le nom de **02** (p. 187), en tant que salle de concert et d'événements sportifs.

Quant à la belle **British Library** (Colin St John Wilson, 1998 ; p. 172), avec sa façade en brique rouge, ses petites touches de décoration asiatiques et son intérieur lumineux, elle fut très froidement accueillie. Elle est depuis devenue un élément incontournable du Londres d'aujourd'hui.

Les lignes droites de brique rouge de la British Library (p. 172)

PAR SON PETIT NOM

Le journal *Evening Standard* a pour spécialité d'attribuer des surnoms aux nouvelles constructions – qu'elles soient déjà bâties ou au stade de simple projet –, ce que les Londoniens acceptent avec un plaisir non feint. Voici quelques exemples des plus populaires, inspirés bien sûr par la forme du bâtiment :

Cheese Grater, la "râpe à fromage" (plan p. 104 ; Leadenhall Bldg ; 122 Leadenhall St EC3). Ce bâtiment en projet de 48 étages (224 m) devrait faire face à un autre bâtiment emblématique de Richard Rogers, le siège de la Lloyd's of London. Le site est prêt, mais la construction n'a pas encore commencé.

Flatiron, le "fer à repasser" (plan p. 94 ; South Molton St W1). La version londonnienne du célèbre bâtiment éponyme de Manhattan (1902) – mais haut de six étages seulement – devrait être construite sur Oxford St.

Gherkin, le "cornichon" (30 St Mary Axe ; p. 118). L'incontournable tour en forme de cucurbitacée a été affublée de nombreux autres surnoms : Swiss Re Tower (d'après ses principaux propriétaires), Cockfosters (du nom de l'architecte, Norman Foster), etc.

Helter Skelter (plan p. 104 ; Bishopsgate Tower ; 22-24 Bishopsgate EC2). Haute de 288 m pour 63 étages, ce qui sera la plus haute tour de la City (Kohn Pedersen Fox Associates) devrait ressembler à un toboggan géant de fête foraine (*helter skelter*). Elle devrait être achevée lorsque vous lirez ces lignes.

Shard of Glass, "l'éclat de verre" (plan p. 130 ; London Bridge Tower ; 32 London Bridge St SE). Cette tour en forme d'aiguille de 310 m (de Renzo Piano) devrait également être achevée lorsque vous lirez ces lignes.

Walkie Talkie (plan p. 104 ; 20 Fenchurch St EC3). Prévue pour 2012, cette tour de 36 étages et de 160 m de haut ressemble vaguement à un vieux talkie-walkie.

L'ARCHITECTURE D'AUJOURD'HUI ET DE DEMAIN

Le 30 St Mary Axe, alias "le cornichon" (p. 118)

Les icônes architecturales qui ont accueilli le nouveau millénaire, mais aussi les structures plus récentes comme l'œuf de verre du City Hall (plan p. 130 ; ⊖ London Bridge) de 2002 et le très populaire 30 St Mary Axe (plan p. 104 ; ⊖ Aldgate) de 2003, dit "the Gherkin" (le cornichon), ont donné à la ville la confiance nécessaire pour envisager d'autres chantiers passionnants, privilégiant les constructions élevées. L'ancien maire de Londres, Ken Livingstone, favorisait les "grappes" de tours de qualité à travers la capitale, visant non seulement les quartiers financiers de la City et Canary Wharf, mais aussi les quartiers voisins, dont Paddington à l'ouest, Elephant & Castle au sud, Silvertown Quays dans les Docklands à l'est et la Greenwich Peninsula au sud-est. Le maire actuel, Boris Johnson, s'était montré réticent face à ces constructions durant la campagne, mais il a changé d'avis une fois élu, apportant son soutien à des bâtiments comme une tour de 143 m (annulée depuis) baptisée "Penny Whistle" à Ealing, dans l'Ouest londonien. Toutefois, la crise des crédits qui a touché le pays en octobre 2008 a mis un terme à ce qui fut le plus ambitieux programme de construction à Londres depuis la Seconde Guerre mondiale. Même les bâtiments si emblématiques qu'ils étaient déjà affublés d'un surnom (voir l'encadré ci-dessus) ont été annulés, repoussés à plus tard ou revus à la baisse. En revanche, rien ne semble devoir arrêter le plus vaste projet de développement urbain de Londres, Olympic Park (plan p. 66 ; www.london2012.com), sur 200 ha dans la Lea River Valley près de Stratford, où se tiendront la plupart des manifestations des Jeux olympiques d'été de 2012. Au centre se tiendra l'étonnant Aquatic Centre de Zaha Hadid, bâtiment qui n'a pas encore reçu de surnom (pour nous, il ressemble à une vague), mais qui deviendra sans doute emblématique.

(Suite de la page 196)

sens – a quitté le quartier. Désormais, Clapham accueille des jeunes professions libérales aisées, qui fréquentent les nombreux bars et restaurants du coin et font grimper les prix de l'immobilier. C'est le chemin de fer qui, à la fin du XIXe siècle, conféra à la localité son statut de banlieue-dortoir pour ceux qui allaient travailler tous les jours dans la capitale. Clapham Junction demeure le plus grand carrefour ferroviaire de Grande-Bretagne et a connu en 1988 l'une des pires catastrophes du rail britannique.

La zone s'urbanisa après le Grand Incendie de Londres de 1666, lorsque les fortunés Samuel Pepys (le chroniqueur) et, plus tard, James Cook (l'explorateur), entre autres, fuirent la City en cendres pour venir s'installer ici. Son nom remonte à une époque encore plus lointaine : il vient d'un mot anglo-saxon signifiant "Clappa's farm" (ferme de Clappa).

CLAPHAM COMMON Plan p. 194

⊖ Clapham Common

Située au cœur du quartier de Clapham, cette large étendue de verdure est évoquée par Graham Greene dans son roman *La Fin d'une liaison*. Aujourd'hui, elle accueille également en été de nombreux événements en plein air (http://claphamhighstreet.co.uk). La principale voie qui la traverse, Clapham High St, commence à la périphérie nord-est du parc. Elle est bordée de nombreux bars, restaurants et boutiques qui font la renommée de Clapham. Cependant, pour une simple promenade, il est plus agréable d'explorer les rues plus chics de Clapham Old Town, à une courte distance au nord-ouest de la station de métro, et de Clapham Common North Side, au nord-ouest du parc. À l'angle de Clapham Park Rd et de Clapham Common South Side, vous apercevrez la Holy Trinity Church (1776). Celle-ci fut la résidence de la Clapham Sect, un regroupement de riches chrétiens évangéliques très actif entre 1790 et 1830, au nombre desquels figurait William Wilberforce, leader des militants anti-esclavage. La secte militait également contre le travail des enfants et pour la réforme des prisons.

KENNINGTON, OVAL ET STOCKWELL

Seuls les amateurs de cricket et les résidents s'aventureront jusqu'ici. Le secteur est centré autour du Kennington Park, qui n'a rien d'intéressant hormis son histoire. À deux pas de Kennington Lane, juste à l'ouest du croisement avec Kennington Rd, une charmante enclave déploie ses rues bordées d'arbres et de demeures néogeorgiennes : Cardigan St, Courtney St et Courtney Sq. Celles-ci ne méritent pas qu'on traverse tout Londres pour les voir, mais feront l'objet d'une agréable diversion si le match de cricket auquel vous assistez à l'Oval est interrompu par la pluie.

KENNINGTON PARK Plan p. 193

⊖ Oval

Cet espace vert peu attrayant affiche une longue tradition de rébellion. Terrain communal où tous avaient le droit d'entrer, il était le Speaker's Corner du sud de Londres. Au XVIIIe siècle, les rebelles jacobites qui tentaient de restaurer la monarchie Stuart y furent pendus, éviscérés et écartelés. Aux XVIIIe et XIXe siècles, des prédicateurs y haranguaient les foules. John Wesley, fondateur du méthodisme et militant anti-esclavage, aurait ainsi attiré quelque 30 000 fidèles. Après le grand rassemblement chartiste du 10 avril 1848 (au cours duquel des millions d'ouvriers réclamèrent les mêmes droits de vote que les classes moyennes), la famille royale fit promptement clôturer le parc.

BRIT OVAL Plan p. 193

☎ 0871 246 1100 ; www.surreycricket.com ; Surrey County Cricket Club SE11 ; match international 15-103 £, county 12-20 £ ; 🕒 bureau des réservations 9h30-12h30 et 13h30-16h lun-ven avr-sept ; ⊖ Oval

Domicile du Surrey County Cricket Club, le Brit Oval est le second terrain de cricket de Londres après le Lord's (p. 328). Outre les matchs du Surrey, il accueille régulièrement des tests-matchs internationaux. La saison débute en avril et se termine en septembre.

BRIXTON
Promenade

1 Brixton Market

Sur le marché (p. 230) le plus piquant de Londres, laissez-vous envahir par le mélange entêtant d'encens et d'odeurs de fruits, de légumes, de viande et poissons exotiques. C'est aussi l'endroit où trouver des tissus et des babioles d'Afrique.

2 Ritzy

L'un des plus vieux cinémas de Londres – après l'Electric Cinema à Camden (p. 316) –, le Ritzy (p. 317) a ouvert sous le nom d'Electric Pavilion en 1911. La Brixton Library (☎ 7926 1056 ; Brixton Oval SW2) attenante fut construite en 1892 par sir Henry Tate, l'industriel et philanthrope qui

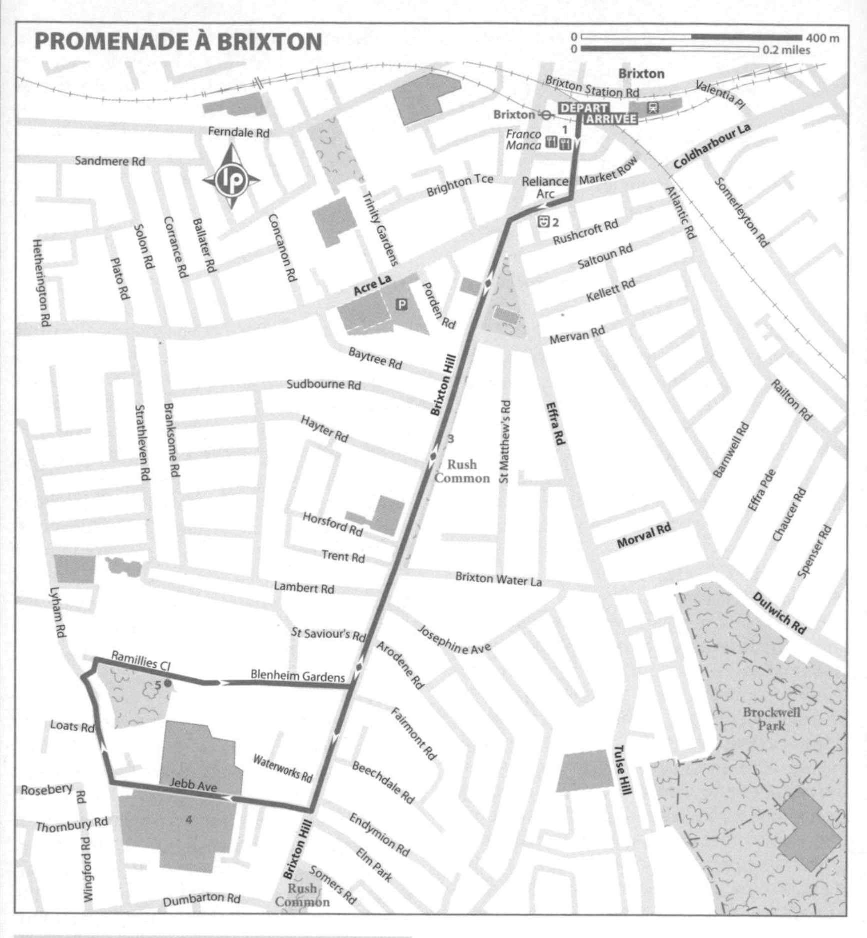

À PIED

Départ Station de métro Brixton
Arrivée Station de métro Brixton
Distance 4,5 km
Durée 2 heures 30
Pause ravitaillement Franco Manca (p. 274)

donna la Tate Gallery à Londres et le sucre en morceaux au monde.

3 Rush Common

Une loi de 1806 déclarait une large bande de terre longeant le côté est de Brixton Hill "terrain interdit" à toute construction. Toutefois, au fil des années, certaines parties ont été illégalement murées pour créer des jardins privés. L'endroit est en passe d'être reconverti en terrain communal (Brixton Hill SW2), cela dit de façon encore fragmentée.

4 Brixton Prison

Brixton Prison (☎ 8588 6000 ; Jebb Ave SW2) reçoit les prisonniers de nombreux tribunaux du sud de Londres. La maison de correction initiale de 1819 (Brixton House of Correction) a servi tour à tour de prison pour femmes et de prison militaire.

5 Brixton Windmill

Construit pour un certain John Ashby en 1816, c'est le moulin à vent (Blenheim Gardens SW2) le plus proche de Londres. Il fut ensuite alimenté au gaz, et a fonctionné jusqu'en 1934. Il a été rééquipé de voiles et de machines adaptées à un moulin à vent, mais n'est pas ouvert au public.

SOUTHWEST LONDON

Où prendre un verre p. 297 ; Où se restaurer p. 276 ; Shopping p. 235 ; Où se loger p. 361

Un peu éloigné si vous n'êtes ici que pour un long week-end, le sud-ouest de Londres est l'endroit rêvé où se baser pour un séjour plus long. On peut y venir de Londres pour la journée sans problème et à moindres frais, et ceux qui ne sont pas emballés par la ville mais doivent se rendre à Londres auront plaisir à s'y installer.

Pendant la journée, cette zone résidentielle est relativement tranquille et vous y croiserez nombre de jeunes mamans avec poussettes, faisant leurs courses. C'est alors le meilleur moment pour profiter des nombreux espaces verts du quartier. Vous pouvez, par exemple, emprunter le Thames Path (p. 210) de Putney Bridge jusqu'à Barnes, siroter une bière près de Parson's Green ou encore pique-niquer dans Barnes Common.

La nuit, le secteur reprend vie. Très apprécié pour les sorties nocturnes, Fulham offre quantité de bons pubs, bars et restaurants. Putney et Barnes aiment à se donner l'air un peu plus raffiné. En réalité, il n'en est rien : une virée dans l'un des pubs de High St un samedi soir vous le prouvera.

Il y a plus de 500 ans, les nantis ont quitté la ville pour s'installer dans les palais et les villas des faubourgs de Londres longeant le fleuve. Aujourd'hui encore, cet endroit attire tous ceux qui souhaitent échapper au rythme de vie effréné du centre-ville. Chiswick, Richmond and Kew, en particulier, offrent une vie de village onéreuse bien loin des foules du centre londonien. Twickenham est le berceau du rugby anglais, tandis que Hampton s'enorgueillit de l'un des plus ambitieux palais du pays. Le gigantesque Wimbledon Common constitue un autre cadre de promenade idyllique.

La sélection

SOUTHWEST LONDON

- **Buddhapadipa Temple** (p. 215)
- **Hampton Court Palace** (p. 213)
- **Kew Gardens** (p. 211)
- **La Tamise** (p. 211)
- **London Wetland Centre** (p. 208)

FULHAM

Fulham et Parson's Green se confondent pour former un seul quartier confortablement niché dans un méandre de la Tamise, entre Chelsea et Hammersmith. Si les belles terrasses victoriennes et les rives du fleuve ont attiré une population aisée, les racines ouvrières de Fulham se manifestent encore dans son soutien inconditionnel au Fulham Football Club.

FULHAM PALACE Plan p. 208

☎ 7736 8140 ; www.fulhampalace.org ; Bishop's Ave SW6 ; entrée libre ; 🕒 palais et musée 12h-16h lun-mar, 11h-14h sam, 11h30-15h30 dim, jardin lever du jour-tombée de la nuit tlj ; ⊖ Putney Bridge ; ♿

Résidence d'été des évêques de Londres de 704 à 1973, ce site est un savant mélange de plusieurs styles architecturaux. Il occupe un magnifique jardin et, jusqu'en 1924, était entouré par le plus long fossé d'Angleterre. La partie la plus ancienne est la petite porte Tudor en brique rouge, mais le corps du bâtiment actuel date du milieu du XVIIe siècle et fut rebâti au XIXe siècle. On y trouve, détaché du bâtiment principal, une chapelle de style "Tudor Revival " conçue par Butterfield in 1866.

Le musée du palais vous en apprendra plus sur l'histoire de l'édifice et de ses hôtes. Les visites guidées (☎ 7736 3233 ; billets 5 £ ; 🕒 14h 2e et 4e dim du mois, 3e mar du mois), organisées deux fois par mois le dimanche, passent habituellement par le Great Hall, la chapelle victorienne, la Bishop Sherlock's Room et le musée, et durent environ 1 heure 15. Le palais ayant connu une remise à neuf coûteuse ces dernières années, il se peut que la visite ait changé.

Le domaine alentour, d'une surface initiale de 15 hectares mais n'en comptant aujourd'hui plus que 5, forme Bishop's Park. Celui-ci abrite un chemin de promenade ombragé en bordure du fleuve, un terrain de boules sur gazon, des courts de tennis, une roseraie, un café et même une pataugeoire dotée d'une fontaine.

PUTNEY ET BARNES

Putney est surtout connu comme étant le point de départ de la course universitaire d'aviron opposant Oxford et Cambridge (p. 17), qui a lieu chaque printemps. Tous les pubs et restaurants du coin et le long du Thames Path y font référence. Moins connu et ayant préservé un esprit de village, le quartier de Barnes compte parmi ses anciens habitants le compositeur Gustav Holst et l'écrivain Henry Fielding.

La meilleure façon de rallier Putney consiste à suivre les panneaux depuis la station de métro Putney Bridge jusqu'au pont piétonnier (parallèle à la voie ferrée). Vous pourrez ainsi admirer les magnifiques maisons bordant le fleuve, avec leurs jardins face aux eaux troubles de la Tamise, tout en évitant jusqu'au dernier moment la peu attrayante High St. Sinon, prenez le train au départ de Vauxhall ou de Waterloo jusqu'aux gares de Putney ou de Barnes.

LONDON WETLAND CENTRE Plan ci-dessous

☎ 8409 4400 ; www.wwt.org.uk ; Queen Elizabeth's Walk SW13 ; adulte/moins de 4 ans/4-16 ans/senior et étudiant/famille 9,50/gratuit/5,25/7,10/26,55 £ ; 9h30-18h mars-oct, 9h30-17h nov-fév, jusqu'à 20h jeu juin-fin sept ; ⊖ Hammersmith puis 283 (Duck Bus), 33, 72 ou 209, Barnes ;

Ce centre de 43 hectares est l'un des plus grands centres européens de protection des zones humides situé à l'intérieur des terres. Géré par le Wildfowl & Wetlands Trust, il a été créé en 2000 grâce à la transformation de lacs victoriens et abrite quelque 140 espèces d'oiseaux et 300 types de papillons. Depuis

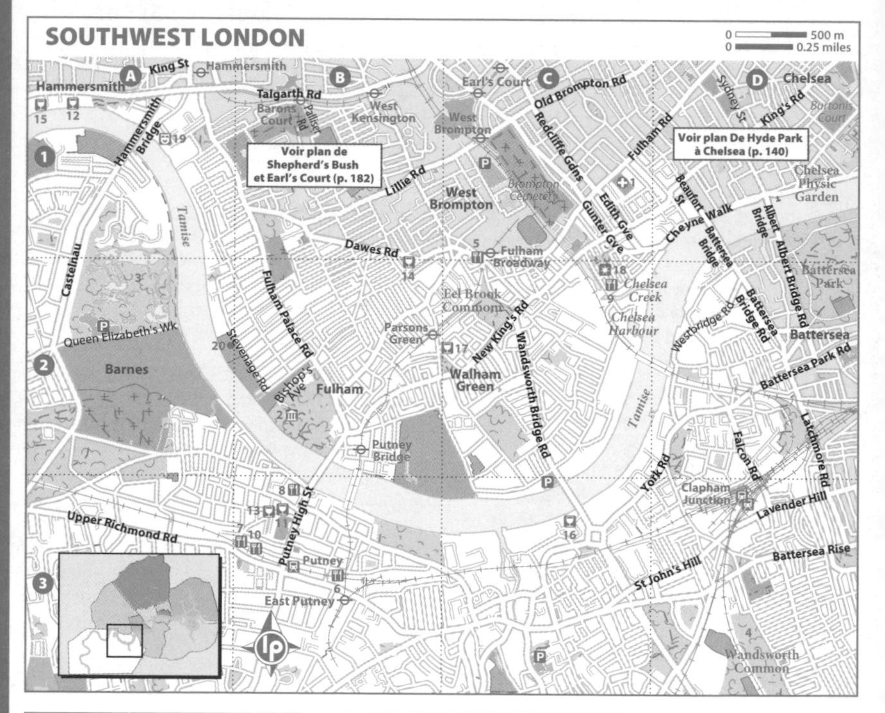

SOUTHWEST LONDON

RENSEIGNEMENTS
Chelsea & Westminster Hospital 1 C1

À VOIR (p. 207)
Fulham Palace 2 B2
London Wetland Centre 3 A2
Wandsworth Common 4 D3

OÙ SE RESTAURER (p. 276)
Blue Elephant 5 C1
Chakalaka 6 B3
Chosan 7 B3
Enoteca Turi 8 B3
Lots Road Pub & Dining Room 9 C2
Ma Goa 10 B3
Olé .... (voir 10)

OÙ PRENDRE UN VERRE (p. 297)
Coat & Badge 11 B3
Dove 12 A1
Jolly Gardeners 13 B3
Mitre 14 B2
Old Ship 15 A1
Ship 16 C3
White Horse 17 C2

OÙ SORTIR (p. 300)
606 Club 18 C2

ARTS (p. 312)
Riverside Studios 19 A1

SPORTS ET ACTIVITÉS (p. 324)
Fulham Football Club 20 A2

le Visitor Centre et l'Observatory vitré surplombant les lacs, des sentiers sinueux et allées de planches guident les visiteurs à travers les terrains et les habitats de ses nombreux résidents : canards, cygnes, oies et foulques, mais aussi butors, hérons et martins-pêcheurs, plus rares. Vous y rencontrerez même une colonie de perruches, qui descendent peut-être d'oiseaux en captivité. Ne ratez sous aucun prétexte la Peacock Tower (Tour du paon), un poste d'observation de trois niveaux sur la rive est du lac principal. On compte une demi-douzaine d'observatoires répartis dans la réserve, mais celui-ci est la Mecque des férus d'ornithologie. Nous vous recommandons les visites (🕑 11h, 14h tlj) gratuites animées par un personnel informé et enthousiaste.

CHISWICK

Malgré l'abominable autoroute A4 qui coupe les routes longeant la rivière depuis le centre, Chiswick (*tchizick*) est une plaisante banlieue de l'Ouest londonien qui ne mérite pas le mépris que suscitent ses résidents nantis et ses incroyables villas.

Élégante mais quelconque, Chiswick High Rd comporte des pubs, des boutiques prétentieuses, des restaurants corrects, bref, pas de quoi s'attarder. Mieux vaut se diriger directement vers le parc et Chiswick House, jusqu'à Hogarth Lane et Hogarth House, ou descendre Church St jusqu'à Chiswick Mall et le bord de la Tamise.

CHISWICK HOUSE Plan p. 66

☎ 8995 0508 ; www.chgt.org.uk ; Chiswick Park, Burlington Lane W4 ; adulte/enfant/senior et étudiant 4,40/2,20/3,70 £ ; 🕑 10h-17h mer-ven et dim, 10h-14h sam avr-oct ; 🚆 Chiswick, ⊖ Turnham Green

La Chiswick House est un beau pavillon palladien coiffé d'une coupole octogonale et doté d'un portique à colonnes. Il fut conçu par le troisième comte de Burlington (1694-1753) au retour de son grand voyage en Italie, dans un élan d'enthousiasme pour l'antiquité romaine. Lord Burlington y recevait ses amis et y conservait sa bibliothèque et sa collection d'œuvres d'art.

À l'intérieur, certaines pièces sont si fastueuses qu'elles en sont presque écrasantes. La coupole du grand salon a été laissée sans dorure et huit gigantesques peintures ornent les murs. Dans la Blue Velvet Room, notez le portrait d'Inigo Jones, un architecte que Lord Burlington admirait beaucoup, surmontant l'une des portes. Les peintures du plafond sont de William Kent, qui décora également les Kensington Palace State Apartments.

Lord Burlington dessina aussi les jardins de sa maison, qui forment aujourd'hui Chiswick Park, entourant le pavillon, mais ils ont été profondément remaniés depuis. Les travaux de restauration du jardin ont débuté en mars 2008, suivis par ceux du jardin d'hiver et du café en 2009. Ils devraient être achevés au printemps 2010. La cascade, demeurée silencieuse pendant des années, babille de nouveau.

La demeure se situe à environ 1,5 km au sud-ouest de la station de métro Turnham Green et à 750 m au nord-est de la gare de Chiswick.

HOGARTH'S HOUSE Plan p. 66

☎ 8994 6757 ; www.hounslow.info/arts/hogarthshouse ; Hogarth Lane W4 ; entrée libre ; 🕑 13h-17h mar-ven, 13h-18h sam-dim avr-oct, 13h-16h mar-ven, 13h-17h sam-dim nov-déc et fév-mars ; ⊖ Turnham Green

Demeure entre 1749 et 1764 de l'artiste et graveur satirique William Hogarth, elle contient ses œuvres les plus célèbres, dont le sinistre *Gin Lane,* la série de *Mariage à la mode* et une copie du *Rake's Progress* (voir l'encadré p. 45). On pourra également voir les gravures *Before* et *After* (1730), commandées par le duc de Montagu et portant l'aphorisme mémorable d'Aristote : "*Omne Animal Post Coitum Triste*". Ceux qui ne s'intéressent pas à l'œuvre de Hogarth s'ennuieront, car la maison ne contient quasiment rien d'autre. Elle a fermé pour travaux jusqu'en septembre 2009, et les responsables ont promis "de nouvelles pièces à voir et un calendrier d'événements bien rempli". Une adresse à surveiller de près, donc.

FULLER'S GRIFFIN BREWERY Plan p. 66

☎ 8996 2063 ; wwww.fullers.co.uk ; Chiswick Lane South W4 ; adulte/tarif réduit (avec dégustation) 10/8 £ ; 🕑 visites guidées 11h, 12h, 13h et 14h lun et mer-ven ; Turnham Green, 🚆 Chiswick

Cette brasserie, la seule encore en activité à Londres, plaira à tous les amateurs de bière qui s'intéressent à sa fabrication et à une vraie séance de dégustation (réservée aux plus de 18 ans). La brasserie est uniquement accessible dans le cadre d'une visite guidée (1 heure 30) à réserver par téléphone.

RICHMOND

Si un seul endroit de Londres devait mériter l'appellation de village, ce serait Richmond, avec ses délicieux paysages de verdure en bordure du fleuve. Plusieurs siècles d'histoire royale, quelques belles pièces d'architecture georgienne et un gracieux méandre de la

PROMENADE : LE THAMES PATH

Le Thames Path National Trail est un long sentier de randonnée qui s'étend sur quelque 184 miles (294 km) entre la source du fleuve à Thames Head, près de Kemble dans les Cotswolds, jusqu'à la Thames Barrier. L'itinéraire est magnifique, surtout les tronçons les plus élevés, mais la randonnée entière est réservée aux plus ambitieux (et infatigables). Les autres suivent des tronçons du sentier, comme celui de 25 km entre Battersea et la Barrier (environ 6 heures 30). Pour une balade plus courte dans l'après-midi, le tronçon de 6,5 km entre Putney Bridge et Barnes Footbridge prend environ 1 heure 30. La partie initiale, qui longe l'Embankment au nord de Putney Bridge sur la rive sud du fleuve, est une véritable ruche d'activités : les rameurs s'affairant ou retournant à leur club y côtoient les clients des pubs se prélassant au bord de l'eau. Le reste de la promenade, en revanche, reste très champêtre. À certains endroits, vous ne serez distrait que par le chant des oiseaux et le murmure de la Tamise (oui, vous *êtes* bien toujours à Londres !). Depuis la passerelle, la gare de Chiswick se trouve à 1 km au nord-ouest.

Vous trouverez des informations détaillées sur tous les tronçons du Thames Path sur le site Internet de National Trails (www.nationaltrail.co.uk/thamespath), et sur le site Visit Thames de la River Thames Alliance (www.visitthames.co.uk). Voir aussi la section *La Tamise* (p. 109) pour plus de renseignements sur les sites au bord du fleuve.

Tamise en ont fait l'un des endroits les plus en vue de Londres, habité par des rock stars vieillissantes et des Londoniens fortunés.

Richmond s'appelait autrefois Sheen, mais Henry VII tomba amoureux du village et lui donna le nom de son comté du Yorkshire. C'est ainsi que débuta une affinité royale qui perdura pendant des siècles. Henry VIII s'appropria le Hampton Court Palace (p. 213) du cardinal Wolsey, tombé en disgrâce en 1529, et sa fille Elizabeth Ire vécut ses derniers jours au Richmond Palace avant de s'éteindre en 1603.

RICHMOND GREEN Plan p. 212

⊖ / 🚆 Richmond

À une courte distance à pied à l'ouest du Quadrant, d'où vous sortez de la station de métro Richmond, se trouve l'immense étendue de Richmond Green avec ses belles demeures et ses charmants pubs. En traversant la pelouse en diagonale, vous parviendrez aux vestiges du Richmond Palace : l'entrée principale et la loge de brique rouge, de 1501. Au-dessus de la porte d'entrée figurent les armoiries d'Henry VII : c'est lui qui réalisa l'ajout de style Tudor du palais, résidence royale à partir de 1125.

RICHMOND PARK Plan 212

☎ 8948 3209 ; www.royalparks.gov.uk ; entrée libre ; 🕑 7h-tombée de la nuit mars-sept, à partir de 7h30 oct-fév ; ⊖ / 🚆 Richmond puis 🚌 65 or 371

Avec une superficie de plus de 1 000 hectares (le plus grand parc urbain d'Europe), le Richmond Park offre une variété de paysages, des jardins à la française et des chênes vénérables à une vue imprenable sur Londres, à une vingtaine de kilomètres. Il est facile d'éviter les quelques routes qui parcourent cette étendue sauvage, et le parc se prête ainsi parfaitement à une promenade paisible ou à un pique-nique, même en été lorsque les rives de Richmond sont parfois prises d'assaut. La magie des lieux est telle que l'on ne sera pas surpris de croiser sous les arbres des hardes de plus de 600 cerfs et de daims remarquablement dociles. Attention, les animaux sont farouches en période de rut (de mai à juillet), et lorsque les biches mettent bas (de septembre à octobre). C'est aussi l'endroit idéal pour les amateurs d'ornithologie, car il offre une grande variété d'habitats.

En venant de Richmond, le plus simple est d'entrer par la Richmond Gate ou par Petersham Rd. Muni d'un plan, partez à la découverte du territoire. Si vous aimez les fleurs, faites un tour à l'Isabella Plantation, un jardin à l'anglaise créé après la Seconde Guerre mondiale, entre avril et mai lorsque les rhododendrons et les azalées sont en fleurs.

Le Pembroke Lodge (☎ 10h-17h30 en été, 10h-16h30 en hiver), maison d'enfance de Bertrand Russell, abrite aujourd'hui un café dans un splendide jardin de 13 hectares offrant une belle vue sur le centre de Londres depuis la terrasse.

ST PETER'S CHURCH Plan p. 212

☎ 8940 8435 ; Church Lane, Petersham TW10 ; entrée libre ; 🕑 15h-17h dim ; ⊖ / 🚆 Richmond puis 🚌 65

Bâtie sur un lieu de culte vieux de 1 300 ans, cette merveilleuse église normande date de 1266. L'édifice fascine, ne serait-ce que par ses curieuses loges georgiennes que les propriétaires terriens des environs louaient, tandis que le petit peuple prenait place sur les sièges du transept sud. Adossé au mur nord du chœur, le Cole Monument représente l'avocat George Cole, sa femme et leur enfant se prosternant en tenue élisabéthaine – une création inhabituelle pour une église anglaise. Le caveau familial se situe sous le chœur.

LA TAMISE Plan p. 212

De Twickenham Bridge à Petersham et Ham, les rives de la Tamise sont particulièrement séduisantes. L'animation se concentre autour du Richmond Bridge, le plus vieux pont de Londres (1777), qui n'a été élargi pour laisser passer les véhicules qu'en 1937. La jolie promenade jusqu'à Petersham est très prisée lorsque le soleil brille – si vous recherchez la tranquillité, mieux vaut couper à travers les Petersham Meadows pour rejoindre le Richmond Park. Près du Richmond Bridge, plusieurs prestataires, dont Richmond Boat Hire (☎ 8948 8270), louent des skiffs (adulte/enfant 5/2,50 £ l'heure, 15/7,50 £ la journée).

HAM HOUSE Plan p. 212

☎ 8940 1950 ; www.nationaltrust.org.uk ; Ham St, Ham TW10 ; adulte/5-15 ans/famille 9,90/5,50/25,30 £, jardins uniquement 3,30/2,20/8,80 £ ; demeure 13h-17h lun-mer et sam-dim fin mars-oct, jardins 11h-18h lun-mer et sam-dim ; ⊖ / Richmond puis 371 ; partiel (téléphoner pour plus d'infos)

Construite en 1610 et baptisée la "Hampton Court miniature", Ham House fut la demeure du premier et malchanceux comte de Dysart : "bouc émissaire" de Charles Ier, il endossait les punitions résultant de tous les méfaits du roi. L'intérieur est meublé avec toute la splendeur que l'on imagine ; le grand escalier est un exemple magnifique de travail du bois de style Stuart. Admirez les plafonds peints par Antonio Verrio, qui a également travaillé à Hampton Court Palace, et une miniature d'Elizabeth Ire par Nicholas Hilliard. On remarquera d'autres peintures majeures par Constable et Reynolds. Le domaine de Ham House descend en pente jusqu'à la Tamise, et comporte également de beaux jardins à la française datant du XVIIe siècle. De l'autre côté de la Tamise, accessible par un petit ferry, se trouvent Marble Hill Park et son splendide manoir (p. 213).

KEW ET BRENTFORD

Kew sera à jamais associée à ses jardins botaniques inscrits au patrimoine de l'humanité, qui servent de quartier général à la Royal Botanical Society et s'enorgueillissent des plus belles collections de plantes au monde. Une journée au Kew Gardens ravira même ceux qui ignorent tout des plantes et des fleurs. Cet élégant faubourg de l'Ouest londonien est également un lieu où il fait bon se promener.

De l'autre côté d'un large méandre de la Tamise se trouve Brentford, qui a pour principal attrait le vaste parc de Syon et son somptueux manoir.

KEW GARDENS Plan p. 66

☎ 8332 5655 ; www.kew.org ; Kew Rd TW9 ; adulte/moins de 17 ans/senior et étudiant 13/gratuit/11 £ ; jardins 9h30-18h30 lun-ven, 9h30-19h30 sam-dim avr-août, 9h30-18h sept-oct, 9h30-16h15 nov-fév, serres 9h30-17h30 avr-oct, 9h30-15h45 nov-fév ; ⊖ / Kew Gardens ;

Les Royal Botanic Gardens de Kew figurent parmi les attractions les plus appréciées de Londres. Ils peuvent donc être assez bondés l'été, en particulier le week-end. Ce parc de 120 hectares est très couru au printemps, mais ses pelouses, ses jardins à la française et ses serres sont magnifiques en toute saison. Ce jardin public est également un important centre de recherche, doté de la plus riche collection botanique du monde.

Outre ses majestueux arbres et plantes, Kew abrite aussi plusieurs sites spécifiques. Si vous arrivez en métro et passez par la porte Victoria, vous parvenez immédiatement à un grand étang surplombé par la Palm House, une gigantesque serre de métal et de verre incurvé datant de 1848 renfermant toutes sortes de plantes tropicales exotiques ; les allées dégagées offrent une vue imprenable sur la végétation luxuriante. Au nord-ouest de la Palm House, découvrez la minuscule mais charmante Water Lily House (serre des nénuphars ; mars-déc) ; datant de 1852, c'est la plus chaude des serres de Kew.

Plus au nord, l'époustouflant Princess of Wales Conservatory a ouvert en 1987 et abrite des plantes provenant de 10 zones climatiques différentes, du désert à la mangrove marécageuse. C'est dans la zone tropicale que pousse la plus célèbre des 38 000 espèces de plantes de Kew : l'*Arum titan* ou "fleur cadavre", haute de 3 m, qui exhale un parfum puissant et nauséabond lors de sa floraison en avril. Juste derrière, dans la Kew Gardens Gallery, en bordure du Kew Green, se tiennent des expositions de peinture et de photo généralement en rapport avec l'horticulture.

À l'ouest de la galerie, le Kew Palace (adulte/moins de 17 ans/senior et étudiant 5/gratuit/4,50 £ ; 10h-17h30 fin mars-fin oct) en brique rouge, datant de 1631, est une ancienne résidence royale, connue autrefois sous le nom de Dutch House. George III et sa famille s'y plaisaient beaucoup, et son épouse Charlotte y mourut en 1818. Le palais a connu d'importants travaux pendant près de dix ans, et a rouvert en 2006. Ne manquez

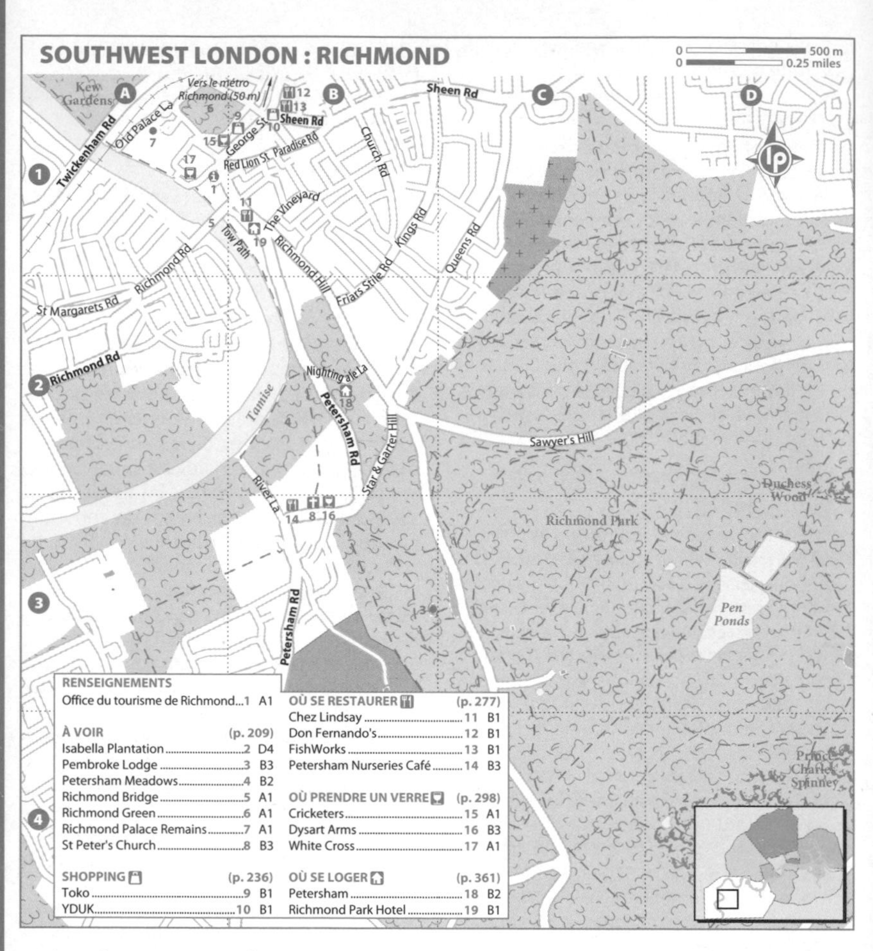

pas les salles georgiennes de 1804 restaurées à l'identique, et la fabuleuse maison de poupées de la princesse Elizabeth.

Parmi les autres grandes attractions, citons la Temperate House, la plus grande serre ornementale au monde et l'Evolution House qui retrace l'évolution des plantes sur 3 500 millions d'années ; l'idyllique Queen Charlotte's Cottage (10h-16h sam-dim juil et août) était apprécié de George III et de son épouse. N'oubliez pas d'aller voir la Japanese Gateway (porte japonaise) et la fameuse pagode de 10 étages conçue par William Chambers en 1761.

Plus au nord se trouve la Marianne North Gallery, exposant des tableaux sur le thème de la botanique. Marianne North était l'une de ces indomptables femmes voyageuses de l'époque victorienne, qui sillonna les continents de 1871 à 1885 en peignant plantes et arbres. Le résultat de son travail recouvre aujourd'hui les murs de cette petite galerie construite à cet effet. L'orangerie, proche du Kew Palace, abrite un restaurant, un café et une boutique.

Le petit train Kew Explorer (adulte/moins de 17 ans 3,50/1 £) vous offre une superbe vue sur les jardins. La montée et la descente sont libres aux arrêts tout au long du circuit de 40 minutes.

Vous pouvez vous rendre aux Kew Gardens en métro ou en train. En sortant de la gare, allez tout droit vers l'ouest dans Station Ave, traversez Kew Gardens Rd, puis suivez Lichfield Rd. Vous parviendrez ainsi à la Victoria Gate. Vous pouvez aussi prendre un bateau de la Westminster Passenger Services Association (7930 2062 ; www.wpsa.co.uk ; avr-oct), qui rallie Westminster Pier et Kew Gardens jusqu'à 4 fois par jour (voir p. 390).

Il existe désormais une promenade *Rhizotron and Xstrata* qui vous emmène sous terre, puis à 18 m au-dessus du sol pour une vue complète et inédite de l'anatomie des arbres.

SYON HOUSE Plan p. 66

☎ 8560 0881; www.syonpark.co.uk; Syon Park, Brentford TW7; adulte/5-16 ans/étudiant et senior/famille 8/4/7/18 £, jardins uniquement adulte/enfant/tarif réduit/famille 4/gratuit/2,50/9 £ ; 11h-17h mer, jeu et dim fin mars-oct, jardins 10h30-16h ou 17h ; ⊖ Gunnersbury, Gunnersbury puis 237 ou 267

Située de l'autre côté de la Tamise depuis les Kew Gardens, Syon House était à l'origine une abbaye médiévale, nommée d'après le mont Sion. En 1542, Henry VIII devait dissoudre toutefois la communauté de religieuses de l'ordre de Sainte-Brigitte qui y vivait paisiblement pour transformer l'abbaye en une superbe demeure. (En 1547, Dieu eut, dit-on, sa vengeance : en route pour les funérailles à Windsor, le cercueil d'Henry fut amené à Syon et vola en éclats pendant la nuit, laissant la dépouille royale à la merci des chiens affamés.)

Le manoir d'où Lady Jane Grey a accédé au trône pour son règne de neuf jours en 1553 a été remodelé dans le style néoclassique par Robert Adam au XVIIIe siècle, et présente nombre de ses meubles et lambris de chêne. L'intérieur a été conçu en attribuant des caractéristiques spécifiques à chaque sexe : roses et violets pastel pour la galerie des dames, et imitations de sculptures romaines dans la salle à manger des hommes. Les 16 hectares de jardin de la propriété, y compris un lac et le fameux Great Conservatory (1820), ont été dessinés par Capability Brown. Le parc de Syon fourmille d'attractions pour les enfants, dont une aire de jeux, un parc aquatique et une pêcherie de truites.

TWICKENHAM

Twickenham, qui est au rugby ce que Wimbledon est au tennis, abrite l'un des rares musées au monde consacrés au sport. Sinon, cette petite ville paisible du Middlesex n'a guère d'intérêt, en dehors de la belle Marble Hill House qui surplombe la Tamise.

MARBLE HILL HOUSE Plan p. 66

☎ 8892 5115 ; www.english-heritage.org.uk ; Richmond Rd TW1 ; adulte/moins de 15 ans/senior et étudiant 4,20/2,10/3,20 £ ; 10h-14h sam, jusqu'à 17h dim, visites guidées 12h et 15h mar-mer avr-oct ; St Margaret's/Richmond ; partiel (téléphoner)

Cette demeure est un nid d'amour de style palladien du XVIIIe siècle, construit à l'origine pour la maîtresse de George II, Henrietta Howard, et occupé plus tard par Mrs Fitzherbert, l'épouse secrète de George IV. Le poète Alexander Pope participa à la conception du parc qui s'étend jusqu'à la Tamise. À l'intérieur, une exposition présente la vie et l'époque d'Henrietta, et des meubles du début du XVIIIe siècle.

Pour vous y rendre depuis la gare de St Margaret's, tournez à droite dans St Margaret's Rd. À la bifurcation, prenez Crown Rd à droite, puis tournez à gauche dans Richmond Rd. Ensuite, bifurquez à droite dans Beaufort Rd et traversez Marble Hill Park jusqu'à la demeure. L'endroit est également facile d'accès par le ferry piéton depuis Ham House (p. 211). Comptez 25 minutes de marche depuis la gare de Richmond.

HAMPTON

À la périphérie sud-ouest de Londres, le merveilleux Hampton Court Palace jouxte les 400 hectares du Bushy Park (www.royalparks.gov.uk), une étendue semi-sauvage peuplée de cerfs et de daims.

HAMPTON COURT PALACE Hors plan p. 66

☎ 0870 751 5175 ; www.hrp.org.uk/HamptonCourtPalace ; Hampton Court Rd, East Molesy KT8 ; billet adulte tout compris/5-15 ans/senior et étudiant/famille 13,60/6,65/11,30/37 £ ; 10h-18h fin mars-oct, Jusqu'à 16h30 nov-fin mars ; Hampton Court ;

Situé dans les faubourgs de Londres et aisément accessible en train depuis Waterloo Station, le Hampton Court Palace, du XVIe siècle, est le palais Tudor le plus spectaculaire de la capitale. L'histoire y est palpable un peu partout – des cuisines où l'on peut voir la préparation des mets, aux superbes appartements d'Henry VIII en passant par les extraordinaires jardins qui abritent un labyrinthe datant d'il y a 300 ans. C'est l'une des meilleures excursions au départ de Londres, à ne manquer sous aucun prétexte si l'on s'intéresse à l'histoire britannique. Prévoyez suffisamment de temps si vous voulez lui faire honneur, sachant que le trajet en bateau depuis le Centre de Londres prend déjà une demi-journée.

Le Hampton Court Palace n'avait pas été construit pour les monarques. En 1515, Thomas Wolsey, cardinal et lord chancelier d'Angleterre, voulut un palais à la mesure du sentiment qu'il avait de sa propre importance. Malheureusement, même Wolsey ne put convaincre le pape d'autoriser le divorce d'Henry VIII et de Catherine d'Aragon, et les relations entre le roi et le chancelier se dégradèrent rapidement. Vu le contexte, un seul regard suffit pour comprendre pourquoi Wolsey se sentit obligé, 15 ans plus tard, d'offrir le palais à Henry VIII, qui n'aimait pas voir quelqu'un rivaliser en puissance avec lui. Accusé malgré tout de haute trahison, le malheureux cardinal mourut avant son jugement en 1530. Dès qu'il entra en possession du palais, Henry VIII le fit agrandir, lui ajoutant le Great Hall, l'exquise Chapel Royal et les immenses cuisines. Dès 1540, Hampton Court était l'un des plus grandioses palais d'Europe, mais le roi n'y passait en moyenne que trois semaines par an. À la fin du XVIIe siècle, les monarques Guillaume et Marie confièrent des agrandissements supplémentaires à Christopher Wren. Il en résulte la grandiose architecture actuelle, mélange de styles Tudor et baroque modéré.

Les billets sont en vente dans la boutique, à gauche lorsque vous remontez le chemin en direction de la grande Trophy Gate. Pour planifier votre visite, procurez-vous la brochure détaillant le programme du jour. Il faut s'inscrire à l'avance pour la plupart des visites guidées gratuites.

En passant par l'entrée principale, vous arrivez dans la Base Court puis dans la Clock Court, qui doit son nom à la magnifique horloge astronomique du XVIe siècle qui montre le Soleil tournant autour de la Terre. La seconde cour est votre point de départ ; de là, vous pourrez visiter les six ensembles de salles du palais. Derrière la colonnade, vous trouverez également l'Introductory Exhibition, indiquant l'emplacement de chaque chose et le fonctionnement de l'ensemble.

Les escaliers de l'entrée Anne Boleyn conduisent aux State Apartments d'Henry VIII. Le Great Hall, la plus grande pièce du palais, est tendu de tapisseries et possède ce que l'on considère comme la plus belle charpente à blochets du pays. La Horn Room, vestibule orné d'impressionnantes ramures, précède la Great Watching Chamber, grande salle des gardes du roi. De là, on parvient à la petite Pages' Chamber et à la Haunted Gallery (galerie hantée). Arrêtée pour adultère et détenue au palais en 1542, Catherine Howard, cinquième épouse du monarque, réussit à tromper la vigilance de ses gardiens et à s'enfuir en hurlant dans le couloir à la recherche du roi. Son fantôme, dit-on, hanterait encore les lieux en faisant de même.

En suivant le corridor, vous arrivez à la belle Chapel Royal, construite en neuf mois seulement. À l'origine, le plafond voûté bleu et or était destiné à la Christ Church d'Oxford. Le retable du XVIIIe siècle fut sculpté par Grinling Gibbons.

Datant de l'époque d'Henry, les Tudor Kitchens (cuisines) sont également accessibles par l'entrée Anne Boleyn. On y préparait à manger pour les 1 200 personnes qui peuplaient la maison royale. Les cuisines ont été aménagées de manière à recréer fidèlement l'ambiance de l'époque, avec des "serviteurs" tournant la broche, farcissant des volailles ou glaçant les pâtes d'amandes avec de véritables feuilles d'or. Ne manquez pas le Great Wine Cellar (cellier) où l'on entreposait les 300 tonneaux de bière – et autant de vin – consommés annuellement ici au milieu du XVIe siècle.

À l'ouest de la colonnade dans la Clock Court se trouve l'entrée menant aux Wolsey Rooms (salles de Wolsey) et à la Young Henry VIII Exhibition. À l'est de la colonnade, les escaliers montent aux King's Apartments, achevés par Wren en 1702 pour Guillaume III. La visite des appartements vous guide jusqu'au grand escalier du roi (King's Staircase) ; peint par Antonio Verrio vers 1700, il flatte le roi en le comparant à Alexandre le Grand. Ne manquez pas non plus la Presence Chamber du roi, dominée par un trône placé devant des tentures éclarlates, la Great Bedchamber du roi, au lit couronné de plumes d'autruche, et le King's Closet, au "trône" tendu de velours (!).

Marie II, l'épouse du roi Guillaume, disposait des Queen's State Apartments (appartements d'État de la reine) auxquels on accède par le Queen's Staircase (l'escalier de la reine) décoré par William Kent. Ils n'étaient pas achevés à la mort de la reine en 1694 et ne furent terminés que sous George II. La reine Caroline les utilisa entre 1716 et 1737 et c'est sous leur aspect d'alors qu'ils sont présentés aujourd'hui. Comparés aux appartements d'État du roi, ceux de la reine semblent plus austères, bien que le trône de la Queen's Audience Chamber soit aussi imposant que celui du roi.

Valant aussi le coup d'œil, les Georgian Rooms accueillirent le roi George II et la reine Caroline lors de leur dernière visite au palais en 1737. Les premières salles étaient destinées au second fils du roi, le duc de Cumberland, dont le lit semble ridiculement petit dans ce cadre grandiose. Ensuite s'étend la Cartoon Gallery où étaient autrefois suspendus les cartons de tapisseries de Raphaël, aujourd'hui au Victoria & Albert Museum (p. 143 et remplacés par des copies du XVIIe siècle.

Suivent ensuite les Queen's Private Apartments (appartements privés de la reine) : son salon et sa chambre à coucher où le couple royal se retirait quand il voulait goûter la solitude. On admirera surtout la Queen's Bathroom, dont la baignoire était posée sur un tissu afin d'éponger tous débordements, et l'Oratory, une belle pièce avec un superbe tapis persan du XVIe siècle.

La visite de l'intérieur du palais terminée, reste à découvrir les jardins. Des parcours en calèche sont proposés (20 min ; 10 £). Ne manquez pas le Real Tennis Court des années

1620, où l'on pratiquait le *real tennis*, assez différent du tennis actuel. Les Riverside Gardens, jardins restaurés s'étendant sur une surface de 24 ha, sont de toute beauté. Vous y verrez la Great Vine, vigne plantée en 1768, qui produit encore 320 kg de raisin par an. La Lower Orangery abrite la série des neuf *Triomphes de César* d'Andrea Mantegna, acquise par Charles Ier en 1629, et la Banqueting House (salle des banquets) destinée à Guillaume III et peinte par Antonio Verrio. Remarquez les grilles conçues par Jean Tijou.

Nul ne devrait quitter Hampton Court sans s'être aventuré dans le labyrinthe de charmes et d'ifs de 800 m de long, planté en 1690. Les visiteurs mettent en moyenne 20 minutes pour en atteindre le centre. Cette attraction est comprise dans le droit d'entrée du palais, mais on peut aussi y pénétrer sans visiter le palais (adulte/enfant/famille 3,50/2,50/10 £). La dernière entrée s'effectue à 17h15 en été et à 15h45 en hiver.

Des trains directs partent toutes les demi-heures de Waterloo à destination de la gare de Hampton Court (30 min). L'entrée du palais est à 3 minutes de marche. Vous pouvez aussi emprunter l'un des trois bateaux de la Westminster Passenger Services Association (p. 390) qui font le trajet deux fois par jour depuis le Westminster Pier, (avr-oct). Très agréable lorsqu'il fait beau, cette traversée dure tout de même 3 heures.

WIMBLEDON

Tous les ans, pendant quelques semaines en juin et en juillet – et cela depuis 1877 –, le monde du sport a les yeux braqués sur Wimbledon (voir p. 328). Puis la foule repart et Wimbledon retrouve son calme. Cela dit, c'est une charmante petite bourgade, et le Wimbledon Lawn Tennis Museum passionnera tous les fans de tennis, même en plein mois de décembre.

WIMBLEDON COMMON

www.wpcc.org.uk ; ⊖ / Wimbledon, puis 93

Succédant immédiatement à Putney Heath, le Wimbledon Common s'étend sur une superficie de 440 hectares et forme une merveilleuse étendue propice à la marche et aux pique-niques. Il est émaillé d'une poignée d'attractions, dont le Wimbledon Windmill (8947 2825 ; www.wimbledonwindmillmuseum.org.uk ; Windmill Rd SW19 ; adulte/enfant 2/1 £ ; 14h-17h sam, 11h-17h dim fin mars-oct ; ⊖ Wimbledon), un beau moulin à vent (de forme octogonale aux parois inclinées) datant de 1817. Il abrite aujourd'hui un musée où sont exposées des maquettes en fonctionnement retraçant l'histoire des moulins à vent et du broyage. C'est au cours d'un séjour dans ce moulin que Baden-Powell écrivit une partie de son manuel pour boy-scouts, *Scouting for Boys*, en 1908.

Au sud du Common, Caesar's Camp, curieusement nommé, est ce qu'il reste d'un ouvrage préhistorique en terre attestant d'une occupation des lieux bien antérieure à l'époque romaine.

WIMBLEDON LAWN TENNIS MUSEUM

8946 6131 ; www.wimbledon.org ; Porte 3, Church Rd SW19 ; adulte/enfant/tarif réduit 8,50/4,75/7,50 £ ; musée et visite guidée 15,10/11/13,75 £ ; 10h30-17h ; ⊖ / Wimbledon puis 93

Ce musée est destiné à un public bien particulier, car il recense les moindres détails de l'histoire du tennis, depuis l'invention de la tondeuse à gazon en 1830 et de la balle en caoutchouc dans les années 1850 aux Indes. La présentation est très moderne, avec une multitude de séquences vidéo permettant aux fans de revivre les instants mémorables des championnats. Le musée n'est ouvert aux visiteurs que pendant les tournois internationaux ; il dispose d'un salon de thé et d'une boutique vendant toutes sortes de souvenirs de la tradition tennistique.

BUDDHAPADIPA TEMPLE

8946 1357 ; www.buddhapadipa.org ; 14 Calonne Rd SW19 ; entrée libre ; temple 13h-18h sam, 8h30-10h30 et 12h30-18h dim, jardins 8h-21h30 en été, 8h-18h en hiver ; ⊖ / Wimbledon, puis 93

Surgissant de manière incongrue dans un quartier résidentiel à 1 km du village de Wimbledon, cet authentique temple thaïlandais a été construit par de jeunes bouddhistes britanniques en 1982. Le *wat* (enceinte du temple) comprend un *bot* (chapelle consacrée) décoré de scènes traditionnelles par deux grands artistes thaïlandais. Pensez à ôter vos chaussures avant de pénétrer dans le *bot*.

RICHMOND

Promenade

1 Richmond Green

Avec ses jolies maisons et ses nombreuses familles jouant au ballon sur ses magnifiques pelouses, il est facile de se représenter les tournois de joutes qui se tenaient là au Moyen Âge. Le sentier traversant la pelouse (p. 210) mène aux maigres vestiges du Richmond Palace, où Elizabeth Ire vécut ses derniers jours.

2 Richmond Bridge

Datant de 1777, ce pont de pierre à cinq travées est le plus ancien pont (p. 211) de Londres encore utilisé. Juste avant, se tient la petite Corporation Island, colonisée par des perruches sauvages.

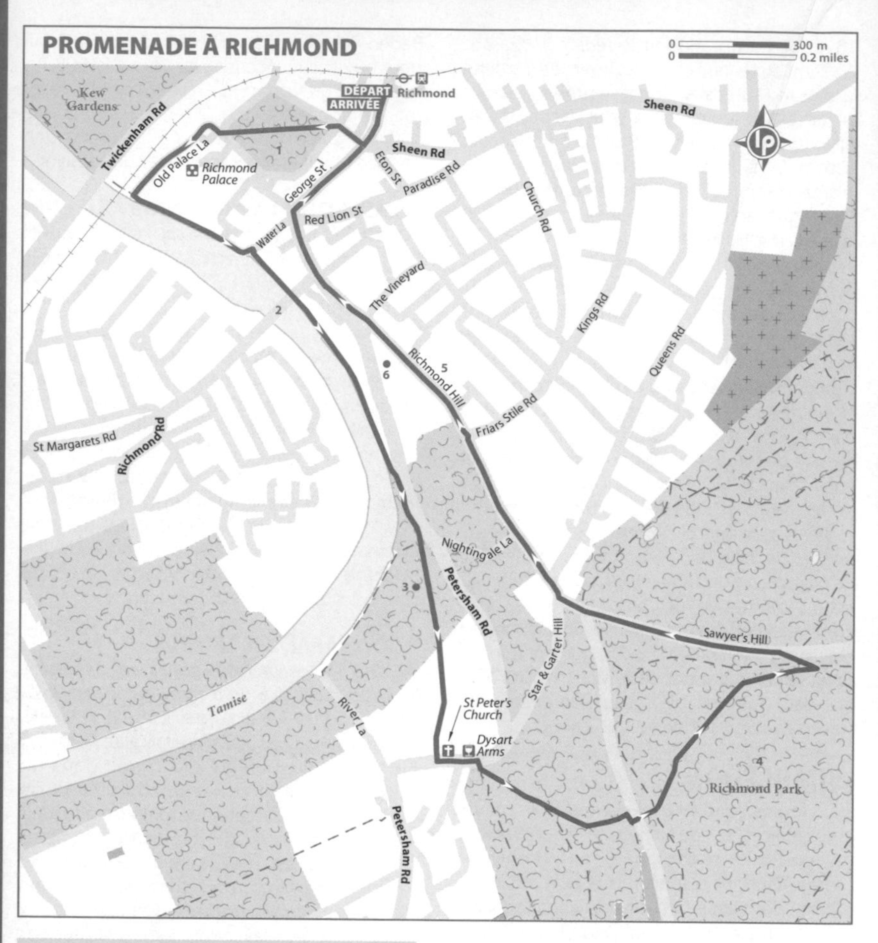

À PIED

Départ Station de métro Richmond
Arrivée Station de métro Richmond
Distance 4 km
Durée Environ 2 heures
Pause ravitaillement Dysart Arms (p. 298)

3 Petersham Meadows

Des vaches paissent toujours sur ces prairies, face à la Tamise et au pied de Richmond Hill. À l'extrémité sud, St Peter's Church (p. 210), lieu de culte saxon depuis le VIIIe siècle, abrite un intérieur georgien inhabituel.

4 Richmond Park

Créé par Edward Ier au XIIIe siècle, ce parc royal (p. 210) a peu changé depuis. On y jouit d'une vue dégagée sur le centre de Londres.

5 Richmond Hill

La vue depuis le haut de Richmond Hill a inspiré peintres et poètes durant des siècles, et son charme agit toujours. C'est la seule vue (on aperçoit la cathédrale Saint-Paul à 16 km de là) du pays à être protégée par une loi.

6 Royal British Legion Poppy Factory

Cette surprenante usine (☎ 8940 3305 ; www.britishlegion.org.uk ; 20 Petersham Rd TW10 ; entrée libre ; visites 10h lun-ven, 13h30 lun-jeu) produit chaque année 34 millions de coquelicots artificiels et 107 000 couronnes destinés au Remembrance Day, le 11 novembre. Entrée uniquement sur visite guidée (environ 2 heures).

SHOPPING

La sélection

- **Apple Store** (p. 220)
- **Minamoto Kitchoan** (p. 224)
- **Arty Globe** (p. 235)
- **Harrods** (p. 228)
- **Start** (p. 232)
- **Magma** (p. 229)
- **Vivienne Westwood** (p. 224)
- **Selfridges** (p. 222)
- **Tatty Devine** (p. 232)
- **Alfie's Antiques Market** (p. 223)

SHOPPING

Malgré la crise économique, le shopping est toujours l'une des activités favorites des Londoniens. Et si les "It bags" (sacs à main de créateurs à la mode) sont moins considérés comme des objets de désir et que les achats se font éthiques, lors de nos recherches, les 30 000 magasins (au bas mot) que comptait la ville ne semblaient pas si mal en point. Si plusieurs adresses ont disparu pour raisons financières, Londres reste un paradis du lèche-vitrines. De la mode tendance de Topshop (p. 224) aux articles de luxe de Harrods (p. 228), en passant par les vêtements branchés de jeunes créateurs au Spitalfields Market (p. 231) et les antiquités de Portobello (p. 230), il y en a pour tous les goûts.

L'attrait de Londres, c'est l'incroyable diversité et la richesse de son offre. Il y a les grands magasins comme Selfridges, Harvey Nichols, Hamleys, Fortnum & Mason ou Liberty, véritables cavernes d'Ali Baba, qui constituent souvent des attractions touristiques à eux seuls. Les chaînes envahissent peu à peu les grandes artères mais les vrais trésors (des vêtements aux articles ménagers rétro) continuent de se cacher dans les ruelles. Si la mode bon marché domine de plus en plus le paysage de la capitale, les boutiques de *streetwear* se multiplient à Hoxton, Brick Lane et Spitalfields et les Londoniens retournent progressivement au charme des boutiques personnalisées. Pour les petits budgets, les *charity shops* (type Emmaüs) sont de plus en plus prisées, notamment dans les quartiers chics, où les grosses dépenses ne sont plus de saison.

Fief de la nouvelle vague des créateurs britanniques comme Stella McCartney et Matthew Williamson, le secteur de New Bond St est jalonné de luxueuses boutiques où l'on vient également admirer le cadre. Quant aux grandes marques typiquement british, notamment Burberry, Mulberry et Pringle, elles se sont complètement réinventées et font désormais partie des boutiques à la mode.

Si la mode n'est pas votre obsession, la capitale anglaise propose une infinité d'autres activités, du commerce artisanal aux marchés de produits frais et exotiques en passant par la technologie.

À l'heure où nous écrivons, le cours de la livre a rendu possible ce que l'on pensait auparavant inimaginable : Londres est presque devenu bon marché, surtout pour les ressortissants de pays de la zone euro.

HORAIRES D'OUVERTURE

Vous pouvez faire du shopping tous les jours de la semaine, mais pas dans tous les quartiers de la ville.

En principe, les boutiques sont ouvertes du lundi au samedi, de 9h ou 10h à 18h ou 18h30 au moins. Les magasins du West End (Oxford St, Soho et Covent Garden) restent souvent ouverts plus tard (généralement jusqu'à 21h) le jeudi. Ceux de Chelsea, Knightsbridge et Kensington font leur nocturne le mercredi.

Dans le West End, à Chelsea, Knightsbridge et Kensington, de nombreux magasins sont ouverts le dimanche, le plus souvent entre 12h et 18h, parfois de 10h à 16h. L'ouverture des boutiques le dimanche se pratique également à Greenwich et Hampstead, ainsi qu'à Edgware Rd et Tottenham Court Rd.

L'activité commerciale du Square Mile (la City) s'exerçant principalement en semaine, la plupart des magasins du secteur ne sont ouverts que du lundi au vendredi. Les magasins des créateurs ont souvent des horaires qui arrangent leurs propriétaires : ils ouvrent tard et ferment souvent le lundi et/ou le mardi après être restés ouverts le week-end. Mieux vaut téléphoner avant de se déplacer, d'autant que les horaires sont sujets à des modifications de dernière minute.

Les jours de marché (par exemple le dimanche, pour le Columbia Road Flower Market), la plupart des magasins aux alentours restent ouverts.

LE WEST END

Inutile de présenter le West End aux amateurs de shopping. C'est ici que vous pouvez dépenser votre salaire pour une paire de chaussures ou un sac à main. Oxford St est *la* rue commerçante par excellence, assaillie en permanence par une marée humaine, qui rend parfois l'escapade cauchemardesque. En tout état de cause, mieux vaut savoir exactement ce que l'on recherche. Pour être plus au calme, préférez les boutiques à taille humaine du quartier de Covent Garden. Si vous vous intéressez à la mode, nous vous conseillons Carnaby St et Newburgh St, ainsi que Kingly Ct, truffé de boutiques indépendantes. Pour les magasins de musique, direction Soho (voir l'encadré p. 225), tandis que les amateurs de livres choisiront Charing Cross Rd. Enfin, des magasins d'informatique et d'électronique bordent Tottenham Court Rd sur toute sa longueur (plan p. 70).

À quelques minutes d'Oxford St, le "village" de Marylebone offre une grand-rue miraculeusement calme et élégante. Un farmers' market (marché fermier ; plan p. 94 ; 10h-14h dim) s'y tient toutes les semaines sur le parking de Cramer St, derrière Waitrose.

BLACKWELL'S Plan p. 74 — Livres

☎ 7292 5100 ; www.bookshop.blackwell.co.uk ; 100 Charing Cross Rd WC2 ; ⊖ Tottenham Court Rd

Toujours spécialisée dans la littérature scolaire, cette librairie s'est également orientée vers les livres de voyages et la littérature générale.

BORDERS Plan p. 70 — Livres

☎ 7292 1600 ; www.borders.co.uk ; 203 Oxford St ; ⊖ Oxford Circus

L'une des plus grandes chaînes de librairies londoniennes avec 5 étages de livres, de magazines et de journaux du monde entier, plus des CD et des DVD.

DAUNT BOOKS Plan p. 94 — Livres

☎ 7224 2295 ; www.dauntbooks.co.uk ; 83-84 Marylebone High St W1 ; ⊖ Baker St

Datant de l'époque édouardienne, lambrissée de chêne avec de superbes lucarnes, c'est l'une des plus jolies librairies de la capitale. Deux niveaux : le rez-de-chaussée déborde de littérature en tout genre et le sous-sol de livres de voyages.

FORBIDDEN PLANET MEGASTORE Plan p. 74 — Livres

☎ 7836 4179 ; www.forbiddenplanet.com ; 179 Shaftesbury Ave WC1 ; ⊖ Covent Gardens ou Tottenham Court Rd

Un immense stock de BD, d'ouvrages de science-fiction, d'horreur et de fantastique. Le paradis pour les adeptes de mangas et de littérature non conventionnelle.

FOYLE'S

Plan p. 70 — Livres

☎ 7437 5660 ; www.foyles.co.uk ; 113-119 Charing Cross Rd WC2 ; ⊖ Tottenham Court Rd

C'est la meilleure et la plus légendaire des librairies de Londres, où l'on déniche les titres les plus obscurs. Le ravissant café, aujourd'hui agrandi, est situé au 1er étage et le Ray's Jazz Shop (voir l'encadré p. 225) au 5e étage. Des branches plus modestes sont installées au Southbank Centre, à la St Pancras International Station et au Westfield Shopping Centre. Visitez le site Internet pour plus de détails.

GOSH!

Plan p. 74 — Livres

☎ 7636 1011 ; www.goshlondon.com ; 39 Great Russell St WC1 ; ⊖ Tottenham Court Rd

Romans graphiques, mangas, bandes dessinées (Tintin et Astérix) et livres pour enfants, l'endroit idéal pour trouver un cadeau pour un enfant ou un adolescent.

GRANT & CUTLER

Plan p. 70 — Livres

☎ 7734 2012 ; www.grantandcutler.com ; 55-57 Great Marlborough St W1 ; ⊖ Oxford Circus

La mieux fournie des librairies de langues étrangères de la ville, de l'arabe au zoulou. Le personnel n'est pas toujours d'un conseil avisé.

CORRESPONDANCE DES TAILLES

Vêtements pour femmes

Europe	36	38	40	42	44	46
GB	8	10	12	14	16	18

Chaussures pour femmes

Europe	35	36	37	38	39	40
France	35	36	38	39	40	42
GB	3½	4½	5½	6½	7½	8½

Vêtements pour hommes

Europe	46	48	50	52	54	56
GB	35	36	37	38	39	40

Chemises pour hommes (col)

Europe	38	39	40	41	42	43
GB	15	15½	16	16½	17	17½

Chaussures pour hommes

Europe	41	42	43	44½	46	47
GB	7	8	9	10	11	12

Ces données sont approximatives et ne dispensent pas d'essayer avant d'acheter.

LES MEILLEURS QUARTIERS POUR LE SHOPPING

On a parlé un temps de faire d'Oxford St un paradis sans circulation et uniquement desservi par des trams silencieux. Un projet en passe de devenir un doux rêve, d'autant que la marée humaine et la circulation stagnante auront probablement rendu d'ici peu le secteur totalement impraticable et inintéressant. C'est cependant là que sont installés les quartiers généraux des grandes chaînes – H&M, Zara, Urban Outfitters en tête – ainsi que tous les grands magasins comme John Lewis, Debenhams et Selfridges.

Mieux vaut se rendre au marché de Camden (p. 172) en semaine, car le week-end, vous aurez plutôt envie de fuir. Voici une liste d'adresses centrales à fréquenter (en dehors des grandes chaînes citées dans *High St Kensington*, où les adresses ne sont pas spécifiées, ces magasins sont repris plus en détail dans la partie correspondante de ce chapitre).

Clerkenwell, Shoreditch et Spitalfields (p. 229). Ce quartier qui s'anime autour du marché du dimanche de Spitalfields est l'un des hauts lieux du shopping londonien. De jeunes créateurs qui montent s'y installent pour vendre vêtements, bijoux et articles pour la maison, notamment le long des principaux axes : Brick Lane, Dray Walk et Cheshire St. Un endroit tendance, où l'on peut fouiller à la recherche de la pièce unique.

Covent Garden (p. 218). Une fois sorti de la zone touristique qui s'étend autour de l'ancienne halle, vous trouverez une foule de magasins de mode sympathiques et, vers Long Acre et Neil St, de grandes chaînes où l'ambiance est plus calme. Le Thomas Neal Centre, dans Earlham St, est rempli de boutiques comme High Jinks, spécialisées dans les modes urbaine/skate/surf.

High Street Kensington (p. 218). C'est l'alternative à Oxford St, moins bondée et plus salubre. Vous y trouverez toutes les grandes chaînes de magasins ainsi que des boutiques branchées, de Miss Sixty (n°63) à Urban Outfitters (n°36) et quelques antiquaires dans Church St.

King's Road (p. 139). Même si son heure de gloire *mod* des années 1960 est révolue, King's Road reste l'un des meilleurs quartiers pour les articles de maison avec des magasins comme Designer's Guild (n°269), Habitat (n°206) et Heal's (n°234). Les enfants y trouveront également leur compte avec Trotters (n°34).

Knightsbridge (p. 229). Harrods (p. 228) est une institution nationale qui séduit même les plus sceptiques avec son rayon d'alimentation et son hall égyptien. Harvey Nichols (p. 229) n'est pas loin, avec ses nombreuses boutiques pour les fashionistas fortunées.

Marylebone High Street (p. 218). Atmosphère provinciale dans cette rue élégante au charme désuet, où sont installés quantité de magasins d'articles pour la maison, comme Cath Kidston (p. 226). Le quartier est cependant plus réputé pour ses magasins d'alimentation, avec notamment l'une des meilleurs boucheries de la capitale, Ginger Pig (plan p. 94 ; 8-10 Moxon St).

LONDON REVIEW BOOKSHOP
Plan p. 74 — Livres

☎ 7269 9030 ; www.lrb.co.uk ; 14 Bury Pl WC1 ; ⊖ Russell Sq ou Holborn

La librairie du magazine littéraire *London Review of Books* ne stocke pas des piles de livres, simplement deux ou trois exemplaires de titres variés. Elle organise souvent des discussions avec des auteurs très en vue.

STANFORD'S Plan p. 74 — Livres

☎ 7836 1321 ; www.stanfords.co.uk ; 12-14 Long Acre WC2 ; ⊖ Leicester Sq ou Covent Garden

Spécialisée depuis un siècle et demi dans les cartes, les guides et la littérature de voyage, la doyenne des librairies de voyage vaut à elle seule le détour. Ernest Shackleton, David Livingstone, Michael Palin (l'ex-Monty Python devenu grand voyageur) et même Brad Pitt l'ont fréquentée.

WATERSTONE'S Plan p. 70 — Livres

☎ 7851 2400 ; www.waterstones.co.uk ; 203-206 Piccadilly W1 ; ⊖ Piccadilly Circus

Cette chaîne de mégastores, les plus grandes librairies d'Europe, s'enorgueillit d'un personnel compétent et propose régulièrement des lectures d'ouvrages par leurs auteurs. Cette adresse correspond au plus grand Waterstone londonien : 4 étages de titres, un café au sous-sol et un agréable bar en terrasse sur le toit.

APPLE STORE Plan p. 70 — Informatique

☎ 7153 9000 ; www.apple.com/uk/retail/regentstreet ; 235 Regent St W1 ; ⏲ 10h-21h lun-sam, 12h-18h dim ⊖ Oxford Circus

Voici le temple des adeptes du Mac – MacBooks, iPods, portables et ordinateurs de bureau. Ils sont tous là dans ce gigantesque hall blanc à deux étages. Ateliers et forums hebdomadaires vous aident à mieux connaître votre matériel et les iMacs en présentation sont autant de bases de navigation gratuite sur Internet, une pratique approuvée par Apple.

DR HARRIS Plan p. 70 Cosmétiques

☎ 7930 3915 ; www.drharris.co.uk ; 29 St James's St SW1 ; 🕑 8h30-18h lun-ven, 9h30-17h sam ; ⊖ Green Park

Chimiste et parfumeur depuis 1790, ce magasin vend des produits aussi mystérieux que de la cire à moustache et des gouttes pour les yeux Crystal Eye, censées combattre les effets des veillées nocturnes. Mieux encore, il fabrique son propre remède contre la gueule de bois : une décoction amère à base de plantes appelée Pick-Me-Up ("remonte-moi").

MOLTON BROWN

Plan p. 74 Parfumerie

☎ 7240 8383 ; www.moltonbrown.co.uk ; 18 Russell St WC2 ; 🕑 10h-19h lun-ven, 10h-18h sam,12h-18h dim; ⊖ Covent Garden

Fabuleusement odorant, Molton Brown – fournisseur attitré des *boutique-hotels* et des restaurants élégants – propose des produits de soin qui bichonnent aussi bien les peaux masculines que féminines. Vous pouvez également demander un soin du visage, acheter du maquillage et des accessoires pour la maison. Plusieurs magasins sont répartis dans toute la ville.

SPACE NK Plan p. 74 Parfumerie

☎ 7379 6384 ; www.spacenk.co.uk ; 32 Shelton St WC2 ; 🕑 10h-19h lun-sam, jusqu'à 19h30 jeu, 12h-17h dim ; ⊖ Covent Garden

Les vendeuses arborent des peaux resplendissantes et c'est aussi pour cela que l'on fait confiance aux produits Space NK. En stock, les marques Dr Hauschka, Eve Lom, Chantecaille, Kiehl's et Phyto, et les gammes anti-âge comme 24/7 et Dr Sebagh. D'Anthony à Kiehl, les hommes ont également le choix. Il existe plusieurs succursales londoniennes.

DUTY-FREE

Sous certaines conditions, les visiteurs provenant de pays qui ne sont pas membres de l'UE peuvent récupérer la TVA de 17,5% sur les biens achetés sur place. Cela est valable uniquement dans les magasins affichant la mention "tax free" (ils sont nombreux à Bond St). Pour avoir droit au remboursement, les visiteurs doivent en outre rester moins de six mois au Royaume-Uni.

La procédure à suivre est relativement simple puisqu'il suffit de récupérer le formulaire de remboursement dans le magasin au moment de l'achat, puis de le remettre à l'aéroport avant le départ. Pour tous les détails, voir p. 398.

La sélection

LIBRAIRIES

- **Foyle's** (p. 219)
- **London Review Bookshop** (ci-contre)
- **Daunt Books** (p. 219)
- **Stanford's** (p. 220)
- **Books for Cooks** (p. 234)

TAYLOR OF OLD BOND STREET

Plan p. 70 Parfumerie

☎ 7930 5321 ; www.tayloroldbondst.co.uk ; 74 Jermyn St SW1 ; 🕑 9h-18h lun-ven, 8h30-18h sam ; ⊖ Green Park

Depuis le milieu du XIXe siècle, cette boutique vend toutes sortes de rasoirs, blaireaux et savons de rasage parfumés.

FORTNUM & MASON

Plan p. 70 Grand magasin

☎ 7734 8040 ; www.fortnumandmason.co.uk ; 181 Piccadilly W1 ; 🕑 10h-18h30 lun-sam, 12h-18h dim; ⊖ Piccadilly Circus

Le plus ancien *department store* de Londres a fêté son tricentenaire en 2007 en ne sacrifiant rien à la modernité – le personnel est encore en queue-de-pie à l'ancienne. Le grand hall au chic indétrônable déborde toujours de paniers de friandises, de confitures et de multiples variétés de thé. L'élégant bar à vin du rez-de-chaussée est l'œuvre du créateur du Wolseley (p. 247). Vêtements, cadeaux et parfums occupent les six autres étages.

JOHN LEWIS Plan p. 94 Grand magasin

☎ 7629 7711 ; www.johnlewis.co.uk ; 278-306 Oxford St W1 ; 🕑 9h30-19h lun-sam, jusqu'à 20h jeu ; ⊖ Oxford Circus

Ici, l'accent est mis sur des produits – articles de maison, vêtements, bagages – plus à l'épreuve du temps que dans l'air du temps. L'espace consacré aux tissus est superbe.

LIBERTY Plan p. 70 Grand magasin

☎ 7734 1234 ; www.liberty.co.uk ; 210-220 Regent St W1 ; 🕑 10h-19h lun-sam, jusqu'à 20h jeu, 12h-18h dim ; ⊖ Oxford Circus

Mélange irrésistible de styles contemporains dans une ambiance vieux jeu façon Tudor, ce grand magasin comporte un immense rayon de cosmétiques et un impressionnant rayon lingerie. Vous ne pouvez partir de Londres sans avoir acheté les fameux tissus Liberty.

SELFRIDGES Plan p. 94 Grand magasin

☎ 7629 1234 ; www.selfridges.com ; 400 Oxford St W1 ; 🕑 10h-20h lun-ven 9h30-20h sam,12h-18h dim ; ⊖ Bond St

Derrière ses vitrines inventives arrangées par des artistes internationaux, voici le grand magasin le plus branché et le plus animé de Londres, connu pour l'incroyable diversité de ses produits, mais aussi pour ses shows de promotion. Toutes les tendances de la mode sont représentées, avec des créateurs britanniques comme Boudicca, Luella Bartley, Emma Cook, Chloé et Missoni. À un espace alimentation incomparable s'ajoute le plus grand rayon parfumerie d'Europe.

AQUASCUTUM Plan p. 70 Mode et créateurs

☎ 7675 8200 ; www.aquascutum.co.uk ; 100 Regent St W1 ; 🕑 10h-18h30 lun-sam, jusqu'à 19h jeu, 11h-17h dim ; ⊖ Piccadilly Circus

Bien que la boutique ait été récemment rénovée, ses imperméables, foulards, sacs et chapeaux demeurent de facture traditionnelle. Imperméables de style classique pour hommes, lignes épurées, mode et beauté pour les femmes : le chic naturel du très haut de gamme.

BEYOND THE VALLEY

Plan p. 70 Mode et créateurs

☎ 7437 7338 ; www.beyondthevalley.com ; 2 Newburgh St W1 ; 🕑 11h-19h lun-sam, 12h30-18h dim ; ⊖ Oxford Circus

L'une des meilleures adresses du centre de Londres pour découvrir les nouveaux talents de la mode, au travers de vêtements, bijoux, accessoires et œuvres d'art présentés dans un ravissant magasin. La Side Room, à l'arrière, est une mini galerie qui accueille régulièrement des expositions.

BURBERRY Plan p. 94 Mode et créateurs

☎ 7839 5222 ; www.burberry.com ; 21-23 New Bond St SW1 ; 🕑 10h-19h lun-sam, 12h-18h dim; ⊖ Bond St

Vous saurez que vous êtes chez Burberry, première marque traditionnelle britannique parvenue aux sommets de la mode, lorsque vous apercevrez des dizaines de Japonaises postées devant sa vitrine. Connu pour ses versions innovantes de modèles classiques (trench aux couleurs vives, pantalons kaki à larges poches), son célèbre tissu écossais beige et son look soigné, Burberry est souvent copié par les chaînes de prêt-à-porter.

KOH SAMUI Plan p. 74 Mode et créateurs

☎ 7240 4280 ; www.kohsamui.co.uk ; 65-67 Monmouth St WC2 ; 🕑 10h30-18h30 lun-sam, jusqu'à 19h jeu, 11h30-18h dim; ⊖ Covent Garden

Cette petite boutique spécialisée en mode masculine se targue de dénicher de nouveaux talents british et privilégie les modèles élégants de Chloé, Marc Jacobs, Clements Ribeiro et Julien MacDonald. Mention spéciale aux superbes sacs Chloé.

MULBERRY Plan p. 94 Mode et créateurs

☎ 7491 3900 ; www.mulberry.com ; 41-42 New Bond St W1 ; 🕑 10h-18h lun-sam, jusqu'à 19h jeu ; ⊖ Bond St

Quelle femme n'a jamais rêvé d'un sac Mulberry, sensuel, doux et stylé ? À l'instar de ses homologues Burberry et Pringle, Mulberry a opté pour la modernisation.

PAUL SMITH Plan p. 74 Mode et créateurs

☎ 73797133 ;www.paulsmith.co.uk ;40-44 Floral St WC2 ; 🕑 10h-18h30 lun-sam, jusqu'à 19h jeu, 12h-17h dim ; ⊖ Covent Garden

Le meilleur de la mode classique britannique avec une touche d'innovation. Dans ce magasin organisé comme un dressing, vous pourrez accéder directement aux rayons de costumes et chemises. Paul Smith a aussi une collection féminine.

PRINGLE Plan p. 94 Mode et créateurs

☎ 0800 360 200, 7297 4580 ; www.pringlescotland.com ; 112 New Bond St W1 ; 🕑 10h-18h30 lun-sam, jusqu'à 19h30 jeu ; ⊖ Bond St

Élégante et sexy (pull-overs de golf et cardigans en tricot), cette marque traditionnelle britannique connaît un regain de célébrité depuis que la capitale s'est découvert une passion pour les lainages. Rien à moins de 150 £ cependant.

STELLA MCCARTNEY

Plan p. 94 Mode et créateurs

☎ 7518 3100 ; www.stellamccartney.co.uk ; 30 Bruton St W1 ; 🕑 10h-18h lun-sam, jusqu'à 19h jeu ; ⊖ Bond St ou Green Park

Inutile de présenter Stella McCartney dont les modèles vaporeux (ainsi que leurs prix) font

LONDRES + VINTAGE = AMOUR

La dictature de l'apparence et la fièvre du shopping s'étant définitivement emparées de Londres, la dernière tendance (qui semble destinée à durer) se résume donc à l'univers vintage ("rétro"). Les modèles de créateurs vintage, de Chanel à Dior, de Miu Miu à Vivienne Westwood, et bien d'autres ainsi que les pièces rares des années 1920 aux années 1980 (cette dernière période suscitant une réelle frénésie) garnissent les rayons de ces boutiques, souvent aussi extravagantes que leur marchandise.

Le succès des soirées sur le thème du burlesque et du cabaret (voir l'encadré p. 301) entraîne un véritable engouement pour toutes les tenues et bijoux des années 1920 à 1950. L'investissement et la maîtrise vestimentaire affichés à l'occasion de ces soirées sont d'ailleurs fascinants. Certaines boutiques rétro sont réellement chères, les prix pouvant monter à plus de 300 £ pour une pièce rare ou de créateur, mais en cherchant bien on en trouve aussi de très abordables (entre 10 et 50 £). Ne serait-ce que pour le plaisir d'apercevoir ce que portaient nos grands-mères ou les folies vestimentaires commises dans les années 1980, il faut voir ces boutiques. Et si vous vous découvrez une âme de vintage king ou queen, ne manquez pas ces fameuses soirées cabaret !

Voici où dénicher les pièces convoitées : Camden Passage à Islington ; Kingly Ct, non loin de Carnaby St ; le Spitalfields Market, Cheshire St, Brick Lane et ses environs ; Portobello Rd et Notting Hill. Essayez aussi les boutiques des œuvres de bienfaisance de Chelsea, Notting Hill et Kensington – paradoxalement, plus le quartier est opulent, plus les prix des dépôts-ventes sont intéressants !

Boutiques vintage

Les boutiques suivantes ouvrent généralement du lundi au samedi de 10h à 19h et le dimanche de 12h à 18h.

Absolute Vintage (plan p. 154 ; ☎ 7247 3883 ; 15 Hanbury St E1 ; ⊖ Liverpool St). Immense dépôt d'occasion où s'entassent mille et une chaussures – talons aiguilles, bottes et bottines – en passant par les Manolos à paillettes délicieusement rétro et les robes. Côté chaussures, mais aussi costumes, les hommes ne sont pas en reste. Très bien situé, à proximité du Spitalfields Market.

Alfie's Antiques Market (plan p. 170 ; ☎ 7723 6066 ; www.alfiesantiques.com ; 13-25 Church St NW8 ; ⊖ Marylebone). L'Alfie's Market occupe la totalité d'un ancien grand magasin de style Art déco et est spécialisé dans un magnifique mobilier du XXe siècle, avec notamment des pièces rares datant des années 1920 à 1950. Un vrai paradis.

Annie's Vintage Costumes & Textiles (plan p. 174 ; ☎ 7359 0796 ; 12 Camden Passage N1 ; ⊖ Angel). L'un des magasins rétro les plus enchanteurs de la capitale. Robes et tenues divines, à la Garbo.

Bang Bang Exchange (plan p. 70 ; ☎ 7631 4191 ; www.myspace.com/bangbangexchange ; 21 Goodge St W1 ; ⊖ Goodge St). Vous possédez des vêtements de créateurs dont vous ne voulez plus ? Bang Bang s'occupe de tout – échange, achat, vente.

Marshmallow Mountain (plan p. 70 ; ☎ 7434 8498 ; www.marshmellowmountain.com ; Kingly Ct, 49 Carnaby St W1 ; ⊖ Oxford Circus). Robes excentriques bien choisies et chaussures somptueuses, cette adresse est l'une de nos préférées.

Orsini (plan p. 182 ; ☎ 7937 2903 ; www.orsini-vintage.co.uk ; 76 Earl's Court Rd W8 ; ⊖ Earl's Court). Dans cette petite boutique, magnifique et sympathique, on trouve l'une des plus belles garde-robes de créateurs de la ville. Service de retouche sur place.

Radio Days (plan p. 130 ; ☎ 7928 0800 ; 87 Lower Marsh Rd SE1 ; ⊖ Waterloo). Radio Days aime les vêtements, chapeaux et bijoux des années 1920 et 1930. Vend aussi des appareils électroniques d'époque (téléphones, tourne-disques, radios...), ainsi que des magazines.

Rellik (plan p. 180 ; ☎ 8962 0089 ; 8 Golborne Rd W10 ; ⊖ Westbourne Park). La boutique rétro préférée des fashionistas est spécialisée dans les créateurs comme Ossie Clark, Zandra Rhodes et Vivienne Westwood.

Retro Woman (plan p. 180 ; ☎ 7221 2055 ; 20 Pembridge Rd W11 ; ⊖ Notting Hill Gate). Superbe collection de chaussures griffées d'occasion. Une boutique jumelle se trouve au n°16, et un **Retro Man** (plan p. 180) au n°34.

Steinberg & Tolkien (plan p. 140 ; ☎ 7376 3660 ; 193 King's Rd SW3 ; ⊖ South Kensington). La pénombre et l'atmosphère excentrique de la plus ancienne des boutiques vintage de Londres déroute toujours le passant. Ses robes ont été photographiées pour *Vogue*, entre autres.

chavirer les cœurs féminins. Grâce à Kate Moss, ses jeans sont devenus les plus désirables du royaume et "l'éthique" de Stella en matière de mode est très tendance. Cette demeure victorienne de trois étages, avec son jardin sous verrière, son "apothicaire- parfumeur" et son service de couture, est un hommage à l'univers de Stella. On y vend des sacs, mais pas en cuir, et des chaussures "végétariennes". Selon son degré de dévotion et son porte-monnaie, on s'y sentira immédiatement à l'aise ou au contraire totalement déplacé.

TOPSHOP & TOPMAN

Plan p. 70 Mode et créateurs

☎ 7636 7700 ; www.topshop.co.uk ; 36-38 Great Castle St W1 ; 9h-20h lun-sam, jusqu'à 21h jeu, 12h-18h dim ; ⊖ Oxford Circus

Symbolisant l'incroyable capacité de Londres à rendre la mode des défilés accessible à une jeune clientèle, Topshop innove constamment en collaborant avec de jeunes créateurs et certaines célébrités, comme Kate Moss et sa collection à succès. Manucure/pédicure et coiffure sont également proposés sur place. Vous pouvez même obtenir une consultation auprès d'un styliste et recevoir des conseils d'un gourou du shopping.

URBAN OUTFITTERS

Plan p. 70 Mode et créateurs

☎ 7759 6390 ; www.urbanoutfitters.com ; 200 Oxford St W1 ; 10h-20h lun-sam, jusqu'à 21h jeu, 12h-18h dim ; ⊖ Oxford Circus

Cette enseigne américaine a fait un tabac à Londres avec sa mode *streetwear* pour homme et femme, sa lingerie sexy, ses T-shirts et son espace créateurs (Paul et Joe Sister, Red Label de Vivienne Westwood, Hussain Chalayan et See by Chloé, entre autres), mais aussi ses articles de maison branchés et ses gadgets originaux. Elle a ouvert des annexes à **Covent Garden** (plan p. 74 ; Seven Dials House, 42-56 Earlham St ; ⊖ Covent Garden) et à **Kensington** (plan p. 182 ; 36-38 Kensington High St ; ⊖ High St Kensington).

VIVIENNE WESTWOOD

Plan p. 70 Mode et créateurs

☎ 7439 1109 ; www.viviennewestwood.com ; 44 Conduit St W1 ; 10h-18h lun-sam, jusqu'à 19h jeu ; ⊖ Bond St ou Oxford Circus

La femme qui a habillé la génération punk affirme aujourd'hui que "la mode est ennuyeuse" et qu'elle ne pense plus du tout ce qu'elle disait autrefois. Personnalité controversée, passant pour une douce dingue, (elle a récemment découvert ses parties intimes devant les paparazzis après avoir reçu l'équivalent anglais de la Légion d'honneur), elle continue de dessiner des vêtements plus audacieux, innovants et provocateurs que jamais : bustiers inspirés du XIXe siècle, volants, talons compensés et motifs écossais en abondance.

ALGERIAN COFFEE STORES

Plan p. 70 Alimentation et boissons

☎ 7437 2480 ; www.algocoffee.co.uk ; 52 Old Compton St W1 ; 9h-19h lun-sam ; ⊖ Leicester Sq

Un délicieux arôme de café fraîchement moulu chatouille vos narines dans cette boutique qui offre une immense variété de thés et de cafés.

MINAMOTO KITCHOAN

Plan p. 70 Alimentation et boissons

☎ 7437 3135 ; www.kitchoan.com ; 44 Piccadilly W1 ; 10h-19h dim-ven, jusqu'à 20h sam ; ⊖ Piccadilly Circus

Entrer dans cette confiserie japonaise est une expérience inoubliable. Les *wagashi* (bonbons japonais) concoctés avec diverses sortes de riz et de haricots sont en forme de cerises rouge vif ou de bouquets de haricots verts. À déguster avec un thé vert ou à emporter.

NEAL'S YARD DAIRY

Plan p. 74 Alimentation et boissons

☎ 7240 5700 ; 17 Shorts Gardens WC2 ; 9h-19h lun-sam ; ⊖ Covent Garden

Preuve que les Anglais peuvent supporter les fromages odorants, cette boutique en présente plus de 70 variétés, dont des labels fermiers indépendants. Condiments, *pickles*, confitures et *chutneys* sont également disponibles.

VINTAGE HOUSE

Plan p. 70 Alimentation et boissons

☎ 7437 2592 ; 42 Old Compton St W1 ; 9h-23h lun-ven, 9h30-23h sam, 12h-22h dim ; ⊖ Leicester Sq

Paradis des amateurs de whisky, ce magasin stocke plus de 1 000 variétés de pur malt, du doux Macallan au tourbeux Lagavulin.

SHEPHERDS

Plan p. 140 Cadeaux et souvenirs

☎ 7620 0060 ; www.bookbinding.co.uk ; 76 Rochester Row SW1 ; 10h-18h lun-ven, 10h30-17h sam ; ⊖ Victoria ou Pimlico

Amateurs de belle papeterie, de boîtes en cuir et de ravissant papier marbré à la cuve, nous avons adoré cette adresse. Il y a une autre adresse à **Holborn** (plan p. 84 ; ☎ 7831 1151 ; 76 Southampton Row WC1 ; ⊖ Holborn ou Russell Sq).

ARAM Plan p. 74 Articles pour la maison

☎ 7557 7557 ; www.aram.co.uk ; 110 Drury Lane WC2 ; ⌚ 10h-18h lun-sam, jusqu'à 19h jeu ; ⊖ Covent Garden ou Holborn

Même si les meubles de chez Aram sont inaccessibles au commun des mortels, les admirer est une expérience sublime. Ouverte par Zeev Aram dans King's Rd en 1964, la boutique joua un rôle clef dans la révolution du design menée par Conran en Angleterre et qui vit la fin des intérieurs anglais si typiquement "chintzy". Ayant prospéré, Aram s'agrandit et s'installa dans ce bâtiment lumineux de 4 étages où le meuble, comme dans un musée,

MAGASINS DE MUSIQUE INDÉPENDANTS

Si les Britanniques sont les plus gros acheteurs de disques au monde, il reste à espérer que les magasins de musique londoniens, en proie aux difficultés de la concurrence, parviendront à survivre sans se faire phagocyter par les grandes chaînes. Voici une sélection des meilleurs d'entre eux. Ils ouvrent généralement du lundi au samedi de 10h à 18h et le dimanche de 12h à 17h.

BM Soho (plan p. 70 ; ☎ 7437 0478 ; www.bm-soho.com ; 25 D'Arblay St W1 ; ⊖ Oxford Circus). Ex-Black Market Records. C'est ici que les DJ viennent se procurer les derniers titres de dance internationale.

Haggle Vinyl (plan p. 174 ; ☎ 7354 4666 ; www.haggle.freeserve.co.uk ; 114 Essex Rd N1 ; ⌚ 9h-19h lun-sam, 10h-17h30 dim ; ⊖ Angel). Des vinyles à partir de 2,50 £ pour les disques rangés dans les grandes boîtes posées par terre. Le répertoire va des crooners des années 1950 aux débuts du hip-hop.

Harold Moore's Records (plan p. 70 ; ☎ 7437 1576 ; www.hmrecords.co.uk ; 2 Great Marlborough St W1 ; ⊖ Oxford Circus). Le meilleur magasin de musique classique de Londres propose un vaste choix de vinyles, de CD et de DVD, ainsi qu'une section jazz au sous-sol.

Honest Jon's (plan p. 180 ; ☎ 8969 9822 ; 276-278 Portobello Rd W10 ; ⊖ Ladbroke Grove). Deux magasins attenants qui vendent du jazz, de la soul et du reggae.

Music & Video Exchange (plan p. 180 ; ☎ 7243 8573 ; 38 Notting Hill Gate W11 ; ⊖ Notting Hill Gate). Le magasin d'occasion par excellence. C'est l'une des multiples succursales londoniennes des boutiques "Exchange", répertoriées sur un dépliant à demander. Toutes valent une visite.

On the Beat (plan p. 70 ; ☎ 7637 8934 ; 22 Hanway St W1 ; ⊖ Tottenham Court Rd). Le personnel de cette maison saura vous guider dans sa spécialité : la musique des années 1960 et 1970.

Phonica (plan p. 70 ; ☎ 7025 6070 ; www.phonicarecords.co.uk ; 51 Poland St W1 ; ⊖ Tottenham Court Rd ou Oxford Circus). Un magasin sympathique où l'on trouve beaucoup de house, d'électro et de hip-hop, mais aussi du reggae, du jazz et du rock en passant par le dub.

Ray's Jazz Shop (plan p. 70 ; ☎ 7440 3205 ; www.foyles.co.uk ; 1er étage, Foyle's, 113-119 Charing Cross Rd WC2 ; ⊖ Tottenham Court Rd). Cet endroit serein et paisible au personnel accueillant et serviable est l'une des meilleures boutiques de jazz de tout Londres. Il possède aussi un superbe café.

Revival (plan p. 70 ; ☎ 7437 4271 ; 30 Berwick St W1 ; ⊖ Oxford Circus). Remplace l'ancien Reckless Records, sans beaucoup de changements extérieurs et propose toujours des disques/CD, neufs ou d'occasion, de l'indie au mainstream, en passant par le punk, la dance et la soul.

Rough Trade (plan p. 180 ; ☎ 7229 8541 ; 130 Talbot Rd W11 ; ⊖ Ladbroke Grove). Avec ses raretés underground, alternative et vintage, ce berceau du label de musique punk éponyme demeure le paradis des accros du vinyle qui regrettent l'époque antérieure aux CD (également en vente) et aux lecteurs MP3. Faites un tour au magasin de Covent Garden (plan p. 74) à Neal's Yard.

Sister Ray (plan p. 70 ; ☎ 7734 3297 ; www.sisterray.co.uk ; 34-35 Berwick St W1 ; ⊖ Oxford Circus). Si vous étiez un fan de feu John Peel de la BBC/BBC World Service, ce magasin spécialisé dans la musique expérimentale, innovante et indie vous ravira.

Sounds of the Universe (plan p. 70 ; ☎ 7734 3430 ; www.soundsoftheuniverse.com ; 7 Broadwick St W1 ; ⊖ Oxford Circus). Magasin du label Soul Jazz Records qui produit une excellente musique soul, reggae, funk et de très bons albums de dub. CD et vinyles, plus quelques 45 tours d'époque.

Sterns Music (plan p. 84 ; ☎ 7387 5550 ; www.sternsmusic.com ; 74-75 Warren St W1 ; ⊖ Warren St). Un vieux de la vieille de la world music, présent depuis les années 1980, et toujours aux commande de la scène londonienne en la matière. Excellent site Internet sur lequel on peut écouter le classement des albums selon Sterns.

occupe la place qu'il mérite. Parmi les célèbres designers représentés ici, Alvar Aalto, Eileen Grey, Eames, Le Corbusier et Arne Jacobsen. Espace d'exposition au dernier étage, réservé aux nouveaux talents.

CATH KIDSTON Plan p. 94 Articles pour la maison

☎ 7935 6555 ; www.cathkidston.co.uk ; 51 Marylebone High St W1 ; 🕒 10h-19h lun-sam, 11h-17h dim; ⊖ Baker St

Cath Kidston remet les motifs floraux et les tons pastel au goût du jour, en en parsemant ses articles de maison et ses sacs à main. Parmi les produits proposés, vous trouverez des services à pique-nique et des arrosoirs dignes des années 1950.

DO SHOP Plan p. 70 Articles pour la maison

☎ 7494 9090 ; www.do-shop.com ; 47 Beak St W1 ; ⊖ Oxford Circus

Belle collection de mobilier design, d'ustensiles de cuisine et d'accessoires domestiques. Remarquez les tables se transformant en bibliothèques ou les faux gobelets froissés en porcelaine. Idéal pour les cadeaux (à faire aux autres ou à soi-même).

HABITAT Plan p. 84 Articles pour la maison

☎ 7631 3880 ; www.habitat.net ; 196 Tottenham Court Rd W1 ; 🕒 10h-18h30 lun-sam, jusqu'à 20h jeu, 12h-18h dim; ⊖ Goodge St

Depuis sa création par Terence Conran dans les années 1950, la chaîne qui met le design à la portée de tous est présente partout dans Londres. Artistes, acteurs, musiciens et créateurs de mode sont souvent sollicités pour collaborer avec la marque.

HEAL'S Plan p. 84 Articles pour la maison

☎ 7636 1666 ; www.heals.co.uk ; 196 Tottenham Court Rd W1 ; 🕒 10h-18h lun-mer, jusqu'à 20h jeu, jusqu'à 18h30 ven et sam,12h-18h dim ; ⊖ Goodge St

Classique, plus ancien et plus cher qu'Habitat, ce magasin s'adresse à une clientèle davantage attirée par l'aspect pratique et conventionnel. Ce très ancien magasin de meubles possède un excellent département cuisine.

BUTLER & WILSON

Plan p. 94 Bijoux et accessoires

☎ 7409 2955 ; www.butlerandwilson.co.uk ; 20 South Molton St SW1 ; 🕒 10h-18h lun-sam, jusqu'à 19h jeu, 12h-18h dim ; ⊖ Bond St

Une ambiance voluptueuse du Shanghai des années 1920 règne dans le magasin principal de Butler & Wilson, où des bijoux, des sacs à main, des T-shirts et des bibelots sont vendus sous des lanternes rouges et le regard de mannequins de cire chinois. La **boutique de Chelsea** (plan p. 140 ; ☎ 7352 3045 ; 189 Fulham Rd SW3) propose également une vaste collection de robes rétro.

JAMES SMITH & SONS

Plan p. 74 Bijoux et accessoires

☎ 7836 4731 ; www.james-smith.co.uk ; 53 New Oxford St WC1 ; 🕒 9h30-17h30 lun-ven 10h-17h30 sam ; ⊖ Tottenham Court Rd

Comme le proclament les propriétaires enjoués de cette incontournable boutique anglaise, "Derrière chaque rideau argenté se cache un gros nuage". Difficile de trouver parapluies et cannes plus élégants que ceux vendus derrière cette belle vitrine qui, grâce au mauvais temps typiquement britannique, a de beaux jours devant elle.

MONOCLE SHOP

Plan p. 94 Bijoux et accessoires

☎ 7486 8770 ; www.monocle.com ; 2a George St W1 ; 🕒 10h-18h lun-sam, 10h-19h jeu, 12h-18h dim ; ⊖ Bond St

Tenu par les responsables du magazine international d'actualités et de design *Monocle*, ce magasin est un temple du chic discret. Certes, les prix de la plupart des objets dépassent le budget annuel de la majorité des visiteurs, mais les amateurs de design minimaliste de qualité (vélos, vêtements, sacs, etc.) ne regretteront pas leur visite. De belles éditions originales sont également en vente, ainsi que d'admirables photographies.

WRIGHT & TEAGUE

Plan p. 94 Bijoux et accessoires

☎ 7629 2777 ; www.wrightandteague.com ; 1a Grafton St W1 ; 🕒 10h-18h lun-ven, jusqu'à 19h jeu, 10h-17h sam ; ⊖ Green Park

Ravissants bracelets en or et en argent, colliers, bagues pour hommes et femmes, tous élégants et abordables. Wright et Teague se sont rencontrés à la St Martins School of Art il y a plus de 20 ans et vivent toujours ensemble.

AGENT PROVOCATEUR Plan p. 70 Lingerie

☎ 7439 0229 ; www.agentprovocateur.com ; 6 Broadwick St W1 ; 🕒 11h-19h lun-sam, jusqu'à 20h jeu, 12h-17h dim; ⊖ Oxford Circus

Joseph Corre (fils de Vivienne Westwood) présente ici des corsets, nuisettes et soutien-gorge à la fois sexy et provocants pour tous les goûts et toutes les tailles.

RIGBY & PELLER Plan p. 70 Lingerie
☎ 7491 2200 ; 22a Conduit St W1 ; 🕒 9h30-18h lun-sam, jusqu'à 19h jeu ; ⊖ Oxford Circus
Ce vieil établissement confectionne la lingerie de la reine, et son service de couture et de retouche – ouvert au commun des mortels – est légendaire. Faites-vous prendre vos mesures – plus d'un client y a appris qu'il portait la mauvaise taille depuis des années. Des sous-vêtements et des maillots de bain sont également en vente. Une annexe se trouve à Knightsbridge (plan p. 140 ; 3 Hans Rd ; ⊖ Knightsbridge).

KURT GEIGER Plan p. 94 Chaussures
☎ 7758 8020 ; www.kurtgeiger.com ; 65 South Molton St W1 ; 🕒 10h-19h lun-sam, jusqu'à 20h jeu, 12h-18h dim ; ⊖ Bond St
Magasin de chaussures pour homme et femme qui allie mode, qualité et prix abordables. Parmi les marques représentées, Birkenstock, Chloé, Hugo Boss, Marc Jacobs, Paul Smith et United Nude.

POSTE Plan p. 94 Chaussures
☎ 7499 8002 ; 10 South Molton St ; 🕒 10h-19h lun-sam, 12h-18h dim ; ⊖ Bond St
Dans l'une des rues les plus en vogue de Londres, cette boutique ultra-tendance destinée aux hommes amateurs de belles chaussures propose de tout, des baskets vintage à l'importation italienne raffinée.

POSTE MISTRESS
Plan p. 74 Chaussures
☎ 7379 4040 ; 61-63 Monmouth St WC2 ; 🕒 10h-19h lun-sam, 12h-18h dim; ⊖ Leicester Sq
Pour tous les fétichistes de la chaussure, une merveilleuse collection pour femmes signée Emma Hope, Vivienne Westwood, Miu Miu et Dries Van Noten. Peu importe le prix.

BENJAMIN POLLOCK'S TOYSHOP
Plan p. 74 Jouets
☎ 7379 7866 ; www.pollocks-coventgarden.co.uk ; 1er étage, 44 Covent Garden Market WC2 ; 🕒 10h-18h30 lun-sam, 11h-16h dim ; ⊖ Covent Garden
Magasin de jouets consacré à l'univers théâtral et traditionnel : théâtres de papier victoriens, marionnettes en bois et à gaine, ours en peluche anciens, un peu fragiles pour jouer.

HAMLEYS Plan p. 70 Jouets
☎ 0870 333 2455, 7494 2000 ; www.hamleys.com ; 188-196 Regent St W1 ; 🕒 10h-20h lun-sam, 12h-18h dim ; ⊖ Oxford Circus
C'est peut-être le magasin de jouets le plus grand au monde et certainement le plus célèbre. Ce mille-feuille géant pour enfants se compose ainsi : les jeux vidéo au sous-sol, les dernières modes qui agitent les cours d'école au rez-de-chaussée, les kits scientifiques au 1er, les jouets préscolaires au 2e, les jouets pour filles au 3e, les modèles de voitures au 4e et, enfin, l'univers Lego et son café au 5e.

LA CITY

SILVER VAULTS
Plan p. 104 Argent
☎ 7242 3844 ; www.thesilvervaults.com ; 53-63 Chancery La WC2 ; ⊖ Chancery Lane
Les boutiques installées dans ces chambres fortes souterraines incroyablement sécurisées possèdent la plus importante collection d'argent au monde rassemblée sous un seul toit. Les boutiques se spécialisent dans différentes sortes d'objets en argent, des couverts aux cadres, en passant par beaucoup, beaucoup de bijoux. La qualité des produits est remarquable, mais vous pouvez aussi visiter cet extraordinaire endroit sans acheter.

SOUTH BANK

South Bank est devenu l'une des promenades les plus appréciées de Londres, tant par les Londoniens que par les touristes, ce qui n'a pas manqué d'attirer les commerces. Un tour au Borough Market (p. 137), le meilleur marché alimentaire de la capitale – qui a particulièrement profité de cet afflux de visiteurs–, s'impose. Si vous êtes fan d'accessoires et d'objets design, dirigez-vous vers l'Oxo Tower qui regroupe une douzaine de petits studios très design débordant de bijoux, de vêtements et d'accessoires originaux pour la maison. Le long de Gabriel's Wharf s'alignent aussi quelques belles boutiques ; quant aux fashionistas, elles apprécieront une petite visite dans les parages de Bermondsey St.

IAN ALLAN Plan p. 130 Livres
☎ 7401 2100 ; www.ianallanpublishing.com ; 45-46 Lower Marsh SE1 ; 🕒 9h-17h30 lun-ven, 9h-17h sam ; ⊖ Waterloo
Les passionnés de tout ce qui roule, vole ou flotte ne résisteront pas à cette librairie spécialisée dans les livres traitant des transports et de la défense : avions, bus et, bien sûr, trains…

KONDITOR & COOK

Plan p. 130 Alimentation et boissons

☎ 7261 0456 ; www.konditorandcook.com ; 22 Cornwall Rd SE1 ; 7h30-20h30 lun-ven, 8h30-15h sam ; ⊖ Waterloo

Cette boulangerie élégante prépare de bons pains chauds aux olives, noix et épices mais aussi de délicieux gâteaux parfumés à la lavande et à l'orange, au citron et aux amandes, et d'énormes meringues à la mûre, sans oublier des biscuits (notamment des sujets en pain d'épice). Il y a quatre autres magasins K&C, dont un au Borough Market (plan p. 130 ; ☎ 7407 5100 ; 10 Stoney St SE1 ; ⊖ London Bridge) et un à Holborn (plan p. 74 ; ☎ 7404 6300 ; 46 Gray's Inn Rd WC1 ; ⊖ Chancery Lane).

BLACK + BLUM

Plan p. 130 Articles pour la maison

☎ 7633 0022 ; www.black-blum.com ; Unité 2.07, 2e étage, Oxo Tower, Barge House St SE1 ; 9h-17h lun-ven, à partir de 11h sam ; ⊖ Southwark ou Waterloo

Grands succès de cette alliance anglo-suisse, "James the doorman/bookend" (butoir de porte ou serre-livres en forme d'homme) et "M. et Mme Hang-up" (patères anthropomorphiques censées indiquer votre humeur avec des vis ajustables) sont désormais distribués par de nombreuses boutiques de cadeaux. Black + Blum produit également de merveilleux articles, comme le "bol" de fils de fer, baptisé *Fruit Loop* ou le presse-purée *Spudski*, inspiré par un bâton de ski.

DE HYDE PARK À CHELSEA

Dans ce secteur chic de Londres, traversé par l'emblématique King's Rd, la mode de luxe s'affiche dans des boutiques rutilantes à l'adresse d'une clientèle tirée à quatre épingles. Avec ses grands magasins haut de gamme et ses boutiques glamour, Knightsbridge séduit à outrance. Au milieu de tout ce clinquant, de vénérables magasins à l'atmosphère typique ont réussi à se maintenir, ayant su répondre aux caprices de la clientèle riche et raffinée des environs. Dans High St Kensington notamment, le mélange entre les chaînes et ces petites boutiques individuelles est bien équilibré.

HARRODS Plan p. 140

Grand magasin

☎ 7730 1234 ; www.harrods.com ; 87-135 Brompton Rd SW1 ; 10h-20h lun-sam, 11h30-18h dim ; ⊖ Knightsbridge

Tout à la fois tapageur et chic, ce magasin ne manquera pas de susciter chez vous une poussée de fièvre consumériste. Le règlement intérieur est plus strict que celui d'une caserne, mais cela n'empêche pas de nombreux touristes de déambuler et de s'émerveiller. Malgré son côté kitsch, une effigie de cire de son propriétaire, Mohamed Al-Fayed, et une fontaine dédiée à la princesse Diana et à Dodi Al-Fayed, vous vous extasierez devant le spectaculaire hall d'alimentation et, au 5e étage, devant l'irréprochable rayon

LONGUE VIE AUX PETITS COMMERCES !

Les petits commerces indépendants londoniens ont été victimes à la fois du boom économique et de la crise financière – lors du boom, ils étaient avalés par les grands groupes, tandis qu'ils furent les premières victimes lors de la crise. Les commerces ne dégageant pas un gros chiffre d'affaires sont les plus exposés, comme les antiquaires, ainsi que ceux victimes de la concurrence directe des grandes chaînes (petits cafés face aux Starbucks, magasins de musique indépendants face aux Virgin Megastores, pour ne citer qu'eux).

Les quartiers où les petits commerces sont traditionnellement bien implantés sont les suivants : Old Conduit St (près du métro Holborn), Amwell St (près du métro Angel), Brick Lane et Spitalfields, Chiswick et une partie de Richmond, Soho, Endell St (près du métro Covent Garden), Camden Passage (métro Angel), Farringdon, Clerkenwell et Marylebone High St.

Ne manquez pas de faire un tour dans les magasins indépendants de Londres, vous y découvrirez des produits authentiques, une ambiance à chaque fois différente, mais aussi des personnalités originales, un Londres typique, introuvable ailleurs.

Si vous devez passer quelque temps dans la capitale ou vous y installer, vous pouvez acheter la Wedge Card (10 £ la carte ; www.wedgecard.co.uk), qui encourage le commerce local en offrant des réductions dans les magasins signataires. Une excellente initiative, en 2004, de John Bird, fondateur et rédacteur en chef de *The Big Issue*. En souhaitant longue vie à tous les magasins indépendants de la capitale britannique !

Voir l'encadré p. 225 pour plus de détails sur les magasins de musique indépendants.

parfumerie. Harrods 102 (plan p. 140 ; ☎ 7730 1234 ; 102 Brompton Rd SW1 ; 🕒 9h-21h lun-sam, 12h-18h dim), de l'autre côté de la rue, abrite une épicerie fine et plusieurs restaurants simples.

HARVEY NICHOLS

Plan p. 140 Grand magasin

☎ 7235 5000 ; www.harveynichols.com ; 109-125 Knightsbridge SW1 ; 🕒 10h-20h ou 21h lun-sam,11h30-18h dim; ⊖ Knightsbridge

Dans ce temple de la haute couture, on trouve les meilleurs denim de la capitale et des sacs Chloé et Balenciaga, mais aussi un immense rayon maquillage, avec lignes exclusives, des bijoux exquis et, pour finir, un très bon restaurant, le Fifth Floor – menu déjeuner de trois plats à partir de 19,50 £.

PETER JONES Plan p. 140 Grand magasin

☎ 7730 3434 ; www.peterjones.co.uk ; Sloane Sq SW1 ; 🕒 9h30-19h lun, mar et jeu-sam, jusqu'à 20h mer, 11h-17h dim ; ⊖ Sloane Sq

Équivalent un peu plus haut de gamme de John Lewis (p. 221), Peter Jones est désormais à la hauteur de Selfridges et de Harvey Nicks. Arts de la table, meubles et cadeaux constituent ses points forts, mais il propose aussi accessoires et cosmétiques. Le Top Floor (au "dernier étage", comme son nom l'indique) est un restaurant-café-bar avec une superbe vue.

LULU GUINNESS

Plan p. 140 Mode et créateurs

☎ 7823 4828 ; www.luluguinness.com ; 3 Ellis St SW1 ; 🕒 10h-18h lun-ven, à partir de 11h sam ; ⊖ Sloane Sq

Silhouettes féminines, dés, fleurs et autres motifs ludiques ornent les porte-monnaie, trousses de maquillage, sacs à main et cabas de Lulu Guinness. Très recherchés, les sacs de soirée se déclinent dans des formes étonnantes, comme des éventails. Nous avons adoré les "trucs en plumes".

RIPPON CHEESE STORES

Plan p. 140 Alimentation et boissons

☎ 7931 0628 ; www.ripponcheese.com ; 26 Upper Tachbrook St SW1 ; 🕒 8h15-17h15 lun-ven, 8h30-17h sam ; ⊖ Victoria ou Pimlico

Le type de fromagerie que l'on aimerait avoir dans son quartier, avec quelque 500 sortes de fromages (principalement) anglais et français, tous affinés sur place. Le personnel est serviable et connaît son métier. Vous pourrez bien entendu goûter avant d'acheter.

ROCOCO CHOCOLATES

Plan p. 140 Alimentation et boissons

☎ 7352 5857 ; www.rococochocolates.com ; 321 King's Rd SW3 ; 🕒 10h-18h30 lun-sam, 12h-17h dim; ⊖ Sloane Sq

Du vrai chocolat, aux formes et saveurs diverses : truffes, chocolats suisses, barres bio, variétés végétaliennes et sachets de copeaux mélangés pour la dégustation.

CLERKENWELL, SHOREDITCH ET SPITALFIELDS

C'est l'endroit pour découvrir des boutiques sympas et explorer les marchés qui regorgent de vêtements vintage ou signés de jeunes créateurs en vogue. D'innombrables boutiques vous attendent dans le secteur de Brick Lane, de Cheshire St, Hanwell St et de l'Old Truman Brewery dans Dray Walk. Le Spitalfields Market (p. 231) est un marché incontournable le week-end pour ses étals de créateurs et ses boutiques originales.

En décembre, une grande exposition présente les derniers produits, vêtements, bijoux et œuvres d'art au Shoreditch Town Hall (voir www.eastlondondesignshow.co.uk).

Clerkenwell, tout proche, est principalement réputé pour ses joailliers. Pour les bijoux classiques et les pierres non serties, promenez-vous le long de Hatton Garden (plan p. 154 ; www.hatton-garden.net ; ⊖ Chancery Lane). Craft Central (plan p. 154 ; www.craftcentral.org.uk ; 33-35 St John's Sq EC1 ; ⊖ Farringdon) constitue un excellent point de départ pour ce qui concerne l'artisanat et le design.

MAGMA Plan p. 154 Livres

☎ 7242 9503 ; www.magmabooks.com ; 117-119 Clerkenwell Rd EC1 ; ⊖ Farringdon

Un magasin très apprécié pour ses livres, magazines, T-shirts et tout ce qui est à l'avant-garde du design. Petite annexe à Covent Garden (plan p. 74 ; ☎ 7240 8498 ; 8 Earlham St, ⊖ Covent Garden) qui comprend maintenant une boutique, idéale pour dénicher un cadeau très design.

ANTONI & ALISON

Plan p. 154 Mode et créateurs

☎ 7833 2002 ; www.antoniandalison.co.uk ; 43 Rosebery Ave EC1 ; 🕒 10h30-18h30 lun-ven ; ⊖ Farringdon

L'ACTUALITÉ DES MARCHÉS

Sur les marchés de Londres, le but n'est pas seulement de dégoter des affaires et de farfouiller dans des tonnes de bric-à-brac, de vêtements, de trésors éphémères et autres objets divers et variés. C'est aussi un moyen de saisir les vibrations de cette ville sous toutes ses facettes. Pour des renseignements sur les marchés de producteurs, voir l'encadré p. 263.

Borough

Implanté ici depuis le XIIIe siècle, le Borough Market (plan p. 130 ; ☎ 7407 1002 ; www.boroughmarket.org.uk ; angle Borough High St et Stoney St SE1 ; 🕑 11h-17h jeu, 12h-18h ven, 9h-16h sam ; ⊖ London Bridge) témoigne de l'intérêt croissant des Britanniques pour la bonne chère. Avec l'aide du célèbre Jamie Oliver, le "garde-manger de Londres" a connu un immense renouveau ces dernières années et attire une foule de gourmets. Outre une partie consacrée aux fruits frais, aux légumes exotiques et à la viande bio, il comporte un marché de produits fins tels du miel ou du pain artisanal. Partout, des échoppes vous invitent à goûter des saucisses grésillantes ou des hamburgers de qualité. Le chaland fait la queue devant la Monmouth Coffee Company, la crèmerie Neal's Yard Dairy (p. 224), l'épicerie espagnole Brindisa ou la boucherie Ginger Pig. Un projet de construction d'une nouvelle liaison ferroviaire menaçait de couper le marché en deux, mais les administrateurs affirment que cela ne l'affectera pas (ce qui semble difficile à croire). Consultez le site Internet pour les dernières actualités.

Brixton

Ce marché (plan p. 194 ; Reliance Arcade, Market Row, Electric Lane et Electric Ave SW9 ; 🕑 8h-18h lun-sam, 8h-15h mer ; ⊖ Brixton) est un lieu cosmopolite et enivrant où se mêlent soies, perruques, vêtements dégriffés, bouchers halal et prédicateurs chrétiens (dans Electric Ave). Des aliments sont également en vente dans le Brixton Village couvert (l'ancienne Granville Arcade ; plan p. 194). Parmi les produits exotiques offerts : du poisson tilapia, des pieds de porc, des patates douces, des mangues, des gombos, des bananes plantains et des gâteaux *bullah* jamaïcains (pain d'épice).

Camden

Si ce marché (plan p. 174 ; www.camdenlock.net/markets ; ⊖ Camden Town) demeure une attraction, sa période de gloire est révolue. La camelote commerciale a depuis longtemps pris le dessus, même s'il est encore possible de dénicher quelques belles pièces rétro. Il est très fréquenté le dimanche, où les visiteurs se marchent sur les pieds. L'incendie qui s'y est déclaré en février 2008 a détruit certains stands, mais nous ne pouvons mesurer son impact sur l'activité commerciale à l'heure où nous rédigeons ces lignes.

Camden Canal Market (plan p. 170 ; angle Chalk Farm Rd et Castlehaven Rd NW1 ; 🕑 10h-18h sam et dim ; ⊖ Chalk Farm ou Camden Town). Plus au nord, juste après le pont qui enjambe le canal, le Camden Canal Market propose un bric-à-brac de marchandises du monde entier. Si vous manquez de temps, c'est la partie à éviter.

Camden Lock Market (plan p. 174 ; Camden Lock Pl NW1 ; 🕑 10h-18h sam et dim, stands à l'intérieur du bâtiment 10h-18h tlj). Dans cette partie du marché située juste à côté du canal, on vend de l'alimentation, des céramiques, des meubles, des tapis d'Orient, des instruments de musique, des vêtements de stylistes, etc.

Camden Market (plan p. 174 ; angle Camden High St et Buck St NW1 ; 🕑 9h-17h30 jeu-dim). Ce marché couvert abrite des vendeurs de vêtements de créateurs, de bijoux et de camelote pour touristes.

Stables (plan p. 170 ; Chalk Farm Rd NW1 ; 🕑 8h-18h sam et dim ; ⊖ Chalk Farm). Juste de l'autre côté des Railway Arches, en face de Hartland Rd, les Stables, la meilleure partie du marché, accueillent des marchands d'antiquités, d'artisanat asiatique, de tapis, de tapisseries, de meubles en pin et de vêtements des années 1950 et 1960.

Portobello Road

Peut-être parce qu'il est moins bondé et moins sale que celui de Camden, les Londoniens préfèrent généralement ce marché (plan p. 180 ; Portobello Rd W10 ; 🕑 8h-18h lun-mer, 9h-13h jeu, 7h-19h ven et sam, 9h-16h dim ; ⊖ Notting Hill Gate ou Ladbroke Grove). Bien que les stands et les boutiques soient ouverts tous les jours, c'est en fin de semaine que l'endroit est le plus animé. Un marché d'antiquités se tient le samedi, et un marché aux puces sur Portobello Green le dimanche matin. Fruits et légumes sont vendus toute la semaine du côté de Ladbroke Grove, avec un marché bio le jeudi. Les antiquités, les bijoux, les peintures et les objets exotiques se concentrent du côté de Notting Hill Gate. Les prix baissent à mesure que vous avancez vers le nord. Sous la Westway, une vaste tente abrite d'autres stands proposant des vêtements, chaussures et CD bon marché, tandis que la Portobello Green Arcade regroupe couturiers et bijoutiers.

Spitalfields

À l'origine, ce marché (plan p. 154 ; www.visitspitalfields.com ; Commercial St, entre Brushfield et Lamb Sts E1 ; 9h30-17h30 dim; Liverpool St) était parfait pour dénicher les derniers modèles *streetwear* à des prix raisonnables. Il rassemblait de jeunes stylistes, des bijoutiers, des ébénistes et divers marchands de produits frais. En 2006, une partie du vieux marché, convoitée par les gros entrepreneurs, a malheureusement été transformée en restaurant et centre commercial. Heureusement, le reste du vieux marché subsiste mais la plupart des jeunes créateurs ont déplacé leurs stands plus haut dans la rue, vers le Sunday UpMarket (plan p. 154 ; www.sundayupmarket.co.uk) de l'Old Truman Brewery, qui est théoriquement une prolongation de Spitalfields. En semaine, il occupe tout juste la surface d'un parking, mais le dimanche, il déborde de superbes vêtements, de bijoux, de stands musicaux et de restauration où l'on sert des plats de tous les pays.

Autres marchés

Bermondsey (plan p. 130 ; Bermondsey Sq ; 5h-13h ven ; Borough/Bermondsey). La marchandise volée serait vendue ici avant le lever du jour, ce qui explique peut-être pourquoi il ne s'y passe plus grand-chose après. On y trouve de l'argenterie, de la porcelaine ancienne, des tableaux et des bijoux fantaisie.

Berwick St (plan p. 70 ; Berwick St W1 ; 8h-18h lun-sam ; Piccadilly Circus/Oxford St). Au sud d'Oxford St et parallèle à Wardour St, ce marché de fruits et légumes est le lieu idéal pour préparer un pique-nique ou pour trouver des plats déjà cuisinés.

Brick Lane (plan p. 154 ; Brick Lane E2 ; 8h-13h dim ; Aldgate East). Parmi les marchandises proposées, des vêtements, des fruits et légumes, des articles de maison, des tableaux et du bric-à-brac.

Camden Passage (plan p. 174 ; Camden Passage N1 ; 7h-14h mer, 8h-16h sam ; Angel). À ne pas confondre avec Camden Market. Cette série de quatre arcades située à Islington, à l'intersection de Upper St et Essex Rd, héberge des vendeurs d'antiquités et de curiosités. Les bonnes affaires sont assez rares. Le mercredi est le jour le plus animé, mais il est intéressant de s'y rendre le dimanche pour profiter du Islington Farmers Market qui ouvre entre 10h et 14h.

Columbia Road Flower Market (plan p. 154 ; Columbia Rd E2 ; 7h-13h dim ; Bethnal Green, Cambridge Heath, 26, 48 ou 55). Le marché le plus parfumé de Londres. Les marchands étalent leurs géraniums et leurs pélargoniums entre Gosset St et le pub Royal Oak.

Covent Garden (plan p. 74 ; Covent Garden). Sur la place touristique, les boutiques sont ouvertes tous les jours. Le North Hall abrite l'artisanat et les bibelots. Ne manquez pas le marché d'antiquités dans le Jubilee Hall, le lundi avant 15h. De l'artisanat de qualité est vendu le samedi et le dimanche dans le Jubilee Hall.

Greenwich (plan p. 186 ; College Approach SE10 ; 9h-17h jeu, 9h30-17h30 sam et dim ; DLR Cutty Sark). Ce marché vous offrira quelques heures de shopping relaxant grâce à ses stands d'objets d'occasion pour la maison, de verres décorés, de tapisseries et de jouets en bois. Vous pourrez vous restaurer à mi-parcours à l'un des stands de nourriture. Généraliste le week-end, il est réservé aux antiquités le jeudi.

Leadenhall Market (plan p. 104 ; Whittington Ave EC1 ; 7h-16h lun-ven ; Bank). La visite de ce marché, situé à côté de Gracechurch St, s'impose pour le bâtiment qui l'abrite (voir p. 120) et ses magasins de vêtements, ses boutiques de babioles, son poissonnier, son boucher et son fromager. Sa clientèle provenant de la City, les prix sont assez élevés.

Leather Lane (plan p. 154 ; Leather Lane EC1 ; 10h30-14h lun-ven ; Chancery Lane ou Farringdon). Au sud de Clerkenwell Rd et parallèle à Hatton Garden, Leather Lane attire les employés du quartier avec ses CD, ses DVD et ses cassettes étrangement bon marché, ses appareils ménagers et ses vêtements vendus par des commerçants typiquement cockneys.

Petticoat Lane (plan p. 104 ; Middlesex St et Wentworth St E1 ; 8h-14h dim, Wentworth St 9h-14h lun-ven ; Aldgate, Aldgate East ou Liverpool St). Petticoat Lane a été renommée Middlesex St, mais son marché continue à vendre des marchandises et vêtements bon marché.

Ridley Road (plan p. 160 ; Ridley Rd E8 ; 8h30-18h lun-sam ; Dalston Kingsland). Très apprécié de la communauté afro-caraïbe, ce marché est surtout intéressant pour la grande variété de fruits et légumes exotiques, et pour les spécialités à base de viande.

Riverside Walk (plan p. 130 ; Riverside Walk SE1 ; 10h-17h sam et dim ; Waterloo ou Embankment). Ce marché de livres est ouvert par tous les temps, devant le National Film Theatre, sous les arcades du pont de Waterloo. Vous y trouverez des livres d'occasion épuisés depuis belle lurette à des prix intéressants. En été, il renforce l'impression que la South Bank est devenue une sorte de rive gauche parisienne. Occasionnellement, des particuliers y montent des stands pendant le week-end.

Smithfield (plan p. 104 ; West Smithfield EC1 ; 4h-12h lun-ven ; Farringdon). Le dernier marché de viande de Londres survit encore, après avoir échappé de justesse aux promoteurs en 2005. Il est devenu le plus moderne d'Europe. Il est réservé aux grossistes.

Type même de la maison de couture londonienne indépendante, A&A propose, dans sa boutique de Rosebery Ave, T-shirts originaux, jupes aux motifs floraux délirants, superbes porte-monnaie en cuir, lainages branchés en cachemire et d'autres jolies petites choses. Guettez les soldes, particulièrement intéressants.

BREAD & HONEY

Plan p. 154 Mode et créateurs

☎ 7253 4455 ; www.breadnhoney.com ; 205 Whitecross St ; 🕑 10h-18h lun-sam ; ⊖ Barbican

Adresse inattendue sur Whitecross St, cette boutique est idéale pour acheter des vêtements plus que sympathiques, mode mais accessibles, choisis par les deux propriétaires français : Laurent et Laurent. Parmi le choix de vêtements pour homme on trouve des marques comme Modern Amusement, Stüssy ou Lee.

HOXTON BOUTIQUE

Plan p. 154 Mode et créateurs

☎ 7684 2083 ; www.hoxtonboutique.co.uk ; 2 Hoxton St ; 🕑 10h30-18h30 lun-ven 11h-18h sam ; ⊖ Old St

Le tout dernier cri de la mode *streetwear* pour femme se trouve dans cette boutique ultra-tendance. Isabel Marant, Hussein Chalayan, chaussures Repetto et la marque maison +HOBO+. Les murs blancs, la boule à facettes et l'éclairage au néon sont censés rappeler le Studio 54, une discothèque new-yorkaise.

JUNKY STYLING Plan p. 154 Mode et créateurs

☎ 7247 1883 ; www.junkystyling.co.uk ; 12 Dray Walk, Old Truman Brewery, 91 Brick Lane E1 ; 🕑 11h-17h30 lun-ven 10h30-18h sam et dim ; ⊖ Liverpool St ou Aldgate East

Junky "recycle" des costumes classiques pour en faire des vêtements branchés et originaux, relookant par exemple une veste pour homme en dos-nu pour femme. Pour vous, messieurs, des hauts mi-chemise/mi-T-shirt à manches courtes et des vestes avec manches et capuches de survêtement. Amenez vos propres habits pour les faire transformer.

LADEN SHOWROOMS

Plan p. 154 Mode et créateurs

☎ 7247 2431 ; www.laden.co.uk ; 103 Brick Lane E1 ; 🕑 11h-18h30 lun-ven, jusqu'à 19h sam, 10h30-18h dim ; ⊖ Liverpool St/Aldgate East

Officieusement, Laden donne le *la* du *streatwear* façon Hoxton. C'était autrefois l'un des secrets les mieux gardés de Londres, mais plusieurs célébrités fréquentant l'endroit ont accru sa réputation et celle des 55 créateurs qu'il vend. Une halte parfaite pour une envie de vêtements (homme ou femme).

NO-ONE Plan p. 154 Mode et créateurs

☎ 7613 5314 ; www.no-one.co.uk ; 1 Kingsland Rd E2 ; 🕑 11h-20h lun-sam, 12h-18h dim ; ⊖ Old St ou Liverpool St

Tenue par les propriétaires du bar très branché Dreambagsjaguarshoes (p. 287), cette boutique occupe le bar Old Shoreditch Station. On trouve des créations Eley Kishimoto, Peter Jensen et d'autres marques ultra-tendance pour homme et femme, avec accessoires de mode et chaussures du même acabit.

START Plan p. 154 Mode et créateurs

☎ 7739 3636 ; www.start-london.com ; 42-44 Rivington St ; 🕑 10h30-18h30 lun-ven, 11h-18h sam, 13h-17h dim ; ⊖ Liverpool St ou Old St

"La rencontre de la mode et du rock'n roll" pourrait être le credo de ce groupe de 3 boutiques que l'on doit à l'ancienne guitariste de The Fall, Brix Smith, rockeuse culte qui aime les vêtements *girly*. Les grandes marques – Miu Miu, Helmut Lang – dominent ici mais Brix Smith s'enorgueillit aussi de sa superbe collection de jeans. Tout aussi excellente, Start Menswear (plan p. 154 ; 59 Rivington St), pour les hommes, est de l'autre côté de la rue. Une troisième adresse, Mr Start – Made to Measure (plan p. 154 ; 40 Rivington St), propose un service tailleur (chemises, costumes, cravates, etc.) sur mesure.

LESLEY CRAZE GALLERY

Plan p. 154 Bijoux et accessoires

☎ 7608 0393 ; www.lesleycrazegallery.co.uk ; 33-35a Clerkenwell Green EC1 ; 🕑 10h-17h30 mar-sam ; ⊖ Farringdon

Considérée comme un des hauts lieux européens pour la joaillerie contemporaine et artistique, cette galerie propose des bijoux en métal discrets et parfois coûteux. Vous trouverez également un choix de bracelets, de broches et de bagues (à droite de l'entrée principale) à partir de 20 £ environ.

TATTY DEVINE

Plan p. 154 Bijoux et accessoires

☎ 7739 9191 ; www.tattydevine.com ; 236 Brick Lane E2 ; 🕑 11h-18h mar-dim ; ⊖ Liverpool St

Les bijoux de ce duo formé par Harriet Vine et Rosie Wolfenden sont devenus les préférés des jeunes Londoniens. Boucles d'oreilles en forme de disques et bracelets ornés de médiators (que se sont depuis appropriés les chaînes de prêt-à-porter) ; les pois remplacent les perles sur un collier et les talons aiguilles sont en tricot. Superbes également, les colliers nominatifs en Plexiglas (sur commande ; 25 £). Autre boutique à Soho (plan p. 70 ; 57b Brewer St W1 ; ⊖ Piccadilly Circus) et une nouvelle à Covent Garden (44 Monmouth St WC2 ; ⊖ Covent Garden).

L'EAST END ET LES DOCKLANDS

Le shopping est un peu plus limité dans l'East End, mais les boutiques Burberry et Carhartt attirent néanmoins des clients, tandis que les boutiques et galeries qui longent Columbia Rd E2 (plan p. 160 ; www.colum biaroad.info ; Cambridge Heath, 8 ou 55), généralement ouvertes uniquement le week-end, et, dans une moindre mesure, les magasins du Broadway Market (plan p. 160 ; www.broadwaymarket.co.uk ; London Fields ou Cambridge Heath, 48, 55, 106 ou 394) à Hackney sont parmi les valeurs montantes de la capitale. Une grande galerie commerciale est également aménagée sous les tours aux abords de Canary Wharf, abritant quantité de boutiques haut de gamme, de bars et de restaurants.

BURBERRY FACTORY SHOP

Plan p. 160 — Mode et créateurs

☎ 8328 4287 ; 29-53 Chatham Pl E9 ; 10h-18h lun-sam, 11h-17h dim ; ⊖ Bethnal Green, puis 106 ou 256, Hackney Central

Cet entrepôt Burberry propose des pièces de seconde main, des échantillons de la collection actuelle ou des invendus de la saison précédente. Les prix peuvent être de 50 à 70% moins chers que chez les détaillants, surtout pour les accessoires, notamment les écharpes.

CARHARTT Plan p. 160

Mode et créateurs

☎ 8986 8875 ; www.thecarharttstore.co.uk ; 18 Ellingfort Rd E8 ; 11h-18h mar-sam, 12h-17h dim ; London Fields ou Hackney Central

Jeans et sweat-shirts dans cette enseigne de la célèbre marque de *streetwear*, sous les arches du chemin de fer, au nord de la gare de London Fields. Les prix démarrent à 5 £. Il y a parfois des lancements d'albums et d'autres événements ; consultez le site Internet.

FABRICATIONS

Plan p. 160 — Articles pour la maison

☎ 72758043 ; www.fabrications1.co.uk ; 7 Broadway Market E8 ; 12h-17h mar-ven, 10h-17h30 sam ; London Fields ou Cambridge Heath, 48, 55, 106 ou 394

Le paradis du recyclage, avec beaucoup d'articles "mous" (coussins, tapis...) fabriqués à partir de matériaux aussi inattendus que de vieilles chambres à air de vélo.

LABOUR & WAIT

Plan p. 160 — Articles pour la maison

☎ 7729 6253 ; www.labourandwait.co.uk ; 18 Cheshire St E2 ; 11h-17h mer et ven, 13h-17h sam, 10h-17h dim ; ⊖ Liverpool St ou Aldgate East

Une gamme à la fois simple et fonctionnelle, à l'élégance classique. Labour & Wait est le spécialiste des objets fabriqués à l'ancienne par des artisans indépendants : timbales d'écolier, cafetière en émail, magnifiques couvertures en laine d'agneau, plumeaux en autruche véritable et outils de jardinage. Attention, horaires d'ouverture restreints.

NORTH LONDON

L'énorme marché de Camden regorge de prêt-à-porter bon marché et de babioles pour touristes (voir l'encadré p. 230), ce qui n'empêche pas de se laisser tenter par les boutiques de vêtements qui bordent Camden High Street.

Islington est un autre fief de magasins indépendants, notamment vers le Camden Passage pour les vêtements vintage et Upper St pour les articles domestiques et de créateurs. À proximité, King's Cross est en pleine régénérescence et les chaînes commencent à arriver, mais les emblèmes de l'indépendance, comme Housmans, tiennent bon.

HOUSMANS Plan p. 174

Livres

☎ 78374473 ; www.housmans.com ; 5 Caledonian Rd N1 ; ⊖ King's Cross/St Pancras

Une librairie radicale, établie de longue date, qui propose des livres introuvables chez la plupart des libraires. L'endroit idéal pour faire le plein de livres politiques et sociaux. Le propriétaire est un puits de connaissances sur les environs.

ROSSLYN DELICATESSEN

Plan p. 170 — Alimentation et boissons

☎ 77949210 ; www.delirosslyn.co.uk ; 56 Rosslyn Hill NW3 ; 8h30-20h30 lun-sam, jusqu'à 20h dim ; ⊖ Hampstead ou Belsize Park

La boutique enchanteresse d'Helen Sherman a été élue, à juste titre, meilleure épicerie de Londres à plusieurs reprises. Fantastique sélection de purs délices : pancetta divinement parfumée, chutneys, terrines et légumes marinés. Elle offre en outre des saveurs plus rares comme de la confiture de prunes et de la sauce salade à la mûre. Les gâteaux, les chocolats et le café Union Roasters sont également délicieux.

PAST CARING

Plan p. 174 — Articles pour la maison

76 Essex Rd N1 ; 🕑 12h-18h lun-sam ; ⊖ Angel

Remplie d'un bric-à-brac d'objets rétro d'occasion, des cendriers aux 33 tours des années 1970 en passant par des mannequins et de la porcelaine criarde, cette merveilleuse boutique est si éloignée du monde moderne qu'elle n'a même pas le téléphone.

GILL WING

Plan p. 174 — Articles de cuisine, chaussures, cadeaux et souvenirs

☎ 7226 8012 ; www.gillwing.co.uk ; 190 Upper St N1 ; 🕑 10h-18h ; ⊖ Highbury et Islington

Les boutiques joliment individualisées de Gill Wing ont colonisé cette partie d'Upper St – le magasin de chaussures est apprécié, celui de cadeaux est particulièrement sympathique, mais on aime surtout l'élégant magasin d'articles de cuisine qui fait rêver tous les apprentis-chefs d'Islington.

SAMPLER Plan p. 174 — Vins

☎ 7226 9500 ; www.thesampler.co.uk ; 266 Upper St N1 ; 🕑 11h30-21h lun-sam, 13h-20h dim ; ⊖ Highbury et Islington

Comptant parmi les meilleurs cavistes de Londres, cet établissement vous permet de goûter pas moins de 80 vins différents avant d'acheter. Il suffit de charger une carte et de prendre les échantillons aux machines – de 30 p à 20 £ selon la qualité. Le personnel est sympathique et s'y connaît.

WEST LONDON

La plupart des visiteurs viennent flâner le long de Portobello Rd pour ses antiquaires, ses boutiques de mode branchées, ses brocanteurs et son marché du week-end (voir l'encadré p. 230). Les quartiers huppés de Notting Hill et de Westbourne Grove sont les plus intéressants (mais pas les plus bon marché) pour le shopping et les boutiques de créateurs.

Sinon, l'Ouest londonien est plutôt triste en matière d'achats. Signalons cependant le Shepherd's Bush Market (plan p. 182 ; 🕑 9h30-17h lun-mer, ven et sam, jusqu'à 13h jeu), installé sous la ligne Hammersmith & City, entre les stations de Goldhawk Rd et Shepherd's Bush, ainsi que le superbe Troubadour Delicatessen (plan p. 181 ; ☎ 7341 6341 ; www.troubadour.co.uk ; 265 Old Brompton Rd SW5 ; ⊖ Earl's Court), à côté du café-bar-restaurant du même nom, qui est une bonne adresse pour le vin.

AL SAQI Plan p. 180 — Livres

☎ 7229 8543 ; www.alsaqibookshop.com ; 26 Westbourne Grove W2 ; ⊖ Bayswater

Installé dans un beau bâtiment surmonté d'une dizaine de bustes, ce magasin s'est spécialisé dans les livres en anglais sur le monde arabe et l'Islam. La librairie publie aussi ses propres livres.

BOOKS FOR COOKS Plan p. 180 — Livres

☎ 7221 1992 ; www.booksforcooks.com ; 4 Blenheim Cres W11 ; 🕑 10h-18h mar-sam ; ⊖ Ladbroke Grove

Pour les gastronomes qui se sentent l'âme aventureuse ou exotique, voici tous les secrets des chefs, célèbres ou non. Il y a même un café où l'on peut goûter des recettes, à l'heure du déjeuner ou du thé.

TRAVEL BOOKSHOP Plan p. 180 — Livres

☎ 7229 5260 ; www.thetravelbookshop.co.uk ; 13 Blenheim Cres W11 ; 🕑 10h-18h lun-sam, 12h-17h dim ; ⊖ Ladbroke Grove

Dans cette librairie, qui a servi de modèle pour le film *Coup de foudre à Notting Hill*, s'entassent des guides récents, de la littérature de voyage, des fictions, des livres d'occasion et des livres anciens.

SHARPEYE Plan p. 180 — Mode et créateurs

☎ 72213898 ; www.sharpeye.uk.com ; 15 Portobello Rd W11 ; 🕑 11h-18h lun-ven, 10h-18h30 sam, 12h-17h ; ⊖ Notting Hill Gate

Pour du *streetwear* masculin résistant, essayez les collections urbaines de baggies, T-shirts, shorts et chaussures. Des produits qui durent une éternité.

SPICE SHOP Plan p. 180 — Alimentation et boissons

☎ 7221 4448 ; www.thespiceshop.co.uk ; 1 Blenheim Cres W11 ; 🕑 9h30-18h lun-sam, 11h-15h dim ; ⊖ Ladbroke Grove

Vous ne trouvez nulle part le sumac turc, le poivre du Sichuan ou l'ajowan africain dont vous avez désespérément besoin pour une recette ? Vous trouverez tout cela dans ce "magasin d'épices", à deux pas de Portobello Rd, ainsi que des centaines d'autres épices, herbes et huiles essentielles.

CERAMICA BLUE

Plan p. 180 Articles pour la maison

☎ 7727 0288 ; www.ceramicablue.co.uk ; 10 BlenheimCres W11 ; 🕑 10h-18h30 lun-sam, 12h-17h dim ; ⊖ Ladbroke Grove

Un magasin de porcelaine accueillant qui propose de la vaisselle colorée en provenance de plus d'une douzaine de pays, comme, entre autres, des tasses à thé coquille d'œuf japonaises ou des plateaux décorés de dessins tribaux sud-africains.

GREENWICH ET SOUTHEAST LONDON

À Greenwich, vous entrez dans l'univers des boutiques de vêtements vintage et des bouquinistes. Les seconds semblent surgir à chaque pas. Quant aux premières, elles sont meilleur marché que dans le West End. On peut aussi trouver des articles rétro pour la maison et des boutiques de cadeaux aux alentours du DLR Cutty Sark.

EMPORIUM Plan p. 186 Mode et créateurs

☎ 8305 1670 ; 330-332 Creek Rd SE10 ; 🕑 10h30-18h mer-dim ; DLR Cutty Sark

Du rétro pour elle et lui, avec des vitrines remplies de bijoux fantaisie, de vieux flacons de parfum et de chapeaux de paille et des portants où se mêlent de superbes vestes et blazers.

ARTY GLOBE Plan p. 186 Cadeaux et souvenirs

☎ 0793 912 0686 ; www.artyglobe.com ; 2a Greenwich Market ; 🕑 11h-18h ; DLR Cutty Sark

Les dessins arrondis de divers quartiers de Londres (et d'autres villes, dont New York, Paris et Berlin), réalisés par l'architecte Hartwig Braun, sont de véritables œuvres d'art et apparaissent partout : sur des cabas, des carnets, des sous-verres, des mugs, des puzzles, etc. Tous sont disponibles dans ce magasin minuscule et font d'excellents cadeaux.

COMPENDIA Plan p. 186 Cadeaux et souvenirs

☎ 8293 6616 ; www.compendia.co.uk ; 10 Greenwich Market ; 🕑 11h-17h30 lun-ven, à partir de 10h sam et dim ; DLR Cutty Sark

Un magasin rempli jusqu'au plafond de jeux du monde entier : backgammon, échecs, Scrabble, solitaires et carroms (la version assise indienne du billard).

ROULLIER WHITE

Plan p. 66 Articles pour la maison, cadeaux et souvenirs

☎ 8693 5150 ; www.roullierwhite.com ; 125 Lordship Lane SE22 ; 🕑 10h-18h lun-sam, 11h-17h dim ; 🚆 West Dulwich, 🚌 40 ou 176

Un magasin très "retour aux vraies valeurs" avec plancher au sol et étagères de style victorien où sont entreposés des ustensiles et des cadeaux provenant de fabricants souvent oubliés (chaussons, verres, serviettes, produits d'entretien). Vaut le détour.

SOUTH LONDON

Le Brixton Market (voir l'encadré p. 230) est le principal attrait des adeptes du shopping dans South London. Vous pouvez aussi jeter un œil chez Joy (plan p. 194 ; ☎ 7787 9616 ; 432 Coldharbour Lane SW11 ; 🕑 10h-19h30 lun-sam, 11h-19h dim; ⊖ Brixton), boutique de vêtements et d'accessoires originaux.

À Clapham, plusieurs commerces intéressants sont installés près du terrain communal, notamment la boutique de cadeaux Oliver Bonas (plan p. 194 ; ☎ 7720 8272 ; www.oliverbonas.com ; 23 The Pavement SW4 ; ⊖ Clapham Common) et le magasin de chaussures Bullfrogs (plan p. 194 ; ☎ 7627 4123 ; 9 The Pavement SW4 ; ⊖ Clapham Common).

Pour vous approvisionner en produits alimentaires de qualité, optez pour Northcote Rd, à Wandsworth.

SOUTHWEST LONDON

Le shopping à Fulham et à Parson's Green réserve peu de surprises, sauf quelques magasins de meubles et de tissus de créateurs, comme Mufti (☎ 7610 9123 ; 789 Fulham Rd SW6 ; ⊖ Parson's Green). Pour les antiquités, rendez-vous dans la partie nord de Munster Rd. À North End Road Market (🕑 9h-17h lun-sam ; ⊖ Fulham Broadway ou West Brompton), vous trouverez des produits de base – fruits et légumes, vêtements, ustensiles pour la maison – à des prix abordables.

Embourgeoisé, le secteur de Putney est truffé de chaînes lugubres auxquelles on préfèrera les boutiques de Church Rd et de High St à Barnes. Ainsi Blue Door (☎ 8748 9785 ; www.bluedoor barnes.co.uk ; 74 Church Rd ; 🚆 Barnes), qui vend un superbe mobilier de facture française et suédoise. Si vous voulez faire plaisir à vos enfants, essayez les magasins de jouets Farmyard (☎ 8878 7338 ; www.thefarmyard.co.uk ; 63 Barnes High St ; 🕑 9h30-17h30 lun-sam ; 🚆 Barnes) et Bug Circus (☎ 8741 4244 ; 153 Church Rd ; 🕑 9h30-17h30 lun-sam ; 🚆 Barnes).

À LA CHAÎNE

Les enseignes étrangères, comme Diesel, Gap, H&M, Mambo, Mango, Morgan, Muji et Zara sont légion à Londres. Le Royaume-Uni compte également de nombreuses chaînes nationales de vêtements et de chaussures, dont certaines sont citées ci-dessous. La plupart de ces magasins sont ouverts du lundi au mercredi de 10h à 20h, du jeudi au samedi de 10h à 21h et le dimanche de 12h à 19h.

French Connection UK (plan p. 94 ; ☎ 7629 7766 ; 396 Oxford St W1 ; ⊖ Bond St). Ses vêtements sont plus sages que ne le suggère son nom (FCUK) ou ses affiches de pub.

Jigsaw (plan p. 94 ; ☎ 7491 4484 ; 126-127 New Bond St W1 ; ⊖ Bond St). Ligne classique pour femme, avec spécialité de tweeds et lainages, quelques mousselines et paillettes.

Joseph (plan p. 140 ; ☎ 7823 9500 ; 77 Fulham Rd SW3 ; ⊖ South Kensington). Pantalons et tailleurs-pantalons raffinés, et une foultitude d'autres articles.

Karen Millen (plan p. 74 ; ☎ 7836 5355 ; 32-33 James St WC2 ; ⊖ Covent Garden). Des vêtements pour femmes élégantes – robes de soirée glamour et tailleurs-pantalons chics.

Marks & Spencer (plan p. 94 ; ☎ 7935 7954 ; www.marksandspencer.co.uk ; 458 Oxford St W1 ; ⊖ Bond St). De remarquables incursions dans la mode ont débarrassé la chaîne de son image de spécialiste des petites culottes.

Miss Selfridge (plan p. 94 ; ☎ 7927 0188 ; 325 Oxford St W1 ; ⊖ Oxford Circus or Bond St). Mode jetable pour adolescentes, fun à défaut d'être éthique.

Oasis (plan p. 74 ; ☎ 7240 7445 ; 13 James St WC2 ; ⊖ Covent Garden). Une mode inspirée directement des podiums.

Office (plan p. 74 ; ☎ 7379 1896 ; 57 Neal St WC2 ; ⊖ Covent Garden). Des chaussures qui tiennent la route.

Reiss (plan p. 70 ; ☎ 7637 9111 ; www.reiss.co.uk ; 14-17 Market Pl W1 ; ⊖ Oxford Circus). En pleine ascension (de même que ses prix) Reiss donne à la mode de la rue un caractère plus abouti, grâce à des matières de qualité et une finition précise.

Warehouse (plan p. 74 ; ☎ 7240 8242 ; 24 Long Acre WC2 ; ⊖ Covent Garden ou Leicester Sq). À mi-chemin entre Topshop et Oasis.

Richmond High Street est remplie de chaînes, mais quelques magasins indépendants sont disséminés autour. Citons YDUK (plan p. 212 ; ☎ 8940 0060 ; 4 the Square TW9 ; ⊖ Richmond) pour le *streetwear*. Une enclave de ruelles pavées abrite des bijouteries, dont Toko (plan p. 212 ; ☎ 8332 6620 ; 18 Brewers Lane TW9 ; ⊖ Richmond).

À Chiswick, vous pourrez acheter de délicieux aliments chez Mortimer & Bennett (☎ 8995 4145 ; www.mortimerandbennett.co.uk ; 33 Turnham Green Tce W4 ; 🕑 9h30-18h lun-ven, 8h30-17h30 sam ; ⊖ Turnham Green) ou, le dimanche, au Chiswick Farmers and Fine Foods Market (Masonian Bowls Hall, Duke's Meadow W4 ; 🕑 10h-14h dim ; ⊖ Turnham Green). Autre spécialité locale : les antiquités. Essayez Strand Antiques (☎ 8994 1912 ; 46 Devonshire Rd W4 ; ⊖ Turnham Green) ou Old Cinema (☎ 8995 4166 ; 160 Chiswick High Rd W4 ; ⊖ Turnham Green).

OÙ SE RESTAURER

La sélection

- **Bocca di Lupo** (p. 240)
- **Giaconda Dining Room** (p. 243)
- **Tayyabs (p. 261)**
- **Pearl Liang** (p. 268)
- **Lucio** (p. 254)
- **Modern Pantry** (p. 257)
- **Café Spice Namaste** (p. 260)
- **El Faro** (p. 262)
- **Roussillon** (p. 255)
- **Fish House** (p. 262)
- **Ottolenghi** (p. 267)
- **Afghan Kitchen** (p. 267)
- **Franco Manca** (p. 274)

OÙ SE RESTAURER

Londres est la capitale culinaire incontestée du Royaume-Uni et, en termes de diversité des cuisines proposées, l'un des meilleurs endroits d'Europe pour manger exotique. Quel que soit le plat que vous désiriez manger, il y a peu de chance que vous ne trouviez pas un restaurant pour vous le servir. Il faut dire que la situation s'est nettement améliorée ces dernières décennies. L'image traditionnelle de la cuisine anglaise (petits-déjeuners gras, *fish and chips* à l'odeur rance, viandes bouillies immangeables…) appartient désormais au passé. À vrai dire, Londres a rattrapé, et parfois même dépassé, ses voisins européens.

Que s'est-il donc passé ? Les chefs de pacotille ont rendu leur tablier, pour être remplacés par une nouvelle génération de chefs brillants et habiles, parmi lesquels Gordon Ramsay, Gary Rhodes, Heston Blumenthal et Jamie Oliver. Les restaurants novateurs ont progressivement relevé la barre et la concurrence a suivi. Des produits frais, fermiers et bio sont apparus sur les marchés, le personnel a été formé à un service professionnel et les designers ont été mis à contribution pour créer les adresses parmi les plus branchées et esthétiques du monde. La cuisine, sous toutes ses formes, est devenue tendance et chacun veut participer à cette nouvelle scène.

Ce qui ne veut pas dire que vous ne mangerez plus de frites grasses, de légumes trop cuits, ni de plâtrées indigestes, notamment dans les pubs (même si la multiplication depuis les années 1990 des *gastropubs*, les "pubs gastronomiques", limite aussi les risques en la matière), mais, grâce à des chefs aux influences cosmopolites, vous aurez plus de chances de trouver le monde dans votre assiette.

Ne vous attendez pas, en revanche, à un bon rapport qualité/prix. On débourse aussi facilement 40 £ par personne pour un dîner raffiné dans un restaurant italien que pour un plat "européen moderne" qui semble être tout droit passé du congélateur au micro-ondes ! D'un autre côté, on peut aussi dépenser très peu pour un repas pakistanais à Whitechapel, turc à Dalston ou chinois sur les Docklands, qui réjouit le palais et le cœur.

À moins de savoir où aller ou de disposer d'un bon guide, la déception risque d'être au rendez-vous. Nous avons donc séparé le bon grain de l'ivraie en indiquant dans ce chapitre les meilleurs cafés et restaurants, qui se distinguent par leur emplacement, leur cadre original, leur rapport qualité/prix et, bien sûr, la qualité de leur cuisine. Toutes les catégories sont représentées, du petit restaurant sympathique aux établissements prestigieux.

LA TRADITION CULINAIRE ANGLAISE

Certes, Londres est la capitale du pays qui a inventé les *beans on toast*, la *jelly*, les *mushy peas* (purée de petits pois) et les *chip butties* (frites entre deux tranches de pain blanc non grillé), mais l'histoire ne s'arrête pas là. Bien préparée – qu'il s'agisse du rosbif du dimanche accompagné de Yorkshire puddings (gâteaux légers à base de pâte à crêpe à manger avec le jus de viande) ou d'un cornet de *fish and chips* mangé sur le pouce – la cuisine anglaise peut être succulente. Et avec l'émergence de la cuisine moderne britannique, elle est même en train de gagner ses lettres de noblesse.

Le pub est l'endroit de prédilection pour découvrir les plats traditionnels peu chers, mais de qualité variable, comme le *pork pie* (petite tourte au porc haché), le *Cornish pastie* (tourte de la Cornouaille anglaise, en forme de croissant, avec dés de viande, pommes de terre et oignons), le *steak and kidney pie* (tourte avec dés de steak et de rognons) et le *shepherd's pie* (équivalent du hachis Parmentier à l'agneau). En général, un menu de pub affiche aussi des *bangers and mash* (saucisses, purée et jus de viande), des *sausage rolls* (sortes de friands à la saucisse) et le *ploughman's lunch* (le "déjeuner du laboureur", une assiette composée d'épaisses tranches de pain, de *chutney*, d'oignons en saumure – ou *pickles* – de cheddar ou de fromage du Cheshire). Pour le dessert, place à des valeurs sûres, véritables bombes caloriques : *bread and butter pudding* (pudding de tranches de pain perdu), *steamed pudding* (pudding de pain à la vapeur qui ne sera pas réussi sans graisse de bœuf) servi avec du *treacle* (sirop de sucre brun) ou de la confiture, et, un autre pudding à la vapeur parsemé de raisins de Corinthe, le *spotted dick*, servi avec de la *custard*.

Cependant, le plus *british* des plats reste incontestablement le *fish and chips* : du cabillaud, du carrelet ou de l'églefin frit en beignet accompagnés de frites arrosées de vinaigre et saupoudrées de sel. L'arrivée des chaînes américaines a mis à mal cette tradition et les bons vieux stands de *fish and chips*, les "*chippies*", se font rares. Certains ont cependant résisté et des points de vente corrects parsèment encore aujourd'hui la ville.

Le déjeuner traditionnel du Londonien, depuis le milieu du XIXe siècle jusqu'aux années 1950, consistait en une tourte à l'anguille (alors abondante dans la Tamise) épicée, servie avec de la purée et une sauce persillée. Aujourd'hui, les tourtes sont généralement garnies de viande, et l'anguille, fumée ou en gelée, est servie en accompagnement. Si vous voulez goûter ces délices, l'encadré p. 258 vous donne une liste des meilleurs *pie 'n' mash shops*.

Dernière tendance à la mode, la cuisine moderne britannique est bien plus que "des classiques comme les saucisses-purée, la graisse en moins", comme l'a déclaré un béotien. La cuisine moderne britannique prend des ingrédients traditionnels tels que les légumes racines, le poisson fumé, les crustacés, le gibier et autres viandes, voire les saucisses ou le *black pudding* (sorte de boudin noir à l'avoine et aux épices) et les combine de manière à accentuer leur goût. Les plats proposés sont donc variés : du gibier servi avec des légumes traditionnels comme les topinambours à l'anguille de Norfolk aux petites galettes de sarrasin, en passant par les Saint-Jacques grillées au *black pudding* à l'orange ou encore le rôti de porc au chorizo sur une purée au romarin.

CUISINE VÉGÉTARIENNE

Londres est depuis longtemps une très bonne destination pour les végétariens. Cela tient essentiellement à ses nombreux restaurants indiens, dont la cuisine s'adapte à ceux qui ne mangent pas de viande pour des raisons religieuses. La plupart des établissements proposent au moins quelques plats pour les clients ne mangeant pas de viande (nous avons indiqué dans le commentaire lorsque le choix est bon), mais il y a aussi une bonne dizaine de restaurants uniquement végétariens. Vous pourrez tester Blah Blah Blah (p. 271), Blue Légume (p. 267), Eat & Two Veg (p. 249), Gate (p. 271), Manna (p. 264), Mildred's (p. 241), Place Below (p. 250), Rasa (p. 267), Red Veg (p. 243) et Woodlands (p. 266).

RENSEIGNEMENTS PRATIQUES

Horaires d'ouvertures

Même si les Londoniens préfèrent dîner tôt, le plus souvent entre 19h et 21h30, les horaires des repas sont assez variables. De nombreux restaurants de catégorie moyenne restent ouverts toute la journée, mais la plupart servent le déjeuner de 12h à 14h30 ou 15h et le dîner de 18h ou 19h à 23h (dernières commandes à 22h). Les horaires peuvent varier selon les quartiers ; à Soho, par exemple, les restaurants ferment souvent le dimanche, tandis qu'ils n'ouvrent qu'en semaine à la City. Nous avons indiqué les horaires des restaurants quand ils s'éloignent de la norme, mais il est prudent de téléphoner pour vérifier.

Tarifs

Manger au restaurant à Londres coûte beaucoup plus cher qu'ailleurs en Europe. Un dîner pour deux dans un restaurant chic avec trois plats à la carte accompagnés d'une bouteille de bon vin rouge atteindra facilement 200 £. Vous pouvez pourtant savourer un très bon repas pour deux fois moins cher si vous arrivez à l'heure où une formule est proposée (le midi, avant les pièces de théâtre, etc.). Et, en choisissant bien, un bon dîner pour deux avec du vin revient à peu près à 40 £ par personne. Afin de vous donner un ordre d'idée, notre guide mentionne pour chaque adresse le prix du menu ou du plat principal.

Réservations

Si la réservation n'est (instamment) recommandée que du jeudi au samedi dans les restaurants du centre de Londres, il est en revanche préférable de réserver dans les établissements les plus en vogue. Toptable (www.toptable.co.uk) est un service de réservation fiable qui offre des réductions intéressantes

LE GUIDE DES PRIX

Les symboles ci-dessous indiquent le prix moyen d'un plat principal dans le restaurant mentionné.

£££	plus de 20 £
££	entre 10 et 20 £
£	moins de 10 £

dans certains établissements. La plupart des restaurants chics proposent deux services, généralement de 19h à 21h et de 21h à 23h. Mieux vaut toujours opter pour le second, afin de pouvoir s'attarder.

Pourboire

Désormais, la plupart des restaurants ajoutent automatiquement 12,5 % (le plus souvent) pour le service. Cela doit faire l'objet d'une ligne sur l'addition, toutefois cette somme n'est que "recommandée" ou "laissée à la discrétion du client" (rien ne vous oblige donc à en tenir compte si vous n'avez pas apprécié le service).

Faire son marché

Différents marchés (p. 263), des petits marchés de producteurs (p. 255), des épiceries fines et des magasins bio offrent de bons produits dans tout Londres. Par ailleurs, les grands supermarchés (Tesco, Sainsbury, Waitrose) ont de petites enseignes où vous pourrez faire vos courses de base.

LE WEST END

Ce secteur, qui comprend des quartiers aussi divers que Soho, Mayfair, Bloomsbury et Marylebone, est difficile à cerner, mais comporte les restaurants les plus variés, les plus branchés et, tout simplement, les meilleurs de la ville. Toutefois, les établissements qui bordent les rues touristiques sont souvent médiocres, les meilleures adresses se cachant généralement derrière des devantures discrètes dans des rues secondaires. Vous trouverez de tout ici, de la cuisine hongroise aux spécialités coréennes, de la haute cuisine aux cafés végétariens. Chinatown est bien sûr l'endroit idéal pour des plats chinois ou asiatiques bon marché.

SOHO ET CHINATOWN

LA TROUVAILLE Plan p. 70 — Français £££

☎ 7287 8488 ; www.latrouvaille.co.uk ; 12a Newburgh St W1 ; menu déj 2/3 plats 17/20 £, dîner 30/35 £ ; fermé dim ; ⊖ Oxford Circus

Un restaurant qui porte bien son nom. Situé dans une petite rue en retrait, il propose de délicieux plats français dans un cadre splendide et chaleureux, idéal pour un dîner aux chandelles. Un aperçu du menu : terrine de caille au foie gras, pintade en cocotte…

BAR SHU Plan p. 70 — Chinois ££

☎ 7287 8822 ; www.bar-shu.co.uk ; 28 Frith St W1 ; plats 7,90-28 £ ; ⊖ Leicester Sq

On raconte qu'un homme d'affaires de Chengdu, capitale de la province du Sichuan (Chine), en visite à Londres, trouva les restaurants chinois si fades qu'il décida d'ouvrir son propre établissement avec 5 chefs de son pays. Les plats relevés de piment fumé et de l'ingrédient roi de cette cuisine, le poivre de Sichuan, sont on ne peut plus authentiques. Savourez le poulet épicé *gung bao* sauté aux arachides, ou le *mapo doufu* (carrés de tofu mijotés avec du porc haché et force piment rouge).

VEERASWAMY Plan p. 70 — Indien ££

☎ 7734 1401 ; www.veeraswamy.com ; 1er ét, 99 Regent St (entrée sur Swallow St) W1 ; plats 10-20 £ ; ⊖ Piccadilly Circus

Ce sélect restaurant de curry, ouvert en 1926, se targue d'être le plus ancien du Royaume-Uni. Il est tenu par le même patron que le Masala Zone (p. 267), et la qualité de sa cuisine est toujours aussi remarquable. Parmi les grandes réussites et favoris de la clientèle, le *biryani* d'agneau d'Hyderabad longuement mijoté et le bar à la mode du Kerala.

ARBUTUS Plan p. 70 — Européen moderne ££

☎ 7734 4545 ; www.arbutusrestaurant.co.uk ; 63-64 Frith St W1 ; plats 14-19 £ ; ⊖ Tottenham Court Rd

Le restaurant étoilé au Michelin d'Anthony Demetre propose une délicieuse cuisine britannique, met l'accent sur les produits saisonniers et ne cesse de s'améliorer. Essayez des plats aussi inventifs que le "burger" de calmar et maquereaux, le mijoté d'agneau, les ris de veau et artichauts… et ne manquez pas le menu déjeuner de trois plats à seulement 15,50 £, ou 17,50 £ pour un dîner de trois plats avant ou après le théâtre. Réservation bien à l'avance indispensable.

BOCCA DI LUPO Plan p. 70 — Italien ££

☎ 7734 2223 ; www.boccadilupo.com ; 12 Archer St W1 ; plats 8,50-17,50 £ ; ⊖ Piccadilly Circus

Nouveau restaurant italien ayant déjà conquis les papilles des Londoniens, Bocca di Lupo niche son élégante sophistication dans une rue sombre de Soho. La carte propose des plats tels que le *cacciucco* (ragoût de poisson et crustacés aux tomates épicées), les langoustines grillées et citronnées ou les pâtes au foie de volaille, mais vous y trouverez aussi des classiques comme l'espadon grillé

LES CAFÉS DE SOHO

Le seul quartier de Londres dont les cafés sophistiqués puissent rivaliser avec ceux du continent fut longtemps considéré comme un lieu de débauche. C'est là que furent établies les premières *coffee houses* à l'époque victorienne, mais c'est dans les années 1960 que débuta l'âge d'or des cafés de Soho.

Bar Italia (plan p. 70 ; ☎ 7437 4520 ; 22 Frith St W1 ; sandwichs 4,50-7 £ ; 🕑 24h/24 ; ⊖ Leicester Sq ou Tottenham Court Rd). Entrez à n'importe quelle heure du jour ou de la nuit dans ce café, le plus couru de Soho, et vous êtes sûr d'apercevoir des célébrités en train de boire un jus de fruit revigorant et de déguster un délicieux panini dans le cadre rétro des années 1950.

Maison Bertaux (plan p. 70 ; ☎ 7437 6007 ; 28 Greek St W1 ; gâteaux 3-3,50 £ ; 🕑 8h30-22h30 lun-sam, jusqu'à 20h dim ; ⊖ Tottenham Court Rd). Bertaux, installé ici depuis 130 ans, propose des desserts exquis, un service nonchalant et une ambiance bohème française. Il n'y a que cinq ou six tables.

Monmouth Coffee Company (plan p. 74 ; ☎ 7836 5272, 7379 3516 ; www.monmounthcoffee.co.uk ; 27 Monmouth St WC2 ; pâtisseries à partir de 2,50 £ ; 🕑 8h-18h30 lun-sam ; ⊖ Tottenham Court Rd ou Leicester Sq). La vocation première de Monmouth est de vendre des grains de café de tous les pays du monde, mais il dispose aussi de quelques alcôves en bois au fond de la boutique où vous pourrez vous faire une petite place pour déguster les précieux nectars.

Star Café (plan p. 70 ; ☎ 7437 8778 ; www.thestarcafe.co.uk ; 22 Great Chapel St W1 ; plats 6-9 £ ; 🕑 7h-16h lun-ven ; ⊖ Tottenham Court Rd). Ce café extrêmement chaleureux aux murs couverts d'anciennes publicités et à la déco continentale donne la sensation que rien n'a changé depuis son ouverture en 1933. Il est surtout connu pour ses petits-déjeuners, notamment pour le Tim Mellor Special, composé de saumon fumé et d'œufs brouillés. Très Soho...

ou la *parmigiana*. Bon choix de vins italiens et desserts fantastiques.

GAY HUSSAR Plan p. 70 — Hongrois ££

☎ 7437 0973 ; www.gayhussar.co.uk ; 2 Greek St W1 ; plats 10-17 £ ; 🕑 fermé dim ; ⊖ Tottenham Court Rd

La salle lambrissée aux murs ornés de brocart et de photographies sépia vous fait voyager dans le Soho des années 1950, époque où l'on aimait encore dîner dans un cadre grand style. Les plats sont riches et les portions gargantuesques, comme la cuisse de canard rôtie et ses légumes ou le "Gypsy quick dish", un médaillon de porc aux oignons et aux poivrons verts. Un déjeuner de 2/3 plats revient à 17/19,50 £.

ANDREW EDMUNDS Plan p. 70 — Européen moderne ££

☎ 7437 5708 ; 46 Lexington St W1 ; plats 9-18 £ ; ⊖ Piccadilly

Voici un petit restaurant douillet qu'on aimerait trouver partout à Soho. Les panneaux de bois sur les murs de ses 2 étages lui donnent une plaisante touche bohème. Quant à sa carte, mélange de cuisine française (confit de canard) et européenne rustique (penne au fromage de chèvre), c'est un vrai régal. C'est l'une des meilleures adresses de Soho, la réservation est donc impérative.

YAUATCHA Plan p. 70 — Dim sum ££

☎ 7494 8888 ; 15 Broadwick St W1 ; dim sum 3,80-15,90 £ ; ⊖ Oxford Circus

L'immeuble Ingeni, auréolé d'un prix d'architecture, abrite ce prestigieux établissement en deux parties, dédié aux *dim sum* (raviolis chinois salés ou sucrés). À l'étage, le salon de thé est un havre de paix à l'ambiance bleutée, loin du chaos du marché de Berwick St, et les pâtisseries en vitrine sont de toute beauté. L'espace restauration du rez-de-chaussée offre une ambiance plus chic, éclairée par une constellation de lampes étoilées au plafond ; on peut y déguster à toute heure un délicieux menu *dim sum* (décliné de trois façons : à la vapeur, frits, et *cheung fun* – crêpe de farine de riz sous forme d'un long rouleau fourré de viande, de fruits de mer ou de légumes).

MILDRED'S Plan p. 70 — Végétarien £

☎ 7494 1634 ; www.mildreds.co.uk ; 45 Lexington St W1 ; plats 7-9 £ ; 🕑 fermé dim ; ⊖ Oxford Circus

La table végétarienne la plus créative du centre de Londres est bondée à l'heure du déjeuner. N'hésitez donc pas à partager une table pour déguster la terrine de fenouil braisé et pois chiches, la potée de lentilles du Puy, ou plus simplement des salades et des légumes sautés servis en portions généreuses. Boissons : jus de fruits, café, bière et vins bio.

PRINCI Plan p. 70 Italien £

☎ 7478 8888 ; www.princi.co.uk ; 135 Wardour St W1 ; plats 6-9 £ ; 🕑 7h-minuit lun-ven ; ⊖ Oxford Circus

Princi est issu de la rencontre entre Alan Yau (qui est à l'origine du Wagamama, du Busaba Eathai, de l'Hakkasan et du Yauatcha) et l'Italien Rocco Princi, propriétaire d'une adresse similaire à Milan. Les deux hommes se sont associés pour créer un établissement de restauration rapide italienne simple et de qualité avec des mets présentés élégamment et vendus à prix raisonnables. C'est une vraie réussite (même si les plats chauds sont plus enthousiasmants que la boulangerie) – essayez la soupe de haricots, les énormes lasagnes, les gnocchis au pesto ou la savoureuse *parmigiana*. Le bar à salades offre des produits de saison et les gâteaux sont délicieux. L'endroit étant toujours plein malgré des heures d'ouverture étendues, attendez-vous à faire la queue et à avoir du mal à trouver un siège, mais le jeu en vaut la chandelle.

FERNANDEZ & WELLS
Plan p. 70 Européen, espagnol £

☎ 7734 1546 ; www.fernandezandwells.com ; 43 Lexington St W1 ; plats 4-14 £ ; ⊖ Oxford Circus

Fernandez & Wells est une bonne mini-chaîne de Soho, qui compte trois restaurants, situés à 200 m maximum les uns des autres, dans des locaux sympathiques et élégants. Celui-ci propose des déjeuners simples et des dîners à base de *jamón* (jambon) espagnol, de viandes séchées et d'assiettes de fromage accompagnées de vin de qualité. Les sandwichs au chorizo grillé sont parfait pour un déjeuner sur le pouce et les copieux petits-déjeuners sont aussi appréciables (jusqu'à 11h). L'endroit est souvent très fréquenté, avec une ambiance tranquille et des places en terrasse. Les deux autres adresses, sont le Café (☎ 7287 8124 ; 73 Beak St ; ⊖ Oxford Circus) et l'Espresso Bar (☎ 7494 4242 ; 16a St Anne's Court W1 ; ⊖ Oxford Circus), qui proposent tous deux des sandwichs et un très bon café.

NEW WORLD Plan p. 70 Chinois £

☎ 7734 0677 ; 1 Gerrard Pl W1 ; plats 6,50-9,90 £ ; ⊖ Leicester Sq

Si vous avez une grosse envie de *dim sum*, les 3 étages du New World ne vous décevront pas. Toutes les bonnes vieilles recettes traditionnelles sont à votre portée, sur le chariot qui passe et repasse dans la salle à manger : du *ha gau* (ravioli aux crevettes) au *pai gwat* (travers de porc à la vapeur). Ouvert tous les jours de 11h à 18 h.

BARRAFINA Plan p. 70 Espagnol £

☎ 7813 8016 ; www.barrafina.co.uk ; 54 Frith St W1 ; tapas 4,20-9,50 £ ; ⊖ Tottenham Court Rd

Les tapas sont toujours meilleures en Espagne, mais la qualité des produits et le fait qu'elles semblent de plus en plus populaire justifie leur prix, un peu élevé pour des amuse-gueules servis avec les boissons. Outre les *gambas al ajillo* (crevettes à l'ail ; 7,50 £), dégustez des choses plus subtiles comme le tartare de thon et les cailles rôties servies avec de l'aïoli. Si vous n'êtes toujours pas rassasié, optez pour une grande assiette de charcuterie espagnole (5 à 17,50 £).

NOSH BAR Plan p. 70 Juif £

☎ 7734 5638 ; 39 Great Windmill St W1 ; plats 4-6 £ ; ⊖ Piccadilly Circus

Célèbre institution de Soho dans les années 1940 et 1950, le Nosh revoit le jour dans une version plus chic. Il sert encore de vieux classiques juifs comme le bagel au salt beef (sorte de pastrami, tendre et juteux), garni de *pickles* (légumes au vinaigre), ou encore les *latkes* (galettes de pommes de terre), la soupe de poulet et les cheese-cakes juifs, le tout à déguster en observant l'animation de Soho par la vitrine.

MILK BAR Plan p. 70 Café £

☎ 7287 4796 ; 3 Bateman St W1 ; plats 4-6 £ ; ⊖ Tottenham Court Rd

Jumeau du populaire café Flat White (☎ 77340370 ; www.flat-white.co.uk ; 17 Berwick St, London, W1), le Milk Bar a sans conteste le personnel le plus sympathique, composé de Néo-Zélandais tranquilles (d'où l'abondance de cafés à la mode des antipodes, comme le *flat white*). C'est l'un des meilleurs petits-déjeuners du centre de Londres, avec de grandes omelettes, des *beans on toast* maison, du porridge, des crêpes aux fruits et au miel, etc., toujours à moins de 5 £. Le café est également délicieux et le thé servi dans des tasses anciennes dépareillées.

NORDIC BAKERY Plan p. 70 Scandinave £

☎ 3230 1077 ; www.nordicbakery.com ; 14a Golden Sq W1 ; plats 3-4 £ ; ⊖ Oxford Circus

Cet endroit sombre, tout en boiseries, est idéal pour échapper au chaos de Soho. Après un sandwich au poisson fumé scandinave, vous pourrez prendre un café/thé et gâteau l'après-midi. Les petits pains à la cannelle sont très appréciés au petit-déjeuner. Vous pouvez également vous asseoir sur le petit banc à l'extérieur et profiter du calme de Golden Sq.

Autres recommandations :

Red Veg (plan p. 70 ; ☎ 7437 3109 ; www.redveg.com ; 95 Dean St W1 ; plats 2,95-4,35 £ ; 12h-21h30 lun-sam, jusqu'à 18h30 dim ; ⊖ Tottenham Court Rd). Délicieux fast-food végétarien (hamburgers, falafels et sandwichs).

Kulu Kulu (plan p. 70 ; ☎ 7734 7316 ; 76 Brewer St W1 ; sushi 1,50-3,60 £ ; ⊖ Piccadilly Circus). Une adresse simple et animée, juste en retrait de Piccadilly Circus, qui offre les meilleurs sushis sur tapis roulant de Londres.

COVENT GARDEN ET LEICESTER SQUARE

J SHEEKEY

Plan p. 74 — Poissons et fruits de mer £££

☎ 7240 2565 ; www.j-sheekey.co.uk ; 28-32 St Martin's Ct WC2 ; plats 11,75-37,50 £ ; ⊖ Leicester Sq

Perle de la scène culinaire londonienne, ce restaurant très chic remonte à 1896. Il dispose de quatre vastes pièces lambrissées et élégantes à l'ambiance feutrée, où vous pourrez déguster de délicieux poissons finement cuisinés. La tourte au poisson (*fish pie*, 11,75 £) a mérité sa réputation légendaire, bien que le ragoût de poisson de Cornouailles soit tout aussi bon. En semaine, la formule déjeuner (3 plats) est à 24,75 £.

PORTRAIT Plan p. 74

Britannique £££

☎ 7312 2490 ; www.npg.org.uk/live/portrest.asp ; 3e ét, St Martin's Pl WC2 ; plats 13,95-28,95 £ ; restaurant 11h30-15h tlj et 17h30-20h30 jeu et ven, salon et bar 10h-17h sam-mer, 10h-22h (dernière commande plats 20h30) jeu-ven ; ⊖ Charing Cross

Ce restaurant superbement situé, au-dessus de la fascinante National Portrait Gallery (p. 78), avec une vue sur Trafalgar Sq et Westminster, est l'endroit idéal pour un bon repas après une visite de la galerie qui contient les portraits des Tudors. Mais pourquoi ne pas venir pour le brunch ? Cette formule 2/3 plats n'est qu'à 19,95/24,95 £. Les horaires d'ouverture du restaurant sont malheureusement limités, on ne peut dîner que le jeudi et le vendredi (et assez tôt).

RULES Plan p. 74

Britannique traditionnel ££

☎ 7836 5314 ; www.rules.co.uk ; 35 Maiden Lane WC2 ; plats 16,95-21 £ ; ⊖ Covent Garden

Fondé en 1798, ce restaurant est le plus ancien de Londres. Très chic et *so british*, Rules s'est spécialisé dans la cuisine du gibier (entre mi-août et janvier, on y sert des milliers d'oiseaux provenant de son domaine), mais le poisson figure aussi au menu. Les puddings traditionnels, comme les *trifles* et les *treacles*, sont accompagnés de crème anglaise.

GREAT QUEEN STREET

Plan p. 74 — Britannique ££

☎ 7242 0622 ; 32 Great Queen St WC2 ; plats 9-18 £ ; ⊖ Covent Garden ou Holborn

Comptant parmi les meilleures adresses de Covent Garden, le Great Queen St est le jumeau de l'Anchor & Hope (p. 250) à Waterloo. Saisonnière (et renouvelée quotidiennement), la carte met l'accent sur la qualité des produits et le côté roboratif des plats – il y a toujours de délicieux ragoûts et potées, des rôtis et des plats de poisson simples. L'ambiance est animée, avec un petit bar à l'étage inférieur, et l'on peut aussi bien y venir avec un groupe d'amis – pour se régaler d'un rôti pour cinq – que pour un dîner intime à deux (voire tout seul). Les serveurs connaissent les plats et la carte des vins est bonne. Il est essentiel de réserver.

GIACONDA DINING ROOM

Plan p. 74 — Européen moderne ££

☎ 7240 3334 ; www.giacondadining.com ; 9 Denmark St ; plats 9-13 £ ; ⊖ Tottenham Court Rd

Une pièce minuscule près de Charing Cross Rd, où l'on sert l'une des meilleures cuisines du quartier, avec des plats simples : demi-poulet frites, poisson frais du jour, savoureux tartare… La carte des vins est correcte et les clients ont droit à une carafe d'eau pétillante. Service sympathique.

ROCK & SOLE PLAICE

Plan p. 74 — Fish and chips £

☎ 7836 3785 ; 47 Endell St WC2 ; plats 4,50-14 £ ; ⊖ Covent Garden

Cette boutique de *fish and chips* remontant à l'époque victorienne est tout ce qu'il y a de plus de simple : tables de bois sous les arbres (en été) et déco sans chichi à l'intérieur. Ses poissons (cabillaud, églefin ou raie) légèrement passés dans la pâte à frire avant d'être plongés dans l'huile sont délicieux et accompagnés d'une généreuse portion de frites.

ASSA Plan p. 74

Coréen £

☎ 72408256 ; 53 St Giles High St WC2 ; plats 5,50-9 £ ; fermé déj dim ; ⊖ Tottenham Court Rd

Le meilleur parmi 3 restaurants coréens situés derrière le célèbre mais disgracieux bâtiment Centre Point, Assa attire par ses petits prix une clientèle de jeunes Asiatiques sympathiques qui se régalent de soupes de nouilles et de *bibimbab* (riz dans un bol brûlant, recouvert de fines tranches de bœuf et de légumes salés, le tout agrémenté de pâte de soja pimentée). Le puissant *soju* (le saké coréen) est aussi de la partie.

BAOZI INN Plan p. 74 — Chinois £

☎ 7287 6877 ; 25 Newport Court WC2 ; plats 6-7 £ ; ⊖ Leicester Sq

Le petit frère du Bar Shu a sa propre personnalité et une carte originale (et bon marché). Décoré dans un style rétro jouant la carte du kitsch façon Chine populaire, avec de vieux chants communistes chinois en fond sonore, il propose de la cuisine chinoise de rue de qualité, avec des plats comme les nouilles *dan dan* (servies avec du bœuf épicé) faites à la main quotidiennement. Une adresse authentique, savoureuse et bon marché qui constitue donc une vraie perle dans un Chinatown souvent peu fiable.

JEN CAFÉ
Plan p. 74 — Chinois £

☎ 7287 9708 ; 7-8 Newport Pl WC2 ; plats 5-7,95 £ ; 🕑 11h-20h30 lun-mer, jusqu'à 21h30 jeu-dim ; ⊖ Leicester Sq

La meilleure adresse pour une soupe maison aux *wonton* (raviolis chinois) ou d'autres raviolis. Un coup d'œil derrière la vitre où ils sont préparés vous rassurera sur leur fraîcheur ! Pas d'alcool.

PRIMROSE BAKERY
Plan p. 74 — Salon de thé £

☎ 7836 3638 ; www.primrosebakery.org.uk ; 42 Tavistock St WC2 ; gâteaux 2,70 £ ; ⊖ Covent Garden

Covent Garden accueille enfin un salon de thé digne de ce nom. Certes, il est minuscule et ne compte que trois tables, mais cela n'empêche pas les clients de s'y presser pour déguster l'une des nombreuses variétés de thés et gâteaux et de discuter durant des heures pendant que des vapeurs appétissantes s'échappent de la cuisine en bas. Le petit-déjeuner à 1,70 £ (toasts et confiture ou *Marmite* – pour ceux qui aiment !) est d'un excellent rapport qualité/prix. La déco fait un peu Amérique des années 1950, mais sans sombrer dans le kitsch.

SCOOP Plan p. 74 — Café £

☎ 7240 7086 ; www.scoopgelato.com ; 40 Shorts Gardens WC2 ; glaces 2,50-5 £ ; 🕑 8h-23h ; ⊖ Covent Garden

La file d'attente à l'extérieur peut s'étirer longuement dans la rue les week-ends d'été et cela n'a rien d'étonnant car il s'agit de la première vraie *gelateria* du centre de Londres. Des myriades de parfums sont proposées (pistache, noix de coco, mangue, chocolat noir et d'autres bien plus exotiques), tous les ingrédients sont naturels et les portions, copieuses.

Autres recommandations :

Canela (plan p. 74 ; ☎ 7240 6926 ; www.canelacafe.com ; 33 Earlham St WC2 ; plats 7,50-8,90 £ ; ⊖ Covent Garden). Petit café servant de savoureux plats portugais et brésiliens.

Wahaca (plan p. 74 ; ☎ 7240 1883 ; www.wahaca.com ; 66 Chandos Pl WC2 ; plats 3,50-6,50 £ ; 🕑 12h-15h30 et 17h30-23h lun-sam, 12h-15h30 et 17h30-22h30 dim ; ⊖ Covent Garden). Cette cantine, qui se définit volontiers comme "un petit resto au coin d'un marché mexicain" en plein Londres, propose une cuisine assez authentique.

HOLBORN ET LE STRAND

MATSURI Plan p. 74 — Japonais £££

☎ 7430 1970 ; www.matsuri-restaurant.com ; Mid City Place, 71 High Holborn WC1 ; menus 22-45 £ ; 🕑 fermé dim ; ⊖ Holborn

L'atmosphère de cet authentique restaurant japonais de grande classe, en bordure de la City, peut sembler un peu austère, bien que la cuisine y soit excellente. Au rez-de-chaussée, on y trouve un bar à sushis et une salle au cadre élégant, et, au sous-sol une vaste salle *teppanyaki* (tables avec plaques de cuisson), où les repas sont préparés avec sérieux par le chef Hiroshi Sudo. Le choix de plats est très large.

SHANGHAI BLUES Plan p. 74 — Chinois ££

☎ 7404 1668 ; www.shanghaiblues.co.uk ; 193-197 High Holborn WC1 ; plats 9,50-42 £ ; ⊖ Holborn

L'ancienne St Giles Library abrite désormais un des restaurants chinois les plus sélects de Londres. Très impressionnante, la décoration intérieure sombre – mobilier noir ou bleu ponctué par des paravents rouges brillants – évoque un Shanghai impérial revu au goût du jour. La carte est tout aussi surprenante, notamment par ses *dim sun* "new style" servis en amuse-bouche, le canard *pipa* (canard laqué aux fruits exotiques) ou la poitrine de porc cuite deux fois. Le choix de thés (certains très rares) est également vaste. En semaine, le déjeuner (3 plats) est à 15 £ ; jazz live en soirée le vendredi et le samedi.

ASADAL Plan p. 74 — Coréen £

☎ 7430 9006 ; www.asadal.co.uk ; 227 High Holborn WC1 ; plats 6,50-11,50 £ ; fermé déj dim ; ⊖ Holborn

Les amateurs de cuisine coréenne qui aimeraient un peu plus de sophistication qu'à l'Assa (p. 244) seront comblés par ce restaurant occupant un sous-sol très spacieux à côté de la station de métro Holborn. Les *kimchi* (choux chinois pimentés servis en condiment) sont relevés à point. Quant aux grillades (7 à 11,50 £) à cuire sur votre table chauffante et au *bibimbab* (riz dans un bol brûlant recouvert de fines tranches de bœuf, de légumes salés et de pâte de soja pimentée), ce sont les meilleurs de la ville.

BLOOMSBURY

NORTH SEA FISH RESTAURANT

Plan p. 84 — Fish and chips ££

☎ 7387 5892 ; 7-8 Leigh St WC1 ; plats 9-19 £ ; fermé dim ; ⊖ Russell Sq

La seule ambition de ce restaurant est de vous servir du poisson frais accompagné de pommes de terre. Il s'y emploie avec sérieux et l'on y mange, entre autres, de forts bons filets de carrelet ou de flétan, frits ou grillés, accompagnés d'énormes portions de frites. Si manger dans la salle sans âme ne vous dit rien, la boutique à emporter est juste à côté.

ABENO Plan p. 84 — Japonais £

☎ 7405 3211 ; 47 Museum St WC1 ; plats 6,50-12,80 £ ; ⊖ Tottenham Court Rd

Ce restaurant discret est spécialisé dans l'*okonomiyaki*, une savoureuse crêpe japonaise, garnie avec les ingrédients de votre choix (il y en a une vingtaine environ, dont de la viande en morceaux, divers légumes, des œufs, des nouilles et du fromage) et préparée sur la plaque chauffante de votre table. Choix de formules pour le déjeuner (de 7,80 à 12,80 £).

HUMMUS BROS Plan p. 84 — Moyen-oriental £

☎ 7404 7079 ; www.hbros.co.uk ; Victoria House, 37-63 Southampton Row WC1 ; plats 2,50-6 £ ; ⊖ Holborn

Cette mini chaîne très populaire propose des bols bien nourrissants d'houmous à accompagner à votre choix de bœuf ou de poulet, et servis avec du pain *pita* bien chaud.

FITZROVIA

HAKKASAN Plan p. 70 — Chinois £££

☎ 7907 1888, 7927 7000 ; 8 Hanway Pl W1 ; plats 9.50-42 £ ; ⊖ Tottenham Court Rd

Ce restaurant en sous-sol, caché dans une ruelle, brille par sa renommée, sa déco sensationnelle, ses cocktails délicieux et sa cuisine chinoise très recherchée. Il fut d'ailleurs le premier restaurant chinois à recevoir une étoile au Michelin. L'éclairage de night-club (beaucoup de lueurs rouges) lui confère une atmosphère idéale pour les rendez-vous galants, tandis que le long bar invite à s'attarder sur un cocktail créatif. Pour dîner dans la salle d'apparat, vous devrez réserver longtemps à l'avance et on ne vous accordera sans doute pas plus de 2 heures. Pour éviter ces désagréments, préférez, comme les sages Londoniens, l'heure du déjeuner et la salle moins guindée du *lounge* Ling Ling.

OOZE Plan p. 70 — Italien £

☎ 7436 9444 ; www.ooze.biz ; 62 Goodge St W1 ; plats 5-14 £ ; fermé dim ; ⊖ Goodge St

Temple du risotto, ce restaurant, qui se qualifie lui-même de "risotteria", propose aussi de bons plats de pâtes, des viandes et des plats saisonniers italiens, ainsi que des glaces maison. C'est une adresse sympathique, avec une déco simple et de bon goût, ainsi qu'une belle carte des vins. Pris d'assaut par les employés des bureaux voisins à l'heure du déjeuner.

ROKA Plan p. 70 — Japonais ££

☎ 7580 6464 ; www.rokarestaurant.com ; 37 Charlotte St W1 ; plats 10-19 £ ; ⊖ Goodge St ou Tottenham Court Rd

Dans ce splendide restaurant japonais, prenez place sur des bancs de bois pour un dîner décontracté composé de savoureux mets grillés sous vos yeux sur le *robatayaki* (grill) qui occupe le centre de l'espace. La déco est moderne, toute d'acier et de verre. Sushi entre 5 et 9 £ ; formule déjeuner à 37 £.

FINO Plan p. 70 — Espagnol ££

☎ 7813 8010 ; www.finorestaurant.com ; 33 Charlotte St (entrée sur Rathbone St) W1 ; tapas 2-17 £ ; ⊖ Goodge St ou Tottenham Court Rd

Plébiscité à juste titre par la critique, Fino représente la bonne cuisine espagnole dans une ville remplie de bars à tapas mornes et dépourvus de toute créativité. Installé dans une magnifique salle en sous-sol, Fino se veut un restaurant de tapas différent. Pour un festival d'imagination et de saveurs espagnoles, essayez les topinambours cuisinés à la menthe, la tortilla aux crevettes et à l'ail sauvage ou le foie gras avec sa confiture de piments.

RASA SAMUDRA Plan p. 70 Indien £

☎ 7637 0222 ; www.rasarestaurants.com ; 5 Charlotte St W1 ; plats 6,25-12,95 £ ; fermé déj dim ; ⊖ Goodge St ou Tottenham Court Rd

Ce restaurant rose bonbon à deux pas d'Oxford St fait la part belle aux fruits de mer que l'on trouve au Kerala (à la pointe méridionale de l'Inde), sans pour autant délaisser les plats végétariens plus classiques (8 sur 14 plats principaux proposés). Les soupes de poisson sont excellentes, les pains délicieux et les divers currys magnifiquement épicés. La même équipe gère le restaurant végétarien de l'Inde du Sud Rasa (p. 267) dans Stoke Newington.

BUSABA EATHAI Plan p. 70 Thaïlandais £

☎ 7299 7900 ; 22 Store St WC1 ; plats 6,40-8,90 £ ; ⊖ Goodge St

Cette chaîne appréciée du West End possède plusieurs enseignes, dont l'une à Wardour St (plan p. 70 ; ☎ 7255 8686 ; 106-110 Wardour St ; ⊖ Tottenham Court Rd), mais celle-ci, plus calme, est notre préférée. Dès l'extérieur, un somptueux menu thaï sur écran électronique vous fait de l'œil, et, à l'intérieur, de grandes tables communes atténuent le décor surchargé. Le cadre n'est pas propice aux dîners en tête-à-tête, mais il est tout à fait adapté à des nouilles ou autres plats sautés servis (en général) rapidement.

ST JAMES'S

NOBU Plan p. 88 Japonais £££

☎ 7447 4747 ; www.noburestaurants.com ; 1er ét, Metropolitan Hotel, 19 Old Park Lane W1 ; plats 7-33 £, déj/dîner à partir de 50/70 £ ; ⊖ Hyde Park Corner

Une réservation des mois à l'avance s'impose pour manger ici, mais il faut dire que c'est le principal aimant à célébrités de la ville. Il a récemment fait les gros titres des journaux en faisant apparaître une ligne dans sa carte disant que le thon rouge, l'un de ses produits phares, étant une espèce menacée, il était conseillé de demander "une autre solution" aux serveurs. Le restaurant est l'objet de pressions depuis des années pour qu'il arrête de servir du thon rouge, mais toutes les protestations sont restées lettre morte. Quel que soit votre avis sur la question, Nobu n'en reste pas moins l'un des meilleurs restaurants asiatiques de Londres. Le décor est minimaliste, le service discret et efficace, et les sushis et sashimis superbement préparés et présentés. Le lieu noir au *miso* (pâte de soja) et le *kobumaki* au saumon sont également divins.

INN THE PARK Plan p. 88 Britannique ££

☎ 7451 9999 ; www.innthepark.com ; St James's Park ; plats 15 £ ; 8h-23h dim-jeu, 9h-23h ven-sam ; ⊖ Trafalgar Sq

Ce magnifique café-restaurant en bois du St James's Park (p. 91) est tenu par le brillant Irlandais Oliver Peyton et propose thé et gâteaux, ainsi qu'une solide cuisine traditionnelle britannique de qualité. Les places supplémentaires sous les arbres pour le café et la nouvelle terrasse sur le toit sont parfaites, mais rien ne vaut un dîner sur place, lorsque le parc a retrouvé son calme et qu'il est à peine éclairé. C'est l'un des plus beaux endroits de Londres.

MAYFAIR

GORDON RAMSAY AT CLARIDGE'S

Plan p. 94 Britannique moderne £££

☎ 7499 0099, 7592 1373 ; www.gordonramsay.com ; 55 Brook St W1 ; déj 3 plats/dîner 30/70 £ ; ⊖ Bond St

L'association du plus grand hôtel et du chef le plus réputé de Londres est exceptionnelle. Installez-vous dans la superbe salle à manger Art déco pour une expérience mémorable : le foie gras mariné au porto blanc et le filet d'agneau de pré-salé aux noix cristallisées et au cumin vous fera tourner la tête, sans oublier les fromages français, anglais et irlandais, présentés chacun dans leur chariot. Le menu de dégustation (6 plats) est à 80 £.

GREENHOUSE

Plan p. 94 Européen moderne £££

☎ 7499 3331 ; www.greenhouserestaurant.com ; 27a Hay's Mews W1 ; menu déj 2/3 plats 25/29 £, menu dîner 3 plats 65 £ ; déj lun-ven, dîner lun-sam ; ⊖ Green Park

Dans les *mews* (anciennes écuries royales) au fond d'un superbe "jardin" sculpté, le Greenhouse (la serre) occupe un bâtiment de prime abord incongru, qui n'en offre pas moins une des meilleures cuisines de Mayfair, servie avec simplicité, ce qui n'est pas toujours le cas des restaurants de cette classe. Ses ris de veau aux noisettes et le lièvre aux truffes noires sont un régal. Le menu dégustation (80 £) s'adresse aux esprits aventureux ou aux appétits d'ogre. Les petits extras gratuits – des amuse-gueule aux petits fours sucrés en passant par le sorbet entre les plats – sont si nombreux que vous ne décollerez sans doute plus de votre chaise.

SKETCH Plan p. 70 — Européen moderne £££

☎ 0870 777 4488 ; www.sketch.uk.com ; 9 Conduit St W1 ; plats Gallery 18-32 £, plats Lecture Room & Library 39-55 £ ; fermé dim ; ⊖ Oxford Circus

L'ensemble de bars et restaurants installés dans l'ancien *showroom* de Christian Dior à Mayfair attire toujours les *fashionistas*, les curieux et les nantis. Au sous-sol, le restaurant Gallery vous accueille entre ses murs blancs chatoyants sur lesquels sont projetés des vidéos artistiques. Au rez-de-chaussée, le Glade est l'endroit pour déjeuner à un prix raisonnable (2/3 plats 20/26 £) et la pâtisserie Parlour, à droite, de l'entrée principale sert des thés et des gâteaux délicieux. Mais la principale attraction reste le Lecture Room & Library à l'étage, dont le décor somptueux, la haute cuisine et les trois étoiles au guide Michelin du chef Pierre Gagnaire attirent une clientèle chic. À l'étage, vous trouverez l'East Bar, que complètent les toilettes les plus originales de Londres.

WOLSELEY Plan p. 70 — Européen moderne £££

☎ 74996996 ; www.thewolseley.com ; 160 Piccadilly W1 ; plats 10-36 £ ; 7h-minuit lun-ven, 8h-minuit sam, 8h-23h dim ; ⊖ Green Park

Un ancien salon d'exposition de Bentley s'est transformé en une opulente brasserie de style viennois. Ses chandeliers dorés et son carrelage à damiers blancs et noirs lui donnent une allure folle et vous avez de grandes chances d'y croiser au passage quelques visages connus. Venez de préférence y prendre un petit-déjeuner, un brunch ou un thé, plutôt qu'un déjeuner ou un dîner, qui sont parfois un peu lourds (choucroute à l'Alsacienne, escalope viennoise). Le personnel en impeccable habit noir sera plus enclin à vous trouver une table. Les formules du jour sont à 15,75 £.

MOMO Plan p. 70 — Nord-africain ££

☎ 7434 4040 ; www.momoresto.com ; 25 Heddon St W1 ; plats 15-24 £, menu déj 2/3 plats 15/19 £ ; ⊖ Piccadilly Circus

Pour un dépaysement total au cœur du West End, rendez-vous dans cet établissement nord-africain chaleureux et exubérant, agrémenté de coussins et de lampes, dans lequel les serveuses dansent et jouent du tambourin. C'est le jumeau du 404 qui attire le tout-Paris dans le Marais. Un drôle d'endroit dont l'ambiance convient à toutes les occasions, des dîners romantiques aux folles soirées de bureau. Le personnel est charmant et les plats sont exotiques à souhait : après les mezze, oubliez le traditionnel tajine et tentez la délicieuse pastilla (tourte au pigeon parfumée à la noix de muscade). Pendant les mois les plus chauds, la petite rue tranquille devient une agréable terrasse.

VILLANDRY Plan p. 94 — Européen moderne ££

☎ 7631 3131 ; www.villandry.com ; 170 Great Portland St W1 ; plats 12-24 £ ; fermé dîner dim ; ⊖ Great Portland St

Cet excellent restaurant de cuisine moderne européenne, aux forts accents français, se double d'une très bonne épicerie fine (sans oublier un bar) ; la fraîcheur et la qualité des ingrédients sont donc garanties. Savourez un cassoulet ou l'un des nombreux plats de poisson du jour.

WILD HONEY Plan p. 94 — Européen moderne ££

☎ 7758 9160 ; www.wildhoneyrestaurant.co.uk ; 12 St George St W1 ; plats 14-20 £, menus 19-22 £ ; ⊖ Oxford Circus ou Bond St

Cette adresse reçoit constamment de bonnes critiques depuis des années pour sa cuisine et son vin, son ambiance tranquille et son service professionnel. Jumeau de l'**Arbutus** (p. 240), le Wild Honey propose des plats inventifs, comme la salade de crabe aux pêches blanches et aux amandes, et d'autres plus classiques comme la poitrine de porc mijotée ou le poulet rôti aux légumes, mais tous sont préparés à la perfection. Les desserts vont de la glace au miel sauvage, aux délicieuses fraises anglaises les mois d'été. La carte changeant selon les saisons, des surprises sont possibles.

SAKURA Plan p. 70 — Japonais £

☎ 7629 2961 ; 9 Hanover St W1 ; plats 7-12 £ ; ⊖ Oxford Circus

À toute heure du jour, vous trouverez quelque chose à votre goût dans ce restaurant japonais authentique : sushis et sashimis (2-5 £), *tempura* (beignets de crevettes, poisson et légumes), *sukiyaki* (fondue à base de viande de bœuf) et formules variées (9-24 £). En face, un petit centre commercial japonais comprend une épicerie, un café-restaurant et un pub.

KERALA Plan p. 70 — Indien £

☎ 7580 2125 ; 15 Great Castle St W1 ; plats 5-10 £ ; ⊖ Oxford Circus

Oxford Circus a beau ne pas être vraiment l'endroit pour manger indien, ce petit bijou mérite une place ici pour son excellente cuisine de l'Inde du Sud. Essayez ses délicieux *biryanis* ou son curry de crevettes *masala*.

WESTMINSTER

CINNAMON CLUB Plan p. 88 Indien £££

☎ 7222 2555 ; www.cinnamonclub.com ; Old Westminster Library, 30 Great Smith St SW1 ; plats 11-32 £ ; fermé déj sam et tout le dim ; ⊖ St James's Park

Les hauts plafonds, les verrières, le parquet et la mezzanine remplie de livres évoquent l'époque où cette salle était la Westminster Library. Le personnel discret et empressé participe à cette illusion. Dans une atmosphère de club colonial, on vous servira une cuisine indienne moderne mais digne d'un rajah.

VINCENT ROOMS

Plan p. 88 Européen moderne £

☎ 7802 8391 ; www.westking.ac.uk ; Westminster Kingsway College, Vincent Sq SW1 ; plats 6-9 £, menu 3 plats 24 £ ; déj 12h-13h lun-ven, dîner 17h-19h mar et jeu, en périodes scolaires uniquement ; ⊖ Victoria

Quel bonheur de servir de cobayes aux apprentis chefs du Westminster Kingsway College, où le célébrissime Jamie Oliver a fait ses classes ! Le service, quoiqu'un peu nerveux, est attentionné, l'ambiance étonnamment élégante, tant dans la "Brasserie" que dans l'"Escoffier Room", et la cuisine (avec des choix pour les végétariens) va du très correct au parfois délicieux.

MARYLEBONE

LOCANDA LOCATELLI Plan p. 94 Italien £££

☎ 7935 9088 ; www.locandalocatelli.com ; 8 Seymour St W1 ; plats 20-29,50 £ ; ⊖ Marble Arch

Ce restaurant sombre mais tranquillement glamour, dans un hôtel sans grand intérêt de Marble Arch, reste l'une des tables les plus célèbres de Londres. Il ne serait pas étonnant que vous puissiez voir quelques célébrités saluées par le chef Giorgio Locatelli durant votre repas. Locatelli est connu pour ses pâtes, qui sont divines mais tout de même chères (plat 20-25 £). Cela ne semble toutefois pas gêner l'élégante clientèle internationale. Réservation nécessaire plusieurs semaines à l'avance.

PROVIDORES & TAPA ROOM

Plan p. 94 Fusion £££

☎ 7935 6175 ; www.theprovidores.co.uk ; 109 Marylebone High St W1 ; plats 18-26 £ ; ⊖ Baker St ou Bond St

Un restaurant sur deux niveaux : au rez-de-chaussée, d'irrésistibles tapas (2,80 à 15 £) ; à l'étage, une élégante salle à manger à l'ambiance feutrée, où sont servis des plats innovants espagnols ou de toute autre inspiration. L'endroit est si populaire qu'il ressemble souvent à une ruche ; ne venez pas pour une conversation tranquille au-dessus d'une assiette de chorizo et de piments !

REUBENS Plan p. 94 Juif ££

☎ 7486 0035 ; www.reubensrestaurant.co.uk ; 79 Baker St W1 ; plats 10-24 £ ; fermé après déj ven et tout le sam ; ⊖ Baker St

Ce café-restaurant très central offre tous les délices de la cuisine ashkénaze, dont le *gefilte fish* (poisson farci) et les *latkes* (galettes de pommes de terre). On peut y déjeuner aussi bien d'un sandwich que d'un repas très élaboré (et substantiel). Les prix ne sont pas donnés, mais tout est certifié kacher.

IL BARETTO Plan p. 94 Italien ££

☎ 7486 7340 ; www.ilbaretto.co.uk ; 43 Blandford St W1 ; plats 9-22 £ ; fermé dîner dim ; ⊖ Bond St

S'il a changé de propriétaire plusieurs fois, ce restaurant est toujours resté italien. Son dernier avatar, Il Baretto, est une trattoria sans prétention qui semble séduire les Londoniens avec ses bonnes pizzas au feu de bois et ses plats italiens simples, comme les pennes à la sauce tomate et saucisse. Il s'aventure aussi parfois dans des territoires plus excitants, comme avec la langoustine grillée. L'ambiance animée et les ingrédients venus tout droit d'Italie ne gâchent rien.

WALLACE Plan p. 94 Français ££

☎ 7563 9505 ; www.wallacecollection.org ; Hertford House, Manchester Sq W1 ; plats 12,50-18 £ ; 10h-17h dim-jeu, 10h-23h ven et sam ; ⊖ Bond St ; ♿

Peu de restaurants jouissent d'un emplacement aussi idyllique que cette brasserie française ! Vous la trouverez installée dans la cour de la Wallace Collection (p. 94), ce splendide petit musée d'art et d'histoire, ignoré de la plupart des Londoniens. Les menus de saison du chef Thierry Laborde (étoilé au guide Michelin) représentent un véritable tour des régions françaises (32 à 36 £ pour 3 plats).

EAT & TWO VEG Plan p. 94 Végétarien ££

☎ 7258 8595 ; www.eatandtwoveg.com ; 50 Marylebone High St W1 ; plats 10-12 £ ; ⊖ Baker St

Vous vivrez une superbe expérience végétarienne au Eat & Two Veg. L'espace lumineux et aéré, le personnel souriant évoquent une cafétéria américaine contemporaine. La carte est internationale : curry vert thaï, ragoût de Langkawi (île malaisienne de la mer d'Andaman) et "saucisses"-purée ou "cheeseburger"-frites si bien imités qu'ils tromperaient même les carnivores. Grand choix également pour les végétaliens.

NATURAL KITCHEN Plan p. 94 Bio £

☎ 7486 8065 ; 77-78 Marylebone High St W1 ; plats 8-10 £ ; ⊖ Bond St

Une adresse correcte et pratique pour faire une pause entre deux magasins sur Marylebone High Street. La boutique bio – avec ses produits frais, ses viandes, vins et produits divers – dispose d'un restaurant au 1er étage. Petits-déjeuners d'un bon rapport qualité/prix (3-5 £) à base de porridge, de yaourts aux fruits et granola, et d'œufs avec mouillettes. Un brunch est aussi proposé toute la journée (environ 7 £), en plus des déjeuners.

GOLDEN HIND Plan p. 94 Fish and chips £

☎ 7486 3644 ; 73 Marylebone Lane W1 ; plats 6,90-10,60 £ ; 🕑 fermé déj sam et tout le dim ; ⊖ Bond St

Ce vieux *chippie* installé ici depuis 90 ans est un classique du genre : robustes tables et bancs de bois, où les ouvriers du bâtiment côtoient les hommes d'affaires. Et de la bassine à friture digne d'un musée sortent les meilleurs *cod and chips* (cabillaud et frites) de Londres.

Autre recommandations :

Ping Pong (plan p. 94 ; ☎ 7009 9600 ; www.pingpongdimsum.com ; 10 Paddington St W1 ; dim sum à partir de 3 £, formules déjeuner 10-13 £ ; ⊖ Baker St). L'adresse à Marylebone d'une chaîne à la mode (6 restaurants), populaire pour le déjeuner ou le dîner à la sortie du travail.

Le Pain Quotidien (plan p. 94 ; ☎ 7486 6154 ; www.lepainquotidien.com ; 72-75 Marylebone High St W1 ; plats 6,25-10,50 £ ; ⊖ Baker St). Café de la chaîne belge, au style simple et épuré, qui propose autour de tables communes une sélection de tartines (7 à 10 £) accompagnées de salades et de soupes.

LA CITY

Les restaurants du cœur financier de Londres s'adressent bien entendu à une clientèle d'affaires et, à quelques exceptions près, il peut être difficile de trouver où se restaurer le week-end, voire même un soir en semaine. Mais les quartiers voisins de Shoreditch, Spitalfields et Clerkenwell devenant de plus en plus résidentiels, il y a désormais un bon choix de restaurants sur place.

SWEETING'S

Plan p. 104 Poissons et fruits de mer ££

☎ 7248 3062 ; 39 Queen Victoria St EC4 ; plats 12,50-25 £ ; 🕑 déj lun-ven ; ⊖ Mansion House

Depuis sa création dans les années 1830, Sweeting's est une institution de la City. Avec sa petite salle, son carrelage au sol et ses étroits comptoirs derrière lesquels attendent des garçons en tablier blanc, l'atmosphère n'a guère changé. À la carte figurent du saumon sauvage fumé, des huîtres (entre septembre et avril), une terrine de crevettes, des anguilles et la fameuse spécialité maison, le *fish pie* (tourte au poisson, 12,50 £).

WHITE SWAN PUB & DINING ROOM

Plan p. 104 Gastropub ££

☎ 7242 9696 ; www.thewhiteswanlondon.com ; 108 New Fetter Lane EC4 ; plats de pub 9,50-14 £ ; 🕑 fermé sam et dim ; ⊖ Chancery Lane

Ressemblant à tous les autres pubs de la City depuis la rue, l'intérieur du White Swan est tout sauf quelconque : l'élégant bar au sous-sol propose une excellente cuisine de pub (10 £ pour un plat avec un verre de vin blanc) à déguster sous l'œil attentif des trophées de chasse ; le restaurant à l'étage propose une carte britannique classique, avec beaucoup de viande (repas 2/3 plats 24/29 £).

PATERNOSTER CHOP HOUSE

Plan p. 104 Britannique ££

☎ 7029 9400 ; www.paternosterchophouse.com ; Warwick Ct, Paternoster Sq EC4 ; plats 16,50-20 £ ; 🕑 fermé tout sam et dîner dim ; ⊖ St Paul's

Tout proche de la cathédrale Saint-Paul, ce vaste grill haut de gamme vous promet un repas délicieusement *british*. Vous aurez le choix entre la viande du jour (19 £), des crustacés et des grillades en abondance et d'autres plats traditionnels tel le *bubble and squeak* (reste de légumes après le rôti, frits) et le *haggis* (panse de brebis farcie). Le brunch du dimanche (12 à 16h) est un *carvery*, un buffet où l'on vous découpera des tranches de viande froide à accompagner d'autres mets.

ROYAL EXCHANGE GRAND CAFÉ & BAR

Plan p. 104 Européen moderne ££

☎ 7618 2480 ; www.danddlondon.com ; Royal Exchange Bank, Threadneedle St EC3 ; plats 10-19 £ ; 🕑 8h-23h lun-ven ; ⊖ Bank

Dans ce café installé au milieu de la cour couverte de la splendide Royal Exchange Bank, vous n'aurez que l'embarras du choix : sandwichs, huîtres (à partir de 10,75 £ la demi-douzaine), sole de Douvres rôtie (18 £) et poitrine de porc (à partir de 12 £). L'endroit est parfait pour un rendez-vous de travail informel.

WINE LIBRARY

Plan p. 104 — Européen moderne ££

☎ 7481 0415 ; www.winelibrary.co.uk ; 43 Trinity Sq EC3 ; formules 16,45 £ ; 11h30-14h30 lun-ven, 17h-20h30 mar ; ⊖ Tower Hill

Une adresse idéale dans la City pour un déjeuner léger mais bien arrosé. Dans la cave voûtée et bien garnie de ce restaurant, choisissez vous-même votre bouteille que vous paierez au prix de détail normal (majoré de 6,50 £ de droit de bouchon). Une délicieuse assiette de pâtés, fromages et salades (16,45 £) l'accompagnera.

PLACE BELOW

Plan p. 104 — Végétarien £

☎ 7329 0789 ; www.theplacebelow.co.uk ; Église St Mary-le-Bow, Cheapside EC2 ; plats 3-8 £ ; 7h30-15h lun-ven ; ⊖ Mansion House

Ce ravissant restaurant végétarien est installé dans la crypte de l'une des plus célèbres anciennes églises de Londres. La carte, qui va des quiches aux sandwichs au levain, change quotidiennement.

SOUTH BANK

Régénérée et riche de ses atouts majeurs – la Tate Modern, la réplique du Globe Theatre et le splendide Millennium Bridge –, South Bank abrite aujourd'hui en plus nombre de restaurants intéressants. Beaucoup, dont l'Oxo Tower et le Butler Wharf Chophouse, tirent avantage de leur emplacement sur le fleuve pour offrir un peu de romance avec le dîner. Borough et Bermondsey, quartiers importants dans le passé mais par la suite laissés à l'abandon, n'ont plus l'image de provinces où l'on mange que des anguilles fumées ou en gelée ; vous pourrez très bien vous retrouver dans le décor tendance d'un pavillon des halles de l'époque victorienne, à déguster des huîtres ou un bon steak.

WATERLOO

OXO TOWER RESTAURANT & BRASSERIE

Plan p. 130 — International moderne £££

☎ 7803 3888 ; www.harveynichols.com ; 8e ét, Barge House St SE1 ; plats 17-33 £, menu déj brasserie 2/3 plats 21,50/24,50 £, menu déj restaurant 3 plats 33,50 £ ; ⊖ Waterloo

La reconversion de l'ancienne Oxo Tower en logements, avec ce restaurant au 8e étage n'a pas été sans effet sur la renaissance de la scène culinaire de South Bank. Le premier rang de l'incroyable terrasse vitrée offre sans doute la plus belle vue de Londres et l'on paie ici davantage le panorama que la cuisine fusion, que ce soit dans la brasserie ou dans le restaurant (encore plus cher). La carte est composée pour moitié de spécialités de poisson : bar confit aux gnocchis de truffes, dorade grise à l'escabèche…

SKYLON

Plan p. 130 — International moderne ££

☎ 7654 7800 ; www.skylonrestaurant.co.uk ; 3e ét, Royal Festival Hall, South Bank Centre, Belvedere Rd SE1 ; repas restaurant 2/3 plats 37,50/42,50 £, plats grill 11,50-16,50 £ ; grill 12h-23h, restaurant déj tlj et dîner jusqu'à 22h30 lun-sam ; ⊖ Waterloo

Dans cet immense restaurant, au-dessus du Royal Festival Hall rénové, un énorme bar central (ouvert de 11h à 1h) divise l'espace en un grill d'une part et une agréable salle à manger classique de l'autre. Des baies vitrées du sol au plafond offrent une vue époustouflante sur la Tamise et la City ; les couleurs sourdes et les chaises d'époque rappellent l'année 1951 quand se déroula le Festival of Britain dans le Hall, nouvellement construit. Dégustez les cuisses de canard confites ou le râble de lapin sauté. Le déjeuner de 2/3 plats en semaine est à 21,50/26,50 £.

ANCHOR & HOPE

Plan p. 130 — Gastropub ££

☎ 7928 9898 ; 36 The Cut SE1 ; plats 11,50-16 £ ; fermé déj lun et dîner dim ; ⊖ Southwark ou Waterloo

Ce sublime *gastropub*, bien que plébiscité par les critiques gastronomiques, ne prend pas de réservations, sauf pour le déjeuner du dimanche à 14h. Il vous faudra donc croiser les doigts en espérant obtenir une table sans attendre des heures. Ici, les carnivores sont rois et se régaleront des traditionnelles viandes rôties mais aussi d'épaule d'agneau de pré-salé mijotée 7 heures et de jarret de bœuf braisé au soja. Les végétariens risquent fort de tourner de l'œil. Un restaurant jumeau, le Great Queen Street (p. 243) à Covent Garden, est plus modeste, sans pub, mais prend les réservations (indispensables).

Autres recommandations :

Masters Super Fish (plan p. 130 ; ☎ 7928 6924 ; 191 Waterloo Rd SE1 ; plats 6,50-16 £ ; fermé dim ; ⊖ Waterloo). Humble institution servant du poisson extra (rapporté tout frais chaque jour du marché de Billingsgate et grillé plutôt que frit, si tel est votre désir).

Mesón Don Felipe (plan p. 130 ; ☎ 7928 3237 ; 53 The Cut SE1 ; tapas 3,75-6,25 £ ; fermé dim ; ⊖ Southwark ou Waterloo). Cette véritable institution de Waterloo propose des tapas classiques comme les *patatas bravas* (pommes de terre à la sauce tomate) ou les *albondigas* (boulettes de viande), autour d'un bar central, aux clients qui n'ont pas eu de table à l'Anchor & Hope.

BOROUGH ET BERMONDSEY

ROAST

Plan p. 130 — Britannique moderne £

☎ 7940 1300 ; www.roast-restaurant.com ; 1er ét, Floral Hall, Borough Market, Stoney St SE1 ; plats 14-25 £ ; fermé dîner dim ; ⊖ London Bridge

L'attraction de ce bar-restaurant perché directement au-dessus du Borough Market est sa rôtisserie, où cuisent travers de porc, cochons de lait, volailles et gibiers (en provenance directe du marché). L'accent est mis sur les viandes rôties (paleron de bœuf, rognons d'agneau…) et les légumes de saison, mais il y a aussi des plats plus légers, des salades au poisson grillé. La vue sur le Borough Market les jours de marché (du jeudi au samedi) est enthousiasmante.

BUTLERS WHARF CHOP HOUSE

Plan p. 130 — Britannique moderne ££

☎ 7403 3403 ; www.chophouse.co.uk ; Butlers Wharf Bldg, 36e Shad Thames SE1 ; plats 15,50-22,50 £, menu déj 2/3 plats 19,50/24,50 £, dîner 22/26 £ ; ⊖ Tower Hill

Incarnation des premières heures de la cuisine moderne britannique, la Chop House continue à créer des variantes haut de gamme des *bangers and mash* (saucisses-purée) ou de la tourte au poisson, ainsi que des "anciennes nouveautés", comme le porc Old Spot du Gloucestershire et le *spatchcock chicken* (poulet en crapaudine). Belle vue sur Tower Bridge (pouvant justifier à elle seule le dîner sur place), surtout depuis la terrasse.

MAGDALEN

Plan p. 130 — Britannique moderne ££

☎ 7403 1342 ; www.magdalenrestaurant.co.uk ; 152 Tooley St SE1 ; plats 13,50-17 £, menu 2/3 plats 15,50/18,50 £ ; fermé déj sam et tte la journée dim ; ⊖ London Bridge

Cet élégant restaurant sur deux étages ne semble pas trop à sa place dans Tooley St, mais toutes les initiatives sont les bienvenues dans ce quartier. Il propose une cuisine moderne britannique qui revisite les plats traditionnels (rôti de porc à la sauge et aux lentilles, choucroute au haddock fumé…). L'accueil est chaleureux et le service impeccable. Excellente adresse dans cette catégorie et ce quartier.

CHAMPOR-CHAMPOR

Plan p. 130 — Fusion asiatique ££

☎ 7403 4600 ; www.champor-champor.com ; 62-64 Weston St SE1 ; menu 2/3 plats 25/29 £ ; déj jeu-ven, diner lun-sam ; ⊖ London Bridge

Dans un restaurant dont le nom signifie en malais "méli-mélo", vous ne serez pas surpris de trouver des créations innovantes. Influences orientales et occidentales sont visibles dans les saucisses d'autruche au poivre du Sichuan et sauce arachide ou le pigeon aux pruneaux, ainsi que des options végétariennes comme les aubergines rôties *teriyaki*. Certains plats sont savoureux, d'autres moins. Ravissante déco asiatique, très éclectique.

APPLEBEE'S FISH CAFÉ

Plan p. 130 — Poissons et fruits de mer ££

☎ 7407 5777 ; 5 Stoney St SE1 ; plats 12,50-19 £, menu déj 2 plats 13,50 £ ; fermé dim-lun ; ⊖ London Bridge

Tenté par les poissons en vente au Borough Market ? Cette excellente poissonnerie avec un café-restaurant attaché est pour vous. Vous y trouverez toutes sortes de poissons et de crustacés, tous ultrafrais, au choix sur l'ardoise. Nous avons pour notre part préféré la soupe de poisson, qui constitue un repas en elle-même (8,50 £).

GARRISON PUBLIC HOUSE

Plan p. 130 — Gastropub ££

☎ 7089 9355 ; www.thegarrison.co.uk ; 99-101 Bermondsey St SE1 ; plats 11,50-16 £ ; petit-déj, déj et dîner tlj, brunch sam-dim ; ⊖ London Bridge

La façade du Garrison, ornée de traditionnels petits carreaux verts, tout comme son intérieur un peu vieilli, évoquant une cabane au bord de la mer, est un repère connu dans le quartier. Au sous-sol, on trouve une petite salle de cinéma, mais les habitués viennent surtout pour la cuisine de ce *gastropub* – terrine de jambonneau, foie de veau au lard fumé, agneau au romarin et à l'ail –, simple et revigorante. Si vous voulez éviter de vous cogner à votre voisin à chaque coup de fourchette, venez de préférence en semaine pour le petit-déjeuner (8h-11h30) ou pour le brunch (9h-11h30) le week-end.

BERMONDSEY KITCHEN

Plan p. 130 Européen moderne ££

☎ 7407 5719 ; www.bermondseykitchen.co.uk ; 194 Bermondsey St SE1 ; plats 9,50-16,50 £ ; 🕑 fermé dîner dim ; ⊖ London Bridge ou Borough

Voilà l'endroit rêvé où s'installer confortablement sur un canapé avec le journal du dimanche tout en savourant un délicieux brunch (le week-end). Pas étonnant que de nombreux habitants du quartier en aient fait leur deuxième maison. La cuisine moderne européenne (au fort accent méditerranéen) est familiale et sans chichi, à l'image de ses tables de bois, du grill ouvert et de la carte basique (6 entrées et 6 plats) qui change chaque jour. Le menu peut être à moins de 10 £ en semaine.

Autres recommandations :

Hartley (plan p. 130 ; ☎ 7394 7023 ; www.thehartley.com ; 64 Tower Bridge Rd SE1 ; plats 8,50-14,50 £ ; 🕑 fermé dîner dim ; ⊖ London Bridge). Entre le pub et le *gastropub*, Hartley propose des burgers de rumsteck (6,50 £) et des rôtis du dimanche (11,50 £), ainsi que des plats plus fantaisie comme le confit de patte de lapin (14,50 £).

Tsuru (plan p. 130 ; ☎ 7928 2228 ; www.tsuru-sushi.co.uk ; 4 Canvey St SE1 ; plats 4,95-7,95 £ ; 🕑 11h-21h lun-ven ; ⊖ St Paul's, Southwark ou London Bridge). Sushis sympathiques et bon marché en journée et début de soirée, juste derrière la Tate Modern.

DE HYDE PARK À CHELSEA

Au début du XVIIIe siècle, l'afflux d'immigrés à Londres, déjà l'une des villes les plus peuplées d'Europe, a poussé les quartiers ouvriers à s'étendre vers l'est et le sud, tandis que les classes plus prospères s'installaient rapidement au nord et, dans une plus grande mesure encore, à l'ouest. En ce qui concerne les restaurants, on ne s'étonnera pas de trouver les meilleurs dans les hôtels les plus huppés ou les *mews* de Chelsea, Belgravia et Knightsbridge (ces quartiers les plus cossus de la capitale où se trouvaient sans doute jadis les écuries royales). Le plus prestigieux d'entre eux, le Gordon Ramsay, trois étoiles au guide Michelin, se trouve à Chelsea. Le quartier chic et cosmopolite de South Kensington n'est pas en reste non plus, avec ses cuisines d'origine européenne.

La sélection

TABLES AVEC VUE

- **Oxo Tower Restaurant & Brasserie** (p. 250)
- **Portrait** (p. 243)
- **Min Jiang** (ci-contre)
- **Butlers Wharf Chop House** (p. 251)
- **Roast** (p. 251)

CHELSEA ET BELGRAVIA

GORDON RAMSAY

Plan p. 140 Européen moderne £££

☎ 7352 4441 ; www.gordonramsay.com ; 68 Royal Hospital Rd SW3 ; menu déj/dîner 3 plats 45/90 £ ; 🕑 déj et dîner lun-ven ; ⊖ Sloane Sq

Le Gordon Ramsay est l'un des restaurants les plus raffinés de Grande-Bretagne et le seul de la ville à jouir de trois étoiles au guide Michelin. Il reste un objet de culte pour ceux qui sacrifient aux dieux des fourneaux, malgré les ennuis dans lesquels M. Ramsay semble se trouver régulièrement plongé. Et, de fait, le repas frise la perfection et laisse un sentiment de béatitude. Seule ombre au tableau, le temps est compté : les plages horaires des réservations sont assez courtes et vous ne pourrez les dépasser ; réservez aussi tard que possible pour éviter d'être bousculé en fin de repas. Le Menu Prestige (120 £) comprenant 7 plats est divin.

CHEYNE WALK BRASSERIE

Plan p. 140 Français £££

☎ 7376 8787 ; www.cheynewalkbrasserie.com ; 50 Cheyne Walk SW3 ; plats 19,50-39,50, menu déj 2/3 plats 17/23 £, brunch week-end 27/33 £ ; 🕑 fermé dîner dim et déj lun ; ⊖ Sloane Sq

Le vaste grill ouvert, installé au centre de la salle du rez-de-chaussée, et ses steaks particulièrement tendre, ont fait la réputation de cette brasserie. Vous pourrez néanmoins choisir autre chose, comme une dorade au citron et feuilles de laurier accompagnée d'une salade de haricots verts aux pistaches et à la menthe. La décoration Belle Époque est d'un kitsch consommé avec ses banquettes turquoise, ses chaises de cuir rouge, ses chandeliers et ses lampes de cristal coiffées d'abat-jour roses. L'agréable salon à l'étage offre une magnifique vue sur la Tamise (en hiver, du moins, lorsque les arbres n'ont pas de feuilles).

KNIGHTSBRIDGE, KENSINGTON ET HYDE PARK

CAPITAL

Plan p. 140 Européen moderne £££

☎ 7589 5171, 7591 1202 ; www.capitalhotel.co.uk ; Capital Hotel, 22-23 Basil St SW3 ; menu 2/3 plats déj 27,50/33 £, diner 55/63 £ ; ⊖ Knightsbridge

Des huit restaurants de Londres avec deux étoiles au Michelin, le Capital, derrière le grand magasin Harrods, est sans doute le moins connu, ce qui n'est pas plus mal. Le décor est moderne mais chaleureux, le personnel accueillant et accommodant, et le chef Éric Chavot a été primé pour ses plats savoureux (homard rôti au bouillon de coco et piment, râble de lapin provençale, risotto de tomates et calmars grillés). Un secret délicieux que vous partagez désormais avec nous. Le menu dégustation est à 70 £ (ajoutez 55 £ pour les vins).

BIBENDUM

Plan p. 140 Européen moderne £££

☎ 7581 5817, 7589 1480 ; www.bibendum.co.uk ; Michelin House, 81 Fulham Rd SW3 ; plats 23-27 £, menu déj 2/3 plats 25/29 £ ; ⊖ South Kensington

Ce restaurant occupe un bâtiment classé, la Michelin House (1911), de style Art nouveau (voir p. 147). À l'étage, dans une salle à manger vaste et lumineuse, ornée de vitraux, les gastronomes découvriront une cuisine créative et raffinée malgré le service médiocre. Au rez-de-chaussée (où la beauté des lieux est la plus saisissante), le Bibendum Oyster Bar propose de délicieuses huîtres anglaises (12 £ la demi-douzaine ; plats de 7,50 à 10,50 £).

MIN JIANG

Plan p. 140 Chinois £££

☎ 7361 1988 ; www.minjiang.co.uk ; 10e ét, Royal Garden Hotel, 2-24 Kensington High St W8 ; plats 12-48 £ ; ⊖ Kensington High St

Cet étonnant restaurant, perché au sommet d'un hôtel détenu par un groupe de Hong Kong, offre une vue fantastique sur le Kensington Palace et les jardins, ainsi que le meilleur canard laqué (demi/entier 25/48 £) de tout Londres. Tout est cuit dans un four à feu de bois. Excellents fruits de mer.

LAUNCESTON PLACE

Plan p. 140 Européen moderne ££

☎ 7937 6912 ; www.launcestonplace-restaurant.co.uk ; 1a Launceston Pl W8 ; déj 3 plats/ déj dim/dîner 18/24/42 £ ; ⏲ fermé déj lun ; ⊖ Gloucester Rd ou Kensington High St

Ce restaurant exceptionnellement beau dans une rue pittoresque de Kensington pleine de maisons édouardiennes est le comble du chic à l'heure actuelle. La cuisine, préparée par le chef Tristan Welsh, protégé de Marcus Wareing, est aussi succulente qu'elle en a l'air. Les audacieux (dotés d'un porte-monnaie bien rempli) essaieront le menu dégustation (52 £).

RACINE

Plan p. 140 Français ££

☎ 7584 4477 ; 239 Brompton Rd SW3 ; plats 12,50-26,25 £, menu déj 2/3 plats 17,50/19,50 £ ; ⊖ Knightsbridge ou South Kensington

La cuisine des régions françaises est à l'honneur dans cette brasserie qui semble venir de descendre de l'Eurostar. Au menu : tête de veau (16,50 £), lapin à la moutarde (19,95 £) et rognons de veau à la fourme d'Ambert et au beurre de noix. Rien que du très classique pour les *Frogs* qui auraient le mal du pays, en somme.

AWANA

Plan p. 140 Malaisien ££

☎ 7584 8880 ; www.awana.co.uk ; 85 Sloane Ave SW3 ; plats 11,50-25 £, menu déj 2/3 plats 12,50/15 £ ; ⊖ South Kensington

Seul vrai bon restaurant malais de Londres, Awana propose tous nos plats préférés : bœuf *rendang*, *laksa* (bouillon de coco aux crevettes et nouilles de riz), *murtabak* (galette à la garniture savoureuse), *ikan bakar* (poisson cuit

La sélection

DÎNER AVEC LES ENFANTS

- Giraffe (p. 272)
- Frankie's (p. 254)
- Frizzante@City Farm (p. 261)
- Nando's (p. 273)
- Pavilion Café du Victoria Park (p. 262)

dans des feuilles de bananier avec des herbes) dans une salle élégante et minimaliste. Les curieux pourront tester le menu découverte (Malaysian Journey) à 45 £ (40 £ pour la version végétarienne). Le Satay Bar propose de délicieuses brochettes de poulet, bœuf, agneau et crevettes (7,50-9,50 £) accompagnées de la sauce à l'arachide épicée maison.

ORIEL Plan p. 140 Français ££

☎ 77302804, www.tragusholdings.com ; 51 Sloane Sq SW1 ; plats 10,25-22,95 £ ; ⊖ Sloane Sq

Avec ses confortables chaises en rotin, ses miroirs et ses tables donnant sur Sloane Sq, c'est l'endroit idéal pour se retrouver avant une séance de lèche-vitrine sur King's Rd ou Sloane St. Au menu : des plats classiques de brasserie française, comme le confit de canard, le foie de veau et les moules marinières.

LUCIO Plan p. 140 Italien ££

☎ 7823 3007 ; www.luciorestaurant.com ; 257-259 Fulham Rd SW3 ; plats 18,50-20,50 £, menu déj 2/3 plats 15,50/19 £ ; ⊖ South Kensington

L'un de nos restaurants italiens préférés à Londres, sélect sans excès. Goûtez les sublimes pâtes aux praires, les raviolis au crabe ou, en saison, les beignets de courgettes. La déco est raffinée et sobre, la clientèle discrète et le service parfait.

OGNISKO Plan p. 140 Polonais ££

☎ 7589 4635 ; www.ognisko.com ; 55 Exhibition Rd SW7 ; plats 10,50-20,50 £ ; ⊖ South Kensington

Le "Foyer" est un restaurant polonais d'un autre temps : une vaste salle à manger baroque, tout en lustres et en miroirs, aux murs ornés de portraits, donne sur une place verdoyante. Mieux vaut préférer les classiques comme l'imprononçable *barszcz czwerwony* (soupe de betteraves) et les *pierogi* (raviolis à la viande ou au fromage et pommes de terre).

FRANKIE'S Plan p. 140 Italien ££

☎ 7590 9999 ; www.frankiesitalianbarandgrill.com ; 3 Yeoman's Row SW3, Brompton Rd SW3 ; plats 10,50-18,50 £ ; ⊖ Knightsbridge

Le jockey Frankie Dettori et le chef à succès Marco Pierre White se sont associés pour fonder Frankie's qui sert, dans un bar-grill en sous-sol, une cuisine alliant qualité, quantité et recettes traditionnelles (en l'occurrence, celles des immigrants italiens). Avec ses nombreux hamburgers au steak et au poisson (8,95 £), ainsi que ses plats de pâtes (7,50 à 10,50 £), la carte plaît aux familles.

ORANGERY Plan p. 140 Salon de thé ££

☎ 0844 482 7777 ; www.hrp.org.uk ; Kensington Palace, Kensington Gardens W8 ; plats 9,95-12,95 £, thé 13,50-28,50 £ ; ⌚ 10h-18h mars-oct, jusqu'à 17h nov-fév ; ⊖ Queensway, Notting Hill Gate ou High St Kensington

Installé dans une orangerie du XVIIIe siècle dans le parc de Kensington Palace, cet endroit est appréciable au déjeuner, surtout lorsqu'il fait beau, mais le must est tout de même d'y prendre le thé. Plusieurs formules au choix, du thé "normal" (sandwichs, desserts et thé) à celui au champagne (le même, avec du champagne), à 28,50 £, particulièrement difficile à finir.

DAQUISE Plan p. 140 Polonais £

☎ 75896117 ; 20 Thurloe St SW7 ; plats 6,50-13,50 £, menu déj 9,50 £ ; ⊖ South Kensington

Très proche des musées de South Kensington et joliment anachronique, le Daquise est un café-restaurant polonais qui ne paie pas de mine. Pourtant, il offre un beau choix de vodkas et des spécialités connues, ici très peu chères, comme le *bigos* (un ragoût de porc aux choux ; 8 £), du choux farci (8,50 £) et les *pierogi* (6,50 £).

PIZZA ON THE PARK Plan p. 140 Italien £

☎ 7235 7825 ; www.pizzaonthepark.co.uk ; 11 Knightsbridge SW5 ; plats 7,80-11 £ ; ⊖ Hyde Park Corner

Une adresse aussi prisée pour ses concerts de jazz quotidiens dans la cave que pour ses pizzas. Il y a également un restaurant spacieux à l'étage et, si vous êtes chanceux, vous pourrez avoir l'une des tables donnant sur Hyde Park. Outre les pizzas et les pâtes, des grillades plus substantielles sont également proposées.

JAKOB'S Plan p. 140 Moyen-oriental £

☎ 7581 9292 ; 20 Gloucester Rd SW7 ; plats 6,50-9,50 £ ; ⊖ Gloucester Rd

Ce restaurant plein de charme, tenu par des Arméniens, sert des salades délicieuses et saines (parfois à base de légumes bio), des lasagnes végétariennes, des tourtes à la pâte filo, des falafels et des kebabs. Prenez place dans la salle du fond puis allez choisir vos plats au comptoir. Une assiette garnie (de 2/3 options) coûte 7/10 £. Les desserts y sont aussi très bons.

BYRON Plan p. 140 Hamburgers £

☎ 7352 6040 ; www.byronhamburgers.com ; 300 King's Rd SW3 ; plats 5,75-8 £ ; ⊖ Sloane Sq

LES MARCHÉS DE PRODUCTEURS

Pour retrouver le goût des fruits et légumes, produits laitiers, de la viande et du poisson, pains et autres denrées alimentaires de votre enfance, dirigez-vous vers l'un de ces marchés de producteurs (*farmers market*), toujours plus nombreux, qui se tiennent le week-end un peu partout dans Londres, depuis une dizaine d'années environ. Des agriculteurs vendent leur propre production dans une atmosphère conviviale. La qualité et la fraîcheur sont garanties. Nous vous donnons ici l'adresse de quelques-uns des marchés les meilleurs et les plus centraux, mais pour une liste complète consultez : www.lfm.org.uk.

Blackheath (plan p. 66 ; gare de Blackheath, parking n°2, Blackheath SE10 ; 10h-14h dim ; Blackheath)

Clapham (hors plan p. 194 ; école primaire Bonneville, Bonneville Gardens SW4 ; 10h-14h dim ; Clapham South)

Islington (plan p. 174 ; école William Tyndale, derrière la mairie d'Islington, Upper St N1 ; 10h-14h dim ; Highbury & Islington ou Angel). Le premier marché du genre vend des produits bio et d'autres denrées cultivées ou élevées dans un rayon de 80 km autour de la capitale.

Marylebone (plan p. 94 ; parking de Cramer St, en retrait de Marylebone High St W1 ; 10h-14h dim ; Baker St ou Bond St). Le plus grand marché de la capitale, avec une trentaine de producteurs venant d'un rayon de 160 km autour de la M25.

Notting Hill (plan p. 180 ; parking à l'arrière de Waterstone's, Kensington Pl W8 ; 9h-13h sam ; Notting Hill Gate)

Pimlico Road (plan p. 140 ; Orange Sq, angle Pimlico Rd et Ebury St ; 9h-13h sam ; Sloane Sq)

South Kensington (plan p. 140 ; Bute St, en retrait de Brompton Rd SW7 ; 9h-13h sam ; South Kensington)

Wimbledon (hors plan p. 66 ; Wimbledon Park First School, Havana Rd SW19 ; 9h-13h sam ; Wimbledon Park)

Véritable désert en matière de restaurants corrects à prix abordables, King's Rd possède désormais un Byron, l'établissement qui ne sert que des "hamburgers dignes de ce nom" (c'est du moins ce qu'affirme l'enseigne). Le Classic 6oz Hamburger (traditionnel) réussit même à impressionner les Américains.

Autres recommandations :

Tom's Kitchen (plan p. 140 ; ☎ 7349 0202 ; www.tomskitchen.co.uk ; 27 Cale St SW3 ; plats 12,50-29 £ ; 7h-10h et 12h-15h lun-ven, 10h-15h sam-dim, et 18h-23h lun-dim ; South Kensington). Le célèbre chef Tom Aikens, qui tient un restaurant étoilé au Michelin à l'angle de la rue, a ouvert ce restaurant plus modeste qui sert toute la journée (dont un petit-déjeuner primé "meilleur petit-déjeuner de Londres" par le magazine *Time Out*).

Sticky Fingers (plan p. 182 ; ☎ 7938 5338 ; 1 Phillimore Gardens W8 ; plats 9,50-14,50 £ ; High St Kensington). Bill Wyman a revendu ses parts, mais Sticky Fingers reste axé autour du thème des Rolling Stones, avec des disques d'or et autres souvenirs. Les hamburgers sont plutôt bons.

Serpentine Bar & Kitchen (plan p. 140 ; ☎ 7706 8114 ; www.serpentinebarandkitchen.com ; Serpentine Rd, Hyde Park W2 ; plats 7,50-9,75 £ ; 8h-21h ; Hyde Park Corner). Ce café-bar entièrement vitré est un endroit rêvé pour un verre ou un repas léger lors d'une promenade à Hyde Park.

VICTORIA ET PIMLICO

ROUSSILLON Plan p. 140 — Français £££

☎ 7730 5550 ; www.roussillon.co.uk ; 16 St Barnabas St SW1 ; menu 3 plats déj/dîner 35/55 £ ; fermé déj sam et tout le dim ; Sloane Sq

Dans une petite rue tranquille à deux pas de Pimlico Rd, Roussillon (une étoile au Michelin) propose, dans un cadre sobre et élégant, un service si raffiné et des produits du terroir anglais si frais et si subtilement cuisinés à la française, que nous hésitons à partager ce précieux bijou. Il n'y a pas de carte ; vous choisirez parmi 4 à 6 entrées suivies d'autant de plats au déjeuner comme au dîner, ou vous vous laisserez tenter par l'extravagant menu dégustation de 8 plats (48-58 £ au déjeuner, 75 £ au dîner). Le menu Légumes (65 £) donne à la cuisine végétarienne ses lettres de noblesse.

LA POULE AU POT Plan p. 140 — Français ££

☎ 7730 7763 ; 231 Ebury St SW1 ; plats 15,50-21 £, déj 2/3 plats 16,75/18,75 £ ; Sloane Sq

Dans ce restaurant français rustique, installé de longue date dans la capitale anglaise, des bougies éclairent les tables même à midi. L'endroit est romantique et douillet à souhait, la cuisine un peu décevante toutefois. Il n'empêche que la terrasse est bien agréable dès que l'été revient. Attendez-vous à des plats du type tarte à l'oignon, ragoût de lapin et de la pintade rôtie.

OLIVO Plan p. 140 Italien ££

☎ 7730 2505 ; 21 Eccleston St SW1 ; plats 13,75-17,50 £ ; fermé déj sam-dim ; ⊖ Victoria ou Sloane Sq

Ce restaurant haut en couleur, près de la gare de Victoria, s'illustre par ses mets et ses vins de Sardaigne et de Sicile. Il possède une clientèle fidèle et l'on comprend pourquoi. Nous vous conseillons de boire sicilien et de manger sarde. Les spaghettis sont excellents (10,75 à 15,50 £).

JENNY LO'S TEA HOUSE

Plan p. 140 Chinois £

☎ 7259 0399 ; 14 Eccleston St SW1 ; plats 6,95-8,50 £ ; déj et dîner lun-ven ; ⊖ Victoria

Adresse d'un bon rapport qualité/prix à Victoria pour du riz et des nouilles. L'établissement a été fondé par la fille de l'auteur de livres de cuisine Kenneth Lo, qui a introduit la cuisine chinoise au Royaume-Uni dans les années 1950.

CLERKENWELL, SHOREDITCH ET SPITALFIELDS

Shoreditch abrite aujourd'hui certains des meilleurs restaurants de Londres – le côté créatif du quartier a attiré des restaurateurs novateurs et il semble y avoir de nouvelles ouvertures chaque semaine. Clerkenwell a un côté plus traditionnel, mais continue à accueillir certains des plus célèbres établissements de la capitale. Spitalfields, enfin, compte d'autres merveilles, dont plusieurs des boulangeries de bagels les plus réputées de la ville, ainsi qu'un grand nombre de restaurants indiens souvent un peu ternes.

CLERKENWELL

LE CAFÉ DU MARCHÉ Plan p. 154 Français ££

☎ 7608 1609 ; 22 Charterhouse Sq, Charterhouse Mews EC1 ; menu 3 plats 33,85 £ ; fermé déj sam et tout le dim ; ⊖ Barbican

Cet authentique bistrot français au charme désuet est installé dans un entrepôt aux briques apparentes au bout d'une ruelle près du marché de Smithfield. On y sert une cuisine généreuse – copieux steaks parsemés d'ail et de romarin ou de la soupe de poisson à l'aïoli – sur des airs de jazz et de piano provenant de l'étage supérieur. Pas de carte mais des menus fixes.

SMITHS OF SMITHFIELD

Plan p. 154 Britannique moderne ££

☎ 7251 7950, 7236 6666 ; www.smithsofsmithfield.co.uk ; 67-77 Charterhouse St EC1 ; plats 10-27 £ ; petit-déjeuner, déj et dîner ; ⊖ Farringdon

Cette institution de Clerkenwell attire un mélange d'habitants du quartier, d'employés de la City et de clubbers avec son célébrissime petit-déjeuner servi dans la non-moins célébrissime cantine du rez-de-chaussée. Ailleurs dans le bâtiment, la qualité de la cuisine et les prix augmentent à chaque étage : le bar à vins au premier étage (assiettes et sandwichs), la brasserie au deuxième et la salle à manger située sur le toit, d'où l'on découvre une vue superbe sur le marché de Smithfield et la cathédrale Saint-Paul. Dans tous les cas, vous apprécierez la cuisine préparée avec de la viande britannique de qualité et des produits bio.

ST JOHN Plan p. 154 Britannique ££

☎ 7251 0848 ; www.stjohnrestaurant.co.uk ; 26 St John St EC1 ; plats 12,50-22 £ ; fermé dîner dim ; ⊖ Farringdon

Ce classique londonien est merveilleusement simple – son café-bar donne place à une salle étonnamment petite où est servie la cuisine sans chichis du chef Fergus Henderson. Comptant parmi les adresses qui ont incité les Londoniens à redécouvrir leur passé culinaire, elle est réservée aux gourmets qui n'ont pas froid aux yeux. La spécialité maison est la salade à la moelle persillée, à faire suivre de l'un des savoureux plats du jour (chevreau grillé, fenouil et sauce verte, par exemple, ou anguille fumée aux betteraves et au raifort). Le traditionnel pudding est aussi succulent.

MORO Plan p. 154 Nord-africain, espagnol ££

☎ 7833 8336 ; www.moro.co.uk ; 34-36 Exmouth Market EC1 ; plats 15,50-18,50 £ ; ⊖ Farringdon ou Angel

Le plus célèbre restaurant de Clerkenwell est encore fréquemment primé dix ans après son lancement. Il propose une cuisine "mauresque", fusion de saveurs ibériques et nord-africaines. Le restaurant ne paie pas de mine, bien que toujours plein et animé, mais la cuisine est généralement fantastique, avec une carte qui change constamment et des plats comme les maquereaux rôtis au feu de bois aux oignons doux et sauce à l'oloroso ou l'agneau grillé aux aubergines frites. Réservation obligatoire.

QUALITY CHOP HOUSE

Plan p. 154 Britannique ££

☎ 7837 5093 ; www.qualitychophouse.co.uk ; 92-94 Farringdon Rd EC1 ; plats 10-18 £ ; 🕒 fermé déj sam ; ⊖ Farringdon

Certes, cette adresse *mockney* (faussement cockney) est plus fréquentée par une clientèle bobo que populaire, mais elle garde tout de même un certain cachet avec son plancher d'origine, ses vieux bancs d'église et son service étrangement formel pour un établissement se voulant ouvrier. Heureusement, la cuisine est en général excellente, avec des versions chics de plats classiques comme les tourtes au porc, les anguilles et, bien entendu, les côtes de porc.

MEDCALF Plan p. 154 Britannique £-££

☎ 7833 3533 ; www.medcalfbar.co.uk ; 40 Exmouth Market EC1 ; plats 8,50-19,50 £ ; 🕒 fermé dîner dim ; ⊖ Farringdon ou Angel

Medcalf offre l'un des meilleurs rapports qualité/prix d'Exmouth Market. Installée dans une ancienne boucherie de 1912, cette adresse propose des classiques britanniques innovants et bien préparés, comme le crabe du Devon ou le *Welsh rarebit* (toast au fromage).

EAGLE Plan p. 154 Gastropub ££

☎ 7837 1353 ; 159 Farringdon d EC1 ; plats 8,50-13 £ ; 🕒 fermé dîner dim ; ⊖ Farringdon

Le premier *gastropub* de Londres a changé de propriétaires, mais il reste excellent pour prendre un verre en mangeant un petit quelque chose, en particulier le midi, lorsque l'établissement est relativement calme. Des exemples alléchants de plats aux accents méditerranéens sont exposés sur le bar.

MODERN PANTRY Plan p. 154 Fusion ££

☎ 7553 9210 ; www.themodernpantry.co.uk ; 47-48 St John's Sq EC1 ; plats 12,50-18,50 £ ; 🕒 8h-23h lun-ven, 9h-23h sam, 10h-22h dim ; ⊖ Farringdon

Cet hôtel particulier georgien de trois étages au cœur de Clerkenwell est l'un des restaurants les plus en vue à l'heure actuelle avec sa magnifique carte, presque aussi agréable à lire qu'à déguster. Le mariage des ingrédients est subtil : maquereau grillé, aubergine, groseilles et coriandre, nouilles *harasume* et sauce sucrée au soja. Le petit-déjeuner est également excellent, malgré des portions plutôt petites. Réservation recommandée en soirée. Il y a aussi une petite boutique.

COACH & HORSES Plan p. 154 Gastropub £

☎ 7278 8990 ; www.thecoachandhorses.com ; 26-28 Ray St EC1 ; plats 10-13 £ ; ⊖ Farringdon

Niveau rapport qualité/prix, c'est le meilleur *gastropub* de Clerkenwell. Il a gardé un vrai cachet et attire une clientèle de gastronomes aisés avec ses délicieux plats (prix par tranches de 2 £). La spécialité maison, la morue panée à la bière aux frites et *mushy peas*(purée de petits pois), vaut bien ses 11,50 £.

AKI Plan p. 154 Japonais £

☎ 7837 9281 ; www.akidemae.com ; 182 Gray's Inn Rd WC1 ; plats 5-18 £ ; 🕒 fermé déj sam et tout le dim ; ⊖ Chancery Lane

Ce pittoresque et rustique *izakaya* (bistrot où l'on boit du saké tout en mangeant) est une excellente adresse très authentique. Venez y dîner de nouilles (5 £), de sushis (1,70 à 3 £) ou d'un des très bons menus fixes (9,30 £). Le personnel sympathique et l'immense choix de saké ne font que renforcer l'attrait des lieux.

SHOREDITCH ET HOXTON

EYRE BROTHERS

Plan p. 154 Espagnol, portugais £££

☎ 7613 5346 ; www.eyrebrothers.co.uk ; 70 Leonard St EC2 ; plats 10-27 £ ; 🕒 fermé déj sam et tout le dim ; ⊖ Old St

Ce sublime et élégant restaurant de Shoreditch mérite vraiment une visite (réservation conseillée). La cuisine est ibérique, avec une touche d'esprit africain car les propriétaires ont grandi au Mozambique. Lors de notre dernière visite, le *bacalhau* (morue) était tout simplement succulent, tout comme le sublime porc Ibérico, nourri aux glands.

BOUNDARY

Plan p. 154 Européen moderne £££

☎ 7729 1051 ; www.theboundary.co.uk ; 2-4 Boundary St E2 ; plats 14-28 £ ; 🕒 fermé déj lun et dîner dim ; ⊖ Liverpool St

Voici l'extraordinaire nouvelle aventure de sir Terence Conran, qui était le restaurateur le plus prolifique de Londres jusqu'à la vente récente de son portefeuille de 29 restaurants. Le Boundary – mariage entre deux restaurants, un hôtel et une fantastique terrasse sur le toit – marque son retour sur la scène gastronomique de la capitale. Le café-épicerie du rez-de-chaussée est excellent pour un repas léger (3-6 £) ou un verre, tandis que le restaurant souterrain est parfait pour un dîner de plats français ou britanniques, mettant l'accent sur les poissons, fruits de mer, fromages et charcuteries.

FIFTEEN Plan p. 154 Italien ££

☎ 0871 330 1515, 7251 3909 ; www.fifteen.net ; 15 Westland Pl N1 ; plats 14-21 £ ; ⊖ Old St

On pourrait se méfier a priori du restaurant associatif de Jamie Oliver, mais notre dernière visite a été une excellente surprise. Quinze jeune cuisiniers issus de milieux défavorisés (repérables à leur toque noire, par opposition à la toque blanche des chefs) font leur apprentissage aux côtés de professionnels expérimentés en créant une carte italienne ambitieuse et intéressante. La trattoria du rez-de-chaussée a une ambiance plutôt tranquille, tandis que le restaurant souterrain est plus formel avec son menu dégustation. Nous avons adoré nos gnocchis, nos raviolis de veau et notre brème. L'ambiance était particulièrement agréable. Réservation souvent nécessaire.

HOXTON APPRENTICE

Plan p. 154 Européen moderne ££

☎ 7749 2828 ; www.hoxtonapprentice.com ; 16 Hoxton Sq N1 ; plats 4,50-14,50 £ ; fermé lun et dîner dim ; ⊖ Old St

Un autre "restaurant-école" qui, s'il n'a pas le glamour du Fifteen, n'en est pas moins élégant, avec ses éclairages soignés et ses tables sur deux niveaux. Niché sur l'une des places les plus branchées d'East London, le restaurant n'en reste pas moins largement méconnu. La carte accumule les classiques, comme les *fishcakes*, les saucisses du Cumberland purée et le navarin d'agneau.

FURNACE Plan p. 154 Italien £

☎ 7613 0598 ; www.hoxtonfurnace.com ; 1 Rufus St N1 ; plats 6,85-10 £ ; fermé déj sam et tout le dim ; ⊖ Old St

Ce sont tout simplement les meilleures pizzas de Hoxton ! Si cela ne vous suffit pas, sachez que vous y trouverez également un personnel adorable, une belle carte des vins, une ambiance agréable, des murs en brique, sans oublier de bonnes pâtes. Nous vous

PIE 'N' MASH

Au milieu de tous les restaurants modernes et tendance de Londres, peut-être vous viendra-t-il l'idée de découvrir la cuisine anglaise d'autrefois et de goûter à une tourte (*pie*) à base de bœuf émincé accompagnée de *mash* (purée de pommes de terre, souvent en flocons). Nous vous recommandons les établissements ci-dessous où ce plat coûte entre 1,30 et 2,80 £. Anguilles en gelée, petits pois bouillis et *liquor* (une sauce au persil et vinaigre) sont en option. Pour avoir une liste plus exhaustive, consultez le site Internet du Pie & Mash Club (www.pie-n-mash.com).

AJ Goddard (plan p. 186 ; ☎ 8692 3601 ; 203 Deptford High St SE8 ; 9h30-15h lun-ven, à partir de 9h sam ; Deptford, DLR Deptford Bridge)

Castle's (plan p. 174 ; ☎ 7485 2196 ; 229 Royal College St NW1 ; 10h30-15h30 mar-sam ; ⊖ Camden Town, Camden Rd)

Clark's (plan p. 154 ; ☎ 7837 1974 ; 46 Exmouth Market EC1 ; 10h30-16h lun-jeu, jusqu'à 17h30 ven-sam ; ⊖ Farringdon)

F Cooke (plan p. 154 ; ☎ 7729 7718 ; 150 Hoxton St N1 ; 10h-19h lun-jeu, 9h30-20h ven-sam ; ⊖ Old St ou Liverpool St)

G Kelly (plan p. 160 ; ☎ 8980 3165 ; 526 Roman Rd E3 ; 11h-15h lun, 10h-15h mar-jeu, 10h-19h ven, 10h-17h30 sam ; ⊖ Mile End, 8)

Manze's Tower Bridge (plan p. 130 ; ☎ 7407 2985 ; 87 Tower Bridge Rd SE1 ; 10h30-14h mar-sam ; ⊖ London Bridge) ; Deptford (plan p. 186 ; ☎ 8692 2375 ; 204 Deptford High St SE8 ; 9h30-13h30 lun et jeu, jusqu'à 15h mar, mer, ven-sam ; Deptford, DLR Deptford Bridge)

Une version un peu plus moderne de ce plat traditionnel est proposé à l'Humble Pie (p. 270) et à la Square Pie Company (plan p. 154 ; ☎ 7377 1114 ; Spitalfields Market, 105c Commercial St E1 ; tourtes 3,50-4,50 £ ; 10h30-16h30 lun-sam, jusqu'à 17h30 dim ; ⊖ Liverpool St), qui possède maintenant six succursales à Londres.

conseillons toutefois chaudement les pizzas – celle au cochon de lait est inoubliable.

SONG QUE

Hors plan p. 154 Vietnamien £

☎ 7613 3222 ; 134 Kingsland Rd E2 ; plats 5-7 £ ; ⊖ Old St/Liverpool St

Jouissant d'un succès dont rêveraient la plupart des restaurants, cette institution du quartier vietnamien de Hoxton semble toujours pleine, avec des clients faisant la queue dans l'attente d'une table. Le service est frénétique et parfois pas très sympathique, mais la cuisine est délicieuse et d'un excellent rapport qualité/prix.

CAY TRE

Plan p. 154 Vietnamien £

☎ 7729 8662 ; www.vietnamesekitchen.co.uk ; 301 Old St EC1 ; plats 5-7 £ ; ⊖ Old St

Cette adresse authentique prépare une soupe de nouilles au bœuf classique, des *banh xeo* (sorte de crêpes aux crevettes, poulet et légumes) et un délicieux *basa* (c'est un poisson) frit à la poêle avec de la citronnelle et des échalotes.

SPITALFIELDS

MESÓN LOS BARRILES

Plan p. 154 Espagnol ££

☎ 7375 3136 ; 8a Lamb St E1 ; plats 10,50-17,50 £ ; 🕓 fermé sam et dîner dim ; ⊖ Liverpool St

Évitez les chaînes de restaurants qui dominent aujourd'hui le marché "repensé" (c'est-à-dire insipide et sans âme) de Spitalfields et préférez les bonnes vieilles adresses, comme cet établissement familial établi de longue date. Le poisson frais est excellent, mais le vrai intérêt réside dans l'excellent choix de tapas (3,50-11,95 £). De la sciure sur le sol et des jambons accrochés au plafond ajoutent au charme rustique de ce restaurant de marché.

GREEN & RED

Plan p. 154 Mexicain £-££

7749 9670 ; www.greenred.co.uk ; 51 Bethnal Green Rd E1 ; plats 10,50-14,50 £ ; 🕓 fermé déj sam-dim ; ⊖ Liverpool St

À un angle où Banglatown rejoint Shoreditch, le Green & Red est un représentant élégant de la cuisine mexicaine du Jalisco. Certes, les tacos et les burritos figurent en bonne place au déjeuner, mais le soir la carte se fait plus authentique, avec des plats comme la poitrine de porc rôtie à la sauce avocat ou la chayote farcie au fromage, à la citrouille et au piment. Dans le bar au sous-sol, faites votre choix parmi la centaine de bouteilles de tequila !

ST JOHN BREAD & WINE

Plan p. 154 Britannique ££

☎ 7251 0848 ; www.stjohnbreadandwine.com ; 94-96 Commercial St ; plats 6-15 £ ; 🕓 fermé dîner dim ; ⊖ Liverpool St

Cet établissement est meilleur marché et plus décontracté que son cousin de Clerkenwell, le St John (p. 256), mais propose les mêmes spécialités de viande et abats (cœurs de canard sur toast, jambon en gelée, agneau de pré-salé aux navets) dans un espace austère (mais clair) très prisé des créateurs de Spitalfields. Possède également un excellent choix de fromages britanniques et de puddings.

CANTEEN Plan p. 154 Britannique £

☎ 0845 686 1122 ; www.canteen.co.uk ; 2 Crispin Pl E1 ; plats 7,50-12,50 £ ; 🕓 8h-23h lun-ven, 9h-23h sam-dim ; ⊖ Liverpool St

Bien que faisant partie de l'insipide "nouveau" Spitalfields, cette adresse populaire célèbre la culture britannique avec une excellente carte s'adressant à tous les goûts : tourtes fraîches, poulet rôti, poisson du jour... ou simplement un sandwich au porc rôti à la broche à déguster installé à l'une des tables installées à l'extérieur.

Autres recommandations :

Route Master (plan p. 154 ; ☎ 0791 238 9314 ; Ely Yard, en retrait de Hanbury St E2 ; plats 5,50-15 £ ; 🕓 12h-21h45 ; ⊖ Liverpool St). Un excellent restaurant végétalien dans un vieux bus à impériale des années 1960, ce qui, quoique fort sympathique, est anecdotique par rapport à la cuisine, aussi savoureuse qu'inventive.

Café 1001 (plan p. 154 ; ☎ 7247 9679 ; www.cafe1001.co.uk ; 91 Brick Lane E1 ; plats 2,50-6,50 £ ; 🕓 6h-minuit ; ⊖ Liverpool St). Un immense café, très populaire, servant grillades et pâtisseries, un salon à l'étage et des soirées de musique live. L'endroit est bondé le week-end.

Brick Lane Beigel Bake (plan p. 154 ; ☎ 7729 0616 ; 159 Brick Lane E2 ; bagels fourrés 70 p-2,90 £ ; 🕓 24h/24 ; ⊖ Liverpool St). Vous ne trouverez pas de bagels plus frais (ou meilleur marché) à Londres que dans cette boulangerie-traiteur ; demandez à un chauffeur de taxi (c'est leur halte préférée !).

LA PAROLE À UN LONDONIEN : JOE COOKE

Habitant de Chingford, dans le nord-est de Londres, Joe Cooke est le propriétaire de F Cooke (voir l'encadré p. 258), un *pie 'n' mash shop* (boutique vendant des tourtes avec de la purée, une spécialité londonienne) présent dans la même rue de Hoxton depuis plus d'un siècle.

Joli nom ("cook" veut dire cuisinier en anglais) pour la profession. Tu es d'ici ? Il y a un "e" à la fin. Sinon, oui, je suis né à Clapton et j'habite à Chingford. Ma famille possède ce *pie 'n' mash shop* depuis 1902 et nous faisons dans la tourte-purée depuis 1862.

Ça marche, le *pie 'n' mash* ? Les gens ne préfèrent-ils pas les pizzas ou les *chicken wings*, de nos jours ? On peut très bien aimer les deux. Il y a des années, il y avait trois endroits où manger dans la rue : un café, un *fish and chips* et un *pie 'n' mash shop*. Notre part du marché était d'un tiers. Maintenant, on peut manger de tout.

Qui vient ici ? Il n'y a pas beaucoup de clients de passage, mais on a toutes sortes de gens : des jeunes, des vieux, des gens du coin, des touristes… Des Américains, des Afghans, des Hindous, des Japonais (qui adorent prendre des photos)…

Et c'est fait comment ? On utilise les mêmes ingrédients que lors de notre ouverture. Tout est cuisiné sur place. C'est nous qui faisons la pâte, qui désossons la viande, qui hachons le persil, qui préparons les anguilles. La seule vraie différence, c'est que nous vendons maintenant des tourtes aux légumes. Honnêtement, ça demande beaucoup de travail, c'est pour ça que beaucoup de boutiques ont disparu.

À quoi reconnaît-on les vrais ? S'ils servent du jus de viande avec les tourtes, ce n'est pas un vrai *pie 'n' mash shop*.

D'où viennent les ingrédients ? La viande vient du marché de Smithfield, les pommes de terre des Maris Pipers, actuellement, et le persil est anglais. Les anguilles sont locales jusqu'à la fin de la saison, à la fin de l'automne. Après, on faisait venir des anguilles d'élevage des Pays-Bas. On a essayé d'en faire venir d'autres endroits. Les irlandaises sont les meilleures, mais celles de Nouvelle-Zélande… beurk, elles ont la peau dure comme pas possible. Nous n'avons jamais changé la recette.

C'est aussi simple que ça ? Si les ingrédients sont bons, le résultat sera toujours correct, il n'y a pas de secret. Ce sont les ingrédients qui font tout.

Quand tu n'es pas derrière tes fourneaux… Je suis derrière une tasse de thé et un baba au rhum à la Maison Bertaux (☎ 7437 6007 ; 28 Greek St W1 ; 🕑 8h30-23h lun-sam, jusqu'à 19h dim ; ⊖ Tottenham Court Rd).

Interview réalisée par Steve Fallon

L'EAST END ET LES DOCKLANDS

L'East End a connu des changements phénoménaux en matière de restaurants durant ces dix dernières années et, aujourd'hui, les *gastropubs* les plus chics côtoient les petites gargotes ethniques bon marché. Si les Docklands restent avant tout le territoire des déjeuners rapides ou des dîners aux frais de l'entreprise, ils recèlent aussi d'excellentes adresses asiatiques. En fait, le multiculturalisme de l'East End vous entraîne dans un tour du monde : cuisine vietnamienne, végétarienne thaïe, géorgienne… La plus intéressante cependant reste – de loin – la cuisine indienne et pakistanaise. Si vous recherchez l'authenticité, rendez-vous à Whitechapel où sont rassemblés les meilleurs restaurants et snacks du sous-continent indien, la plupart BYO (apportez votre bouteille) et tous halal.

WHITECHAPEL

CAFÉ SPICE NAMASTÉ Plan p. 160 Indien ££

☎ 7488 9242 ; www.cafespice.co.uk ; 16 Prescot St E1 ; plats 13,75-19,50 £, menu déj 2 plats 16,85 £ ; 🕑 fermé déj sam et tout le dim ; ⊖ Tower Hill

Le chef Cyrus Todiwala a pris possession d'un ancien tribunal à 10 minutes à pied de Tower Hill et l'a transformé en un "carnaval" de couleurs. Aujourd'hui, le service et l'ambiance sont tout aussi flamboyants que les murs. Vous vous délecterez ici de spécialités parsies ou de Goa. Le *dhansaak* (ragoût d'agneau accompagné de riz et de lentilles ; 14,95 £) est sublime, mais que dire du poulet épicé *frango piri-piri* et du curry de grosses crevettes à la mode de Goa ! En plus : les *chutneys* sont maison et le petit jardin derrière la salle est ouvert lorsqu'il fait beau.

WHITECHAPEL GALLERY DINING ROOM plan p. 160 Européen moderne ££

☎ 7522 7888 ; www.whitechapelgallery.org ; 77-82 Whitechapel High St E1 ; plats 13,50-17,75 £,

déj 2/3 plats 15/20 £ ; fermé dîner dim et tout lun ; Aldgate East
Récemment rouverte, cette galerie (p. 159) à l'avant-garde de l'art à Londres possède également un restaurant, petit mais de haute qualité, avec à sa tête le chef Maria Elia. La carte est courte mais variée, avec des plats comme du rôti de lapin, de la dorade grillée ou d'inventives créations végétariennes.

TAYYABS Plan p. 160 Indien, pakistanais £

7247 9543 ; www.tayyabs.co.uk ; 83-89 Fieldgate St E1 ; plats 6,20-13,80 £ ; Whitechapel
Les délicieux effluves qui flottent dans ce restaurant animé (pour ne pas dire bondé) le distinguent de ses concurrents de Brick Lane. Servis dans des assiettes brûlantes, les chiches-kebabs, les *masala* de poisson et autres entrées venues du Penjab sont succulents, de même que les *dhal, naan* et *raita* qui les accompagnent. Le Tayyabs apparaît régulièrement dans les guides et est très apprécié du personnel du London Royal Hospital tout proche, préparez-vous donc à faire la queue pour obtenir une table.

MIRCH MASALA Plan p. 160 Indien, pakistanais £

7377 0155 ; www.mirchmasalarestaurant.co.uk ; 111-113 Commercial Rd E1 ; plats 4,50-10 £ ; Whitechapel, 15 ou 115
"Piment et épices", qui appartient à une petite chaîne basée dans l'épicentre de la cuisine indienne à Londres, Southall, est une bonne alternative à Tayyabs, plus calme, mais avec une cuisine quasiment du même niveau. Commencez par des crevettes *tikka* (8 £), suivi d'un *masala karella* (du concombre amer en curry ; 4,50 £) et d'un *karahi* (plat de viande).

KOLAPATA Plan p. 160 Bangladais £

7377 1200 ; www.kolapata.co.uk ; 222 Whitechapel Rd E1 ; plats 4,50-9,95 £ ; Whitechapel
Ce modeste restaurant de Whitechapel est la référence de la cuisine du Bangladesh à Londres. L'excellent *haleem* (agneau aux lentilles épicées) en entrée et la *sarisha elish* (poisson du Bangladesh cuit avec des graines de moutarde, des oignons et du piment vert) sont des valeurs sûres.

BETHNAL GREEN ET HACKNEY

LAXEIRO plan p. 160 Espagnol ££

7729 1147 ; www.laxeiro.co.uk ; 93 Columbia Rd E2 ; tapas 3,95-8,95 £, paella 19,50-23,50 £ ; fermé dîner dim et tout lun ; Bethnal Green, Cambridge Heath, 8 ou 55
Cette adresse accueillante en plein centre de Columbia Rd, emplacement du célèbre marché aux fleurs du dimanche, propose de copieuses tapas (c'est-à-dire, en fait, des *raciones*). Elles changent toutes les deux semaines, mais le *cochinillo* (cochon de lait) ne quitte jamais la carte. Parmi les plats plus sophistiqués, citons la paella, à partager.

LITTLE GEORGIA Plan p. 160 Géorgien £

7739 8154 ; 87 Goldsmith's Row E2 ; plats 10-11 £ ; fermé dîner lun ; Bethnal Green, Cambridge Heath
Charmante enclave caucasienne au cœur d'East London, ce restaurant simple sur deux niveaux est le lieu idéal pour vous initier à la cuisine de Géorgie (capitale Tbilissi). L'assortiment d'entrées (12 £) pour deux est un bon choix. La carte met à l'honneur des classiques comme les *nigziani* (poivrons rouges ou aubergines farcis aux noix, aux fines herbes et aux légumes grillés), le *satsivi* de poulet à la sauce aux noix et les *khachapuri* (pain au fromage). L'espace café, agréable pour un petit-déjeuner, vend aussi un déjeuner à emporter (4,50 à 7 £).

GREEN PAPAYA Plan p. 160 Vietnaniem £

8985 5486 ; www.greenpapaya.com ; 191 Mare St E8 ; plats 5,50-8,50 £ ; dîner mar-dim ; London Fields, D6, 55 ou 277
Cette oasis, juste au sud de l'historique Hackney Empire Music Hall (1901), sert une cuisine vietnamienne de grande qualité où nombre de plats ont pris un air "moderne". Dégustez un *banh tom* (bâtonnets de patate douce sautés aux grosses crevettes), une salade de fleur de bananier ou le "Mama's Pork" ("porc de maman") mijoté aux champignons et aux légumes. Le personnel charmant se fera un plaisir de vous conseiller.

Autres recommandations :

Tas Firin (plan p. 160 ; 7729 6446 ; 160 Bethnal Green E2 ; plats 5-13,50 £ ; Liverpool St). Le "four de pierre" est le restaurant turc le plus authentique que vous pourrez trouver dans le quartier.

Frizzante@City Farm (plan p. 160 ; 7739 2266, 0788 313 3451 ; www.frizzanteltd.co.uk ; Hackney City Farm, 1 Goldsmith's Row E2 ; plats 5,25-7,50 £ ; 10h-16h30 mar-dim, 19h-22h jeu ; Cambridge Heath ; 55). Un restaurant primé proposant une excellente cuisine italienne à côté de l'une des quelques fermes pédagogiques pour enfants que compte Londres (p. 163). Soirée hebdomadaire *agroturismo* avec plats ruraux spéciaux (plats 10-12 £).

E Pellici (plan p. 160 ; ☎ 7739 4873 ; 332 Bethnal Green Rd E2 ; plats 4,80-7,80 £ ; 🕑 6h-17h lun-sam ; ⊖ Bethnal Green, 🚌 8). Un café Art nouveau (1900) digne d'un musée et célèbre pour ses fritures, ses frites, ses plats italiens simples et le brouhaha de sa clientèle.

Taste of Bitter Love (plan p. 160 ; ☎ 0796 356 4095 ; www.tasteofbitterlove.com ; 276 Hackney Rd E2 ; plats 2,95-6,95 £ ; 🕑 7h30-16h lun-ven, 10h-15h dim ; ⊖ Bethnal Green, 🚆 Cambridge Heath ; 🚌 48 ou 55). Un petit café très animé, autant apprécié pour son nom ("un goût d'amour amer") que pour son excellentissime café, ainsi que ses soupes, salades et gâteaux.

MILE END ET VICTORIA PARK

FISH HOUSE

Plan p. 160 — Poissons et fruits de mer ££

☎ 8533 3327 ; www.fishhouse.co.uk ; 126-128 Lauriston Rd E9 ; plats 8,50-12,50 £ ; ⊖ Mile End, puis 🚌 277

Mêlant restaurant de poissons et fruits de mer et friterie, cet établissement est typiquement le genre d'adresse que l'on aimerait avoir dans son quartier. Poissons et crustacés d'une fraîcheur indéniable sont proposés aussi bien à emporter qu'au restaurant. La bisque de homard et les huîtres de Colchester sont des valeurs sûres, tout comme le *fish pie* (tourte au poisson ; 8,50 £).

NAMO Plan p. 160 — Vietnamien £

☎ 8533 0639 ; 178 Victoria Park Rd E9 ; plats 6,50-9 £ ; 🕑 déj jeu-dim, dîner mar-dim ; ⊖ Mile End, puis 🚌 277

Cet établissement très bohème propose les plats typiques de la cuisine vietnamienne du quartier voisin de Dalston, revisités à la mode du XXIe siècle. Ainsi, le porc mijoté s'accompagne de confiture de piments et le *bun hue*, la soupe de nouilles au bœuf, est aussi une surprise. L'espace est un peu confiné, mais ses plantes et ses fleurs annoncent Victoria Park.

Autres recommandations :

Thai Garden (plan p. 160 ; ☎ 8981 5748 ; www.thethaigarden.co.uk ; 249 Globe Rd E2 ; plats 5,50-11,95 £ ; 🕑 déj lun-ven, dîner lun-sam ; ⊖ Bethnal Green ou 🚌 8). Ce restaurant thaï de Bethnal Green – presque entièrement végétarien (avec des plats de poisson) – vaut vraiment le détour.

Pavilion Café du Victoria Park (plan p. 160 ; ☎ 8980 0030 ; www.the-pavilion-cafe.com ; angle Old Ford Rd et Grove Rd E3 ; plats 4,50-8 £ ; 🕑 8h30-17h ; ⊖ Mile End, 🚌 277 ou 425). Superbe café donnant sur le lac ornemental du Victoria Park. Propose des petits-déjeuners et déjeuners à base d'ingrédients locaux.

Wild Cherry (plan p. 160 ; ☎ 8980 6678 ; www.wildcherrycafe.com ; 241-245 Globe Rd E2 ; plats 3,75-5,95 £ ; 🕑 10h30-19h lun-ven, 10h30-16h sam ; ⊖ Bethnal Green, puis 🚌 8). Ce café simple du London Buddhist Centre avec une ravissante cour propose des plats végétariens aussi savoureux que copieux, dont des gâteaux faits maison (2,50-3,50 £).

WAPPING

IL BORDELLO plan p. 160 — Italien ££

☎ 7481 9950 ; 75 Wapping High St E1 ; plats 7,75-16,50 £ ; 🕑 déj lun-ven, dîner lun-sam ; ⊖ Wapping

Assez bruyant, ce restaurant de quartier fait toujours le plein de clients ravis. Ceux du Captain Kidd (p. 290) et du Prospect of Whitby (p. 290) y trouveront un arrêt pratique où se repaître d'excellentes pizzas (7,95-9,95 £) et pâtes (7,75-12,45 £) ou de plats plus "cuisinés", à base de viande ou de poisson.

LES DOCKLANDS

EL FARO Plan p. 166 — Espagnol ££

☎ 7987 5511 ; www.el-faro.co.uk ; 3 Turnberry Quay, Pepper St E14 ; plats 14,50-18,95 £ ; 🕑 fermé dîner dim ; DLR Crossharbour

Une adresse affichant le code E14 signifie rarement un restaurant chic, pourtant, n'hésitez pas à sauter dans le DLR qui vous mènera par un trajet pittoresque jusqu'au *Phare* où vous dégusterez des tapas (4,45-10,95 £) et des spécialités espagnoles réputées comme les meilleures (et les plus inventives) de la capitale. L'emplacement, sur un bassin des Docklands, est reposant, et à une courte distance à pied de Canary Wharf.

ROYAL CHINA RIVERSIDE

Plan p. 166 — Chinois ££

☎ 7719 0888 ; www.royalchinagroup.co.uk ; 30 Westferry Circus E14 ; plats 8,50-25 £, menu déj 15 £ ; ⊖ /DLR Canary Wharf

Membre d'une chaîne de quatre restaurants comprenant le Royal China Queensway (plan p. 180 ; ⊖ 7221 2535 ; 13 Queensway W2 ; ⊖ Bayswater), cette table est le meilleur restaurant cantonais de Londres. Il excelle dans les *dim sum* classiques ou plus originaux, disponibles de midi (11h le dimanche) à 17h. Au bord de la Tamise, l'établissement offre une impressionnante vue

DE MARCHÉ EN MARCHÉ

Au premier coup d'œil, on s'aperçoit à quel point les marchés de Londres ont changé du tout au tout en quelques années. Le Borough Market sur South Bank a rattrapé et même dépassé certains marchés que l'on trouve ailleurs en Europe, devenant une attraction touristique. Le Broadway Market, pour sa part, est devenu le marché attitré de toute une classe de citadins qui veulent imiter la cuisine de Gordon Ramsay et de Nigella Lawson. Cependant, pour ceux qui voudraient découvrir un bon vieux marché londonien, où les acheteurs ne se préoccupent guère de la provenance des oranges et des citrons et où tous les vendeurs, hommes et femmes, parlent avec l'accent cockney, les adresses sont nombreuses. Pour des informations sur les marchés de producteurs, spécialisés dans des denrées plus locales, biologiques et, inévitablement, plus chères, voir l'encadré p. 255.

Berwick Street Market (plan p. 70 ; Berwick St W1 ; 9h-17h lun-sam ; Piccadilly Circus ou Oxford Circus). Au sud d'Oxford St et parallèle à Wardour St, ce marché de fruits et légumes, le dernier de son espèce dans le centre de Londres, occupe le même emplacement depuis les années 1840. L'endroit idéal pour faire des emplettes en vue d'un pique-nique ou pour acheter des plats tout prêts.

Billingsgate Fish Market (plan p. 166 ; Trafalgar Way E14 ; 5h-8h30 mar-sam ; DLR West India Quay). Ce marché de gros au poisson est ouvert au public, mais il faudra vous lever aux aurores. On vous dira bien sûr qu'il faut acheter en gros, la plupart des joyeux vendeurs sont toutefois prêts à faire des exceptions.

Borough Market (plan p. 130 ; www.boroughmarket.org.uk ; angle Southwark St et Stoney St SE1 ; 11h-17h jeu, 12h-18h ven, 9h-16h sam ; London Bridge). Situé ici depuis le XIIIe siècle sous différentes formes, le "London's Larder" (cellier de Londres) a connu une incroyable renaissance ces dix dernières années. Fourmillant toujours d'amateurs de bonne chère, néophytes ou expérimentés, ce marché est devenu une destination touristique presque incontournable. En plus d'une section consacrée aux fruits frais de qualité, aux légumes exotiques et aux viandes bio, il existe une partie où sont vendus des produits d'épicerie fine comme des miels locaux et des pains maison. Sur tout le marché, des étals de vente à emporter vous permettent de goûter une saucisse de gourmet grillée à point ou un hamburger de qualité. On fait la queue pour se faire servir dans des boutiques réputées comme la Monmouth Coffee Company (pour le café), la Neal's Yard Dairy (une crémerie), la Spanish deli Brindisa (épicerie fine espagnole), ou à la boucherie Ginger Pig. Dans le quartier, les DAB sont vite à sec le samedi.

Brixton Market (plan p. 194 ; Electric Ave, Pope's Rd et Brixton Station Rd SW9 ; 8h-18h lun, mar et jeu-sam, 8h-15h mer ; Brixton). Voici un marché aux parfums entêtants, rassemblant les cultures du monde. Dans la halle couverte de Brixton Village (jadis la Granville Arcade), découvrez les bouchers halal, les poissonniers vantant du tilapia, les vendeurs d'ignames, de mangues et de bananes plantain...

Broadway Market (plan p. 160 ; 9h-17h sam ; London Fields ou Cambridge Heath, 48, 55, 106 ou 394). Offrant une sérieuse concurrence au tentaculaire marché de Borough, ce marché plus modeste à l'ambiance presque villageoise propose au sud de London Fields E8 des denrées de très grande qualité, des produits laitiers, des pains et gâteaux et du café.

Chapel Market (plan p. 174 ; Chapel Market N1 ; 9h-15h30 mar, mer, ven-sam, 9h-13h jeu et dim ; Angel). Ce marché du jour sans raffinement vend surtout des fruits et légumes et du poisson le long d'une rue dans Islington appelée Chapel Market, à deux pas de Liverpool Rd.

Leadenhall Market (plan p. 104 ; Whittington Ave EC1 ; 7h-16h lun-ven ; Bank). Les habitants de la City trouvent ici toutes les denrées courantes, des boissons, mais aussi un poissonnier, un boucher et un fromager. Le choix sur ce marché urbain est excellent et sa halle en métal et verre de l'époque victorienne, conçue par Horace Jones en 1881, est un régal architectural. Vous le trouverez en retrait de Gracechurch St et Leadenhall St.

Ridley Road Market (plan p. 160 ; Ridley Rd E8 ; 9h-15h lun-mer, 9h-12h jeu, 9h-17h ven-sam ; Dalston Kingsland). Par bien des aspects, ce marché africain, caribéen et turc de l'East End est plus coloré que celui de Brixton, et certainement moins touristique. Vous serez étonné d'y trouver tant de variétés de loukoums, de tubercules des Antilles et de créatures des mers non identifiées.

Roman Road Market (plan p. 160 ; Roman Rd E3 ; 9h-15h30 mar et jeu, 9h-17h sam ; Mile End, 8). Ce marché s'étendant entre St Stephen's Rd et Parnell Rd offre un choix de denrées ordinaires, à des prix parfois avantageux.

Smithfield Market (plan p. 104 ; voir aussi p. 117). Le dernier marché de viande à avoir survécu dans Londres. Jadis abattoir, c'est aujourd'hui le plus moderne marché de viande d'Europe. On n'y voit presque aucune trace de sang, mais sa visite risque malgré tout d'être un cauchemar pour les végétariens.

sur le fleuve et, durant les mois les plus chauds, des tables sont installées au bord de l'eau.

NORTH LONDON

North London est une mine d'or en matière de restaurants. Des pubs historiques aux restaurants chics s'adressant à la clientèle de certains des quartiers résidentiels les plus recherchés de la capitale, les choix ne manquent pas. Si Islington n'est plus le cœur gastronomique de la capitale, il n'en abrite pas moins nombre d'excellentes tables. Ailleurs, la palette est vaste, allant de l'établissement afghan au grec, en passant par le russe et le turc.

CAMDEN

ENGINEER Plan p. 170 Gastropub ££

☎ 7722 0950 ; www.the-engineer.com ; 65 Gloucester Ave NW1 ; plats 12,50-17 £ ; ⊖ Chalk Farm

L'Engineer, un des premiers et des meilleurs *gastropubs* de la ville, propose une cuisine internationale de bonne qualité, des délicieux burgers et grillades au bar mariné au *miso* (pâte de soja) et accompagné de *bok choy* (chou chinois). Il est très prisé des habitants branchés de North London. Le splendide jardin clos contribue à son charme.

BAR GANSA Plan p. 174 Espagnol ££

☎ 7267 8909 ; www.bargansa.co.uk ; 2 Inverness St NW1 ; plats 10-14,50 £ ; ⊖ Camden Town

Bar Gansa est un lieu à la popularité méritée, à Camden, qui ferme tard. La carte, surtout des tapas (autour de 3 £), est d'un bon rapport qualité/prix. Les plats traditionnels, comme la paella *valenciana*, comptent parmi les principales spécialités maison. Flamenco live le lundi soir.

MARKET Plan p. 174 Britannique moderne ££

☎ 7267 9700 ; 43 Parkway NW1 ; plats 10-14 £ ; ⏲ fermé dîner dim ; ⊖ Camden Town

Ajout abondamment commenté à la scène culinaire très fiable, mais un peu conservatrice, de Camden, cette table se consacre à la cuisine britannique simple et de qualité. Spacieuse et lumineuse, la salle reflète cette simplicité. La cuisine parvient à faire de plats classiques des expériences mémorables, comme le veau au beurre d'anchois, épinards et piment ou le carrelet au beurre de câpres et frites.

MANGO ROOM

Plan p. 174 Caraïbe ££

☎ 7482 5065 ; www.mangoroom.co.uk ; 10 Kentish Town Rd NW1 ; plats 10-13 £ ; ⊖ Camden Town

Avec son délicieux décor pastel et son service aimable, Mango Room propose une expérience caraïbe décontractée. Les spécialités sont très bonnes, notamment le bar grillé sauce au lait de coco et poivre doux, le poisson salé accompagné d'*ackee* (fruit jaune de la Jamaïque qui fait penser à des œufs brouillés), et le curry de chèvre pimenté et parfumé à point.

MANNA Plan p. 170 Végétarien ££

☎ 7722 8082 ; www.mannav.com ; 4 Erskine Rd NW1 ; plats 9,50-13 £ ; ⏲ déj sam-dim, dîner mar-dim ; ⊖ Chalk Farm

Caché dans une rue discrète de Primrose Hill, le plus chic village de Londres, cette superbe petite adresse concocte avec succès une cuisine végétarienne inventive. La carte affiche des plats aussi tentants que le korma "vert", le gâteau de risotto aux pois et à l'ail sauvage et de superbes desserts. Réservation généralement indispensable.

TROJKA

Plan p. 170 Russe, européen de l'Est £

☎ 7483 3765 ; www.trojka.co.uk ; 101 Regent's Park Rd NW1 ; plats 7,50-11 £ ; ⊖ Chalk Farm

On aurait aimé que le personnel soit aussi sympathique que l'intérieur richement peint en rouge, avec vitraux, poupées russes le long des murs et dorures. Malheureusement, le service est aussi glacial que les plaines de Sibérie, même si cela n'empêche pas ce café d'être extrêmement populaire. La cuisine, typique d'Europe de l'Est, est délicieuse et roborative, allant des *bigos* (ragoût de chou aux viandes variées) aux blinis au caviar. Apportez votre vin pour éviter d'en commander (3 £ de droit de bouchon). Musique russe le week-end.

MARINE ICES

Plan p. 170 Italien £

☎ 7482 9003 ; www.marineices.co.uk ; 8 Haverstock Hill NW3 ; plats 6-13,50 £ ; ⊖ Chalk Farm

Cette institution de Chalk Farm était au départ un glacier (une *gelateria* sicilienne, pour être précis), mais elle sert aussi aujourd'hui des plats salés, notamment des pizzas et de copieuses assiettes de pâtes. Au dessert, les glaces restent tout de même les vedettes incontestées et la file d'attente qui s'allonge dans la rue en été témoigne de leur popularité.

Autres recommandations :

Belgo Noord (plan p. 170 ; ☎ 7267 0718 ; www.belgo-restaurants.com ; 72 Chalk Farm Rd NW1 ; plats 8,95-15,95 £ ; ⊖ Chalk Farm). Appartenant à une chaîne de restauration belge, c'est l'une des rares adresses en ville où l'on sert encore des moules-frites (11,95 £).

Asakusa (plan p. 174 ; ☎ 7388 8533 ; 265 Eversholt St NW1 ; plats 3-8 £ ; dîner lun-sam ; ⊖ Mornington Cres). Un peu vieillot mais propre, l'Asakusa propose des sushis bon marché (1,10-1,40 £/pièce) et des menus plus élaborés (6-10 £).

KING'S CROSS ET EUSTON

MESTIZO

Plan p. 174 — Mexicain ££

☎ 7387 4064 ; www.mestizomx.com ; 103 Hampstead Rd NW1 ; plats 9,80-19.50 £ ; ⊖ Warren St

Si pour vous, cuisine mexicaine rime avec tacos et haricots farineux réchauffés, vous allez être agréablement surpris. Dans ce vaste restaurant-bar à tequila, très attrayant, vous trouverez quantité de mets, des *quesadillas* aux *enchiladas* farcies. Encore plus tentantes sont des spécialités comme le *pozole,* une épaisse soupe de maïs frais avec de la viande, et plusieurs préparations de *mole,* poulet ou porc cuit dans une riche sauce au chocolat.

ACORN HOUSE

Plan p. 174 — Européen moderne ££

☎ 7812 1842 ; www.acornhouserestaurant.com ; 69 Swinton St WC1 ; plats 12-18,50 £ ; fermé dim ; ⊖ King's Cross St Pancras

Nous avons fait plusieurs excellents dîners dans le premier restaurant-école "totalement écologique" de Londres. Ingrédients frais de saison, cuisine britannique moderne et inventive, salle élégante... une excellente adresse, en somme !

KONSTAM AT THE PRINCE ALBERT

Plan p. 174 — Britannique moderne ££

☎ 7833 5045 ; www.konstam.co.uk ; 2 Acton St WC1 ; plats 7-17 £ ; fermé dîner dim ; ⊖ King's Cross St Pancras

Cet ancien pub de King's Cross a été intelligemment transformé en restaurant élégant, avec de belles suspensions en chaînes. C'est une vraie réussite, même si le faible nombre de clients peut parfois donner l'impression du contraire. Autre particularité : 85% des ingrédients proviennent de producteurs locaux, situés dans des zones couvertes par le métro – un argument qui pourrait sembler tenir du gadget si la cuisine n'était si bonne. Du rôti de poitrine de porc Amersham au poulet frit de l'abbaye de Waltham, la carte est des plus alléchantes.

CAMINO

Plan p. 174 — Espagnol £

☎ 7841 7331 ; www.barcamino.com ; Regent Quarter, en retrait de Caledonian Rd N1 ; plats 6,75-18,50 £ ; ⊖ King's Cross St Pancras

Cette nouvelle adresse de Regent Quarter, au cœur de King's Cross, est bienvenue pour régénérer le quartier avec son immense carte de tapas, de plats et de desserts, sans parler de son brunch. Il suffit juste de trouver l'endroit. L'établissement peut sembler trop grand et impersonnel, mais la cuisine est savoureuse et d'un bon rapport qualité/prix.

ADDIS

Plan p. 174 — Éthiopien £

☎ 7278 0679 ; www.addisrestaurant.co.uk ; 40-42 Caledonian Rd N1 ; plats 8-9 £ ; ⊖ King's Cross St Pancras

Cet établissement animé sert des plats éthiopiens aux délicieux parfums d'épices comme le *ye beg tibs* (tendres côtes d'agneau cuites avec des oignons) ou le *doro wat* (poulet mijoté aux piments). Cette cuisine se déguste sur un grand morceau de pain, mou et un peu élastique, l'*injera*. La clientèle se compose surtout d'Éthiopiens et de Soudanais, ce qui est plutôt bon signe. Le menu spécial Addis (15,99 £) permet de goûter à tout.

DIWANA BHEL POORI HOUSE

Plan p. 174 — Indien, végétarien £

☎ 7387 5556 ; 121-123 Drummond St ; plats 7-9 £ ; ⊖ Euston ou Euston Sq

Le plus ancien restaurant indien de cette rue animée (et sans doute le meilleur) est spécialisé dans le *bhel poori* (beignet aigre doux à la fois tendre et croustillant) et les *dosa* (crêpes de riz fourrées) de Bombay. Les *thali* (6,75 à 8,50 £) présentent un assortiment de mets variés et, au déjeuner, vous pourrez profiter du légendaire buffet à volonté (6,95 £).

RAVI SHANKAR

Plan p. 174 — Indien £

☎ 7388 6458 ; 133-135 Drummond St NW1 ; plats 6-10 £ ; ⊖ Euston ou Euston Sq

Autre adresse fiable de *bhel poori* sur Drummond St. Un bon choix si vous ne pouvez obtenir une table au Diwana.

HAMPSTEAD ET HIGHGATE

WOODLANDS

Plan p. 170 Végétarien, indien £-££

☎ 7794 3080 ; www.woodlandsrestaurant.co.uk ; 102 Heath St NW3 ; plats 6-18,50 £ ; ⏲ déj ven-sam, dîner lun-sam ; ⊖ Hampstead

La chaîne Woodlands qui proclame "Que la végétation nourrisse les nations" entend prouver que la cuisine végétarienne du sud de l'Inde peut être aussi inventive que ses concurrentes à base de viande. Et, en effet, la carte est convaincante avec, en particulier, ses sublimes *thali* et *dosa*. Il y a trois autres enseignes dans la capitale.

BLACK & BLUE

Plan p. 170 Britannique ££

☎ 7443 7744 ; www.blackandbluerestaurants.com ; 205-207 Haverstock Hill NW3 ; plats 8-26 £ ; ⊖ Belsize Park

Cette chaîne de grills ne mériterait aucune mention ailleurs à Londres, mais dans le désert culinaire du Belsize Park, c'est un choix sûr, facilement identifiable à la vache noire grandeur nature qui se tient à l'extérieur. Outre le classique choix de steaks (13-26 £), vous y trouverez aussi d'excellents hamburgers (8-13 £) et un bon choix de grillades.

WELLS TAVERN

Plan p. 170 Gastropub ££

☎ 7794 3785 ; www.thewellshampstead.co.uk ; 30 Well Walk NW3 ; plats 10-16 £ ; ⊖ Hampstead

Ce *gastropub* prisé, à l'intérieur étonnamment moderne (comparé à son extérieur traditionnel), est un vrai cadeau des dieux à Hampstead. La carte propose des plats raffinés mais typiquement britanniques : saucisses du Cumberland, purée et sauce aux oignons, voire un simple rôti de porc avec tous ses accompagnements. Le week-end, il faut se battre pour trouver une table.

BOMBAY BICYCLE CLUB

Indien ££

☎ 7435 3544 ; www.thebombaybicycleclub.co.uk ; 3 Downshire Hill NW3 ; plats 10-15 £ ; ⏲ dîner ; ⊖ Hampstead

C'est l'un des trois restaurants "BBC" de Londres, mais cette chaîne haut de gamme possède aussi une quinzaine de centres de livraison (les Bicycle Delivery Kitchens) à travers la capitale. Cette adresse à Hampstead est tout en parquets frottés et nappes amidonnées blanches, avec une carte fort intéressante et un grand choix de plats végétariens.

LA GAFFE

Plan p. 170 Italien £

☎ 7435 8965 ; www.lagaffe.co.uk ; 107-111 Heath St NW3 ; plats 6-10 £ ; ⏲ déj jeu-dim, dîner tlj ; ⊖ Hampstead

Ce confortable restaurant familial occupe un cottage du XVIIIe siècle devenu un hôtel réputé de Hampstead. On y sert une bonne cuisine italienne, notamment de savoureuses pâtes fraîches (on peut en augmenter la quantité en ajoutant 2 £ au prix de base). En semaine, le déjeuner (3 plats) est à 12,50 £.

ISLINGTON

METROGUSTO

Plan p. 174 Italien ££

☎ 7226 9400 ; www.metrogusto.co.uk ; 13 Theberton St N1 ; plats 15,80-18,50 £ ; ⏲ fermé déj lun-jeu et tout le dim ; ⊖ Angel

Cette adresse tranquille, avec un choix intéressant d'art moderne aux murs, propose une cuisine italienne innovante quoiqu'un peu onéreuse. Parmi les plats caractéristiques, citons les raviolis aux artichauts de Jérusalem dans une sauce aux fèves ou les boulettes de veau ou d'agneau sauce aux amandes.

MORGAN M

Plan p. 174 Français £££

☎ 7609 3560 ; www.morganm.com ; 489 Liverpool Rd N1 ; menu déj 2/3 plats 22,50/26,50 £, menu souper 3 plats 39 £ ; ⏲ fermé déj lun-jeu et tout dim ; ⊖ Highbury et Islington

Cette nouvelle table pour gastronomes à Highbury est un ancien pub reconverti en élégant restaurant français. Il n'y a ici que des menus, allant du menu à 2 plats relativement restreint du midi au menu gastronomique à 6 plats du soir. Rapidement devenu l'un des restaurants les plus en vue d'Islington, c'est un incontournable pour tout amateur de cuisine traditionnelle française.

DUKE OF CAMBRIDGE

Plan p. 174 Gastropub ££

☎ 7359 3066 ; www.dukeorganic.co.uk ; 30 St Peter's St N1 ; plats 12,50-18,50 £ ; ⊖ Angel

Le premier pub certifié bio du Royaume-Uni est l'endroit idéal pour échapper aux foules, car il est niché au fond d'une rue secondaire en retrait d'Essex Rd, où les passants s'arrêtent rarement. Fantastique choix de bières à la pression, belle carte des vins et menu bio intéressant, avec un côté méditerranéen. Vous pouvez manger dans le pub même pour un repas tranquille ou préférer le restaurant à l'arrière, où le service est plus formel (réservation conseillée en soirée).

MASALA ZONE Plan p. 174 Indien ££

☎ 7359 3399; www.masalazone.com ; 80 Upper St N1 ; plats 7-12 £ ; ⊖ Angel

Ce restaurant spacieux avec une terrasse au bord d'Upper St, à Islington, est l'un des meilleurs restaurants indiens petit budget de Londres. Dans un cadre résolument moderne, dégustez ses fameux *thali*, ou des viandes au *tandoor* (au four) ou grillées. Il y a désormais plusieurs succursales dans la capitale.

OTTOLENGHI Plan p. 174 Italien £

☎ 7288 1454 ; www.ottolenghi.co.uk ; 287 Upper St N1 ; plats 6,80-11,80 £ ; 🕑 8h-22h lun-sam, 9h-19h dim ; ⊖ Highbury & Islington/Angel

La meilleure des nombreuses adresses d'Upper Street : un superbe espace tout blanc qui mérite le détour ne serait-ce que pour voir les merveilleux pains et gâteaux dans l'épicerie du devant. Le mieux reste toutefois de prendre place à table. Au déjeuner, vous n'aurez qu'à choisir parmi les plats proposés sur le comptoir. En soirée, il est également possible de commander à la carte (les chefs sont si maniaques quant à la qualité des ingrédients qu'elle n'est confirmée que vers 17h). Le brunch du week-end est fantastique, mais il faut généralement attendre qu'une table se libère. Réservation obligatoire en soirée.

BREAKFAST CLUB Plan p. 174 Café £

☎ 7226 5454 ; www.thebreakfastclubangel.com ; 31 Camden Passage N1 ; plats 3-9 £ ; 🕑 8h-22h lun-ven, 9h30-22h sam-dim ; ⊖ Angel

Cette oasis lumineuse et originale, dans le Camden Passage à Islington, suit les traces du **Breakfast Club Soho** (plan p. 70 ; ☎ 7434 2571 ; 33 D'Arbly St ; ⊖ Oxford Circus), tandis qu'une troisième adresse, le **Breakfast Club Hoxton** (plan p. 154 ; ☎ 7729 5252 ; 2-4 Rufus St ; ⊖ Old St), vient d'ouvrir. On y sert non seulement le petit-déjeuner (3 à 8,30 £), mais aussi des sandwichs, des salades et de bons *pies* (6 à 13 £). Les trois établissements sont remarquables pour leur personnel sympathique et leur déco fantaisiste.

GALLIPOLI Plan p. 174 Turc £

☎ 7359 0630 ; www.gallipolicafe.com ; 102 Upper St N1 ; plats 6,25-7,75 £ ; ⊖ Angel ou Highbury & Islington

Ce populaire restaurant turc attire une clientèle de fidèles, ici même et à son autre adresse **Gallipoli Again** (plan p. 174 ; ☎ 7226 8099 ; 120 Upper St N1 ; 🕑 fermé déj lun-jeu et tout dim), à proximité, avec ses plats turcs très corrects à petits prix (du moins selon les standards d'Islington). Grand choix de mezze et de kebabs.

LE MERCURY Plan p. 174 Français £

☎ 7354 4088 ; www.lemercury.co.uk ; 140a Upper St N1 ; plats 6,45 £ ; ⊖ Angel ou Highbury & Islington

Un excellent restaurant français bon marché, très populaire, où tous les plats sont au même tarif. Réservation conseillée.

AFGHAN KITCHEN Plan p. 174 Afghan £

☎ 7359 8019 ; 35 Islington Green N1 ; plats 5,50-6,50 £ ; 🕑 déj et dîner mar-sam ; ⊖ Angel

Ce joli petit établissement sur deux étages offre l'un des meilleurs rapports qualité/prix d'Islington et des mets afghans traditionnels comme le *qurma suhzi gosht* (agneau mijoté aux épinards) et le *qurma e mahi* (ragoût de poisson). On y trouve aussi un vaste choix de plats végétariens comme le *borani kado* (mélange de potiron et de yaourt) et le *moong dall* (*dhal* aux lentilles). En raison de l'excellent rapport qualité/prix, l'adresse est très populaire et mieux vaut donc réserver pour la soirée.

STOKE NEWINGTON

BLUE LÉGUME Plan p. 66 Végétarien £

☎ 7923 1303 ; 101 Stoke Newington Church St N16 ; plats 5-12 £ ; 🚆 Stoke Newington, 🚌 73

Cet établissement animé possède des tables en mosaïques et une déco plutôt hippie, avec une jolie serre à l'arrière et des tables dans la rue. Le petit-déjeuner est populaire à juste titre. Carte méditerranéenne pour le déjeuner et soirée paella hebdomadaire.

MANGAL OCAKBASI Plan p. 160 Turc £

☎ 7275 8981 ; www.mangal1.com ; 10 Arcola St E8 ; plats 5-11,50 £ ; 🚆 Dalston Kingsland

Voici la quintessence des *ocakbasi*, ces restaurants turcs avec un grill traditionnel. Toujours plein en soirée, Mangal sert depuis 20 ans de superbes mezze, des côtes d'agneau grillées, des cailles et des *lahmacun* ("pizza" turque garnie de viande hachée, d'oignons et de poivrons). Possibilité de prendre à emporter si vous ne trouvez pas de table.

RASA Plan p. 66 Végétarien, indien £

☎ 7249 0344 ; www.rasarestaurants.com ; 55 Stoke Newington Church St N16 ; plats 4-8 £ ; 🕑 déj sam-dim, dîner tlj ; 🚆 Stoke Newington, puis 🚌 73

Principal restaurant de la chaîne Rasa, ce restaurant végétarien d'Inde du Sud est le plus célèbre de Stoke Newington et constitue l'une des tables les plus appréciées de la capitale.

On y trouve un service sympathique, une ambiance paisible, des prix raisonnables et une excellente cuisine à l'influence keralaise. Si vous hésitez, ignorez la carte et jetez-vous sur le superbe menu *Keralan Feast* à plusieurs plats (16 £). Le Rasa Travancore (plan p. 66 ; ☎ 7249 1340 ; 56 Stoke Newington Church St N16), de l'autre côté de la rue, propose presque les mêmes plats, mais avec de la viande et du poisson en sus.

WEST LONDON

La grande variété de restaurants que l'on trouve dans les quartiers multiculturels de l'ouest de Londres promet une riche moisson à ceux qui recherchent d'excellentes tables. Notting Hill, situé au cœur de cette zone, abrite un choix appréciable de restaurants pour toutes les bourses, depuis la petite adresse de quartier jusqu'au restaurant chic et dans le vent. Shepherd's Bush voit sans cesse de nouvelles adresses apparaître ou d'anciennes être remises au goût du jour. Earl's Court, pour sa part, offre un grand choix d'options meilleur marché, idéales pour observer l'activité de la rue. Quant au quartier de Hammersmith, il compense son manque d'intérêt en hébergeant quelques restaurants qui méritent une visite. St John's Wood et Maida Vale, enfin, possède quelques adresses originales qui valent le déplacement.

ST JOHN'S WOOD ET MAIDA VALE

BOATHOUSE

Plan p. 180 — Européen moderne ££

☎ 7286 6752 ; www.boathouselondon.co.uk ; Grand Union Canal, en face du 60 Blomfield Rd W9 ; plats 14-18,50 £ ; fermé dîner dim ; ⊖ Warwick Ave

Des tables extérieures confortables et une salle principale occupant un haut hangar à bateau en bois qui donne presque l'impression d'être dehors. Après un changement d'identité complet (il fut durant des années un restaurant de poissons et fruits de mer baptisé Jason's), il se consacre désormais plutôt à la viande, témoignant de ses racines australiennes. Une adresse idéale pour un déjeuner le week-end par beau temps.

MANDALAY

Plan p. 180 — Birman £

☎ 7258 3696 ; www.mandalayway.com ; 444 Edgware Rd W2 ; plats 4,80-7,90 £ ; fermé dim ; ⊖ Edgware Rd

Installé dans une portion assez laide d'Edgware Rd, Mandalay fait partie des trésors cachés de Londres en dépit de son aspect peu attrayant. Seul restaurant birman de la capitale, il propose, en entrée, de délicieux *kyaw* (beignets de légumes et de crevettes ; 2,40 £) ou une soupe de nouilles à la gourde épicée (2,90 £). Ensuite, le curry de poisson cuit deux fois avec une sauce au tamarin et au citron vert (6,90 £) constitue un délicieux plat principal.

PADDINGTON ET BAYSWATER

LE CAFÉ ANGLAIS

Plan p. 180 — Européen moderne £££

☎ 7221 1415 ; www.lecafeanglai.co.uk ; 8 Porchester Gardens W2 ; plats 12,50-27 £, menu 2/3 plats 16,50/19,50 £, dîner en semaine 20/25 £ ; ⊖ Bayswater

Après avoir abandonné le Kensington Place (ci-contre), Rowley Leigh a ouvert ce restaurant animé à peu de distance au nord-est. La carte est très éclectique, avec le hachis de bœuf et œufs pochés côtoyant le curry vert thaïlandais de crevettes et des rôtis tellement énormes qu'ils pourraient nourrir une famille entière. Il y en a pour tous les goûts et les menus sont d'un excellent rapport qualité/prix.

PEARL LIANG

Plan p. 180 — Chinois £££

☎ 7289 7000 ; www.pearlliang.co.uk ; 8 Sheldon Sq W2 ; plats 7-28 £ ; ⊖ Paddington

Considéré par beaucoup comme le meilleur établissement chinois de Londres, ce restaurant élégant est coincé de manière incongrue entre la gare de Paddington et la Westway. Il propose une cuisine chinoise revue de façon moderne. Les *dim sum* (2,50-3,50 £) sont succulents. La déco est un peu kitsch, mais juste ce qu'il faut.

COUSCOUS CAFÉ

Plan p. 180 — Nord-africain ££

☎ 7727 6597 ; 7 Porchester Gardens W2 ; plats 9,95-15,95 £ ; ⊖ Bayswater

Les amateurs de cuisine marocaine apprécieront cet établissement confortable en sous-sol à la déco gaie qui confectionne à merveille les mets populaires en provenance d'Afrique du Nord, notamment les couscous, tajines et *pastillas* (sorte de feuilleté délicieusement fourré). Les serveurs sont peut-être un peu trop empressés. Essayez la petite/grande assiette de mezze (6,95/11,95 £). On sert de l'alcool mais vous pouvez apporter votre bouteille (pas de droit de bouchon).

NOTTING HILL ET PORTOBELLO

ELECTRIC BRASSERIE

Plan p. 180 Britannique moderne, européen £-£££

☎ 7908 9696 ; www.electricbrasserie.com ; 191 Portobello Rd W11 ; plats 9-32,50 £ ; ⊖ Ladbroke Grove

C'est le cinéma voisin de style Art déco qui a donné son nom à cette brasserie où une ambiance animée semble régner en permanence. Une foule d'habitants branchés et fortunés de Notting Hill viennent ici prendre un petit-déjeuner (5 à 10 £), un brunch en fin de semaine, un déjeuner consistant ou un dîner complet. La carte, moderne, mêle les saveurs britanniques et européennes avec des réussites comme la tourte améliorée au poulet et aux poireaux, la salade de betteraves rouges et fromage de chèvre et – un régal – de la langouste et des frites (28 £).

E&O

Plan p. 180 Fusion asiatique ££

☎ 7229 5454 ; www.rickerrestaurants.com ; 14 Blenheim Cres W11 ; plats 7,50-20,50 £ ; ⊖ Ladbroke Grove

Cette adresse de Notting Hill propose une cuisine fusion qui part généralement d'une base asiatique pour virer en général vers la zone pacifique (par exemple, curry vert aux aubergines et aux lychees ou *black cod* au miso et tofu pimenté). La déco est minimaliste, voire spartiate – une sorte de version plus "*cheap*" et branchée du Nobu (p. 246). Vous pourrez déguster vos *dim sum* (3,50-7 £) au bar si aucune table n'est disponible en soirée.

COMMANDER PORTERHOUSE & OYSTER BAR

Plan p. 180 Poissons et fruits de mer ££

☎ 7229 1503 ; www.thecommanderbar.co.uk ; 47 Hereford Rd W2 ; plats 9,75-19,25 £, menu déj 2/3 plats 12,95/15,95 £ ; ⊖ Bayswater

Cet extravagant pub-restaurant de style rétro prépare viandes et poissons avec le même bonheur, mais nous avons d'abord jeté notre dévolu sur les huîtres. L'assiette de fruits de mer pour deux (à partir de 44 £) offre une bonne entrée en matière et la tourte safranée aux poisson, poireaux et vermouth (12,50 £) vaut le détour.

KENSINGTON PLACE

Plan p. 180 Européen moderne ££

☎ 7727 3184 ; www.kensingtonplace-restaurant.co.uk ; 201-209 Kensington Church St W8 ; menu 2/3 plats déj et dîner 16,50/19,50 £ ; ⊖ Notting Hill Gate

Le très innovateur chef Rowley Leigh a fui, laissant le Kensington Place aux mains de ses successeurs de la chaîne Conran. C'est plutôt une bonne nouvelle pour le budget des gastronomes, grâce à ses menus à prix identiques midi et soir. L'impressionnante façade vitrée, l'intérieur design et la poissonnerie (🕑 9h-19h mar-ven, 9h-17h sam) attenante sont restés les mêmes.

GEALES

Plan p. 180 Fish and chips ££

☎ 7727 7528 ; www.geales.com ; 2 Farmer St W8 ; plats 9,75-17 £ ; 🕑 fermé déj lun ; ⊖ Notting Hill Gate

Ouvert depuis 1939 – et, heureusement, réaménagé depuis –, le très fréquenté Geales fait partie du paysage, attirant aussi bien touristes que Londoniens à Notting Hill. Sa carte propose désormais tourtes au poisson (*fish pie*) et bavette d'aloyau. S'il est plus cher que la plupart des *chippies*, c'est aussi sans conteste le meilleur de Londres. Petite terrasse sur le trottoir.

COW

Plan p. 180 Gastropub ££

☎ 7221 5400 ; www.thecowlondon.co.uk ; 89 Westbourne Park Rd W2 ; plats 7,95-17 £ ; ⊖ Westbourne Park ou Royal Oak

Propriété de Tom Conran, descendant du célèbre Sir Terence, cet établissement fut l'un des premiers *gastropubs* et la salle à l'étage est particulièrement belle. Les fruits de mer et crustacés ont la part belle aussi bien à l'étage qu'au rez-de-chaussée : huîtres irlandaises, *fishcakes* de haddock, pâtes aux couteaux et perce-pierre (fenouil marin)… Même si les rentiers de West London y viennent en nombre, l'endroit reste appréciable.

MARKET THAI

Plan p. 180 Thaïlandais £

☎ 7460 8320 ; www.themarketthai.co.uk ; 1er ét, 240 Portobello Rd W11 ; plats 4,95-13,95 £ ; ⊖ Ladbroke Grove

Chandelles blanches, arches voûtées et fer forgé marquent l'intérieur de ce ravissant restaurant qui occupe le 1er étage du Market Bar, mais n'a rien à voir avec lui et donne l'impression d'être loin, très loin, du marché. Le personnel est serviable et la cuisine délicatement épicée. Très agréable. Entrée par Lancaster Rd.

COSTA'S FISH RESTAURANT

Plan p. 180 Fish and chips £

☎ 7229 3794, 7727 4310 ; 12-14 Hillgate St W8 ; plats 5,50-8,50 £ ; 🕑 déj et dîner mar-sam ; ⊖ Notting Hill Gate

Petit restaurant de quartier très apprécié, apportant une note chypriote à la gamme traditionnelle des *fish and chips*. Il propose un excellent choix de plats de poisson de première fraîcheur et au prix du marché, que de nombreux clients préfèrent à celui de son voisin, le Geales (p. 269), plus chic. Cette adresse ne doit pas être confondue avec le Costa's Grill au n°18 de la même rue.

TAQUERIA Plan p. 180 Tex-mex £

☎ 7229 4734 ; www.coolchiletaqueria.co.uk ; 139-143 Westbourne Grove ; tacos 5,50-7,50 £ ; fermé dim ; ⊖ Bayswater ou Notting Hill Gate

Vous ne trouverez pas de tacos plus frais ni plus souples (ils ne sont pas censés être croustillants !) à Londres. La Taqueria confectionne elle-même ses tortillas de maïs dans la cuisine que vous apercevez par la fenêtre. Une petite adresse sans prétention servant les grands classiques de la cuisine de rue mexicaine. L'ambassade du Mexique y organisait une fête lors de notre dernière visite.

Autres recommandations :

Churreria Española (plan p. 180 ; ☎ 7727 3444 ; 177-179 Queensway W2 ; plats 5,95-8,95 £ ; 8h-20h lun-ven, à partir de 9h sam-dim ; ⊖ Bayswater). Ce café à la devanture ouverte sert un vaste choix de plats bon marché, des petits-déjeuners anglais à une sélection de tapas espagnoles.

Humble Pie (plan p. 180 ; ☎ 7243 5762 ; www.eathumble.com ; 121 Portobello Rd W11; tourtes 3,45-4,45 £ ; 11h-18h jeu, à partir de 8h ven, à partir de 6h sam, 9h30-14h dim ; ⊖ Notting Hill Gate ou Ladbroke Grove). Cette excellente boutique spécialisée dans les tourtes (*pie shop*), nettement en avance sur la tradition en la matière (agneau au shiraz ou poulet à la mangue, par exemple), s'adresse à la clientèle du marché de Portobello Rd.

Arancina (plan p. 180 ; ☎ 7221 7776 ; www.arancina.co.uk ; 19 Pembridge Rd, W11 ; plats 2,70-5,20 £ ; 7h30-22h ; ⊖ Notting Hill Gate). Une superbe adresse pour des en-cas siciliens ; essayez l'*arancini* (boulettes de riz farcies frites ; 2 £), la délicieuse pizza et les irrésistibles desserts crémeux appelés *cannoli siciliano*.

EARL'S COURT

MR WING Plan p. 182 Fusion asiatique ££

☎ 7370 4450 ; www.mrwing.com ; 242-244 Old Brompton Rd SW5 ; plats 14-33 £ ; ⊖ Earl's Court ou West Brompton

Ce très élégant restaurant asiatique, plutôt cher, propose une cuisine chinoise aux accents thaïlandais et japonais – soupe *tom yum* aux crevettes ou pot-au-feu de fruits de mer au saké. Son cadre est chic et sombre, éclairé de notes tropicales (aquariums et plantes). Le service est attentionné et des groupes de jazz se produisent en soirée du jeudi au samedi au sous-sol.

TENDIDO CERO

Plan p. 182 Espagnol £

☎ 7370 3685 ; www.cambiodetercio.co.uk ; 174 Old Brompton Rd SW5 ; tapas 3-13 £ ; ⊖ Gloucester Rd

Cette adresse élégante (lignes claires dans des tons noirs et pourpres) est à mi-chemin entre South Kensington et Earl's Court. Pour déguster des tapas, c'est sans doute le restaurant espagnol le plus branché que vous pourrez voir en dehors de la péninsule Ibérique. L'adresse est populaire et il y a deux services. Mieux vaut donc toujours réserver.

KRUNGTAP Plan p. 182 Thaïlandais £

☎ 7259 2314 ; 227-229 Old Brompton Rd SW10 ; plats 5,75-12,95 £ ; ⊖ Earl's Court ou West Brompton

Une table sympathique servant une cuisine thaïlandaise relativement authentique à petits prix.

SHEPHERD'S BUSH ET HAMMERSMITH

RIVER CAFÉ Plan p. 182 Italien £££

☎ 7386 4200 ; www.rivercafe.co.uk ; Thames Wharf, Rainville Rd W6 ; plats 29-32 £ ; fermé dîner dim ; ⊖ Hammersmith

Au grand soulagement des habitants de l'Ouest londonien et des autres, le célèbre restaurant au bord de la Tamise, connu dans le monde entier pour ses livres de cuisine du même nom, a rouvert ses portes après des travaux prolongés. La cuisine simple et précise met l'accent sur la qualité des ingrédients de saison, choisis avec une exigence implacable. Le menu change chaque jour. La réservation est indispensable car l'endroit reste plus que jamais l'une des adresses préférées des habitants de Fulham.

HARWOOD ARMS

Plan p. 182 Britannique moderne ££

☎ 7386 1847 ; www.harwoodarms.com ; 27 Walham Grove SW6 ; plats 13,50-15,50 £ ; ⊖ Fulham Broadway

Ce *gastropub* est l'une des adresses favorites à Londres d'un de nos amis, critique culinaire doté de papilles gustatives très acérées. Il y retourne régulièrement pour des plats de gibier, comme des feuilletés à la saucisse de venaison, de la langue de bœuf salée et grillée aux topinambours et/ou du pigeon avec du jambon séché de Cumbrie. Les végétariens iront tout droit au Gate (p. 271).

ESARN KHEAW

Plan p. 182 — Thaïlandais £

☎ 8743 8930 ; www.esarnkheaw.com ; 314 Uxbridge Rd W12 ; plats 6,95-16,50 £ ; déj lun-ven, dîner tlj ; ⊖ Shepherd's Bush

Tout droit sorti des années 1970, ce merveilleux restaurant thaïlandais à l'intérieur éclatant de vert est spécialisé dans la cuisine de l'Esarn (ou Issan), région au nord-est du royaume dont les habitants mâchent des piments comme on mâche du chewing-gum. Les saucisses maison de l'Esarn et la salade de papaye verte (*som tom*) sont sublimes. Et si vos papilles résistent, les "larmes de tigre", des fines tranches de foie de bœuf servies avec une sauce aux piments forts est le plat le plus authentique du nord-est de la Thaïlande, à l'ouest de la ville de Nakhorn Ratchasima (ou Korat, capitale de l'Esarn).

PATIO

Plan p. 182 — Polonais ££

☎ 8743 5194 ; 5 Goldhawk Rd W12 ; plats 8,50-14,90 £, menu avec verre de vodka 16,50 £ ; déj lun-ven, dîner tlj ; ⊖ Shepherd's Bush ou Goldhawk Rd

Ce restaurant confortable, encombré de bibelots et d'antiquités, propose une cuisine polonaise assez authentique. Il est tenu par une aimable matriarche qui a l'œil sur tout !

GATE

Plan p. 182 — Végétarien ££

☎ 8748 6932 ; www.thegate.tv ; 51 Queen Caroline St W6 ; plats 10,50-13,50 £ ; déj lun-ven, dîner lun-sam ; ⊖ Hammersmith

Considéré par beaucoup comme l'un des meilleurs restaurants végétariens de la ville, cette table n'est pas très bien située, derrière le Hammersmith Apollo, au milieu d'un paysage urbain ponctué d'autoponts. Toutefois, la cuisine inventive (aubergines sauce *teriyaki*, *wonton* aux *shitake*, *laksa* au potiron et cannelloni à la roquette), le personnel très sympathique et l'ambiance décontractée de la vaste salle à manger lumineuse donnant sur une cour tranquille méritent le périple. Le cheese-cake à l'orange et au Cointreau remporte tous les suffrages, de même que les entrées simples mais inspirées et la belle carte des vins.

TATRA

Plan p. 182 — Polonais £

☎ 8749 8193 ; www.tatrarestaurant.co.uk ; 2 Goldhawk Rd W12 ; plats 8,90-12,90 £ ; ⊖ Goldhawk Rd

Malgré la forte présence de Polonais dans West London, les restaurants polonais haut de gamme restent rares. Avec sa déco design et ses employés branchés, Tatra est l'une des grandes exceptions. La carte affiche les spécialités habituelles, ainsi que des délices moins connus, comme la *kaszanka* (sorte de boudin noir grillé servi avec un toast et de la pomme) et un risotto de *kasza* (gruau de sarrasin) et champignons sauvages.

BLAH BLAH BLAH

Plan p. 182 — Végétarien £

☎ 8746 1337 ; 78 Goldhawk Rd W12 ; plats 7,95-9,95 £ ; fermé dim ; ⊖ Goldhawk Rd

Cette institution du végétarisme londonien séduit depuis de nombreuses années grâce à des plats inventifs et bien préparés, servis dans un décor décontracté et joyeux. On reconnaît des influences méditerranéennes, mais pas exclusivement, à preuve des plats comme le curry du Cachemire ou les *fajitas* végétariennes. Vous pouvez apporter votre bouteille (droit de bouchon, 1,50 £/pers).

GREENWICH ET SOUTHEAST LONDON

Si cette rubrique est si courte, ce n'est pas faute d'inspiration. Simplement, le sud-est de Londres commence tout juste à se faire une réputation culinaire. Si mince encore, que même les habitants du quartier désespèrent de trouver une bonne adresse à Greenwich. Certes, les endroits où se restaurer ne manquent pas le long de la rue principale, mais rares sont ceux qui proposent une cuisine digne de ce nom. Blackheath, au sud de Greenwich Park, possède quelques adresses réputées et Dulwich – plus particulièrement Dulwich Village – commence à s'éveiller à la culture du *gastropub*, mais aucune table ne semble sortir du lot.

LES CHAÎNES LONDONIENNES

On trouve un peu partout à Londres les habituelles chaînes standardisées originaires des USA, mais la capitale britannique possède également quelques chaînes de restaurants inventives et créatives, plébiscitées par les habitants. Vous trouverez ci-dessous quelques-unes de nos adresses préférées. La liste de leurs établissements figure sur leur site Internet.

ASK

Chaîne joyeuse et bon marché servant une cuisine italienne correcte, ASK possède quelque 18 adresses, souvent assez grandes et situées dans des endroits bien desservis, notamment la succursale de Paddington (plan p. 180 ; ☎ 7706 0707 ; www.askcentral.co.uk ; 41-43 Spring St W2 ; ⊖ Paddington).

Carluccio's

Une chaîne en pleine expansion de restaurants italiens inventifs et authentiques, à l'ambiance assez chic, et installés dans des espaces très ouverts. La vingtaine d'établissements, dont celui de Fitzrovia (plan p. 70 ; ☎ 7636 2228 ; www.carluccios.com ; 8 Market Pl W1 ; ⊖ Oxford Circus), possède un comptoir où sont vendus des produits d'épicerie fine.

Giraffe

Les restaurants Giraffe, qui accueillent volontiers toute la famille, apportent un peu de soleil californien dans l'univers de la restauration. Au menu, frites grossièrement taillées, *burritos*, *wraps* de salade végétariens et hamburgers. Le service aimable est un plus (les serveurs vous serviront à peu près tout ce que vous demandez... dans la limite du raisonnable). On compte une douzaine d'établissements dans le centre de Londres, dont celui d'Islington (plan p. 174 ; ☎ 7359 5999 ; www.giraffe.net ; 29-31 Essex Rd N1 ; ⊖ Angel).

Gourmet Burger Kitchen

Chez GBK, les hamburgers sont bien sûr à l'honneur, fabriqués à partir de viande écossaise de premier choix et relevés de sauces créées spécialement et de frites délicieuses. Il existe aussi des versions végétariennes. La succursale de Bayswater (plan p. 180 ; ☎ 7243 4344 ; www.gbkinfo.co.uk ; 50 Westbourne Grove W2 ; ⊖ Royal Oak) est l'une des plus pratiques parmi la vingtaine de points de vente.

Hamburger Union

Nous vous recommandons tout spécialement Hamburger Union. Ses six établissements chics, bien situés au centre de Londres, dont la succursale de Soho (plan p. 70 ; ☎ 7437 6004 ; www.hamburgerunion.com ; 22-25 Dean St W1 ; ⊖ Tottenham Court Rd), ne désemplissent pas, très appréciés pour leur version gourmet des habituels plats caloriques qu'offre la restauration rapide. Tous les produits animaux sont garantis bio et issus de l'élevage en plein air.

Le Pain Quotidien

Cafés de style français (en réalité une chaîne belge), simples et épurés, qui proposent salades, soupes, sandwichs à la baguette et gâteaux excellents. Londres compte 12 adresses, dont celle de South Bank

GREENWICH

SE10 RESTAURANT & BAR

Plan p. 186 Européen moderne ££

☎ 8858 9764 ; www.se10restaurant.co.uk ; 62 Thames St SE10 ; plats 13-19,50 £, menu déj 2/3 plats semaine 11,75/14,95 £, week-end 17,95/21,95 £ ; ⏲ déj et dîner jeu-dim ; DLR Cutty Sark

Ne vous laissez pas décourager par l'apparence peu reluisante de ce bar à vins à l'ouest de la station DLR de Cutty Sark, l'intérieur sobre et aéré est particulièrement chaleureux, dans des tons bleu et or. Vous découvrirez un grand choix de poissons (la Tamise est juste derrière), ainsi que des plats britanniques traditionnels. Les desserts sont un régal, notamment le pudding au caramel. Le dimanche, on y sert le petit-déjeuner (5,59-7,95 £) et le déjeuner.

INSIDE Plan p. 186 Européen moderne ££

☎ 8265 5060 ; www.insiderestaurant.co.uk ; 19 Greenwich South St SE10 ; plats 12,95-17,95 £,

(plan p. 130 ; www.lepainquotidien.com ; ☎ 7486 6154 ; Upper Festival Walk, Royal Festival Hall SE1 ; ⊖ Embankment ou Waterloo).

Nando's

Une des meilleures options de restauration rapide de Londres, Nando's propose du poulet *a la portuguesa* aux accents africains et brésiliens. Cette chaîne possède 65 adresses, dont une à Camden (plan p. 170 ; ☎ 7424 9040 ; www.nandos.co.uk ; 57-58 Chalk Farm Rd NW1 ; ⊖ Camden Town). Le décor est coloré et branché, l'ambiance décontractée et la sauce *peri-peri* (aux piments) signe la cuisine de sa langue de feu.

Real Greek

Cette chaîne de restaurants grecs, qui compte 8 adresses, sert du *souvlaki* (kebab à la grecque) et des mezze. Le restaurant d'origine d'Hoxton (plan p. 154 ; ☎ 7739 8212 ; www.therealgreek.com ; 14-15 Hoxton Market N1 ; ⊖ Old St) est une véritable œuvre d'art.

Strada

Parmi les chaînes de pizzerias, Strada offre une qualité nettement supérieure. Dans sa trentaine d'établissements, dont l'un à Clerkenwell (plan p. 154 ; ☎ 7278 0800 ; www.strada.co.uk ; 8-10 Exmouth Market EC1 ; ⊖ Farringdon), toutes les pizzas sortent du four à bois. Bonnes pâtes également.

Tas

Vous ne serez jamais déçu par ces restaurants turcs qui affichent un vaste choix de grillades et de ragoûts. On trouve 8 restaurants dispersés dans Londres, dont celui de Waterloo (plan p. 130 ; ☎ 7928 1444 ; www.tasrestaurant.com ; 33 The Cut SE1 ; ⊖ Waterloo), mais notre préféré est le Tas Pide (plan p. 130 ; ☎ 7928 3300 ; www.tasrestaurant.com ; 20-22 New Globe Walk SE1 ; ⊖ London Bridge), spécialisé dans les *pide* (que, faute de mots, nous appellerons "pizza" turque), et très bien situé en face du Shakespeare's Globe (p. 133) à Bankside.

Wagamama

Rien de nouveau ou d'extraordinaire dans cette chaîne de bars à nouilles. Dans la trentaine de bars éparpillés dans la capitale, dont celui de Marylebone (plan p. 94 ; ☎ 7409 0111 ; www.wagamama.com ; 101a Wigmore St W1 ; ⊖ Bond St), on entre, on avale ses nouilles et on ressort aussitôt, mais la qualité est là, à petit prix (pour Londres). Les voyageurs en solo pourront tout de même s'installer sur ses bancs propices aux rencontres.

Yo! Sushi

La toute première chaîne de sushis sur tapis roulant de Londres reste attractive. Le restaurant d'origine à Soho (plan p. 70 ; ☎ 7287 0443 ; www.yosushi.com ; 52 Poland St W1 ; ⊖ Tottenham Court Rd ou Piccadilly Circus) n'est qu'une de ses 20 adresses de la capitale.

menu déj 2/3 plats 11,95/15,95 £, dîner (tôt) 16,95/20,95 £ ; ⏲ fermé dîner dim et tout lun ; DLR/ Greenwich

Avec ses murs blancs, ses œuvres d'art modernes et ses nappes en lin, l'Inside offre à première vue un cadre un peu étouffant, mais c'est en réalité un lieu décontracté. La carte vous propose des plats intéressants, comme la soupe de tomates rôties au mascarpone, de la morue rôtie au poivron espagnol, ainsi que des desserts comme le crumble à la pomme et à la rhubarbe.

ROYAL TEAS Plan p. 186 — Café £

☎ 8691 7240 ; 76 Royal Hill SE10 ; plats 2,35-6,95 £ ; ⏲ 9h30-17h30 lun-ven, 10h-18h sam, 10h30-18h dim ; DLR/ Greenwich

Royal Teas n'est pas strictement végétarien, puisque l'on peut y déguster du saumon fumé au déjeuner appelé *cream tea* (6,95 £). La délicieuse cuisine fait cependant la part belle à des plats comme les haricots au four nappés de fromage, les omelettes espagnoles, les sandwichs à la baguette et les soupes. Le gâteau au gingembre (2,60 £) servi avec de la crème ou de la glace est irrésistible.

Autres recommandations :

Spread Eagle (plan p. 186 ; ☎ 8853 2333 ; 1-2 Stockwell St SE10 ; plats 13,95-19,50 £, menu déj 2/3 plats 13,50/16,50 £, menu dîner 3 plats 22,50 £ ; fermé dîner dim ; DLR Cutty Sark). Élégant restaurant aux accents français, en face du Greenwich Theatre, dans ce qui fut jadis le relais de la diligence de Londres.

Rivington Grill (plan p. 186 ; ☎ 8293 9270 ; www.riving tongrill.co.uk ; 178 Greenwich High Rd SE10 ; plats 9,75-27,50 £ ; DLR/ Greenwich). Succursale du bar-grill tendance de **Hoxton** (☎ 7729 7053 ; 28-30 Rivington St EC2 ; ⊖ Old St), qui sert des plats toute la journée.

SOUTH LONDON

Le choix n'est pas aussi vaste ici que de l'autre côté de la Tamise, mais certains restaurants de Brixton – qui accueille la meilleure pizzeria et l'un des cafés les plus ravissants de Londres, ainsi qu'un fantastique marché –, de Battersea, de Wandsworth et de Clapham méritent le déplacement. Enfin, c'est à Kennington que l'on trouve l'un des meilleurs restaurants chinois de la capitale.

BRIXTON

LOUNGE CAFÉ

Plan p. 194 Café £

☎ 7733 ; 56-58 Atlantic Rd SW9 ; plats 5,50-13,50 £ ; fermé dîner dim ; ⊖ Brixton

À la fois bar et restaurant, l'endroit se proclame "retraite urbaine originale". On y sert le petit-déjeuner et, midi et soir, des menus satisfaisant les goûts de tous : sautés de légumes, hamburgers, plateaux de mezze. C'est un lieu idéal pour un cocktail ou un repas léger, agrémenté de musique live.

FUJIYAMA

Plan p. 194 Japonais £

☎ 7737 6583 ; 5-7 Vining St SW9 ; plats 5,40-10,75 £ ; ⊖ Brixton

Petit en apparence, ce restaurant japonais derrière le **Dogstar** (p. 296) surprend par sa décoration rouge sombre et ses bancs communs qui contribuent à un espace chaleureux. Outre le grand choix de boîtes à *bento*, la carte propose des nouilles, des tempuras, des soupes *miso*, des sushis et des sashimis.

ROSIE'S DELI CAFÉ

Plan p. 194 Café £

www.rosiesdelicafe.com ; 14e Market Row SW9 ; plats 4-6 £ ; 9h30-17h30 lun-sam ; ⊖ Brixton

Un café très apprécié de Brixton tenu par Rosie Lovell, jeune cuisinière surnommée "la nouvelle Nigella". Sans aucun doute charmante, elle est devenue une véritable célébrité au Brixton Market et au-delà grâce à son nouveau livre de cuisine, *Spooning With Rosie*. Elle prépare de fantastiques gâteaux et biscuits, ainsi que des quiches, des *wraps*, des sandwichs et des salades qui lui ont permis de se faire une clientèle fidèle. Un must à Brixton.

FRANCO MANCA

Plan p. 194 Italien £

☎ 7738 3021 ; 4 Market Row SW9 ; plats 4-6 £ ; 12h-17h lun-sam ; ⊖ Brixton

Élue meilleure pizzeria de Londres par à peu près tout le monde, Franco Manca mérite chaque minute (voire heure, le samedi) passée dans la file d'attente, que ce soit pour une table ou pour la vente à emporter. Pour ne pas attendre et déguster une pizza exceptionnelle dans une atmosphère détendue, évitez les heures du déjeuner et les samedis. Le secret de la pizza est toujours dans la base, et l'établissement n'utilise que la pâte préparée dans sa boulangerie, à l'étage, avec une farine provenant d'une minoterie napolitaine. La provenance des ingrédients des six pizzas, absolument délicieuses, est indiquée : les légumes sont achetés à un petit épicier de Londres, l'huile d'olive bio est fabriquée dans des *fincas* espagnoles et siciliennes, le fromage vient du Somerset, les tomates de Ligurie (Italie) et la viande provient d'un boucher londonien indépendant. La bière et le vin sont bio (provenant respectivement du Sussex et du Piedmont) et la limonade est faite maison. L'endroit est simple mais les pizzas extraordinaires (et tellement bon marché). Dommage que les heures d'ouvertures soient limitées.

ASMARA

Plan p. 194 Érythréen £

☎ 7737 4144 ; 386 Coldharbour Lane SW9 ; plats 4-7,50 £, menus 6/7 plats 25/27 £ ; dîner tlj ; ⊖ Brixton

Le restaurant Asmara est une petite surprise. Sa carte privilégie les plats épicés de viande et de légumes originaires d'Érythrée, que l'on mange à l'aide d'un morceau d'*injera* (sorte de grande crêpe fermentée – légèrement acide – et plutôt spongieuse, que l'on partage généralement). Elle adresse aussi un clin d'œil aux anciens colonisateurs italiens avec quelques plats de pâtes (4-4,59 £), servis par un personnel vêtu de costumes traditionnels aux couleurs vives.

BATTERSEA ET WANDSWORTH

CHEZ BRUCE Plan p. 66 Français £££

☎ 8672 0114 ; www.chezbruce.co.uk ; 2 Bellevue Rd SW17 ; menus 3-4 plats 40-50 £ ; Wandsworth Common

Bien qu'étoilé au guide Michelin, cet établissement ressemble plus à un bon restaurant de quartier qu'à un lieu chic. À côté du verdoyant Wandsworth Common, la façade rustique cache un intérieur moderne. Les menus à prix fixe permettent heureusement de ne pas avoir à économiser sur le dessert.

BUTCHER & GRILL

Plan p. 194 Britannique ££

☎ 7924 3999 ; www.thebutcherandgrill.com ; 39-41 Parkgate Rd SW11 ; plats 9-23 £ ; fermé dîner dim ; ⊖ Sloane Sq, puis 19 ou 319

Cette juxtaposition d'une boucherie et d'un grill où l'on déguste de succulents T-bones a remporté un énorme succès au sud de la Tamise. Tout le monde n'aime peut-être pas l'idée de voir sa viande au naturel, mais la qualité des ingrédients, le grand choix de sauces et la vue sur le fleuve à partir de la salle à manger (tout en brique et en tuyaux apparents) font vite oublier cette approche un peu crue.

RANSOME'S DOCK

Plan p. 194 Britannique moderne ££

☎ 7223 1611 ; www.ransomesdock.co.uk ; 35-37 Parkgate Rd SW11 ; plats 10,50-21,50 £ ; fermé dîner dim ; ⊖ Sloane Sq, puis 19 ou 319

Ce n'est ni le côté branché de ce restaurant ni son bel emplacement sur un bras de la Tamise qui attire une si nombreuse clientèle. C'est sa cuisine soigneusement préparée à partir de produits d'une extrême fraîcheur : filets d'anguille fumée du Lincolnshire accompagnés de petites galettes de sarrasin et de crème fraîche, magrets de canard à la purée de pommes ou noisettes d'agneau (d'origine bio) au chou rouge et légumes anciens braisés. Le déjeuner en semaine est à 15 £.

SANTA MARIA DEL SUR

Plan p. 194 Argentin ££

☎ 7622 2088 ; www.santamariadelsur.co.uk ; 129 Queenstown Rd SW8 ; plats 12-19 £ ; déj sam-dim, dîner tlj ; Queenstown Rd ou Battersea Park, 77, 137 ou 345

Cette succursale de l'établissement argentin prisé **Santa Maria del Buen Ayre** (plan p. 160 ; ☎ 7275 9900 ; www.buenayre.co.uk ; Broadway Market E8 ; ⊖ Bethnal Green, Cambridge Heath), à Hackney – d'où le "sur" (sud) de son nom – régale les carnivores du sud de la Tamise avec ses viandes et ses saucisses grillées. Goûtez l'une des *parrilladas* (assortiment de grillades ; 16-25 £/pers) à partager.

CLAPHAM, KENNINGTON, OVAL ET STOCKWELL

LOBSTER POT

Plan p. 193 Poissons et fruits de mer ££

☎ 7582 5556 ; www.lobsterpotrestaurant.co.uk ; 3 Kennington Lane SE11 ; plats 16-23 £ ; fermé lun ; ⊖ Kennington ou Elephant & Castle

Aux confins sud d'Elephant & Castle se cache ce charmant restaurant, tenu par un Français. Les gourmets du coin viennent y déguster du poisson et autres délices de la mer préparés avec une sauce au beurre aillé. Le menu dégustation de 8 plats avec/sans homard coûte 50/45 £.

DRAGON CASTLE Plan p. 193 Chinois ££

☎ 7277 3388 ; 100 Walworth Rd SE17 ; plats 7-20 £ ; ⊖ Elephant & Castle

Il est difficile d'imaginer que le meilleur restaurant chinois de Londres n'appartenant pas à une chaîne se trouve relégué dans un environnement bétonné au fin fond de Kennington. C'est pourtant le cas, et le célèbre critique gastronomique Fay Maschler de l'*Evening Standard* le confirme. Le canard, le porc et les fruits de mer (croustillantes huîtres frites, crabe aux haricots noirs) sont réputés, mais nous vous recommandons les *dim sum* (1,90 à 3 £), notamment ceux servis au déjeuner durant le week-end.

GRAFTON HOUSE

Plan p. 194 International moderne ££

☎ 7498 5559 ; www.graftonhouseuk.com ; 13-19 Old Town SW4 ; plats 12,50-15,50 £, menus 2/3 plats 22/27 £ ; ⊖ Clapham Common

Les célébrités de Clapham se rencontrent dans ce bar-restaurant très chic avec sol en marbre, tables en précieux bois tropicaux et sofas de cuir aux lignes sensuelles. La carte est moderne et internationale, simple et recherchée à la fois (risotto de potiron, hamburger de chevreuil aux prunes, terrine de langouste, crabe et saumon). Le brunch est à l'honneur, servi tous les jours de 12h à 16h. Sessions de jazz le dimanche soir.

KENNINGTON TANDOORI

Plan p. 193 Indien £

☎ 7735 9247 ; www.kenningtontandoori.co.uk ; 313 Kennington Rd SE11 ; plats 6-13 £ ; ⊖ Kennington

Ce petit restaurant de curry a la faveur des membres du Parlement de l'autre côté du fleuve, dont un certain John Major, ancien Premier ministre.

SOUTHWEST LONDON

Sans être particulièrement réputé pour sa cuisine, ce quartier de Londres abrite plusieurs adresses très correctes, dont certaines méritent que l'on traverse la ville. Si vous vous trouvez dans Fulham, descendez Fulham Rd, par-delà New King's Rd, puis le long de Wandsworth Bridge Rd pour trouver les meilleures tables. À Putney, descendez High Street ou les rues adjacentes. Dans des quartiers comme Richmond ou Kew, les restaurants sont à l'image des demeures cossues qui bordent cette portion de la Tamise. Souvent d'une architecture élégante, ils proposent une cuisine recherchée et une carte des vins haut de gamme.

FULHAM

BLUE ELEPHANT Plan p. 208 Thaïlandais ££

☎ 7385 6595 ; www.blueelephant.com ; 4-6 Fulham Broadway SW6 ; plats 15-22 £ ; ⏲ déj et dîner dim-ven, dîner sam ; ⊖ Fulham Broadway

La beauté de la salle, les bougies sur les tables, les fontaines et les plantes verdoyantes créent une ambiance très romantique pour un dîner (un peu cher toutefois). Au Blue Elephant, cette institution de Fulham qui possède des adresses dans le monde entier, le personnel est aux petits soins et la cuisine de qualité. Seule la "boutique souvenir" à l'entrée détonne.

LOTS ROAD PUB & DINING ROOM

Plan p. 208 Gastropub ££

☎ 7352 6645 ; www.lotsroadpub.com ; 114 Lots Rd SW10 ; plats 9-14 £ ; ⊖ Fulham Broadway

Difficile de trouver quoi que ce soit à redire à ce *gastropub* discret, si ce n'est ses prix excessivement détaillés (au centième de penny près). La lumière entre à flots dans la salle lambrissée et glisse sur le bar gris, noir et chromé, où l'on peut commander du vin au verre. La carte, renouvelée régulièrement, propose des plats assez classiques – porc rôti, saumon, agneau – mais délicieux et de qualité constante. Au dessert, ne manquez pas le pudding au caramel ou les figues rôties au miel.

HACHÉ Plan p. 208 Hamburgers £

☎ 7823 3515 ; www.hacheburgers.com ; 329-331 Fulham Rd SW10 ; plats 6,95-12,95 £ ; ⏲ 12h-22h30 lun-mer, jusqu'à 23h jeu, jusqu'à 23h15 ven-sam, jusqu'à 22h dim ; ⊖ Sloane Sq, puis 🚌 19 ou 319

Ce sympathique restaurant de Fulham, au nom français, ne cesse de recevoir des louanges pour ses burgers au steak écossais.

PUTNEY ET BARNES

CHAKALAKA Plan p. 208 Sud-africain ££

☎ 8789 5696 ; www.chakalakarestaurant.co.uk ; 136 Upper Richmond Rd SW15 ; plats 10-25 £ ; ⏲ déj sam-dim, dîner tlj ; ⊖ East Putney

Ce restaurant, tout en rayures flamboyantes comme le pelage du tigre, sert du *springbok* et du *kudu* (deux types d'antilope), de l'autruche, du zèbre et d'autres créatures que l'on voit ordinairement paître dans la savane. Seuls les vrais carnivores choisiront ces viandes. On sert aussi le *bobotie* (11 £), plat traditionnel d'Afrique du Sud : un hachis de viande cuit au four recouvert d'une croûte de pain dorée à l'œuf. Riche carte des vins du pays.

CHOSAN Plan p. 208 Japonais ££

☎ 8788 9626 ; 292 Upper Richmond Rd SW15 ; plats 4-17 £ ; ⏲ fermé lun ; ⊖ Putney Bridge, 🚆 Putney

Le nom de ce petit restaurant japonais veut dire Corée en coréen ! Si son décor, intérieur et extérieur, ne paie pas de mine, sa cuisine est en revanche excellente. Commandez sushis, sashimis, tempuras et *kushiage* (brochettes variées plus longuement frites que les tempuras).

ENOTECA TURI Plan p. 208 Italien ££

☎ 8785 4449 ; www.enotecaturi.com ; 28 Putney High St SW15 ; plats 10-16 £, menu déj/dîner 3 plats 15,50/25,50 £ ; ⏲ fermé dim ; ⊖ Putney Bridge, 🚆 Putney

Véritable oasis de tranquillité l'Enoteca Turi cultive une élégance discrète associée à un service charmant. Un verre de vin différent est conseillé avec chaque plat, que ce soit des *tagliolini* aux fruits de mer ou une selle d'agneau de printemps (si vous vous y connaissez suffisamment, vous pouvez choisir vous-même une bouteille dans la cave bien garnie).

MA GOA Plan p. 208 Indien ££

☎ 8780 1767 ; www.ma-goa.com ; 242-244 Upper Richmond Rd SW15 ; plats 9-15 £ ; dîner mar-dim ; ⊖ Putney Bridge, Putney

Comme son nom l'indique, cet établissement est spécialisé dans la subtile cuisine d'influence portugaise de Goa. L'ancienne colonie de la côte ouest de l'Inde a laissé ses traces dans des plats comme le chorizo maison nappé d'une sauce à l'oignon épicée ou le *caldin* de poisson (filets de poisson blanc dans une sauce aigre-douce à base de lait de noix de coco).

OLÉ Plan p. 208 Espagnol £

☎ 8788 8009 ; www.olerestaurants.com ; 240 Upper Richmond Rd SW15 ; tapas 2-8 £, plats 10-17 £ ; ⊖ Putney Bridge, Putney

Option de Putney à l'allure très peu espagnole, meublée de bois blond, qui sert d'excellentes tapas.

RICHMOND

PETERSHAM NURSERIES CAFÉ Plan p. 212 Européen moderne £££

☎ 8605 3627 ; www.petershamnurseries.com ; Church Lane, en retrait de Petersham Rd TW10 ; plats 18-29 £, menu 2/3 plats 23/28 £ ; déj mar-dim ; ⊖ / Richmond, puis 65 ou 371

Dans une serre à l'arrière des pépinières de Petersham, au milieu d'un site magnifique, ce café enchanteur rappelle un manoir de campagne. Une clientèle prospère vient y savourer une cuisine réputée ; de nombreux produits arrivent tout droit des jardins de la pépinière. On y trouve des plats de légumes bio, tels les artichauts braisés servis avec une tapenade d'olives noires à la sauge et au citron, et d'autres mets de saison, comme la caille rôtie avec sauce aux noix ou la polenta blanche au poulpe et beurre de Xérès. Il faut réserver bien à l'avance. Il y a aussi un salon de thé (10h-16h30 mar-sam, à partir de 11h dim) qui sert des sandwichs, des gâteaux et du thé.

À cause des riverains et des inquiétudes municipales sur la circulation engendrée par la popularité du café, les clients doivent s'y rendre à pied en empruntant le chemin de halage qui longe la Tamise ou utiliser les transports publics.

FISHWORKS Plan p. 212 Poissons et fruits de mer ££

☎ 8948 5965 ; www.fishworks.co.uk ; 13-19 The Square, Old Market TW9 ; plats 10-25 £ ; fermé dîner dim ; ⊖ / Richmond

Cette chaîne de Bath fut la première vraie poissonnerie à la française dotée d'un restaurant, où poissons et crustacés sont présentés à l'entrée sur des comptoirs de glace pilée. On y retourne régulièrement, spécialement pour le succulent crabe des neiges (*Dartmouth crab*), dégusté froid, et l'incomparable *zuppa del pescatore* (soupe du pêcheur ; 19 £), magnifique symphonie de saveurs. Autre adresse à Marylebone (plan p. 94 ; ☎ 7935 9796 ; 89 Marylebone High St W1 ; ⊖ Bond St).

CHEZ LINDSAY Plan p. 212 Français ££

☎ 8948 7473 ; www.chezlindsay.co.uk ; 11 Hill Rise TW10 ; plats 13-19 £, menu 2/3 plats déj 15/18 £, dîner 19/22 £ ; ⊖ / Richmond

Chez Lindsay est un petit morceau de Bretagne posé au pied de Richmond Hill. On y vient pour sa salle à manger meublée avec simplicité, son atmosphère confortable, sa saine cuisine bretonne et sa vue sur la Tamise. Entre autres spécialités de la maison, les galettes accompagnées d'une myriade de succulentes garnitures, à déguster avec un grand choix de cidres bretons (bruts).

DON FERNANDO'S Plan p. 212 Espagnol £

☎ 8948 6447 ; www.donfernando.co.uk ; 27f The Quadrant TW9 ; plats 9-12 £ ; ⊖ / Richmond

La famille Izquierdo sert la savoureuse cuisine de son Andalousie natale depuis 20 ans avec un enthousiasme qui ne faiblit pas. Sa longue carte de tapas (5 à 8 £), ses bières espagnoles, ses vins et ses spécialités culinaires, dont quelques plats végétariens, alliés à un service joyeux et dynamique, font du Don Fernando's une adresse idéale pour un déjeuneur copieux ou un dîner détendu.

KEW

GLASSHOUSE Plan p. 66 Européen moderne ££

☎ 8940 6777 ; www.glasshouserestaurant ; co.uk ; 14 Station Pde TW9 ; plats 17-22 £ ; ⊖ / Kew Gardens

Un repas dans ce splendide restaurant terminera en beauté une journée passée dans les jardins botaniques de Kew (p. 211). Sa salle vitrée en façade révèle un intérieur très sobre dont l'éclairage subtil met en valeur le seul détail important : la cuisine divinement préparée. La carte décline des plats traditionnels britanniques qui ont fusionné avec la cuisine européenne moderne, tels le rumsteck de veau accompagné de sa langue et de ses ris caramélisés ou le filet de morue grillé et sa polenta blanche à la crème. Le Glasshouse a un jumeau à Wandsworth, Chez Bruce (p. 275).

NEWENS MAIDS OF HONOUR

Plan p. 66 Salon de thé £

☎ 8940 2752 ; www.theoriginalmaidsofhonour.co.uk ; 288 Kew Rd W9 ; menu thé 6,50 £ ; 9h30-13h lun, jusqu'à 18h mar-sam ; ⊖ / Kew Gardens

Ce salon de thé, à deux pas de l'entrée principale des Kew Gardens, doit son nom à un dessert célèbre (3 £) à base de pâte feuilletée, citron, amandes et fromage blanc, qu'aurait concocté la deuxième femme d'Henry VIII, l'infortunée Ann Boleyn. Il faut y goûter au moins une fois.

KEW GREENHOUSE

Plan p. 66 Café £

☎ 8940 0183 ; 1 Station Pde TW9 ; plats 7-10 £ ; 8h30-18h30 ; ⊖ / Kew Gardens

Ce charmant café décliné sur le thème botanique vous mettra dans l'ambiance pour une visite aux Kew Gardens (p. 211). La cuisine y est simple, avec des pommes de terre en robe des champs et des sandwichs, ainsi qu'une surprise du jour. Idéal pour une tasse de thé et un gâteau.

OÙ PRENDRE UN VERRE

La sélection

- **George Inn** (p. 285)
- **Grapes** (p. 290)
- **Cross Keys** (p. 281)
- **Proud Camden** (p. 291)
- **Social** (p. 283)
- **Jerusalem Tavern** (p. 287)
- **Golden Heart** (p. 288)
- **Dalston Superstore** (p. 292)
- **Lamb** (p. 282)
- **Albertine Wine Bar** (p. 294)

OÙ PRENDRE UN VERRE

S'il y a bien une chose que les Londoniens aiment faire, c'est boire. Des gravures de Hogarth au XVIIIe siècle (*Gin Lane*) à la décision de Boris Johnson d'interdire l'alcool dans les transports en commun en 2008, l'histoire de la capitale montre clairement le désir qu'a la population d'ingérer le plus d'alcool possible, notamment lorsque le pouvoir tente de l'en dissuader. Encore récemment, cela se traduisait par des lois draconiennes, selon lesquelles seuls les clubs privés pouvaient vendre de l'alcool après 23h. Cela a aujourd'hui changé (quoiqu'il soit encore difficile de trouver un pub ouvert après 23h en dehors des rues où se concentrent les débits de boisson) et l'offre est devenue plus riche que jamais, les Londoniens ayant redécouvert leur fantastique culture de pubs.

Le pub (*public house*) est véritablement au cœur de la vie sociale londonienne. Son histoire se lit généralement sur les murs – ainsi que sur les visages rubiconds de ses piliers de bar. Chaque Londonien ou presque a son pub favori, souvent celui du coin de la rue. Et trouver le sien en les comparant les uns avec les autres constitue une des activités les plus distrayantes à Londres.

Malheureusement, un nombre toujours plus grand de bons vieux pubs authentiques, réputés pour leur atmosphère inimitable (moquette poisseuse, chips à la crevette et juke-box…) ferment au profit de toutes sortes de remplaçants, du bar sans âme aux logements hyper-convoités. Pour trouver plus d'authenticité, mieux vaut éviter les pubs de grandes chaînes et préférer les établissements mentionnés ici.

Outre les adresses que nous mettons en avant, nous vous conseillons d'explorer vous-même quelques quartiers : Upper St ou Essex Rd dans Islington ; Old St ou High St à Shoreditch ; Dean St ou Greek St dans Soho ; Portobello Rd dans West London ; the Cut à South Bank ; Clapham High St et Borough High St dans South London ou encore Parkway et Camden High St à Camden Town. Nous vous livrons des informations sur nos favoris, mais votre expérience vaut la nôtre. La seule limite dans votre recherche de la perle rare, c'est votre foie qui vous l'imposera.

HORAIRES D'OUVERTURE

Depuis 2005, la Grande-Bretagne délivre de nouvelles licences autorisant certains pubs et bars (sous réserve de l'accord des autorités locales) à rester ouverts après le fameux gong de 23h. Cela permet, dans les quartiers du centre, de boire un verre tard dans la nuit. Toutefois, les horaires varient selon les établissements, et, sauf mention contraire, tous les pubs et bars cités ici ouvrent à 11h et ferment à 23h du lundi au samedi, et à 22h30 le dimanche.

LE WEST END

Sortir dans le West End impose de mettre au point une stratégie élaborée. La plupart des Londoniens se plaignent de la foule, de la difficulté à avoir une place assise sans jouer des coudes et à trouver un bar qui ne soit pas pris d'assaut par les touristes le week-end. Il faut l'avouer : le West End, malgré sa réputation, ne fait plus partie des lieux de sortie favoris de nombreux Londoniens. Soho reste malgré tout un endroit palpitant, notamment les vendredis et samedis soir lorsque l'excitation règne et que les rues se remplissent de monde, d'alcool et de *rickshaws* jusqu'au petit matin.

SOHO ET CHINATOWN

COACH & HORSES Plan p. 70 Pub

☎ 7437 5920 ; 29 Greek St W1 ; ⊖ Leicester Sq

Ce petit pub animé et resté dans son jus conserve l'atmosphère un peu bohème du vieux Soho et une clientèle d'habitués constituée de pochetrons, d'écrivains, de plumitifs, de touristes et d'individus trop ivres pour lever la tête du comptoir. Toute attitude prétentieuse est à proscrire.

ENDURANCE Plan p. 70 Bar

☎ 7437 2944 ; 90 Berwick St W1 ; ⊖ Oxford Circus ou Piccadilly Circus

Une adresse prisée de Soho, surtout auprès des fans de musique qui écument les disquaires de la rue (p. 225) avant de succomber à l'appel de la pinte. Le juke-box rétro accumule les tubes indie, il y a un bon choix de vins et de bières pression, ainsi qu'une carte de plats très corrects. Dimanches tranquilles, parfaits pour un long déjeuner en lisant le journal. La clientèle se répand souvent sur le trottoir en soirée. Un verre en journée permet de profiter de l'animation du Berwick Street Market (p. 263).

FRENCH HOUSE Plan p. 70 — Bar

☎ 7437 2799 ; 49 Dean St W1 ; ⊖ Leicester Sq

Le French House, bar légendaire de Soho (doté d'un bon restaurant en sous-sol), était le repaire des Forces françaises libres pendant la guerre. On dit que de Gaulle y venait souvent. Ce qui est sûr, c'est que de grands noms tels Dylan Thomas, Peter O'Toole et Francis Bacon y ont régulièrement fini leurs soirées sur le plancher. Vous pourrez y boire du Ricard, du vin rouge ou une Kronenbourg et rencontrer de nombreux spécimens hauts en couleur parmi les habitués.

JOHN SNOW Plan p. 70 — Pub

☎ 7437 1344 ; 39 Broadwick St W1 ; ⊖ Oxford Circus ou Piccadilly Circus

L'un des pubs les plus prisés de Soho, comme en témoigne la foule présente à l'intérieur ou sur le trottoir (selon la saison) chaque jour de la semaine ou presque. L'intérieur est simple et tranquillement élégant. Il n'y a pas de musique, juste le brouhaha des conversations et un bon choix de bières de la brasserie indépendante Sam Smith. Vous trouverez aussi à la carte du cidre, de la bière bio et de la bière à la cerise.

MILK & HONEY Plan p. 70 — Bar à cocktails

☎ 7292 9949, 0700 655 469 ; www.mlkhny.com ; 61 Poland St W1 ; ⊖ Leicester Sq ou Tottenham Court Rd

Le Milk & Honey attire une clientèle discrète mais glamour. Fonctionnant comme un club privé, il ouvre ses portes aux non-membres les soirs de la semaine (mieux vaut s'y rendre en début de semaine). Il est impératif de réserver sa table (dans une alcôve), pour une durée de 2 heures. Une fois sur les lieux, sonnez et donnez votre nom à l'interphone. L'endroit est idyllique si vous aimez le calme et les boissons sophistiquées, mais peut tourner au cauchemar dans le cas contraire. La carte des cocktails, impressionnante, vaut le coup d'œil.

PLAYER Plan p. 70 — Bar à cocktails

☎ 7494 9125 ; www.thplyr.com ; 8 Broadwick St W1 ; 🕓 jusqu'à minuit lun-mer, 1h jeu-sam, fermé dim ; ⊖ Oxford Circus

Ce bar en sous-sol a joué un rôle majeur à la fin des années 1990, lorsque Dick Drasel, le Lénine de la révolution des cocktails, commença à y élaborer d'étonnants mélanges. L'homme est parti et, malgré les délicieuses boissons encore servies aujourd'hui, l'ambiance n'est plus ce qu'elle était. Après 21h, le bar est fréquenté par une clientèle plus décontractée. C'est la bonne heure pour venir y boire un cocktail, car, après 23h, seuls les membres sont admis.

TWO FLOORS Plan p. 70 — Bar

☎ 7439 1007 ; 3 Kingly St W1 ; 🕓 jusqu'à minuit ven et sam, fermé dim ; ⊖ Oxford Circus ou Piccadilly Circus

Le Two Floors a su préserver sa personnalité et son atmosphère tranquille, contrairement à de nombreux bars de Soho envahis par les hordes de touristes éméchés le week-end. Cela s'explique peut-être en partie par sa façade discrète. La clientèle est plutôt jeune et détendue, tout comme le personnel, et la musique généralement ultrabranchée. Des canapés de cuir et des tables et chaises rustiques composent la déco, un peu délabrée.

COVENT GARDEN ET LEICESTER SQUARE

CROSS KEYS Plan p. 74 — Pub

☎ 7836 5185 ; 31 Endell St WC2 ; ⊖ Covent Garden

Recouvert de vigne vierge, ce pub peu fréquenté par les touristes attire surtout des habitués, adeptes de pintes de Young's et de petits plats épicés. Brian, l'excentrique propriétaire, exhibe fièrement, en guise de décoration, des objets ayant appartenu à des stars (comme une serviette d'Elvis Presley à 500 £), tandis qu'au plafond pendent pots en laiton, bouilloires et matériel de plongée. Aux beaux jours, habitués, joueurs de machines à sou et col-blancs de Covent Garden débordent joyeusement sur le trottoir et parmi les quelques tables extérieures.

FREUD Plan p. 74 — Bar, café

☎ 7240 9933 ; 198 Shaftesbury Ave WC2 ; 🕓 jusqu'à 1h jeu, 2h ven, 1h sam ; ⊖ Covent Garden

Commencez votre tournée des bars ici, car vous n'aurez aucune chance de descendre ces escaliers (une échelle plutôt) après quelques verres. C'est un petit bar-café-galerie, situé en sous-sol dont les murs beiges apparaîtraient douteux si les œuvres d'art exposées ne détournaient opportunément l'attention. La déco, peu reluisante, et les clients à l'allure bohème sont parfaitement dans le ton.

Les cocktails sont généreux et fantaisistes, mais la bière est vendue seulement en bouteille.

LAMB & FLAG Plan p. 74 Pub

☎ 7497 9504 ; 33 Rose St WC2 ; ⊖ Covent Garden ou Leicester Sq

Si les bons pubs se font rares dans un Covent Garden devenu ultratouristique, le Lamb & Flag compense à lui seul tout ce que le quartier a perdu en charme et en caractère : l'intérieur, vieux de plus de 350 ans, arbore des parquets qui craquent et un escalier en colimaçon. Le dimanche après-midi, des groupes de jazz viennent se produire et dès les beaux jours, c'est à peine si l'on peut approcher le bar tant la foule est impressionnante. Son cadre est également charmant : l'entrée principale se situe en haut d'une minuscule rue pavée. Vous trouverez une autre entrée dans une petite ruelle rappelant l'Angleterre victorienne.

SALISBURY Plan p. 74 Pub

☎ 7836 5863 ; 90 St Martin's Lane WC2 ; ⏲ jusqu'à minuit ven et sam ; ⊖ Leicester Sq

Face au luxueux St Martin's Lane Hotel, le Salisbury offre tout ce que son vis-à-vis n'a pas : de la chaleur, des siècles d'histoire et un merveilleux cadre de pub britannique traditionnel. Il se remplit le soir de gens venant prendre un verre avant ou après un spectacle et, bien qu'un peu touristique, il reste l'un des joyaux de la capitale.

HOLBORN ET LE STRAND

GORDON'S WINE BAR Plan p. 74 Bar

☎ 7930 1408 ; www.gordonswinebar.com ; 47 Villiers St WC2 ; ⊖ Embankment ou Charing Cross

Le Gordon's, surpeuplé dès que les bureaux du Strand se vident à la fin de la journée, est un vaste bar à vin. On y déguste des vins français et du Nouveau Monde à prix raisonnables tout en grignotant du pain, du fromage et des olives.

POLSKI BAR Plan p. 74 Bar

☎ 7831 9679 ; 11 Little Turnstile WC1 ; ⏲ fermé dim ; ⊖ Holborn

Anciennement connu sous le nom de Na Zdorowie ("Santé !" en polonais), le Polski Bar a changé de nom certainement parce que personne n'arrivait à le prononcer, avant ou après avoir bu de nombreux verres de vodka. Il propose plus de 60 sortes de vodka, aromatisées au café, aux fruits ou encore au blé. On y propose même de la vodka cacher, ou encore de la *Slivovika* (alcool de prunes), ainsi qu'une excellente cuisine polonaise.

PRINCESS LOUISE

Plan p. 74 Pub

☎ 7405 8816 ; 208 High Holborn WC1 ; ⊖ Holborn

Peut-être le plus beau pub de cette rubrique ! Cet établissement de style victorien datant de la fin du XIXe siècle est splendidement décoré de jolis carreaux, de miroirs gravés et de moulures en plâtre. Le bar central est en forme de fer à cheval. Il est encore plus beau après 8 mois de rénovation. Carreaux et plâtres ont été nettoyés et les cloisons victoriennes ont été réinstallées, créant pour les clients des alcôves où s'isoler. Et n'oublions pas les colonnes corinthiennes… Il n'y a que des bières Sam Smith et à seulement 2 £ la pinte, que demander de plus ?

SEVEN STARS Plan p. 74 Pub

☎ 7242 8521 ; 53-54 Carey St WC2 ; ⊖ Holborn ou Temple

Bien que bondé de juristes à la sortie des bureaux, ce minuscule pub est assez méconnu de la plupart des Londoniens. Situé derrière les Royal Courts of Justice (p. 81) et fréquenté à l'origine par des marins, il déborde de caractère, d'excellente cuisine, de bière et de vin. Vous y trouverez sûrement Tom Paine, le chat de l'excentrique propriétaire, Roxy Beaujolais (ancienne présentatrice TV d'une émission culinaire), en train de ronronner près d'une fenêtre. Le personnel est sympathique et le gibier, délicieux.

BLOOMSBURY

KING'S BAR Plan p. 84 Bar

☎ 7837 6470 ; Hotel Russell, Russell Sq WC1 ; ⊖ Russell Sq

Derrière la superbe façade gothique victorienne de l'Hotel Russell, le King's Bar est une véritable oasis dans un quartier manquant cruellement de bars corrects. Le magnifique décor édouardien, les gigantesques fauteuils en cuir et le service à table justifient les prix élevés. Grand choix de cocktails et de vins, et place assise garantie.

LAMB Plan p. 84 Pub

☎ 7405 0713 ; 94 Lamb's Conduit St WC1 ; ⏲ jusqu'à minuit lun-sam, 22h30 dim ; ⊖ Russell Sq

Le bar central en acajou et les superbes paravents victoriens constituent le principal atout du Lamb depuis 1729. Trois siècles plus tard, ce pub est toujours aussi apprécié, notamment pour sa bonne sélection de bières Young's et son atmosphère propice à la détente. Arrivez tôt pour vous assurer une place.

LORD JOHN RUSSELL Plan p. 84 Pub

☎ 7388 0500 ; 91 Marchmont St WC1 ; ⊖ Russell Sq

Si vous êtes nostalgique de votre vie d'étudiant ou à l'affût d'une bière bon marché, c'est ici qu'il faut vous rendre. L'unique salle de ce bar traditionnel est le rendez-vous des étudiants qui viennent y discuter et profiter de l'atmosphère détendue, loin des bars bruyants du centre de Londres.

MUSEUM TAVERN Plan p. 84 Pub

☎ 7242 8987 ; 49 Great Russell St WC1 ; ⊖ Tottenham Court Rd ou Holborn

C'est ici que Karl Marx venait boire une pinte après une journée harassante à travailler dans la salle de lecture du British Museum, tout comme George Orwell après des heures d'écriture. Ce pub traditionnel et chaleureux, aménagé autour d'un long bar, dispose d'un personnel sympathique et attire les étudiants ainsi que les enseignants, sans oublier les touristes et des habitués de longue date.

QUEEN'S LARDER Plan p. 84 Pub

☎ 7837 5627 ; 1 Queen Sq WC1 ; ⊖ Russell Sq

Sur une jolie place au sud-est de Russell Square, ce pub doit son nom ("garde-manger de la reine") à la reine Charlotte, épouse de George III dit le "roi fou", qui louait une partie du cellier pour y entreposer des aliments spéciaux destinés à son mari qui se faisait soigner à proximité. Il y a des bancs à l'extérieur et un bon restaurant à l'étage.

FITZROVIA

BRADLEY'S SPANISH BAR Plan p. 70 Bar

☎ 7636 0359 ; 42-44 Hanway St W1 ; ⊖ Tottenham Court Rd

Hanway St compte plusieurs bars hispanisants à "tapas-et-flamenco" ouverts jusqu'à l'aube et servant des bières en bouteille. Dans une déco vaguement espagnole, le Bradley's propose de vraies boissons ibériques : San Miguel, Cruzcampo et quelques bons vins. Les clients, massés dans les recoins sous le plafond bas, font jouer au vieux juke-box à vinyles des morceaux de rock.

NEWMAN ARMS Plan p. 70 Pub

☎ 7636 1127 ; www.newmanarms.co.uk ; 23 Rathbone St W1 ; ⊖ Goodge St ou Tottenham Court Rd

Cette ravissante adresse est l'un des rares pubs du centre de Londres tenus en famille. C'est une toute petite pièce avec plus de 100 ans d'histoire, de la bonne musique, d'excellentes bières et une clientèle de fidèles qui se mêlent, le soir, aux salariés des médias. George Orwell et Dylan Thomas y avaient leurs habitudes, et des scènes du *Voyeur* de Michael Powell y ont été tournées en 1960. Excellent restaurant de tourtes – le Famous Pie Room (tourtes à partir de 7 £) – à l'étage.

SOCIAL Plan p. 70 Bar

☎ 7636 4992 ; www.thesocial.com ; 5 Little Portland St W1 ; ⏲ jusqu'à minuit lun-mer, 1h jeu-sam, fermé dim ; ⊖ Oxford Circus

Le Social reste l'un des meilleurs endroits où passer la soirée dans le centre de Londres, notamment parce qu'il ne recherche pas particulièrement la clientèle habituelle du West End. Les célèbres *beans on toast* ont ici été remplacés par des "spaghettis on toast", à faire suivre d'un verre dans l'élégant bar tout en boiseries de l'étage, à moins de préférer descendre au rez-de-chaussée, avec ses concerts ou ses DJ et ses cocktails à 6 £, pour faire la fête jusqu'à la fermeture.

MAYFAIR

GUINEA Plan p. 94 Pub

☎ 7409 1728 ; 30 Bruton Pl W1 ; ⊖ Green Park ou Bond St

Bières Young's de qualité supérieure, autographes de célébrités sur les murs des toilettes et clientèle fortunée caractérisent ce pub tranquille, situé à l'écart, dans le quartier chic de Mayfair. Les places assises sont rares et l'on a parfois l'impression de se trouver dans la salle d'attente du restaurant situé à l'arrière (réputé pour ses tourtes).

SALT WHISKY BAR Plan p. 94 Bar

☎ 7402 1155 ; www.saltbar.com ; 82 Seymour St W1 ; ⏲ jusqu'à 1h lun-sam, 0h30 dim ; ⊖ Marble Arch

Son intérieur chic en bois sombre et son salon confortable font l'attrait de ce bar proposant 200 whiskys et bourbons. Le personnel conseille volontiers les clients.

LA CITY

Fréquentés par des banquiers, des traders et autres porteurs de costume, les pubs de la City sont le plus souvent traditionnels, ouverts uniquement du lundi au vendredi et souvent désertés après 22h. Toutefois, le quartier abrite aussi plusieurs adresses magiques, pleines d'histoire et débordant de charme.

BLACK FRIAR Plan p. 104 Pub

☎ 7236 5474 ; 174 Queen Victoria St EC4 ; ⏲ jusqu'à 23h30 jeu et ven ; ⊖ Blackfriars

On pourrait croire que Frère Tuck vient juste de sortir de ce vieux pub situé au nord de la station de métro Blackfriars. L'intérieur est en effet composé d'un méli-mélo d'objets datant de 1905. Si le Black Friar est le repaire des cols blancs pendant la semaine, il attire une clientèle plus hétéroclite le week-end. Bonne sélection de bières.

COUNTING HOUSE

Plan p. 104 — Pub

☎ 7283 7123 ; 50 Cornhill EC3 ; fermé sam et dim ; ⊖ Bank ou Monument

On dit que les anciennes banques, avec leurs comptoirs et leurs coffres-forts au sous-sol, font d'excellents pubs. C'est sans doute pour cela que ce pub est installé dans l'ancien siège de la National Westminster, avec sa coupole en verre et son beau bar. Très prisé pour son choix de *real ales* (*ales* traditionnelles ; voir l'encadré ci-contre) et ses tourtes (9-10 £).

EL VINO Plan p. 104 — Bar à vin

☎ 7353 6786 ; www.elvino.co.uk ; 47 Fleet St EC4 ; fermé sam et dim ; ⊖ Blackfriars ou Temple

Véritable institution, ce bar à vin appartenant à une petite chaîne attire avocats et autres juristes des Royal Courts of Justice (p. 81) situées en face. Il possède l'une des meilleures cartes des vins de la City et la boutique attenante pratique des prix raisonnables.

YE OLDE CHESHIRE CHEESE

Plan p. 104 — Pub

☎ 7353 6170 ; Wine Office Ct, 145 Fleet St EC4 ; jusqu'à 17h dim ; ⊖ Blackfriars

On accède à ce pub historique par une allée étroite donnant dans Fleet St. Il a eu comme clients, entre autres, le Dr Johnson, Thackeray et Dickens. Il a du coup un petit côté musée, avec sciure sur le sol et dédale de salles. On regretterait presque que l'odeur du tabac ait disparue. En bref : une adresse incontournable.

YE OLDE WATLING

Plan p. 104 — Pub

☎ 7653 9971 ; 29 Watling St EC4 ; fermé sam et dim ; ⊖ Mansion House

Cette petite rue derrière la cathédrale Saint-Paul fait penser à un village, dont le centre serait ce vieux pub avec son beau bar en bois, occupé sans discontinuer dès 17h. Possibilité de manger sur place et de goûter les savoureuses *real ales* proposées avant d'en commander.

SOUTH BANK

South Bank mêle bons vieux pubs centenaires et bars modernes avec néons et “alcopops”, (boissons alcoolisées sucrées préconditionnées) fréquentés par une clientèle plus jeune et branchée. La plupart se valent (mais pas tous).

WATERLOO

BALTIC Plan p. 130 — Bar

☎ 7928 1111 ; www.balticrestaurant.co.uk ; 74 Blackfriars Rd SE1 ; 12h-minuit lun-sam, jusqu'à 22h30 dim ; ⊖ Southwark

Ce bar ultrabranché, installé devant un restaurant d'Europe orientale, est spécialisé dans la vodka : une cinquantaine de cocktails sont proposés, dont certains à la vodka infusée. La salle de restaurant, claire et spacieuse, au toit de verre et aux jolis murs ambrés, est juste derrière, au cas où vous auriez besoin d'éponger cet alcool…

CONCRETE Plan p. 130 — Café-bar

☎ 7928 4123 ; www.southbankcentre.co.uk ; Hayward Gallery, Southbank Centre, Belvedere Rd SE1 ; 10h-18h dim et lun, 10h-23h mar-jeu, jusqu'à 1h ven et sam ; ⊖ Waterloo

Dans la journée, cet établissement de la Hayward Gallery (p. 131) est un café discret proposant thé et gâteaux à une clientèle d'amateurs d'art. Mais quand vient la nuit, Cendrillon se transforme en méchante belle-sœur, c'est-à-dire en bar de nuit avec bétonneuses en néon rose, DJ et concerts du jeudi au samedi.

KING'S ARMS Plan p. 130 — Pub

☎ 7928 4334 ; 25 Roupell St SE1 ; ⊖ Waterloo ou Southwark

Adresse de quartier paisible et ravissante à l'angle d'une ruelle de Waterloo, ce pub primé est installé dans un ancien funérarium. Sa grande salle traditionnelle pleine de caractère, où l'on sert un choix important de bières, donne accès à une étrange véranda (une cuisine thaïe très correcte y est proposée) remplie de bric-à-brac.

LAUGHING GRAVY Plan p. 130 — Bar

☎ 7721 7055 ; www.thelaughinggravy.co.uk ; 154 Blackfriars Rd SE1 ; 12h-23h lun-ven, à partir de 19h-23h sam ; ⊖ Southwark

En façade d'un restaurant à thème (Laughing Gravy, nom du chien de Laurel et Hardy, est un mot d'argot qui désignait le whisky pendant la prohibition), ce bar sans prétention distille

LA BIÈRE, BOISSON NATIONALE

S'il est possible d'y commander un verre de vin ou un cocktail, la raison d'être du pub reste avant tout la bière, qu'il s'agisse de *lager*, d'*ale* ou de *stout*, au verre ou en bouteille. À la pression, demandez une pinte (*pint* ; 570 ml) ou une demi-pinte (*half-pint* ; 285 ml). Le pourcentage d'alcool (minimum 2 %) peut grimper jusqu'à 8 %,

La plupart des bières sont élaborées à partir de malt d'orge et de houblon. Le terme *lager* désigne une bière légère de fermentation basse, comme la plupart des blondes bues dans le monde entier. Elles sont en général fortement gazéifiées, plutôt houblonnées et se boivent fraîches, voire froides. À Londres, les brasseries les plus connues sont Tennent's et Carling, mais leurs produits n'ont, à notre avis, rien de spécial.

L'*ale* est une bière de fermentation haute dont la saveur va du plus subtil au plus prononcé, en passant par toutes les nuances. Les partisans de la *real ale* (*ale* fabriquée selon les recettes et techniques traditionnelles) la décrivent en s'aidant du même jargon que les œnologues. Les *ales* sont souvent peu mousseuses, voire complètement plates et se boivent à température ambiante (rarement moins). La *real ale* provient normalement de tonneaux en bois et non de fûts métalliques. Parmi la multitude d'*ales* servies dans les pubs de Londres, la London Pride, la Courage Best, la Burton Ale, l'Adnam's, la Theakston (notamment l'Old Peculiar) et l'Old Speckled Hen comptent parmi les meilleures. Dans le doute, commandez une *bitter* ("amère"), pour vous faire servir l'*ale* de la maison. La *stout*, dont l'ambassadeur le plus connu est la Guinness irlandaise, est une bière noire qui doit son goût fortement torréfié au fait que le malt est grillé avant la fermentation.

une ambiance délicieuse, voire presque louche. Avec ses publicités anciennes, ses peintures, ses plantes et son piano, l'endroit évoque un salon bohème de la fin des années 1940.

SCOOTERWORKS Plan p. 130 Café-bar

☎ 7620 1421 ; www.scooterworks-uk.com ; 132 Lower Marsh Rd SW1 ; 10h-23h lun-jeu, jusqu'à minuit ven et sam ; ⊖ Waterloo

Vraie trouvaille au milieu du cimetière des éléphants, ce ravissant café-bar est aussi un spécialiste des Vespas vintage. Les heures d'ouverture du garage ont juste été étendues pour pouvoir parler scooter encore plus longtemps.

BANKSIDE ET SOUTHWARK

ANCHOR BANKSIDE

Plan p. 130 Pub

☎ 7407 1577 ; 34 Park St SE1 ; ⊖ London Bridge

Datant du début du XVIIe siècle (mais reconstruit après le Grand Incendie puis une fois encore au XIXe siècle), ce pub offre une superbe vue sur la Tamise depuis sa terrasse et c'est l'adresse la plus centrale – et la plus populaire – de Londres pour un verre au bord du fleuve ; il y a presque toujours énormément de monde. Le lexicographe Samuel Johnson, ami du brasseur propriétaire des lieux, était un habitué, tout comme l'écrivain Samuel Pepys.

BAR BLUE Plan p. 130 Bar à cocktails

☎ 7940 8333, 0870 899 8856 ; www.barbluevinopolis.com ; 1 Bank End SE1 ; 11h-23h ; ⊖ London Bridge

Ce bar chic, attenant au Vinopolis (p. 134), proche de la Tamise, possède des baies vitrées allant du sol au plafond et semble avoir été peint d'après une bouteille de Gin Bombay Sapphire. Des tabourets au bar, en passant par le plafond, tout est bleu ! Un lieu idéal pour siroter un cocktail avant ou après une représentation au Shakespeare's Globe (p. 133), tout proche.

BOROUGH ET BERMONDSEY

GEORGE INN Plan p. 130 Pub

☎ 7407 2056 ; Talbot Yard, 77 Borough High St SE1 ; ⊖ Borough

La toujours populaire George Inn est la dernière auberge-relais de Londres. Rien d'étonnant donc à ce qu'elle soit inscrite aux monuments historiques. Elle est située à l'emplacement de la Tabard Inn (d'où l'adresse de Talbot Yard), où les pèlerins des *Contes de Canterbury* de Chaucer se rassemblaient avant de prendre la route du Kent. Datant de 1676, elle apparaît dans le roman *La Petite Dorrit* de Charles Dickens.

RAKE Plan p. 130 Pub

☎ 7407 0557 ; 14 Winchester Walk SE1 ; 12h-23h lun-ven, à partir de 10h sam ; ⊖ London Bridge

Le seul pub du Borough Market serait aussi le plus petit débit de boissons de Londres. Il propose néanmoins l'un des plus beaux choix de *bitter* et de *real ales* de la ville. La terrasse est un attrait supplémentaire, d'autant qu'elle fait plus que doubler le nombre de places assises pour l'établissement.

ROYAL OAK Plan p. 130 Pub

☎ 7357 7173 ; 44 Tabard St SE1 ; ⏲ 12h-23h lun-sam, jusqu'à 18h dim ; ⊖ Borough

Ce pub victorien authentique, camouflé dans une rue et tenu par une brasserie indépendante du Sussex, s'adresse aux vrais amateurs de bière. Les fans de littérature seront également comblés : l'endroit est à deux pas au sud de l'église St George the Martyr où la Petite Dorrit (alias Amy) se marie dans le roman éponyme de Dickens.

WINE WHARF Plan p. 130 Bar à vin

☎ 7940 8335, 0870 899 8856 ; www.winewharf.co.uk ; Stoney St SE1 ; ⏲ fermé dim ; ⊖ London Bridge

Dans un ancien entrepôt victorien, proche des plaisirs culinaires du Borough Market, le très chic Wine Wharf possède une carte qui ravira tous les amateurs de bons vins, novices ou confirmés. Le choix est immense, le personnel conseille volontiers la clientèle et propose de goûter avant de se décider. Jazz live le lundi soir.

DE HYDE PARK À CHELSEA

Étonnamment, pubs branchés et traditionnels cohabitent en toute harmonie dans ce secteur. Vous aurez le choix entre les lumières voluptueuses des onéreux bars à cocktails, fréquentés par les habitants fortunés de Knightsbridge et Chelsea, ou quelques-uns des plus beaux pubs à l'ancienne de Londres, envahis par les amateurs de bière.

DRAYTON ARMS

Plan p. 140 Pub

☎ 7835 2301 ; 153 Old Brompton Rd SW5 ; ⏲ 12h-minuit ; ⊖ West Brompton ou South Kensington, 🚌 430

Ce grand pub victorien de quartier est aussi beau à l'intérieur qu'à l'extérieur avec ses détails Art nouveau (vrilles et fioritures au-dessus des fenêtres et de la porte), ses œuvres d'art contemporain et son fantastique plafond à caissons. La clientèle mêle agréablement jeunes et vieux, branchés et gens du quartier. Bon choix de vins et de bières.

GALVIN AT WINDOWS

Plan p. 140 Bar à cocktails

☎ 7208 4021 ; www.galvinatwindows.com ; London Hilton sur Park Lane, 28e ét, 22 Park Lane W1 ; ⏲ 10h-1h lun-mer, jusqu'à 3h jeu-sam, 23h dim ; ⊖ Hyde Park Corner

Ce bar élégant est connu pour sa vue imprenable sur Londres, puisqu'il est situé au 28e étage de l'hôtel Hilton, au bord de Hyde Park. Les prix des cocktails sont prohibitifs (de 12,75 £ à 14,95 £) et le groupe maison joue avec une bande préenregistrée, mais les sièges en cuir sont confortables, le bar en marbre est superbe et les vues sur la ville sont incroyables, notamment au coucher du soleil.

NAG'S HEAD

Plan p. 140 Pub

☎ 7235 1135 ; 53 Kinnerton St SW1 ; ⊖ Hyde Park Corner

Non loin de Knightsbridge, dans une ruelle tranquille, ce charmant établissement, datant du début du XIXe siècle, offre un décor excentrique (avec des gravures de cricket d'époque), un comptoir (particulièrement) bas et n'accepte pas les téléphones portables. Un vrai délice !

QUEEN'S ARMS Plan p. 140 Pub

☎ 7581 7741 ; 30 Queen's Gate Mews SW7 ; ⊖ Gloucester Rd

On ne parlerait pas de ce pub s'il était situé ailleurs : niché dans une ruelle tranquille près de Queen's Gate, il attire les nombreux étudiants qui vivent dans le quartier, ainsi que les mélomanes se rendant au Royal Albert Hall (p. 148), situé à deux pas. N'oublions pas les quatre pompes à pression manuelle traditionnelles et le menu (principalement de type *gastropub*) très correct.

CLERKENWELL, SHOREDITCH ET SPITALFIELDS

Adeptes de la branchitude, ce quartier est pour vous ! Hoxton et Shoreditch restent le centre absolu du Londres branché, avec Old St, Kingsland Rd, Shoreditch High St et Hoxton Sq débordant tous de bars animés. Spitalfields et Clerkenwell sont en général plus confortables, avec des pubs anciens traditionnels. Quel que soit le type d'adresse que vous recherchez, vous la trouverez sur place.

CLERKENWELL

CHARTERHOUSE BAR Plan p. 154 Bar à DJ

☎ 7608 0858 ; www.charterhousebar.co.uk ; 38 Charterhouse St EC1 ; ⏲ jusqu'à minuit lun-mer, 2h jeu, 4h ven et sam ; ⊖ Barbican ou Farringdon

Ce bar convivial de forme triangulaire (structure d'entrepôt traditionnelle à Clerkenwell) accueille des DJ tous les soirs (entrée gratuite). Il constitue l'une des étapes préférées des Londoniens avant de se rendre à la Fabric (p. 302). Attendez-vous à une musique très forte le week-end. La cuisine étant délicieuse, nous vous conseillons d'y venir pour le brunch si vous n'aimez pas la musique assourdissante.

FILTHY MACNASTY'S

Plan p. 154 Pub

☎ 7837 6067 ; www.filthymacnastys.com ; 68 Amwell St EC1 ; ⊖ Angel ou Farringdon

Un fantastique pub irlandais et bar à whiskey de deux salles, qui attire une clientèle jeune avec ses concerts, ses whiskys et – si, si ! – les plus belles toilettes graffitées de Londres.

JERUSALEM TAVERN

Plan p. 154 Pub

☎ 7490 4281 ; www.stpetersbrewery.co.uk ; 55 Britton St EC1 ; ⊖ Farringdon

Créé en 1703, le JT a été l'un des premiers cafés de Londres. Il offre un cadre éblouissant puisque des parties du décor du XVIIIe siècle sont encore visibles ; mais l'établissement étant aussi minuscule que prisé, mieux vaut arriver tôt pour avoir un siège. On y déjeune plutôt bien, et, en tant qu'unique distributeur londonien de la St Peter's Brewery (située dans le North Suffolk), il propose une variété de bières impressionnante (bières bio, *stouts* crémeuses, bières aromatisées aux fruits ou bières au blé), pour la plupart servies dans des bouteilles vertes du genre flacon pharmaceutique.

SLAUGHTERED LAMB Plan p. 154 Pub

☎ 7253 1516 ; www.theslaughteredlambpub.com ; 34-35 Great Sutton St EC1 ; 🕓 12h-minuit lun-jeu, 12h-1h ven et sam, 12h-22h30 dim ; ⊖ Farringdon ou Barbican

Un pub branché de Clerkenwell étonnamment grand – le bar principal est très spacieux, avec des meubles chinés, de grandes fenêtres et du parquet au sol. La bière y est bonne et la nourriture typiquement anglaise (*fish and chips*, *fish fingers*, saucisses-purée, etc.). Des groupes se produisent régulièrement au sous-sol, qui propose également des soirées scène ouverte (*open mic*).

YE OLDE MITRE Plan p. 154 Pub

☎ 7405 4751 ; 1 Ely Ct EC1 ; 🕓 fermé sam et dim ; ⊖ Chancery Lane ou Farringdon

Dissimulé dans une ruelle près du Hatton Garden, ce pub historique et chaleureux fut construit pour les domestiques de l'Ely Palace. Un souvenir de la reine Elizabeth Ire y est conservé : un tronc de cerisier autour duquel elle a dansé. Il n'y a pas de musique. Les salles calfeutrées résonnent uniquement du murmure des conversations.

SHOREDITCH

BAR KICK Plan p. 154 Bar

☎ 7739 8700 ; 127 Shoreditch High St E1 ; 🕓 jusqu'à minuit jeu-sam ; ⊖ Old St ou Liverpool St

Grand frère du Café Kick (☎ 7837 8077 ; 43 Exmouth Market, EC1 ; 🕓 12h-23h lun-jeu, jusqu'à minuit ven et sam ; ⊖ Farringdon ou Angel) de Clerkenwell, ce lieu se rapproche plus du style typique de Shoreditch. Comme il restait de la place après l'installation de quatre baby-foot, l'espace comporte aussi des sofas en cuir ainsi que des tables et chaises toutes simples.

BRICKLAYERS ARMS Plan p. 154 Pub

☎ 7739 5245 ; 63 Charlotte Rd EC2 ; ⊖ Old St

Ce pub sympathique et sans prétention, mêlant ancien et moderne, est l'une des valeurs sûres de Hoxton. Il attire une clientèle au look plutôt nonchalant. Bonne cuisine thaïlandaise servie au restaurant à l'étage.

DREAMBAGSJAGUARSHOES

Plan p. 154 Bar à DJ

☎ 7729 5830 ; www.dreambagsjaguarshoes.com ; 34-36 Kingsland Rd E2 ; 🕓 jusqu'à 1h mar-dim, minuit lun ; ⊖ Old St

Le nom de ce bar est en fait celui des boutiques dont il occupe aujourd'hui les locaux, avec une nonchalance on ne peut plus caractéristique du chic de Shoreditch. L'intérieur est exiguë, rempli de canapés et de tables en formica, avec un DJ dans un coin et des expositions sur les murs couverts de graffitis.

FOUNDRY Plan p. 154 Bar

☎ 7739 6900 ; www.foundry.tv ; 84-86 Great Eastern St EC2 ; ⊖ Old St

Le Foundry est gentillement disparate, depuis le mobilier authentiquement défraîchi jusqu'au bar fait d'une planche auquel s'accoude un homme au teint jaune, en passant par le sol peu reluisant. Des événements artistiques (parfois au sens large du terme) ont lieu à partir de 19h tous les soirs. Ils sont toujours gratuits. Au sous-sol se déroulent des concerts où tout peut arriver. Une adresse si folle et imprévisible qu'on ne peut que l'aimer.

GEORGE & DRAGON

Plan p. 154 Bar à DJ, pub

☎ 7012 1100 ; 2-4 Hackney Rd E2 ; ⊖ Old St

Jadis pub local un peu louche, le George a été repris et décoré avec les antiquités de la grand-mère du propriétaire (bois de cerf, queue de raton laveur, vieilles horloges), des images de Cher en carton et des lumières tamisées, faisant de ce simple pub l'épicentre de la scène de Hoxton depuis plus de 10 ans. C'est l'un des endroits les plus excitants qui soient pour sortir, avec un excellent juke-box, même s'il y a souvent énormément de monde le week-end. Ses soirées DJ figurent parmi les meilleures de Londres, avec des spectacles de cabaret sur les rebords de fenêtres. Les gens sont là pour s'amuser. N'y allez pas si vous voulez prendre un verre au calme.

LOUNGELOVER

Plan p. 154 Bar à cocktails

☎ 7012 1234 ; www.lestroisgarcons.com ; 1 Whitby St E1 ; 🕒 jusqu'à minuit dim-jeu, 1h ven et sam ; ⊖ / 🚆 Liverpool St

Une institution de Shoreditch au look très soigné et aux superbes et onéreux cocktails. L'endroit est parfois plein de gens en costume et le service peut laisser à désirer (mieux vaut toujours réserver une table), mais cela reste une adresse glamour et incontournable pour les amateurs de cocktails.

MACBETH Plan p. 154 Pub

☎ 7739 5095 ; 70 Hoxton St N1 ; 🕒 jusqu'à 2h jeu-dim ; ⊖ Old St

Installé dans une rue qui échappe encore à la "boboïsation", cet énorme pub à deux pas au nord de Hoxton Sq est un ajout appréciable à la scène locale sans cesse changeante. Tenu par des musiciens, c'est une bonne rampe de lancement pour les nouveaux talents grâce à sa scène à l'étage inférieur. Il y a un second bar à l'étage et une grande terrasse sur le toit.

MOTHER BAR

Plan p. 154 Bar à DJ

☎ 7739 5949 ; www.333mother.com ; 333 Old St EC1 ; 🕒 jusqu'à minuit dim-jeu, 2h ven et sam ; ⊖ Old St

Mais où aller danser tard un dimanche soir ? Au Mother bien sûr ! Demeurant l'un des meilleurs bars de la ville, il est au-dessus du club le plus branché de Shoreditch, le 333 (p. 301). Ne soyez pas rebuté par la foule : il y a un coin lounge, une piste de danse et les gens sont là pour s'amuser.

OLD BLUE LAST

Plan p. 154 Bar à DJ, pub

☎ 7739 7033 ; www.oldbluelast.com ; 38 Great Eastern Rd, EC2 ; 🕒 jusqu'à minuit lun-mer, 0h30 jeu et dim, 1h30 ven et sam ; ⊖ Old St ou Liverpool St

En entrant dans ce pub, on s'attend à trouver de vieux piliers de comptoir au bar, mais on découvre en fait une clientèle de jeunes tendance, avec capuches, T-shirts fluo et casquettes en nylon. On doit ce relookage au magazine *Vice*, bible de la branchitude, propriétaire des lieux. On y organise d'excellentes soirées, on y trouve un juke-box et on y prépare une délicieuse tourte.

RED LION Plan p. 154 Pub à DJ

☎ 7729 7920 ; www.redlionhoxton.com ; 41 Hoxton St N1 ; 🕒 jusqu'à minuit lun-sam, 23h dim ; ⊖ Old St

Notre adresse favorite pour un verre avant de sortir à Hoxton. Il est géré par la même équipe que le 333 (p. 301) et le Mother Bar (ci-contre). Tout en étant à deux pas de Hoxton Sq, l'endroit est assez reculé, dans une ruelle, ce qui lui permet d'éviter les foules de banlieusards qui envahissent désormais le quartier le week-end. Des DJ officient en bas tandis que la foule se répand sur le trottoir, une pinte à la main.

SPITALFIELDS

GOLDEN HEART

Plan p. 154 Pub

☎ 7247 2158 ; 110 Commercial St E1 ; ⊖ Liverpool St

Des clients évidemment branchés se mêlent dans un cadre qui, en revanche, ne l'est pas. Si l'établissement est connu pour être le rendez-vous de la crème du monde artistique londonien, nous avons surtout apprécié de discuter avec Sandra, la célèbre propriétaire, qui parle avec tous et s'assure que tout se passe bien.

TEN BELLS Plan p. 154 Pub

☎ 7366 1721 ; 84 Commercial St E1 ; ⊖ Liverpool St

Ce célèbre pub, en face du Spitalfields Market (p. 231) et à côté de l'étonnante église du quartier, est connu pour avoir été l'un des endroits où Jack l'éventreur venait chercher ses victimes, même si rien n'évoque cela aujourd'hui. Il suffit de demander aux jeunes branchés fréquentant l'établissement ce qu'ils savent sur l'histoire des lieux pour constater qu'ils sont peu nombreux à connaître le sombre passé victorien de ce sympathique et spacieux pub joliment décoré.

VIBE BAR Plan p. 154 Bar à DJ
☎ 7247 3479 ; www.vibe-bar.co.uk ; Old Truman Brewery, 91-95 Brick Lane E1 ; jusqu'à 23h30 dim-jeu, jusqu'à tard ven et sam ; ⊖ Liverpool St ou Aldgate East
Ancien épicentre des nuits à Hoxton, le Vibe est autant bar que club et jardin, avec étals de restauration rapide. Surtout prisé dans les années 1990, l'établissement est néanmoins resté populaire et il est très agréable en été. Concerts la plupart du temps et DJ les autres soirs dans l'intérieur spacieux.

L'EAST END ET LES DOCKLANDS

Autrefois tristement réputés pour les règlements de compte entre gangsters et les bagarres du samedi soir, les pubs de l'East End se sont considérablement améliorés ces dernières années. Il reste toujours quelques bars déplaisants et des pubs où seuls les habitués se sentent à l'aise, mais ce n'est pas le cas de ceux mentionnés ci-dessous. Certains pubs de Hackney sont même devenus très tendance.

EAST END

Whitechapel

URBAN BAR Plan p. 160 Pub
☎ 7247 8978 ; 176 Whitechapel Rd E1 ; 11h-23h lun-mer, 12h-1h jeu-sam, 12h-23h30 dim ; ⊖ Whitechapel
Si cet établissement n'a rien d'extraordinaire, il n'en est pas moins un lieu incontournable (c'est le moins que l'on puisse dire) et convivial de Whitechapel, juste en face du métro. Assurément pub (avec un grand choix de bières), non sans évoquer toutefois un café, il attire principalement les étudiants du quartier (le Queen Mary College se trouve à proximité) et parfois les blouses blanches du Royal London Hospital voisin.

Bethnal Green et Hackney

BISTROTHEQUE Plan p. 160 Bar, cabaret, bar à DJ
☎ 8983 7900 ; www.bistrotheque.com ; 23-27 Wadeston St E2 ; 18h-minuit mar-sam, 16h-23h dim ; ⊖ Bethnal Green, Cambridge Heath, 55
Occupant un ancien entrepôt de l'East End, cet établissement regroupe trois lieux : le bar Napoleon, le Cabaret Room (21h30 ven et sam) au rez-de-chaussée, avec ses spectacles de travestis, et l'élégant restaurant à l'étage. Le bar est une salle sombre avec boiseries aux murs (les panneaux de chêne proviennent d'une maison du Northumberland) et fauteuils confortables. Les boissons sont préparées avec soin et le personnel est toujours sympathique.

DOVE FREEHOUSE Plan p. 160 Pub
☎ 7275 7617 ; www.belgianbars.com ; 24 Broadway Market E8 ; 12h-23h lun-jeu, jusqu'à minuit ven et sam ; London Fields, 48, 55, 106 ou 394
Ce dédale de salles avec ses nombreuses variétés – dont une vingtaine à la pression – de bières trappistes belges, aux fruits ou au blé est parfait en n'importe quelle saison. Mais quelque chose dans l'arrière-salle sombre, avec son style ethnique-bobo-chic et son bon menu *gastropub*, en fait un refuge idéal contre le froid.

PRINCE ARTHUR Plan p. 160 Pub
☎ 7249 9996 ; www.theprincearthurlondonfields.com ; 95 Farm Rd E8 ; 16h-23h lun-jeu, à partir de 12h ven, à partir de 10h30 sam et dim ; London Fields, D6, 106 ou 394
Bien que ce pub quelque peu surfait du nord-est de London Fields se décrive comme un "*gastropub* rétro", c'est avant tout pour boire que l'on vient ici. Il porte le nom du troisième enfant de la reine Victoria (qui aurait été son préféré). C'est lui que l'on voit portant des peaux d'animaux sur les photos accrochées entre les trophées de sanglier et de chat sauvage.

ROYAL OAK Plan p. 160 Pub
☎ 7729 2220 ; 73 Columbia Rd E2 ; 17h-23h lun, à partir de 12h mar-dim ; Cambridge Heath, 8 ou 55
À ne pas confondre avec le pub du même nom au sud du fleuve, cette adresse traditionnelle a récemment grimpé en catégorie et propose un bon choix de bières et une carte des vins appréciable. C'est le dimanche qu'il fait le plein, lorsque le célèbre marché aux fleurs prend place juste devant.

Mile End et Victoria Park

PALM TREE Plan p. 160 Pub
☎ 8980 2918 ; 127 Grove Rd E3 ; 12h-minuit lun-jeu, jusqu'à 2h ven et sam, 1h dim ; ⊖ Mile End, 277
Le Palm, pub de l'East End par excellence, installé sur le Grand Union Canal, tient bon avec son papier peint velouté doré apaisant, ses photos de crooners et ses différentes *ales* à

l'honneur chaque semaine. Jazz les vendredis et samedis à partir de 21h30.

ROYAL INN ON THE PARK

Plan p. 160 — Pub

☎ 8985 3321 ; 111 Lauriston Rd E9 ; ⊖ Mile End puis 🚌 277

À l'orée nord de Victoria Park, cette excellente adresse, qui fut autrefois le pub des employés des transports de Londres, propose une demi-douzaine de bonnes bières tchèques à la pression, des tables en extérieur devant, et une terrasse fermée à l'arrière. Toujours animé par une clientèle typique de Hackney mi-branchée, mi-louche.

Wapping

CAPTAIN KIDD Plan p. 160 — Pub

☎ 7480 5759 ; 108 Wapping High St E1 ; ⊖ Liverpool St ou Tower Hill puis 🚌 100

Avec ses grandes fenêtres, son joli jardin et sa maquette d'échafaud rappelant la pendaison du pirate éponyme non loin de là, en 1701, ce pub au bord de l'eau est une adresse populaire de Wapping. Le restaurant du 1er étage s'appelle, bien évidemment, le Gallows (potence).

LES DOCKLANDS

GRAPES Plan p. 166 — Pub

☎ 7987 4396 ; 76 Narrow St E14 ; DLR Westferry

Le Grapes figure parmi les pubs historiques renommés de Limehouse – un débit de boissons occupe, dit-on, les lieux depuis 1583. C'est un endroit minuscule – surtout la terrasse sur le fleuve qui ne peut accueillir que 6 personnes – mais plein de charme suranné. Le choix de bières est bon et les chiens sont les bienvenus.

PROSPECT OF WHITBY

Plan p. 160 — Pub

☎ 7481 1095 ; 57 Wapping Wall E1 ; ⊖ Tower Hill puis 🚌 100

Autrefois nommé la Devil's Tavern, le Whitby existerait depuis 1520, ce qui ferait de lui le plus ancien débit de boissons en bord de fleuve de Londres. Incontestablement touristique, il possède une terrasse sur l'avant, des fenêtres donnant sur la Tamise, un bon restaurant à l'étage et fait des flambées dans ses cheminées en hiver. Ne manquez pas le beau bar en étain – Samuel Pepys y soupa un soir.

NORTH LONDON

Camden Town est l'un des quartiers bénis du nord du centre de Londres, avec plus de bars, de pub et de musique que vous ne pouvez en espérer. Les collines de Hampstead sont un véritable paradis pour les inconditionnels des vieux pubs, tandis que Dalston, branché au-delà du soutenable, est actuellement le coin le plus cool pour prendre un verre dans la capitale.

CAMDEN

BAR VINYL Plan p. 174 — Bar à DJ

☎ 7482 5545 ; www.barvinyl.com ; 6 Inverness St NW1; 🕒 jusqu'à minuit dim-mer, 1h jeu-sam ; ⊖ Camden Town

Bar Vinyl est le centre névralgique des jeunes urbains de Cadmen. On y trouve des DJ cool, une boutique de disques et des graffitis sur les murs. L'ambiance est très sympathique : tout le monde est ici pour se détendre et écouter de la musique, pas pour frimer. Côté ambiance : bondé et très animé le week-end, plus calme en semaine, mais la musique est toujours excellente.

BARTOK Plan p. 170 — Bar à DJ

☎ 7916 0595 ; www.bartokbar.com ; 78-79 Chalk Farm Rd NW1 ; 🕒 jusqu'à 3h dim-jeu, 4h ven et sam ; ⊖ Chalk Farm

Ce bar est une véritable oasis : un bar-lounge élégant où l'on passe de la musique classique en plein milieu du grunge de Camden. À vrai dire, Bartok fait figure d'exception à Londres. Nommé en hommage au compositeur et pianiste hongrois, on y écoute du classique, des concerts de jazz, et des DJ remarquables qui mélangent jazz, classique, électro et world music. La sélection de bières est standard, mais les cocktails sont bons. Confortablement installé dans l'un des canapés, détendez-vous jusqu'aux petites heures du jour.

CROWN & GOOSE Plan p. 174 — Pub

☎ 7485 8008 ; www.crownandgoose.co.uk ; 100 Arlington Rd NW1 ; 🕒 jusqu'à minuit dim-jeu, 2h ven et sam ; ⊖ Camden Town

Un de nos pubs préférés. Éclairée par de grandes fenêtres, la salle carrée possède un bar central en bois ainsi que des murs verts très *british* parsemés de miroirs aux cadres dorés. Fréquenté par une clientèle branchée sans ostentation, il mêle convivialité, plats de qualité et un beau choix de bières bon marché.

EDINBORO CASTLE Plan p. 174 — Pub

☎ 7255 9651 ; www.edinborocastlepub.co.uk ; 57 Mornington Tce NW1 ; ⊖ Camden Town

Bonne adresse, ce vaste pub paisible exhale une ambiance qui évoque plutôt Primrose Hill que Camden. Outre sa carte très complète et son superbe mobilier qui invite à la détente, il dispose d'une immense terrasse, parfaite les soirs d'été.

PROUD CAMDEN Plan p. 170 — Bar à DJ

☎ 7482 3867 ; www.proudcamden.com ; The Horse Hospital, Stables Market, Chalk Farm Rd NW1 ; jusqu'à 1h30 lun-mer, 2h30 jeu-sam, 0h30 dim ; ⊖ Chalk Farm

Créé juste au moment où Camden commençait à sembler dépassé, le Proud est l'espace artistique qui faisait cruellement défaut à Londres depuis des années. Fantastique en été, l'ancien Horse Hospital (hôpital pour chevaux) a conservé ses écuries, dans lesquelles on peut prendre un verre et jouer au baby-foot ou au billard tout en écoutant des concerts ou des DJ mixant dans la salle principale. Des œuvres d'art habillent les murs. À l'heure actuelle, notre adresse favorite à Camden.

QUEEN'S Plan p. 170 — Pub

☎ 7586 0408 ; 49 Regent's Park Rd NW1 ; jusqu'à minuit ven et sam ; ⊖ Camden Town ou Chalk Farm

L'endroit est fréquenté par des stars comme Jude Law et d'autres personnalités de Primrose Hill. Les boissons et la cuisine ne vous décevront pas, et la clientèle est amusante à observer.

KING'S CROSS

BIG CHILL HOUSE Plan p. 174 — Bar à DJ

☎ 7427 2540 ; www.bigchill.net ; 257-259 Pentonville Rd N1 ; jusqu'à minuit dim-mer, 1h jeu, 3h ven et sam ; ⊖ King's Cross St Pancras

Au fil des années, cet établissement a donné un peu dans tous les genres (du bar gay au club de danse orientale), mais les propriétaires semblent aujourd'hui avoir trouvé la voie du Big Chill (un festival de musique d'été prisé) : ils accueillent une clientèle jeune et sympathique de musiciens dans un coin agréable et chic de King's Cross. Le déjeuner (5 £) est très avantageux et nous avons adoré la grande terrasse, idéale pour boire une bière en été. C'est le frère jumeau du bar **Big Chill Bar** (☎ 7392 9180 ; Dray Walk E1 ; ⊖ Liverpool St), en retrait de Brick Lane. Soirées discothèque (voir p. 302).

RUBY LOUNGE

Plan p. 174 — Bar à DJ

☎ 7837 9558 ; www.ruby.uk.com ; 33 Caledonian Rd N1 ; jusqu'à minuit jeu, 2h ven et sam ; ⊖ King's Cross St Pancras

King's Cross s'embourgeoise petit à petit. Autrefois fréquenté uniquement par des fêtards endurcis (ou des prostituées et des junkies), il se transforme en un quartier comptant trois Starbucks au mètre carré. Mais le Ruby Lounge n'a pas dit son dernier mot et ne se laissera pas déloger. C'est une bonne adresse avec un intérieur chaleureux, d'excellents DJ et une clientèle venant ici en début de soirée.

HAMPSTEAD ET HIGHGATE

BOOGALOO Plan p. 170 — Bar

☎ 8340 2928 ; www.theboogaloo.org ; 312 Archway Rd N6 ; jusqu'à minuit jeu, 1h30 ven et sam ; ⊖ Highgate

"Le juke-box numéro 1 à Londres", voilà ce que le Boogaloo se targue d'être, et comment il a été décrit dans les médias locaux, grâce à son juke-box régulièrement reprogrammé par des célébrités, qui passe notamment les 10 chansons préférées de Nick Cave, Sinead O'Connor, Howie B et Bobbie Gillespie pour ne citer qu'eux. De quoi faire la fête avec, en plus, des concerts tous les soirs de la semaine. Si vous êtes passionné de musique, cela vaut la peine de sortir sur Archway.

FLASK TAVERN Plan p. 170 — Pub

☎ 8348 7346 ; 77 Highgate West Hill N6 ; ⊖ Highgate

Prisée le week-end, cette adresse est fantastique pour terminer une promenade dans Hampstead Heath ou Highgate Wood. En été, la grande cour accueille les clients venus déguster de délicieux burgers accompagnés de bières. En hiver, ils se réfugient dans la salle douillette où ils savourent le célèbre rôti dominical de la maison.

HOLLY BUSH

Plan p. 170 — Pub

☎ 7435 2892 ; www.hollybushpub.com ; 22 Holly Mount NW3 ; ⊖ Hampstead

Un pub magnifique qui vous fera envier les résidents privilégiés de Hampstead. Son intérieur victorien d'origine, son emplacement tranquille en haut de la colline et sa cheminée vous retiendront sûrement plus longtemps que prévu. Situé au-dessus de Heath St, il est accessible par les Holly Bush Steps.

SPANIARD'S INN Plan p. 170 Pub

☎ 8731 6571 ; Spaniards Rd NW3 ; ⊖ Hampstead puis 🚌 21

Cette merveilleuse taverne date de 1585. Dick Turpin, dandy et bandit de grand chemin, fréquentait souvent le lieu. D'autres noms plus illustres, tels Dickens, Shelley, Keats et Byron, ont également succombé à son charme. Le grand jardin est divin, mais vous aurez peut-être envie de manger ailleurs.

ISLINGTON

25 CANONBURY LANE

Plan p. 174 Bar à cocktails

☎ 7226 0955 ; www.25canonburylane.com ; 25 Canonbury Lane N1 ; 🕒 jusqu'à minuit dim-jeu, 1h ven et sam ; ⊖ Highbury & Islington

Cette rue assez calme d'Islington manquait d'un bon bar à cocktails depuis bien des années, mais le 25 Canonbury Lane remplit désormais parfaitement ce rôle. C'est un lieu sympa, la carte des vins et des cocktails est excellente et les serveurs connaissent leur métier. Vous pouvez vous installer dans la ravissante salle, où l'on sert également de bons plats.

ELK IN THE WOODS Plan p. 174 Bar

☎ 7226 3535 ; www.the-elk-in-the-woods.co.uk ; 39 Camden Passage N1 ; ⊖ Angel

Un bar confortable au superbe décor campagnard élégant qui sert aussi une cuisine simple et délicieuse. Avec ses grandes tables en chêne, ses vieux miroirs, sa tête de cerf empaillée et son personnel charmant, c'est un lieu à découvrir. Venez tôt, les tables sont prises d'assaut et ce n'est pas le genre d'endroit où on reste debout.

EMBASSY Plan p. 174 Bar à DJ

☎ 7226 7901 ; www.embassybar.com ; 119 Essex Rd N1 ; 🕒 jusqu'à 1h ven et sam ; ⊖ Angel

Depuis quelques années, ce bar branché fait de plus en plus parler de lui. Arrivez tôt le week-end et mêlez-vous aux musiciens et aux gens des médias venus écouter d'excellents DJ. Derrière les vitres fumées et les murs noirs, tout le monde se détend sur les confortables sofas des salles du rez-de-chaussée et du sous-sol. Entrée payante (prix variable) le week-end.

HOPE & ANCHOR Plan p. 174 Pub

☎ 7354 1312 ; 207 Upper St N1 ; 🕒 jusqu'à minuit ; ⊖ Highbury & Islington

Islington regorge de bars-lounge à cocktails et de bars à DJ, mais manque cruellement de bons pubs. Cet établissement rustique qui, par le passé, a reçu des groupes célèbres (U2, Dire Straits, Joy Division et, plus récemment, les Libertines s'y sont produits) attire une clientèle de musiciens du quartier. L'ambiance est toujours au rendez-vous.

DALSTON

BAR 23 Bar

☎ 7241 2060 ; 23 Stoke Newington Rd N16 ; 🕒 jusqu'à 1h dim-jeu, 2h ven et sam ; 🚆 Dalston Kingsland ; 🚌 67, 76, 149 ou 243

Des stars de cinéma ornent les murs de ce bar à première vue ordinaire, tenu par des Turcs, dans la zone la plus tendance de Dalston. En soirée, une clientèle sympathique afflue, attirée par les DJ et les boissons servies jusque tard.

DALSTON SUPERSTORE Bar à DJ

☎ 7254 2273 ; 117 Kingsland Rd E8 ; 🕒 jusqu'à 2h ; 🚆 Dalston Kingsland ; 🚌 67, 76, 149, 243

Confirmant la popularité de ce quartier pour les sorties, le Dalston Superstore a ouvert ses portes en2009 et a fourni aux jeunes branchés un lieu de rendez-vous. Cet espace industriel installé sur deux niveaux est ouvert toute la journée et sert sandwichs et repas légers, mais avec la piste de danse au sous-sol et les DJ en haut, l'ambiance ne bat son plein que le soir. Arrivez tôt.

JAZZ BAR DALSTON Bar à cocktails

☎ 7254 9728 ; 4 Bradbury St N16 ; 🕒 jusqu'à 1h lun-jeu, 3h ven et sam, minuit dim ; 🚆 Dalston Kingsland

C'est le meilleur bar de Dalston, une trouvaille inattendue à deux pas du chaos de Dalston Junction. Ce n'est pas un bar jazz, mais un bar à cocktails. Les habitants sympathiques et branchés du quartier s'y retrouvent le week-end pour danser sur du hip-hop, du R&B et du reggae.

MOUSTACHE BAR Bar à DJ

58 Stoke Newington Rd N16 ; 🕒 jusqu'à 4h ven et sam, 20h30-minuit dim-mer ; 🚌 73

Repérable à son enseigne en forme de moustache, ce bar prisé fait le plein les week-ends. Les clients s'entassent au sous-sol pour boire et danser, tandis que les fumeurs investissent la terrasse de fortune. Les boissons sont bon marché et la décoration des murs du bar, à thématique moustachue, est plutôt insolite (mais pas toujours facile à voir).

STOKE NEWINGTON

AULD SHILLELAGH Pub

☎ 7249 5951 ; 105 Stoke Newington Church St N16 ; 🚌 73

Voici l'un des meilleurs pubs irlandais de Londres, avec ses piliers de comptoir. Cet établissement semble se transformer au gré des humeurs de la clientèle : un théâtre ou une salle chaleureuse, une scène ou un sanctuaire, une salle de débats ou un lieu de contemplation. De plus, le personnel est efficace, la Guinness, excellente, et les spectacles live sont fréquents et variés.

FOX REFORMED Bar

☎ 7254 5975 ; www.fox-reformed.co.uk ; 176 Stoke Newington Church St N16 ; ⏲ jusqu'à minuit ; 🚆 Stoke Newington, 🚌 73

Possédant toutes les qualités d'un bon bar – patron sympathique, clients fidèles, bons plats, bons vins, bonnes bières et joli jardin –, le Fox ne désemplit pas depuis plus de 20 ans. L'ambiance calme et les plateaux d'échecs et de backgammon qui invitent à la détente l'après-midi ajoutent à son charme.

WEST LONDON

Les bars et pubs des parties pas trop m'as-tu-vu de West London permettent de belles échappées, souvent en bord de fleuve. Shepherd's Bush distingue par ses pubs et ses bars à vin, tandis qu'Earl's Court attire nombre de jeunes routards, souvent australiens ou sud-africains. Maida Vale et St John's Wood recèlent quelques grands classiques londoniens. Portobello Rd attire plutôt une foule bigarrée de fils à papa et de gens ordinaires.

ST JOHN'S WOOD ET MAIDA VALE

PRINCE ALFRED

Plan p. 180 Pub

☎ 7286 3287 ; 5a Formosa St W9 ; ⊖ Warwick Ave

On ne fait guère mieux en matière de pub. Conçu à l'époque victorienne, où les gens étaient séparés selon leur classe sociale et leur sexe, le bar hémisphérique est divisé en cinq superbes niches, dont chacune possède sa petite porte. Le pub attire toujours une clientèle locale fidèle, qui, en grande partie, monte dîner à l'étonnante Formosa Dining Room.

WARRINGTON Plan p. 180 Pub

☎ 7286 2929 ; 93 Warrington Cres W9 ; ⊖ Warwick Ave ou Maida Vale

Cet ancien hôtel et maison de passe est aujourd'hui un pub Art nouveau de caractère. L'immense bar de type saloon, avec son comptoir hémisphérique recouvert de marbre et posé sur une base en acajou sculpté, et son imposant vitrail de Tiffany est fabuleux pour goûter l'une des nombreuses bières. Une terrasse est à votre disposition, ainsi qu'un restaurant thaïlandais un peu terne à l'étage, faisant partie des établissements de Gordon Ramsay.

WATERWAY Plan p. 180 Pub

☎ 7266 3557 ; www.frgroup.co.uk ; 54 Formosa St W9 ; ⏲ 12h-1h ; ⊖ Warwick Ave

Ne venez pas ici pour le choix de bières ni pour la cuisine très onéreuse : ce pub, à deux pas du Grand Union Canal dans Little Venice, brille essentiellement par sa situation. Il n'y aurait guère qu'un pub au bord de la Tamise comme lieu plus agréable pour se détendre un après-midi de week-end.

NOTTING HILL ET WESTBOURNE GROVE

CHURCHILL ARMS Plan p. 182 Pub

☎ 7792 1246 ; 119 Kensington Church St W8 ; ⊖ Notting Hill Gate

Ce pub anglais traditionnel est réputé pour ses objets se rapportant à Churchill : pots de chambre, sacs de golf accrochés au plafond et papillons sous verre. Il est prisé des Londoniens comme des touristes (reste à savoir le lien que chacun fait entre l'homme politique et les lépidoptères) qui doivent jouer des coudes pour atteindre le comptoir en forme de fer à cheval et commander une bière. Excellente cuisine thaïe servie depuis 20 ans dans le jardin d'hiver adjacent.

EARL OF LONSDALE Plan p. 182 Pub

☎ 7727 6335 ; 277-281 Portobello Rd W11 ; ⊖ Notting Hill Gate ou Westbourne Park

Nous adorons cette adresse, particulièrement bienvenue pour se rafraîchir et se reposer après une matinée au marché. Malgré sa situation en plein milieu du marché de Portobello Road, ce bar est assez calme en journée, fréquenté par un mélange de vieux habitués et de jeunes branchés. Il sert des bières Samuel Smith et possède une fantastique arrière-salle dotée de canapés et de cheminées, ainsi qu'un jardin récemment agrandi.

GREYHOUND Plan p. 182 Pub

☎ 7937 7140 ; 1 Kensington Square W8 ; ⊖ High St Kensington

Cette vénérable institution fait face à une place verdoyante bordée de bâtiments georgiens à plaques bleues (marquage historique du type "John Stuart Mill a vécu ici" ; voir l'encadré p. 146). À proximité, Thackeray St porte le nom de l'auteur satirique qui venait (dit-on) boire ici. Les bureaux du *Daily Mail* et de l'*Evening Standard* se trouvant à deux pas, la tradition journalistique du pub perdure, et les clients y entendront toutes sortes d'histoires (réelles et imaginaires).

LONSDALE Plan p. 180 Bar à cocktails

☎ 7727 4080 ; www.thelonsdale.co.uk ; 48 Lonsdale Rd W11 ; 🕒 18h-minuit lun-jeu, jusqu'à 1h ven et sam, 23h30 dim ; ⊖ Notting Hill Gate ou Westbourne Park

Cette adresse, qui se targue humblement d'être "l'épicentre du monde des cocktails", n'a pas touché à sa déco futuriste démodée, baignée de lumière violette. Mais les clients viennent pour ses cocktails exceptionnels, énumérés sur une carte de 20 pages, à base de 200 alcools différents.

TWELFTH HOUSE Plan p. 180 Bar, café

☎ 7727 9620 ; www.twelfth-house.co.uk ; 35 Pembridge Rd W11 ; 🕒 10h-23h lun-sam, jusqu'à 22h30 dim ; ⊖ Notting Hill Gate

Ce charmant café de Notting Hill a un côté un peu déjanté. Le bar est dominé par une superbe horloge astrologique et la propriétaire pourra vous dresser votre thème astral (5 £) ou lire votre tarot du jour (3 £).

WINDSOR CASTLE Plan p. 182 Pub

☎ 7243 9551 ; 114 Campden Hill Rd W8 ; ⊖ Notting Hill Gate

Les recoins de cette merveilleuse taverne relativement isolée entre Notting Hill et Kensington High St respirent l'histoire et le charme. Avec son cadre traditionnel, sa cheminée, son agréable jardin et ses habitués le plus souvent sympathiques, c'est un lieu qui vaut le détour.

EARL'S COURT

ATLAS Plan p. 182 Pub

☎ 7385 9129 ; www.theatlaspub.co.uk ; 16 Seagrave Rd SW6 ; 🕒 à partir de 12h lun-sam ; ⊖ West Brompton

Ce confortable pub de l'époque victorienne attire une clientèle locale jeune avec ses *real ales*, son excellente cuisine et sa ravissante cour. Au menu du *gastropub* figurent essentiellement des plats d'inspiration méditerranéenne.

SCARSDALE ARMS Plan p. 182 Pub

☎ 7937 1811 ; 23a Edwardes Sq W8 ; ⊖ High St Kensington ou Earl's Court

Pas des plus faciles à trouver, cet établissement londonien installé dans un édifice georgien arboré au sud de Kensington High St, non loin d'Earl's Court Rd, aurait été construit pour abriter les quartiers des officiers de l'armée napoléonienne, dont l'architecte français espérait l'arrivée imminente. Aujourd'hui, c'est un pub agréable et élégant, avec des gravures et des huiles présentées dans des cadres dorés, de lourdes tentures et des *snob screens* (petites fenêtres à hauteur de tête permettant de s'isoler du barman) en vitrail. Bières Fuller's à la pression. Véritable restaurant à l'arrière.

TROUBADOUR Plan p. 182 Bar, café

☎ 7370 1434 ; www.troubadour.co.uk ; 265 Old Brompton Rd SW5 ; 🕒 9h-minuit ; ⊖ Earl's Court ou West Brompton

Bob Dylan et John Lennon se sont produits ici, et ce sympathique café-bar reste, plusieurs décennies après, une adresse un peu bohème merveilleusement tranquille. Le bar accueille toujours des concerts (folk, blues) presque tous les soirs et ouvre un joli jardin en été.

SHEPHERD'S BUSH ET HAMMERSMITH

ALBERTINE WINE BAR Plan p. 182 Bar à vins

☎ 8743 9593 ; 1 Wood Lane W12 ; 🕒 10h-23h lun-jeu, jusqu'à minuit ven ; 18h30-minuit sam ; ⊖ Shepherd's Bush

Véritable institution (on pourrait même dire oasis) de Shepherd's Bush depuis 20 ans, l'Albertine est un bar à vins à l'ambiance tranquille qui ne plaisante pas avec la boisson, mais affiche des prix abordables. La cuisine est excellente. Idéal pour une soirée à mille lieues des pubs.

DOVE Plan p. 208 Pub

☎ 8748 9474 ; 19 Upper Mall W6 ; ⊖ Hammersmith ou Ravenscourt Park

Café et pub du XVIIe siècle, le Dove est célèbre à plus d'un titre. Il est entré au *Guinness des Records* en 1989 pour son bar, le plus petit d'Angleterre (mais il y a des espaces plus vastes, dont une terrasse, un salon et un jardin d'hiver). C'était également le repaire de Graham Greene et d'Hemingway. On a une belle vue sur la Tamise depuis le charmant intérieur en bois sombre, mais s'il fait beau, essayez d'obtenir une place au jardin.

OLD SHIP Plan p. 208 Pub

☎ 8748 2593 ; 25 Upper Mall W6 ; ⊖ Hammersmith ou Ravenscourt Park

Situé sur un chemin de halage, cet excellent pub est envahi par des familles et des couples faisant halte pendant leur promenade le long de la Tamise. Son meilleur atout : la vue sur le méandre paisible du fleuve en direction de Putney. Il est également prisé en semaine, surtout au printemps et en été, pour son espace de restauration en plein air, sa terrasse et son balcon au 1er étage.

GREENWICH ET SOUTHEAST LONDON

Si vous cherchez un pub tout droit sorti d'un récit de Dickens, ce quartier s'impose – et procure en plus de merveilleuses vues. Nous vous conseillons d'éviter les nouveaux bars du secteur – tenez-vous en plutôt aux pubs traditionnels. Il y a bien sûr, comme toujours, quelques exceptions, et nous en mentionnons une ici.

GREENWICH

CUTTY SARK TAVERN Plan p. 186 Pub

☎ 8858 3146 ; 4-6 Ballast Quay SE10 ; DLR Cutty Sark, 🚌 177 ou 180

Situé dans un beau bâtiment georgien donnant directement sur la Tamise, le Cutty Sark est l'un des derniers pubs indépendants de Greenwich. Il propose une demi-douzaine de bières à la pression et une magnifique zone extérieure en bord de rivière. Comptez 15 minutes de marche depuis la station du DLR. Vous pouvez aussi prendre un bus le long de Trafalgar Rd, puis aller vers le nord.

GREENWICH UNION Plan p. 186 Pub

☎ 8692 6258 ; www.greenwichunion.com ; 56 Royal Hill SE10 ; DLR Cutty Sark

Au sud de la Tamise et à seulement 0° 0′ 36″ à l'ouest du méridien, ce pub primé propose 6 ou 7 bières produites par une microbrasserie locale, notamment une à la framboise et une au froment. C'est une charmante adresse qui sert de bons plats et attire une clientèle locale, surtout des familles le week-end.

INC BAR Plan p. 186 Bar à cocktails

☎ 8858 6721 ; www.incbar.com ; 7a College Approach SE10 ; 🕑 18h-1h30 mer et jeu, 19h-3h ven et sam, 17h-minuit dim ; DLR Cutty Sark

Nouvel arrivé à Greenwich, et déjà dans toutes les conversations du village, ce bar offre une quantité infinie de cocktails. Parmi ceux-ci figure le *tatanka* (bison en polonais), à base de Zubrowka et de jus de pomme… divin.

MAYFLOWER
Plan p. 186 Pub

☎ 7237 4088 ; 117 Rotherhithe St SE16 ; ⊖ Rotherhithe

Au nord-ouest de Deptford, à Rotherhithe, ce pub du XVe siècle porte aujourd'hui le nom du navire qui amena les Pères pèlerins en Amérique en 1620. Le bateau appareilla de Rotherhithe, et le capitaine, Christopher Jones, aurait tracé son itinéraire ici, un verre de bière à la main. Petite terrasse à l'arrière d'où l'on peut contempler la Tamise.

TRAFALGAR TAVERN
Plan p. 186 Pub

☎ 8858 2437 ; www.trafalgartavern.co.uk ; 6 Park Row SE10 ; 🕑 12h-23h lun-jeu, jusqu'à minuit ven et sam, 22h30 dim ; DLR Cutty Sark

Ce pub semblable à une caverne, dont les grandes fenêtres donnent sur la Tamise et le Millennium Dome, est chargé d'histoire, comme le montrent les gravures au mur. Dickens l'a fréquenté et l'utilisa pour la scène du petit-déjeuner du mariage dans *L'Ami commun*. Les Premiers ministres Gladstone et Disraeli venaient y manger la fameuse friture de la maison, à une époque où le début de la saison était attendu avec tant d'impatience que le Parlement suspendait ses séances pour une journée.

SOUTH LONDON

Les habitués de Brixton dédaignent tous les pubs dans les quartiers à la mode, où la prétention est souvent de mise. Cependant, les quartiers de Battersea et Clapham, non loin, offrent un ou deux bars de style, et il existe même un bon pub au bord de l'eau à Wandsworth. Brixton demeure néanmoins l'un des quartiers les plus vivants pour prendre un verre dans le sud de Londres.

BRIXTON

BABALOU Plan p. 194 Bar

☎ 7738 3366 ; www.babalou.net ; St Matthew's Church, Brixton Hill SW2 ; 🕑 19h-2h mer et jeu, jusqu'à 5h ven et sam ; ⊖ Brixton

Le Bug Bar, situé dans la crypte d'une église, s'est métamorphosé en ce bar-lounge-club aux soirées et aux cocktails fabuleux. L'architecture néogothique est réchauffée par quelques touches nord-africaines et de petites alcôves discrètes habillées de velours rouge.

BRIXTON BAR & GRILL

Plan p. 194 Bar à cocktails

☎ 7737 6777 ; www.bbag.me.uk ; 15 Atlantic Rd SW9 ; ⏲ 16h30-minuit mar et mer, jusqu'à 1h jeu, 2h ven et sam, 23h dim ; ⊖ Brixton

Ce bar de caractère situé sous une arcade du pont ferroviaire est parfait pour déguster un cocktail "sexy" (selon les dires de la maison) et assister à un concert. Il propose également une bonne carte de petites et grandes "assiettes" ainsi que des tapas.

DOGSTAR Plan p. 194 Bar

☎ 7733 7515 ; 389 Coldharbour Lane SW9 ; ⏲ 16h-2h lun-ven, midi-4h sam, 11h-2h dim ; ⊖ Brixton

Institution locale de longue date, cet établissement possède au sous-sol un bar à DJ toujours envahi d'une foule jeune de South London. La déco du bar principal est détendue et les sofas sont confortables.

EFFRA Plan p. 194 Pub

☎ 7274 4180 ; 38A Kellet Rd SW2 ; ⊖ Brixton

Un ravissant vieux pub qui vous plongera plus dans l'ambiance caribéenne de Brixton que n'importe quel autre pub du quartier, grâce aux plats jamaïcains épicés et à la clientèle animée qui reste fidèle, année après année, aux concerts de jazz en soirée. La salle défraîchie conserve une sorte de splendeur victorienne et le jardin est agréable pour un verre en plein air.

WHITE HORSE

Plan p. 194 Bar

☎ 8678 6666 ; www.whitehorsebrixton.com ; 94 Brixton Hill SW2 ; ⏲ 17h-1h lun-jeu, 14h-3h ven, 12h-3h sam, 12h-1h dim ; ⊖ Brixton

Certaines personnes semblent passer tout leur week-end dans ce pub-bar-discothèque. Une adresse composée d'une seule grande salle décorée d'art moderne et d'un bar tout en longueur, où l'ambiance ne faiblit jamais. Sympathique aussi pour faire un billard.

BATTERSEA ET WANDSWORTH

LOST SOCIETY Plan p. 194 Bar

☎ 7652 6526 ; www.lostsociety.co.uk ; 697 Wandsworth Rd SW8 ; ⏲ 17h-minuit lun-mer, jusqu'à 1h jeu et dim, 2h ven et sam ; 🚉 Wandsworth Rd, Battersea Park ou Queenstown Rd

Bar fantastique doté de 6 salles au glamour digne des années 1920 et au luxe typique de Wandsworth aujourd'hui. Le jardin à l'arrière accueille de nombreuses soirées en été. Des DJ mettent l'ambiance le week-end.

CLAPHAM

PRINCE OF WALES Plan p. 194 Pub

☎ 7622 3530 ; 38 Old Town SW4 ; ⏲ 17h-23h lun-mer, 17h-minuit jeu, 17h-1h ven, 13h-1h sam, 13h-23h dim ; ⊖ Clapham Common

Si les pubs qui accrochent toutes sortes d'objets à leur plafond pour paraître originaux peuvent être assommants, le Prince of Wales demeure plaisant, et sa déco, contrairement à celle de la plupart de ses homologues, constitue une collection authentique plutôt qu'une masse hétéroclite. On y sert régulièrement des *real ales*.

SO.UK Plan p. 194 Bar

☎ 7622 4004 ; www.soukclapham.co.uk ; 165 Clapham High St SW4 ; ⏲ 17h-2h lun-mer, jusqu'à 3h jeu-sam, 1h dim ; ⊖ Clapham Common

Le SO.UK, de style marocain, lumineux et aéré, sert des cocktails originaux et des alcools forts. Il est très fréquenté, et l'on peut y croiser des visages connus parmi les cadres de Clapham.

TIM BOBBIN Plan p. 194 Pub

☎ 7738 8953 ; 1-3 Lillieshall Rd SW4 ; ⏲ jusqu'à minuit jeu-sam ; ⊖ Clapham Common

À quelques pas de Clapham Common, ce charmant petit pub mérite le détour si vous cherchez à éviter les jeunes citadins du quartier en état d'ébriété. Décoré de copies des dessins irrévérencieux du caricaturiste éponyme du XVIIIe siècle, ce pub sert quelques bonnes bières à la pression, possède un jardin et un bar en brique avec une cuisine ouverte au fond.

WHITE HOUSE Plan p. 194 Bar à cocktails

☎ 7498 3388 ; www.thewhitehouselondon.co.uk ; 65 Clapham Park Rd SW4 ; ⏲ 17h30-5h mar, mer et ven, 18h30-5h sam, 17h-2h dim ; ⊖ Clapham Common

Fréquenté par les *beautiful people* de Clapham pour sa déco stylée et tamisée (canapés en cuir, petites tables carrées, immense bar et parquet ciré), ce bar chic s'étend sur trois niveaux et possède un restaurant honorable qui sert des *dim sum*, ainsi qu'un toit-terrasse fantastique l'été.

SOUTHWEST LONDON

Les sorties à Fulham se résument souvent à des beuveries pas toujours du meilleur goût, qui se terminent en dansant sur la table, et où les dérapages ne sont pas rares. Ce n'est pas dans cette partie de la ville qu'il faut se rendre si vous voulez passer une soirée élégante. Putney, Chiswick et Richmond sont plus calmes et plus conviviaux, avec des pubs très différents de ceux du centre de Londres où personnel et clients se croisent sans se parler. Souvent vieux de plusieurs siècles, beaucoup des pubs de ce quartier sont en bord de fleuve et invitent à la pause à toute heure de la journée.

FULHAM

MITRE Plan p. 208 — Pub

☎ 7386 8877 ; www.fulhammitre.com ; 81 Dawes Rd ; ⊖ Fulham Broadway

Ce beau pub lumineux et aéré, doté d'un grand bar semi-circulaire et d'une arrière-cour spacieuse avec jardin, a été récompensé pour sa déco. Il est envahi le soir et le week-end, notamment au déjeuner.

WHITE HORSE

Plan p. 208 — Pub

☎ 7736 2115 ; 1-3 Parson's Green ; jusqu'à minuit lun-sam, 23h dim ; ⊖ Parsons Green

En plein sur Parson's Green, le White Horse est un pub attrayant qui draine une clientèle hétéroclite. Elle y goûte une cuisine copieuse et savoureuse, des grillades en été, une atmosphère conviviale et une large gamme de bières (notamment des trappistes belges et des pressions). Terrasse sympathique à l'avant.

PUTNEY ET BARNES

COAT & BADGE

Plan p. 208 — Pub

☎ 8788 4900 ; www.geronimo-inns.co.uk ; 8 Lacy Rd SW15 ; jusqu'à minuit ven et sam ; ⊖ Putney Bridge ou Putney

Le Coat & Badge a opté pour un style lounge qui a fait ses preuves : grands sofas, livres d'occasion alignés sur des étagères, sport à la télé, décor neutre. La carte est courte mais excellente et la grande terrasse située à l'avant est très agréable.

JOLLY GARDENERS Plan p. 208 — Pub

☎ 8780 8921 ; 61-63 Lacy Rd SW15 ; ⊖ Putney Bridge, Putney

Ce pub est notre favori à Putney. Le cadre est charmant et éclectique (qui aurait pensé que les meubles victoriens en chêne s'assortiraient si bien avec des lampes Art déco ?). Il attire une clientèle de trentenaires aimables et propose une sympathique carte des vins ainsi qu'une bonne cuisine. Sa grande terrasse borde une rue calme.

SHIP Plan p. 208 — Pub

☎ 8870 9667 ; www.theship.co.uk ; 41 Jew's Row SW18 ; jusqu'à minuit tlj ; Wandsworth Town

Bien que situé au bord de la Tamise, le Ship n'offre aucune vue spectaculaire (sauf pour les amateurs de centres commerciaux et de ponts). Néanmoins, l'espace extérieur est vaste, le barbecue en été vaut le détour et le bar véranda est agréable en toutes saisons.

YE WHITE HART Plan p. 66 — Pub

☎ 8876 5177 ; The Terrace SW13 ; jusqu'à minuit tlj ; Barnes Bridge

Ce pub Young's de Barnes dispose d'une belle terrasse au bord de la Tamise, qui serait plus appréciable sans le voisinage d'une route bruyante. Installé dans une ancienne loge maçonnique, l'établissement est immense, mais si vous avez déjà fréquenté un pub Young's auparavant, vous savez à quoi vous attendre : moquettes aux motifs en spirale, machines à sous et vieil homme sirotant une bière au bar. Bref, l'endroit est rétro et charmant, à la manière des pubs d'autrefois.

CHISWICK

BOLLO Plan p. 66 — Pub

☎ 8994 6037 ; 13-15 Bollo Lane W4 ; à partir de 12h, tlj ; ⊖ Chiswick Park

Hors catégorie, même pour les critères élevés de Chiswick, ce *gastropub* raffiné ne désemplit pas. Il est dirigé par des restaurateurs locaux qui ont totalement transformé un simple bistrot de quartier. C'est le week-end qu'il est le plus animé, attirant une clientèle d'âge mûr et assez fortunée, à la recherche d'un pub qui fasse aussi restaurant.

CITY BARGE Plan p. 66 — Pub

☎ 8994 2148 ; 27 Strand on the Green W4 ; ⊖ Gunnersbury

Ce pub, juché sur les berges de la Tamise, existe depuis 1484. Il est divisé en deux bars (choisissez celui du bas) et possède une petite terrasse au bord de l'eau. Petite anecdote : une scène du film des Beatles *Help!* a été tournée ici.

RICHMOND

CRICKETERS Plan p. 212 Pub

☎ 8940 4372 ; The Green TW9 ; ⏰ à partir de midi ; ⊖ / 🚆 Richmond

Au sud du Richmond Green (où s'entraîne sa propre équipe), le Cricketers est un pub à thème (devinez lequel), sympathique et confortable, proposant une bonne sélection de bières et fréquenté par une clientèle hétéroclite.

DYSART ARMS Plan p. 212 Pub

☎ 8940 8005 ; www.thedysartarms.co.uk ; 135 Petersham Rd TW10 ; ⊖ / 🚆 Richmond, puis 🚌 65

Face à l'entrée Petersham du Richmond Park, cette superbe adresse ressemblant à une église, avec ses murs en pierre et sa cheminée, est un pub familial. C'est un sans-faute : les familles sont accueillies à bras ouverts, la cuisine est excellente et la grande terrasse rencontre un beau succès l'après-midi. Mais le meilleur, ce sont ses soirées musicales, jazz et classique, deux fois par semaine (souvent le jeudi et le samedi).

WHITE CROSS Plan p. 212 Pub

8940 6844 ; Water Lane TW9 ; ⏰ jusqu'à minuit lun-sam ; ⊖ Richmond

Une situation en bord de rivière, une bonne cuisine et des bières agréables sont le trio gagnant de ce pub installé dans un ancien monastère. Le pub a deux entrées, l'une pour la marée haute, l'autre pour la marée basse. Lorsque le fleuve est à son plus haut, la Cholmondeley Walk qui longe la Tamise est inondée, et le pub est alors inaccessible sans patauger.

TWICKENHAM

BARMY ARMS Plan p. 66 Pub

☎ 8892 0863 ; The Embankment TW1 ; 🚆 Twickenham

Le Barmy Arms est très apprécié et plein à craquer les jours de matchs internationaux, et *tous* les supporters de rugby sont bienvenus. Il est installé juste à côté de l'Eel Pie Island, lieu hippie dont la période de gloire est révolue même s'il attire encore un public alternatif. Cet établissement sert une bonne cuisine de pub que l'on peut déguster dans son charmant jardin.

LONDON APPRENTICE Plan p. 66 Pub

☎ 8560 1915 ; 62 Church St TW7 ; 🚆 Isleworth

Si vous avez très envie de vous promener le long de la Tamise, partez vers le nord de Twickenham jusqu'à Isleworth, et faites halte dans ce pub au bord de l'eau datant du début du XVIIe siècle. Henri VIII y aurait rencontré celle qui allait devenir sa cinquième épouse, Catherine Howard.

WHITE SWAN Plan p. 66 Pub

☎ 8892 2166 ; Riverside TW1 ; 🚆 Twickenham

Situé dans l'une des rues les plus typiquement anglaises de Londres, ce pub traditionnel de Twickenham surplombe les flots tranquilles de la Tamise. Outre sa superbe situation, il offre une bonne sélection de bières et une clientèle d'habitués hauts en couleur. Même si vous n'êtes pas à Twickenham, le White Swan vaut le détour.

OÙ SORTIR

La sélection

- **Café Oto** (p. 309)
- **Egg** (p. 303)
- **Matter** (p. 305)
- **Catch** (p. 303)
- **Last Days of Decadence** (p. 303)
- **Royal Festival Hall** (p. 310)
- **Luminaire** (p. 309)
- **Fabric** (p. 302)

OÙ SORTIR

Vous pourriez vivre cent ans à Londres sans en connaître pour autant toute la vie nocturne. Rien d'étonnant à ce que les Londoniens soient dépassés par l'offre foisonnante : clubs, concerts, théâtre, cabaret, tous répartis en centaines de sous-genres propres à satisfaire tous les goûts et toutes les envies.

Vous arrivez probablement avec une idée de ce que vous voulez voir (un grand club comme la Fabric, ou une toute petite boîte où mixent des DJ émergents), mais les tentations sont grandes d'oublier ses habitudes pour aller vers la nouveauté. Il y a des clubs dans toute la ville (même si les discothèques les plus branchées se trouvent dans l'Est de Londres), proposant des soirées house, électro, glam, indé ou rave. Si le clubbing n'est pas votre tasse de thé et que vous comprenez bien l'anglais, allez à un spectacle de stand-up, et essayez de chahuter le comique sans être la cible de la blague suivante – à vos risques et périls si vous êtes au premier rang.

La scène musicale londonienne est toujours aussi florissante, et bat au rythme du rock, du jazz, du folk et de bien d'autres genres, et vous pourrez y écouter autant de stars et d'artistes montants que vous le souhaitez. Le bonheur de voir des groupes bien établis dans des salles colossales vaut son pesant de billets, à moins que vous ne préfériez filer dans un petit club d'East London ou de Camden Town pour découvrir sur scène la dernière coqueluche indé auréolée de scandale.

CLUBBING

Londres est incontestablement la capitale du clubbing, et quiconque arrive un vendredi ou un samedi soir veut passer sa soirée dans un club londonien. Amoureux de techno, de rock, de nu-rave, de musiques latinos, de ska, de pop, de country, de minimal electro, de hip-hop ou encore de danses *fifties* type lindy hop, vous trouverez votre bonheur tous les soirs. Les jeudis soir sont très appréciés pour éviter les foules de cols blancs qui se lâchent dès le vendredi soir ; le samedi est la soirée phare des clubbers avertis, mais le dimanche réserve aussi d'excellentes surprises un peu partout en ville.

ASTUCES POUR NOCTAMBULES

- **Où aller ?** La plupart des Londoniens commencent leur soirée dans un bar avant de rejoindre les clubs et salles de concerts, ce qui donne lieu à une transhumance de Soho vers Shoreditch et Hoxton, où se trouvent la plupart des bars et clubs branchés de la capitale. Notting Hill compte aussi quelques excellentes discothèques, et Brixton est sans rival pour le hip-hop, le R&B, le reggae et le grime.
- **Quel prix ?** Le clubbing n'est pas toujours un passe-temps onéreux. Les tarifs pratiqués en semaine sont raisonnables, et les soirées pour étudiants et petits budgets sont légion : consultez les guides des sorties lors de votre séjour. Pour un samedi soir dans un gros club comme la Fabric (p. 302) ou le Matter (p. 305), attendez-vous à débourser au moins 20 £.
- **Vais-je pouvoir entrer ?** La sélection à l'entrée est beaucoup moins courante qu'à New York, par exemple, et rares sont ceux qui se voient refuser l'entrée d'une discothèque à Londres. Reste que battre la semelle dans le froid tandis que les *beautiful people* franchissent la porte à peine descendus de leur taxi n'est pas très agréable. Comme partout, efforcez-vous d'arriver tôt, voire de vous procurer des billets à l'avance (dits *queue-jump*, "coupe-file") pour les grandes soirées, afin d'éviter l'interminable attente.
- **Que porter ?** Si le dress code varie beaucoup d'un club à l'autre, Londres se distingue généralement par sa décontraction : vous ne risquez guère de vous faire refuser l'entrée pour votre tenue, mais on peut avoir envie d'être dans le ton avec les autres noctambules. En règle générale, la tenue glam (incluant le look jean-baskets) est de rigueur dans les clubs chics, tandis que dans les boîtes plus alternatives, la mode est aux jeans slim portés façon hip-hop (caleçon bien en vue), aux coupes de cheveux extravagantes et aux chemises amples.
- **Que voir et où ?** Consultez toujours la programmation de la semaine dans *Time Out* ou l'*Evening Standard* : l'un des charmes de la nuit londonienne est son changement perpétuel : de nouvelles adresses apparaissent chaque semaine. Ouvrez l'œil !

93 FEET EAST Plan p. 154

☎ 7247 3293 ; www.93feeteast.co.uk ; 150 Brick Lane E2 ; 17h-23h lun-jeu, 17h-1h ven, 12h-1h sam, 12h-22h30 dim ; ⊖ Liverpool St/Aldgate East

Ce haut lieu des soirées à Brick Lane est repérable à sa longue file d'attente. Une cour, trois grandes salles, une terrasse bondée chaque après-midi ensoleillé, et une clientèle décontractée d'East London. Certaines soirées sont excellentes, telle la très courue Slipped Disco le vendredi. Les tranquilles après-midi Fuse Party du dimanche sont gratuits, avec barbecue dans la cour et des tonnes de DJ prêts à passer sur le grill du mix à l'intérieur. Pour éviter la queue, procurez-vous votre billet à l'avance sur le site Internet.

333 Plan p. 154

☎ 7739 5949 ; www.333mother.com ; 333 Old St EC1 ; 22h-5h ven, 22h-4h sam-dim ; ⊖ Old St

Véritable institution de Hoxton, le 333 est une adresse sans chichis qui ne tombe pas dans la "coolitude" surfaite de Shoreditch et continue sur sa lancée, même s'il n'attire plus les foules comme avant. Le club organise encore d'excellentes soirées, à la fois dépenaillées et innovantes. C'est un endroit clé de la scène electro-glam et indie rave.

AQUARIUM Plan p. 154

☎ 7253 3558 ; www.clubaquarium.co.uk ; 256-264 Old St EC1 ; 22h-3h sam, 22h-4h dim ; ⊖ Old St

Le samedi, c'est Carwash ! Pour cette soirée disco organisée dans un ancien gymnase, les danseurs en tenue rétro et sexy de rigueur font monter la fièvre du samedi soir autour de l'immense vpiscine et du bar très tendance. Baskets à bannir – et perruque disco proscrite.

BAR RUMBA Plan p. 70

☎ 7287 2715 ; www.barrumba.co.uk ; 36 Shaftesbury Ave W1 ; 22h30-3h lun et mer, 20h30-3h mar, jeu et ven, 21h-5h sam, 20h-1h30 dim ; ⊖ Piccadilly Circus

Ce petit club de Piccadilly accueille une clientèle de fidèles et des DJ stars avec une bande-son où prédominent hip-hop, musiques latinos et drum'n bass. Il a rouvert en 2008, affirmant une fois de plus son succès auprès des amateurs de drum'n bass et de hip-hop. Jungle un jeudi sur deux durant les soirées Movement. Soirées Barrio Latino le mardi avec salsa et rythmes latinos.

BETHNAL GREEN WORKING MEN'S CLUB Plan p. 160

☎ 7739 2727 ; www.workersplaytime.net ; 42-44 Pollard Row E2 ; horaires variables ; ⊖ Bethnal Green

Un vrai conte de fées : le BGWMC était au bord de la faillite, ses *working men* (travailleurs) sur le point de perdre leur dignité (et leur bière), lorsqu'un entrepreneur astucieux fit savoir que d'extravagantes soirées burlesques se tenaient dans la salle principale du club (avec tapis poisseux, scène à paillettes et tout le tintouin). Du jour au lendemain, la moitié de Londres s'y pressait, et c'est désormais l'un des clubs les plus prospères et les plus courus de la capitale. Des soirées burlesques de Londres s'y déroulent régulièrement, mais aussi des concours de rotation de pompons sur mamelons, des nuits de l'Eurovision et bien d'autres événements

À VOS FAUX CILS !

Après avoir maintenu ses robes à paillettes dans l'ombre pendant des années, la scène burlesque s'est imposée dans le grand public, faisant déferler sur Londres pompons sur les seins, hauts-de-forme, lingerie sexy et quelques-unes des meilleures soirées qui soient. La jeunesse londonienne a si bien adhéré à cette nouvelle mode extravagante que nombre de grands-mères ont assisté, impuissantes, au pillage de leur garde-robe. Le burlesque jadis "alternatif" est devenu très tendance, et la direction de certains clubs, passionnément attachée au déguisement et prenant l'amusement très au sérieux, s'est empressée d'augmenter les prix pour dissuader tous ceux qui rechigneraient à sortir le grand jeu (et les billets). Résultat : prévoyez en moyenne 25 £ pour entrer dans quelques-unes des meilleures soirées burlesques de Londres et ne lésinez pas sur les fanfreluches. Les meilleures salles sont le Bethnal Green Working Men's Club (p. 301), où l'on peut voir de tout, des concours de burlesque hommes aux filles servant le thé en rollers, et le Volupté (plan p. 305), un cabaret minuscule mais élégant proposant d'excellentes soirées, comme Cabaret Salon le mercredi et Black Cotton Club une fois par mois.

Mais aussi : le Flash Monkey (www.theflashmonkey.biz), qui organise des soirées toujours hors du commun, et The Last Tuesday Society's (www.thelasttuesdaysociety.org), dont il ne faut pas manquer les fantastiques bals masqués. Laénérable soirée Lady Luck (www.myspace.com/theladyluckclub) est la meilleure de la ville pour le rockabilly et le vieux jazz ; autre institution du milieu, Rakehell's Revels propose des soirées "secrètes" (plus d'infos en tapant le nom sur Google) en divers endroits de la ville.

déjantés. Pour plus de détails lors de votre séjour, consultez le site Internet.

BIG CHILL HOUSE Plan p. 174

☎ 74272540 ; www.bigchill.net ; 257-259 Pentonville Rd N1 ; 🕒 12h-minuit lun-mer et dim, 12h-1h jeu, 12h-3h ven-sam, 22h30-4h dim ; ⊖ King's Cross St Pancras

Un espace de trois étages avec un bon choix de concerts et de DJ. Excellente terrasse où prendre l'air. Le Big Chill organise aussi un festival très recherché et gère une maison de disques. La programmation musicale est toujours variée et internationale, le son est phénoménal et l'entrée le plus souvent gratuite.

BLACK GARDENIA Plan p. 70

☎ 7494 4955 ; www.myspace.com/blackgardenia93 ; 93 Dean St ; 🕒 à partir de 20h ven-sam ; ⊖ Tottenham Court Rd

Minuscule mais fantastique adresse de Soho, tenue par des rockabillies et autres tatoués, avec des murs rouges lui donnant un côté un peu ancien et underground. Le code vestimentaire est très années 1950. Toutes sortes de concerts sont proposés, des groupes de lesbiennes au crooner local accompagné au piano, en passant par les grandes heures du rock'n roll.

CARGO Plan p. 154

☎ 7739 3440 ; www.cargo-london.com ; 83 Rivington St EC2 ; 🕒 12h-1h lun-jeu, 12h-3h ven, 18h-3h sam, 12h-minuit dim ; ⊖ Old St/Liverpool St

L'un des clubs londoniens les plus éclectiques, avec trois espaces (piste de danse, bar lounge, et petit restaurant) aménagés sous les arcades en brique du chemin de fer. La programmation musicale innovante fait la part belle à la Latin House, au nu-jazz, au funk, au groove et à la soul, avec des DJ, des groupes réputés ou prometteurs et des sons rares. Parmi les manifestations, un festival de musique africaine, la soirée annuelle Torture Garden, des concerts de fanfares des Balkans ou de ska cubain, et bien d'autres ! L'adresse compte aussi un excellent bar.

CATCH Plan p. 154

☎ 7729 6097 ; www.myspace.com/thecatchbar ; 22 Kingsland Rd E2 ; 🕒 18h-minuit lun-mer, 18h-2h jeu-sam, 18h-1h dim ; ⊖ Old St

Il ne paie pas de mine, mais le Catch est l'une des meilleures adresses de Shoreditch. À l'étage, un samedi sur deux, vous pourrez assister aux soirées Get Rude, organisées par le duo de DJ Zombie Disco Squad, qui mixe musique tropicale et électro. En bas, l'ambiance est à la fête avec des DJ malaxant des rythmes variés, de la disco européenne des années 1990 à l'électro et la techno. L'entrée est gratuite et l'on s'y amuse beaucoup.

DOGSTAR Plan p. 194

☎ 7733 7515 ; 389 Coldharbour Lane SW9 ; 🕒 21h-3h ven-sam ; ⊖ Brixton

Il vous faudra vous frayer un passage à travers l'immense bar (p. 296) de cet ancien pub pour rejoindre le club house situé à l'étage – comme le font tous les fêtards de Brixton.

EAST VILLAGE Plan p. 154

☎ 7739 5173 ; www.eastvillageclub.com ; 89 Great Eastern St EC2 ; 🕒 17h-1h lun-mar, 17h-3h30 mer-dim ; ⊖ Old St

La popularité de l'ancien Medicine Bar était tombée si bas que ce n'était plus qu'une question de temps avant que quelqu'un ne profite d'un tel emplacement pour tenter quelque chose. Au final, l'endroit a été transformé en un club qui attire les amateurs de house de tout Londres. Belle brochette de DJ au programme, mais ce sont surtout les soirées disco-punk Sweatshop qui nous ont conquis.

EGG Plan p. 174

☎ 7428 7574 ; www.egglondon.net ; 5-13 Vale Royal N1 ; 🕒 22h-4h ven, 22h-5h sam ; ⊖ King's Cross St Pancras

Un agencement superbe, avec trois salles (sur trois étages), un jardin et deux magnifiques terrasses sur le toit (pour fumeurs à cran). D'aucuns disent que l'Egg paraît tout droit sorti du Meatpacking District, le quartier branché de New York, mais c'est bien des Londoniens qu'il fait la fierté. Situé tout près de York Way, ce club organise des soirées "omnisexuelles" où se mêlent électro, minimal techno et house. Le week-end, navette gratuite de 22h à 2h toutes les 30 min au départ de l'American Carwash sur York Way.

FABRIC Plan p. 154

☎ 7336 8898, 7490 0444 ; www.fabriclondon.com ; 77a Charterhouse St EC1 ; 🕒 21h30-5h ven et dim, 22h-7h sam ; ⊖ Farringdon

Cette immense discothèque, très impressionnante, reste au firmament de la nuit londonienne pour de nombreux clubbers du monde entier, comme en témoignent les longues files d'attente (attendez-vous au pire de 21h à 23h). C'est un dédale sur trois niveaux, avec trois bars, de nombreux couloirs et des toilettes mixtes, mais aussi une piste de danse "body sonic" pour franchir le mur du son. La clientèle est branchée, sur son 31 mais sans excès, et la musique (électro, house, drum'n bass et breakbeat), digne des meilleurs clubs londoniens. Des DJ stars mixent souvent à guichets fermés pour la soirée Fabric Live du vendredi : on y a vu Goldie, DJ Diplo, Plump DJ ou encore DJ Hype.

FAVELA CHIC Plan p. 154

☎ 7613 5228 ; www.favelachic.com ; 91 Great Eastern St E1 ; 18h-tard mar-dim ; ⊖ Old St

Petite sœur du club parisien, cette adresse cultive le style "bidonville chic" avec autant de succès que les créateurs de la marque de tongs Havaianas. Pour entrer dans ce bar-club occupant une seule salle et offrant des soirées musicales innovantes, attendez-vous à battre la semelle les vendredi et samedi. Déco très marquée par des éléments vintage, vieillis ou provenant des puces (qui manque parfois un peu de naturel), mais si vous êtes prêt à faire la queue et à affronter les imposants physios, c'est une bonne soirée en perspective.

HERBAL Plan p. 154

☎ 7613 4462 ; 10-14 Kingsland Rd E2 ; 21h-2h mer, jeu et dim, 21h-3h ven, 22h-3h sam ; ⊖ Old St

Un bar-club sur deux niveaux reconnaissable à la pelouse en plastique qui tapisse sa façade. À l'étage, une salle spacieuse et décontractée avec petite piste de danse, places assises et vue sur Shoreditch. En bas, c'est plus minimaliste et il fait parfois chaud. En bande-son, drum'n bass, house, funk-house et hip-hop en alternance avec de la musique live.

KOKO Plan p. 174

☎ 0870 432 5527 ; www.koko.uk.com ; 1a Camden High St NW1 ; 22h-2h30 mar, 22h-6h ven-sam ; ⊖ Mornington Cres

L'ex-Camden Palace légendaire où jouèrent en leur temps Charlie Chaplin, les Goons, les Sex Pistols et Madonna, est devenu le Koko, réputé pour être l'une des meilleures salles de concerts de Londres : Madonna y est passée en 2006 avec sa tournée *Confessions on a Dance Floor*, et Prince y a donné un concert surprise en 2007. Ce théâtre compte une piste de danse et des balcons décadents, et séduit une clientèle branchée indé lors du Club NME du vendredi. Concerts quasiment tous les soirs de semaine.

LAST DAYS OF DECADENCE Plan p. 154

☎ 7033 0085 ; www.thelastdaysofdecadence.com ; 145 Shoreditch High St E1 ; 20h-2h30 jeu, ven-sam, 20h-minuit dim-mer ; ⊖ Old St

Tout nouveau club ouvert à l'apogée même de la crise, le "Derniers jours de décadence" célèbre les années 1930 avec ses soirées et son esthétique inspirées de l'époque de la crise de 1929. La musique ne s'en tient toutefois pas aux années 1930 – des soirées sont régulièrement organisées avec des DJ comme le travesti Jodie Harsh lors des soirées Circus du vendredi ou les soirées éponymes Last Days of Decadence qui mixent drum'n bass, nu-rave et jungle. Dans un registre plus calme, des concerts de free jazz sont organisés le mardi et des cours de dessin de nus le lundi (10 £).

MADAME JO JO'S Plan p. 70

☎ 7734 2473 ; www.madamejojos.com ; 8 Brewer St W1 ; 22h30-3h mer-ven, 21h30-3h jeu, cabaret 19h-22h et club 22h-3h sam ; ⊖ Leicester Sq/ Piccadilly Circus

Cet illustre cabaret en sous-sol et tout son kitsch dépenaillé sont à leur apogée le premier jeudi du mois lors des soirées London Burlesque Social Club et des soirées Kitsch Cabaret le samedi. Le vendredi Deep Funk de Keb Darge est tout aussi légendaire, et c'est une clientèle cool de breakers, de danseurs de jazz et de simples noctambules qui viennent s'y amuser.

NOUVEAU DÉPART À KING'S CROSS

Ces dernières années ont vu la fermeture de quasiment tous les clubs des environs de King's Cross. Le Cross, le Key et le Canvas ont tous baissé le rideau en 2008 pour laisser place à un immense projet de reconstruction du quartier. Les anciens clubs occupaient des bâtiments industriels dans des rues un peu louches ; s'y rendre relevait souvent de l'aventure, mais cela devrait changer, avec l'ouverture promise de 15 nouveaux espaces dédiés à l'art et à la musique, offerts par l'University of the Arts London. Des bâtiments historiques seront incorporés dans le projet qui comptera apparemment aussi des théâtres, des cinémas indépendants, des galeries, des pubs, des restaurants et des bars. Le King's Place (www.kingsplace.co.uk), un bel édifice flambant neuf sur York Way, donne peut-être un aperçu de l'ensemble à venir. Il abrite les bureaux du *Guardian* et de l'*Observer*, ainsi que le London Sinfonietta et l'Orchestra of the Age of Enlightenment, et accueille de la musique live et d'autres événements. Le nouveau quartier des arts devrait être prêt à vibrer lorsque vous lirez ces lignes et nous espérons que certains des anciens clubs seront de retour. Vérifiez, à tout hasard.

MATTER Plan p. 186

☎ 7549 6686 ; www.matterlondon.com ; 02 Arena, Peninsula Sq SE10 ; ⊖ North Greenwich

Parmi les nouvelles discothèques, c'est la plus grande de Londres, dans tous les sens du terme : installée sous l'O2 (l'ancien Millenium Dome), elle est imposante par sa capacité de 2 600 spectateurs, mais sa vraie grandeur tient au fait qu'il s'agit de l'annexe, version agrandie, du meilleur club de la ville, Fabric (p 302). Vous y trouverez une sono dernier cri, des visuels 3D sur des écrans qui s'emboîtent, et énormément de bars et de toilettes (donc, pas trop d'attente). Elle est un peu excentrée, mais des bateaux Thames Clipper circulent toutes les demi-heures jusqu'à Waterloo à partir de 6h (le dernier bateau part de Waterloo à 0h45). Magnifique trajet de retour à l'aube.

MINISTRY OF SOUND Plan p. 193

☎ 7378 6528 ; www.ministryofsound.com ; 103 Gaunt St SE1 ; 🕑 22h30-6h ven, minuit-9h sam ; ⊖ Elephant & Castle

Ce club légendaire doublé d'une marque commerciale internationale avait vu sa réputation flétrir au début des années 2000, mais l'apport de DJ de renom lui a valu un retour en grâce. Il y a des nuits Gallery trance le vendredi, mais on apprécie surtout les Saturday Sessions (samedi), qui rassemblent la crème de la crème de la house, de l'électro et de la techno.

NOTTING HILL ARTS CLUB Plan p. 180

☎ 7460 4459 ; www.nottinghillartsclub.com ; 21 Notting Hill Gate W11 ; 🕑 18h-1h mar-sam, 18h-2h ven-sam, 16h-23h dim ; ⊖ Notting Hill Gate

Londres ne serait pas tout à fait Londres sans des adresses comme le NHAC. Ce petit club en sous-sol propose des soirées pour tous, des amateurs de tricot aux fans de country folk, de house ou de punk d'Europe de l'Est. La célèbre soirée mensuelle du jeudi, Yo-Yo, où Lily Allen rencontra son producteur Mark Ronson, est l'une des meilleures pour le R&B, le boogie des années 1980, le hip-hop, le ragga et d'autres sets live. Deux fois par mois, la Sunday Radio Gagarin invite à des "expériences sur le socialisme du dimanche".

ON THE ROCKS Plan p. 154

25 Kingsland Rd E2 ; 🕑 22h30-2h ven, 21h-2h sam ; ⊖ Old St

S'il y a un endroit que l'on peut qualifier de "repaire", c'est bien cette adresse sombre et exiguë qui sent la sueur. On The Rocks s'adresse à une clientèle mêlant faiseurs de mode, jeunes trash et âmes égarées, tous unis dans un seul but : faire la fête.

PASSING CLOUDS Plan p. 160

☎ 71687146 ;www.passingclouds.com ;Richmond Rd E8 ; 🕑 22h-4h ven-sam, horaires variables lun-ven ; ⊖ Old St, Ⓡ Dalston Kingsland, 🚌 243, 55 ou 76

Le Passing Clouds est un "club privé" qui organise en fait des soirées gigantesques ouvertes à tous (entrée environ 8 £) et qui durent jusqu'au petit matin. La musique est très "world", avec une forte influence africaine, et des groupes d'afrobeat sont régulièrement invités. Les soirées mêlent DJ et concerts, attirant une foule multiculturelle typiquement londonienne. Pour le décor : bar de fortune, lanternes colorées et détails tropicaux. L'ambiance est extraordinaire. Une adresse qui vaut le détour.

PLASTIC PEOPLE Plan p. 154

☎ 7739 6471 ; www.plasticpeople.co.uk ; 147-149 Curtain Rd EC2 ; 🕑 22h-2h jeu, 22h-3h ven-sam ; ⊖ Old St

Un club minuscule avec une simple piste de danse et un bar, mais aussi un son qui défie les plus gros établissements, et des soirées audacieuses où l'on n'a pas peur des musiques inconnues ou controversées. Rendez-vous le vendredi avec Rory Phillips (DJ du regretté Trash, aujourd'hui résident au Durrr) pour la soirée And Did We Mention Our Disco, le samedi pour Balance et son mix enlevé de musiques latines, jazz, hip-hop, house et techno. Ben Watt organise de temps en temps la soirée dominicale de Buzzin' Fly et, un jeudi par mois, la nuit Forward met le grime (descendant de la musique garage, à tendance reggae-dancehall) à l'honneur. Une adresse que l'on ne saurait trop recommander.

PROUD CAMDEN Plan p. 170

☎ 7482 3867 ; www.proudcamden.com ; Horse Hospital, Stables Market, Chalk Farm Rd NW1 ; 🕑 19h30-1h lun-mer, 19h30-2h jeu-sam, 19h30-minuit dim ; ⊖ Camden Town/Chalk Farm

Une adresse très tendance, où les branchés du quartier viennent admirer le coucher du soleil sur la terrasse et profiter des concerts en plein air l'été. Une excellente adresse du nord de Londres, qui combine concerts et expositions. Incontournable l'été, lorsque la terrasse est ouverte. Voir aussi p. 291.

SCALA Plan p. 154

☎ 7833 2022 ; www.scala-london.co.uk ; 275 Pentonville Rd N1 ; 🕑 22h-5h ven et sam ; ⊖ King's Cross St Pancras

Le vendredi, dans cet ancien cinéma à plusieurs niveaux, c'est soirée Popstarz, mélange décontracté de gays et d'hétéros, d'indé, d'alternatif et de kitsch, ou plus éclectique encore. Le samedi, Cookies and Cream laisse place au garage britannique. Un club vaste mais accueillant, avec en son centre un bar entouré de verre pour avoir l'œil sur la scène en offrant un répit à ses oreilles.

VOLUPTÉ Plan p. 104

☎ 7831 1622 ; www.volupte-lounge.com ; 7-9 Norwich St EC4 ; à partir de 11h30 mar-ven et de 19h30 sam ; ⊖ Chancery Lane

Superbe petit cabaret dans une petite rue en retrait de Fleet St, le Volupté est le lieu de rendez-vous de tous les danseurs swing le week-end en soirée. Organisé une fois par mois, le Black Cotton Club est un voyage dans les années 1920 tant en terme de code vestimentaire que de choix musicaux. Le samedi après-midi, l'Afternoon Tease mêle agréablement *tea time* et spectacles burlesques.

SPECTACLES COMIQUES

À les voir faire grise mine dans le métro, ça n'est pas évident et pourtant, les Londoniens aiment la rigolade. Pour preuve, malgré la grisaille hivernale et le crachin (ou peut-être à cause de tout cela), on peut se rendre dans une bonne vingtaine de *comedy clubs* et dans d'innombrables autres établissements (dont des pubs) pour se réchauffer le cœur et rire à gorge déployée.

La plupart des spectacles comiques se font en vue du festival d'Édimbourg : d'avril à juillet, les nouvelles productions sont testées sur le public ; le mois d'août est le pire moment pour le Londonien plaisantin, car tout le monde est parti en Écosse pour le festival en question, tandis que l'hiver voit les comédiens reprendre les spectacles qui y ont bien marché. Pour découvrir

LA PAROLE À UNE LONDONIENNE : LYDIA FULTON

Des soirées littéraires originales

J'ai découvert le Wapping Project Bookshop (☎ 7680 2080 ; www.thewappingproject.com ; Wapping Wall E1) six mois environ après son ouverture, un jour d'hiver. On ne dirait pas une librairie à première vue – elle est installée dans un local en verre, et les livres se trouvent dans des cages (ouvertes) – mais avec toute sa lumière naturelle et son ambiance tranquille et intime, c'est en fait la librairie idéale.

J'ai parlé à Lydia, la gérante, dont la passion pour les livres d'art, de design, de mode et de photographie va de pair avec son amour des romans et de la poésie. Elle organise le jeudi dans la librairie des soirées littéraires très appréciées. Les clients s'assoient sur des coussins au sol, écoutent des lectures et posent des questions au sujet des auteurs, qu'ils soient connus ou non. Vous pourrez avoir plus d'informations sur le site Internet du Wapping Project Bookshop ; les renseignements sur les lectures sont donnés sur le site de Lydia : http://lydiafulton.co.uk.

Parlez-nous de ces soirées littéraires. Nous avons commencé les lectures hebdomadaires en janvier 2009 afin d'animer un peu la saison hivernale. Ce sont des moments intimes destinés à quelques rares chanceux. L'idée est que le lecteur et le public puissent ainsi interagir, ce qui serait impossible autrement.

Comment choisissez-vous les écrivains ? Je choisis des écrivains qui m'inspirent ou qui ont une forte personnalité. Nous avons des stars comme des auteurs émergents. Ma préférée jusqu'ici a été Edna O'Brien. C'était merveilleux de voir un auteur de sa stature discuter humblement de son écriture, de ce qu'elle avait réalisé et de ses soirées bien arrosées avec de nombreux écrivains, de Ted Hughes à Samuel Beckett. Et tout cela dans une minuscule librairie pas plus grande qu'un salon.

À quoi ressemblent les gens qui viennent ? Il y a quelques habitués du quartier, qui viennent plus ou moins régulièrement, mais en général, le public est très différent et reflète la diversité des lecteurs. Un monsieur et sa fille ont fait tout le chemin depuis Aberdeen pour venir écouter leur auteur préféré, la Nigériane Helen Oyeyemi.

Cela fait quoi de vivre dans une serre toute l'année ? La librairie change vraiment d'aspect au fil de l'année. L'hiver, nous allumons le poêle : l'odeur du bois envahit la librairie et la fumée qui sort de la cheminée indique à tous que nous sommes ouverts. L'été, le magasin est recouvert de bambou et nous ouvrons les portes sur le jardin. Les clients lisent leurs livres sur des coussins au milieu des pissenlits.

Et vous faites quoi quand vous avez du temps libre ? J'étais étudiante en art, donc j'ai toujours un carnet sur moi pour croquer un bâtiment intéressant, ou la vue depuis la fenêtre. Je transfère certains de ces croquis sur des tasses à thé ou des soucoupes, pour ajouter un peu de charme et de beauté à l'heure du thé. Je travaille aussi sur mon premier roman, basé sur un fait qui s'est déroulé dans les années 1920, dans le Somerset.

Lydia Fulton, directrice du Wapping Project Bookshop, interviewée par Vesna Maric

les étoiles montantes, renseignez-vous sur les lauréats des prix du Festival d'Édimbourg.

Quelques-uns des meilleurs comédiens du monde viennent de Londres ou s'y sont fait un nom. Pour vous mettre en appétit, pensez donc à Peter Sellers, Dawn French, Jennifer Saunders (héroïne d'*Absolutely Fabulous*), Rowan Atkinson (Mr Bean), Eddie Izzard et Sacha Baron Cohen (alias Borat ou Brüno).

Ces dernières années ont vu la révélation de Russell Brand, l'un des comiques britanniques les plus aimés et les plus prolifiques, ainsi que celle de nouveaux talents comme la jeune mais très acerbe Josie Long, Paul Sinha, Tiernan Douieb ou Russell Howard. Impossible de dresser une liste exhaustive de tous les grands artistes du rire, mais on pourra suivre de près les suivants : Rich Hall, Américain exilé à Londres, Ross Noble, bavard originaire du Tyneside, John Hegley, musicien et poète de Luton, Mark Thomas, comique politique et polémique, ou encore le pince-sans-rire Jimmy Carr. On retiendra aussi les noms d'Alan Carr, Omid Djalili, Gina Yashere, Lee Hurst, Simon Amstell, Jenny Eclair, Arthur Smith, Richard Herring, Bill Bailey, Daniel Kitson et Simon Munnery, tous plus brillants les uns que les autres, et qui se produisent tous sur les scènes londoniennes.

De nombreux comiques expérimentés de Londres se retrouvent dans différentes salles pour batifoler lors de la légendaire **soirée du Book Club** (www.myspace.com/bookclublive) organisée par le célèbre et inventif Robin Ince. **Union Chapel** (p. 310) est une adresse formidable où se tient chaque mois **Live at the Chapel** (http://liveat thechapel.co.uk) avec de belles têtes d'affiche et de la musique live.

AMUSED MOOSE SOHO Plan p. 70

☎ 7287 3727 ; www.amusedmoose.com ; Moonlighting, 17 Greek St W1 ; ⊖ Tottenham Court Rd

Parmi les meilleures salles londoniennes, l'Amused Moose de Soho a les faveurs du public comme des comiques, notamment parce que le chahut y est "inacceptable" et les spectacles "adaptés à un premier rendez-vous" dans la mesure où le premier rang ne risque pas l'humiliation.

CHUCKLE CLUB Plan p. 74

☎ 7476 1672 ; www.chuckleclub.com ; Three Tuns Bar, London School of Economics, Houghton St WC2 ; entrée 5-15 £ ; 🕑 sam ; ⊖ Holborn/Temple

Ce club chouchou des comédiens offre une excellente ambiance grâce au pilier du comique installé à demeure, l'adorable Eugene Cheese, qui ouvre chaque soirée en chauffant la salle au son de la chanson du Chuckle Club.

COMEDY CAFÉ Plan p. 154

☎ 7739 5706 ; www.comedycafe.co.uk ; 66-68 Rivington St EC2 ; entrée gratuite mer, jusqu'à 15 £ sam ; 🕑 mer-sam ; ⊖ Old St/Liverpool St

Une salle de premier plan qui accueille de bons comédiens. C'est parfois laborieux et un peu farfelu, mais la scène, ouverte aux amateurs le mercredi, offre de bons moments de rire.

COMEDY CAMP Plan p. 70

☎ 7483 2960 ; www.comedycamp.co.uk ; 3-4 Archer St W1 ; entrée 10 £ ; 🕑 20h30 mar ; ⊖ Piccadilly Circus

Ce *comedy club* gay (mais ouvert à tous) animé par Simon Happily est devenu l'un des hauts lieux de Soho. Au sous-sol d'un des bars gays les plus agréables du quartier, le **Barcode** (p. 333), il ouvre sa scène à des artistes homosexuels, valeurs sûres ou petits nouveaux.

COMEDY STORE Plan p. 70

☎ 7344 4444 ; www.thecomedystore.co.uk ; Haymarket House, 1a Oxendon St SW1 ; entrée 13-18 £ ; 🕑 mar-dim ; ⊖ Piccadilly Circus

Fondé à Soho en 1979, l'année de l'arrivée au pouvoir de Margaret Thatcher (coïncidence ?), c'est l'un des premiers établissements du genre créés à Londres, et toujours l'un des meilleurs. Si l'endroit a quelque chose de l'usine à comiques, il accueille de très grands noms. Ne manquez pas, les mercredi et dimanche, le plus fameux spectacle d'improvisation de la capitale, *Comedy Store Players*, avec la merveilleuse Josie Lawrence, et les jeudi, vendredi et samedi, la soirée *The Best in Stand Up* où vous assisterez au meilleur du comique à Londres.

DOWNSTAIRS AT THE KING'S HEAD Plan p. 66

☎ 8340 1028 ; www.downstairsatthekingshead.com ; 2 Crouch End Hill N8 ; 🕑 sam-dim ; ⊖ Finsbury Park puis 🚌 W7

Un club né dans les années 1980 et qui a fait débuter les géniaux Eddie Izzard et Mark Lamarr dans sa salle effervescente, enfumée et intime. On y voit aujourd'hui autant de grands noms que d'artistes prometteurs. Consultez le site Internet pour connaître les différentes soirées et le prix des entrées.

HEADLINERS Plan p. 66

☎ 8566 4067 ; www.headlinerscomedy.com ; George IV, 185 Chiswick High Rd W4 ; entrée 12 £ ; 🕑 ven-sam ; ⊖ Turnham Green

Première scène comique bâtie à cette fin dans West London, le Headliners est une salle confortable qui suit un schéma traditionnel : introduction par un animateur, entrée en scène d'amateurs et le meilleur pour la fin.

JONGLEURS Plan p. 170

☎ 0870 787 0707 ; www.jongleurs.com ; Dingwalls, 11 East Yard, Camden Lock NW1 ; entrée à partir de 16 £ ; ⏲ ven-sam ; ⊖ Camden Town

Le fast-food de la scène comique, avec au menu à boire, à manger et à rire (attention à ne pas avaler de travers). Les vendredi et samedi soir, l'affiche associe généralement un comique vedette à quelques saltimbanques montés sur monocycles (ou un numéro de ce genre) et remporte un tel succès que la réservation est impérative. "Succursales" à Battersea (plan p. 194 ; ☎ 0844 499 4060 ; 49 Lavender Gardens SW11) et à Bow (plan p. 160 ; ☎ 0844 499 4062 ; 221 Grove Rd E3).

LOWDOWN AT THE ALBANY Plan p. 170

☎ 7387 5706 ; www.lowdownatthealbany.com ; 240 Great Portland St W1 ; entrée 7-10 £ ; ⊖ Regent's Park

Un établissement en sous-sol qui n'est plus de première fraîcheur et qui partage son programme avec le Hen and Chickens Theatre (☎ 7704 2001 ; 109 St Pauls Rd N1 ; ⊖ Highbury & Islington). Les deux adresses accueillent des spectacles comiques, des avant-premières du Festival d'Édimbourg et des pièces de théâtre. Le Hen and Chickens, en particulier, est apprécié pour ses spectacles de stand-up.

SOHO THEATRE Plan p. 70

☎ 7478 0100 ; www.sohotheatre.com ; 21 Dean St W1 ; entrée 10-18 £ ; ⊖ Tottenham Court Rd

Le Soho Theatre est devenu l'une des meilleures adresses de la ville pour les spectacles de comiques, et certains grands noms de l'humour américain (comme Louis CK et Kirsten Schaal) viennent fréquemment se produire ici.

UP THE CREEK Plan p. 186

☎ 8858 4581 ; www.up-the-creek.com ; 302 Creek Rd SE10 ; entrée 10-15 £ ; ⏲ ven-sam ; 🚆 Greenwich, DLR Cutty Sark

Bizarrement, le public chahuteur est parfois meilleur que les artistes sur scène. Ce grand club fut fondé par le légendaire et très regretté Malcolm Hardee, et continue d'en faire vivre l'esprit. Figure tutélaire et facétieuse du comique britannique, Hardee restera comme l'homme qui vola le gâteau du 40e anniversaire de Freddie Mercury pour le donner à la maison de retraite de son quartier. Farce, tapage et bonne tranche de rigolade au programme.

CLUBS DE JAZZ

La scène jazz londonienne, jadis trépidante et enfumée, n'est plus enfumée (interdiction du tabac oblige) mais reste trépidante. Les grands noms du jazz s'y produisent régulièrement, et le calendrier a ses dates incontournables : novembre, avec le London Jazz Festival (www.serious.org.uk) qui s'installe pendant dix jours dans plusieurs salles du Centre de la capitale ; juillet, pour une semaine de Jazz on the Streets (www.jazzonthestreets.co.uk) autour de Soho, mais aussi pour l'Ealing Jazz Festival (www.ealing.gov.uk) qui se tient pendant cinq jours à Walpole Park ; et septembre, tout un mois de jazz avec le Riverfront Jazz Festival (www.riverfrontjazz.co.uk) à Greenwich.

100 CLUB Plan p. 70

☎ 76360933 ; www.the100club.co.uk ; 100 Oxford St W1 ; ⊖ Tottenham Court Rd

Cette salle légendaire a toujours fait la part belle au jazz, mais elle se frotte aujourd'hui au swing et au rock. Sa scène accueillit jadis Chris Barber, BB King et les Rolling Stones, et fut au centre de la révolution punk comme de l'indé des années 1990. Des sessions de danse swing et des concerts de jazz sont régulièrement organisés, avec parfois la venue de grands noms.

606 CLUB Plan p. 208

☎ 7352 5953 ; www.606club.co.uk ; 90 Lots Rd SW10 ; ⊖ Fulham Broadway/Earl's Court

Quoiqu'un peu à l'écart, ce charmant club-restaurant installé en sous-sol met tous les soirs à l'honneur le jazz britannique contemporain et ses musiciens. Il reste souvent ouvert jusqu'à 2h, mais il faut dîner sur place le week-end pour entrer (réservation conseillée). Pas de droit d'entrée, mais une contribution pour la musique sera ajoutée à votre repas ou à vos consommations (sem/ven-sam/dim 8/12/10 £).

BULL'S HEAD Hors plan p. 66

☎ 8876 5241 ; www.thebullshead.com ; 373 Lonsdale Rd SW13 ; ⊖ Barnes Bridge

Ce pub traditionnel de l'époque Tudor accueille des concerts dans sa Jazz Room depuis 1959. Tous les soirs et le dimanche midi, on y écoute un jazz britannique figurant parmi les meilleurs.

JAZZ CAFÉ Plan p. 174

☎ 7916 6060 ; www.jazzcafe.co.uk ; 5 Parkway NW1 ; ⊖ Camden Town

Contrairement à ce que l'enseigne laisse entendre, ce club verse dans l'éclectisme. C'est un restaurant branché, style industriel, avec des concerts de jazz environ une fois par semaine, le reste du temps étant consacré aux musiques afro, funk, hip-hop, R&B et soul. Une clientèle fidèle de bobos vient y écouter de grands noms.

PIZZA EXPRESS JAZZ CLUB Plan p. 70

☎ 7439 8722 ; www.pizzaexpress.co.uk/jazz.htm ; 10 Dean St W1 ; ⊖ Tottenham Court Rd

Un authentique temple du jazz, où qualité rime avec un vrai public de fidèles. Certes, on pourrait penser au mariage de la carpe et du lapin, car le club est installé au sous-sol d'un restaurant d'une grande chaîne, mais l'union semble heureuse. Les concerts de modern jazz, avec souvent de belles têtes d'affiche, sont suivis par la salle avec la plus grande attention.

RONNIE SCOTT'S Plan p. 70

☎ 7439 0747 ; www.ronniescotts.co.uk ; 47 Frith St W1 ; tlj, généralement jusqu'à 2h ; ⊖ Leicester Sq

Ronnie Scott ouvrit tout d'abord ce club dans Gerrard St, en 1959, sous un casino chinois, avant de s'installer six ans plus tard à cette adresse où il s'est taillé la réputation de meilleur club de jazz du Royaume-Uni. Ce fut longtemps le seul endroit du pays où écouter du jazz moderne et des maîtres comme Miles Davis, Charlie Parker, Thelonious Monk, mais aussi Ella Fitzgerald, Count Basie ou Sarah Vaughan. On y a même vu des groupes de rock, comme The Who. Le club a connu des hauts et des bas, il a surmonté la disparition de son saxophoniste de propriétaire en 1996, et entretient sa magnifique renommée en accueillant toujours de grands noms et des étoiles montantes. Ambiance géniale, mais ne comptez pas bavarder pendant les concerts. Les videurs sont parfois d'une impolitesse sidérante, le service est lent, mais le Ronnie Scott's a toujours été coutumier du fait.

VORTEX JAZZ CLUB Plan p. 174

☎ 7254 4097 ; www.vortexjazz.co.uk ; 11 Gillet St N16 ; 73, Dalston Kingsland

Le Vortex a un bon programme de musiciens britanniques, américains et européens. Il invite aussi des musiciens, chanteurs et compositeurs de jazz.

ROCK ET POP

Tout amateur de pop se souvient de l'âge d'or de la musique live à Londres (ah ! les années 1990 et la Britpop), lorsque la capitale produisait plus de groupes novateurs que le mélomane le plus acharné ne pouvait en suivre. Au tournant du XXIe siècle, en revanche, le marasme s'était installé sur la scène londonienne. La création ayant ses hauts et ses bas, les groupes anglais n'ont pas tardé à envahir les iPods des amoureux de pop du monde entier – Coldplay, Bloc Party, Razorlight, Amy Winehouse et Lily Allen sont tous des enfants de Londres.

Tous les grands artistes considèrent d'ailleurs Londres comme une étape essentielle de leurs tournées : on peut donc y voir aussi bien des valeurs sûres (de Bob Dylan à Björk) que des étoiles montantes. Le **Cargo** (p. 302) pimente ses "nuits club" avec des concerts de groupes en devenir ou d'artistes étrangers cultes. La nouvelle scène musicale est particulièrement florissante, et avec des réseaux type MySpace, il est plus facile que jamais de s'informer en permanence sur le moindre groupe méconnu et les salles alternatives. À eux tous, ces musiciens permettent au vaste éventail d'espaces dédiés au rock et à la pop – qu'il s'agisse des salles immenses de l'**Earl's Court Exhibition Centre** (ci-contre), du **Wembley Arena** (p. 310) et de l'**O2** (ci-contre) ou des minuscules **Borderline** (ci-contre) et **Barfly** (ci-dessous) – de faire le plein d'ambiance.

BARDENS BOUDOIR Plan p. 66

☎ 7249 9557 ; www.bardensbar.co.uk ; 36-44 Stoke Newington Rd N16 ; Dalston Kingsland puis 243, 55 ou 76

La scène musicale de Dalston est en plein essor, le Bardens Boudoir se plaçant résolument à l'avant-garde grâce à ses fantastiques soirées. Pour avoir le programme des concerts et des soirées DJ, consultez le site Internet.

BARFLY@THE MONARCH Plan p. 170

☎ 7691 4244, 7691 4245 ; www.barflyclub.com ; Monarch, 49 Chalk Farm Rd NW1 ; ⊖ Chalk Farm/Camden Town

Le film *Barfly,* Charles Bukowski, ça vous dit quelque chose ? Cette salle authentiquement grunge est versée dans le rock indé, et les artistes rêvant de percer s'y bousculent. Le Barfly a une prédilection pour le rock britannique et américain, et propose régulièrement des soirées organisées par la radio alternative Xfm. L'établissement a depuis peu un petit frère, le **Fly** (plan p. 74 ; ☎ 36-38 New Oxford St WC1 ; ⊖ Tottenham Court Rd), dans le même esprit.

BORDERLINE Plan p. 70

☎ 7734 2095 ; www.mamagroup.co.uk/borderline ; Orange Yard W1 ; ⊖ Tottenham Court Rd

FESTIVALS MUSICAUX

Les festivals de musique qui ont lieu dans la capitale se déroulent le plus souvent en été. L'excellent Lovebox Weekender (www.lovebox.net), où Duran Duran, N*E*R*D, Groove Armada, entre autres, se sont produits en 2009, se tient au Victoria Park à la mi-juillet, tandis que Hyde Park accueille le Wireless Festival (www.o2wirelessfestival.co.uk) à la mi-juin ; ces deux festivals attirent grands noms et artistes prometteurs. La Somerset House (p. 80) organise ses Summer Series avec des concerts en plein air dans sa jolie cour. Grace Jones, Lily Allen et Bat For Lashes y ont notamment participé récemment. Mais le meilleur festival reste le Meltdown du Southbank Centre (p. 313), où un musicien est choisi chaque année pour faire jouer les artistes qui l'ont influencé et qu'il admire. On a ainsi pu y voir David Bowie, Massive Attack et Ornette Coleman.

L'été est sans conteste la meilleure saison pour visiter Londres si vous aimez les concerts. Pour des informations sur les autres festivals londoniens, voir p. 16.

Passée l'entrée style tex-mex sur Orange Yard, on trouve au sous-sol une petite salle bondée de 275 places qui joue dans la cour des grands, comme en témoignent les inscriptions sur les murs (un vrai livre d'or) : Crowded House, REM, Blur, Counting Crows, PJ Harvey, Lenny Kravitz, Debbie Harry, et pléthore d'autres groupes indé moins connus se sont produits ici. La clientèle, tout aussi éclectique, compte dans ses rangs de nombreux critiques musicaux et chasseurs de têtes des maisons de disques.

BULL & GATE Plan p. 170

☎ 7485 5358 ; www.bullandgate.co.uk ; 389 Kentish Town Rd NW5 ; ⊖ Kentish Town

La meilleure adresse pour découvrir des talents prometteurs et qui n'ont pas encore signé : cette salle légendaire, à l'ancienne, continue d'attirer des habitués impatients de voir des groupes à guitare – à quand la prochaine révélation ?

CAFÉ OTO Plan p. 160

www.cafeoto.co.uk ; 18-22 Ashwin St E8 ; ⊖ Old St, puis 🚌 55, 242, 243

L'un des bars à concerts les plus originaux et intéressants de la capitale, installé dans un atelier d'imprimeur reconverti. L'établissement se consacre à la promotion de nouveaux talents et de musiciens sortant des sentiers battus. Vous y trouverez de nombreuses stars japonaises de musique expérimentales, de jazz ou de pop, ainsi que des légendes rock et folk des années 1960. En journée, c'est un ravissant café.

EARL'S COURT EXHIBITION CENTRE Plan p. 182

☎ 7385 1200, 0870 903 9033 ; Warwick Rd SW5 ; ⊖ Earl's Court

Dans le genre immense espace sans âme qui a fait tant de tort au rock, l'Earl's Court est le lieu où Justin Timberlake a été photographié les mains sur le postérieur de Kylie Minogue, et où se tiennent des concerts horriblement chers de stars internationales que l'on distingue à peine de si loin.

FORUM Plan p. 170

☎ 0870 534 4444 ; www.meanfiddler.com ; 9-17 Highgate Rd NW5 ; ⊖ Kentish Town

On trouve facilement le chemin du Forum (ex-Town & Country Club) en suivant la file de vendeurs de billets à la sauvette qui part de la station de métro. Un endroit très apprécié pour voir de nouveaux big bands, et la salle, de taille moyenne, avec fauteuils d'orchestre et mezzanine, offre à la fois espace et intimité.

LUMINAIRE Plan p. 66

☎ 7372 7123 ; www.theluminaire.co.uk ; 311 High Rd NW6 ; ⊖ Kilburn

Le Luminaire est l'un des meilleurs de la capitale dans la catégorie des petits établissements. Compact sans être bondé, il met un point d'honneur à ce que le service soit aimable et que le silence règne pendant la musique. Le plus impressionnant reste peut-être la liste des artistes passés par ici : Babyshambles, Bat For Lashes, Colleen, Editors, Dirty Pretty Things, Hanne Hukkelberg et Mark Eitzel, de l'American Music Club, n'en sont que quelques exemples.

O2 Plan p. 186

☎ 0871 984 0002 ; www.theo2.co.uk ; Peninsula Sq SE10 ; billets à partir de 25 £ ; ⊖ North Greenwich

L'ancien Millennium Dome s'est réinventé : c'est désormais l'une des principales salles de spectacles de Londres, qui accueille, dans un stade de 20 000 places, tous les poids lourds : les Rolling Stones, Prince, Elton John, Scissor Sisters, etc. C'est aussi ici que Michael Jackson était censé se produire dans le cadre de sa tournée marathon…

02 ACADEMY BRIXTON Plan p. 194

☎ Billetterie 7771 2000 ; www.brixton-academy.co.uk ; 211 Stockwell Rd SW9 ; ⊖ Brixton

Difficile de passer une mauvaise soirée ici, tant cet ancien théâtre (5 000 places) déborde de bonne humeur. La salle est en pente pour que tout le monde voie bien. À voir, des stars internationales de la trempe de Madonna (c'est arrivé une fois), et, plus probablement, des artistes tels Amy Winehouse, Basement Jaxx ou DJ Shadow.

O2 ACADEMY ISLINGTON Plan p. 194

☎ billetterie 0844 477 2000 ; www.o2academyislington.co.uk ; N1 Centre, 16 Parkfield St N1 ; ⊖ Angel
Beaucoup déplorent le manque de charme de l'Islington Academy (dans un centre commercial), mais les affiches de haut vol font l'unanimité : Franz Ferdinand, les Kings of Leon et même Tom Jones se sont produits ici. L'acoustique est excellente et la salle attire un public de connaisseurs. Juste à côté, la Bar Academy invite des groupes qui émergent, une excellente occasion de découvrir de nouveaux talents.

RHYTHM FACTORY Plan p. 160

☎ 7247 9386 ; www.rhythmfactory.co.uk ; 16-18 Whitechapel Rd E1 ; ⌚ jusqu'à 3h dim-jeu, jusqu'à 5h ven-sam ; ⊖ Aldgate East
Toujours à la pointe et toujours appréciée, la Rhythm Factory est un café sympa et décontracté avec une carte thaïlandaise au déjeuner et à dîner et, le soir, une grande arrière-salle où se produisent pléthore de groupes et DJ de tous horizons qui font le bonheur du nombreux public jusque tard dans la nuit.

ROUNDHOUSE Plan p. 170

☎ 7424 9991 ; www.roundhouse.org.uk ; Chalk Farm Rd NW1 ; ⊖ Chalk Farm
Théâtre avant-gardiste dans les années 1960, puis adresse rock, la Roundhouse est ensuite un peu tombée dans l'oubli, faute de repreneurs. Elle n'a rouvert que plusieurs années après et propose désormais de très bons concerts et pièces de théâtre. On a notamment pu y voir une série de concerts de Grace Jones en 2009 (tous complets !), ainsi que Pete(r) Doherty et Bat For Lashes. Ancienne plate-forme ferroviaire couverte, le bâtiment possède un intérieur (rond) impressionnant.

ROYAL FESTIVAL HALL Plan p. 130

☎ 7960 4242 ; www.southbankcentre.co.uk ; Belvedere Rd SE1 ; entrée 6-60 £ ; ⊖ Waterloo
Cette adresse, l'une des meilleures de Londres pour rencontrer des artistes de la world music, accueille le fantastique festival de Meltdown (p. 309). Elle a rouvert l'été 2007 après deux ans de travaux : le cabinet d'architectes Allies et Morrison a utilisé le budget de 91 millions de livres avec talent, en recyclant les matériaux d'origine des années 1950 – le rendu est superbe. Le son est formidable, la programmation impeccable et des concerts gratuits sont fréquemment organisés dans le hall aux belles dimensions.

O2 SHEPHERD'S BUSH EMPIRE Plan p. 182

☎ billetterie 0844 477 2000 ; www.o2shepherdsbushempire.co.uk ; Shepherd's Bush Green W12 ; ⊖ Shepherd's Bush
Des artistes de qualité se produisent dans cette charmante salle de taille moyenne, tels que PJ Harvey ou Antony and the Johnsons, et il s'y passe toujours quelque chose. Regrettons cela dit que la salle ne soit pas en pente – si l'on est petit, mieux vaut débourser un peu plus pour s'installer au balcon ; de même, l'avalanche de règles et de "consignes de sécurité" à l'intérieur peuvent vraiment gâcher le plaisir.

UNDERWORLD Plan p. 174

☎ 7482 1932 ; www.theunderworldcamden.co.uk ; 174 Camden High St NW1 ; ⊖ Camden Town
Fous de métal, l'Underworld vous attend ! Metallica, Black Sabbath, Sepultura et autres énervés parés de têtes de mort ont retenti ici, que ce soit en concert ou sélectionnés par un DJ. Cette antre souterraine, sous le pub World's End, regorge de recoins pour pratiquer le *"headbanging"*, mais elle accueille aussi parfois des artistes plus "calmes", comme KT Tunstall et Radiohead.

UNION CHAPEL Plan p. 174

☎ 7226 1686 ; www.unionchapel.org.uk ; Compton Tce N1 ; ⊖ Highbury & Islington
Installée dans une vieille église toujours en activité, cette adresse figure parmi les plus charmantes et les plus accueillantes, avec des concerts (principalement acoustiques) entre les offices. C'est ici que Björk fit un concert inoubliable, à la lumière des chandelles. Soirée comédie tous les mois (voir p. 306).

WEMBLEY ARENA Plan p. 66

☎ 0870 060 0870 ; www.whatsonwembley.com ; Empire Way, Wembley ; ⊖ Wembley Park
Quelques années de travaux se sont traduites par de considérables améliorations, même si les dimensions du Wembley Arena font que l'on s'y sent toujours bien loin de l'artiste. C'est là que l'on vient voir des stars du moment comme Gwen Stefani et des stars d'hier comme Lionel Richie, ou piailler avec des "nouvelles stars". Le prix des billets est parfois indécent (jusqu'à 100 £ pour les très grandes affiches).

LES ARTS

La sélection

- **Southbank Centre** (p. 313)
- **Wigmore Hall** (p. 313)
- **Shakespeare's Globe** (p. 319)
- **Sadler's Wells** (p. 315)
- **Electric Cinema** (p. 316)
- **BFI Southbank** (p. 315)
- **Royal Opera House** (p. 315)
- **Royal Court Theatre** (p. 319)
- **National Theatre** (p. 319)
- **Southwark Cathedral** (p. 314)

LES ARTS

La vie culturelle londonienne est la plus riche et la plus variée du monde anglophone. Son théâtre est l'un des plus anciens du monde et continue d'afficher une exceptionnelle diversité, des incontournables de Shakespeare joués de manière classique aux productions innovantes faisant figurer des travestis et des *gangstas* façon hip-hop. Il y a profusion de nouveaux dramaturges et de comédiens talentueux et, après de nombreuses décennies, les pièces politiquement provocantes refont les gros titres des journaux ; *Sept enfants juifs : une pièce pour Gaza*, de Caryl Churchill, jouée au Royal Court Theatre début 2009, en est un bel exemple. À vrai dire, le théâtre est une affaire si sérieuse à Londres que beaucoup considèrent que jouer dans le West End est le seul moyen de gagner le respect de ses pairs. Même les stars hollywoodiennes sont prêtes à abandonner leur vie luxueuse pour une saison sur les planches londoniennes.

Mais le théâtre "sérieux" n'est pas le seul à plaire. Et les comédies musicales à l'américaine comptent parmi les formes de spectacle les plus prisées de la capitale. Le retour à la mode des années 1980 a ainsi vu l'adaptation en comédie musicale de *Dirty Dancing* devenir un énorme succès. Aujourd'hui, vous pourrez en voir de toutes sortes à l'affiche, de *Grease* à *La Cage aux Folles*, en passant par *Hairspray* ou *Le Roi lion*. La danse est également très prisée, qu'il s'agisse de ballets classiques ou de danse moderne, et les spectacles ont souvent lieu dans des endroits magnifiques, comme le Sadler's Wells rénové et le Laban.

Le Royal Opera House programme des opéras classiques et des ballets dans un bâtiment grandiose en plein cœur de Covent Garden, tandis que l'English National Opera prend plus de risques (et toujours en anglais). Des BBC Proms aux fantastiques concerts du Wigmore Hall, les amateurs de musique classique ne sauront plus où donner de la tête.

Londres est la ville rêvée pour découvrir le cinéma indépendant et suivre les saisons qui mettent à l'honneur les indépendants comme les classiques. Si vous n'aimez que les superproductions, n'ayez crainte, les films d'Hollywood sont à l'affiche de très nombreux (et très onéreux) cinémas. D'immenses complexes vous offrent le choix entre une multitude d'écrans et autres systèmes surround, tandis que vous pourrez, dans un cinéma indépendant, vous prélasser dans un sofa, un verre de vin à la main. Le British Film Institute (BFI), rénové et agrandi, est un véritable temple dédié au septième art.

MUSIQUE CLASSIQUE

Londres est une destination majeure en matière de musique classique, avec quatre orchestres symphoniques de classe mondiale, deux troupes d'opéra, de nombreux ensembles, des lieux de représentations remarquables, des prix raisonnables et une grande qualité dans les programmations. Tous les soirs de l'année, vous n'avez qu'à faire votre choix entre les grands airs traditionnels, la musique contemporaine, ou des compositions plus difficiles d'accès.

BARBICAN Plan p. 104

☎ renseignements 7638 4141, réservations 7638 8891 ; www.barbican.org.uk ; Silk St EC2 ; 8-45 £ ; ⊖ Moorgate ou Barbican

Le Barbican Centre est non seulement le siège du merveilleux London Symphony Orchestra, mais aussi le lieu où nombreux grands orchestres et musiciens internationaux se produisent chaque année. Moins renommés, le BBC Symphony Orchestra et l'English Chamber Orchestra y jouent régulièrement, tandis que le City of London Symphonia y assure des prestations occasionnelles.

KENWOOD HOUSE Plan p. 170

☎ renseignements 0845 658 6960, réservations 0870 154 4040 ; www.picnicconcerts.com ; Hampstead Lane NW3 ; 23,50-39 £ ; ⊖ Archway ou Golders Green, puis 🚌 210

Assister à un concert en plein air dans les jardins de la Kenwood House de Hampstead a pendant des années été la clé d'un été réussi à Londres. Aujourd'hui, les Picnic Concerts (concerts pique-nique) sponsorisés par English Heritage sont consacrés autant au jazz (Ray Davies, Gypsy Kings, Jools Holland) qu'à la pop (Simply Red) ou à la musique classique et l'opéra – chaque style de musique est toutefois joué au moins une fois lors de l'événement. Les concerts ont lieu le samedi soir, de fin juin

BILLETS, S'IL VOUS PLAÎT !

La concurrence peut être très rude pour obtenir des billets pour les pièces de théâtre, spectacles de danse, opéras, représentations et soirées de clubs. Pensez aux sites de réservation en ligne. Si vous le pouvez, mieux vaut acheter votre ticket directement sur le lieu du spectacle pour éviter de payer une commission. À Londres, les billets se vendent incroyablement vite, et il reste souvent des places aux agences après que tout a été vendu par les organisateurs. Ticketmaster (☎ 0870 154 4040 ; www.ticketmaster.co.uk), Stargreen (☎ 7734 8932 ; www.stargreen.co.uk) et Keith Prowse Ticketing (☎ 0844 209 0382 ; www.keithprowse.com) proposent des services de réservation en ligne et par téléphone 24h/24. Ticketweb (www.ticketweb.co.uk) est désormais uniquement disponible en ligne.

Pour les pièces de théâtre, vous pourrez peut-être acheter le jour du spectacle un billet dont la réservation a été annulée, mais si la pièce connaît un grand succès il vous faudra commencer à faire la queue avant que les annulations soient remises en vente. Le jour de la représentation seulement, vous pourrez acheter des billets à prix réduit, quelquefois jusqu'à 50 %, pour les productions du West End auprès du tkts Leicester Sq (plan p. 74 ; 10h-19h lun-sam, 12h-15h dim ; ⊖ Leicester Sq), un guichet installé dans la tour de l'horloge du côté sud de Leicester Sq. Géré par une association à but non lucratif, la Society of London Theatre (SOLT ; ☎ 7557 6700), il prélève une commission de 3 £ par billet demi-tarif (mais rien sur les billets plein tarif). Le paiement se fait en liquide ou par carte. Sachez que les agences commerciales vendant des billets non loin de là, notamment celles de Cranbourn St, annoncent des tickets à moitié prix sans mentionner la confortable commission qui vient s'y ajouter. Les tickets non vendus sont parfois disponibles pour les étudiants sur présentation d'un justificatif une heure avant la représentation.

Pour tous les spectacles, attention aux revendeurs à la sauvette devant les théâtres le soir. Si cela ne vous gêne pas de payer plus, cela peut faire l'affaire, mais comparez les billets avec ceux de quelqu'un les ayant achetés légalement pour éviter les contrefaçons.

à fin août ; le dernier concert se conclut avec un feu d'artifice géant.

ROYAL ALBERT HALL Plan p. 140

☎ 7589 8212 ; www.royalalberthall.com ; Kensington Gore SW7 ; 5-150 £, Proms 5-75 £ ; ⊖ South Kensington

Cette salle victorienne splendide accueille de nombreux concerts de musique classique et de rock, entre autres. Cependant, le Royal Albert Hall est surtout connu pour les Proms organisés par la BBC, l'un des plus grands festivals de musique classique du monde. Il est possible de réserver, mais à partir de la mi-juillet et jusqu'à la mi-septembre, les mélomanes désargentés font la queue pour des places debout (les "promenading tickets") à 5 £, qui sont vendues 1 heure avant le lever du rideau. Sinon, les guichets pour l'achat et le retrait des billets se trouvent à la porte n°12, côté sud du hall.

SOUTHBANK CENTRE Plan p. 130

☎ 0871 663 2500 ; www.southbankcentre.co.uk ; Belvedere Rd SE1 ; 8-45 £ ; ⊖ Waterloo

Le Royal Festival Hall, qui a rouvert en 2007 après une importante restauration de deux ans, est le premier lieu de concert de Londres et peut accueillir 3 000 spectateurs dans son amphithéâtre désormais acoustique. Vous pourrez assister à des concerts et des spectacles de danse, ainsi qu'à un programme plus éclectique dans les deux salles plus petites : le Queen Elizabeth Hall et la Purcell Room.

WIGMORE HALL Plan p. 94

☎ 7935 2141 ; www.wigmore-hall.org.uk ; 36 Wigmore St W1 ; 6-50 £ ; ⊖ Bond St

Cette salle est l'une des meilleures de la ville, non seulement grâce à son acoustique fantastique, son magnifique décor Art nouveau et la grande variété des concerts et des récitals qu'on y donne, mais aussi grâce à l'exceptionnelle qualité des programmations. Construite en 1901 pour être la salle des récitals des pianos Bechstein, elle demeure l'une des salles de référence dans le monde pour la musique de chambre. Les cafés-concerts du dimanche matin (adulte/réduction 12/10 £) et les concerts de midi (à 13h) le lundi (adulte/séniors 12/10 £) sont tous deux d'excellente qualité.

DANSE

Cinq grandes compagnies de danse sont installées à Londres, mais de nombreuses petites compagnies d'avant-garde sont également présentes. Le Royal Ballet (www.royalballet.co.uk), meilleure compagnie classique

CONCERTS À L'ÉGLISE

De nombreuses églises accueillent des concerts en soirée ou à l'heure du déjeuner, toute l'année ou seulement en été. Ces manifestations sont parfois gratuites (une contribution est alors demandée). Quelques églises désaffectées ont été reconverties en salles de concert.

St James's Piccadilly (plan p. 70 ; ☎ 7734 4511 ; www.st-james-piccadilly.org ; 197 Piccadilly W1; contribution suggérée le midi 3 £, billets soirée 10-30 £ ; ⊖ Piccadilly Circus). Concerts à 13h10 les lundi, mercredi et vendredi. Concerts en soirée à 19h30 (jours variables).

St John's, Smith Square (plan p. 88 ; ☎ 7222 1061 ; www.sjss.org.uk ; Smith Sq SW1 ; billets midi 7 £, billets soirée 5-17 ; ⊖ Westminster ou St James's Park). Les concerts du midi ont lieu le jeudi à 13h, les concerts en soirée (jours variables) à 19h30.

St Martin-in-the-Fields (plan p. 74 ; ☎ 7766 1100 ; www.stmartin-in-the-fields.org ; Trafalgar Sq WC2; contribution suggérée le midi 3,50 £, billets soirée 6-25 £ ; ⊖ Charing Cross). Concerts à 13h les lundi, mardi et vendredi. Concerts en soirée à 19h30 ou 20h (jours variables).

Cathédrale Saint-Paul (plan p. 104 ; ☎ 7236 4128 ; www.stpauls.co.uk ; New Change EC4 ; récitals d'orgue 7 £ ; ⊖ St Paul's). Récital d'orgue gratuit à 16h45 le dimanche. Office du soir habituellement à 17h du lundi au samedi et à 15h15 le dimanche, sauf événements particuliers.

Southwark Cathedral (plan p. 130 ; ☎ 7367 6700 ; www.southwark.anglican.org/cathedral ; Montague Close SE1 ; ⊖ London Bridge). Récital d'orgue gratuit le lundi à 13h ; les horaires des autres concerts varient (par exemple à 15h15 le mardi). Office du soir à 17h30 le mardi, jeudi et vendredi, à 16h le samedi et à 15h (avec chorale) le dimanche.

Abbaye de Westminster (plan p. 88 ; ☎ 7222 5152 ; www.westminster-abbey.org ; Dean's Yard SW1 ; billets 6-18 £ en général ; ⊖ Westminster). Récital d'orgue gratuit à 17h45 tous les dimanches (et certains autres jours). Office du soir à 17h en semaine (sauf mercredi) et à 15h les samedi et dimanche. Appelez ou consultez le site Internet pour tout savoir sur le festival d'orgue programmé habituellement en juillet.

du pays, a ses assises au Royal Opera House à Covent Garden. L'English National Ballet (www.ballet.org.uk) donne souvent des représentations au London Coliseum (p. 317), notamment à Noël et en été.

L'événement phare de la danse contemporaine à Londres se nomme Dance Umbrella (p. 17 ; www.danceumbrella.co.uk). Pour tout renseignement concernant la danse dans la capitale, consultez le site de London Dance (www.londondance.com).

BARBICAN Plan p. 104

☎ renseignements 7638 4141, réservations 7638 8891 ; www.barbican.org.uk ; Silk St EC2 ; 6,50-30 £, étudiant demi-tarif mer ; ⊖ Moorgate/Barbican

Des spectacles de danse sont à l'honneur dans le cadre de la programmation éclectique du Barbican. Le festival multidisciplinaire Barbican International Theatre Events (www.barbican.org.uk/theatre/about-bite), qui s'étend sur toute l'année, propose d'excellentes représentations.

LABAN Plan p. 186

☎ renseignements 8691 8600, réservations 8469 9500 ; www.laban.org ; Creekside SE8 ; 3-12 £ ; ⊖ Deptford Bridge, DLR Greenwich

Cette école de danse indépendante organise des représentations avec ses élèves, mais aussi des spectacles de fin d'études et des productions de la troupe permanente de l'école, la Transitions Dance Company, sans compter les prestations d'autres compagnies, de musiciens ou de danseurs. L'école est logée dans un bâtiment qui coûta la coquette somme de 23 millions de livres et qui fut dessiné par les architectes suisses de la Tate Modern, Herzog et de Meuron.

PLACE Plan p. 84

☎ 7387 0031 ; www.theplace.org.uk ; 17 Duke's Rd WC1 ; 5-15 £ ; ⊖ Euston Square

Le Place est le berceau de la danse moderne britannique. Cet établissement programme surtout des spectacles contemporains et expérimentaux, parfois provocateurs. Derrière la façade de la fin de l'ère victorienne se cache une salle rénovée de 300 places, un café à l'ambiance bohème, et six studios de danse. La Place parraine un concours annuel de danse, le Place Prize, dont le but est de découvrir et de récompenser de nouveaux grands talents de la danse.

ROYAL OPERA HOUSE Plan p. 74

☎ 7304 4000 ; www.roh.org.uk ; Royal Opera House, Bow St WC2 ; 4-120 £ ; ⊖ Covent Garden

En dépit d'un certain renouveau dans sa programmation, le ballet classique reste au cœur de l'identité du Royal Ballet. C'est donc l'endroit idéal pour voir *Giselle* ou *Roméo et Juliette* (ou encore *Casse-noisette*, à Noël). Une place à visibilité réduite coûte de 4 à 5 £. Des billets pour le jour même sont disponibles pour les 67 premières personnes de la file d'attente à partir de 10h (un billet par personne, de 8 à 40 £). Des places de dernière minute à moitié prix sont disponibles très occasionnellement.

SADLER'S WELLS Plan p. 154

☎ 7863 8000 ; www.sadlers-wells.com ; Rosebery Ave EC1 ; 10-60 £ ; ⊖ Angel

Le théâtre date de 1683, mais fut complètement reconstruit en 1998 ; c'est aujourd'hui l'établissement le plus éclectique et moderne en matière de danse, avec des spectacles de danse expérimentale (comme une version dansée du *Mahabharata*), des réunions de danse hip-hop et un festival annuel de flamenco en mars. Le Lilian Baylis Studio accueille des productions plus petites, tandis que le Peacock Theatre (plan p. 74 ; ☎ 7863 8222 ; www.sadlers-wells.com ; Portugal St WC2 ; ⊖ Holborn) est une sorte d'annexe du West End, où sont organisés des spectacles de danse et de musique plus modestes.

SOUTHBANK CENTRE Plan p. 130

☎ 0871 663 2500 ; www.southbankcentre.co.uk ; Belvedere Rd SE1 ; 6-75 £ ; ⊖ Waterloo

Le Royal Festival Hall, le Queen Elizabeth Hall et la Purcell Room abritent régulièrement le festival Dance Umbrella, ainsi que des productions de danse indépendante toute l'année.

CINÉMA

Les Londoniens aiment le cinéma. Rien d'étonnant donc à ce que la ville compte autant de salles indépendantes, où vous pourrez mettre les pieds sur la table (souvent littéralement), siroter un verre et vous sentir chez vous. Outre les sorties générales, il existe des saisons mensuelles et des premières, ou encore des conférences où réalisateurs et acteurs parlent de leur film. Si vous êtes sur place durant la deuxième moitié d'octobre, essayez d'assister à une projection du Times BFI London Film Festival (www.bfi.org.uk), le plus grand festival du genre en Europe, qui offre une profusion d'avant-premières, de débats, de discussions et d'occasions de voir des stars.

Les dernières superproductions hollywoodiennes sont diffusées en première exclusivité par les grandes salles, mais il vous faudra débourser pas moins de 18 £ (à comparer avec les 6 à 9 £ demandées dans la plupart des salles d'art et d'essai). Bien que la place soit assez horrible, c'est sur Leicester Sq que se tiennent la plupart des grandes premières.

Si vos goûts sont plus éclectiques, essayez l'un des cinémas suivants. La majorité des cinémas d'art et d'essai et des cinémas conventionnels font des réductions le lundi toute la journée, et l'après-midi (avant 17h) la plupart des jours de la semaine.

BARBICAN Plan p. 104

☎ renseignements 7382 7000, réservations 7638 8891 ; www.barbican.org.uk ; Silk St EC2 ; ⊖ Moorgate/Barbican

Ses trois écrans, son excellente programmation, ses saisons cinématographiques et ses débats avec des réalisateurs et des stars attirent les foules. Voir un film ici est un vrai plaisir, bien assis dans une tribune qui permet une vision parfaite d'où que l'on soit, et avec beaucoup de place pour ses jambes.

BFI SOUTHBANK Plan p. 130

☎ renseignements 7633 0274, réservations 7928 3232 ; www.bfi.org.uk ; Belvedere Rd SE1 ; ⊖ Waterloo

Presque caché sous les arches de Waterloo Bridge, le British Film Institute (Institut du film britannique) renferme quatre cinémas passant des milliers de films chaque année, un musée dédié au 7e art et une médiathèque (☎ 7928 3535 ; entrée libre ; ⏲ 13h-20h mar, 11h-20h mer-dim), où l'on peut visionner des films et programmes TV des archives nationales du BFI. On y trouve également un espace avec des expositions consacrées aux films, un magasin bien fourni en films et livres, un restaurant et un beau café. Largement consacré au cinéma d'art et d'essai, le BFI organise régulièrement des rétrospectives et c'est l'une des adresses principales du Times BFI London Film Festival, durant lequel sont projetés quelque 300 films de 60 pays différents, durant la deuxième moitié d'octobre.

CINÉ LUMIÈRE Plan p. 140

☎ 7073 1350 ; www.institut-francais.org.uk ; 17 Queensberry Pl SW7 ; ⊖ South Kensington

Le Ciné Lumière dépend de l'Institut français de South Kensington. Dans sa grande salle Art déco sont projetés des films internationaux et français, sous-titrés en anglais. C'est ici qu'à lieu le London Spanish Film Festival (festival du film espagnol) en septembre/octobre.

CORONET Plan p. 180

☎ 7727 6705 ; www.coronet.org ; 103 Notting Hill Gate W8 ; ⊖ Notting Hill Gate

Ce magnifique cinéma "fin de siècle" (1898) de deux salles est l'un des endroits les plus ravissants de Londres pour voir un film. C'est d'ailleurs ici que Hugh Grant mange du pop-corn en contemplant Julia Roberts sur grand écran dans *Coup de foudre à Notting Hill*. Le splendide décor édouardien, avec balcon et loges privées, rappelle les heures de gloire du 7e art, lorsqu'il était plus facile de remplir une salle de 400 places à chaque séance. L'autre salle compte 150 places.

CURZON SOHO Plan p. 70

☎ renseignements 7734 2255, réservations 0870 756 4620 ; www.curzoncinemas.com ; 93-107 Shaftesbury Ave W1 ; ⊖ Leicester Sq ou Piccadilly Circus

C'est le meilleur cinéma de Londres. Sa programmation met à l'affiche le meilleur du cinéma britannique, européen, international et américain alternatif. Il organise régulièrement des débats avec des réalisateurs, des projections de courts métrages et des mini-festivals, et possède à l'étage un café, le Konditor & Cook (p. 228), proposant des thés et des pâtisseries délicieuses, ainsi qu'un bar très confortable.

ELECTRIC CINEMA Plan p. 180

☎ 7908 9696 ; www.electriccinema.co.uk ; 191 Portobello Rd W1 ; ⊖ Ladbroke Grove ou Notting Hill Gate

Si vous avez un rendez-vous avec une personne exigeante, c'est là qu'il faut l'emmener pour l'impressionner. Ce bâtiment édouardien, le plus vieux cinéma du Royaume-Uni, a équipé sa salle de luxueux fauteuils en cuir, de repose-pieds et de tables pour poser boissons et nourriture. À côté, l'Electric Brasserie (p. 269) est une brasserie haut de gamme. Bien entendu, le luxe se paie : la place à plein tarif vaut de 12,50 à 14,50 £, ou 30 £ le sofa deux places.

EVERYMAN HAMPSTEAD Plan p. 170

☎ 0870 066 4777 ; www.everymancinema.com ; 5 Holly Bush Vale NW3 ; ⊖ Hampstead

Votre rêve est de posséder votre propre salle de cinéma ? Pour vous en approcher, rendez-vous au Everyman. Ses deux auditoriums sont équipés de fauteuils confortables où vous pourrez vous prélasser en regardant un film, une tasse de thé ou un verre de vin à la main. La programmation est variée, allant des films comme *Singing in the Rain* à des grosses productions actuelles en passant par des opéras filmés.

GATE PICTURE HOUSE Plan p. 180

☎ 0871 704 2058 ; www.picturehouses.co.uk ; 87 Notting Hill Gate W1 ; ⊖ Notting Hill Gate

La salle unique du Gate se distingue par l'une des plus jolies décorations Art déco de tous les cinémas londoniens. Le bar, en revanche, est plutôt exigu. La programmation mêle cinéma d'art et d'essai et productions indépendantes.

ICA CINEMA Plan p. 90

☎ renseignements 7930 6393, réservations 7930 3647 ; www.ica.org.uk ; Nash House, The Mall SW1 ; ⊖ Charing Cross ou Piccadilly Circus

L'Institute of Contemporary Arts (ICA) est un vrai sanctuaire pour les amateurs de cinéma indépendant. Il programme toujours des productions introuvables ailleurs, telles que les derniers films alternatifs américains, les saisons alternatives, des projections durant toute une nuit et des documentaires rares. Les deux salles sont assez petites, mais plutôt confortables.

PRINCE CHARLES Plan p. 70

☎ 0870 811 2559 ; www.princecharlescinema.com ; Leicester Pl WC2 ; ⊖ Leicester Sq

Vous trouvez que les tarifs de Leicester Sq sont du racket ? Vous avez raison. Attendez que le film soit sorti depuis quelques jours, et orientez-vous vers les cinémas meilleur marché du centre de Londres (3,50 à 7,50 £ pour les membres, 4 à 9,50 £ pour les non-membres). Il s'y déroule également des mini-festivals et des discussions avec des réalisateurs. Ce cinéma est également connu pour avoir fait de *La Mélodie du bonheur* un succès phénoménal et populaire.

RIO CINEMA Plan p. 160

☎ 7241 9410 ; www.riocinema.org ; 107 Kingsland High St E8 ; Dalston Kingsland

Dans le quartier de Dalston, le Rio est un cinéma qui programme des film d'art et d'essai, des classiques et les dernières productions. C'est aussi *le* cinéma des festivals peu connus, comme l'East End Film Festival, en avril, et le Turkish Film Festival (festival du film turc), en décembre). Malgré une importante rénovation à la fin des années 1990, quelques traces du joli cinéma Art déco ont survécu dans la salle de projection.

RITZY PICTURE HOUSE Plan p. 194

☎ 0871 704 2065 ; www.picturehouses.co.uk ; Brixton Oval, Coldharbour Lane SW2 ; ⊖ Brixton

On craignait que sa rénovation ne fît perdre au Ritzy son style décontracté et son ambiance familiale (quatre nouvelles salles ont été ajoutées dans les années 1990 au bâtiment datant de 1911, ce qui en a fait le plus grand cinéma indépendant de Londres), mais il a su rester l'un des cinémas les plus appréciés de la capitale, avec une bonne sélection de grosses productions et de films indépendants. Le Ritzy propose une programmation non officielle en marge du Times BFI London Film Festival, et des films alternatifs sont souvent projetés dans l'immense salle d'origine. Le bar-café branché à l'étage est le repaire d'artistes du coin.

RIVERSIDE STUDIOS Plan p. 208

☎ 8237 1111 ; www.riversidestudios.co.uk ; Crisp Rd W6 ; ⊖ Hammersmith

Autrefois studio de télé et de cinéma où furent tournés des classiques comme *Doctor Who* et *Hancock's Half-Hour*, le Riverside met aujourd'hui à l'affiche des classiques du cinéma alternatif et les films que vous auriez ratés quelques mois plus tôt. Ces derniers temps, le cinéma d'Europe de l'Est est à l'honneur.

OPÉRA

Les Opéras de Londres sont loin de se cantonner aux grands classiques. Outre les traditionnelles tragédies de Verdi ou les œuvres de Mozart, vous pourrez assister à des productions innovantes mettant en musique des événements contemporains. Attention, toutefois, la soirée coûtera cher. Les opéras coûtent cher à produire et c'est pour cela que les prix des places sont si élevés.

KORN/FERRY OPERA HOLLAND PARK Plan p. 182

☎ 0845 230 9769 ; www.operahollandpark.com ; Holland Park W8 ; 10-54 £ ; ⊖ High St Kensington

Vous voici plongé dans la vieille Angleterre, avec pique-nique sur l'herbe, opéras et quartiers extrêmement chics. Prenez place sous cette voûte de 800 places, érigée chaque été pour une saison de neuf semaines au milieu du Holland Park, et appréciez le décor grandiose et les bonnes représentations. La programmation mêle noms à succès comme Verdi ou Humperdinck et œuvres plus rares (voire obscures), attirant un public varié.

LONDON COLISEUM Plan p. 74

☎ renseignements 7632 8300, réservations 0870 145 0200 ; www.eno.org ; Coliseum, St Martin's Lane WC2 ; 10-85 £ ; ⊖ Leicester Sq ou Charing Cross

Le Coliseum est le siège de l'English National Opera (ENO), l'Opéra national, célèbre pour avoir modernisé le genre ; tous les opéras joués ici sont chantés en anglais. Après plusieurs années de traversée du désert, l'ENO a commencé, depuis l'arrivée d'Edward Gardner, à recevoir de meilleures critiques et à accueillir un public bien plus vaste. Construit en 1904 et joliment restauré un siècle plus tard, le bâtiment est très impressionnant. Cinq cents places à 10 £ et moins sont disponibles pour les représentations en semaine.

ROYAL OPERA HOUSE Plan p. 74

☎ 7304 4000 ; www.roh.org.uk ; Bow St WC2 ; 7-195 £ ; ⊖ Covent Garden

Le Royal Opera House tente de se débarrasser de la réputation d'élitisme qui le poursuivait il y a quelques années, et attire désormais une clientèle fortunée mais plus jeune. Son redéveloppement de 210 millions de livres pour le millénaire a fourni à la musique classique un cadre fantastique et la perspective de venir y passer la soirée est réjouissante. Les matinées en milieu de semaine sont généralement bien moins chères que les soirées et les places à visibilité réduite peuvent coûter 7 £ seulement. On y trouve des places à moitié prix lorsque le spectacle ne se vend pas assez ; cela semble rare, mais cela vaut la peine d'essayer.

THÉÂTRE

Surtout, ne quittez pas Londres sans avoir assisté à une représentation. La ville est l'épicentre du théâtre en langue anglaise, qui est loin de se limiter à Shakespeare. Londres est aussi en effet le centre de l'innovation théâtrale et des nouveaux dramaturges. Il suffit de passer une soirée au National ou à l'Old Vic, d'assister à une représentation à l'ancienne (généralement intimiste) dans un pub-théâtre ou de s'offrir un spectacle dans le West End pour se convaincre de la vitalité du théâtre londonien.

Tous les étés, les théâtres du West End offrent une nouvelle moisson de pièces et de comédies musicales, mais certaines s'installent vraiment sur le long terme, comme *Mamma Mia*, *Le Fantôme de l'opéra*, *Chicago* ou *Les Misérables*. Des spectacles récents, comme *Wicked*, *Jersey Boys* ou *Billy Elliot* semblent en passe de devenir les classiques de demain.

Consultez la bible des sorties londoniennes, l'hebdomadaire *Time Out*, pour savoir ce qui est à l'affiche. Vous trouverez les mêmes informations, ainsi que des adresses et les téléphones des billetteries et des théâtres indépendants sur le site Internet du London Theatre Guide (www.londontheatre.co.uk).

BARBICAN Plan p. 104

☎ renseignements 7638 4141, réservations 7638 8891 ; www.barbican.org.uk ; Silk St EC2 ; 7-50 £, The Pit 15 £, ; ⊖ Moorgate ou Barbican

Le Barbican a beau approcher son 30e anniversaire dans le spectacle, il semble plus jeune que jamais. Le Barbican International Theatre Events continue à programmer des pièces passionnantes de troupes étrangères, mais aussi de troupes locales décalées. Parmi les dernières représentations, citons *Shun-kin* de la compagnie Complicite, avec uniquement des comédiens japonais, et *Les Trois Sœurs* de Tchekhov, jouée en russe par la troupe Cheek by Jowl.

NATIONAL THEATRE Plan p. 130

☎ 7452 3000 ; www.nationaltheatre.org.uk ; South Bank SE 1 ; 10-41 £ ; ⊖ Waterloo

Le théâtre vedette de Grande-Bretagne propose un programme de pièces classiques et contemporaines avec une excellente distribution. Le nouveau directeur artistique, Nicholas Hynter, attire le public non seulement grâce à des productions originales, mais également en pratiquant une politique des prix audacieuse. Le puissant *War Horse* avec ses marionnettes équines grandeur réelle, *Phèdre* avec l'incomparable Helen Mirren, *The Pitmen Painters*, vision dure de Lee Hall sur l'art et la politique… chaque saison semble réserver de nouvelles surprises. Des billets Travelex coûtant seulement 10 £ sont disponibles pour certaines représentations durant la période de pointe. Autrement, les places de dernière minute (généralement à 20 £) sont parfois disponibles 90 min avant la représentation. Les étudiants doivent attendre jusqu'à 45 min avant le lever de rideau pour pouvoir acheter une place de dernière minute à 10 £.

MOT À MOT

Les Londoniens traitent leurs auteurs préférés comme de véritables stars de cinéma. Et les auteurs locaux ne sont pas les seuls à recevoir tant d'attention. À côté des stars "maison" comme Monica Ali, Louis de Bernieres, Zadie Smith, Tony Parsons ou Will Self, les auteurs étrangers comme Bill Bryson, Douglas Coupland ou Jonathan Safran Foer font de véritables tournées promotionnelles.

Le meilleur endroit pour rencontrer aussi bien des auteurs célèbres que des nouveaux venus est le Book Slam (www.bookslam.com) qui se tient tous les mois au Tabernacle (☎ 7221 9700 ; 34-35 Powis Sq W11 ; entrée 6-8 £ ; 🕒 18h dernier jeu du mois), sous la direction de l'auteur/fondateur Patrick Neate. Il a notamment accueilli des auteurs comme Nick Hornby, Hari Kunzru ou Mil Millington. Les soirées sont ponctuées par des lectures, du slam, des concerts et/ou des DJ sets et peuvent se prolonger jusque tard dans la nuit.

Une session littéraire Express Excess (www.expressexcess.co.uk) a lieu toutes les semaines à l'Enterprise (plan p. 170 ; ☎ 7485 2659 ; 2 Haverstock Hill NW3 ; 🕒 20h mer ; ⊖ Chalk Farm). Après des débuts timides en 1996, les soirées Express Excess ont depuis réussi à attirer de grands noms de la littérature britannique (John Cooper Clarke, John Hegley, Will Self et Murray Lachlan Young) dans la salle cosy située en haut de ce pub typique de Camden.

L'Institute of Contemporary Arts (ICA ; ☎ renseignements 7930 6393, réservations 7930 3647 ; www.ica.org.uk ; Nash House, the Mall SW1 ; ⊖ Charing Cross ou Piccadilly Circus) organise d'excellents débats mensuels faisant intervenir des auteurs connus de tous horizons, qu'ils soient en vogue ou très académiques. Les événements les plus intéressants se tiennent à l'étage, dans la magnifique Nash Room aux hauts plafonds.

Le Poetry Café (plan p. 74 ; ☎ 7420 9888 ; www.poetrysociety.org.uk ; 22 Betterton St WC2 ; ⊖ Covent Garden) de Covent Garden est le repaire des amoureux de la rime. Des lectures et des performances de poètes reconnus, des soirées micros ouverts et des ateliers d'écriture y sont organisés presque tous les jours.

En outre, certaines librairies, notamment Waterstone's (p. 220) et Foyle's (p. 219), organisent souvent des lectures. Des grands auteurs se produisent désormais au Southbank Centre (p. 315). Souvent adaptées aux disponibilités d'un auteur, beaucoup de ces lectures sont programmées à la dernière minute. Si vous êtes intéressé, surveillez le programme publié dans *Time Out* ou tout supplément week-end d'un journal, notamment *The Guardian Guide*, distribué avec l'édition du samedi.

LA PAROLE À UN LONDONIEN : DOMINIC COOKE

Né à Wimbledon, Dominic Cooke a grandi dans le nord de Londres. Il est depuis 2007 directeur artistique du Royal Court (p. 319), théâtre célèbre pour son aptitude à découvrir de nouveaux talents de la dramaturgie et des auteurs étrangers.

"Je dirais que la plupart des orientations et des changements intéressants qu'a connus le théâtre britannique ces cinquante dernières années sont venus d'Europe.

En 1956, lorsque George Devine a installé l'English Stage Company ici, au Royal Court, il a été très influencé par l'esthétique et les valeurs du théâtre européen. C'est ici que des dramaturges comme Brecht, Ionesco ou Beckett ont été joués pour la première fois en Angleterre.

La visite du Berliner Ensemble en Grande-Bretagne dans les années 1950 a eu un effet important sur le théâtre local. Ils ont introduit l'idée très allemande du théâtre en tant qu'institution morale, où les idées sont débattues.

Le théâtre britannique est traditionnellement axé autour de l'auteur – le metteur en scène n'est qu'un interprète qui retranscrit sur scène l'œuvre de l'auteur. Dans la plupart des théâtres d'Europe, c'est le metteur en scène qui est le véritable artiste ; le texte n'est qu'un point de départ lui servant à explorer sa propre vision. Nous avons beaucoup à apprendre des autres théâtres européens, mais cela peu tourner au solipsisme tant tout repose sur la mise en scène. En conséquence, dans certains pays européens, les nouveaux auteurs se désintéressent de l'écriture théâtrale.

Quelqu'un a dit un jour que si l'on pense au public, ce n'est plus du théâtre, mais du show-business. C'est seulement si la pièce repose sur les idées de l'artiste qu'il s'agit de théâtre. Ici, nous partons de la pièce et essayons de découvrir ce que l'auteur essaie de nous dire à travers elle.

La Grande-Bretagne n'est pas conservatrice en matière de théâtre. Les choses changent vite ici. Dans les années 1990, les pièces traitaient beaucoup plus d'expériences individuelles ; il y avait l'idée que tout le monde était apathique, abruti par *The X-Factor* (une émission TV comparable à la *Nouvelle Star*) et la consommation de masse. Aujourd'hui, lorsque nous présentons des pièces traitant de vrais problèmes, le public vient en masse. Les gens semblent vouloir s'engager envers les problèmes du monde d'aujourd'hui. Mais cela aussi va changer. On ne peut pas dire ce que voudront voir les gens dans cinq ans, mais je pense qu'ils auront plutôt envie d'évasion.

J'adore voir des films et des comédies musicales, mais la majeure partie de mon travail se faisant en intérieur, je préfère passer mes jours de repos à Richmond ou Regent's Park. Londres est bien doté en espaces verts. Le choix est grand. Ils me manquent quand je suis loin de chez moi, mais le sens de l'ironie, l'humour londonien et la diversité de la population me manquent aussi. C'est vraiment l'une des villes les plus multiculturelles du monde. Ce n'est certes pas encore parfait, mais les gens vivent généralement assez bien les uns avec les autres par rapport à d'autres parties du monde. "

Interview réalisée par Steve Fallon

On peut obtenir des places debout (5 £) pour les spectacles affichant complet.

ROYAL COURT THEATRE Plan p. 140

☎ 7565 5000 ; www.royalcourttheatre.com ; Sloane Sq SW1 ; gratuit-25 £ ; ⊖ Sloane Sq

Excellent tant pour les nouveautés que pour les classiques, le Royal Court fait partie des théâtres les plus progressistes de Londres. Inauguré en 1956 par *La Paix du dimanche* de John Osborne – pièce considérée, aujourd'hui, comme le point de départ du théâtre britannique moderne –, il continue, grâce à son directeur artistique Dominic Cooke (voir l'interview ci-dessus) de découvrir les nouveaux talents de la dramaturgie à travers le pays. Il a récemment connu de grands succès avec une représentation de *La Mouette* jouée par des stars, une nouvelle comédie musicale traitant de drag queens et une rétrospective de pièces du comédien et dramaturge américain Wallace Shawn.

Les billets à tarif réduit vont de 6 à 10 £. Ils sont à 10 £ pour tous le lundi. Par ailleurs, les moins de 25 ans peuvent assister gratuitement à certaines représentations du Jerwood Theatre. Les billets non réservés sont vendus une heure avant le spectacle, mais à plein tarif.

SHAKESPEARE'S GLOBE Plan p. 130

☎ renseignements 7902 1400, réservations 7401 9919 ; www.shakespeares-globe.org ; 21 New Globe Walk SE1 ; adulte 15-33 £, réductions 12-30 £, places debout 5 £ ; ⊖ St Paul's ou London Bridge

Si vous êtes un inconditionnel de Shakespeare et du théâtre, le Globe est fait pour vous. C'est l'authentique antre du théâtre shakespearien. Il s'agit non seulement d'une réplique à l'identique du théâtre où Shakespeare avait lui-même travaillé de 1598 à 1611, mais il reste également fidèle aux habitudes de mise en scène de l'époque élisabéthaine. Le bâtiment ovale en bois ne comporte pas de toit sur la scène centrale. Bien qu'il y ait des gradins en bois couverts autour de la scène, nombreux sont les spectateurs (il y a de la place pour 700 personnes) qui choisissent d'imiter les *groundlings* du XVIIe siècle qui restaient debout devant la scène à réprimander ou complimenter les acteurs. Le théâtre est ouvert aux intempéries et vous aurez éventuellement à vous protéger de la pluie. Les parapluies sont interdits, mais des imperméables en plastique sont vendus à petit prix.

La saison s'échelonne de fin avril à la mi-octobre, la programmation comporte des pièces de Shakespeare et de ses contemporains, tels que Christopher Marlowe. Le directeur artistique du théâtre, Dominic Dromgoole, a décidé de jouer quelques nouvelles pièces à chaque saison, et il y a fort à parier que c'est ce que William aurait souhaité.

Attention : deux piliers soutenant la voûte au-dessus de la scène (le "Firmament") gâchent la vue à une grande partie des sièges de la section D. Il vaut encore mieux rester debout.

THÉÂTRE OFF-WEST END ET THÉÂTRE EXPÉRIMENTAL

C'est ici, dans des théâtres de taille plus modeste, que les œuvres les plus créatives et innovantes de la capitale voient le jour. Les nouveaux auteurs peuvent emprunter des voies expérimentales, se montrer étonnants ou parfois frôler le ridicule. Nous recensons ici quelques-uns des lieux offrant les meilleures programmations.

ALMEIDA THEATRE Plan p. 174

☎ 7359 4404 ; www.almeida.co.uk ; Almeida St N1 ; ⊖ Angel ou Highbury & Islington

Salle luxueuse qui répond toujours présent pour programmer un théâtre imaginatif, l'Almeida, sous la direction artistique créative de Michael Attenborough, attire des metteurs en scène comme Richard Eyre et Rufus Norris, et met à l'affiche des pièces comme *The Mercy Seat* ou *Duet for One*, qui a connu un grand succès.

ARCOLA THEATRE Plan p. 160

☎ 7503 1646 ; www.arcolatheatre.com ; 27 Arcola St E8 ; Ⓡ Dalston Kingsland

La situation de l'Arcola dans l'East End rend le théâtre un peu difficile d'accès, mais on y afflue pour assister à ses pièces innovantes, faisant partie d'une affiche audacieuse et éclectique que le directeur Mehmet Ergen programme depuis sa fondation en 2000. La programmation se concentre sur les productions internationales d'avant-garde (comme les œuvres de jeunes dramaturges turcs, suédois et autrichiens). Le Grimeborn, un festival de musique et d'opéra tenu en août/septembre, y est également organisé ; l'événement est diamétralement opposé au festival d'opéra snob de Glyndebourne, près de Lewes dans le Sussex.

BATTERSEA ARTS CENTRE Plan p. 194

☎ 7223 2223 ; www.bac.org.uk ; Lavender Hill SW11 ; ⊖ Clapham Common, Ⓡ Clapham Junction, Ⓑ 77, 77A ou 345

C'est un théâtre de quartier, plaisant et modeste, où le personnel papote avec vous et où les acteurs traînent du côté du bar après le spectacle. Pour les auteurs dramatiques, c'est un vivier de nouveaux talents. Le célèbre programme Scratch du directeur artistique David Jubb est un excellent exercice pour se familiariser avec le processus d'écriture : une pièce en cours d'écriture est jouée auprès d'un public de plus en plus nombreux jusqu'à ce qu'elle soit achevée.

BUSH THEATRE Plan p. 182

☎ 7610 4224 ; www.bushtheatre.co.uk ; Shepherd's Bush Green W12 ; ⊖ Shepherd's Bush

Pour un pub-théâtre, le Bush est d'une qualité exceptionnelle. Il doit son succès durant les trois dernières décennies à des pièces d'auteurs tels que Jonathan Harvey, Conor McPherson, Stephen Poliakoff et Mark Ravenhill. Il attire également de grands acteurs. La répartition des places assises a été réaménagée et vous n'aurez donc plus à enjamber vos voisins pour atteindre votre siège.

DONMAR WAREHOUSE Plan p. 74

☎ 0870 060 6624 ; www.donmarwarehouse.com ; 41 Earlham St WC2 ; ⊖ Covent Garden

"Théâtre de l'homme qui pense", le petit Donmar Warehouse a pris ses distances avec l'époque où Nicole Kidman administrait tous les soirs aux spectateurs une dose de "viagra théâtral" en s'effeuillant dans la pièce *The Blue Room,* mise en scène par Sam Mendes, et où Zoë Wanamaker incarnait une Amanda Wingfield plus Vieux Sud que nature dans

La Ménagerie de verre de Tennessee Williams. Néanmoins, le directeur artistique Michael Grandage met régulièrement à l'affiche des productions inventives et intéressantes, comme *Maison de poupée*, d'Ibsen, avec Gillian Anderson, et *Hamlet*, avec Jude Law.

HACKNEY EMPIRE Plan p. 160

☎ 8985 2424 ; www.hackneyempire.co.uk ; 291 Mare St E8 ; Hackney Central, 38, 106, 277 ou 394

Le théâtre dans l'East End a connu une sorte de renaissance avec la rénovation complète de ce music-hall édouardien (1901). La programmation est pour le moins éclectique, allant des pièces politiques (*The Hounding of David Oluwale*) à l'opéra (*Aida*) en passant par le spectacle comique (Jo Brand). En outre, l'Empire est devenu un haut lieu de la traditionnelle pantomime de Noël. Le très vivant Marie Lloyd Bar, en contrebas, propose, pour compléter le tout, des soirées comédie le lundi, des concerts le jeudi et des DJ sets le week-end. Le théâtre comme il devrait toujours être.

HAMPSTEAD THEATRE Plan p. 170

☎ 7722 9301 ; www.hampsteadtheatre.com ; Eton Ave NW3 ; ⊖ Swiss Cottage

Le Hampstead, théâtre londonien préféré d'Ewan Mc Gregor, est également connu pour dénicher de nouvelles pièces et propulser les metteurs en scène émergents. En 1960, il mettait à l'affiche la nouvelle œuvre de Harold Pinter, ce qui prouve que ce théâtre sait reconnaître de loin une pièce de qualité. Le théâtre occupe un bâtiment conçu à cet effet (2003), avec une grande salle de 325 places et l'espace Michael Frayn, qui accueille 80 spectateurs.

KING'S HEAD Plan p. 174

☎ renseignements 7226 8561, réservations 0844 209 ; www.kingsheadtheatre.org ; 115 Upper St N1 ; ⊖ Angel

Ce pub-théâtre exemplaire en plein cœur du quartier festif d'Islington a par le passé accueilli certaines des représentations théâtrales les plus mémorables du nord de Londres. Aujourd'hui, c'est devenu un peu n'importe quoi, avec des mini comédies musicales hommages à une parolière comme Dorothy Fields (*I'm In The Mood For Love* et *If My Friends Could See Me Now*) ou une chanteuse comme Sophie Tucker, ainsi que des spectacles de cabaret provocants comme *Naked Boys Singing!* ("les tout nus qui chantent"). Ce ne sont pas des spectacles familiaux, mais ils plaisent souvent.

LITTLE ANGEL THEATRE Plan p. 174

☎ 7226 1787 ; www.littleangeltheatre.com ; 14 Dagmar Passage N1 ; ⊖ Angel ou Highbury & Islington

Niché dans une allée d'Islington, ce théâtre de marionnettes propose des spectacles réservés aux adultes, comme le Puppet Grinder Cabaret. Leur version du long poème shakespearien *Venus et Adonis* était particulièrement mémorable. Nous n'avions jamais vu de marionnettes d'oiseaux auparavant (ni de marionnettes livrées aux affres charnelles de la passion…).

LYRIC HAMMERSMITH Plan p. 182

☎ 0871 221 1729 ; www.lyric.co.uk ; Lyric Sq, King St W6 ; ⊖ Hammersmith

Préparez-vous à des mises en scène innovantes de pièces classiques, de tragédies grecques mélangeant les genres, avec projections de films, danse et musique. L'entrée moderne, tout en verre, mène à une salle historique du XIXe siècle de 550 places et à un studio plus petit pouvant accueillir 110 personnes.

MENIER CHOCOLATE FACTORY
Plan p. 130

☎ 7907 7060 ; www.menierchocolatefactory.com ; 53 Southwark St SE1 ; ⊖ London Bridge

L'un des théâtres les plus récents de Londres occupe une magnifique fabrique de chocolat du XIXe siècle reconvertie ; il s'agrémente d'un excellent restaurant et propose des billets à partir 24 £ par personne pour une représentation et un dîner de deux plats.

OLD VIC Plan p. 130

☎ 0870 060 6628 ; www.oldvictheatre.com ; Waterloo Rd SE1 ; ⊖ Waterloo

Jamais une salle londonienne n'aura eu un directeur artistique aussi célèbre. C'est en effet l'acteur américain Kevin Spacey qui s'occupe de la programmation de ce superbe théâtre. Et elle ne cesse de s'améliorer, avec des productions récentes comme *Danser à Lughnasa*, de Brian Friel, avec la chanteuse Andrea Corr, ou une nouvelle version de *La Cerisaie* de Tchekhov par Tom Stoppard, mise en scène par Sam Mendes. Époustouflant.

SOHO THEATRE Plan p. 70

☎ renseignements 7478 0100, réservations 0870 429 6883 ; www.sohotheatre.com ; 21 Dean St W1 ; entrée 3-15 £ ; ⊖ Tottenham Court Rd

La Soho Theatre Company, installée depuis l'an 2000 dans ce lieu élégant, a monté depuis des centaines de nouvelles pièces et fait connaître toute une nouvelle génération d'auteurs. La représentation de la pièce de la dramaturge polonaise Dorota Maslowska *Deux pauvres Roumains parlant polonais*, en 2008, a été l'une des plus remarquables qu'ait connue le théâtre londonien ces dix dernières années. Avec ses ateliers destinés à soutenir de jeunes auteurs et sa production de spectacles comiques, cette salle est l'endroit rêvé pour découvrir les innovations de la scène théâtrale londonienne.

TRICYCLE THEATRE Plan p. 66

☎ renseignements 7372 6611, réservations 7328 1000 ; www.tricycle.co.uk ; 269 Kilburn High Rd NW6 ; ⊖ Kilburn

Si vous aimez le théâtre politique, rendez-vous au Tricycle. Il s'est imposé ces dernières années comme la conscience du monde théâtral, en programmant des pièces en rapport avec l'actualité internationale (conflit en Irak, au Proche-Orient et surtout en Afghanistan, avec le mémorable *The Great Game*, en 2009), toujours de façon intelligente et provocante. Ce petit théâtre possède également un bon cinéma et un bar.

YOUNG VIC Plan p. 130

☎ 7922 2922 ; www.youngvic.org ; 66 The Cut SE1 ; ⊖ Waterloo

L'une des troupes de théâtre les plus respectées de la capitale, courageuse, audacieuse et talentueuse, la Young Vic attire le public avec des pièces saisissantes telles que *Vernon God Little* (adapté du roman de DBC Pierre) et la comédie musicale soul et funky *Been So Long*, en tournée à travers le pays. Il y a un ravissant bar-restaurant de deux niveaux avec terrasse à ciel ouvert à l'étage.

SPORTS ET ACTIVITÉS

La sélection

- **Hampstead Heath Ponds** (p. 325)
- **Porchester Baths** (p. 325)
- **Serpentine Lido** (p. 325)
- **Brockwell Park Lido** (p. 325)
- **Sanctuary** (p. 326)
- **Wembley Stadium** (p. 326)
- **Wimbledon** (p. 328)

Londres est une capitale qui s'adresse tout particulièrement aux amateurs de sports, qu'ils soient participants ou spectateurs. Le nombre de piscines de plein air dans un pays traditionnellement associé à la pluie et au froid a de quoi surprendre. Ceux qui aiment travailler leur corps en suant à grosses gouttes trouveront aussi bien des salles de fitness dernier cri que des centres de sport municipaux plus modestes. Quant à ceux qui recherchent des activités moins violentes, ils pourront aller se faire dorloter dans les nombreux établissements thermaux de la ville.

Inutile d'ajouter que les passionnés de football, de rugby, de courses hippiques, de tennis et de cricket seront comblés par les grands matchs et tournois prestigieux qu'accueille Londres. Mais attendez-vous à faire la queue pour vous procurer des billets.

SANTÉ ET FITNESS

Les Londoniens pratiquent avec un même engouement la piste de danse de la discothèque et le tapis de course de la salle de fitness. Si, comme eux, vous avez envie de rester en forme, salles de fitness et piscines ne manquent pas ; vous trouverez toujours à proximité un endroit où brûler des calories... Les salles de fitness sont soit municipales, et dans ce cas plutôt bas de gamme, soit privées, et appartiennent alors souvent à une grande chaîne, dont certaines très chics. Comme la plupart des autres activités à Londres, rester en forme coûte cher et n'échappe pas à un certain snobisme : "Dis-moi quelle est ta salle de fitness et je te dirai qui tu es."

Les horaires d'ouverture varient sensiblement, y compris à l'intérieur d'un même centre où certaines installations peuvent fermer plus tôt que d'autres. En règle générale, la plupart des salles de sport ouvrent très tôt, le plus souvent à 6h30, pour permettre aux lève-tôt de faire leurs exercices quotidiens. De même, le soir, elles fonctionnent pour la plupart au moins jusqu'à 21h. Cependant, pour être sûr, mieux vaut vous renseigner par téléphone.

SALLES DE FITNESS

CENTRAL YMCA

Plan p. 70

☎ 7343 1700 ; www.centralymca.org.uk ; 112 Great Russell St WC1 ; 15/50 £ par jour/sem ; ⊖ Tottenham Court Rd

La salle du YMCA est un endroit qui reste très en vogue et toujours très fréquenté. L'adhésion donne également accès à la piscine. Le YMCA vaut largement certaines des salles plus chères et élitistes de Londres. De plus, l'ambiance y est très amicale.

FITNESS FIRST

☎ 01202 845000 ; www.fitnessfirst.co.uk

Le plus grand club du Royaume-Uni et même d'Europe ; ses salles de catégorie moyenne ont bonne réputation. Côté pratique, vous pouvez entrer dans n'importe quel club Fitness First après vous êtes inscrit dans l'un d'entre eux. Avec des filiales dans tout Londres, cette chaîne est très populaire auprès des visiteurs de passage.

GYMBOX

☎ 7395 0270 ; www.gymbox.co.uk

Avec 2 salles dans le West End (l'une dans un ancien cinéma), Gymbox est à l'heure actuelle la chaîne de salles de fitness la plus populaire de Londres. Elle innove par un grand nombre de cours à la mode et par l'équipement (ring de boxe olympique).

LA FITNESS

☎ 7366 8080 ; www.lafitness.co.uk

Comptant plus de 20 salles dans tous les quartiers de Londres, de Victoria à la City, LA Fitness est un sérieux concurrent sur le marché. Ses salles sont modernes et bien équipées, et les conditions d'adhésion flexibles.

QUEEN MOTHER SPORTS CENTRE

Plan p. 140

☎ 7630 5522 ; www.courtneys.co.uk ; 223 Vauxhall Bridge Rd SW1 ; à partir de 30 £/mois ; ⊖ Victoria

Autre salle reconnue du centre de Londres, baptisée en l'honneur de feu la reine mère, elle dispose de trois piscines et d'un équipement complet.

SEYMOUR LEISURE CENTRE

Plan p. 94

☎ 7723 8019 ; www.courtneys.co.uk ; Seymour Pl W1 ; 30 £/mois, piscine 4,25 £ ; ⊖ Marble Arch ou Edgware Rd

Établi de longue date, le Seymour est un endroit sans grand charme mais très fonctionnel, bien équipé et accueillant. Ses principaux avantages sont sa position centrale et ses prix raisonnables, ce qui explique qu'il soit très fréquenté.

THIRD SPACE Plan p. 70

☎ 7439 6333 ; www.thethirdspace.com ; 13 Sherwood St W1 ; 118 £/mois ; ⊖ Piccadilly Circus

La salle la plus chic de Londres offre la gamme de soins et d'équipements nécessaires pour détendre ou faire transpirer à grosses gouttes les cadres surmenés du monde des médias de Soho, à des tarifs élevés.

VIRGIN ACTIVE

☎ 0845 130 4747 ; www.virginactive.co.uk

Virgin Active, la plus grande chaîne du Royaume-Uni, se situe en haut de l'échelle en termes de qualité et de services. Les équipements (piscine, spa, café...) ainsi que les cours sont très nombreux. Familles et enfants ne sont pas oubliés.

PISCINES

Londres adore ses jolis "lidos". Ce sont ce que l'on appelle généralement des piscines, même si, historiquement, le terme suppose des installations en plein air. Ils datent des années 1930 et sont de style Art déco. La plupart des quartiers en possèdent un.

BROCKWELL PARK LIDO Plan p. 194

☎ 72743088 ; www.brockwell-lido.com ; Dulwich Rd SE24 ; adulte/enfant 3,10/5,20 £ ; 6h45-19h mi-juin à août, les horaires dépendent du temps le reste de l'année ; ⊖ Brixton, Herne Hill

Très joli lido, magnifiquement restauré il y a quelques années et très fréquenté en été. C'est l'un des meilleurs de Londres, comme l'attestent les innombrables visiteurs l'été.

HAMPSTEAD HEATH PONDS

Plan p. 170

Hampstead Heath, Gordon House Rd NW5 ; adulte/tarif réduit 2/1 £ ; Gospel Oak ou Hampstead Heath, 214, C2 ou 24

Dans le cadre magnifique de la lande de Hampstead, ces trois bassins de plein air invitent à une baignade un peu fraîche. Le bassin pour hommes est un terrain de chasse homosexuel, celui des femmes un peu moins. Le bassin mixte est parfois bondé et le cadre n'est pas aussi joli ; les vrais amateurs de natation optent en général pour l'un des deux autres bassins.

IRONMONGER BATHS

Plan p. 154

☎ 7253 4011 ; www.aquaterra.org ; Ironmonger Row EC1 ; piscine 3,70 £ ; ⊖ Old St

Ce complexe municipal réunissant salle de fitness et piscine est apprécié sans être surpeuplé. Le bassin est plaisant et l'atmosphère amicale. De merveilleux bains turcs (10 £/jour) se trouvent au sous-sol.

OASIS Plan p. 74

☎ 7831 1804 ; 32 Endell St WC2 ; adulte/enfant 3,90/1 £ ; ⊖ Tottenham Court Rd ou Covent Garden

Cette piscine chauffée de plein air compte parmi ce qui se fait de mieux au cœur de Londres. Elle pratique des tarifs très compétitifs et est donc souvent bondée. Une piscine couverte vous accueille les jours de mauvais temps.

PARLIAMENT HILL LIDO

Plan p. 180

☎ 7485 3873 ; Hampstead Heath, Gordon House Rd NW5 ; adulte/tarif réduit 2/1 £ ; Gospel Oak, 214 ou C2

Ce lido classique de Hampstead Heath est idéal pour une petite brasse matinale pendant les mois d'été. Il attire une clientèle décontractée d'habitués du quartier et dispose d'un bassin pour enfants et d'un solarium.

PORCHESTER BATHS Plan p. 180

☎ 7792 2919 ; Porchester Centre, Queensway W2 ; entrée 5 £ ; ⊖ Bayswater ou Royal Oak

La jolie piscine des Porchester Baths, datant des années 1930, a retrouvé toute la splendeur de son style Art déco après une belle rénovation. Tous ceux qui aiment nager dans un décor artistique l'apprécient.

SERPENTINE LIDO Plan p. 140

☎ 7298 2100 ; Hyde Park W2 ; ⊖ Hyde Park Corner ou Knightsbridge

C'est sans doute la piscine de Londres à ne pas manquer. Située à l'intérieur du lac Serpentine, elle est généralement ouverte en juillet et en août. Les prix et les horaires changent souvent, aussi mieux vaut se renseigner avant.

TOOTING BEC LIDO Plan p. 66

☎ 8871 7198 ; Tooting Bec Rd SW17 ; adulte/tarif réduit/moins de 5 ans 4,75 £/3,15 £/gratuit ; mai-sept ; ⊖ Tooting Bec

Le Tooting Bec, premier lido public de Londres, fut construit en 1906 et reste le plus grand d'Europe : il mesure 90 m sur 36 m et possède Jacuzzis et saunas.

YOGA ET PILATES

TRIYOGA

☎ 7483 3344 ; www.triyoga.co.uk

Une des premières salles de yoga de Londres et toujours la plus prestigieuse, Triyoga possède aujourd'hui trois adresses (Primrose Hill, Soho et Covent Garden). Ses professeurs qualifiés dispensent des cours de tous types de yoga, ainsi que de Pilates. Une leçon coûte 12 £, et les cours réguliers débutent à 60 £.

ACTIVITÉS

Les établissements thermaux de Londres offriront une détente rêvée à tous ceux qui apprécient galets chauds sur le dos, masques faciaux et massages énergétiques aux huiles aromatiques suivis de belles longueurs dans une piscine chauffée et de longs moments à paresser dans des espaces à l'ambiance merveilleusement relaxante.

SPAS

ELEMIS DAY SPA

Plan p. 94

☎ 8909 5060 ; www.elemis.com/dayspa.html ; 2-3 Lancashire Ct W1 ; ⊖ Bond St

Ce fabuleux établissement thermal est presque trop sophistiqué et les différentes salles sont décorées par thèmes : les salles balinaise, marocaine, pourpre ou émeraude, pour n'en citer que quelques-unes. Dans ce cadre haut de gamme les prestations sont à l'avenant, voilà un endroit où vous faire dorloter. Réservez bien à l'avance.

K SPA

Plan p. 182

☎ 0870 027 4343 ; www.k-west.co.uk ; Richmond Way W12 ; ⊖ Shepherd's Bush

Le K Spa fait parti du K West Hotel (p. 360) et offre une intéressante gamme d'installations, notamment un Jacuzzi, un hammam à l'eucalyptus, un sauna et deux salles de fitness. Vous avez également le choix entre une série de traitements exotiques et toute une gamme de massages et de soins du corps et du visage. Un des meilleurs complexes de l'Ouest londonien.

SANCTUARY Plan p. 74

☎ 0870 770 3350 ; www.thesanctuary.co.uk ; 12 Floral St WC2 ; ⊖ Covent Garden

Établissement thermal réservé aux femmes, le Sanctuary porte bien son nom. C'est un véritable sanctuaire où vous trouverez des piscines chauffées pour la natation ou l'exercice, des saunas, des Jacuzzis et une vaste gamme de traitements, mais aussi des salles propices à la sieste et un café à l'atmosphère relaxante et conviviale. Un paradis pour fuir l'activité infernale du West End.

SPORTS EN SPECTATEUR

En tant que capitale d'une nation de grands amateurs de sports, on peut s'attendre à être submergé par la multitude de manifestations sportives tout au long de l'année. Comme souvent, Time Out (www.timeout.com), l'hebdomadaire des sorties, constitue la meilleure source d'information sur les rencontres, les horaires, les lieux et le prix des tickets.

FOOTBALL

Londres compte une douzaine d'équipes de ligue et, en règle générale, cinq ou six d'entre elles évoluent en Premier League (première division), ce qui signifie que, chaque week-end de la saison, d'août à la mi-mai, des rencontres de qualité ont lieu à quelques stations de train ou de métro du centre de Londres. Si vous voulez assister à un match à tout prix, vous pouvez toujours vous rabattre sur une division inférieure et voir évoluer l'une des équipes de deuxième division pour lesquelles il suffit généralement d'acheter les tickets le jour même.

Le Wembley Stadium (plan p. 66 ; www.wembleystadium.com) a été le principal stade de la capitale, depuis sa construction en 1923, et c'est là que se tiennent la plupart des matchs internationaux d'Angleterre, ainsi que la finale de la FA Cup à la mi-mai. Il a connu son heure de gloire lorsque Bobby Moore, capitaine de l'équipe anglaise victorieuse, a brandi le trophée de la Coupe du monde en 1966. Dans la tourmente des controverses, le grand stade de Wembley et ses deux tours si caractéristiques furent détruits en 2001. Puis, toujours dans le même contexte de polémiques, le nouveau complexe ultramoderne d'une capacité de

LES CLUBS DE FOOT DE LA CAPITALE

Le football est au cœur de la culture anglaise et assister à un match fait partie des événements à ne rater sous aucun prétexte. Au moment de la rédaction de ce guide, Arsenal, Charlton, Chelsea, Crystal Palace, Fulham, Tottenham Hotspur et West Ham évoluaient en première division. Pour plus d'informations sur le foot à Londres, voir ci-contre.

Arsenal (plan p. 66 ; ☎ 7704 4040 ; www.arsenal.com ; Avenell Rd N5 ; tickets 33-66 £ ; ⊖ Arsenal)

Charlton Athletic (plan p. 66 ; ☎ 8333 4010 ; www.cafc.co.uk ; The Valley, Floyd Rd SE7 ; tickets 20-40 £ ; Charlton)

Chelsea (plan p. 182 ; ☎ 0870 300 1212, 7915 2222, tickets 7915 2951 ; www.chelseafc.com ; Stamford Bridge Stadium, Fulham Rd SW6 ; tickets 40-65 £ ; ⊖ Fulham Broadway)

Crystal Palace (hors plan p. 66 ; ☎ 0871 200 0071 ; www.cpfc.co.uk ; Selhurst Park, Whitehorse Lane SE25 ; tickets 25-35 £ ; Selhurst)

Fulham (plan p. 208 ; ☎ 0870 442 1234 ; www.fulhamfc.com ; Craven Cottage, Stevenage Rd SW6 ; tickets 25-55 £ ; ⊖ Putney Bridge)

Leyton Orient (plan p. 66 ; ☎ 8926 1111 ; www.leytonorient.com ; Matchroom Stadium, Brisbane Rd E10 ; tickets 20-35 £ ; ⊖ Leyton)

Millwall (plan p. 186 ; ☎ 7232 1222 ; www.millwallfc.co.uk ; The Den, Zampa Rd SE16 ; tickets 16-25 £ ; South Bermondsey)

Queens Park Rangers (plan p. 66 ; ☎ 0870 112 1967 ; www.qpr.co.uk ; Loftus Rd W12 ; tickets 20-35 £ ; ⊖ White City)

Tottenham Hotspur (plan p. 66 ; ☎ 0870 420 5000 ; www.spurs.co.uk ; White Hart Lane N17 ; tickets 37-49 £ ; White Hart Lane)

West Ham United (plan p. 66 ; ☎ 0870 112 2700 ; www.westhamunited.co.uk ; Boleyn Ground, Green St E13 ; tickets 35-63 £ ; ⊖ Upton Park)

90 000 personnes, conçu par l'architecture Norman Foster, qui devait ouvrir ses portes en 2003, n'accueillit son premier match, la finale de la FA Cup, que quatre ans plus tard, en 2007. Bien que les travaux aient traîné en longueur et que le budget prévu soit passé du simple au double (avec 798 millions de livres, c'est l'un des stades les plus chers jamais construit), Wembley reste l'un des plus grands temples du football au monde.

De son côté, l'Arsenal Emirates Stadium (www.arsenal.com) a ouvert come prévu en juillet 2006. Plus petit que Wembley (60 400 places seulement), il arrive cependant au troisième rang des stades de Londres. Situé à Ashburton Grove, dans le quartier d'Highbury, il porte le nom du sponsor le plus important de ce projet, la compagnie aérienne Emirates. Beaucoup de Londoniens regrettèrent le vieux stade et son ambiance ouvrière, ainsi que ses *tea ladies*, ces vielles dames poussant leur chariot chargé de thé. La construction du nouvel édifice rencontra l'opposition des malheureux résidents dont les maisons et les commerces devaient disparaître ; aujourd'hui, toutefois, la plupart ont appris à l'apprécier.

CRICKET

Si vous avez chaud et en avez assez de faire du tourisme, vous n'aurez qu'à emporter un pique-nique et passer la journée à apprécier le claquement de la balle de cuir sur la batte en savourant l'ambiance du plus anglais des sports. Le cricket a beau être un sport typiquement britannique, l'équipe anglaise doit batailler sans beaucoup de succès notables au niveau international.

L'English Cricket Board (☎ 0870 533 8833 ; www.ecb.co.uk) dispose d'informations complètes sur les horaires et les tickets des matchs, pas toujours aisés à obtenir, et dont le prix varie entre 20 et 50 £. Des tests-matchs ont régulièrement lieu sur les vénérables terrains Lord's et Oval. Les billets (entre 10 et 20 £) sont plus faciles à obtenir pour les rencontres régionales ("county games") ; les équipes y disputent des matchs de quatre jours, d'une journée et de *twenty-over* entre avril et septembre.

BRIT OVAL

Plan p. 193

☎ 7582 7764 ; www.surreycricket.com ; Kennington Oval SE11 ; ⊖ Oval

L'équipe locale du Surrey joue à l'Oval, un terrain très réputé où n'évoluent que des *gasholders* (ainsi appelle-t-on les joueurs) de grand talent. L'amateur de cricket qu'est John Major alla y voir une rencontre immédiatement après avoir perdu les élections contre Blair en 1997. Pour plus de détails sur le Brit Oval, voir p. 205.

LORD'S Plan p. 170

☎ visites 7616 8585, standard 7616 8500 ; www.lords.org ; St John's Wood Rd NW8 ; ⊖ St John's Wood

Le "foyer du cricket" est autant un lieu de pèlerinage pour les *aficionados* qu'un terrain de sport. Siège du Middlesex County Cricket Club, il accueille test-matchs, épreuves internationales d'une journée et finales des tournois britanniques. Pour plus de détails sur le Lord's, voir p. 172.

RUGBY UNION ET RUGBY LEAGUE

En février et mars, l'Angleterre se bat contre l'Écosse, le pays de Galles, l'Irlande, la France et l'Italie dans le fameux Tournoi des Six Nations ; trois de ces rencontres se déroulent au stade de Twickenham.

Les fans du Rugby Union, ou rugby à 15, se donnent rendez-vous dans le sud-ouest de Londres, où des équipes comme les Harlequins (☎ 8410 6000 ; www.quins.co.uk ; Stoop Memorial Ground, Langhorn Dr, Twickenham ; 15-30 £ ; Ⓡ Twickenham) et les Wasps (☎ 8993 8298 ; www.wasps.co.uk ; Adams Park, High Wycombe ; 15-45 £ ; Ⓡ High Wycombe) jouent d'août à mai. Les London Irish (☎ 01932-783034 ; www.london-irish.com ; Bennet Rd, Reading ; 20-30 £ ; Ⓡ Reading) et les Saracens (☎ 01923-475222 ; www.saracens.com ; Vicarage Rd, Watford ; 20-60 £ ; Ⓡ Watford High St) font également partie des grands clubs. La plupart des matchs se disputent les samedis et dimanches après-midi. Les places sont en vente sur chaque site Internet ou aux stades.

LONDON BRONCOS STADIUM

Plan p. 66

☎ 8853 8001 ; www.londonbroncos.co.uk ; The Valley, Floyd Rd SE7 ; Ⓡ Charlton

C'est l'unique endroit du sud de l'Angleterre où vous pourrez assister à un match de Rugby League, ou rugby à 13.

TWICKENHAM RUGBY STADIUM

☎ 8892 2000 ; www.rfu.com ; Rugby Rd, Twickenham TW1 ; ⊖ Hounslow East, puis 🚌 281, Ⓡ Twickenham

Le sanctuaire du Rugby Union anglais. Vous trouverez ici un musée qui présente de vieux matchs en vidéo et possède une collection de quelque 10 000 objets relatifs au rugby. Les visites guidées du stade et du musée (adulte/enfant/famille 14/8/40 £) partent à 10h30, 12h, 13h30 et 15h du mardi au samedi et à 13h et 15h le dimanche. Il n'y a pas de visite les jours de match et le musée est fermé le lundi.

TENNIS

Qui dit tennis dit forcément Wimbledon. Pendant deux semaines en juin-juillet, tous les regards convergent vers ce haut lieu du tennis mondial situé dans le sud-est de Londres, lors du célèbre tournoi du même nom.

WIMBLEDON Hors plan p. 66

☎ 8944 1066, 8946 2244 ; www.wimbledon.org ; Church Rd SW19 ; ⊖ Wimbledon, puis 🚌 493

Les All England Lawn Tennis Championships (tournoi de tennis sur gazon) ont lieu ici tous les ans, fin juin/début juillet, depuis 1877. La plupart des billets pour le court central et le court numéro un sont distribués par tirage au sort. Pour y participer, il faut s'inscrire l'année précédente. Tentez votre chance en envoyant une enveloppe timbrée à l'All England Lawn Tennis Club (PO Box 98, Church Rd, Wimbledon SW19 5AE). Les jours de match, un nombre limité de billets sont vendus, mais la queue est interminable. Plus la finale approche, plus les prix des billets grimpent. Les tarifs pour les courts périphériques se monnayent en dessous de 15 £, voire moins après 17h. Il peut être mieux en définitive d'assister au tournoi du Queen's Club (☎ 7385 3421 ; www.queensclub.co.uk ; Palliser Rd, Hammersmith W14 ; entrée/jour 12 £ ; ⊖ Barons Ct), qui se déroule une semaine avant Wimbledon et sert de répétition générale pour les hommes.

ATHLÉTISME

L'histoire de l'athlétisme est riche en Angleterre et tout particulièrement à Londres, qui continue à produire des champions du monde. Les rencontres internationales majeures de cette discipline se disputent chaque été dans l'ancien bâtiment du Crystal Palace, au sud-est de Londres. Cet endroit garde encore le souvenir de certains moments magiques ayant marqué le monde de l'athlétisme. Tout athlète international qui se respecte est forcément déjà passé par là.

CRYSTAL PALACE NATIONAL SPORTS CENTRE Hors plan p. 66

☎ 8778 0131 ; www.crystalpalace.co.uk ; Ledrington Rd SE19 ; Crystal Palace

Les rencontres d'athlétisme et de natation attirent de grands noms nationaux et internationaux ; elles se disputent l'été. Places en vente sur le site Internet ou au Crystal Palace même.

COURSES HIPPIQUES

Plusieurs courses hippiques se déroulent non loin de Londres, pour ceux qui souhaitent parier de petites sommes. La saison du plat dure d'avril à septembre, tandis que les steeple-chases se déroulent d'octobre à avril.

ASCOT

☎ 01344-622211 ; www.ascot.co.uk ; Berkshire ; entrée à partir de 6 £ ; Ascot

Renommé surtout pour les élégantes toilettes arborées pendant la Royal Ascot, en juin.

EPSOM

☎ 01372-470047 ; www.epsomderby.co.uk ; Epsom, Surrey ; entrée à partir de 7 £ ; Epsom Downs

Epsom est plus crédible qu'Ascot aux yeux des vrais amateurs de courses hippiques. La plus connue des courses est le Derby Day, en juin, bien que des compétitions s'y déroulent toute l'année.

KEMPTON PARK

☎ 01932-782292 ; www.kemptonpark.co.uk ; Staines Rd East, Sunbury-on-Thames, Middlesex ; entrée à partir de 8 £ ; Kempton Park

Kempton organise des rencontres à longueur d'année, mais ses nocturnes en été sont particulièrement prisées.

ROYAL WINDSOR RACECOURSE

☎ 01753-865234 ; www.windsor-racecourse.co.uk ; Maidenhead Rd, Windsor, Berkshire ; entrée à partir de 8 £ ; Windsor

Un endroit idyllique derrière le château.

SANDOWN PARK

☎ 01372-463072 ; www.sandown.co.uk ; Portsmouth Rd, Esher, Surrey ; entrée à partir de 14 £ ; Esher

Cet hippodrome est généralement considéré comme le meilleur du sud-est de l'Angleterre.

LONDRES GAY ET LESBIEN

La sélection

- **Duckie** (p. 334)
- **Circus** (p. 334)
- **Joiners Arms** (p. 335)
- **Gay's the Word** (p. 332)
- **Barcode** (p. 333)
- **Heaven** (p. 333)
- **Ghetto** (p. 335)
- **G Spot** (p. 333)
- **Fire** (p. 336)
- **XXL** (p. 334)

LONDRES GAY ET LESBIEN

Follement gay, la ville d'Oscar Wilde, de Quentin Crisp et d'Elton John propose un mix fantastique de soirées et d'adresses plus exubérantes les unes que les autres. Capitale du monde homosexuel à égalité avec New York et San Francisco, Londres compte d'importantes communautés gay et lesbienne. Elle accueille un excellent festival du film (p. 16), l'une des plus grandes Gay Pride au monde (voir p. 17) et des mouvements militants très actifs.

Au cours des dix dernières années, la situation des droits et la reconnaissance de la communauté homosexuelle se sont considérablement améliorées, presque exclusivement grâce au gouvernement travailliste. La lutte contre la discrimination est désormais inscrite dans la loi, et les unions civiles offrent aux couples homos les mêmes droits qu'aux hétéros, y compris en termes d'adoption. Ce qui ne veut pas dire que l'homophobie a disparu : hors de la "bulle" de Soho, les injures lancées face aux témoignages d'affection en public restent fréquentes, et il faut malheureusement toujours "jauger" le quartier avant de se promener main dans la main dans la rue.

Le village gay traditionnel de Soho, autrefois incontournable, a quelque peu perdu de sa prééminence dans une ville où rénovations urbaines et flambée des loyers repoussent la population vers des quartiers moins chers. C'est toujours à Soho que se trouve le plus grand nombre de bars et pubs gay, et la communauté homosexuelle fait bouger Old Compton St à toute heure du jour et de la nuit, mais les meilleures adresses sont ailleurs : les deux autres grands centres du Londres gay et lesbien sont Vauxhall, au sud de la Tamise, et Shoreditch, dans l'est de Londres. Vauxhall, jadis une morne jungle de béton, accueille aujourd'hui tous les musclés de Londres, qui y font la fête du jeudi au mardi sans interruption. Le quartier branché de Shoreditch abrite une scène gay plus alternative, qui se mêle le plus souvent à la clientèle hétéro du coin : on trouve ici soirées arty, excellentes boutiques et clubs à la pointe.

La scène lesbienne londonienne est beaucoup plus discrète que la scène gay, mais on trouve tout de même d'excellents bars à Soho et beaucoup de choses un peu partout ailleurs. Certains quartiers, connus pour leurs communautés très actives, méritent le détour en eux-mêmes, en particulier Stoke Newington et Hackney, dans le nord-est de la capitale. Consultez l'excellent site www.gingerbeer.co.uk pour tout savoir sur les manifestations, soirées et bars du moment.

SHOPPING

PROWLER Plan p. 70 — Accessoires

☎ 7734 4031 ; www.prowler-stores.co.uk ; 5-7 Brewer St W1 ; 🕑 11h-22h lun-ven, 10h-22h sam, 12h-20h dim ; ⊖ Piccadilly Circus

Le grand magasin Prowler de Soho est une Mecque du shopping gay, avec livres, magazines, vêtements et "accessoires art de vivre", mais aussi un rayon "adultes" discret avec la sélection habituelle de DVD et magazines spécialisés – mais globalement, il s'agit d'une enseigne respectable.

GAY'S THE WORD

Plan p. 84 — Livres

☎ 7278 7654 ; http://freespace.virgin.net/gays.theword/ ; 66 Marchmont St WC1 ; 🕑 10h-18h30 lun-sam, 14h-18h dim ; ⊖ Russell Sq/King's Cross

Cette institution du Londres gay propose des livres que plus personne n'a en stock depuis au moins 30 ans, ainsi qu'un grand choix de littérature gay et lesbienne et de magazines.

OÙ PRENDRE UN VERRE ET SORTIR

Londres offre une grande diversité de bars gay : que vous ayez envie d'une pinte au calme dans un bar traditionnel accessoirement gay ou que vous rêviez de vous mettre en train avant de partir danser, vous aurez l'embarras du choix. Ci-dessous sont listés nos bars et clubs favoris, mais il en existe une pléiade d'autres : consultez la presse homosexuelle pour une liste complète.

En matière de clubbing, la scène gay londonienne est l'une des plus actives et des plus variées du monde, mais elle fonctionne plus par soirées que par adresses, ce qui signifie qu'un club peuplé de drag queens un soir peut très bien être rempli d'hétéros le lendemain et de gothiques le surlendemain. Tous les genres sont représentés à Londres, que l'on recherche des adonis musclés, des clubs fétichistes, ou des garçons et des filles élancés accros au punk rock. Les rares boîtes exclusivement gay sont listées ci-dessous, mais il faut savoir que les grandes soirées se tiennent dans des clubs hétéros qui organisent une ou deux soirées gay par semaine. La presse homosexuelle et la rubrique Gay & Lesbian de l'hebdomadaire *Time Out* seront vos plus fidèles alliés pour connaître l'actualité du moment, car les choses changent chaque semaine.

LE WEST END

BARCODE

Plan p. 70 Bar

☎ 7734 3342 ; www.bar-code.co.uk ; 3-4 Archer St W1 ; 16h-1h lun-sam, jusqu'à 23h dim ; ⊖ Piccadilly Circus

Niché dans une petite rue de Soho, ce bar gay sympa accueille une clientèle éclectique venue boire un verre et faire des rencontres. Des soirées sont souvent organisées dans la salle du bas, dont la très appréciée Comedy Camp (p. 306) du mardi. Une seconde adresse, plus club, le Barcode Vauxhall (☎ 7582 4180 ; Arch 69, Albert Embankment SE11 ; jusqu'à 1h, jusqu'à 4h ven-sam ; ⊖ Vauxhall), se trouve au sud du fleuve.

CANDY BAR

Plan p. 70 Bar

☎ 7494 4041 ; 4 Carlise St W1 ; jusqu'à minuit dim-jeu, jusqu'à 2h ven-sam ; ⊖ Tottenham Court Rd

Cet excellent bar est depuis des années au centre du petit mais très sympathique monde lesbien londonien et ne semble pas s'essouffler. Animé la majeure partie de la semaine, c'est vraiment une adresse de filles (l'entrée peut toutefois être accordée à un homme s'il est accompagné de deux femmes) et c'est une adresse excellente pour un premier contact avec la scène lesbienne de Londres.

EDGE

Plan p. 70 Bar

☎ 7439 1313 ; 11 Soho Sq W1 ; jusqu'à 1h lun-sam ; ⊖ Tottenham Court Rd

Dominant Soho Sq du haut de ses quatre étages, l'Edge est le plus grand bar gay de Londres, fréquenté dès le début de soirée par les noctambules qui se préparent à une longue nuit en club. Il accueille beaucoup d'hétéros étant donné sa proximité avec Oxford St, mais cela reste une excellente adresse pour démarrer la soirée.

FREEDOM

Plan p. 70 Café-bar

☎ 7734 0071 ; www.freedombarsoho.com ; 66 Wardour St W1 ; jusqu'à 3h lun-sam, jusqu'à 23h30 dim ; ⊖ Piccadilly Circus

Après avoir été le bar le plus tendance de Soho dans les années 90, le Freedom est de retour plus en forme que jamais. Sa rénovation complète lui a donné un côté incroyablement glamour, que ce soit à l'étage dans le café-bar principal ou dans le club au sous-sol, avec ses soirées Hot Pink du mardi.

FRIENDLY SOCIETY

Plan p. 70 Bar

☎ 7434 3805 ; 79 Wardour St W1 ; 18h-23h lun-jeu, jusqu'à minuit ven-sam, 22h30 dim ; ⊖ Piccadilly Circus

Sans conteste l'un des bars gay les plus sympathiques et détendus de Soho qui, contrairement à tant d'autres, n'a pas adopté de politique de sélection à l'entrée ni la formule club privé qui lui garantirait une clientèle composée exclusivement de *beautiful people*. Une foule amusante et enthousiaste s'y retrouve en début de soirée pour un verre sous le regard de poupées Barbie SM et au son de DJ mixant en live.

G SPOT

Plan p. 74 Bar

www.gspotgirlbar.com ; 10 Adelaide St WC2 ; 18h-tard ven-sam ; ⊖ Charing Cross

Ce bar de filles au nom des plus évocateurs est installé au sous-sol d'une adresse proche du Strand. Il n'est malheureusement ouvert que deux soirs par semaine, mais lorsque c'est le cas, c'est toujours une bonne adresse pour passer la soirée entre filles qui aiment les filles.

HEAVEN

Plan p. 74 Club

☎ 7930 2020 ; www.heavennightclub-london.com ; Villiers St WC2 ; 22h30-3h lun, 22h-3h jeu et ven, 22h-5h sam ; ⊖ Embankment/Charing Cross

Sous les arches de Charing Cross Station, ce club gay établi de longue date et très prisé a toujours proposé de bonnes soirées, mais a connu un petit coup de mou ces dernières années. Il a heureusement retrouvé une nouvelle jeunesse avec l'arrivée de G-A-Y et de ses soirées du jeudi (G-A-Y Porn Idol), du vendredi (G-A-Y Camp Attack) et du samedi (G-A-Y tout court). Il y a également une soirée latino bon marché le lundi, Popcorn.

KU BAR Plan p. 74 Bar

☎ 7437 4303 ; www.ku-bar.co.uk ; 30 Lisle St WC2 ; 🕒 17h-minuit dim-jeu, jusqu'à 3h ven-sam ; ⊖ Leicester Sq

Le Ku Bar possède désormais un véritable petit empire à Soho, qui consiste en deux bars et un club. Les trois adresses sont très prisées – le vieux pub de Lisle St est toujours

TOP DES SOIRÉES GAY EN CLUB

Lundi

- Popcorn (Heaven, p.333). Soirée divertissante à moindre coût, Popcorn fait dans le style des boîtes d'Ibiza avec une excellente sélection musicale et des boissons aux tarifs rafraîchissants.

Mardi

- Hot Pink (Freedom p. 333). La soirée la plus folle du milieu de semaine londonien a lieu au sous-sol du Freedom, institution de Soho – une soirée glamour organisée par l'omniprésente Jodie Harsh, à laquelle peuvent participer gratuitement tous les fêtards habillés en rose flashy.

Mercredi

- Shinky Shonky (Ku Bar, ci-dessus). L'adresse idéale si vous voulez la preuve que les gays de Londres sont aussi loufoques et originaux que le reste du pays. Boogaloo Stu est le maître de cérémonie d'une soirée de folie basée sur la participation du public.

Jeudi

- Industri (Barcode Vauxhall, p. 333). La soirée la plus chaude pour commencer le week-end et faire connaissance avec les DJ, les videurs et les go-go dancers que l'on retrouvera les nuits suivantes.

Vendredi

- A:M (Fire, p. 336). Parmi les plus énergiques et les plus courues de la nuit gay à Vauxhall, A:M séduit une foule de beaux clubbers venus danser douze heures d'affilée sur les mix de quelques-uns des meilleurs DJ techno et électro de Londres.
- Popstarz (www.popstarz.org ; Den, 18 West Central St WC1 ; ⊖ Holborn). Cette institution du monde indé gay connaît une nouvelle jeunesse depuis son récent transfert au cœur du West End. Prisé d'une clientèle plutôt étudiante, sympathique et variée. Trois salles avec de l'excellente pop indé au programme.

Samedi

- Duckie (Royal Vauxhall Tavern, p.337). Pour éviter l'interminable attente, arrivez vers 22h30 : Duckie, animée par la merveilleuse Amy Lamé, est le parfait antidote à une scène gay parfois trop prétentieuse. Une excellente musique indé et des spectacles de cabaret sortant du lot vous y attendent.
- Circus (Last Days of Decadence, p. 303). C'est Jodie Harsh, le travesti devenu plus célèbre que la personne dont il s'est inspiré (le mannequin Jodie Marsh), qui organise cette soirée gay *über-tendance*. Parfait pour frayer avec les danseurs les plus glamour de Hoxton, sur leur propre territoire – de quoi s'amuser.
- G-A-Y (Heaven, p.333). On aime ou on déteste, mais cette soirée est à l'épicentre de la scène homosexuelle et attire visiblement la moitié de Soho le samedi soir. Son déménagement à Heaven a permis à ce club vieillissant de trouver une nouvelle jeunesse. T-shirt moulant de rigueur !
- XXL (plan p. 130 ; www.xxl-london.com ; 51/53 Southwark St, London Bridge SE1 ; 🕒 22h-6h sam). La plus grande soirée du monde pour les "ours" (gays poilus et bien charpentés) est un événement : une foule sympathique se presse dans un espace merveilleusement étrange, avec deux pistes de danse et un "labyrinthe récréatif".

Dimanche

- Horsemeat Disco (Eagle, p. 336). Cette soirée de fin de week-end réunit les scènes alternative et grand public de Vauxhall avec ses rythmes électro et son ambiance à la fois décontractée et sexy.

plein de jeunes qui s'échauffent pour la soirée au Ku Klub, à l'étage inférieur, qui organise toutes sortes de soirées en semaine, tandis que le tout nouveau **Ku Bar Frith St** (plan p. 70 ; 25 Frith St ; jusqu'à minuit ven et sam ; Leicester Sq) est apprécié par une clientèle légèrement plus âgée et chic.

SHADOW LOUNGE Plan p. 70 Bar

☎ 7287 7988 ; www.theshadowlounge.co.uk ; 5 Brewer St W1 ; 22h-3h lun-sam ; Piccadilly Circus

Deuxième maison de tous les branchés de Soho, le Shadow Lounge est un bar stylé en sous-sol, avec de nombreuses alcôves mais aussi une piste de danse dotée de barres pour des mouvements lascifs. À l'entrée, la politique est aléatoire : on entre facilement aux heures creuses, même si 5 à 10 £ sont généralement demandées, et à d'autres moments il faut être membre ou une figure connue à Soho pour franchir la haie de gorilles.

YARD

☎ 7437 2652 ; 57 Rupert St W1 ; 13h-23h lun-sam, jusqu'à 22h30 dim ; Piccadilly Circus

Cette institution de Soho accueille une clientèle hétéroclite et parfois prestigieuse. Une adresse sans trop de prétention, idéale pour prendre un verre ou commencer la soirée. Des DJ mixent dans le loft à l'étage quasiment tous les soirs, et la cour qui lui donne son nom accueille une foule sympathique.

CLERKENWELL, SHOREDITCH ET SPITALFIELDS

GHETTO Plan p. 154 Club

☎ 7287 3726 ; www.ghetto-london.co.uk ; 58 Old St EC1 ; 17h30-1h lun-mar, jusqu'à 3h mer-jeu, 5h ven-sam, 2h dim ; Barbican/Old St

Depuis qu'il a quitté Soho, le Ghetto est devenu l'adresse gay la plus grande et la plus élégante de Shoreditch, le quartier le plus créatif et alternatif de Londres. C'est un bar-club de deux étages : au premier le **Trash Palace** (www.trashpalace.co.uk), havre glamouro-rétro avec boiseries, où vous pourrez également obtenir des entrées à prix réduits pour le "Ghetto" à proprement parler, le club situé en bas. C'est une adresse pionnière et sympathique, avec beaucoup de soirées intéressantes, notamment celle de pop classique, la Wigout, le samedi.

L'EAST END ET LES DOCKLANDS

JOINERS ARMS

Plan p. 160 Pub

☎ 7739 9854 ; 116 Hackney Rd E2 ; 18h-2h ven-sam ; Shoreditch/Old St

Résolument délabré et d'un goût contestable, c'est le seul établissement totalement gay de Hoxton. Ce pub-club (la distinction entre les deux concepts semble floue par ici) est un endroit bondé et marrant où des gays branchés et des célébrités viennent prendre un verre, danser et regarder les joueurs de billard.

WHITE SWAN

Plan p. 160 Club

☎ 7780 9870 ; www.bjswhiteswan.com ; 556 Commercial Rd E14 ; 21h-2h mar-jeu, jusqu'à 4h ven-sam, 18h-minuit dim ; DLR Limehouse

Une adresse sympathique de l'East End, avec une vaste piste de danse et un coin pub plus tranquille. Sa légendaire soirée de strip-tease amateur a malheureusement disparu, mais on y voit toujours des tenues très légères le samedi soir. En bande-son, hits incontournables et pop commerciale.

NORTH LONDON

BLACK CAP

Plan p. 160 Bar

☎ 7485 0538 ; www.theblackcap.com ; 171 Camden High St NW1 ; 12h-2h lun-jeu, jusqu'à 3h ven-sam, 1h dim ; Camden Town

Cet établissement spacieux et accueillant est la meilleure adresse gay de Camden, où l'on vient de tout le nord de la capitale pour la superbe terrasse, pour le Shufflewick, un bar à l'étage aux plaisantes allures de pub, et pour le club en bas, où l'on peut assister à des spectacles de cabaret hilarants et écouter de la dance correcte.

GREEN

Plan p. 174 Bar

☎ 7226 8895 ; www.thegreenislington.co.uk ; 74 Upper St N1 ; 12h-23h lun-jeu, jusqu'à 1h ven-sam, minuit dim ; Angel

Touche de modernité bienvenue dans la liste des pubs gay des environs d'Islington, le Green est une adresse sympathique sur deux étages où la jeunesse de N1 aime traîner et se retrouver entre amis avant de sortir. L'entrée est généralement payante après 23h.

LA PAROLE À UN LONDONIEN : TOMMY TURNTABLES

Tommy Turntables est organisateur d'événements musicaux et de clubs. Il est aussi le fondateur des soirées Popstarz et The Ghetto.

Depuis combien de temps connais-tu la scène gay londonienne et quels en sont tes plus anciens souvenirs ? Cela fait 12 ans que je sors et que je travaille dans le milieu de la nuit. Mes plus anciens souvenirs sont les bars un peu louches, malodorants et enfumés de Soho. Ils ont disparu aujourd'hui ou ont été rachetés par de grosses sociétés et parés de "glamour" ou autre déco "de bon goût". Je préfère les vieux bars qui ne sentent pas très bon.
S'il n'a que 24 heures à passer à Londres, où doit aller le visiteur gay ? Il ne faut pas qu'il se limite aux repaires gay traditionnels de Soho et d'Old Compton St. Il faut qu'il aille au sud, à Vauxhall, pour le Duckie (p. 334) et l'Eagle (ci-dessous), et puis dans l'est pour le Ghetto (p. 335), le George & Dragon (p. 288) et le Dalston Superstore (p. 292). Ce sont des adresses excellentes, même si les quartiers font un peu penser au Beyrouth des années 1980.
Gay Pride ou Gay Shame ? Gay Shame, sans hésiter. Quoique, malheureusement, cette année, la Gay Pride alternative était la dernière. En général, j'essaie toujours d'aller dans les clubs alternatifs plutôt que dans les clubs grand public – Londres a une scène underground de premier choix, qui remonte à plusieurs dizaines d'années.
Ce qu'il y a de mieux sur la scène gay londonienne ? La diversité des gens et des clubs. Il y en a pour tous les goûts : book clubs, boîtes de jazz... et même une chorale gay. Mais le plus important est que la scène gay (notamment sa frange la plus alternative) a réussi à ne pas trop se ghettoïser – tout le monde reste le bienvenu.
Et ce qu'il y a de pire ? La "boboïsation" des endroits gay traditionnels comme Soho. C'est triste à voir, tout comme les prix élevés dans certains bars et l'interdiction d'entrer pour les femmes et les hétéros dans certains bars et clubs gay *mainstream*.
Et comment s'adapte la scène lesbienne par rapport à cela ? C'est bizarre – pendant des années, les lesbiennes sont restées très à l'écart de la scène homo masculine, et puis les deux ont commencé à converger, ce qui a apporté une bouffée d'air frais. Mais aujourd'hui, il y a tellement de bonnes soirées lesbiennes qu'elles semblent s'éloigner à nouveau. C'est triste, mais je pense que c'est un progrès pour la scène lesbienne londonienne.
Le prochain Soho, ce sera Vauxhall ou Shoreditch ? Les trois, mon général ! Il y a assez de Londoniens et de touristes homos à Londres pour faire vivre les trois villages.
En quoi Londres est-il une destination si particulière pour les voyageurs gay ? C'est dû à sa diversité et à son originalité. Historiquement, il n'existe aucun endroit comme Londres sur terre ; la ville attire les voyageurs, les entrepreneurs et les excentriques depuis des temps immémoriaux. C'est le genre d'endroit qui attire les homos. C'est devenu une icône, ce qui plaît toujours dans notre milieu. Si Madonna était une ville, ce serait Londres !

Interview réalisée par Tom Masters

SOUTH LONDON

AREA Plan p. 193 — Club

www.areaclublondon.com ; 67-68 Albert Embankment SE1 ; 22h30-6h sam ; Vauxhall

L'Area est un deuxième domicile pour les noctambules invétérés, tout en restant accueillant pour tous. L'établissement se dit "polysexuel" et offre quelques-unes des soirées les plus originales de Londres, dont la Queer Kandi une fois par mois, et l'Evolve le samedi.

EAGLE Plan p. 193 — Club

7793 0903 ; www.eaglelondon.com ; 349 Kennington La SE11 ; 21h-2h lun-jeu, jusqu'à 3h ven et dim, 4h sam ; Vauxhall

Cette adresse fantastique est un repaire pour homos "alternatifs" dans ce Vauxhall où le muscle prédomine. L'ambiance y est différente chaque soir de la semaine. Nous avons adoré la soirée Berlin du jeudi, qui s'inspire à la fois des rythmes électro et d'un climat un peu interlope, ainsi que les légendaires soirées Horse Meat Disco du dimanche.

FIRE Plan p. 193 — Club

0790 503 5682 ; www.fireclub.co.uk ; South Lambeth Rd SW8 ; 22h-4h ; Vauxhall

Confirmant Vauxhall dans son statut de nouvelle Mecque des gays noctambules, le Fire est aménagé dans un grand espace sous les arcades du chemin de fer : la nuit

A:M (p. 334) du vendredi est l'un des grands événements de Vauxhall ; le samedi, place à Beyond, et le dimanche, c'est parti pour la nuit avec Orange.

HOIST

Plan p. 193 Club

☎ 7735 9972 ; www.thehoist.co.uk ; Arches 47B et 47C, South Lambeth Rd SW8 ; 🕒 22h-3h jeu, ven et dim, jusqu'à 4h sam ; ⊖ Vauxhall

Figurant parmi les plus célèbres clubs fétichistes d'Europe, le Hoist est incoutournable pour tous les amateurs du genre. D'ailleurs, le dress code est strict : il faut obligatoirement porter des bottes et du latex, du cuir ou un uniforme. Consultez la liste des soirées fétichistes sur le site web.

ROYAL VAUXHALL TAVERN

Plan p. 193 Club

☎ 7820 1222 ; www.theroyalvauxhalltavern.co.uk ; 372 Kennington Lane SE11 ; 🕒 19h-minuit lun-jeu, jusqu'à 4h ven, 2h sam, 14h-minuit dim ; ⊖ Vauxhall

Cette taverne mal dégrossie (pour ne pas dire plus) est le parfait antidote à l'invasion de paillettes sur la scène gay de Vauxhall. Les soirées Le Phreeque, le vendredi, et Duckie, superbe spectacle indé animé par Amy Lamé le samedi, sont considérées à juste titre comme deux des meilleures de Londres. Renseignez-vous aussi sur les soirées S.L.A.G.S. du dimanche, et gardez un œil sur le site Internet pour les événements à venir – des soirées cabaret aux avant-premières de l'Edinburgh Fringe Festival.

TWO BREWERS

Plan p. 194 Bar

☎ 74984971 ; www.the2brewers.com ; 114 Clapham High St SW4 ; 🕒 12h-2h dim-jeu, jusqu'à 4h ven-sam ; ⊖ Clapham Common/Clapham North

Si Clapham en général et sa High Street en particulier ont des airs de banlieue, le Two Brewers est l'un des meilleurs bars gay de Londres en dehors des quartiers homosexuels. Une clientèle sympathique et décontractée y vient en semaine pour boire un verre dans le calme, et le week-end pour danser et voir des spectacles de cabaret déjantés.

AUTRES SOURCES D'INFORMATION

Londres bénéficie d'une presse gay gratuite de qualité qui suit pour vous un panorama toujours changeant. On trouve ces journaux dans tous les établissements gay, indispensables avec leurs agendas exhaustifs et actualisés. Les grands piliers sont les tabloïds *Boyz* (www.boyz.co.uk) et *QX* (www.qxmagazine.com), ainsi que le plus sérieux *Pink Paper* (www.pinkpaper.com). Tous publient des agendas hebdomadaires sur l'actualité des clubs, bars et événements et contiennent souvent des flyers offrant des entrées à tarif réduit dans certains établissements. La plupart des marchands de journaux de Londres vendent notamment *Gay Times* (www.gaytimes.co.uk), *Diva* (www.divamag.co.uk), *Attitude* (www.attitude.co.uk) et *AXM* (www.axm-mag.com), même si les moins éclairés les rangent parfois avec la presse pornographique.

On consultera aussi, avec profit, les sites suivants :

Gaydar (www.gaydar.co.uk ou gaydargirls.co.uk)

Ginger Beer (www.gingerbeer.co.uk)

Time Out (www.timeout.com/london/gay)

Visit London (www.visitlondon.com/people/gay)

London Lesbian & Gay Switchboard (☎ 7837 7324 ; www.llgs.org.uk) Une assistance téléphonique gratuite offrant conseils et soutien à quiconque en ressent le besoin.

Stonewall (www.stonewall.co.uk)

OÙ SE LOGER

La sélection

- **Charlotte Street Hotel** (p. 346)
- **Sumner Hotel** (p. 348)
- **Soho Hotel** (p. 342)
- **Blakes** (p. 351)
- **Stylotel** (p. 357)
- **Gore** (p. 351)
- **Windermere** (p. 352)
- **Luna Simone Hotel** (p. 353)
- **Hoxton Hotel** (p. 353)
- **Zetter** (p. 353)
- **Rookery** (p. 353)

OÙ SE LOGER

Le prix de l'hébergement à Londres figure parmi les plus élevés du monde et quelle que soit l'option que vous choisirez, votre budget sera fortement grevé par ce poste de dépense. La demande dépasse parfois l'offre – surtout pour les établissements petits budgets – donc mieux vaut réserver son hébergement avant de partir, notamment en période de vacances scolaires et l'été.

L'autre problème qui se pose est celui de la qualité de l'hébergement londonien et ce, même en catégorie moyenne. Une grande proportion du courrier que nous recevons de nos lecteurs concerne ce sujet particulier et relaye une insatisfaction récurrente quant à la qualité et la propreté des auberges de jeunesse, des pensions et de certains B&B – présence d'insectes dans les chambres, manque d'amabilité du personnel... Il est à espérer que les descriptions de ce chapitre vous aideront dans votre choix.

Bien entendu, le tableau n'est pas aussi sombre partout. À une extrémité de l'éventail des prix, les *boutique hotels* (hôtels de charme) ont apporté une alternative réellement élégante dans le choix proposé, rapidement suivis par nombre d'hôtels de catégorie moyenne et de B&B. À l'autre extrémité, des sociétés se sont engouffrées dans le créneau de l'hôtellerie en offrant des chambres fonctionnelles et anonymes, mais à des prix abordables. Toutefois, l'une des évolutions les plus intéressantes est la fusion de ces deux tendances et l'émergence d'une nouvelle génération de "*boutique hotels* pour petits budgets" qui offrent des logements élégants à des prix décents.

TYPES D'HÉBERGEMENT ET COÛTS

Londres recèle de nombreux hôtels "deluxe" (à partir de 350 £ pour une chambre double), combinant atmosphère traditionnelle et confort moderne. Le choix est également très riche dans la catégorie immédiatement inférieure (à partir de 180 £), qui offre parfois un confort supérieur en dépit d'un prestige moindre, et dans laquelle on recense de nombreux hôtels de style apparus ces dix dernières années. Malheureusement, le choix et la qualité se réduisent sensiblement sous la barre des 180 £ . Il existe de plus en plus de très bonnes adresses où dormir sans trop grever son budget, mais elles sont encore en nombre insuffisant. Et si vous prévoyez de dépenser moins de 100 £ par nuit pour une chambre double durant la semaine, votre hôtel ne vous laissera sans doute pas un souvenir impérissable. (En revanche, vous pourrez trouver à ce prix une bonne chambre pour le week-end.) "Bon marché" à Londres signifie moins de 80 £ pour une double avec sdb. Après les B&B, les auberges de jeunesse constituent le mode d'hébergement le plus économique, aussi bien celles relevant de l'officielle Youth Hostel Association (YHA), au nombre de sept dans le centre de Londres, que les établissements indépendants, généralement plus élégants et plus festifs, dont le nombre augmente.

Les chambres d'hôtels au Royaume-Uni sont soumises à une TVA (de 15% à l'heure actuelle) en principe incluse dans les tarifs affichés. Renseignez-vous au préalable et sachez également que de nombreux hôtels de luxe proposent régulièrement des offres promotionnelles très intéressantes sur Internet. Sauf mention contraire, les prix indiqués ici s'entendent avec le petit-déjeuner.

La liste des hébergements est présentée par quartier, puis par ordre de prix décroissant.

GUIDE DES PRIX

Les symboles ci-dessous indiquent le tarif par nuit d'une double standard en haute saison.

£££	plus de 180 £
££	de 80 à 180 £
£	Moins de 80 £

LOCATION À LONG TERME

Appartements meublés avec ou sans services

La location à court terme d'un appartement avec ou sans services peut constituer une solution avantageuse si votre séjour doit durer plusieurs semaines, voire plusieurs mois. Dans *Loot* (p. 402), vous trouverez les coordonnées de nombreuses agences proposant des logements assez insalubres ; demandez à visiter avant de signer. Consultez également la London Craig's List (http://london.craigslist.co.uk).

Voici, ci-dessous, quelques adresses plus fiables, ainsi que les tarifs journaliers.

196 BISHOPSGATE

☎ 7621 8788 ; www.196bishopsgate.com ; studio/app 1 pièce à partir de 193/230 £ ; réductions à partir de 6 nuits

Appartements meublés de luxe avec services dans la City, en face de la gare ferroviaire et de la station de métro de Liverpool St. Possibilité de longs séjours.

CITADINES APPART'HOTEL

☎ 0800 376 3898 ; www.citadines.com ; studio 2 pers 105/150 £, remise après 6 nuits

Cette chaîne française en pleine expansion, et qui a la cote, possède quatre immeubles d'appartements à Londres dont un à Holborn/Covent Garden (plan p. 74 ; ☎ 7395 8800; 94-99 High Holborn WC1; ⊖ Holborn).

ASTON'S APARTMENTS

☎ 7590 6000 ; www.astons-apartments.com ; s/d/tr/f à partir de 74/101/141/187 £, 5% remise pour séjour à la semaine

Cette agence possède trois maisons victoriennes dans une rue calme de South Kensington, divisées en appartements de différentes tailles.

Chambres, studios, appartements et maisons

La plupart des nouveaux arrivants trouvent le prix des locations très élevé (notez que presque tous les logements à louer à Londres sont meublés). La gamme commence avec les *bedsits* (de 300 £ à 500 £ par mois), qui correspondent à des chambres meublées, rarement réjouissantes, le plus souvent avec sdb et cuisine communes. Situés un cran au-dessus, les studios (à partir de 600 £) disposent en général d'une sdb et d'une cuisine privatives. Les appartements à deux chambres se louent rarement à moins de 1 000 £, même dans des lieux reculés. La solution la plus intéressante consiste souvent à partager une maison ou un appartement (à partir de 350 £ pour une chambre). La plupart des propriétaires exigent une caution (habituellement un mois de loyer), plus un mois de loyer d'avance.

Vous pourrez vous faire une idée des prix du marché en consultant les annonces classées de publications telles que *Loot*, *TNT*, *Time Out* et du supplément *Homes & Property* de l'*Evening Standard* (le mercredi ; www.homesandproperty.co.uk). Les sites les plus intéressants sont Gumtree (www.gumtree.com), Move Flat (www.moveflat.com), ou bien Outlet (www.outlet4homes.com), principalement destiné à la communauté gay et lesbienne.

RÉSERVATIONS

L'office de tourisme londonien Visit London (☎ 0870 156 6366 ; www.visitlondon.com) offre un service de réservation gratuit avec un grand choix d'hébergements et propose toujours des promotions intéressantes. Le British Hotel Reservation Centre (☎ 7592 3055; www.bhrconline.com) est installé dans les aéroports de Gatwick, Heathrow et Stansted et les gares de Paddington, Victoria et St Pancras ; des frais de commission s'appliquent. Autres excellentes sources pour les réservations et remises hotelières : Hotels of London (☎ 7096 0313 ; www.hotelsoflondon.co.uk), LondonTown (☎ 7437 4370 ; www.londontown.com) et London Lodging (☎ 870 042 9292 ; www.lon donlodging.co.uk).

Pour les auberges de jeunesse, adressez-vous au système central de réservations YHA (☎ 0870 770 6113 ; www.yha.org.uk). Si vous voulez loger dans un B&B ou chez l'habitant, nous vous recommandons les agences suivantes. Lire l'encadré p. 350 pour plus de détails sur les réservations dans les résidences universitaires pendant les vacances.

UPTOWN RESERVATIONS

☎ 7937 2001 ; www.uptownres.co.uk ; s/d/tr/qua 80/105/135/145 £

Élégantes chambres d'hôtes dans de jolies maisons privées, pour la plupart autour de West End, Kensington, Belgravia, Chelsea et Knightsbridge.

AT HOME IN LONDON

☎ 8748 1943 ; www.athomeinlondon.co.uk ; s/d/tr à partir de 50/70/92 £

Intéressant si vous envisagez un séjour d'une semaine à un mois, car certaines de ces adresses imposent une durée minimale.

LONDON BED & BREAKFAST AGENCY

☎ 7586 2768 ; www.londonbb.com ; s/d à partir de 47/70 £

Chambres chez l'habitant (souvent des personnes d'un certain âge) principalement dans le centre et le nord de Londres.

LONDON HOMESTEAD SERVICES

☎ 7286 5115 ; www.lhslondon.com ; 18-40 £/pers
Cette petite agence familiale offre des chambres classiques en B&B, dans des maisons privées un peu partout dans Londres.

QUEL LONDRES ?

L'endroit où vous résiderez aura une influence non négligeable sur l'expérience que vous ferez de la ville. En choisissant le West End, vous serez plongé dans le rythme palpitant de la vie londonienne (mais à Hoxton, Clerkenwell ou Shoreditch, vous serez encore plus proche de l'avant-garde). Si Londres évoque plutôt pour vous les imposantes demeures georgiennes, les *crescents* (rues en arc de cercle) et les jardins privés au milieu de places ombragées, choisissez plutôt Chelsea ou Mayfair. Pour un aperçu de la vie du Londonien moyen, Camden et Stoke Newington sont les quartiers idéaux. Pour le Londres cosmopolite, préférez Notting Hill ou Whitechapel. Les assoiffés de culture et/ ou de littérature prendront, eux, le chemin de Bloomsbury, Kensington ou Fitzrovia.

LE WEST END

Ce quartier étant le plus animé de Londres, vous n'aurez pas à vous inquiéter de l'heure du dernier métro. Il abrite une profusion de théâtres, de restaurants et de bars, ainsi que les principaux sites touristiques. De tels avantages se paient et les hôtels à prix modérés n'abondent pas dans le secteur. Seule exception, Bloomsbury, havre de B&B et de pensions. Un peu à l'écart, dans le quartier verdoyant de Cartwright Gardens, au nord de Russell Sq, non loin du West End à pied, vous débusquerez également certaines des meilleures adresses du centre de Londres. À l'autre extrémité de l'échelle des prix, les somptueux établissements de Mayfair peuvent constituer en eux-mêmes le but d'une visite.

SOHO ET CHINATOWN

COURTHOUSE HOTEL KEMPINSKI

Plan p. 70 Hôtel international £££

☎ 7297 5555 ; www.courthouse-hotel.com ; 19-21 Great Marlborough St W1 ; ch 300-400 £, ste à partir de 550 £ ; ⊖ Oxford Circus ;
Cet ancien tribunal transformé en hôtel de luxe a vu passer entre autres Oscar Wilde, John Lennon et Mick Jagger. Outre les prestations habituelles de ce type d'établissement (notamment spa et piscine), le Courthouse offre un bar aménagé dans d'ex-cellules et un salon délimité par d'authentiques barreaux en fer.

SOHO HOTEL Plan p. 70 Hôtel £££

☎ 7559 3000 ; www.sohohotel.com ; 4 Richmond Mews W1 ; d 280-350 £, ste 370-3 000 £ ; ⊖ Tottenham Court Rd ;
L'un des hôtels les plus chics de Londres, le Soho est un ancien parking, à quelques pas de Dean St. La touche caractéristique de la chaîne et des designers Tim et Kit Kemp se retrouve dans les 91 chambres, toutes décorées différemment, dans les tons framboise et rouge brun. Splendide sculpture de chat noir par Botero à l'entrée.

HAZLITT'S Plan p. 70 Hôtel £££

☎ 7434 1771 ; www.hazlittshotel.com ; 6 Frith St W1 ; d et lits jum 210-265 £, ste 400 £ ; ⊖ Tottenham Court Rd ;
Constitué de trois maisons attenantes datant du XVIIIe siècle (l'essayiste William Hazlitt, 1778-1830, vécut dans l'une d'elles), le Hazlitt propose 23 chambres baptisées d'après ses illustres résidents, ornées de lits à baldaquin en acajou, de baignoires victoriennes à pattes de lion, de tissus somptueux et de véritables antiquités. L'édifice, classé, ne possède pas d'ascenseur.

PICCADILLY BACKPACKERS

Plan p. 70 Auberge de jeunesse £

☎ 7434 9009 ; www.piccadillyhotel.net ; 12 Sherwood St W1 ; dort 12-19 £, s/d 38/56 £ ; ⊖ Piccadilly Circus
La plus centrale des adresses petits budgets de la ville, Piccadilly Backpackers abrite plus de 700 couchages sur cinq étages avec des dortoirs de un à dix lits. Chambres claires et propres, mention spéciale aux nouveaux dortoirs avec leurs lits en bois compartimentés.

YHA OXFORD ST

Plan p. 70 Auberge de jeunesse £

☎ 7734 1618 ; www.yha.org.uk ; 3e ét, 14 Noel St W1 ; dort 19-25 £ ; ⊖ Oxford Circus/Tottenham Court Rd
La plus centrale des sept auberges YHA londoniennes est rudimentaire, bruyante et peu accueillante, mais bien tenue. Les 76 lits se répartissent majoritairement en chambres à deux lits et dortoirs de 3 ou 4.

Grande cuisine mais pas de restauration en dehors du petit-déjeuner.

COVENT GARDEN ET LEICESTER SQUARE

ST MARTIN'S LANE

Plan p. 74 Hôtel £££

☎ 7300 5500 ; www.stmartinslane.com ; 45 St Martin's Lane ; s et d standard 220-270 £, ch sur jardin 310 £, ste à partir de 600 £ ; ⊖ Covent Garden/Leicester Sq ;

À deux pas de Covent Garden, cet hôtel très chic urbain et fréquenté par les *beautiful people* a été conçu par Philippe Starck. Les chambres aux grandes baies vitrées offrent une vue imprenable sur le West End. Les tons jaunes de la réception n'iront pas à tous les teints, mais les espaces communs sont autant de lieux de rendez-vous animés.

HAYMARKET

Plan p. 74 Boutique hotel £££

☎ 7470 4000 ; www.haymarkethotel.com ; 1 Suffolk Pl SW1 ; ch à partir de 260-340 £, ste à partir de 410 £ ; ⊖ Piccadilly Circus ;

Précédé par sa réputation avant même son ouverture, le Haymarket a installé sa cinquantaine de chambres dans un immeuble signé John Nash, à côté du Theatre Royal. Il est la preuve que Londres est bel et bien devenu l'épicentre des *boutique hotels* de première classe. On reconnaît la touche de Tim et Kit Kemp au papier mural Gournay peint à la main et à la piscine de 18 m flanquée d'un salon funky.

COVENT GARDEN HOTEL

Plan p. 74 Boutique hotel £££

☎ 7806 1000 ; www.coventgardenhotel.co.uk ; 10 Monmouth St WC2 ; s/d à partir de 230/310 £, ste à partir de 410 £ ; ⊖ Covent Garden/Tottenham Court Rd ;

L'élégance de cet ancien hôpital transformé en *boutique hotel* s'exprime dans son mobilier ancien (superbe bureau en marqueterie dans le salon), ses somptueux tissus et tout un bric-à-brac original. Un excellent bar-restaurant, la Brasserie Max, est installé à deux pas du hall d'entrée.

TRAFALGAR

Plan p. 74 Hôtel international £££

☎ 7870 2900 ; www.thetrafalgar.com ; 2 Spring Gardens SW1 ; s et d à partir de 200 £, ste à partir de 375 £ ; ⊖ Charing Cross/Embankment ;

Pour répondre à la très forte demande en matière d'hébergement design à Londres, le Hilton est passé à l'action il y a quelques années en proposant ce charmant hôtel minimaliste en bordure sud de Trafalgar Sq. Celui-ci est ensuite devenu le premier Hilton non estampillé de la capitale (aucun logo de la chaîne) : 129 chambres, un toit-terrasse époustouflant et un bar à deux niveaux proposant le plus vaste choix de bourbons en dehors des États-Unis.

KINGSWAY HALL Plan p. 74 Hôtel £££

☎ 7309 0909 ; www.kingswayhall.co.uk ; Great Queen St WC2 ; s et d 130-190 £, ste à partir de 330 £, suppl petit-déj 15-30 £ ; ⊖ Holborn ;

S'adressant plus spécifiquement à une clientèle d'affaires, le Kingsway offre aux touristes un hébergement chic, confortable et très central. Atmosphère plus détendue le week-end, où les tarifs baissent considérablement.

SEVEN DIALS HOTEL Plan p. 74 Hôtel ££

☎ 7240 0823 ; www.sevendialshotellondon.com ; 7 Monmouth St WC2 ; s/d/lits jum/tr 80/95/105/120 £ ; ⊖ Covent Garden/Tottenham Court Rd ;

À cheval sur les catégories moyenne et petits budgets, cet établissement bien tenu et tout confort bénéficie d'une situation centrale. Chambres modestes, de la simple avec sdb commune à la triple avec sdb privative, avec pour la moitié d'entre elles vue sur la jolie Monmouth St.

FIELDING HOTEL Plan p. 74 Hôtel ££

☎ 7836 8305 ; www.the-fielding-hotel.co.uk ; 4 Broad Ct, Bow St WC2 ; s/d 90/115 £ ; ⊖ Covent Garden

On sent presque les vibrations du West End et celles du Royal Opera House, sis à une rue de là. L'hôtel porte le nom du romancier Henry Fielding (1707-1754), qui vécut dans cette rue aujourd'hui piétonne. L'espace intérieur est un peu réduit, mais une telle situation à des prix pareils est introuvable.

HOLBORN ET LE STRAND

SAVOY Plan p. 74 Hôtel £££

☎ 7836 4343 ; www.fairmont.com/savoy ; The Strand WC2 ; s/d/ste à partir de 389/409/589 £ ; ⊖ Charing Cross ;

Lorsque vous lirez ces lignes, les travaux de rénovation d'un montant de 100 millions de livres devraient être achevés, et cet hôtel de légende devrait être à nouveau ouvert. Construit sur le site de l'ancien Savoy Palace en

1889, le Savoy a accueilli tous les plus grands, dont un certain Claude Monet, qui immortalisa la vue sur la Tamise depuis certaines chambres. Fait amusant : la cour du Savoy est le seul endroit des Îles britanniques où les automobilistes sont tenus de rouler à droite.

ONE ALDWYCH Plan p. 74 Hôtel £££

☎ 7300 1000 ; www.onealdwych.co.uk ; 1 Aldwych WC2 ; d 230/550 £, ste à partir de 600 £, tarif week-end à partir de 200 £ ; ⊖ Covent Garden/Charing Cross ;

Installé dans les anciens locaux Art nouveau d'un journal en 1907, le One Aldwych est un établissement joyeux et tendance, décoré d'œuvres modernes (mention spéciale au rameur en bronze dans le hall). Chambres spacieuses et raffinées aux teintes naturelles, parées de rideaux de soie brute, et dotées d'une baignoire immense. Club de fitness et piscine.

WALDORF HILTON

Plan p. 74 Hôtel international £££

☎ 7836 2400 ; www.hilton.co.uk/waldorf ; Aldwych WC2 ; ch à partir de 350 £, petit-déj 25 £, formule week-end à partir de 300 £ ; ⊖ Temple/Covent Garden /Charing Cross ;

La splendeur édouardienne de ce grand hôtel rayonne toujours dans son superbe hall d'entrée, Palm Court, d'ailleurs classé. Mais après modernisation complète des 299 chambres, il n'en existe plus que deux catégories : "contemporaine" ou "design" (cette dernière un peu plus tendance et minimaliste).

BLOOMSBURY

MYHOTEL BLOOMSBURY £££

Plan p. 70 Boutique hotel £££

☎ 7667 6000 ; www.myhotels.com ; 11-13 Bayley St WC1 ; s 120-205 £, d et lits jum 205-250 £, ste à partir de 355 £, tarif week-end à partir de 130 £ ; ⊖ Tottenham Court Rd/Goodge St;

Cet élégant hôtel conçu par Conran fut l'un des premiers hôtels de charme de Londres, et affiche encore une combinaison de couleurs classiques (noir, gris et rouge) dans les 78 chambres. La bibliothèque invite à un agréable moment de détente. Le Myhotel Chelsea (plan p. 140 ; ☎ 7225 7500 ; 35 Ixworth Pl SW3 ; ⊖ South Kensington) est plus original et compte 45 chambres.

GRANGE BLOOMS HOTEL

Plan p. 84 Hôtel ££

☎ 7323 1717 ; www.grangehotels.com ; 7 Montague St WC1 ; s/d à partir de 150/180 £ ; ⊖ Tottenham Court Rd/Russell Sq

Un hôtel élégant et spacieux aménagé dans une maison du XVIIIe siècle. Bien que situé au cœur de Londres, sur un terrain qui appartenait au British Museum, ses tissus aux motifs floraux, sa musique classique et son ravissant jardin lui confèrent une atmosphère bucolique.

AMBASSADORS BLOOMSBURY

Plan p. 84 Hôtel ££

☎ 7693 5400 ; www.ambassadors.co.uk ; 12 Upper Woburn WC1 ; ch 99/155 £ ; ⊖ Euston ;

Ce joyau Belle Époque au sud d'Euston Rd, doté de 100 chambres, vient d'être superbement rénové. Confort, style contemporain et bar attenant. Les tarifs week-end sont plus intéressants ; renseignez-vous.

ACADEMY HOTEL

Plan p. 84 Boutique hotel ££

☎ 7631 4115 ; www.theetoncollection.com ; 21 Gower St WC1 ; s/d 120/205 £, tarif week-end avec petit-déj à partir de 150 £ ; ⊖ Goodge St ;

Discrètement Régence et très *british*, cet établissement occupe cinq maisons georgiennes. À l'arrière, un jardin d'hiver ouvre sur un terrain verdoyant et un bassin poissonneux. Le bar arbore un style plus contemporain.

MORGAN HOTEL Plan p. 84 Hôtel ££

☎ 7636 3735 ; www.morganhotel.co.uk ; 24 Bloomsbury St WC1 ; s/d à partir de 80/110 £, ste 135/220 £ ; ⊖ Tottenham Court Rd

Cette rangée de maisons georgiennes du XVIIIe siècle, en bordure du British Museum, correspond à l'un des meilleurs hôtels de catégorie moyenne de Londres. Chaleur et hospitalité compensent ici l'exiguïté des 20 chambres récemment rénovées dans un style plus épuré. Le supplément pour les suites est justifié.

HARLINGFORD HOTEL Plan p. 84 Hôtel ££

☎ 7387 1551 ; www.harlingfordhotel.com ; 61-63 Cartwright Gardens WC1 ; s/d/tr/qua 85/110/125/135 £ ; ⊖ Russell Sq

Avec son "H" fièrement brodé sur les oreillers, sa décoration moderne dans les tons lavande et mauve et ses sdb carrelées de vert, cet hôtel georgien reconnaissable à sa façade couverte de lierre est sans doute le meilleur de la rue.

ARRAN HOUSE HOTEL Plan p. 84 Hôtel ££

☎ 7636 2186 ; www.arranhotel-london.com ; 77-79 Gower St WC1 ; dort 23-27 £, s/d/tr/qua

65/105/123/127 £, avec sdb commune 55/82/100/106 £ ; ⊖ Goodge St
Cette adresse accueillante à Bloomsbury présente pour le quartier un excellent rapport qualité/prix et s'agrémente de surcroît d'un jardin. Dortoirs spartiates ou doubles lumineuses et bien aménagées, avec sdb. Salon agréable, cuisine et buanderie à disposition.

CRESCENT HOTEL Plan p. 84 Hôtel ££

☎ 7387 1515 ; www.crescenthoteloflondon.com ; 49-50 Cartwright Gardens WC1 ; s 55/83 £, d/tr/qua 100/115/123 £, s avec sdb commune 50 £ ; ⊖ Russell Sq
Sympathique et familial, en plein cœur du Londres universitaire, cet hôtel datant de 1810 donne sur une place privée flanquée de résidences estudiantines. Chambres propres et confortables, allant des simples minuscules et sans sanitaires aux doubles assez spacieuses avec sdb – toutes confortables et parfaitement entretenues.

HOTEL CAVENDISH

Plan p. 84 Hôtel ££

☎ 7636 9079 ; www.hotelcavendish.com ; 75 Gower St WC1 ; s/d/tr/qua 75/90/120/140 £ ; ⊖ Goodge St
Le familial Hotel Cavendish propose une trentaine de chambres rénovées avec ou sans sdb, plutôt petites mais confortables. Bon accueil et agréable jardin. Essayez de réserver sur Internet pour bénéficier de tarifs plus intéressants.

JENKINS HOTEL Plan p. 84 Hôtel ££

☎ 7387 2067 ; www.jenkinshotel.demon.co.uk ; 45 Cartwright Gardens WC1 ; s 52-72 £, d/tr 95/110 £ ; ⊖ Russell Sq
Non loin du British Museum, cet hôtel en activité depuis les années 1920 propose 14 chambres correctes et un service accueillant. Les chambres simples sont moins chères et partagent des sdb communes. Entrée au niveau de Burton Pl. Les clients peuvent profiter du court de tennis dans les jardins en face.

JESMOND HOTEL Plan p. 84 B&B £

☎ 7636 3199 ; www.jesmondhotel.org.uk ; 63 Gower St WC1 ; s/d/tr/qua/f 50/75/95/110/120 £, avec sdb commune 40/60/80/100/110 £ ; ⊖ Goodge St ; Wi-Fi
De nombreux lecteurs nous écrivent pour vanter les mérites de ce B&B de Bloomsbury. Seize chambres dont 12 avec sdb, simples mais propres et gaies. Adresse idéale pour les petits groupes. Laverie sur place, accès Internet gratuit, mais Wi-Fi à 10 £.

AROSFA Plan p. 84 Hôtel £

☎ 7636 2115 ; www.arosfalondon.com ; 83 Gower St WC1 ; s 50-55 £, s/d/tr/qua 60/90/102/145 £ ; ⊖ Euston Sq/Goodge St
Les nouveaux propriétaires ont redonné un coup de neuf à l'Arosfa, avec des meubles de Philippe Starck dans le salon, des photographies de Manhattan sur les murs et un style résolument moderne. Les chambres, cependant, sont moins luxueuses, avec des sdb minuscules (les propriétaires annoncent des transformations). Bon rapport qualité/prix dans l'ensemble – évitez les chambres simples, exiguës.

RIDGEMOUNT HOTEL

Plan p. 84 Hôtel £

☎ 7636 1141 ; www.ridgemounthotel.co.uk ; 65-67 Gower St WC1 ; s/d/tr/qua 54/75/93/104 £, avec sdb commune 42/58/78/92 £ ; ⊖ Goodge St
Cet établissement à l'ancienne possède un sens de l'accueil qui se fait rare à Londres. La moitié des 30 chambres, assez quelconques, disposent d'une sdb. Buanderie sur place.

GENERATOR

Plan p. 84 Auberge de jeunesse £

☎ 7388 7655 ; www.generatorhostels.com ; Compton Pl, en face du 37 Tavistock Pl WC1 ; dort 15-17 £, s/lits jum/tr/qua 50/50/60/80 £ ; ⊖ Russell Sq
Si vous recherchez de l'ambiance, cette auberge jeune et bon marché du centre de Londres est pour vous. Dans ce décor futuriste, il se passe tous les soirs quelque chose et le bar, ouvert jusqu'à 2h, organise souvent des animations. Parmi les 214 chambres, vous trouverez des dortoirs de 4 à 14 lits. Tables de billard, accès Internet, coffres-forts. Grande salle à manger, mais pas de cuisine.

FITZROVIA

SANDERSON

Plan p. 70 Boutique hotel £££

☎ 7300 1400 ; www.sandersonlondon.com ; 50 Berners St W1 ; d à partir de 235 £, ste loft 600 £ ; ⊖ Oxford Circus
Ne vous laissez pas rebuter par la façade anonyme en aluminium et verre, évoquant le siège social d'une entreprise des années 1960. Ce "spa urbain", dessiné par Philippe Starck, s'avère aussi beau qu'étrange, avec ses œuvres d'art, ses installations diverses

et son luxuriant jardin de bambous. Draps de fil épais, nombreux meubles originaux, notamment le canapé de Dali en forme de lèvres et des fauteuils en forme de cygne. Au total, 150 chambres.

CHARLOTTE STREET HOTEL

Plan p. 70 Boutique hotel £££

☎ 7806 2000 ; www.charlottestreethotel.com ; 15-17 Charlotte St W1 ; s/d à partir de 220/310 £, ste à partir de 375 £ ; ⊖ Tottenham Court Rd ;

Alliance réussie des styles Laura Ashley et post-moderne, ce petit bijou est le préféré des gens des médias. Il abrite un bar très animé en soirée et son restaurant, Oscar, est particulièrement recommandé pour l'*afternoon tea*.

GRANGE LANGHAM COURT HOTEL

Plan p. 70 Hôtel ££

☎ 7436 6622 ; www.grangehotels.co.uk ; 31-35 Langham St W1 ; s/d à partir de 150/170 £ ; ⊖ Oxford Circus

Derrière cette charmante façade carrelée en noir et blanc, des chambres et des espaces communs assez quelconques que compense toutefois une situation formidable au nord d'Oxford St et de Soho.

ST JAMES'S

41

Plan p. 88 Hôtel £££

☎ 7300 0041 ; www.41hotel.com ; 41 Buckingham Palace Rd SW1 ; s et d à partir de 230 £, ste à partir de 395 £ ; ⊖ Victoria ;

Cet hôtel, aménagé dans une jolie maison de ville ancienne en face des Royal Mews de Buckingham Palace, donne l'impression de loger dans un club privé. Le personnel assure le service 24h/24, les 30 chambres arborent un design classique en noir et blanc et le vaste hall est éclairé par un puits de lumière. La réception vous attend au 5e étage.

WELLINGTON

Plan p. 88 Hôtel £££

☎ 7834 4740 ; www.the-wellington.co.uk ; 71 Vincent Sq SW1 ; s/d/tr/qua avec sdb commune 55/70/95/125 £ ; ⊖ Victoria ;

Accueil glacial et propreté douteuse, cet hôtel donnant sur une place verdoyante est une ancienne résidence étudiante de 91 chambres. Facilement accessible à pied depuis les gares routière et ferroviaire de Victoria, et proche de la Tate Britain.

RITZ

Plan p. 70 Hôtel £££

☎ 7493 8181 ; www.theritzlondon.com ; 150 Piccadilly W1 ; s/d à partir de 400/500 £, ste à partir de 730 £ ; ⊖ Green Park ;

Ce somptueux caravansérail donnant sur Green Park est censé être la "seconde demeure de la famille royale". La Long Gallery ou le restaurant Palm Court sont aménagés dans le style Louis XVI. Réservez plusieurs semaines à l'avance si vous voulez savourer un *afternoon tea* (37 £). Une annexe de 45 chambres doit ouvrir à l'est dans Arlington St.

METROPOLITAN

Plan p. 88 Hôtel £££

☎ 7647 1000 ; www.metropolitan.co.uk ; 19 Old Park Lane W1 ; ch 375-475 £, ste 650-3 200 £ ; ⊖ Hyde Park Corner ;

Appartenant au même groupe que le Halkin (p. 351), le Metropolitan est un hôtel minimaliste, "débarrassé du superflu", comme le disent ses concepteurs. Ses 155 chambres décorées dans les tons crème et ocre attirent un public aussi tendance que fortuné, plus rock star que sang bleu. Sur place, le très en vogue restaurant japonais Nobu (p. 246) ravira vos papilles.

SANCTUARY HOUSE HOTEL

Plan p. 88 Hôtel ££

☎ 7799 4044 ; www.fullershotels.com ; 33 Tothill St SW1 ; s et d 160-195 £ ; ⊖ St James's Park ;

À quelques minutes à pied de l'abbaye de Westminster et du Parlement, le Sanctuary House, un cran au-dessus de l'hôtel ordinaire, est aménagé dans le style cottage anglais cosy. Les chambres du niveau supérieur ont été rénovées – certaines possèdent un lit à baldaquin. Ambiance calme. Petit-déjeuner non inclus.

MAYFAIR

BROWN'S

Plan p. 70 Hôtel £££

☎ 7493 6020 ; www.brownshotel.com ; 30 Albemarle St W1 ; s et d à partir de 340 £, ste à partir de 800 £ ; ⊖ Green Park ;

Somptueux cinq-étoiles créé en 1837 par la réunion de 11 demeures, il conserve quelques éléments de décoration traditionnelle, comme les vitraux, les lambris de chêne d'époque édouardienne, les cheminées et les miroirs à dorures dans les salons. Les 117 chambres aux couleurs agréables sont décorées d'œuvres de jeunes artistes anglais.

CLARIDGE'S Plan p. 94 Hôtel £££

☎ 7629 8860 ; www.claridges.co.uk ; 55 Brook St W1 ; ch à partir de 500 £, ste à partir de 740 £, petit-déj 21-28 £ ; ⊖ Bond St ;

Le Claridge (203 chambres) est l'un des plus grands palaces londoniens et le témoin révéré d'une époque révolue. Les touches Art déco des salons et des suites datent de la fin des années 1920, et une partie du mobilier 1930 ornait autrefois les cabines du *Normandie*. Le célèbre chef Gordon Ramsay règne sur les cuisines de l'établissement (voir p. 246).

DORCHESTER Plan p. 94 Hôtel £££

☎ 7629 8888 ; www.dorchesterhotel.com ; Park Lane W1 ; s/d à partir de 400/570 £, ste à partir de 710 £, petit-déj 25 £ ; ⊖ Hyde Park Corner ;

Depuis son ouverture en 1931, cet opulent édifice est l'hôtel de prédilection des acteurs, fashionistas et autres célébrités fortunées. Le hall d'entrée est probablement le plus luxueux de Londres, et l'immense salle de bal avec ses murs ornés de miroirs, l'une des plus somptueuses. L'ameublement des 250 chambres, mêlant ancien et intime (lits à baldaquin, feux de cheminée, lourds rideaux et motifs floraux), évoque une atmosphère bucolique de campagne anglaise.

CHESTERFIELD Plan p. 94 Hôtel £££

☎ 7491 2622 ; www.redcarnationhotels.com ; 35 Charles St W1 ; s 145-225 £, d et lits jum 170-305 £, ste à partir de 325 £, petit-déj 17,50-19,50 £ ; ⊖ Green Park ;

À un pâté de maisons de Berkeley Sq, le Chesterfield cache cinq étages de luxe et de raffinement derrière une modeste façade georgienne. Ses plafonds à moulures, ses sols en marbre et son mobilier ancien dégagent tout le charme que l'on attend d'un hôtel de cette envergure. Mention spéciale aux quatre suites à thème (Music, Garden, Theatre et Study).

NUMBER 5 MADDOX STREET
Plan p. 70 Hôtel £££

☎ 7647 0200 ; www.5maddoxstreet.com ; 5 Maddox St W1 ; ste 270-750 £ ; ⊖ Oxford Circus ;

La direction de cet établissement a su créer un havre de paix urbain et contemporain qui donne l'impression de séjourner dans un pied-à-terre londonien bien plus qu'à hôtel. Les douze suites aménagées dans un style oriental privilégient les tons naturels et l'attention au détail, et bénéficient de tous les équipements modernes. Réception au 1er étage.

MARYLEBONE

DORSET SQUARE HOTEL
Plan p. 94 Hôtel £££

☎ 7723 7874 ; www.dorsetsquare.co.uk ; 39 Dorset Sq NW1 ; d à partir de 240 £, ste à partir de 350 £ ; ⊖ Baker St

Cet hôtel enchanteur occupant deux maisons Régence, surplombe le luxuriant Dorset Sq, où fut aménagé en 1814 le premier terrain de cricket (d'où la présence d'objets relatifs à ce sport sur les murs). Lits à baldaquin dans les chambres, petites mais superbement parées d'antiquités et de tissus somptueux.

MANDEVILLE Plan p. 94 Hôtel £££

☎ 7935 5599 ; www.mandeville.co.uk ; Mandeville Pl W1 ; s/d 290/316 £, ste à partir de 440 £ ; ⊖ Bond St ;

À la fois proche de Wigmore Hall et de la Wallace Collection, ce nouvel établissement de luxe est tout simplement divin. Ses 142 superbes chambres sortent de l'imagination de Stephen Ryan, de même que le DeVigne Bar avec sa débauche de couleurs. Le tout, plus la vue depuis la terrasse de la Penthouse Suite (880 £), vous laissera un souvenir inoubliable.

CUMBERLAND HOTEL
Plan p. 94 Hôtel ££

☎ 0870 333 9280 ; www.thecumberland.co.uk ; Great Cumberland Pl W1 ; s 100-295 £, d 120-370 £ ; ⊖ Marble Arch ;

Vous vous demanderez sans doute si vous n'êtes pas entré par erreur dans une galerie d'art contemporain. La réception se trouve au fond de l'immense hall, derrière de gigantesques sculptures et des colonnes en Plexiglas baignant dans un éclairage tamisé. Plus de mille chambres vous attendent ici, dont certaines donnent sur Hyde Park. Le célèbre chef Gary Rhodes est en charge de la brasserie de l'hôtel, le Rhodes W1.

DURRANTS HOTEL Plan p. 94 Hôtel £££

☎ 7935 8131 ; www.durrantshotel.co.uk ; George St W1 ; s 125-155 £, d/f 250/265 £, ste 295-425 £ ; ⊖ Bond St ;

Cet immense hôtel juste derrière la Wallace Collection et à deux pas d'Oxford St, qui fut jadis une auberge de campagne en conserve un certain charme suranné. Il est dirigé par la même famille depuis 1921.

LEONARD HOTEL Plan p. 94 Hôtel ££
☎ 7935 2010 ; www.theleonard.com ; 15 Seymour St W1 ; s 80/125 £, d 170-180 £ ; ⊖ Marble Arch
Ces quatre demeures séparées, devenues hôpital, puis réunies en hôtel, abritent aujourd'hui 46 chambres classiques, élégantes et très confortables. L'ascenseur ne monte pas jusqu'aux chambres standard du 5e étage (il s'arrête au 4e).

HOTEL LA PLACE Plan p. 94 Hôtel ££
☎ 7486 2323 ; www.hotellaplace.com ; 11 Nottingham Pl W1 ; s 99-130 £, d 139-145 £, f 164-179 £, ste 139-160 £ ; ⊖ Baker St
Les 18 chambres très classiques sont impeccablement tenues et certaines disposent d'une sdb refaite à neuf. Bar ouvert 24h/24 au rez-de-chaussée, doté de fauteuils confortables aux couleurs élégantes.

SUMNER HOTEL Plan p. 94 Hôtel ££
☎ 7723 2244 ; www.thesumner.com ; 54 Upper Berkeley St W1 ; ch 155-193 £ ; ⊖ Marble Arch ;
Au nord d'Oxford St et à l'ouest de Portman Sq, ce nouvel établissement aux allures d'hôtel particulier propose un rapport qualité/prix incomparable pour une situation aussi centrale. Une vingtaine de chambres au décor moderne, spacieuses et confortables, vous y attendent, ainsi qu'un salon chaleureux avec plancher et cheminée d'époque, point d'orgue de l'hôtel.

EDWARD LEAR HOTEL Plan p. 94 Hôtel £
☎ 7402 5401 ; www.edlear.com ; 28-30 Seymour St W1 ; s 72-91 £, d et lits jum 89113 £, f 115-145 £, avec sdb commune s 52-60 £, d et lits jum 60-74 £, f 89-113 £ ; ⊖ Marble Arch
Ancienne demeure d'un peintre et poète victorien, cet hôtel abondamment fleuri propose un hébergement basique à des prix incroyables. Si vous trouvez moins cher si près d'Oxford St, le propriétaire s'engage à aligner ses prix.

GLYNNE COURT HOTEL Plan p. 94 Hôtel ££
☎ 7258 1010 ; www.glynne-court-hotel.com ; 41 Great Cumberland Pl W1 ; s/d/tr/f 55/90/95/110 £ ; ⊖ Marble Arch
Très pittoresque par sa situation et sa catégorie, le Glynne Court, hôtel classé datant du XVIIIe siècle, possède 15 chambres. Les propriétaires serviables vous renseigneront sur l'histoire haute en couleur du 41 Cumberland Pl. Évitez les chambres simples du sous-sol : elles sont très sombres.

LA CITY

Séjourner dans le Square Mile vous permettra de découvrir une autre facette de la City –une fois que les travailleurs ont regagné leur banlieue ou pendant les week-ends incroyablement calmes, vous aurez quasiment la City pour vous seul. Vous évitez alors les foules, tout en étant proche des quartiers touristiques comme celui de la Tour de Londres, ou des bars et restaurants de Shoreditch et Hoxton.

THREADNEEDLES
Plan p. 104 Boutique hotel £££
☎ 7657 8080 ; www.theetoncollection.com ; 5 Threadneedle St EC2 ; s et d 282-558 £, ste à partir de 40 £ ; ⊖ Bank ;
Cet hôtel est incroyablement discret, mais attendez de voir le superbe hall circulaire, meublé dans un style d'inspiration Art déco et couronné d'un dôme dont le vitrail est peint à la main. Les 69 chambres ne sont pas à la pointe de la mode, mais elles sont joliment agencées, avec de hauts plafonds, une connexion Wi-Fi gratuite et d'élégants meubles foncés.

ANDAZ LIVERPOOL STREET
Plan p. 104 Hôtel £££
☎ 7961 1234 ; www.andaz.com ; 40 Liverpool St EC2 ; ch à partir de 115-230 £, ste à partir de 260 £ ; ⊖ Liverpool St ;
Jadis m'as-tu-vu, l'ancien Great Eastern Hotel est désormais un établissement Hyatt très discret, la succursale londonienne de la chaîne Andaz visant une clientèle assez jeune. Pas de réception, mais le personnel vêtu de noir se charge d'enregistrer les arrivées sur de mini-ordinateurs portables. Chambres tendance et spacieuses, avec boissons non alcoolisées, Wi-Fi et communications locales gratuites. Il y a en outre cinq restaurants et un temple maçonnique souterrain, découvert pendant des rénovations effectuées dans les années 1990. Cette adresse plaisante, bien située, est un bon compromis entre hôtel d'affaires et hôtel de charme.

YHA LONDON ST PAUL'S
Plan p. 104 Auberge de jeunesse £
☎ 0845 371 9012 ; www.yha.org.uk ; 36 Carter Lane EC4 ; dort 11 lits 15,95-28,95 £, d 38,95-71,95 £, tr 58,95-107,95 £ ; ⊖ St Paul's
Excellente auberge de jeunesse à l'ombre de la cathédrale Saint-Paul et en face de la Tate

Modern. Les chambres possèdent généralement 2, 3 ou 4 lits et une vingtaine de dortoirs offrent de 5 à 11 couchages. Cafétéria avec licence pour le service de boissons alcoolisées. Pas de cuisine. Admirez la superbe façade du bâiment dans Carter St.

CITY YMCA EC1

Plan p. 154 — Auberge de jeunesse £

☎ 7614 5000 ; www.cityymca.org ; 8 Errol St EC1 ; s avec sdb commune 35 £, lits jum 64 £ ; ⊖ Barbican

Cet hôtel pour petits budgets abrite une centaine de chambres sur 4 étages, dont 4 chambres simples. Plus joli que son proche collègue le Barbican, il est aussi doté de meilleures sdb, de salons avec TV et de téléphones pour recevoir vos appels. Très pratique pour se rendre à Shoreditch. Réservation conseillée un mois à l'avance. L'hôtel propose des forfaits hebdomadaires (s/lits jum avec 3 repas 215/370 £) et un accès Internet gratuit depuis les ordinateurs au rez-de-chaussée.

SOUTH BANK

Autrefois délaissée, la rive sud de la Tamise, aujourd'hui l'un des quartiers les plus animés de la capitale, devient aussi de plus en plus une base pratique et plaisante où loger. On y trouve moins de restaurants et de bars que dans le West End, mais comment ne pas être tenté de séjourner près de la Tate Modern ou du Borough Market et de ses délices épicuriens? Plus à l'ouest, vous découvrirez le London Eye et de nombreux autres sites, dont le London County Hall.

WATERLOO

LONDON MARRIOTT COUNTY HALL

Plan p. 130 — Hôtel £££

☎ 7928 5200 ; www.marriott.co.uk/lonch ; Westminster Bridge Rd SE1 ; ch à partir de 240 £, avec vue sur la Tamise à partir de 270 £, petit-déj 18,95-20,95 £ ; ⊖ Westminster ;

Cet hôtel de luxe, aménagé dans l'ancien siège du Greater London Council, est réputé pour sa vue fabuleuse sur la Tamise et les Houses of Parliament. Ses chambres lambrissées dégagent une atmosphère traditionnelle et guindée et il dispose d'une centre de remise en forme bien équipé au 5e étage et d'une piscine de 25 m à l'étage du dessus.

BANKSIDE ET SOUTHWARK

SOUTHWARK ROSE HOTEL

Plan p. 130 — Boutique hotel ££

☎ 7015 1480 ; www.southwarkrosehotel.co.uk ; 47 Southwark Bridge Rd SW1 ; d et lits jum 125-190 £, petit-déj 9-13 £, tarif week-end avec petit-déj 95 £ ; ⊖ London Bridge ;

À la fois élégant et branché, ce "*boutique hotel* pour petits budgets" a de quoi satisfaire tous les goûts. À un service de qualité s'ajoutent des prix raisonnables, et si les chambres manquent un peu d'espace, elles arborent un style chic d'inspiration minimaliste (têtes de lit couleur prune, abat-jour argentés, couettes mousseuses). Excellent bar lounge au 6e étage.

MAD HATTER

Plan p. 130 — Hôtel ££

☎ 7401 9222 ; www.madhatterhotel.com ; 3-7 Stamford St SE1 ; ch 145-165 £, petit-déj 7,50-11 £, tarif week-end avec petit-déj 90-100 £ ; ⊖ Southwark ;

En dépit de ses chambres un peu anonymes, le Mad Hatter offre une ambiance plus familiale que la plupart des chaînes hôtelières (il appartient au brasseur Fuller) grâce à sa réception aménagée de façon traditionnelle et au pub adjacent.

BOROUGH ET BERMONDSEY

BERMONDSEY SQUARE HOTEL

Plan p. 130 — Boutique hotel ££

☎ 0870 111 2525, 0774 884 3350 ; www.bermondseysquarehotel.co.uk ; Bermondsey Sq, Tower Bridge Rd SE1 ; ch 119-299 £ ; ⊖ London Bridge ;

Dans le quartier en vogue de South London, ce fantastique hôtel de charme récemment construit comporte 79 chambres. Les classiques sont assez petites mais bien agencées, avec un excellent espace de travail où vous pourrez relier votre ordinateur portable ou votre iPod à l'écran Apple, une douche à forte pression et de belles œuvres d'art aux murs. Notre préférence va cependant à l'étage : 4 chambres immenses déclinées sur le thème de la musique des années 1960, comme Ruby ou Lucy, et un point de vue s'étendant jusqu'au Crystal Palace. En bas, le plus célèbre marché aux puces (p. 231) de Londres s'installe tous les vendredis.

ST CHRISTOPHER'S VILLAGE

Plan p. 130 — Auberge de jeunesse £

☎ 7407 1856 ; www.st-christophers.co.uk ; 161-163 Borough High St SE1 ; dort 12,50-21 £, d et lits jum 46-56 £ ; ⊖ Borough/London Bridge

Il s'agit de l'établissement phare d'une chaîne d'auberges de jeunesse (8 à Londres) qui se caractérise par ses chambres basiques mais propres et bon marché (185 lits au total). Cette auberge dispose d'un toit-terrasse avec un bar, un barbecue et une très belle vue sur la Tamise, sans oublier, au niveau inférieur, un cinéma et le Belushi, un bar où l'on peut faire la fête jusqu'à 2 h en semaine et 4 h le week-end. Dortoirs de 4 à 14 lits. Les deux filiales installées à proximité (mêmes coordonnées) sont St Christopher's Inn (plan p. 130 ; 121 Borough High St SE1), doté de 50 lits, avec un autre pub en bas et une petite véranda, et l'Orient Espresso (plan p. 130 ; 59-61 Borough High St SE1) : 40 lits, dortoir réservé aux femmes, café et buanderie.

DOVER CASTLE HOSTEL

Plan p. 130 — Auberge de jeunesse £

☎ 7403 7773 ; www.dovercastlehostel.co.uk ; 6a Great Dover St SE1 ; dort 12-19,50 £, 80 £/sem ; ⊖ Borough ;

Cette auberge de 80 lits aménagée dans une maison victorienne de quatre étages possède un bar accueillant en bas, un salon TV, une cuisine, une consigne, l'accès Internet et une buanderie (5 £). Les lieux sont un peu défraîchis mais sympathiques. Les dortoirs comptent de 3 à 12 lits. L'auberge propose un forfait hebdomadaire toutes charges comprises (s/d 119/150 £).

DE HYDE PARK À CHELSEA

Si, dans les beaux quartiers de Chelsea et de Kensington, Londres se présente sous son jour le plus élégant, il n'existe pratiquement aucune possibilité de se loger en catégorie moyenne ou petits budgets. Dans les secteurs de Victoria et de Pimlico, la gamme des hébergements est plus modeste et vous êtes également proche des principaux moyens de transport. Victoria n'est certes pas le quartier le plus attirant de la ville, mais la plupart des hôtels économiques présentent un meilleur rapport qualité/prix qu'à Earl's Court. Pimlico, plus résidentiel, est surtout bien situé par rapport à la Tate Britain.

CHELSEA ET BELGRAVIA

B+B BELGRAVIA

Plan p. 140 — B&B ££

☎ 7259 8570 ; www.bb-belgravia.com ; 64-66 Ebury St SW1 ; s/d/tw/tr/qua 99/120/130/150/160 £ ; ⊖ Victoria ;

Somptueusement rénové dans un style contemporain, ce B&B possède un salon noir et blanc très chic et 17 chambres dans les tons bruns, de taille correcte sans être immenses, avec TV à écran plat. Le type d'hébergement de catégorie moyenne que l'on souhaiterait

LOGEMENTS POUR ÉTUDIANTS

Pendant les vacances universitaires (généralement de mi-mars à fin avril, de fin juin à septembre et de mi-décembre à mi-janvier), les résidences étudiantes sont ouvertes aux touristes. Ce type d'hébergement n'a rien de grandiose, mais il a l'avantage d'être propre et peu coûteux.

LSE Vacations (☎ 7955 7575 ; www.lsevacations.co.uk ; s/lits jum/tr/qua 53/75/99/110 £, s avec sdb commune 43 £), agent de la London School of Economics, possède notamment la résidence de 800 lits de Bankside House (plan p. 130 ; ☎ 7107 5750 ; 24 Sumner St SE1 ; ⊖ Southwark), juste derrière la Tate Modern, à South Bank ; la Butler's Wharf Residence (plan p. 130 ; ☎ 7107 5798 ; 11 Gainsford St SE1 ; ⊖ Tower Hill/London Bridge), avec 281 lits, quasiment au pied de Tower Bridge, à Shad Thames, et la High Holborn Residence (plan p. 74 ; ☎ 7107 5737 ; 178 High Holborn WC1 ; ⊖ Holborn), avec 495 lits, près de Covent Garden. Ouvertes pendant les vacances scolaires.

Parmi les résidences administrées par le King's College Conference & Vacation Bureau (☎ 7248 1700 ; www.kcl.ac.uk/kcvb ; s 30-40 £, d 52-60 £) figurent les Great Dover St Apartments (plan p. 130 ; ☎ 7407 0068 ; 165 Great Dover St SE1 ; ⊖ Borough) avec 716 chambres à Borough, et les Stamford St Apartments (plan p. 130 ; ☎ 7633 2182 ; 127 Stamford St SE1 ; ⊖ Waterloo), offrant 535 chambres dans le secteur de Waterloo. Ouvertes de fin juin à septembre.

Autres possibilités :

International Students' House (plan p. 94 ; ☎ 7631 8310 ; www.ish.org.uk ; 229 Great Portland St W1 ; dort 13-19 £, s/d/tr à partir de 38/60/78 £ ; ⊖ Great Portland St). Inhabituel pour ce type de résidence (700 lits dans le quartier de Regent's Park), des chambres sont disponibles toute l'année.

Finsbury Residences (plan p. 154 ; ☎ 7040 8811 ; www.city.ac.uk/ems ; 15 Bastwick St EC1 ; s avec sdb commune 19-21 £ ; ⊖ Barbican). Entre Islington et la City, ces deux résidences modernes de 320 chambres appartiennent à la City University London. Ouvertes de mi-juillet à août.

voir se répandre à Londres. Joli jardin à l'arrière et vélos disponibles gratuitement.

KNIGHTSBRIDGE, KENSINGTON ET HYDE PARK

HALKIN Plan p. 140 Hôtel £££

☎ 7333 1000 ; www.halkin.como.bz ; Halkin St SW1 ; ch à partir de 390 £, ste à partir de 600 £, petit-déj 20-25 £ ; ⊖ Hyde Park Corner ;

Le Halkin s'adresse aux hommes d'affaires adeptes du minimalisme. Couloirs lambrissés abritant une quarantaine de chambres lumineuses, décorées dans les tons crème, également lambrissées, et dotées de vastes sdb en marbre. Le personnel arbore un uniforme signé Armani.

LANESBOROUGH

Plan p. 140 Hôtel £££

☎ 7259 5599 ; www.lanesborough.com ; Hyde Park Corner ; s 355-415 £, d 475-575 £, ste à partir de 675 £ ; ⊖ Hyde Park Corner ;

C'est dans cet hôtel majestueux et à la pointe de la modernité que viennent loger les divas de passage dans la capitale. Les 95 chambres sont somptueusement décorées, et la Royal Suite dotée de trois chambres est l'une des plus onéreuses de Londres (7 500 £). Le personnel, en queue-de-pie et chapeau melon, assure un service irréprochable.

BLAKES Plan p. 140 Hôtel £££

☎ 7370 6701 ; www.blakeshotels.com ; 33 Roland Gardens SW7 ; s 175 £, d 225-375 £, ste à partir de 565 £, petit-déj 17,50-25 £ ; ⊖ Gloucester Rd ;

Si vous aimez le style classique et que vous rêvez de croiser des stars, dirigez-vous au Blakes : cinq maisons victoriennes ont été rassemblées en un hôtel, peint en vert sombre et conçu par l'incomparable Anouska Hempel (décoratrice du Hempel Hotel ; p. 356). Les 41 chambres sont élégamment meublées, avec lits à baldaquin (avec ou sans ciel de lit), riches étoffes, meubles antiques et planchers en bois. La cour est jolie mais minuscule.

KNIGHTSBRIDGE HOTEL

Plan p. 140 Hôtel £££

☎ 7584 6300 ; www.knightsbridgehotel.com ; 10 Beaufort Gardens SW3 ; s 170-185 £, d et lits jum 210-295 £, ste 345 £, petit-déj 16-17,50 £ ; ⊖ Knightsbridge ;

Le joli Knightsbridge occupe une maison vieille de 200 ans, juste à l'angle du grand magasin Harrods (p. 228), dans une rue calme et plantée d'arbres. Les intérieurs, magnifiques, sont décorés dans un style anglais subtil et moderne. Les 44 chambres sont joliment meublées, mais certaines sont très petites pour le prix ; les sdb en chêne et granite sont fantastiques.

CADOGAN HOTEL

Plan p. 140 Hôtel £££

☎ 7235 7141 ; 75 Sloane St SW1 ; ch 180-335 £, ste à partir de 395 £, petit-déj 20-25 £ ; ⊖ Sloane Sq ;

Les deux étages inférieurs de cet hôtel hybride sont axés sur le style contemporain, tandis que les deux étages supérieurs, récemment rénovés, évoquent merveilleusement l'époque édouardienne : lambris de chêne, bergères, riches étoffes et salon raffiné pour l'*afternoon tea*. Les deux chambres les plus intéressantes : la n°118, où Oscar Wilde fut arrêté en 1895 pour "actes indécents", et la Lillie Langtry, (n°109), tout en papier mural rose, boas en plumes et dentelles, où vécut l'actrice du même nom, maîtresse d'Édouard VII.

GORE Plan p. 140 Hôtel £££

☎ 7584 6601 ; www.gorehotel.com ; 190 Queen's Gate SW7 ; s 140-180 £, d 180-280 £, ste à partir de 440 £, petit-déj 12,95-16,95 £ ; ⊖ Gloucester Rd/High St Kensington ;

Cet établissement de 50 chambres à proximité du Royal Albert Hall est un palais à la fantaisie irrésistible : acajou ciré, tapis persans, sdb à l'ancienne, plantes vertes, portraits et gravures à profusion. Le Bistrot One Ninety Queen's Gate attenant est idéal pour un brunch, ou un verre avant ou après un concert au Royal Albert Hall voisin. Le déjeuner de 2/3 plats coûte 21,50/23,50 £.

NUMBER SIXTEEN

Plan p. 140 Boutique hotel ££

☎ 7589 5232 ; www.numbersixteenhotel.co.uk ; 16 Sumner Pl SW7 ; s 120 £, d 165-270 £, petit-déj 16-17,50 £ ; ⊖ South Kensington ;

Intérieur gris clair, clarté étudiée, œuvres d'art sélectionnées avec goût, cet établissement est éblouissant. Chambres au décor personnalisé, recoins intimes, véranda pour le petit-déjeuner, salon douillet et bibliothèque bien fournie complètent le tableau. Un jardin idyllique autour d'un bassin agrémente le tout.

ASTER HOUSE Plan p. 140 B&B ££

☎ 7581 5888 ; www.asterhouse.com ; 3 Sumner Pl SW7 ; s 100-120 £, d & lits jum 145-250 £ ; ⊖ South Kensington ;

Qu'est-ce qui a valu à l'Aster House, propriété singapourienne, de remporter trois fois le prix du meilleur B&B décerné par Visit London ? Son atmosphère typiquement anglaise, son personnel accueillant, ses chambres confortables aux sdb impeccables et ses prix raisonnables. Sans oublier le joli jardin et l'adorable Orangerie débordant de plantes au 1er étage, où est servi le petit-déjeuner.

VICARAGE HOTEL

Plan p. 182 Hôtel ££

☎ 7229 4030 ; www.londonvicaragehotel.com ; 10 Vicarage Gate W8 ; s/d/tr/qua 93/122/156/172 £, avec sdb commune 55/93/117/128 £ ; ⊖ High St Kensington ;

Miroirs dorés, lustres et papier peint à rayures rouge et or : dans cette ancienne maison victorienne, vous aurez presque l'impression de loger dans une Linley Sambourne House (p. 179) d'aujourd'hui. Les 17 chambres, un peu moins somptueuses, dégagent elles aussi un charme suranné et sont légèrement plus grandes que la moyenne. Celles des 3e et 4e étages partagent une sdb.

MEININGER

Plan p. 140 Auberge de jeunesse £

☎ 7590 6910 ; www.meininger-hostels.com ; 65-67 Queen's Gate SW7 ; dort 15-27 £, s/d/tr à partir de 69/90/99 £ ; ⊖ Gloucester Rd ou South Kensington ;

Désormais installé dans la Baden Powell House, à côté du Natural History Museum, cet "hôtel et auberge de jeunesse de ville" tenu par des Allemands propose 47 chambres immaculées, dont une trentaine de dortoirs (4 à 12 lits). Les 11 chambres privées s'accompagnent toutes de sdb et d'un espace de travail assez spacieux. Le service est efficace, il y a un bar et, en été, des barbecues sont organisés sur la belle terrasse du toit.

La sélection

HÔTELS AVEC COUR ET JARDIN

- Garden Court Hotel (p. 357)
- Hempel (p. 356)
- Barmy Badger Backpackers (p. 359)
- Ace Hotel (p. 359)
- Academy Hotel (p. 344)

ASTOR HYDE PARK

Plan p. 140 Auberge de jeunesse £

☎ 7581 0103 ; 191 Queen's Gate SW7 ; www.astorhostels.co.uk ; dort 20-31 £, lits jum 70-80 £, d 80-90 £ ; ⊖ Gloucester Rd/High St Kensington ;

Vous n'avez sans doute jamais vu d'auberge de jeunesse comme celle-là : murs habillés de boiseries, baies vitrées en verre cathédrale, atmosphère XIXe siècle et emplacement haut de gamme à proximité du Royal Albert Hall. Les 150 lits sont répartis sur 5 étages (pas d'ascenseur) ; dortoirs de 3 à 12 lits et superbe cuisine agrémentée de billards. À environ 1 km au sud-ouest, la propriété partenaire, l'Astor Kensington (carte p. 140 ; ☎ 7373 5138 ; www.astorhostels.co.uk ; 138 Cromwell Rd SW7 ; dort 13-23 £, d 60 £ ; ⊖ Gloucester Rd), est tout aussi agréable, mais dans un style plus moderne ; elle est également plus proche de l'animation et d'une station de métro. Elle comporte 120 lits, une immense cuisine moderne et lumineuse et un ascenseur.

YHA HOLLAND HOUSE HOSTEL

Plan p. 182 Auberge de jeunesse £

☎ 7937 0748 ; www.yha.org.uk ; Holland Walk W8 ; dort 20,95,27,50 £ ; ⊖ High St Kensington ;

Aménagée dans l'aile jacobéenne de la Holland House (1607), au cœur de Holland Park, cette grande auberge possède 201 lits répartis dans de vastes dortoirs de 6 à 20 lits. L'ambiance est toujours animée mais un peu conventionnelle, en revanche l'emplacement est imbattable. Café et cuisine sur place.

VICTORIA ET PIMLICO

WINDERMERE HOTEL

Plan p. 140 Hôtel ££

☎ 7834 5163 ; www.windermere-hotel.co.uk ; 142-144 Warwick Way SW1 ; s 99 £, d et lits jum 124-155 £, f 169 £ ; ⊖ Victoria ;

Ce bel établissement primé abrite 20 chambres impeccables, toutes décorées différemment dans une maison victorienne d'un blanc éclatant. Le restaurant des lieux, le Pimlico Room, pratique des prix modérés (plats 9,95-15,95 £).

MORGAN HOUSE Plan p. 140 Hôtel ££

☎ 7730 2384 ; www.morganhouse.co.uk ; 120 Ebury St SW1 ; d/tr/f 92/112/132 £, s/d/tr avec sdb commune 52/72/92 £ ; ⊖ Victoria ;

Cet établissement modeste de 11 chambres sait se rendre agréable, avec, par exemple, ses petits bouquets de fleurs fraîches placés dans les chambres. Les options vont de la simple,

La sélection

B&B

- B+B Belgravia (p. 350)
- Guesthouse West (p. 358)
- Aster House (p. 351)
- Gate Hotel (p. 358)
- Number 16 St Alfege's (p. 360)

exiguë mais correcte, avec sdb commune, à la vaste chambre familiale avec sdb privative. Les meilleures sont deux doubles, la n°2 et la n°8, respectivement avec sdb commune et privative, situées à l'arrière du bâtiment.

LUNA SIMONE HOTEL Plan p. 140 Hôtel £

☎ 7834 5897 ; www.lunasimonehotel.com ; 47-49 Belgrave Rd SW1 ; s 60-70 £, d 85-100 £, tr 105-120 £, qua 130-150 £ ; ⊖ Victoria/Pimlico

Si tous les hôtels petits budgets de Londres étaient comme celui-ci, central, accueillant, confortable et impeccablement tenu, dont les 35 chambres dernièrement refaites sont agrémentées d'art moderne et de sdb en partie carrelées… En sus, possibilité de consigne gratuite. Pas d'ascenseur.

ASTOR VICTORIA

Plan p. 140 Auberge de jeunesse £

☎ 78343077 ; www.astorhostels.com ; 71 Belgrave Rd SW1 ; dort 17-25 £, d et lits jum 50-75 £ ; ⊖ Pimlico

Maison mère du groupe Astor qui regroupe 5 auberges de jeunesse (p. 351), cet établissement central compte 180 lits. Toujours animé sans être trop impersonnel, il est géré par des voyageurs entre deux périples, qui s'avèrent d'excellentes sources d'information. Les dortoirs sont dotés de 4 à 8 lits et il y a quelques chambres doubles et à lits jumeaux.

CLERKENWELL, SHOREDITCH ET SPITALFIELDS

Clerkenwell, Spitalfields et surtout Shoreditch qui se prolonge au nord vers Hoxton, sont des quartiers très courus, offrant quelques options agréables en matière d'hébergement La plupart des établissements sont de catégorie supérieure, à l'exception du Hoxton Hotel, qui offre un excellent rapport qualité/prix et pour lequel il convient de réserver le plus tôt possible.

ROOKERY Plan p. 154 Hôtel £££

☎ 7336 0931 ; www.rookeryhotel.com ; Peter's Lane, Cowcross St EC1 ; s 200 £, d et lits jum 240-340 £, ste 570 £ ; ⊖ Farringdon ;

Sorte de superbe labyrinthe d'une trentaine de chambres construit dans une enfilade de maisons du XVIIIe siècle, le Rookery mise sur le charme de ses sdb restaurées et de ses meubles anciens, de ses sdb victoriennes dignes d'un musée, de ses panneaux lambrissés, des statues dans les sdb et des œuvres d'art choisies personnellement par le propriétaire. Il y a un petit jardin sur cour et une atmosphère délicieusement intimiste dans tout l'établissement.

MALMAISON Plan p. 154 Hôtel £££

☎ 7012 3700 ; www.malmaison-london.com ; 18-21 Charterhouse Sq EC1 ; ch 145-250 £, ste à partir de 395 £ ; ⊖ Farringdon ;

En entrant dans le hall de cet hôtel de 97 chambres au chic classique, face à une place calme et verdoyante de Clerkenwell, on a l'impression de pénétrer dans un bar à cocktails huppé. Éclairage tamisé dans les espaces communs, à l'exception du restaurant en sous-sol, très lumineux. Les chambres sont superbes, mais un peu petites pour le prix.

ZETTER Plan p. 154 Boutique hotel ££

☎ 7324 4444 ; www.thezetter.com ; 86-88 Clerkenwell Rd EC1 ; ch seulement 170-270 £, ste à partir de 276 £ ; ⊖ Farringdon ;

Un établissement branché, avec une touche de kitsch, dans la rue principale de Clerkenwell. Les chambres sont petites mais aménagées avec soin, avec des livres des éditions Penguin sur les étagères, des TV à écran plat et la clim (qui fonctionne avec l'eau du réservoir de l'hôtel). Le week-end, des forfaits très intéressants sont proposés, comme, parfois, des chambres à 99 £. Excellent restaurant italien sur place, avec terrasse.

HOXTON HOTEL Plan p. 154 Hôtel ££

☎ 7550 1000 ; www.hoxtonhotels.com ; 81 Great Eastern St EC2 ; ch 1-199 £ ; ⊖ Old St ;

De loin le meilleur rapport qualité/prix de Londres. Au cœur de Shoreditch, cet élégant hotel de 205 chambres préfère afficher complet chaque soir plutôt que de pratiquer des tarifs exorbitants. Quasiment toutes les communications téléphoniques sont gratuites, de même que la connexion wi-fi, l'accès aux ordinateurs et imprimantes dans le hall, et le petit-déjeuner au Prêt à Manger voisin. Les chambres sont petites mais stylées, avec TV à écran plat, bureau et réfrigérateur garni de bouteilles d'eau et de lait gratuites. Cerise sur le gâteau, le prix : il faut être très chanceux pour décrocher une chamber à 1 £, mais vous en obtiendrez forcément une entre 59 et 79 £, un tarif qui reste très avantageux pour les prestations assurées.

L'EAST END ET LES DOCKLANDS

RCA CITY HOTEL Plan p. 160 Hôtel ££

☎ 7247 3313 ; www.cityhotellondon.co.uk ; 12 Osborn St E1 ; s/d/tr/f 150/160/170/200 £ ; ⊖ Aldgate East ;

Ni grand standing ni modeste, à l'extrémité sud de Brick Lane, le RCA (109 chambres) convient particulièrement à ceux qui ont à faire dans la City ou dans les environs de Shoreditch. La création d'un 6e étage a permis d'augmenter le nombre de chambres de 25% et d'ajouter un bar et un restaurant.

OLD SHIP Plan p. 160 Hôtel ££

☎ 8986 1641 ; www.urbaninns.co.uk ; 2 Sylvester Path E8 ; s 70-80 £, d 80-100 £ ; Hackney Central, 38, 106, 277 ou 394 ;

En face de Mare St et à deux pas du célèbre Hackney Empire (p. 321), ce minuscule hôtel renferme 10 chambres très chaleureuses et des espaces communs empreints de charme : papiers peints à fleurs aux couleurs vives et écrans de TV dans des cadres dorés. En bas, le pub gastronomique du même nom sert entre autres des "tapas" anglaises et des tartes. Hackney se trouve hors du centre de Londres, mais il s'agit d'un quartier plaisant, facilement accessible en bus ou en train.

40 WINKS Plan p. 160 Pension ££

☎ 7790 0259 ; www.40winks.org ; 109 Mile End Rd E1 ; s 60-80 £, d 95-100 £ ; ⊖ Stepney Green

Seulement deux chambres mais un charme fou pour cette pension du quartier peu reluisant de Stepney Green. Aménagée dans une maison de ville du début du XVIIIe siècle et propriété d'un créateur talentueux, elle a accueilli à plusieurs reprises des séances de photo de mode. Les chambres (la simple est un peu petite) sont dotées de tout le nécessaire ; pour le reste – commerces, cinéma, métro – tout est à 5 minutes.

NORTH LONDON

Si vous souhaitez loger loin des grands quartiers touristiques, North London recèle quelques bonnes adresses, notamment à King's Cross, à Camden et à Hampstead, ce dernier étant l'un des quartiers résidentiels les plus verts et les plus recherchés de Londres.

CAMDEN

66 CAMDEN SQUARE Plan p. 174 B&B ££

☎ 7485 4622 ; rodgerdavis@btinternet.com ; 66 Camden Sq NW1 ; B&B 50-60 £/pers ; ⊖ Camden Town ;

Sur une place tranquille du nord de Londres, non loin de Camden Town et de Regent's Park, ce B&B original tout de verre et de teck allie espace, lumière et confort. Les propriétaires, grands amateurs de style japonais, ont aménagé leur maison dans une optique agréablement minimaliste... malgré la présence d'un ara qui peut s'avérer bruyant. Réservation nécessaire.

ST CHRISTOPHER'S INN CAMDEN

Plan p. 174 Auberge de jeunesse £

☎ 7388 1012, 7407 1856 ; www.st-christophers.co.uk ; 48-50 Camden High St NW1 ; dort 12,90-21 £, lits jum 26-50 £ ; ⊖ Camden Town/Mornington Cres ;

Propre et agréable, cette auberge de 54 lits, filiale de la chaîne du même nom, se trouve à 5 min de la station de métro de Camden, au-dessus du très populaire Belushi's bar, qui ferme à 2h. Le personnel est aimable et l'établissement n'impose pas de couvre-feu. Certaines chambres sont très petites. Dortoirs de 6 à 10 lits.

KING'S CROSS ET EUSTON

YHA ST PANCRAS INTERNATIONAL

Plan p. 174 Auberge de jeunesse £

☎ 08453719344 ; www.yha.org.uk ; 79-81 Euston Rd NW1 ; dort à partir de 21,95 £, lits jum 60-70 £ ; ⊖ King's Cross/St Pancras/Euston ;

Cette auberge de 185 lits, l'une des meilleures de la ville, est installée dans une rue à la circulation intense mais très bien desservie. Après des rénovations achevées en 2009, les chambres sont désormais modernes, aérées et propres. Il y a des dortoirs de 4 à 6 places (quasiment tous avec sdb) et des chambres privées, certaines dotées de la clim. Connexion Wi-Fi gratuite, machine à laver à pièces, bon bar et café, mais il n'est pas possible de cuisiner.

CLINK Plan p. 174 Auberge de jeunesse £

☎ 7183 9400 ; www.clinkhostel.com ; 78 King's Cross Rd WC1 ; dort à partir de 9-26 £, s 40-70 £, lits jum à partir de 50 £, tr 70-90 £ ; ⊖ King's Cross/St Pancras ;

Formidable établissement de 350 lits proposé par les propriétaires de l'Ashlee House toute proche, le Clink est installé dans un ancien tribunal du XIXe siècle où Dickens fut employé de bureau et où certains membres des Clash furent convoqués en 1978. Certaines parties, notamment sept anciennes cellules et deux salles de tribunal lambrissées, transformées respectivement en chambres et en cybercafé, sont classées. Les lieux sont flambant neufs : dortoirs de 4 à 16 lits, chacun différencié par une couleur, avec lits-coques (et espace de rangement). Environ un tiers des 128 chambres possèdent une sdb privative. Superbe cuisine, bar en sous-sol, et personnel des plus sympathiques.

ASHLEE HOUSE

Plan p. 174 Auberge de jeunesse £

☎ 7833 9400 ; www.ashleehouse.co.uk ; 261-265 Gray's Inn Rd WC1 ; dort 14-23 £, s 45-60 £, lits jum 50-60 £, tr 63-69 £ ; ⊖ King's Cross/St Pancras ;

CHAÎNES SANS FIORITURES

Plusieurs chaînes pour petits budgets se sont installées à Londres où elles offrent aujourd'hui un hébergement quelque peu conventionnel, mais propre et confortable à des prix relativement raisonnables.

easyHotel (www.easyhotel.com) fonctionne sur le même modèle que la compagnie aérienne du même nom, en offrant les meilleurs prix à ceux qui réservent le plus tôt – soit de 25 à 60 £ la chambre. Dans un décor plastifié orange, un lit et un lavabo jouxtent la douche et les toilettes. Certaines chambres n'ont pas de fenêtre ; pas de téléphone, TV en supplément (idem pour le ménage et le changement des draps, à 10 £). Quatre filiales actuellement à Londres, dont l'easyHotel Earl's Court (plan p. 182 ; 44-48 West Cromwell Rd SW5 ; ⊖ Gloucester Rd) et l'easyHotel Victoria (plan p. 140 ; 36-40 Belgrave Rd SW1 ; ⊖ Victoria), et l'easyHotel Paddington (plan p. 180 ; 10 Norfolk Pl W2 ; ⊖ Paddington), pratique pour prendre le Heathrow Express.

Express by Holiday Inn (☎ 0800 434 040 ; www.hiexpress.co.uk). La plus élégante des chaînes citées ici, l'Express by Holiday Inn, se distingue surtout par sa capacité à choisir ses emplacements. Parmi la douzaine d'établissements qu'elle possède dans le centre de Londres, celui de London City (plan p. 154 ; ☎ 7300 4300 ; 275 Old St EC1 ; ⊖ Old St) est installé à Shoreditch en plein cœur de la zone dédiée à la vie nocturne ; celui de Limehouse (plan p. 160 ; ☎ 7791 3850; 469-475 The Highway E1 ; ⊖ Shadwell, DLR Limehouse), dans l'East End ; et celui de Southwark (plan p. 130 ; ☎ 7401 2525 ; 103-109 Southwark St SE1 ; ⊖ Southwark/London Bridge), juste derrière la Tate Modern. Les tarifs varient grandement mais commencent à environ 115/70 £ pour une double en semaine/week-end.

Premier Inn (☎ 0870 242 8000 ; www.premierinn.com), la chaîne originale et la moins chère de Londres, a installé ses hôtels en 26 points de la capitale, dans de vieux bâtiments pour la plupart. Les lits sont affaissés, le deuxième lit est un canapé-lit et le règlement interminable, mais difficile de se plaindre pour 110 £ la chambre en semaine (99 £ le week-end). Le premier de la chaîne à avoir ouvert, le London County Hall (plan p. 130 ; ☎ 0870 238 3300 ; Belvedere Rd SE1 ; ⊖ Waterloo), se trouve près de la London Eye mais sans vue sur la Tamise. L'hôtel de Southwark (plan p. 130 ; ☎ 0870 990 6402; 34 Park St SE1 ; ⊖ London Bridge) se situe juste derrière le Shakespeare's Globe. Celui de Euston (plan p. 174 ; ☎ 0870 238 3301 ; 1 Duke's Rd WC1 ; ⊖ Euston/King's Cross) est commodément situé à proximité des gares mais dans une rue très passante.

Travelodge (☎ 0871 984 8484 ; www.travelodge.co.uk). Pour 75-105 £ la nuit, vous dormirez dans une chambre plus agréable mais les espaces communs sont réduits à la portion congrue ; il n'y a généralement pas de salon, la réception est minuscule et le service laisse parfois à désirer. Des 16 hôtels de la chaîne dans le centre de Londres, les mieux situés sont celui de Liverpool Street (plan p. 104 ; ☎ 0870 191 1689 ; 1 Harrow Pl E1; ⊖ Aldgate), un peu à l'ouest de Petticoat Lane, et celui de Covent Garden (plan p. 74 ; ☎ 0871 984 6245 ; 10 Drury Lane WC2 ; ⊖ Holborn/Covent Garden).

Le groupe Days Hotel (☎ 0800 028 0400 ; www.daysinn.co.uk), qui fait partie de la chaîne Days Inn mais offre peu d'extras, présente l'un des meilleurs rapports qualité/prix avec des chambres de 69 à 125 £. La chaîne prévoit de s'étoffer mais, pour l'instant, elle ne possède que deux établissements dans le centre de Londres : l'hôtel, nouveau, de Shoreditch (plan p. 160 ; ☎ 7613 6500 ; 419-437 Hackney Rd E2 ; ⊖ Bethnal Green, Cambridge Heath, 48 ou 55), en réalité assez éloigné du quartier chic dont il emprunte le nom mais bien desservi en bus, et celui de Waterloo (plan p. 193 ; ☎ 7922 1331 ; 54 Kennington Rd SE1 ; ⊖ Lambeth North), situé à Lambeth, au sud de Waterloo.

Géré par l'équipe de l'excellent Clink (p. 355), l'Ashlee House est un établissement accueillant et bien tenu, mais un peu plus vétuste que son voisin, avec des peintures écaillées et des sdb humides. Les grands dortoirs sont parfois bondés, mais restent généralement plaisants. Capacité totale de 170 lits. Outre un salon TV au sous-sol, vous disposerez d'une buanderie, d'une cuisine de bonne taille, d'une consigne gratuite, de casiers sécurisés gratuits et d'un accès Internet payant.

HAMPSTEAD ET HIGHGATE

LA GAFFE Plan p. 170 Hôtel ££

☎ 7435 8965 ; www.lagaffe.co.uk ; 107-111 Heath St NW3 ; s 70 £, d & lits jum 85-95 £, tr 125 £ ; ⊖ Hampstead

Dans un quartier résidentiel aisé, au-dessus du restaurant italien très prisé du même nom (voir p. 266), cet ancien cottage du XIXe siècle est un hôtel excentrique, sympathique et confortable, qui abrite 18 chambres.

HAMPSTEAD VILLAGE GUEST HOUSE Plan p. 170 Pension ££

☎ 7435 8679 ; www.hampsteadguesthouse.com ; 2 Kemplay Rd NW3 ; s/d 75/95 £, avec sdb communes 55-65 £, d 80 £, studio s/d/tr/f 100/125/145/160 £, petit-déj 7 £ ; ⊖ Hampstead

À 20 min seulement en métro du centre de Londres, cette pension charmante de 9 chambres, dont le cadre original et rustique se compose de meubles anciens, de lits douillets et d'un délicieux jardin à l'arrière, a tout pour assurer un séjour des plus agréables. L'endroit possède aussi un studio pouvant loger cinq personnes. Les propriétaires, très accueillants, vous laisseront même inviter des non-résidents à se joindre à vous au petit-déjeuner !

REGENT'S PARK

MELIÃ WHITE HOUSE Plan p. 170 Hôtel ££

☎ 7391 3000 ; www.solmelia.com ; Albany St NW1 ; ch 99-265 £ ; ⊖ Great Portland St ;

Installé dans une bâtisse ornée de carreaux blancs de style Art déco, cet énorme hôtel de 545 chambres reçoit énormément de groupes, et les chambres ont un côté plutôt kitsch. Mais sa situation à l'ouest de Regent's Park, à une courte distance à pied de Soho et de trois stations de métro, ainsi que les prix pratiqués restent des avantages certains.

WEST LONDON

Des hôtels chics de Notting Hill aux pensions bon marché d'Earl's Court et de Shepherd's Bush, l'ouest de Londres offre un large choix d'établissements. Bayswater reste intéressant du point de vue stratégique même si certaines rues délabrées à l'ouest de Queensway sont déprimantes. Paddington compte également des secteurs peu reluisants, mais on y trouve néanmoins de nombreux hôtels pour petits budgets et de catégorie moyenne. C'est aussi un bon emplacement intermédiaire, à 15 minutes seulement de Heathrow par le Heathrow Express. St John's Wood et Maida Vale, quartiers calmes et verdoyants, possèdent très peu d'hôtels, dont certains toutefois agréables.

ST JOHN'S WOOD ET MAIDA VALE

COLONNADE Plan p. 180 Hôtel ££

☎ 7286 1052 ; www.theetoncollection.com ; 2 Warrington Cres W9 ; s 99-130 £, d 105-150 £, ste à partir de 155£, petit-déj 8,50-16 £ ; ⊖ Warwick Ave ;

Cette charmante demeure victorienne du joli quartier de Little Venice hébergea Sigmund Freud après son départ de Vienne en juin 1938. Les chambres sont vastes, claires et confortables (à part les trois du sous-sol). Bonne situation, un peu au-dessus de Grand Union Canal.

PADDINGTON ET BAYSWATER

HEMPEL Plan p. 180 Boutique hotel

☎ 7298 9000 ; www.the-hempel.co.uk ; 31-35 Craven Hill Gardens W2 ; d à partir de 189 £, ste à partir de 499 £ ; ⊖ Lancaster Gate/Queensway ;

Voici une étonnante symphonie minimaliste en blanc et teintes naturelles, où le futurisme s'allie au dépouillement zen. Les 50 chambres et studios affichent esthétisme et confort individualisé (dans le Lioness Den, le lit est installé dans une cage suspendue au-dessus du salon !). Le jardin japonais est une délicieuse oasis.

HOTEL INDIGO Plan p. 180 Boutique hotel

☎ 7706 4444 ; www.hipaddington.com ; 16 London St W2 ; s 140 £, d 155-190 £ ; ⊖ Paddington ;

Nouveau venu à Paddington, ce formidable hôtel comporte 64 chambres et fait partie des établissements de charme du gigantesque groupe hôtelier américain InterContinental. L'Indigo s'inspire de la suite numérique de Fibonacci découverte au XIIIe siècle (Pi), qui serait à l'origine de certaines formes dans la nature. Vous les retrouverez partout – sur l'escalier en verre, à la réception, sur les tapis, sur les lits – et chacun des quatre étages est associé à une couleur. Le résultat est très réussi et, en plus, nous avons appris quelque chose !

VANCOUVER STUDIOS Plan p. 180 Hôtel ££

☎ 7243 1270 ; www.vancouverstudios.co.uk ; 30 Prince's Sq W2 ; s 89 £, d et lits jum 130-160 £, app 3 ch 350 £ ; ⊖ Bayswater ; 💻

Tout le monde se sent chez soi dans cette belle bâtisse victorienne qui abrite 45 studios élégants et loués à prix modiques. Hormis la kitchenette, ils diffèrent totalement les uns des autres : de la minuscule chambre simple bien équipée (il en existe de plus spacieuses) à la grande chambre familiale avec balcon, tous les styles décoratifs s'y expriment : couvertures en faux vison, décor japonais ou tissus vichy. Autre plus : le jardin clos où gazouille une petite fontaine.

PARKWOOD HOTEL Plan p. 180 Hôtel ££

☎ 7402 2241 ; www.parkwoodhotel.com ; 4 Stanhope Pl W2 ; s/d/tr/f 75/89/99/115 £, s/d/tr avec sdb commune 49,50/68,50/79 £ ; ⊖ Marble Arch

Ce petit hôtel présente un bon rapport qualité/prix. Les 16 chambres rénovées sont rehaussées de jolis tons jaunes et roses, de couvre-lits rayés, de lits à baldaquin et de plantes en pots. Toutes les chambres (sauf 4) possèdent des sdb, qui mériteraient d'être un peu modernisées.

GARDEN COURT HOTEL Plan p. 180 Hôtel ££

☎ 7229 2553 ; www.gardencourthotel.co.uk ; 30-31 Kensington Gardens Sq W2 ; s/d/tr/f 72/115/150/170 £, s/d avec sdb commune 48/75 £ ; ⊖ Bayswater ; 💻

Avec son hall d'entrée où trône la statue d'un "beefeater" (gardien de la Tour de Londres), le Garden Court se situe un cran au-dessus de la plupart des hôtels anglais traditionnels dans cette gamme de prix. Si on observe toujours çà et là quelques (sobres) fioritures à l'ancienne, ses 32 chambres rénovées arborent de discrètes notes design et sont équipées de sdb modernes. En plus du jardin de l'hôtel, les hôtes ont également accès au square situé de l'autre côté de la rue.

PAVILION HOTEL Plan p. 180 Hôtel ££

☎ 7262 0905 ; www.pavilionhoteluk.com ; 34-36 Sussex Gardens W2 ; s 60-85 £, d/lits jum/tr/f 100/100/120/130 £ ; ⊖ Paddington

"Mode, glamour et rock 'n' roll", telle est la devise de cet hôtel original qui propose 30 chambres à thème individuel : années 1970 pour la Honky Tonky Afro, mauresque pour la Casablanca, nuits de Shanghai pour l'Enter the Dragon, James Bond pour la Goldfinger, ou encore un hommage à Bollywood pour l'Indian Summer. Une adresse amusante et d'un bon rapport qualité/prix.

CARDIFF HOTEL Plan p. 180 Hôtel ££

☎ 7723 9068 ; www.cardiff-hotel.com ; 5-9 Norfolk Sq W2 ; s 49-65 £, d/tr/qua 95/110/125 £ ; ⊖ Paddington ; 💻

Tenu par la même famille depuis un demi-siècle, le Cardiff donne agréablement sur Norfolk Sq, avantage non négligeable en période de grosse chaleur. Il loue 61 chambres de taille standard et offre l'un des meilleurs rapports qualité/prix dans cette catégorie. Les simples les moins chères possèdent une douche mais pas de toilettes.

STYLOTEL Plan p. 180 Hôtel ££

☎ 7723 1026 ; www.stylotel.com ; 160-162 Sussex Gardens W2 ; s/d/tr/qua 60/85/105/120 £, ste studio 149 £, ste 1 ch 179 £ ; ⊖ Paddington ; ❄ 💻

Cet hôtel qui privilégie le look "design industriel" a fait largement appel à l'aluminium, à l'acier inoxydable et au verre dépoli pour la déco de ses 47 chambres. Un style très épuré, certes, mais quel plaisir de bénéficier d'un cadre propre, élégant et contemporain dans cette gamme de prix ! Les 8 nouvelles suites (studios et suites d'une chambre), à deux pas de London St, sont parfaites pour les familles ou les séjours longue durée.

LANCASTER HALL HOTEL
Plan p. 180 Hôtel ££

☎ 7723 9276 ; www.lancaster-hall-hotel.co.uk ; 35 Craven Terrace W2 ; s/lits jum 65/85 £, s/d/tr/qua avec sdb commune 30/48/60/80 £ ; ⊖ Lancaster Gate

À une courte distance des jardins de Kensington, le Lancaster Hall se divise en deux parties : 80 chambres avec sdb dans un hôtel classique offrant les prestations normales et des prix de catégorie moyenne, et une aile "auberge de jeunesse" récemment rénovée, comportant 22 chambres dotées de lavabo et de sdb communes dans le couloir.

La sélection

BOUTIQUE HOTELS

- Hotel Indigo (p. 356)
- Bermondsey Square Hotel (p. 349)
- Number Sixteen (p. 351)
- Mayflower (ci-contre)
- Rockwell (ci-dessous)

ELYSEE HOTEL Plan p. 180 Hôtel £

☎ 7402 7633 ; www.hotelelysee.co.uk ; 25 Craven Tce W2 ; s 65-89 £, d 79-120 £ ; ⊖ Lancaster Gate ;

Cet hôtel pour petits budgets est installé dans une rue calme au nord des jardins de Kensington. Excellent rapport qualité/prix étant donné l'emplacement et les prestations (trois étoiles). Le nouvel ascenseur permet d'accéder tranquillement aux 55 chambres, et la façade fleurie est accueillante.

OXFORD HOTEL LONDON

Plan p. 180 Hôtel £

☎ 7402 6860 ; www.oxfordhotellondon.co.uk ; 13-14 Craven Tce W2 ; s 50-60 £, /d/tr/qua 68/83/ 98 £ ; ⊖ Lancaster Gate

Avec ses murs jaune vif et ses dessus-de-lit à carreaux, l'Oxford tente de donner le change mais les tapis râpés et l'escalier branlant rappellent son âge. L'accueil y est toujours chaleureux.

NOTTING HILL ET PORTOBELLO

PORTOBELLO HOTEL Plan p. 180 Hôtel £££

☎ 7727 2777 ; www.portobello-hotel.co.uk ; 22 Stanley Gardens W11 ; s 150-195 £, d 200-255 £, lits jum 225-285£, ste à partir de 265 £ ; ⊖ Notting Hill Gate ;

Cette célèbre adresse, superbement décorée, accueille depuis des années rockeurs et stars de cinéma. Les chambres meublées dans un style colonial dégagent une ambiance sophistiquée. Sur place, vous bénéficierez d'un restaurant et d'un bar ouvert 24h/24.

GUESTHOUSE WEST Plan p. 180 B&B ££

☎ 7792 9800 ; www.guesthousewest.com ; 163-165 Westbourne Grove W11 ; s et d 165-195 £ ; ⊖ Westbourne Park/Royal Oak ;

Cette jolie chambre d'hôtes installée dans une maison à trois étages se définit comme une "réinvention chic des B&B traditionnels à Notting Hill". Les 20 chambres sont épurées mais chics, avec lits à baldaquin modernes, TV à écran plat, bouilloires étincelantes et sdb au carrelage crème. Au rez-de-chaussée, les chambres sont agrémentées d'une porte vitrée donnant sur une terrasse commune en bois, tandis que des œuvres d'art moderne égaient le salon commun. Réductions (s et d 150 à 180 £) consenties du dimanche au mardi.

MILLER'S RESIDENCE

Plan p. 180 B&B ££

☎ 7243 1024 ; www.millersuk.com ; 111a Westbourne Grove W2 ; s et d 150-195 £, ste 230 £ ; ⊖ Bayswater/Notting Hill Gate ;

Cette maison bourgeoise du XVIIIe siècle ressemble davantage à un B&B cinq étoiles qu'à un hôtel. Si elle regorge de bibelots, d'objets d'art et de meubles anciens, elle déborde aussi de personnalité. Les 8 chambres opulentes, de taille et de forme différentes, offrent un séjour très romantique. Le salon de style victorien est époustouflant (surtout lorsqu'il est éclairé aux chandelles). L'entrée se fait par Hereford Rd.

GATE HOTEL Plan p. 180 B&B ££

☎ 7221 0707 ; www.gatehotel.co.uk ; 6 Portobello Rd W11 ; s 60-70 £, d 80-100 £, tr 105-125 £ ; ⊖ Notting Hill Gate ;

Les 6 chambres aménagées dans cette ancienne demeure à la déco anglaise traditionnelle tout en fanfreluches et à la façade fleurie possèdent une sdb privative. L'accueil y est fort sympathique et, pour le prix, on ne peut être mieux situé par rapport à Portobello Rd.

PORTOBELLO GOLD Plan p. 180 Pension £

☎ 7460 4910 ; www.portobellogold.com ; 95 Portobello Rd W11 ; ch à partir de 65 £, app à partir de 120 £ ; ⊖ Notting Hill Gate ;

Cette pension nichée au-dessus d'un agréable pub-restaurant abrite 7 chambres de tailles variables et différemment meublées. Il y a plusieurs petites doubles et une Large Modern Suite, meublée à l'ancienne avec lit à baldaquin et cheminée. Au dernier étage, le Roof Terrace Studio, plus moderne, est doté d'une kitchenette et d'un accès exclusif au toit-terrasse.

EARL'S COURT

ROCKWELL Plan p. 182 Boutique hotel ££

☎ 7244 2000 ; www.therockwell.com ; 181-183 Cromwell Rd SW5 ; s 120 £, d 160-180 £, ste à partir de 200 £ ; ⊖ Earl's Court ;

Nouveau venu à Earl's Court, le sympathique Rockwell, avec ses 40 chambres, est le type même du "*boutique hotel* pour petits budgets". La décoration privilégie une approche contemporaine du style traditionnel anglais et les 3 chambres (LG1, 2 et 3) qui donnent sur le jardin sont particulièrement agréables.

BASE2STAY Plan p. 182 Hôtel ££

☎ 7244 2255, 0845 262 8000 ; www.base2stay.com ; 25 Courtfield Gardens SW5 ; s 91-96 £, d et lits jum 103-199 £ ; ⊖ Earl's Court/Gloucester Rd ;

Base2stay s'efforce d'éliminer tous les plus "non indispensables" habituellement proposés par les hôtels pour se concentrer sur des aspects plus "importants" tels les équipements de communication et musicaux, ou l'aménagement des kitchenettes. Le résultat est un hôtel de 67 chambres, fonctionnel et très confortable. Les chambres à lits jumeaux les moins chères sont dotées de lits superposés.

MAYFLOWER Plan p. 182 Boutique hotel ££

☎ 7370 0991 ; www.mayflowerhotel.co.uk ; 26-28 Trebovir Rd SW5 ; s 85-90 £, d 99-165 £, tr/f 145/169 £ ; ⊖ Earl's Court ;

Le "*boutique hotel* pour petits budgets" le plus réputé de Londres a adopté un style colonial contemporain, avec des sculptures sur bois en provenance d'Inde, des ventilateurs au plafond et des sdb carrelées de noir. Les doubles deluxe s'agrémentent d'un balcon et sont toutes différemment meublées. Parmi les hôtels partenaires dans l'ouest de Londres, citons le Twenty Nevern Square (plan p. 182 ; ☎ 7565 9555 ; 20 Nevern Sq SW5 ; s 99-120 £, d 110-140 £ ; ⊖ Earl's Court) voisin, avec 20 chambres également décorées dans le style colonial, mais avec un peu moins de carrelage noir et plus de bois sculpté, ainsi que le New Linden Hotel (plan p. 180 ; ☎ 7221 4312 ; 58-60 Leinster Sq W2 ; s 65-79 £, d 89-139 £, tr 140-170 £ ; ⊖ Notting Hill Gate), de 51 chambres, situé entre Westbourne Grove et Notting Hill.

RUSHMORE Plan p. 182 Hôtel ££

☎ 7370 3839 ; www.rushmore-hotel.co.uk ; 11 Trebovir Rd SW5 ; s 69-79 £, d 89-99 £, tr et qua 115-139 £ ; ⊖ Earl's Court ;

Tons pastel, drapés, élégante simplicité des lignes : l'atmosphère est accueillante dans cet hôtel modeste qui possède 22 chambres de bonne taille avec sdb rénovées. Au 1er étage, 4 chambres se prolongent par des balcons : les n°11 et 12 donnent sur la rue et les n°14 et 15 sur la cour.

MERLYN COURT HOTEL Plan p. 182 Hôtel £

☎ 7370 1640 ; www.merlyncourthotel.com ; 2 Barkston Gardens SW5 ; s/d/tr/f à partir de 56/80/90/95 £, s/d avec sdb commune 50/70 £ ; ⊖ Earl's Court

Certaines des 18 chambres ont été rénovées, mais toutes sont sobres et n'ont rien d'exceptionnel. Cela dit, l'atmosphère est particulièrement agréable et les gérants sont sympathiques. L'hôtel se trouve dans une rue tranquille à quelques minutes du métro Earl's Court. Une adresse gagnante dans la catégorie petits budgets.

ACE HOTEL Plan p. 182 Auberge de jeunesse ££

☎ 7602 6600 ; www.ace-hotel.co.uk ; 16-22 Gunterstone Rd W14 ; dort 19-29 £, d 105 £, d avec sdb commune 56-60 £ ; ⊖ Barons Court ;

Dans une rue résidentielle calme à l'ouest d'Earl's Court (un peu perdue, mais proche du métro), cette auberge de 163 lits, propre et nette, dégage une ambiance moderne et branchée. Superbe jardin à l'arrière. Baignoires avec eau chaude. Dortoirs de 3 à 8 lits superposés, et 4 chambres doubles avec sdb donnant toutes sur un patio surplombant le jardin.

YHA EARL'S COURT

Plan p. 182 Auberge de jeunesse £

☎ 7373 7083 ; www.yha.org.uk ; 38 Bolton Gardens SW5 ; dort 17,50-28,50 £, lits jum 44-72 £ ; ⊖ Earl's Court ;

Suite à un incendie, cette auberge de jeunesse a été refaite, ce qui n'a en rien changé l'atmosphère de cette grande bâtisse victorienne, toujours formidable. L'établissement est chaleureux mais rudimentaire : la plupart des 186 lits sont répartis dans des dortoirs de 4 à 10 lits superposés. Il possède une cuisine spacieuse, un café lumineux et moderne et un jardin sur cour à l'arrière.

BARMY BADGER BACKPACKERS

Plan p. 182 Auberge de jeunesse £

☎ 7370 5213 ; www.barmybadger.com ; 17 Longridge Rd SW5 ; dort 17-21 £, d et lits jum 42 £ ; ⊖ Earl's Court ;

En plein secteur résidentiel, cette ancienne maison victorienne est devenue, malgré son exiguïté, le havre des voyageurs à budget serré. Certains s'y installent même pour un long séjour, séduits par le joli jardin et par les tarifs attractifs à la semaine (à partir de 96 £ en dortoir de 6 lits). L'endroit comprend une petite cuisine, une buanderie et peut loger jusqu'à 42 personnes dans 14 chambres. Dortoirs de 4 à 6 lits, et 5 chambres avec lits jumeaux, dont 3 avec une sdb.

BARKSTON HOSTEL

Plan p. 182 Auberge de jeunesse £

☎ 7373 4322 ; youthhostel1@yahoo.com ; 1 Barkston Gardens SW5 ; dort 11-14 £, s/d/tr/qua 25/34/45/52 £ ; ⊖ Earl's Court ;

Avec 315 lits répartis dans trois bâtiments victoriens (dont certains ont conservé des détails d'origine, comme les vitraux), cette immense auberge de jeunesse à l'ambiance un peu conventionnelle est l'adresse la moins chère d'Earl's Court. Les dortoirs comportent 6 à 8 lits (le n°120 donne sur une adorable place verdoyante) et les chambres privées partagent des sdb communes.

SHEPHERD'S BUSH ET HAMMERSMITH

K WEST

Plan p. 182 Hôtel ££

☎ 7674 1000 ; www.k-west.co.uk ; Richmond Way W14 ; s 79-119 £, d 100-159 £, ste à partir de 450 £, petit-déj 11,50-17 £ ; ⊖ Shepherd's Bush ;

Tout près de Shepherd's Bush Green, un établissement très raffiné de 220 chambres. L'extérieur ne paye pas de mine, mais l'intérieur est tout en bois sombre, velours, acier et verre dépoli. De nombreux clients séjournent ici pour profiter de l'espace thermal, et le K West possède aussi un restaurant animé, le Kanteen.

ST CHRISTOPHER'S SHEPHERD'S BUSH

Plan p. 182 Auberge de jeunesse £

☎ 7407 1856 ; www.st-christophers.co.uk ; 13-15 Shepherd's Bush Green ; dort 12,50-21 £, lits jum 46-56 £ ; ⊖ Shepherd's Bush

Juste à l'angle du Westfield London, le plus grand centre commercial d'Europe (265 boutiques et 50 restaurants), cette auberge n'impose pas de couvre-feu. Les chambres sont plutôt surpeuplées mais avec certaines réductions, on peut payer jusqu'à moins de 10 £ la nuit.

GREENWICH ET SOUTHEAST LONDON

De l'autre côté de la Tamise, isolé du bruit et de l'animation, Greenwich est de tous les quartiers londoniens celui qui ressemble le plus à un village ou à la province anglaise. Idéal pour qui souhaite faire un jogging tôt le matin dans Greenwich Park, doté de superbes vues sur le fleuve, ou se rendre à un concert à l'O2 (ex-Millennium Dome). En revanche, les noctambules n'y trouveront pas leur compte, car non seulement la vie nocturne n'est pas trépidante, mais le quartier est mal desservi le soir.

La sélection

AUBERGES DE JEUNESSE

- **Astor Hyde Park** (p. 352)
- **Clink** (p. 355)
- **Meininger** (p. 352)
- **Generator** (p. 345)
- **St Christopher's Village** (p. 349)

GREENWICH

HARBOUR MASTER'S HOUSE

Plan p. 186 Appartement ££

☎ 8293 9597 ; http://website.lineone.net/~harbourmaster ; 20 Ballast Quay SE10 ; s et d 75-85 £, tr et qua 85-95 £ ; ⊖ Greenwich, DLR Cutty Sark

Cet appartement indépendant en sous-sol de 3 pièces se trouve tout au bord de la Tamise, dans un bâtiment classé datant de 1855. Il allie la modernité de ses équipements au charme de ses plafonds cintrés en brique blanche et de son allure vaguement maritime. L'exiguïté des lieux convient plus à un couple qu'à un groupe.

NUMBER 16 ST ALFEGE'S

Plan p. 186 B&B £

☎ 8853 4337 ; www.st-alfeges.co.uk ; 16 St Alfege's Passage SE10 ; s/d 75/90 £ ; Greenwich, DLR Cutty Sark

Au cœur de Greenwich, ce B&B tenu par des propriétaires gay est l'adresse la plus convoitée du quartier depuis son apparition dans le programme *Hotel Inspector* de Channel 5. Les deux chambres doubles et la simple sont bien agencées et personnalisées, dans des tons bleus, verts et jaunes. Chacune se double d'une sdb. Tout le monde, gay ou non, s'y sentira à l'aise, à bavarder avec les propriétaires autour d'une tasse de thé. Pour un quartier aussi central, l'endroit est d'un calme étonnant. L'entrée de la maison se trouve au coin de Roan St.

YHA LONDON THAMESIDE

Plan p. 186 Auberge de jeunesse £

☎ 7232 2114 ; www.yha.org.uk ; 20 Salter Rd SE16 ; dort 16-27 £, lits jum 39-67 £ ; ⊖ Canada Water/ Rotherhithe ;

En dépit d'une situation un peu isolée, les équipements de cette enseigne phare des YHA sont excellents : bar, restaurant, cuisine, buanderie. Dortoirs de 4 à 10 lits. Les 20 chambres avec lits jumeaux possèdent toutes leur sdb.

ST CHRISTOPHER'S INN GREENWICH

Plan p. 186 Auberge de jeunesse £

☎ 8858 3591 ; www.st-christophers.co.uk ; 189 Greenwich High Rd SE10 ; dort 8-25 £, lits jum 45-50 £ ; ⊖ Greenwich, Greenwich

Filiale d'une chaîne d'auberges de jeunesse de très bonne réputation, elle s'avère légèrement plus calme que certaines de ses homologues plus centrales (bien qu'elle soit littéralement "collée" à la gare ferroviaire de Greenwich). Les 55 couchages sont répartis en dortoirs de 6 à 8 lits. Seulement 2 doubles à lits jumeaux. Pub sur place.

NEW CROSS INN

Plan p. 186 Auberge de jeunesse £

☎ 8691 7222 ; www.newcrossinn.co.uk ; 323a New Cross Rd SE14 ; dort 10-16 £, d et lits jum 60-72 £ ; ⊖ New Cross Gate/New Cross

Jumelle du Dover Castle Hostel (p. 350) à Borough, cette auberge de 75 lits vous attend à New Cross, dans la partie sud-ouest (et reculée) de Greenwich. Chambres sommaires avec lavabo et réfrigérateur. Profitez des deux cuisines et du pub attenant. Accès le plus facile en train de la gare de London Bridge (environ 6 min), ou depuis la station New Cross Gate, à nouveau ouverte, sur la ligne de surface. Dortoirs de 4 à 8 lits.

SOUTHWEST LONDON

Cette partie de la ville offre peu de choix en matière d'hébergement et, en plus de pratiquer des prix plus élevés qu'ailleurs, se trouve assez éloignée de tout. Si toutefois vous recherchez un quartier calme et élégant, vous serez satisfait, entouré de verdure avec la Tamise à proximité.

PETERSHAM

Plan p. 212 Hôtel ££

☎ 8940 0061 ; www.petershamhotel.co.uk ; Nightingale Lane TW10 ; s 135-160 £, d 170-235 £, ste 300 £, tarif week-end s 95-120 £, d 150 £ ; ⊖ Richmond, Richmond puis 65

Sur la pente qui descend vers Richmond Hill jusqu'à Petersham Meadows et en direction de la Tamise, le Petersham bénéficie d'étonnantes vues pastorales, notamment depuis son restaurant dont les grandes baies vitrées donnent sur la Tamise. Les 60 chambres aménagées dans le style traditionnel offrent un agréable répit loin de l'agitation de la ville.

RICHMOND PARK HOTEL

Plan p. 212 Hôtel ££

☎ 8948 4666 ; www.therichmondparkhotel.com ; 3 Petersham Rd TW10 ; s 87-90 £, d 99 £ ; ⊖ Richmond, Richmond

Cet hôtel de 22 chambres au pied de Richmond Hill est une plaisante adresse de catégorie moyenne, pour qui souhaite loger en plein centre de Richmond. Chambres confortables et bien équipées, petit-déjeuner continental compris. Moyennant un supplément de 5 £, le propriétaire peut vous préparer un petit-déjeuner anglais complet et très copieux.

EXCURSIONS

EXCURSIONS

On a beau adorer Londres, s'éloigner de la ville est le seul moyen de constater à quel point la capitale est différente du reste du pays. En règle générale, fini la diversité ethnique et religieuse, le chaos urbain et le foisonnement architectural : c'est une tout autre expérience qui s'offre à vous, une Angleterre de carte postale toute en *fish and chips*, toits de chaume, *cream teas* (thé accompagné de scones, crème épaisse et confiture) et pubs fermant à 23h. Ce qui ne signifie pas pour autant qu'en dehors de Londres, point de qualité : on trouve d'excellents restaurants et la culture de plein air qui s'est emparée de la capitale s'étend aussi aux régions. Et, si vous passez par là en été et mettez le cap sur le littoral, vous pourrez vous offrir une petite baignade en prime.

L'Angleterre est un petit pays et les transports partent généralement de Londres, donc quasiment toutes les destinations sont facilement envisageables depuis la capitale. En outre, de nombreuses villes situées à moins de 100 km de Londres se prêtent parfaitement à des excursions à la journée.

VILLES HISTORIQUES

Si vous souhaitez vous plonger dans l'histoire du pays et du savoir, **Oxford** (p. 366) et **Cambridge** (p. 369) sont des destinations idéales pour une journée combinant sérénité et activité des petites cellules grises. À un peu plus d'une heure de Londres, ces deux villes abritent des quartiers qui n'ont guère changé en quelque huit siècles. La majestueuse **cathédrale de Canterbury** (p. 377) est aussi une option séduisante.

LA CÔTE

Si vous êtes adepte du bord de mer, attendez-vous à vivre une expérience tout à fait singulière. La météo est imprévisible, les plages sont en galets et la mer n'est pas tant ici un lieu de baignade qu'une étendue à contempler en tentant d'empêcher une bourrasque d'emporter vos frites. Les villes du littoral sont généralement plus ouvrières, avec une enfilade de stands de *fish and chips* et de kebabs, de salles de jeux kitsch et de B&B. **Brighton** (p. 373) est la ville la plus dynamique de la côte, et son embourgeoisement rapide l'a transformée en une sorte d'annexe de Londres, avec des bars et restaurants branchés et de merveilleux hébergements. Mais le vrai charme se dissimule dans les cités historiques du littoral, telles la nostalgique **Broadstairs**, la gentiment kitsch **Margate** ou **Whitstable** l'ostréicole (pour ces trois villes, voir p. 375). Les rues pittoresques de la cité médiévale de **Rye** (p. 376) constituent un parfait mariage entre la mer et l'histoire. Autour de Rye, les zones côtières de **Romney Marsh** et **Dungeness** (p. 376) sont parmi les plus étranges qui soient.

ESCAPADES À PIED

Les randonnées organisées sont une bonne idée pour s'échapper de Londres une journée. Une offre amusante et d'un bon rapport qualité/prix est proposée par **English Country Walks** (www.englishcountrywalks.com ; par pers avec déj, transports et frais d'entrée 40-80 £), qui vous emmènera en petits groupes sillonner les champs, explorer des châteaux dont le **Leeds Castle** (p. 381) ou longer les Seven Sisters ("sept sœurs"), les falaises de craie qui surplombent la Manche. Avec en prime le plaisir d'une halte (et souvent d'une bière) rafraîchissante dans un pub traditionnel. Le guide est charmant et ne manque pas d'anecdotes amusantes sur l'histoire locale ; départ et arrivée se font dans les principaux terminus londoniens.

CHÂTEAUX

Au fil des siècles, les rois, reines, princes, ducs et barons successifs n'ont cessé de renchérir sur leurs voisins en construisant quelques-unes des plus belles propriétés de campagne du monde. **Windsor** (p. 379), résidence officielle de la reine Elizabeth, est le plus ancien château encore habité dans le monde (si vous faites le voyage, profitez-en pour découvrir, non loin de là, les délices gastronomiques de **Bray**, voir p. 379). **Hever Castle** (p. 381), qui a vu grandir la deuxième épouse d'Henry VIII, Anne Boleyn, renferme de ravissants jardins paysagés. Construit sur deux lacs, dans un décor de conte de fées, **Leeds Castle** (p. 381) se situe dans le Kent et a été surnommé le "plus joli château du monde". **Sissinghurst Castle** (p. 381), quant à lui, abrite l'un des jardins contemporains les plus célèbres de la planète.

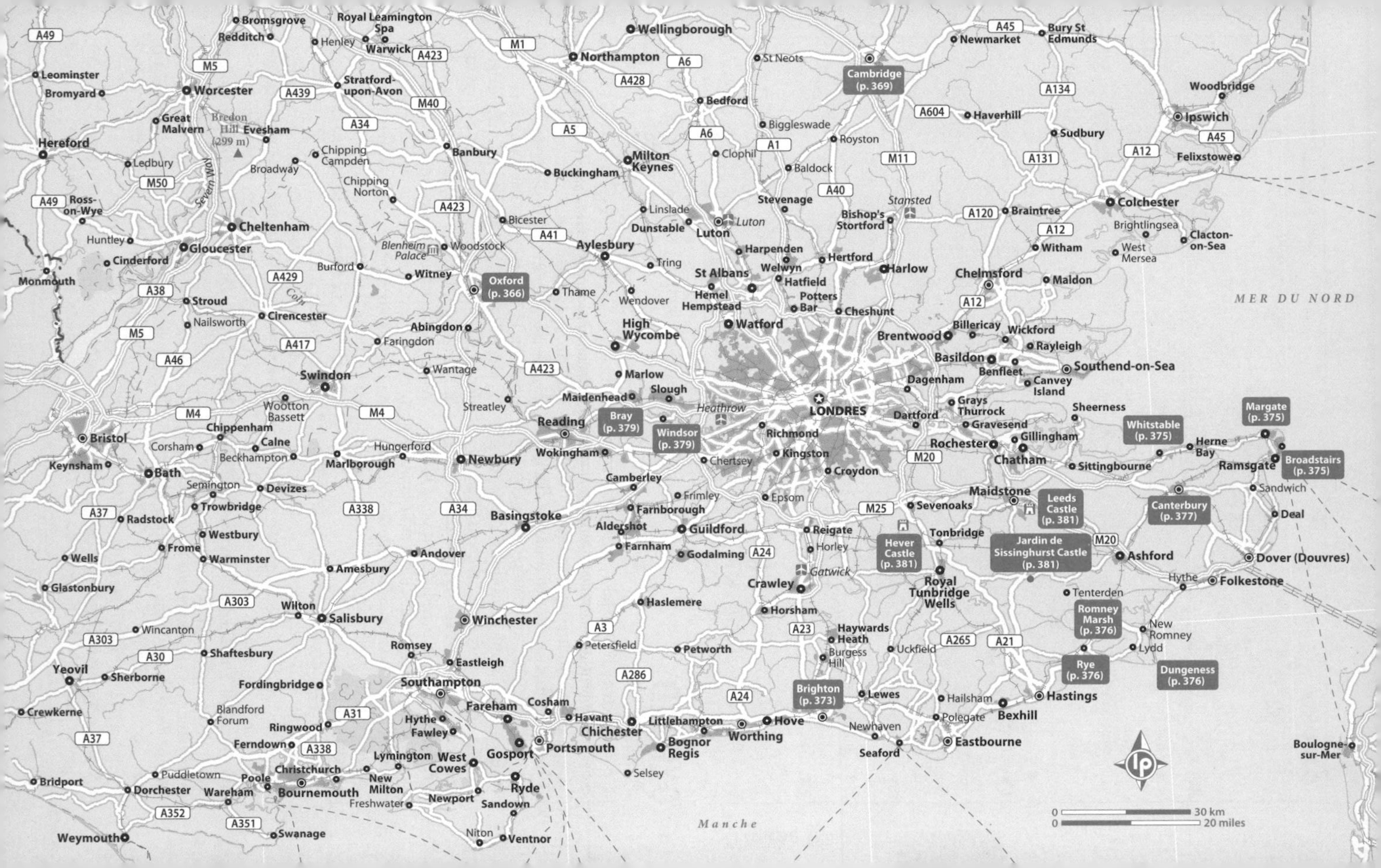
LONDRES
MER DU NORD
Manche
Cambridge (p. 369)
Oxford (p. 366)
Bray (p. 379)
Windsor (p. 379)
Brighton (p. 373)
Hever Castle (p. 381)
Leeds Castle (p. 381)
Jardin de Sissinghurst Castle (p. 381)
Canterbury (p. 377)
Whitstable (p. 375)
Margate (p. 375)
Broadstairs (p. 375)
Romney Marsh (p. 376)
Rye (p. 376)
Dungeness (p. 376)
Bromsgrove
Redditch
Royal Leamington Spa
Henley
Warwick
Wellingborough
Northampton
St Neots
Newmarket
Bury St Edmunds
Leominster
Bromyard
Worcester
Stratford-upon-Avon
Bedford
Haverhill
Woodbridge
Ipswich
Great Malvern
Bredon Hill (299 m)
Evesham
Hereford
Ledbury
Chipping Campden
Broadway
Banbury
Milton Keynes
Buckingham
Biggleswade
Royston
Sudbury
Felixstowe
Clophil
Baldock
Chipping Norton
Stevenage
Stansted
Ross-on-Wye
Huntley
Cheltenham
Gloucester
Severn Way
Bicester
Linslade
Luton
Dunstable
Bishop's Stortford
Braintree
Colchester
Brightlingsea
Clacton-on-Sea
West Mersea
Witham
Cinderford
Blenheim Palace
Woodstock
Aylesbury
Tring
Harpenden
Hertford
Harlow
Chelmsford
Maldon
Monmouth
Burford
Witney
St Albans
Welwyn
Hatfield
Wendover
Thame
Hemel Hempstead
Potters Bar
Cheshunt
Stroud
Nailsworth
Cirencester
Coln
Abingdon
Faringdon
High Wycombe
Watford
Brentwood
Billericay
Wickford
Rayleigh
Basildon
Benfleet
Southend-on-Sea
Canvey Island
Swindon
Wantage
Marlow
Dagenham
Wootton Bassett
Streatley
Maidenhead
Slough
Heathrow
Grays Thurrock
Sheerness
Reading
Dartford
Gravesend
Bristol
Chippenham
Corsham
Calne
Hungerford
Richmond
Rochester
Gillingham
Herne Bay
Keynsham
Beckhampton
Marlborough
Newbury
Wokingham
Chertsey
Kingston
Croydon
Chatham
Sittingbourne
Ramsgate
Bath
Semington
Devizes
Camberley
Frimley
Epsom
Maidstone
Sandwich
Trowbridge
Radstock
Basingstoke
Farnborough
Sevenoaks
Deal
Westbury
Aldershot
Guildford
Reigate
Tonbridge
Ashford
Dover (Douvres)
Frome
Warminster
Farnham
Godalming
Horley
Andover
Wells
Amesbury
Gatwick
Royal Tunbridge Wells
Crawley
Hythe
Folkestone
Tenterden
Glastonbury
Wilton
Salisbury
Haslemere
Horsham
Winchester
Wincanton
New Romney
Lydd
Romsey
Petersfield
Petworth
Haywards Heath
Burgess Hill
Uckfield
Yeovil
Shaftesbury
Sherborne
Eastleigh
Fordingbridge
Southampton
Lewes
Hailsham
Hastings
Crewkerne
Blandford Forum
Fareham
Cosham
Havant
Littlehampton
Hove
Polegate
Bexhill
Ringwood
Hythe
Fawley
Chichester
Worthing
Newhaven
Eastbourne
Ferndown
Gosport
Portsmouth
Bognor Regis
Seaford
Boulogne-sur-Mer
Lymington
West Cowes
Bridport
Puddletown
Christchurch
Poole
New Milton
Selsey
Dorchester
Wareham
Bournemouth
Ryde
Freshwater
Newport
Sandown
Weymouth
Swanage
Niton
Ventnor
A49
M5
A423
M1
A6
A45
A439
M40
A428
A134
A34
A5
A6
A1
A604
A45
M50
A12
M11
A131
A40
A423
A120
A41
A12
A429
A38
A12
M5
A417
A46
A423
M4
M4
M20
A37
A338
A34
M25
M20
A24
A303
A3
A23
A265
A21
A303
A30
A286
A24
A31
A37
A338
A352
A351
0 30 km
0 20 miles

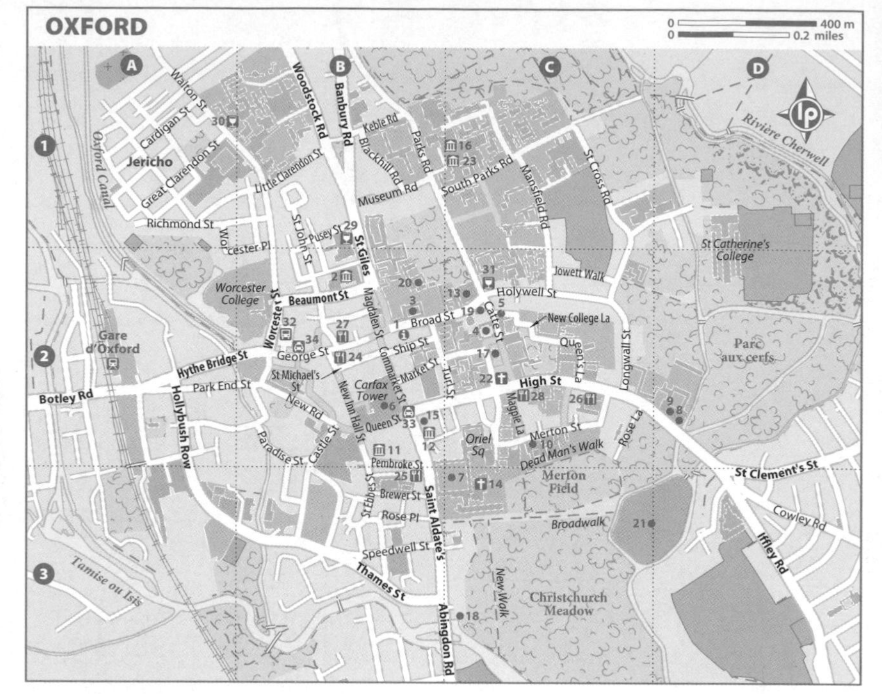

OXFORD

☎ 01865

Le poète victorien Matthew Arnold décrivit Oxford, première ville universitaire d'Angleterre, comme une "douce cité aux flèches rêveuses". Aujourd'hui, les flèches dominent toujours cette ville commerçante prospère, qui doit néanmoins faire face aux problèmes sociaux caractéristiques de l'environnement urbain, en particulier une recrudescence de la mendicité en été. Quant aux visiteurs, ils restent fascinés par la superbe architecture et l'atmosphère unique des *colleges* – synonymes d'excellence académique – et de leurs cours et jardins.

La ville s'est développée sur le site d'un village saxon et date du début du XIIe siècle ; depuis, on lui doit la formation de plus de 25 Premiers ministres du Royaume-Uni, dont Margaret Thatcher et Tony Blair. Même Oussama ben Laden et Bill Clinton sont passés sur les bancs de son université.

Point de repère pratique et central, la **Carfax Tower** (☎ 792653 ; angle Queen St et Cornmarket St ; adulte/enfant 2/1 £ ; 🕑 10h-17h30 avr-sept, 10h-16h30 oct, 10h-15h30 nov-mars) faisait jadis partie de l'église médiévale de St Martin, détruite en 1896. Depuis le sommet (99 marches), le point de vue est superbe. Sous l'horloge, le jacquemart sonne les cloches tous les quarts d'heure.

Les 38 *colleges* sont dispersés dans toute la ville. Le plus majestueux est le **Christ Church College** (☎ 286573 ; www.chch.ox.ac.uk ; St Aldate's ; adulte/tarif réduit/famille 6/4,50/12 £ ; 🕑 9h-17h lun-sam, 14h-17h dim), fondé en 1525 et très populaire auprès des fans d'Harry Potter, car il apparaît dans plusieurs des films. Son entrée principale se situe sous la Tom Tower (1682), conçue par Christopher Wren, qui abrite une cloche de 6,35 tonnes, la Great Tom. L'entrée des visiteurs se fait un peu plus loin dans St Aldate's, par le portail en fer forgé des War Memorial Gardens et le Broadwalk. Sa chapelle, **Oxford Cathedral**, est la plus petite du pays.

Merton College (☎ 276310 ; www.merton.ox.ac.uk ; Merton St ; entrée libre ; 🕑 14h-16h lun-ven, 10h-16h sam-dim), fondé en 1264, se trouve juste au nord de la Dead Man's Walk. Datant du XIVe siècle, l'**Old Library** de Mob Quad est la plus ancienne bibliothèque médiévale en activité au Royaume-Uni. J.R.R. Tolkien, l'auteur du *Seigneur des anneaux*, enseigna l'anglais au Merton College de 1945 à 1959, année de sa retraite.

L'impressionnant **Magdalen College** (☎ 276000 ; www.magd.ox.ac.uk ; adulte/tarif réduit 4/3 £ ; 🕑 12h-18h

OXFORD

RENSEIGNEMENTS

Office du tourisme	1	B2

À VOIR

Ashmolean Museum	2	B2
Balliol College	3	B2
Bodleian Library	4	C2
Bridge of Sighs	5	C2
Carfax Tower	6	B2
Christ Church College	7	C3
Magdalen Bridge Boathouse	8	D2
Magdalen College	9	D2
Merton College	10	C2
Modern Art Oxford	11	B2
Museum of Oxford	12	B2
New Bodleian Library	13	C2
Oxford Cathedral	14	C3
Oxford Town Hall	15	B2
Pitt Rivers Museum	16	C1
Radcliffe Camera	17	C2
Salter Boat Hire	18	C3
Sheldonian Theatre	19	C2
Trinity College	20	B2
University Botanic Gardens	21	C3
University Church of St Mary the Virgin	22	C2
University Museum of Natural History	23	C1

OÙ SE RESTAURER

Chutneys	24	B2
G&D's	25	B3
Grand Café	26	C2
Jamie's Italian	27	B2
Quod	28	C2

OÙ PRENDRE UN VERRE

Eagle & Child	29	B1
Freud	30	A1
King's Arms	31	C2

TRANSPORTS

Gare routière de Gloucester Green	32	B2
Station de taxis	33	B2
Station de taxis	34	B2

juil-sept, 13h-18h oct-juin), au bord de la Cherwell, (et dont le nom se prononce *maud-len*), se dresse au cœur d'un immense domaine, englobant un parc aux cerfs. Le 1er mai, la tradition veut que les étudiants plongent du Magdalen Bridge, mais les autorités ont interdit (en vain) cette pratique après plusieurs blessures graves en raison du faible niveau de l'eau. Juste en face, les University Botanic Gardens (☎ 286690 ; www.botanic-garden.ox.ac.uk ; Rose Lane ; adulte/tarif réduit/enfant 4/2,50 £/gratuit ; 9h-18h mai-août, 9h-17h mars, avr, sept et oct, 9h-16h30 nov-fév), fondés en 1631, sont les plus anciens jardins botaniques de Grande-Bretagne.

Trinity College (☎ 279900 ; www.trinity.ox.ac.uk ; Broad St ; adulte/tarif réduit 1,50/0,75 £ ; 10h-12h et 14h-16h lun-ven, 14h-16h sam-dim), l'un des plus petits en termes de nombre d'inscriptions, fut fondé en 1555. À proximité, le Balliol College (☎ 277777 ; www.balliol.ox.ac.uk ; angle Broad St et Magdalen St ; adulte/tarif réduit 1/0,50 £) date de 1263 et serait le plus ancien d'Oxford. Les énormes portes en bois de style gothique séparant les quadrilatères intérieurs et extérieurs portent des marques noircies qui remontent au milieu du XVIe siècle, lorsque quatre religieux protestants y furent brûlés vifs.

L'University Church of St Mary the Virgin (☎ 279111 ; www.university-church.ox.ac.uk ; visite adulte/tarif réduit/famille 3/2,50/10 £ ; 9h-18h lun-sam, 12h-18h dim juil-août, 9h-17h lun-sam, 12h-17h dim sept-juin) comporte une tour du XIVe siècle. On peut grimper les 124 marches pour admirer un panorama fabuleux sur les "flèches rêveuses" de la ville.

De style palladien et surmontée du troisième plus grand dôme de Grande-Bretagne, la Radcliffe Camera (1749) sert de salle de lecture aux usagers de la Bodleian Library (☎ 277224 ; www.bodley.ox.ac.uk ; Catte St ; visite 6 £ ; 9h-17h lun-ven, 9h-16h30 sam, visites 10h30, 11h30, 14h et 15h). Ne manquez pas le Bridge of Sighs, copie réalisée en 1914 du célèbre pont des Soupirs de Venise, qui enjambe New College Lane juste à l'est de la bibliothèque. Au nord, la New Bodleian Library (☎ 277162 ; angle Broad St et Parks Rd) de style Art brut fut conçue en 1938 par sir Giles Gilbert Scott, l'architecte qui dessina la Battersea Power Station (p. 196) et la légendaire cabine téléphonique rouge. Première grande réalisation de Wren en 1669, le Sheldonian Theatre (☎ 277299 ; www.sheldon.ox.ac.uk ; adulte/tarif réduit 2/1 £ ; 10h-12h30 et 14h-16h30 lun-sam mars-oct, 14h-15h30 lun-sam nov-fév) accueille aujourd'hui diverses les inscriptions, les remises de diplômes, ainsi que des concerts occasionnels.

Oxford compte quelques musées excellents (et gratuits), dont l'University Museum of Natural History (☎ 272950 ; www.oum.ox.ac.uk ; Parks Rd ; entrée libre ; 10h-17h), célèbre pour ses squelettes de dinosaure et de dodo, et l'excentrique Pitt Rivers Museum (☎ 270927 ; www.prm.ox.ac.uk ; Parks Rd ; entrée libre ; 12h-16h30 lun, 13h-16h30 mar-dim), un établissement de trois étages truffé d'objets incroyables, comme des poupées vaudoues et des têtes réduites des Caraïbes et du Pacifique. On distribue aux visiteurs des lampes torches pour "explorer" la Court Gallery en bas. Vous serez autorisé à ouvrir tous les tiroirs : une belle idée.

L'Ashmolean Museum (☎ 278000 ; www.ashmolean.org ; Beaumont St ; entrée libre ; 10h-17h mar-sam, 14h-17h dim) est le plus ancien de Grande-Bretagne (inauguré en 1683), avec une superbe collection d'antiquités et d'art européen et britannique (Rembrandt, Michel-Ange,

Turner ou encore Picasso sont représentés). Lors de notre passage, le musée était fermé et un superbe édifice conçu par l'architecte Rick Mather était en train de s'élever pour remplacer quasiment tout le Cockerell Building (1845). Il comportera 39 nouvelles salles et augmentera de 100% l'espace d'exposition de l'ancien bâtiment.

Le **Modern Art Oxford** (☎ 722733 ; www.modernartoxford.org.uk ; 30 Pembroke St ; entrée libre ; ⌚ 10h-17h mar-sam, 12h-17h dim) s'affirme comme le meilleur musée d'art contemporain hors de Londres, à la fois à l'extérieur et à l'intérieur. Lors d'une exposition récente, sa façade a été transformée en un mur bariolé couvert de slogans politiques. Les visites guidées commencent à 13h le mardi et le jeudi et à 11h ou 15h le samedi.

Le **Museum of Oxford** (☎ 252761 ; www.museumofoxford.org ; angle St Aldate's et Blue Boar St ; entrée libre, audioguide adulte/tarif réduit/famille 4/3,50/12 £ ; ⌚ 10h-17h mar-ven, 12h-17h sam-dim), installé dans l'**Oxford Town Hall** (l'hôtel de ville de style victorien sophistiqué, admirez le Central Hall richement orné au 1er étage), retrace sans ennuyer la longue histoire de la ville, de la préhistoire aux temps modernes, avec des reconstitutions de boutiques et d'appartements.

Pour vous imprégner de l'ambiance d'Oxford, rien de tel que de naviguer sur l'Isis (le nom local de la Tamise) en *punt* (bachot, barque à fond plat manœuvrée à la perche), à louer par exemple auprès de **Magdalen Bridge Boathouse** (☎ 202643 ; www.oxfordpunting.com ; Magdalen Bridge ; 5 pers max 14 £/heure, caution 30 £, bateau avec pilote 4 pers max 20 £ les 30 min, avec une bouteille de vin 25 £ ; ⌚ 9h30-21h mars-oct), juste au pied de l'extrémité nord-est du Magdalen Bridge, ou auprès de **Salters Boat Hire** (☎ 243421 ; www.salterssteamers.co.ok ; St Aldate's ; bachot/bateau à rames 5/4 pers max 20 £/heure, caution 20 £ ; ⌚ 10h-17h mars-oct), à côté du pub Head of the River sur le Folly Bridge. Salters propose également une croisière sur la rivière de 40 minutes en bateau à vapeur (adulte/enfant 6,50/3,50 £).

RENSEIGNEMENTS

La Carfax Tower s'élève à un peu moins d'1 km de la gare ferroviaire et à environ 500 m de la gare routière de Gloucester Green.

Office du tourisme (☎ 252200 ; www.visitoxford.org ; 15-16 Broad St ; ⌚ 9h30-17h lun-sam, 10h-16h dim). Le personnel peut se charger de vous réserver un logement ; des visites pédestres, thématiques pour la plupart, (C.S. Lewis et J.R.R. Tolkien, Harry Potter, l'Oxford des Tudors, etc.) d'1 heure 30 sont régulièrement organisées (adulte 7,50-10,50 £, enfant 3,50-6,50 £, tarif réduit 6,50-10,50 £). Elles partent de l'office du tourisme à 11h, 13h30 (visites thématiques) et 14h tous les jours. Visites supplémentaires à 10h30 et 13h en haute saison.

OÙ SE RESTAURER ET PRENDRE UN VERRE

Outre la liste ci-dessous, vous trouverez pléthore de restaurants exotiques – indiens, chinois, thaïs, etc. – dans Cowley Rd, près de High St, au sud-est du Magdalen College.

Quod (☎ 202505 ; www.quod.co.uk ; 92-94 High St ; plats 10-15,95 £ ; ⌚ 7h-23h lun-sam, 7h-22h30 dim) remporte un succès durable grâce à son cadre élégant, mais aussi à ses grillades, poissons et pâtes. Laissez-vous tenter par l'*afternoon tea* (5,95-15,50 £ ; ⌚ 15h-17h30).

TRANSPORTS : OXFORD

Distance depuis Londres 92 km

Direction Nord-ouest

Temps de trajet 1 heure 30 en bus, environ 1 heure 15 en train

Bus Les bus d'Oxford Tube (☎ 772250 ; www.oxfordtube.com) et d'Oxford Express (☎ 785400 ; www.oxfordbus.co.uk) partent toutes les 12 à 30 minutes, 24h/24, depuis la gare routière de Victoria (aller 13 £, aller-retour 16 £). Vous pourrez monter à bord à différents endroits de Londres, notamment à Marble Arch, Notting Hill Gate et Shepherd's Bush.

Voiture La M40 est une voie rapide depuis Londres, mais il y a un véritable problème de circulation à Oxford et chercher à s'y garer tourne vite au cauchemar. Nous vous recommandons de ne pas utiliser votre voiture. Sinon, utilisez le système Park & Ride – les parkings sont signalés à l'approche de la ville.

Train Il y a deux trains par heure (☎ 0845 748 4950; www.nationalrail.co.uk) depuis la gare londonienne de Paddington (aller-retour adulte dans la journée 20 £).

DE L'ART DE BIEN MENER SA BARQUE

Diriger un bachot (*punt*) semble être un jeu d'enfants, mais après être tombé à l'eau un certain nombre de fois, nous pouvons affirmer avec certitude qu'il n'en est rien. Cela ne vous empêche pas de tenter l'expérience, surtout si vous n'avez pas peur de vous mouiller un peu.

Voici quelques conseils pour faire avancer votre bachot sans encombre :

- Tenez-vous au bout du bachot, sortez la perche de l'eau sur le côté de l'embarcation.
- Laissez glisser la perche entre vos mains jusqu'à ce qu'elle touche le fond de la rivière.
- Inclinez la perche vers l'avant (c'est-à-dire dans la direction vers laquelle vous allez) et poussez pour propulser le bachot vers l'avant.
- Faites vriller la perche pour dégager l'extrémité de la boue.
- Laissez la perche flotter derrière le bachot (vous pouvez vous en servir de gouvernail pour tourner).
- Si vous n'êtes pas encore tombé, sortez la perche de l'eau en position verticale et recommencez l'opération.

Jamie's Italian (☎ 838383 ; www.jamiesitalian.com ; 24-26 George St ; plats 9,95-15,95 £). Le premier d'une longue série de restaurants italiens abordables de la chaîne de la star des fourneaux Jamie Oliver. Cet établissement, très central et sans cloisons, propose des plats rustiques sans prétention, à base d'ingrédients provenant du Royaume-Uni ou d'Italie.

Grand Café (☎ 204463 ; 84 High St ; thé 7,50-16,50 £ ; 🕒 9h-23h lun-sam, 9h-18h dim). Ce quasi-musée de style Regency (on se croirait plus à Brighton qu'à Oxford) occupe le site du premier café d'Angleterre (1650). Délicieux *cream teas* l'après-midi.

Chutneys (☎ 724241 ; 36 St Michael's St ; plats 7,95-11,95 £). Un restaurant servant des spécialités d'Inde du Sud en majorité végétariennes, à deux pas de la gare routière. Les clients sont attirés aussi bien par la façade aux couleurs vives que par les *idli* (gâteau de riz fermenté accompagné de *chutney*) et les *dosa* (crêpes fourrées à base de farine de riz) à petits prix. Le menu express de midi coûte 7,50 £.

G&D's (☎ 245952 ; 94 St Aldate's ; 1/2 boules 2,15/3,15 £ ; 🕒 8h-minuit). L'une des trois succursales de cette mini-chaîne de glacier. De quoi satisfaire vos envies de glaces, même tard le soir.

Freud (☎ 311171 ; 119 Walton St ; 🕒 10h30-2h lun-sam, 10h30-minuit dim). Dans une église restaurée, avec bancs, vitraux et art moderne aux murs, voici un repaire bohème particulièrement apprécié des étudiants.

Eagle & Child (☎ 302925 ; 49 St Giles). C'est dans ce vieux pub à l'atmosphère authentique, avec ses arrière-salles et sa belle enseigne, que J.R.R. Tolkien, C.S. Lewis et d'autres membres du cercle littéraires des Inklings se retrouvaient pour déjeuner tous les mardis.

King's Arms (☎ 242369 ; 40 Hollywell St). Cet immense établissement plein de recoins, aux murs agrémentés de photos d'illustres clients (notamment la reine mère se servant une pinte de bière), est l'endroit idéal pour passer un après-midi d'hiver.

CAMBRIDGE

☎ 01223

Les étudiants d'Oxford ne l'admettront jamais, mais Cambridge, bien plus que sa rivale, incarne l'essence de la cité universitaire anglaise. Si Oxford est connue pour avoir accueilli de futurs grands hommes politiques, Cambridge doit plutôt sa réputation à son excellence scientifique. Au nombre de ses étudiants et professeurs, on peut citer Isaac Newton et Charles Darwin, Watson et Crick, découvreurs de l'ADN, et le physicien réputé, Stephen Hawking. On peut dire que c'est ici que naissent les idées scientifiques anglaises. Malgré l'austérité apparente de son architecture médiévale et néogothique, Cambridge fut aussi le berceau de l'humour anglais, notamment en nourrissant le talent de John Cleese, Michael Palin et de quelques-uns de leurs acolytes des Monty Python.

Fondée au XIIIe siècle, Cambridge est aujourd'hui une ville moins touristique et plus facile à visiter qu'Oxford. Notez cependant qu'en période d'examens, de mi-avril à fin juin, ses *colleges* sont souvent fermés au public.

Le centre de la cité se love au creux d'une large courbe de la Cam. La portion la plus connue de ses rives est constituée par les Backs, longs de 1 mile, dont le paysage luxuriant offre aussi une superbe vue sur une demi-douzaine de *colleges* (les 25 autres sont disséminés dans la ville).

La **Round Church** (Église du Saint-Sépulcre ; ☎ 311602 ; www.christianheritageuk.org.uk ; adulte/enfant 2 £/gratuit ; 🕒 10h-17h mar-sam, 13h-17h dim), bâtie en 1130 est

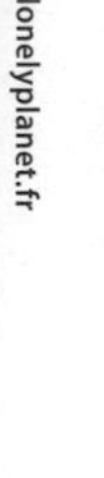

un hommage au Saint-Sépulcre de Jérusalem. Non loin se trouve **St John's College** (☎ 338600 ; www.joh.cam.ac.uk ; adulte/sénior et enfant 12-17 ans/moins de 12 ans 3/2 £/gratuit ; 🕒 10h-17h lun-ven et 9h30-17h sam-dim mars-oct, 9h30-17h sam-dim nov-fév). Le portail du XVIe siècle s'ouvre sur trois cours superbes, dont deux furent construites au XVIIe siècle. À partir de la troisième cour, le pittoresque **Bridge of Sighs** (pont des Soupirs) enjambe la Cam. Postez-vous au milieu du pont et regardez passer les bachots.

Juste au sud de St John, **Trinity College** (☎ 338600 ; www.trin.cam.ac.uk ; Trinity Lane ; adulte/enfant 12-17 ans/moins de 12 ans 3/1 £/gratuit ; 🕒 10h-17h) est l'un des plus riches et des plus agréables de la ville. Il fut fondé en 1546 par Henry VIII, dont la statue orne la plus haute niche de l'entrée principale (le souverain tient un pied de chaise en guise de sceptre royal, ce dernier ayant été dérobé par des étudiants). Consultez le site Internet pour connaître les fréquentes périodes durant lesquelles l'entrée est gratuite. La **Great Court**, la plus grande cour de Cambridge (et d'Oxford), est bordée par quelques beaux édifices du XVe siècle, comme les cloîtres de Nevile's Court et la très digne **Wren Library** (🕒 12h-14h lun-ven, et 10h30-12h30 sam pendant l'année universitaire), bâtie par sir Christopher Wren dans les années 1680.

Suivent Gonville and Caius (prononcez "keys") College et **King's College** (☎ 331100 ; www.kings.cam.ac.uk ; King's Pde ; adulte/tarif réduit 5/3,50 £ ; 🕒 9h30-15h30 lun-ven, 9h30-15h15 sam, 13h15-14h15 dim année universitaire, 9h30am-16h30 lun-sam, 10h-17h dim vacances universitaires), qui compte parmi les plus beaux monuments d'Europe et reste le plus visité de Cambridge. La construction de sa **chapelle** fut décidée par Henry VI en

1446 et achevée vers 1516. Ses successeurs, notamment Henry VIII, lui ajoutèrent sa délicate voûte en éventail et ses sculptures intérieures en bois et en pierre. Le chœur de la chapelle s'y produit et des offices s'y tiennent pendant l'année universitaire et en juillet (appelez pour connaître les horaires).

Le Fitzwilliam Museum (☎ 332900 ; www.fitzmuseum.cam.ac.uk ; Trumpington St ; entrée libre, visite 3 £ ; 🕑 10h-17h mar-sam, 12h-17h dim, visite guidée 14h45 dim), aussi appelé "The Fitz", est l'un des premiers musées d'art du Royaume-Uni. On peut y voir, au rez-de-chaussée, des sarcophages égyptiens, des œuvres d'art grec et romain, des céramiques chinoises ou de la verrerie anglaise et, à l'étage, des tableaux du Titien, de Léonard de Vinci, Rubens, Rembrandt et Picasso notamment.

Il est amusant de se promener en *punt* (bachot) le long des Backs, mais cela peut devenir quelque peu stressant et périlleux lors des week-ends de forte affluence. Le secret pour manier ces bateaux à fond plat réside dans un bon dosage lors de la poussée avec la longue gaffe, que vous utiliserez ensuite pour garder le cap. Reportez-vous à l'encadré p. 369 pour des conseils. Notez que, contrairement à ce qui se fait à Oxford, on manœuvre la barque depuis son extrémité plate.

RENSEIGNEMENTS

City Cycle Hire (☎ 365629 ; www.citycyclehire.com ; 61 Newnham Rd ; vélo demi-journée/journée/24 heures à partir de 5/8/10 £, caution 40 £ ; 🕑 9h-17h30 lun-ven tte l'année, 9h-17h sam avr-sept)

Scudamore's (☎ 359750 ; www.scudamores.com ; Granta Pl, Mill La ; 16-18 £/heure, sortie 45 min avec pilote 14 £/pers). Location de *punts* avec ou sans pilote.

Office du tourisme (☎ 0871 226 8006 ; www.visitcambridge.org ; Old Library, Wheeler St ; 🕑 10h-17h lun-sam, 11h-15h dim mai-sept, 10h-17h30 lun-sam oct-avr). Juste au sud de Market Sq. Réservation d'hébergement et promenades guidées de 2 heures (adulte/enfant avec entrée au King's College 10/8,50 £) ; départ à 13h30 toute l'année (horaires supplémentaires en été).

Trinity Punt Hire (☎ 338800 ; www.trin.cam.ac.uk ; Trinity St, Trinity College ; punt 12 £/heure). Location de *punts* avec ou sans pilote.

OÙ SE RESTAURER

Vous trouverez, outre les établissements ci-dessous, des restaurants indiens et chinois bon marché au carrefour entre Lensfield Rd et Regent St vers la gare ferroviaire.

Midsummer House (☎ 369299 ; www.midsummerhouse.co.uk ; Midsummer Common ; menu déj 24 £, dîner à 3 plats 65 £ ; 🕑 lun-sam). Cuisine française contemporaine et deux étoiles au Michelin pour ce fantastique restaurant où l'on savoure l'un des meilleurs déjeuners de la région. L'endroit est chic, aménagé sur deux étages à l'angle du terrain du *common*, non loin de la rivière. Réservation conseillée.

River Bar + Kitchen (☎ 307030 ; www.riverbarkitchen.co.uk ; près de Bridge St ; plats 10-15 £). Décorée par Terence Conran, lumineuse et moderne, cette brasserie au bord de l'eau et sa cuisine méditerranéenne moderne attirent une clientèle jeune et élégante.

Galleria (☎ 362054 ; www.galleriacambridge.co.uk ; 33 Bridge St ; plats 8-17 £, menu 2 plats déj 19,95 £). Si vous ne brillez pas sur un *punt*, regardez d'autres s'y essayer depuis ce café très européen surplombant la Cam en dégustant de bons plats français et méditerranéens.

Rainbow Vegetarian Bistro (☎ 321551 ; www.rainbowcafe.co.uk ; 9a King's Pde ; plats 8-10 £ ; 🕑 10h-21h30 mar-sam, 10h-16h dim-lun). Nous adorons ce café très populaire, apprécié tant des amateurs de viande que des végétariens, qui empruntent le petit passage en face de King's College pour venir goûter des plats végétariens innovants comme le gratin de pomme de terre letton, le couscous lybien et le *gado gado* indonésien épicé.

Michaelhouse (☎ 309167 ; Trinity St ; plats 4-6,50 £ ; 🕑 9h30-17h30 lun-ven). Aménagé avec goût dans

TRANSPORTS : CAMBRIDGE

Distance depuis Londres 87 km

Direction Nord

Temps de trajet 2 heures en bus, 55 min en train

Bus National Express (☎ 0870 580 8080 ; www.nationalexpress.com) propose des navettes qui circulent toute les heures (aller-retour dans la journée à partir de 8 £, 2 heures 10).

Voiture La M11 relie le London Orbital Motorway (M25) à Cambridge. Prenez la sortie 13 (Exit 13) pour rejoindre la A1303 (Madingley Rd), que vous suivrez en direction du centre-ville.

Train (☎ 0845 748 4950 ; www.nationalrail.co.uk) Départs toutes les 30 min des gares de King's Cross et Liverpool St (aller-retour dans la journée à partir de 20,45 £, 45 min à 1 heure).

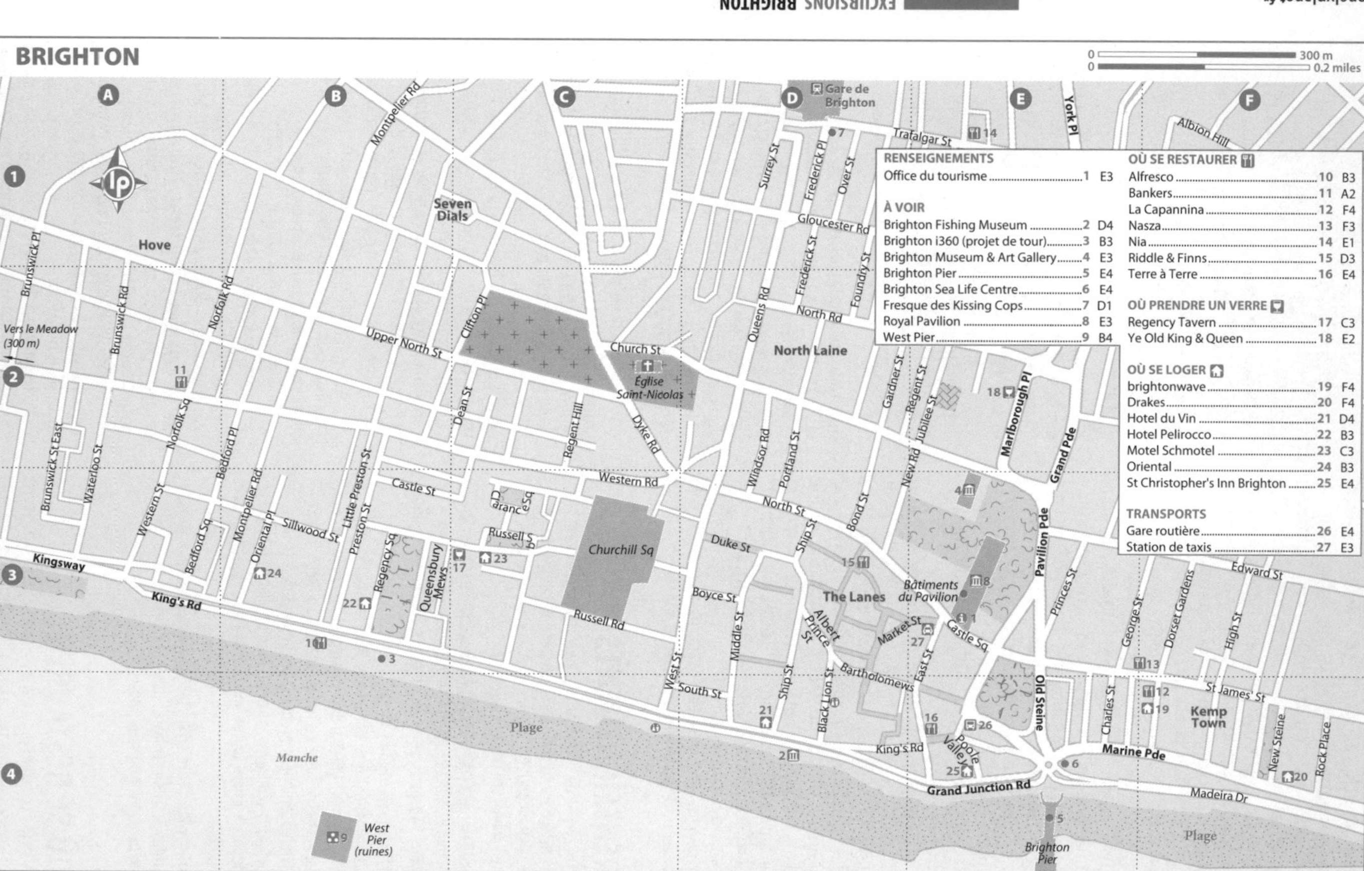
BRIGHTON
0 300 m
0 0.2 miles
RENSEIGNEMENTS
Office du tourisme 1 E3
À VOIR
Brighton Fishing Museum 2 D4
Brighton i360 (projet de tour) 3 B3
Brighton Museum & Art Gallery 4 E3
Brighton Pier 5 E4
Brighton Sea Life Centre 6 E4
Fresque des Kissing Cops 7 D1
Royal Pavilion 8 E3
West Pier 9 B4
OÙ SE RESTAURER
Alfresco 10 B3
Bankers 11 A2
La Capannina 12 F4
Nasza 13 F3
Nia 14 E1
Riddle & Finns 15 D3
Terre à Terre 16 E4
OÙ PRENDRE UN VERRE
Regency Tavern 17 C3
Ye Old King & Queen 18 E2
OÙ SE LOGER
brightonwave 19 F4
Drakes 20 F4
Hotel du Vin 21 D4
Hotel Pelirocco 22 B3
Motel Schmotel 23 C3
Oriental 24 B3
St Christopher's Inn Brighton 25 E4
TRANSPORTS
Gare routière 26 E4
Station de taxis 27 E3
Hove
Seven Dials
North Laine
The Lanes
Kemp Town
Gare de Brighton
Église Saint-Nicolas
Bâtiments du Pavilion
Churchill Sq
Vers le Meadow (300 m)
West Pier (ruines)
Brighton Pier
Plage
Manche
Kingsway
King's Rd
Grand Junction Rd
Marine Pde
Madeira Dr
Old Steine
Pavilion Pde
Grand Pde
Marlborough Pl
Trafalgar St
York Pl
Albion Hill
Gloucester Rd
North Rd
North St
Western Rd
Dyke Rd
Church St
Upper North St
Clifton Pl
Queens Rd
Montpelier Rd
Brunswick Pl
Brunswick Rd
Norfolk Rd
Norfolk Sq
Bedford Pl
Bedford Sq
Brunswick St East
Waterloo St
Western St
Oriental Pl
Sillwood St
Little Preston St
Preston St
Regency Sq
Queensbury Mews
Castle St
Russell Sq
Russell Rd
Regent Hill
Dean St
Surrey St
Frederick Pl
Frederick St
Over St
Foundry St
Gardner St
Regent St
Jubilee St
New Rd
Bond St
Windsor Rd
Portland St
Duke St
Ship St
Boyce St
Middle St
West St
South St
Black Lion St
Albert Prince St
Market St
East St
Bartholomews
Castle Sq
Poole Valley
Princes St
Edward St
Charles St
George St
Dorset Gardens
High St
St James' St
New Steine
Rock Place

une ancienne église, ce café stylé sert du café équitable et des sandwichs que l'on peut savourer sur un banc d'église sous les arches médiévales. Une excellente adresse.

Fitzbillies (☎ 352500 ; www.fitzbillies.co.uk ; 52 Trumpington St ; pâtisseries et gâteaux à partir de 2 £). Très appréciée, la plus ancienne boulangerie de Cambridge est réputée pour ses *Chelsea buns* ultra-collants et ses gâteaux ; elle fait également restaurant le soir.

BRIGHTON

☎ 01273

Avec son mélange de délabrement et de sophistication, Brighton s'apparente un peu à une Londres-les-Bains. Grâce à son université et à ses écoles de langues, elle bénéficie d'une population jeune et cosmopolite, ainsi que de cafés pleins de charme, d'excellents restaurants et d'une vie nocturne animée. Et chacun est sûr d'y trouver son compte. En dépit de son embourgeoisement rapide, Brighton n'a pas perdu son âme ouvrière, ni le mauvais goût charmant de son Brighton Pier et de ses stands de fruits de mer en bord de plage. Juste au nord-est du Brighton Pier, Kemp Town (surnommée "Camp Town", *camp* signifie "folle"), accueille l'une des scènes homosexuelles les plus vivantes du pays.

La ville commença à forger son caractère dans les années 1780, lorsque le prince régent aux mœurs dissolues (et futur roi George IV) et grand amateur de musique y bâtit un extravagant palais d'été, le Royal Pavilion, pour y organiser des fêtes somptueuses en bord de mer. Dans les années 1930, cette ambiance délicieusement décadente servit également de cadre au *Rocher de Brighton* (*Brighton Rock*), le roman de Graham Greene, puis, dans les années 1960, aux batailles entre mods et rockers.

Une visite à Brighton repose essentiellement sur une immersion dans les plaisirs simples de la vie : shopping dans les boutiques chic des "Lanes" (réseau de petites ruelles) ou dans une rue à part, "North Laine", restaurants, promenades, dégustations de sucre d'orge (le *Brighton rock*) acheté dans les stands et les manèges du Brighton Pier (☎ 609361 ; www.brightonpier.co.uk ; Madeira Dr ; entrée libre). Juste au nord du Brighton Pier, le très moderne Brighton Sea Life Centre (☎ 604234 ; www.sealife.co.uk ; Marine Pde ; adulte/enfant/tarif réduit/famille 14,50/10/12,50/40 £ ; 10h-18h mars-sept, 10h-17h oct-fév) est le plus vieil aquarium du monde encore en activité ; il renferme quelque 150 espèces dans une soixantaine d'aquariums et bassins, ainsi que dans un tunnel que l'on traverse à pied.

Attraction phare de Brighton, le Royal Pavilion (☎ 290900 ; www.royalpavilion.org.uk ; Royal Pavilion Gardens ; adulte/enfant/tarif réduit/famille 8,80/5,10/6,90/22,70 £ ; 9h30-17h45 avr-sept, 10h-17h15 oct-mars) est une extraordinaire folie – de l'extérieur, on admire un palais indien, et à l'intérieur c'est une profusion d'artifices chinois. Le premier pavillon, construit en 1787, était une villa classique. Ce n'est qu'au début du XIXe siècle, en pleine vague orientaliste, qu'il commença à prendre son style actuel, sous la férule de John Nash, architecte de Regent's Park et des rues alentour. Ne manquez pas cet édifice extravagant, que la reine Victoria – qui trouvait Brighton "beaucoup trop bondée" – vendit à la ville en 1850. Il y a une douzaine de salles, à déouvrir lors d'une visite avec audioguide ; les plus intéressantes sont la Long Gallery du rez-de-chaussée, avec ses escaliers en métal et bambou, la Banqueting Room (surtout pour sa coupole peinte et ses meubles rococo), la superbe Great Kitchen (grande cuisine) et la Music Room restaurée, avec ses neuf chandeliers en forme de lotus et ses fresques chinoises vermillon et or. Au 1er étage, les South Galleries et les appartements de la reine Victoria (notamment ses toilettes) sont également incontournables. Il en va de même pour la peinture humoristique de Rex Whistler, *HRH The Prince Regent Awakening the Spirit of Brighton* (1944), dans laquelle le prince, en surpoids et quasiment nu, réveille

TRANSPORTS : BRIGHTON

Distance depuis Londres 82 km

Direction Sud

Temps de trajet 1 heure 50 en bus, 50 min en train rapide

Bus National Express (☎ 0871 781 8181 ; www.nationalexpress.com ; aller-retour à partir de 10,20 £, offres promotionnelles en ligne)

Voiture La M23/A23 rejoint directement le centre-ville de Brighton.

Train Il y a environ 40 trains rapides par jour (☎ 0845 748 4950 ; www.nationalrail.co.uk) depuis la gare de London Victoria (aller-retour 20,90 £), et quelques trains moins rapides depuis Blackfriars, London Bridge et King's Cross (aller-retour 17 £).

une belle "Brighton", avec une lueur lubrique dans le regard. La peinture est accrochée juste avant l'entrée du salon de thé.

En face des jardins du Pavilion, le **Brighton Museum & Art Gallery** (☎ 290900 ; www.virtualmuseum.info ; Royal Pavilion Gardens ; entrée libre ; 🕑 10h-19h mar, 10h-17h mer-sam, 14h-17h dim) est absolument captivant. Des six galeries du musée, notre préférence va à la salle World Art, qui regroupe des objets ramenés par les colonisateurs du XIXe siècle, à l'excellente salle Brighton History et à la nouvelle collection d'antiquités égyptiennes. D'autres galeries exposent des céramiques, des vêtements, des costumes et des œuvres d'art sur une période allant du XVe au XXe siècle.

La jetée historique de **West Pier** (www.westpier.co.uk), fermée en 1975, commença à s'effondrer dans la mer en décembre 2002. Depuis, elle a été à deux reprises la proie des flammes et n'est plus qu'une ombre noircie se dressant dans l'eau. Elle conserve toutefois une beauté captivante et attire de nombreux visiteurs – dont des milliers d'étourneaux en novembre et en décembre. Un projet controversé envisage de marquer son emplacement sur le rivage par une tour d'observation de 176 m de haut. Du nom de **Brighton i360**, elle serait conçue par le couple d'architectes qui imagina le London Eye. Pour plus de détails, consultez le site Internet de West Pier ou visitez l'étrange **Brighton Fishing Museum** (☎ 723064 ; 201 King's Rd Arches ; entrée libre ; 🕑 9h-17h), sur le bord de mer.

Juste au sud de la gare ferroviaire, admirez la **fresque des Kissing Cops** (Frederick Pl), du célèbre artiste de rue Banksy.

RENSEIGNEMENTS

Office du tourisme (☎ 0906 711 2255 ; www.visitbrighton.com ; 4-5 Pavilion Buildings ; 🕑 9h-17h30 mars-oct, 10h-17h nov-fév)

OÙ SE RESTAURER ET PRENDRE UN VERRE

Brighton et la ville de Hove, son prolongement à l'ouest, comportent plus de restaurants par habitant que n'importe où au Royaume-Uni, hormis Londres. Vous pouvez aussi acheter des fruits de mer dans les cahutes près de la plage (à partir de 2 £).

Alfresco (☎ 206523 ; Milkmaid Pavilion, King's Rd Arches ; plats 11,95-19,95 £). Aménagé dans un pavillon vitré sur et au-dessus de la plage, ce restaurant est spécialisé dans les plats italiens comme les linguinis au homard. Beau panorama sur la mer et pizzas de 9,95 à 13,95 £.

Riddle & Fins (☎ 323008 ; www.riddleandfinns.co.uk ; 11 Meeting House Lane ; plats 12,95-17,50 £). Il paraît que Gordon Ramsay ne tarit pas d'éloges sur les fruits de mer servis dans cet élégant bar à huîtres dissimulé dans les Lanes. Quoi qu'il en soit, nous reviendrons nous y régaler d'huîtres (à partir de 10 £ les six) et de champagne.

Meadow (☎ 721182 ; www.themeadowrestaurant.co.uk ; 64 Western Rd ; plats 10-16,50 £ ; 🕑 fermé lun et dîner dim). Peut-être le meilleur restaurant de la région, cet élégant établissement de Hove, raffiné mais décontracté, propose une "nouvelle cuisine" britannique, à base de viande, de poisson et de produits régionaux du Sussex et du Kent.

Terre à Terre (☎ 729051 ; www.terreaterre.co.uk ; 71 East St ; plats 10,50-14,60 £). La preuve qu'un restaurant végétarien peut être gastronomique. Dans ce restaurant stylé et très couru, vous découvrirez des plats sans viande on ne peut plus imaginatifs.

La Capannina (☎ 680839 ; 15 Madeira Pl ; plats 9,95-17 £). Beaucoup affirment qu'il s'agit du meilleur restaurant traditionnel italien à Brighton et nous sommes plutôt d'accord. Les pizzas (5,75-8,80 £) sont cuites au feu de bois, et les gnocchis et raviolis sont faits maison.

Nia (☎ 671371 ; www.nia-brighton.co.uk ; 87-88 Trafalgar St ; plats 8,95-14,50 £ ; 🕑 9h-17h dim-lun, 9h-21h30 mar-jeu, 9h-22h30 ven-sam). Son chic rustique, ses solides tables en bois, ses grandes fenêtres et son menu sur une ardoise en font l'un des plus jolis cafés de la ville (pourtant la concurrence ne manque pas). Menu de midi à partir de 7,25 £.

Nasza (☎ 622770 ; 22 St James St ; plats 5,95-11,50 £). Cet accueillant restaurant polonais dont le nom signifie "notre" propose une cuisine solide, avec notamment des *pierogi* (raviolis fourrés à la viande ou au fromage et aux pommes de terre), du *bigos* ("ragoût du chasseur", avec du chou et du porc) et du *golabki* (chou farci).

Bankers (☎ 328267 ; www.bankersrestaurant.com ; 116a Western Rd ; plats 2,95-4,95 £ ; 🕑 11h30-22h). Cette adresse bon marché se double d'un restaurant plus chic, mais nous sommes fidèles au *fish and chips* à emporter, l'un des meilleurs de la côte sud.

Regency Tavern (☎ 325652 ; 32-34 Russell Sq). Cet établissement est peu avenant de l'extérieur, mais à l'intérieur on croirait une salle du Royal Pavilion : papier peint rayé, portraits en camées et palmiers en cuivre.

Ye Old King & Queen (☎ 607207 ; 13-17 Marlborough Pl ; 🕑 jusqu'à minuit). Cet immense bar a été aménagé en regroupant une ferme du XVIIIe siècle, un manoir et l'ancien Brighton Corn Exchange (bourse au blé). L'adresse idéale pour siroter une pinte après la visite du Royal Pavilion.

OÙ SE LOGER

La plupart des établissements exigent un séjour de deux nuits minimum le week-end. Mieux vaut réserver bien à l'avance pour un week-end d'été ou pendant le Brighton Festival, en mai, ou encore lors de la Brighton Pride fin juillet/début août.

Hotel du Vin (☎ 718588 ; www.hotelduvin.com ; Ship St ; d/ste à partir de 170/275 £ ; ❄ 💻). Dans ce qui fut la demeure d'un négociant en vins, cet hôtel primé s'enorgueillit d'un escalier à double hélice richement décoré, d'une superbe entrée de style Tudor, d'un excellent bar à vins et de 49 chambres raffinées portant des noms de domaines viticoles.

Drakes (☎ 696394 ; www.drakesofbrighton.com ; 44 Marine Pde ; s/d à partir de 100/130 £ ; ❄ 💻). L'atmosphère est distinguée, la vue sur la mer est magnifique depuis la plupart des 20 chambres, le personnel est aux petits soins et les belles *feature rooms* ("chambres vedettes", 155 à 325 £) sont dotées de baignoires aux pieds ouvragées placées devant des fenêtres donnant sur la mer (demandez la n°104). Notre chouchou à Brighton.

brightonwave (☎ 676794 ; www.brightonwave.co.uk ; 10 Madeira Pl ; s 60-65 £, d 90-175 £ ; ❄ 💻 ♿) a su associer le design épuré typique des hôtels de charme et l'accueil chaleureux d'un petit B&B. Les 8 chambres offrent ainsi un excellent rapport qualité/prix, un service parfait et beaucoup de style. Délicieux petits-déjeuners, servis jusque tard.

Hotel Pelirocco (☎ 327055 ; www.hotelpelirocco.co.uk ; s/d à partir de 50/90 £ ; 💻). Toujours déjanté après tant d'années, l'hôtel punk de Brighton comporte 19 chambres audacieuses (au niveau des couleurs autant que des noms). Choisissez entre la Durex Play, la Betty's Boudoir, la Soul Supreme et la Pussy, entre autres.

Oriental (☎ 205050 ; www.orientalbrighton.co.uk ; 9 Oriental Pl ; s 50-75 £, d 75-200 £ ; 💻). Déco stylée prune et bleu-vert pour cet hôtel branché de 9 chambres rénové qui propose des bougies d'aromathérapie, des baignoires de balnéo dans les chambres supérieures et des petits-déjeuners bio.

Motel Schmotel (☎ 326129 ; www.motelschmotel.co.uk ; 37 Russel Sq ; s 45-65 £, d 55-110 £, tr 90-140 £ ; 💻). Ce B&B de 9 chambres présente un cadre minimaliste et des tarifs très doux. Non loin du prétentieux Regency Sq, c'est une bonne adresse, tant pour le petit-déjeuner copieux que pour le service attentionné (météo du jour inscrite au tableau, listes de restaurants recommandés, etc.).

St Christopher's Inn Brighton (☎ 202035 ; www.st-christophers.co.uk ; dort 17-22 £, d 46-110 £ ; 💻). Ce nouveau venu arrive tout droit de Londres, où ses propriétaires disposent d'un établissement à Borough et dans quatre autres secteurs. À la fois auberge de jeunesse et hôtel pour petits budgets, il compte 116 lits. En plein centre-ville, au dessus du bar animé le Belushi's.

BROADSTAIRS, MARGATE ET WHITSTABLE

Ces trois villes de bord de mer possèdent chacune un caractère et un charme bien différent. Broadstairs est un endroit empreint de nostalgie, où le style victorien se mêle à un parfum d'après-guerre. Légèrement décrépite, Margate incarne la station balnéaire anglaise kitsch et sera à tout jamais associée à l'artiste

TRANSPORTS : BROADSTAIRS, MARGATE ET WHITSTABLE

Distance depuis Londres Whitstable 93 km, Margate 118 km, Broadstairs 125 km

Direction Est

Temps de trajet 1 heures 15 à 2 heures 45

Bus Cinq départs par jour pour Ramsgate avec un arrêt dans les trois villes (aller de 10h30 à 20h30, retour de 8h05 à 17h55). Aller-retour dans la même journée 13,40 £ pour Whitstable et 14,20 £ pour Broadstairs ou Margate.

Voiture Prenez la M2 ; au panneau Margate/Ramsgate, prenez le Thanet Way.

Train Depuis London Victoria, des trains (☎ 0845 748 4950 ; www.nationalrail.co.uk) partent pour Ramsgate toutes les 30 min (durée 1 heure 15 à 2 heures). Aller-retour dans la journée 20,10 £ pour Whitstable, 25,30 £ pour Margate, Broadstairs et Ramsgate.

Tracey Emin, originaire de la ville. Réputée pour ses huîtres, Whitstable, quant à elle, ne cesse de s'embourgeoiser à mesure que les Londoniens aisés y achètent de jolies cabanes de pêcheurs pour en faire des résidences secondaires, ce qui lui vaut aujourd'hui le surnom de "Islington-on-Sea".

On vient surtout à Broadstairs pour s'imprégner de l'atmosphère, nager (par beau temps) ou se livrer au farniente. La Broadstairs Promenade vous attend et le sentier côtier qui va de Viking Bay à la tranquille Louisa Bay vous tend les bras. Le Dickens House Museum (☎ 01843-861232 ; www.dickensfellowship.org ; 2 Victoria Pde, Broadstairs ; adulte/tarif réduit 2,50/1,40 £ ; ⏲ 10h-16h30) commémore l'amour de l'écrivain pour Broadstairs ; la ville accueille également un festival dédié à Dickens tous les ans à la mi-juin.

À Margate, vous pourrez visiter l'insolite Shell Grotto (☎ 01843-220008 ; www.shellgrotto.co.uk ; Grotto Hill, Margate ; adulte/enfant 3/1,50 £ ; ⏲ 10h-17h avr-oct, 11h-16h sam-dim, nov-avr), un mystérieux temple troglodytique datant de l'époque païenne, non loin de Northdown Rd. Vieilles de 1 000 ans, les grottes de Margate (1 Northdown Rd, Cliftonville) étaient fermées pour cause d'affaissement lors de notre visite, mais elles pourraient rouvrir dans un avenir proche. Elles renferment une église, un ancien repaire de contrebandiers, un donjon, des peintures rupestres et des explications historiques pleines d'esprit (même si elles ne sont pas fiables à 100%).

Allez jeter un œil aux cabanes sur la plage de Whitstable, villégiatures traditionnelles de la classe ouvrière pendant les week-ends d'été, peintes aux couleurs de l'arc-en-ciel et baptisées de tendres noms. Le Whitstable Oyster Festival (www.whitstableoyster festival.co.uk) est une foire aux huîtres annuelle qui se tient la troisième semaine de juillet.

RENSEIGNEMENTS

Office du tourisme de Broadstairs (☎ 01843-577671; www .visitthanet.co.uk ; 6b High St ; ⏲ 9h15-16h45 lun-ven tte l'année, 10h-16h sam-dim avr-sept, 10h-16h45 sam oct-mars)

Office du tourisme de Margate (☎ 01843-577671; www .visitthanet.co.uk ; 12-13 the Parade ; ⏲ 9h15-16h45 lun-ven tte l'année, 10h-16h sam-dim avr-sept, 10h-16h45 sam oct-mars)

Office du tourisme de Whitstable (☎ 01227-378100 ; www.canterbury.co.uk ; 57 Harbour St ; ⏲ 10h-17h lun-sam juil-août, 10h-16h lun-sam sept-juin)

OÙ SE RESTAURER

Wheelers Oyster Bar (☎ 01227-273311 ; 8 High St, Whitstable ; plats 8-20 £ ; ⏲ jeu-mar). Un endroit minuscule très prisé par les habitants, où l'on déguste des huîtres succulentes.

Whitstable Oyster Fishery Company (☎ 01227-276856 ; www.oysterfishery.co.uk ; Royal Native Oyster Stores, Horsbridge, Whitstable ; plats 13-28 £ ; ⏲ déj et dîner mar-sam, déj dim). La compagnie ostréicole de Whitsable sert toutes sortes de fruits de mer dans une salle rénovée avec une belle vue sur la mer. Accompagnez vos huîtres de champagne !

RYE, ROMNEY MARSH ET DUNGENESS

☎ 01797

Maisons Tudor à colombages, hôtels particuliers georgiens, ruelles pavées, pots de fleurs innombrables… Petite ville médiévale, Rye semble sortir d'un bocal de formol. Hollywood n'aurait pu imaginer meilleure reconstitution du bon vieux village anglais.

La ville peut facilement être découverte à pied. À Strand Quay, juste à côté de l'office du tourisme, nombre d'antiquaires vendent toute sorte de babioles de bonne qualité. De là, remontez Mermaid St, une des rues pavées les plus connues d'Angleterre, bordée de maisons du XVe siècle.

Prenez à droite au croisement pour rejoindre Lamb House (☎ 224982 ; www.nationaltrust.org.uk ; West St ; adulte/enfant 3,80/2 £ ; ⏲ 14-18h mer et sam, avr-oct), maison georgienne de 1722. L'écrivain américain Henry James y vécut entre 1898 et 1916. Continuez en suivant le coude de la rue jusqu'au charmant Church Sq. La Church of St Mary-the-Virgin (accès tour adulte/enfant 2,20/1,20 £ ; ⏲ 9h-16h hiver, 9h-18h le reste de l'année) est composée de différents styles. L'horloge actuelle, la plus ancienne d'Angleterre (1561), fonctionne toujours grâce à son mécanisme à pendule d'origine. La vue depuis la tour de l'église est magnifique. À l'angle est de la place, prenez à droite pour rejoindre l'Ypres Tower & Castle Museum (prononcez "yips" ou "ouaille-peurze" ; ☎ 226728 ; 3 East Rye St ; tour uniquement adulte/enfant 3/2,50 £ ; ⏲ 10h30-13h et 14h-17h jeu-lun avr-oct, tour uniquement 10h30-15h30 nov-mars), qui fait partie des anciennes fortifications de Rye.

La ville célèbre son héritage médiéval lors d'une fête de deux jours en août. En septembre, le Festival of Music and the Arts dure deux semaines.

À l'est de Rye, Romney Marsh et Dungeness sont les régions côtières les plus oniriques

TRANSPORTS : RYE, ROMNEY MARSH ET DUNGENESS

Distance depuis Londres 90 km

Direction Sud-est

Temps de trajet 1 à 2 heures

Bus Pour Dungeness, prenez le bus n°711 qui part toutes les heures de la gare ferroviaire de Rye et descendez au pub Ship, à New Romney, puis montez dans le train pour Romney, Hythe et Dymchurch. Vous pouvez aussi prendre un bus jusqu'à Romney et poursuivre sur la plus courte voie de chemin de fer du monde, la Romney, Hyde and Dymchurch Railway (www.rhdr.org.uk ; billets de New Romney à Dungeness 7,70 £) parcourue sur ses 22 km, de Hythe à Dungeness via Romney, par des locomotives à l'ancienne tirant des wagons grinçants. Les horaires sont très réduits en fin d'année, renseignez-vous.

Voiture Suivez la M2, la M20 puis la A20.

Train Au départ de Charing Cross, des trains (☎ 0845 748 4950; www.nationalrail.co.uk) rejoignent Rye via Ashford International ou Hastings, où vous devrez prendre une correspondance. Il y a deux départs par heure mais presque simultanés (aller-retour dans la journée 24,10 £).

d'Angleterre – elles apparaissaient dans *The Garden* (1990), film du réalisateur anglais Derek Jarman. Les vastes marécages de Romney Marsh constituent un écosystème unique où s'épanouissent des espèces animales et végétales inhabituelles. Ils constituèrent jadis l'endroit rêvé pour la contrebande. Ici et là apparaissent de minuscules églises médiévales, comme St Augustine's, à Brookland. Désolée et nue, Dungeness est la plus vaste étendue de galets du monde, où se côtoient un ancien phare (☎ 232 1300 ; accès tour adulte/enfant 3/2 £ ; ⌚ 10h30-17h juil–mi-sept, 11h-17h sam-dim mi-sept–juin), une centrale nucléaire et la Dungeness Royal Society for the Protection of Birds (RSPB) Nature Reserve (RSPB ; ☎ 320588 ; www.rspb.org.uk/reserves/Dungeness ; Dungeness Rd, Lydd ; adulte/enfant/tarif réduit 3/1/2 £ ; ⌚ réserve 9h-tombée de la nuit, centre d'information 10h-17h avr-oct, 10h-16h nov-mars). On peut encore voir le célèbre jardin de Derek Jarman sur la route menant au phare, mais les nouveaux propriétaires du cottage ont planté une pancarte vous invitant à respecter leur intimité.

RENSEIGNEMENTS

Hythe Visitors' Centre (Red Lion Sq ; ⌚ 9h-17h lun-sam). Ce centre peut s'occuper de votre hébergement et vous fournir des informations sur Dungeness.

Romney Marsh Countryside Project (☎ 367974 ; www.rmcp.co.uk). Cette association possède un site web intéressant et organise des visites guidées dans les marais.

Rye Hire (☎ 223033 ; Cyprus Pl ; vélos 15 £/jour). Une piste cyclable conduit à Lydd, d'où l'on peut rejoindre Dungeness par la route.

Office du tourisme de Rye (☎ 226696 ; www.visitrye.co.uk ; Strand Quay ; ⌚ 10h-17h avr-oct, 10h-16h lun-sam nov-mars). Il distribue un guide gratuit de la ville et organise des visites avec audioguide (adulte/enfant/tarif réduit 2,50/1/1,50 £). Il peut aussi vous fournir quelques informations sur Dungeness.

OÙ SE RESTAURER

George in Rye (☎ 222114 ; www.thegeorgeinrye.com ; 98 High St, Rye ; plats 13-16 £). Sans doute la meilleure adresse pour manger à Rye, grâce au chef Rod Grossmann, formé au Moro (p. 256), à Londres. Également un hôtel raffiné.

Fish Café (☎ 222226 ; www.thefishcafe.com ; 17 Tower St, Rye ; plats 7-12 £ ; ⌚ 10h-23h). Ce restaurant installé dans un entrepôt rénové sert une cuisine de la mer simple et délicieuse à base de produits locaux.

Pour trouver l'ambiance d'un bon vieux pub, poussez la porte de l'Old Borough Arms (☎ 222128 ; The Strand, Rye), qui occupe une demeure vieille de trois siècles, ancien repaire de contrebandiers.

CANTERBURY

☎ **01227**

Le principal centre d'intérêt de Canterbury est sa majestueuse cathédrale (☎ 762862 ; www.canterbury-cathedral.org ; Sun St ; adulte/tarif réduit 7,50/6,50 £ ; ⌚ 9h-16h lun-sam, 9h-14h et 16h30-17h30 dim avr-oct, 9h-16h30 lun-sam, 10h-14h et 16h30-17h30 dim nov-mars, l'accès peut être limité le dim de 9h à 12h30 pour les offices). Pourtant, en dépit de l'impressionnante Bell Harry Tower qui domine de ses 66 m la campagne environnante, cette église doit sa célébrité à l'assassinat de l'archevêque Thomas Becket en 1170. Cet événement en fit

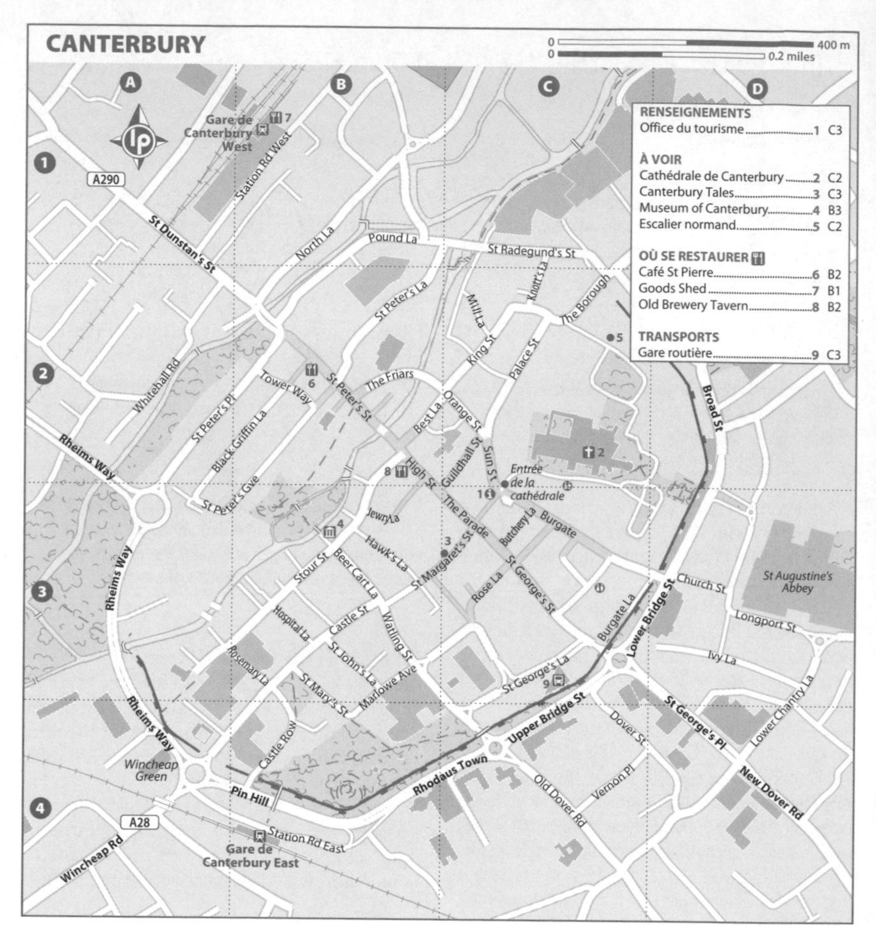

un des hauts lieux de pèlerinage médiévaux, ce dont Geoffrey Chaucer témoigne dans *Les Contes de Canterbury*.

Becket s'était opposé à Henry II au sujet des impôts, puis du couronnement de son fils. Ayant entendu le roi marmonner : "Qui va donc me débarrasser de ce gêneur en soutane ?", quatre chevaliers se rendirent à Canterbury, où ils fendirent le crâne de l'archevêque et lui tranchèrent les membres dans la soirée du 29 décembre. L'assassinat suscita une telle indignation à travers l'Europe qu'Henry II fut contraint de venir faire pénitence sur la tombe de Becket, plus tard réputée pour être le théâtre de nombreux miracles.

L'accès à la **cathédrale**, construite en 1070, se fait par l'étroite Mercery Lane, qui conduit à la Christ Church Gate. Le **porche sud-ouest** a été élevé en 1415 pour commémorer la bataille d'Azincourt. Il abrite l'entrée principale. Avant le porche se tient un point d'information où vous pourrez vous procurer des brochures gratuites, demander des renseignements ou réserver une visite guidée. Les visites guidées d'une heure (adulte/tarif réduit 4/3 £) partent à 10h30, 12h et 14h30 du lundi au samedi de Pâques à septembre, et à 12h et 14h du lundi au samedi d'octobre à Pâques. Une visite de 30 min avec audioguide coûte 2,95/1,95 £ par adulte/enfant.

La **nef** de style gothique perpendiculaire (1405) est célèbre pour ses voûtes nervurées aux motifs en "dents de loup" – on peut en admirer une autre, encore plus belle, sous la Bell Harry Tower. À votre droite (à l'est) se trouve le jubé, qui sépare la nef du chœur.

Thomas Becket aurait été assassiné dans le transept nord-est, avant la chaire ; un autel

TRANSPORTS : CANTERBURY

Distance depuis Londres 90 km

Direction Sud-ouest

Temps de trajet 1 h 50 en bus, 1 h 45 en train

Bus Les bus National Express (☎ 08717 818181 ; www.nationalexpress.com) font la navette 16 fois par jour (aller-retour dans la journée 14,20 £).

Train On rejoint la gare de Canterbury East en partant de la gare de London Victoria, et celle de Canterbury West à partir des gares de Charing Cross et de Waterloo. Des trains (☎ 0845 748 4950 ; www.nationalrail.co.uk) partent régulièrement (toutes les 10 min aux heures de pointe) ; aller-retour dans la journée 21,90 £.

moderne, l'**Altar of the Sword's Point**, marque l'endroit. Du côté sud de la nef, on peut descendre dans la **crypte** romane, seul vestige d'une ancienne cathédrale construite par saint Augustin de Canterbury en 597 pour convertir les Anglais au christianisme.

En traversant le jubé pour rejoindre le chœur, vers l'est, on arrive à la **chaise de saint Augustin**, siège de l'archevêque de Canterbury. Derrière, dans la **Trinity Chapel**, une bougie allumée et une inscription en cuivre marquent le site où se trouvait le **tombeau de saint Thomas**, détruit sur l'ordre d'Henry VIII durant la Réforme. Les vitraux qui éclairent la chapelle, datant pour la plupart du XIIIe siècle, retracent la vie de saint Thomas Becket.

La chapelle contient également la **tombe du Prince Noir** (Édouard, prince de Galles, 1330-1376), ornée de sa célèbre effigie en marbre, et des armes qu'il porta à la bataille de Poitiers. La **Corona** contenait autrefois une relique macabre : la partie du crâne de Becket tranchée lors de son assassinat.

À l'extérieur, en dépassant l'extrémité orientale de la cathédrale, sur la droite, vous trouverez un passage menant à la **Green Court**. À l'angle nord-ouest (sur votre gauche), ne manquez pas le célèbre **escalier normand** (1151).

Les autres curiosités touristiques de la ville constituent plus ou moins des épilogues de l'acte principal. Le **Museum of Canterbury** (☎ 452747 ; www.canterbury-museums.co.uk ; Stour St ; adulte/enfant 3,30/2,20 £ ; 🕓 10h30-17h lun-sam, 13h30-17h dim juin-sept, 10h30-17h lun-sam oct-mai), totalement rénové, s'adresse aux enfants et aux familles. Ses nouvelles collections interactives comprennent une galerie médiévale où l'on peut observer un excrément moyenâgeux au microscope et un jeu de piste consacré à la mort mystérieuse du dramaturge Christopher Marlowe (originaire de Canterbury). Les enfants croiseront également des héros typiquement britanniques, tels Rupert, le petit ours du Daily Express ou Bagpuss et les Clangers, marionnettes de la BBC adulées par des générations de bambins.

Ceux qui souhaitent se familiariser avec les célèbres récits de Chaucer peuvent assister aux **Canterbury Tales** (☎ 454888, 479227 ; www.canterburytales.org.uk ; St Margaret's St ; adulte/enfant 7,75/5,75 £ ; 🕓 9h30-17h30 juil-août, 10h-17h mars-juin et sept-oct, 10h-16h30 nov-fév), reconstitution historique audioguidée. Mieux vaut cependant acheter l'ouvrage et le lire dans le train qui vous ramènera à Londres.

RENSEIGNEMENTS

Office du tourisme (☎ 766567, 767744 ; www.canterbury.co.uk ; 34 St Margaret's St ; 🕓 9h30-17h30 lun-sam, 10h-16h dim avr-oct, 9h30-17h lun-sam, 10h-16h dim nov-déc, 9h30-17h lun-sam jan-mars)

OÙ SE RESTAURER

Old Brewery Tavern (☎ 826682 ; www.michaelcaines.com ; 30-33 High St ; plats 19-23 £). Sorte de croisement entre un bar de quartier et un restaurant chic, cette adresse dirigée par Michael Caines, lauréat d'une étoile au Michelin, apporte une touche de gastronomie à Canterbury. Une bonne idée pour un déjeuner ou un dîner riche et sophistiqué.

Goods Shed (☎ 459153 ; Station Rd West ; plats 10-18 £ ; 🕓 déj et dîner mar-sam, déj dim). Donnant sur un marché de producteurs, cet ancien hangar (*shed*) ferroviaire est tout en hauts plafonds, fenêtres immenses et briques apparentes. Sa carte changeante propose une cuisine française rustique qui exploite avec inventivité de bons produits frais.

Café St Pierre (☎ 456791 ; 40 St Peter's St ; pâtisseries 2-3,50 £). Parfait au petit-déjeuner ou au goûter, avec de délicieuses pâtisseries, des tables sur le trottoir et un jardin ombragé.

WINDSOR ET BRAY

☎ 01753

Les souverains britanniques habitent depuis neuf siècles le **château de Windsor** (☎ 831118, 020-7766 7304 ; www.royalcollection.org.uk ; adulte/enfant 5-16 ans/sénior et étudiant/famille 15,50/9/14/41 £, en cas de fermeture des State Apartments 8,50/5,50/7,50/22,50 £ ; 🕓 9h45-17h15 mars-oct, 9h45-16h15 nov-fév, dernière entrée 1 heure 15 avant la fermeture), la résidence préférée de la reine, où elle aime se retirer le week-end. En 1992, un incendie a quasiment dévasté cet inestimable héritage de la culture anglaise, mais par chance les dégâts ont été limités et une restauration de 37 millions de livres, achevée en 1998, a permis de redonner toute leur splendeur aux appartements d'État. La résidence de week-end de la reine a fait les gros titres en 2005 : le prince Charles épousa alors Camilla Parker-Bowles lors d'une cérémonie civile au Guildhall (hôtel de ville) de Windsor à laquelle Elizabeth II brillait par son absence.

D'abord édifié en bois en 1070 par Guillaume le Conquérant puis reconstruit en pierre en 1165, ce château médiéval est l'un des plus anciens encore debout. Sa longévité et sa proximité avec Londres en font l'une des grandes attractions touristiques du pays. La région recèle cependant d'autres centres d'intérêt, notamment Eton College, sur l'autre rive de la Tamise, et Bray, haut lieu de la gastronomie accessible par un court trajet en bus.

Dans le château, la première chose que vous verrez sera la queue pour admirer l'incroyable Queen Mary's Dolls' House (maison de poupées de la reine Marie). Conçue en 1923 à l'échelle 1/12e par l'architecte sir Edwin Lutyens, qui poussa la perfection jusqu'à inclure l'eau courante dans la salle de bains et l'électricité, elle demanda trois ans de travail à 1 500 artisans.

Pétri d'histoire, les State Apartments (appartements d'État, ouverts ponctuellement au public) englobent le majestueux Grand Staircase (grand escalier) et l'extraordinaire St George's Hall. Ils furent gravement endommagés par l'incendie de 1992 mais ont été restauré avec brio.

Après avoir admiré la Waterloo Chamber commémorant la bataille de Waterloo et toujours utilisée pour les repas officiels, et la Garter Throne Room (salle de la Jarretière), vous atteindrez les King's Rooms (appartements du roi) et les Queen's Rooms (appartements de la reine), ornés de splendides meubles et tapisseries et de toiles de Canaletto, Dürer, Gainsborough, Van Dyck, Hogarth, Holbein, Rembrandt et Rubens.

La chapelle du château est l'un des fleurons nationaux de l'architecture gothique tardive. St George's Chapel, commencée en 1475, ne fut achevée qu'en 1528. La nef, avec ses piliers donnant naissance à de superbes voûtes en éventail, illustre à la perfection le style perpendiculaire. La chapelle abrite des tombes royales, notamment celles de George V, Marie Tudor, George VI, Édouard IV et de la reine mère.

Si le temps le permet, ne passez pas à côté d'une balade dans le superbe Windsor Great Park (☎ 860222 ; entrée libre ; 🕑 8h-crépuscule). Derrière le château, ce parc de 1 920 ha s'étend pratiquement jusqu'à Ascot. Il possédait jadis une superbe allée bordée d'arbres centenaires, que l'époux de la reine Elizabeth II, le prince Philip, fit couper en 1999 car ils gênaient le passage de ses attelages.

Dans Windsor même, jetez un coup d'œil aux colonnes centrales du Guildhall (hôtel de ville ; ☎ 743900 ; High St ; entrée libre ; 🕑 10h-14h lun, sauf jours fériés) dans High St, près de Castle Hill : elles ne touchent pas le plafond. Lors de la construction de l'édifice en 1686, son architecte, sir Christopher Wren, ne parvint pas à convaincre le conseil municipal de leur inutilité totale. Il laissa donc quelques centimètres de vide pour illustrer son point de vue.

Franchissez le Windsor Bridge, qui enjambe la Tamise, pour découvrir Eton College (☎ 671177 ; www.etoncollege.com ; Baldwins Shore ; adulte/enfant 5/3,50 £ ; 🕑 14h-16h30 période scolaire, 10h30-16h30 Pâques et été). La célèbre *public school* (école privée) a formé

TRANSPORTS : WINDSOR ET BRAY

Distance depuis Londres 37 km

Direction Ouest

Temps de trajet 1 heure en bus, 55 min en train

Bus Les cars Green Line (www.greenline.co.uk) partent de Victoria Central Station entre 8 et 12 fois par jour (aller-retour dans la journée 11 £). Le bus n°6 de Courtney Coaches (☎ 01344-482200) pour Bray part de la Barclays Bank dans Windsor High St (aller-retour 4,50 £, 35 min, 1/heure 7h-18h).

Train (☎ 0845 748 4950 ; www.nationalrail.co.uk) Liaison Waterloo-gare de Winsdor Riverside toutes les 30 min, toutes les heures le dim (aller-retour dans la journée 9,50 £). De Paddington, les trains rejoignent Eton et la Central Station via Slough (aller-retour dans la journée 8,50 £, 45 min). Pour aller à Bray, prenez le train pour Maidenhead (aller-retour dans la journée 9,50 £, 40 min) à la gare de Paddington puis faites en taxi les cinq dernières minutes du trajet.

dix-huit Premiers ministres ! La construction de certains de ses bâtiments remonte au milieu du XVe siècle. Des visites guidées d'une heure ont lieu à 14h15 et 15h15.

Non loin, le village de Bray possède d'excellents restaurants (voir ci-dessous).

RENSEIGNEMENTS

French Brothers (☎ 851900 ; www.boat-trips.co.uk ; Clewer Court Rd ; adulte/enfant/sénior/famille 5/2,50/4,75/12,50 £). Croisières, dont un circuit de 35 min de Windsor à Boveney (toutes les 30 min de 11h à 16h entre mi-fév et mi-mars, et les sam-dim entre nov et mi-déc, toutes les 30 min de 10h à 17h entre mi-mars et oct)

Office du tourisme (☎ 743900 ; www.windsor.gov.uk ; Old Booking Hall, Windsor Royal Shopping, Thames St ; 10h-17 lun-sam, 10h-16h30 dim avr-juin et sept-oct, 9h30-18h juil-août, 10h-16h nov-mars)

OÙ SE RESTAURER

À Windsor, Peascod St et son prolongement, St Leonard's Rd, sont jalonnés de restaurants pour beaucoup très touristiques. Bray est *la* destination des gastronomes pour un repas inoubliable.

Le Fat Duck (☎ 01628-580333 ; www.fatduck.co.uk ; 1 High St, Bray ; menu dégustation 130 £ ; déj mar-dim, dîner mar-sam), fondé par le chef autodidacte Heston Blumenthal, est régulièrement mentionné parmi les meilleurs restaurants du monde : un repas ici est donc un événement. En 2009, après que plusieurs clients furent mystérieusement tombés malades, le restaurant a fermé brièvement, mais aucune anomalie n'a été décelée dans la nourriture. La passion de Blumenthal pour la science des saveurs met à la carte de folles combinaisons culinaires, dont des expériences autour de l'azote (comme la nitro-mousse thé vert et lime) et des associations surprenantes du genre sorbet sardine sur toast, huîtres au fruit de la passion, saumon poché au réglisse et glace bacon et œuf. Tout est délicieux et donne à réfléchir, dans une ambiance à la décontraction rafraîchissante. Il faut parfois réserver deux mois à l'avance (par téléphone uniquement, les réservations par mail ne sont pas acceptées).

Waterside Inn (☎ 01628-620691 ; www.waterside-inn.co.uk ; Ferry Rd, Bray ; plats 47,50-68 £ ; déj et dîner mer-dim sauf jan). Figurant parmi les 50 meilleurs restaurants du monde, l'établissement de Michel Roux propose de la gastronomie française dans un cadre rustique, au bord de l'eau.

Riverside Brasserie (☎ 01628-780553 ; www.riversidebrasserie.co.uk ; Bray Marina, Monkey Island Lane, Bray ; plats 18-25 £ ; déj et diner avr-sept). Dans ce restaurant surplombant la rivière, Heston Blumenthal s'adresse au gastronome moins audacieux (et éventuellement moins en fonds), avec une carte britannique plus traditionnelle mais néanmoins intéressante : goûtez la panse de porc, sa célèbre spécialité. Une réservation comprend une table en bordure de rivière ainsi qu'une autre en salle, en prévision des averses impromptues. Sachez que la brasserie est fermée 6 mois de l'année et que le reste du temps, les réservations sont conseillées.

CHÂTEAUX DU KENT

Dans le Kent, trois châteaux et demeures majestueuses sont chacun l'occasion d'une merveilleuse escapade à la campagne. La palme du plus romantique revient à Leeds Castle (☎ 01622-765400, 0870 600 8880 ; www.leeds-castle.com ; Maidstone, Kent ; château et jardins adulte/enfant/tarif réduit 16,50/9,50/13,50 £ ; 10h-19h, dernière entrée 17h mars-oct, 10h-17h, dernière entrée 15h30 nov-fév), bâti sur un site spectaculaire sur deux îlots au milieu d'un lac, qui met tous les visiteurs en extase. On l'a longtemps appelé "Ladies Castle", car plusieurs reines y habitèrent au fil des siècles, notamment Catherine de Valois, Catherine d'Aragon et Elizabeth Ire, qui y fut emprisonnée avant de monter sur le trône. Le parc est splendide avec ses douves, son jardin et son labyrinthe aménagé au-dessus d'une grotte souterraine. Le domaine englobe une volière où vivent plus de 100 espèces d'oiseaux en voie de disparition, et le Museum of Dog Collars (musée des colliers pour chiens). L'intérieur du château recèle de beaux papiers peints aux motifs aviaires et de jolis éléments décoratifs.

Hever Castle (☎ 01732-865224 ; www.hevercastle.co.uk ; Hever, Kent ; adulte/tarif réduit/enfant château et parc 12/10/6,50 £, parc seulement 9/8/6,20 £ ; parc 11h-18h mars-oct, 11h-16h nov, château 1 heure plus tard), qui vit grandir Anne Boleyn, seconde épouse d'Henry VIII, possède un parc tout aussi spectaculaire où roses, jacinthes des bois, rhododendrons et arbres taillés s'épanouissent au milieu de rocailles, de sculptures italiennes, de fontaines et de lacs, dont plusieurs ont été combinés à des ifs sculptés pour former un labyrinthe aquatique très apprécié des enfants. Le château est malheureusement peu facile d'accès (voir l'encadré p. 382).

Le jardin de Sissinghurst Castle (☎ 01580-710 700 ; www.nationaltrust.org.uk/sissinghurst ; Sissinghurst, Cranbrook, Kent ; adulte/tarif réduit/famille 8,80/4,40/22 £ ; 11h-18h30

TRANSPORTS : CHÂTEAUX DU KENT

Hever Castle

Distance depuis Londres 53 km

Direction Sud-est

Temps de trajet 40 min en voiture, de 40 min (en semaine) à 1 heure 30 (le week-end) en train, plus 10 min en taxi

Voiture Prenez la M25, sortez à la bifurcation 5 ou 6 et suivez vers le sud les panneaux pour Edenbridge et le château.

Train Prenez un train de London Bridge à Edenbridge Town (aller-retour dans la journée 9 £, via East Croydon), puis un taxi (4,5 km). Sinon, le château se trouve à 1 km à pied de la gare de Hever. Le dimanche, le train ne va que jusqu'à East Grinstead, la gare précédente ; d'East Grinstead à Hever, un taxi coûte10 £.

Leeds Castle

Distance de Londres 70 km

Direction Sud-est

Temps de trajet 1 heure 30 en voiture ou en bus, 1 h 10 en train

Bus National Express (☎ 08717 818181 ; www.nationalexpress.com ; billet combiné bus et entrée du château adulte/enfant 13,60/6,80 £) dessert Leeds Castle. Départ de Victoria Central le matin et retour vers 14h-15h, du lundi au vendredi.

Voiture Prenez la M20 au sud-est de Londres, sortez à la bifurcation 8 et suivez les panneaux pour Leeds Castle.

Train Des trains (☎ 0845 748 4950 ; www.nationalrail.co.uk) quittent London Victoria pour la gare de Bearsted (aller-retour dans la journée 16 £), d'où vous pourrez prendre une correspondance en bus pour le château.

Jardin de Sissinghurst Castle

Distance de Londres 74 km

Direction Sud-est

Temps de trajet 1 h 30 en voiture, 1 heure en train plus 15 min de bus

Bus De la gare ferroviaire de Staplehurst, un bus spécial dessert le jardin de Sissinghurst Castle les mardis, dimanches et lundis fériés de mai à mi-septembre. Départ à 11h40 et 13h45 les mardis, retour à 15h35 et 17h30 ; départ à 10h40 et 13h40 les dimanches et jours fériés, retour à 15h15 et 17h15 (15 min, 4 £ aller-retour). Appelez le ☎ 01580-710700 pour connaître les horaires exacts.

Voiture Sortez de la M20 à la bifurcation 5 ou 6 et suivez l'A229 jusqu'à l'A262.

Train Prenez un train de Charing Cross à la gare de Staplehurst (aller-retour dans la journée 15 £) puis la navette (voir *Bus* ci-dessus) ou un taxi (8 km).

lun, mar et ven, dernière entrée 17h30 et 10h-18h30 sam-dim, dernière entrée 17h30, mi-mars à nov), légendaire parmi les écrivains et les amateurs de plantes, est l'un des plus célèbres du XXe siècle. Il fut conçu par la poétesse Vita Sackville-West et son époux Harold Nicolson, qui firent œuvre de pionniers en regroupant des végétaux de couleur similaire pour créer dix jardins aux personnalités distinctes. Avec ses tons blanc, gris et vert, le célèbreWhite Garden constitua une source d'inspiration pour la poétesse qui le contemplait au clair de lune depuis la fenêtre de son bureau, également ouvert aux visiteurs.

RENSEIGNEMENTS

Le site Internet Visit Kent (www.visitkent.co.uk) est une bonne source d'informations.

DEPUIS/VERS LONDRES

ENTRER À LONDRES

Pour les citoyens de l'Union européenne et les Suisses, une carte nationale d'identité en cours de validité suffit. Les ressortissants des autres pays doivent présenter un passeport en cours de validité et se renseigner sur la nécessité d'un visa (voir p. 399).

Si vous choisissez de vous rendre à Londres en voiture, n'oubliez pas votre permis de conduire, la carte grise du véhicule et votre attestation d'assurance. Vérifiez également auprès de votre assureur que vous êtes couvert à l'étranger.

AVION

Vols réguliers

DEPUIS LA FRANCE

Air France (☎ 3654, 0,34 €/min ; www.airfrance.fr) et **British Airways** (☎ 0825 825 400 ; pas d'agence en France ; www.britishairways.com), avec environ 8 vols par jour (durée de vol 1 heure environ), entre 7h et 21h, assurent des prestations et des prix comparables depuis l'aéroport Paris-Charles-de-Gaulle. Air France propose également 5 vols par jour (effectués par CityJet) au départ d'Orly, à destination de l'aéroport London City. British Airways assure également des vols directs depuis la plupart de grandes villes de province. Les prix des deux compagnies se sont alignés sur ceux de la concurrence et présentent aujourd'hui des tarifs aller-retour intéressants : comptez un aller-retour à partir de 135 € avec Air France (British Airways pratique sensiblement les mêmes tarifs). Notez que les tarifs sont assortis de contraintes quant aux dates de séjour, réservations et possibilités de remboursement.

AVERTISSEMENT

Les informations contenues dans ce chapitre sont particulièrement susceptibles de changements. Vérifiez directement auprès de la compagnie aérienne ou de l'agence de voyages les modalités d'utilisation de votre billet d'avion. N'hésitez pas à comparer les prestations. Les détails fournis ici doivent être considérés à titre indicatif et ne remplacent en rien une recherche personnelle attentive.

Air France (☎ 3654, 0,34 €/min ; www.airfrance.fr ; 49 av. de l'Opéra, 75002 Paris)

Voyageurs Associés (☎ 0899 650 649, 0,34 €/min, 04 91 47 49 40 ; www.bourse-des-voyages.com ; 39 rue des Trois-Frères-Barthélémy, 13006 Marseille). Séjours à Londres de quelques jours depuis Paris et Bordeaux.

Voyageurs du Monde (☎ 0892 23 56 56, 0,34 €/min ; fax 01 42 86 17 88 en indiquant votre destination ; www.vdm.com ; 55 rue Sainte-Anne, 75002 Paris). Plusieurs agences en France. Voyages sur mesure à Londres.

DEPUIS LA BELGIQUE

Brussels Airlines opère 4 vols directs par jour entre Bruxelles et Londres Heathrow à partir de 139 €. United Airlines assure des vols à des tarifs comparables. CityJet (VLM Airlines) propose des vols entre Anvers et l'aéroport de London City. Voir aussi p. 384 pour les vols *low-cost*.

Brussels Airlines (☎ 0902 51 600 ; www.brusselsairlines.com ; comptoir à l'aéroport international de Bruxelles)

United Airlines (☎ 0810 72 72 72 ; www.united.fr)

CityJet (☎ 03-287 80 80 ; www.cityjet.com)

Voici quelques adresses d'agences :

Airstop (☎ 070-233 188, fax 09-268 85 49 ; www.airstop.be ; Bd Émile Jacqmain 76, Bruxelles 1000)

Connections (☎ 070-23 33 13 ; www.connections.be) ; Bruxelles (☎ 02/550.01.30 ; fax 02/512.94.47 ; 19-21 rue du Midi, Bruxelles 1000) ; Gand (☎ 09-223 90 20 ; fax 09-233 29 13 ; Hoogpoort 28, Gand 9000) ; Liège (☎ 04-223 03 75 ; fax 04-223 08 82 ; 7 rue Sœurs-de-Hasque, Liège 4000). Le spécialiste belge du voyage pour les jeunes et les étudiants.

Éole (☎ 02-227 57 80 ; fax 02-219 90 73 ; www.voyageseole.be ; 39-41 Chaussée de Haecht, Bruxelles 1210)

DEPUIS LA SUISSE

La Swiss propose des vols directs depuis/vers Genève-Londres-Heathrow aux alentours de 190 CHF. Easyjet (voir p. 384) et British Airways (à partir de 150 CHF) relient également Zurich et Genève à Londres.

Swiss (☎ 848 700 700 ; www.swiss.com ; comptoirs aux aéroports de Genève et de Zürich)

British Airways (☎ 0848 845 845 ; www.britishairways.com)

AGENCES EN LIGNE

Consultez les sites Internet ci-dessous pour des tarifs intéressants sur les billets d'avion.

Anyway www.anyway.com

Bourse des vols www.boursedesvols.com

EasyVoyage www.easyvoyage.com

Ebookers www.ebookers.fr

Expedia www.expedia.fr

Go Voyages www.govoyages.com

Lastminute www.fr.lastminute.com

Liligo www.liligo.fr

Nouvelles Frontières www.nouvelles-frontieres.fr

Opodo www.opodo.fr

Voyages SNCF www.voyages-sncf.com

STA Travel (☎ 058-450 49 20 ; www.statravel.ch) Lausanne (☎ 058-450 48 80 ; fax 058-450 48 78 ; 20 bd de Grancy, Lausanne 1006) Genève (☎ 058-450 48 30 ; fax 058-450 48 38 ; 3 rue Vignier, Genève 1205) Genève (☎ 058-450 48 00 ; fax 058-450 48 28 ; 10 rue de Rive, Genève 1204) Zurich (☎ 058-450 44 44 ; 058-450 40 61 ; Leonhardstrasse10, Zurich 8001)

DEPUIS LE CANADA

Les vols directs depuis Toronto, Montréal et Ottawa à destination de Londres (environ 7 heures de vol) débutent aux alentours de 1000 $C avec Air Canada. Pour plus de renseignements, adressez-vous auprès des agences et des compagnies suivantes :

Air Canada (☎ 1-888 247-2262 ou 1 514 393-3333 ; www.aircanada.com)

Expedia (☎ 1-888 397 3342 ; www.expedia.ca)

Airlineticketsdirect.com (☎ 1-877 679 8500 ; www.airlineticketsdirect.com)

Travel Cuts-Voyages Campus (☎ 1-866 246 9762 ; www.travelcuts.com ; campus Montréal 5150 Ave Decelles, Montréal, PQ H3T 1V4). L'agence de voyages nationale des étudiants canadiens.

Travelocity (☎ 800 457 8010 ; http://travelocity.ca)

Compagnies low-cost

Afin d'offrir les prix les plus bas du marché, les compagnies *low-cost* réalisent d'importantes économies d'exploitation, essentiellement dans le domaine du service. Ainsi, la moindre collation à bord ou les bagages en soute seront facturés et l'espace cabine est occupé à son maximum. Les réservations se font généralement par Internet et tous les paramètres d'exploitation sont optimisés. Ce qui n'empêche pas ces compagnies d'assurer les mêmes critères d'entretien et de sécurité que les compagnies traditionnelles. En voici trois qui desservent Londres, faites votre marché :

BMI (www.flybmi.com). Relie Bruxelles à Londres-Heathrow.

easyJet (www.easyjet.com). Une liaison Paris-CDG-aéroport de Londres-Luton, ainsi que de nombreuses villes de provinces desservies (Marseilles, Bordeaux, Lyon, Nice...) depuis/vers Londres-Gatwick et Standed. Rallie également Genève et Zürich (environ 120 CHF l'aller-retour le week-end).

Ryanair (☎ 0892 555 666 ; www.ryanair.com). Rallie un grand nombre de villes françaises de province (Beauvais non desservi).

Au départ de Paris, un billet aller-retour pour Londres, le week-end, sur une compagnie *low-cost* coûte environ 120 € (à partir de 80 € avec dates flexibles).

Attention, les prix très attractifs (à partir de 25 € aller-retour) ne prennent souvent pas en compte les taxes d'aéroport très élevées (environ 80 €), souvent plus chères que le billet lui-même. Les prix indiqués ici incluent ces taxes.

Choisir un aéroport un peu plus éloigné du centre de Londres, pratiquant des taxes moins élevées, peut réduire le coût du billet. Mais n'oubliez pas d'y ajouter alors le prix d'un billet de bus (et le temps) pour rallier le centre de la capitale...

BATEAU

Ferry

Pour traverser la Manche en bateau, vous n'aurez que l'embarras du choix. Plusieurs compagnies de ferries opèrent sur les mêmes itinéraires, si bien que l'offre est complète et complexe. Une même compagnie peut proposer divers tarifs pour une même traversée selon l'heure, la période de l'année, la durée de validité du ticket et la taille du véhicule. L'option la plus avantageuse est souvent l'aller-retour de 5 jours. Les billets aller-retour reviennent souvent bien moins cher que les allers simples. Des billets à tout petit prix, très réglementés, sont vendus pour les voyages aller-retour effectués dans la même journée. Le prix d'un billet pour un véhicule comprend souvent le conducteur et un passager.

Pensez à réserver longtemps à l'avance et sachez que les périodes creuses offrent des réductions spéciales. Les ferries transportent voitures et deux-roues.

Vous aurez à effectuer les formalités de douanes nécessaires avant l'embarquement. Présentez-vous au port au moins 30 min avant le départ, muni de vos papiers d'identité, de votre permis et de la carte grise du véhicule.

Les trajets les plus courts en ferry relient Calais ou Boulogne à Douvres (Dover) ou Folkestone. Préférez Douvres si vous souhaitez rejoindre Londres en bus ou en train. P&O Stena Line (☎ France 0820 900 061, Belgique 070 700 774 ; www.posl.com) et Seafrance (☎ infos et réservations 03 21 17 70 26, ☎ agence Paris 01 53 35 11 00 ; 1 av. de Flandre, 75019 Paris ; www.seafrance.com) desservent la ligne Calais-Douvres avec une fréquence d'environ un départ par heure. La tarification est extrêmement variable (à partir de 70 € environ l'aller-retour) et les tarifs excursion sont les plus avantageux. La traversée dure 90 min.

Parmi les autres itinéraires transmanche, Brittany Ferries (☎ 0825 828 828 ; www.brittany-ferries.fr) assure des liaisons Cherbourg-Poole, Cherbourg, Caen ou Saint-Malo-Portsmouth, et Roscoff-Plymouth.

BUS

Pour se rendre au Royaume-Uni, le bus, qui emprunte le ferry, reste le moyen le plus économique. Eurolines (France ☎ 0892 89 90 91, 0,34 €/min ; www.eurolines.fr ; gare routière internationale de Gallieni, 28 av. du Général-de-Gaulle, Bagnolet ; Belgique ☎ 02 274 13 50 ; www.eurolines.be ; gare routière de Bruxelles Nord, rue du Progrès 80, Bruxelles) dessert Londres (Victoria Station) au départ de nombreuses villes.

Le trajet entre Paris et Londres dure entre 6 et 8 heures et revient à 75/62 € pour un aller-retour le week-end en tarif standard/promotionnel. L'attente du ferry peut-être longue.

Au départ de Londres, Eurolines (☎ 0871 781 8177 ; www.eurolines.com ; 52 Grosvenor Gardens SW1) propose des bus affrétés par National Express vers l'Europe continentale qui partent de la gare routière de Victoria (plan p. 140 ; 164 Buckingham Palace Rd SW1 ; ⊖ Victoria).

TRAIN

Eurostar

Le train à grande vitesse Eurostar (France ☎ 08 92 35 35 39 ; R-U ☎ 0870 518 6186 ; www.eurostar.com) a déménagé à la gare de St Pancras International fin 2007, reliant désormais la gare du Nord, à Paris, au centre de Londres en 2 heures 15 au lieu de 3 (jusqu'à 25 par jour). Le trajet depuis Bruxelles est réduit quant à lui à 1 heure 50 minutes (jusqu'à 12 par jour). Certains trains desservent les gares de Marne-la-Vallée, Lille (1 heure 20), Calais, et Ashford en Angleterre.

Les tarifs sont très variables. Comptez en moyenne 120 € pour un aller-retour le week-end au départ de Paris, réservé au moins un mois à l'avance. Il est possible de trouver des billets aller-retour à partir de 88 €, à condition de s'y prendre très en amont (au moins 3 mois à l'avance). Certains tarifs spéciaux, encore moins chers (-26 ans, seniors, avec une nuit sur place – soumis à conditions), peuvent se révéler avantageux, mais les billets partent comme des petits pains. Certaines promotions liées à l'agenda londonien (carnaval de Notting Hill, grande exposition, soldes…) incluent le trajet en Eurostar et l'hébergement pour le week-end (voire les billets d'entrée dans le cas d'une exposition importante). Eurostar propose également des offres train + hôtel à partir de 120 € par personne. Des tarifs spéciaux TGV + Eurostar sont appliqués pour les voyageurs partant de Lyon, Strasbourg, Nancy et Reims.

Veillez à arriver une heure à l'avance pour effectuer les formalités de douanes et les contrôles de sécurité. L'enregistrement commence 30 min avant le départ. Comme dans un aéroport, vous devrez présenter vos papiers, passer sous un portique et soumettre vos bagages au détecteur, avant de présenter vos billets pour l'"embarquement". Il n'y a pas de contrôle systématique à l'arrivée, mais gardez vos papiers à portée de main. Au départ de Londres, les mesures sont les mêmes.

Eurotunnel

Eurotunnel (France ☎ 0810 63 03 04 ; Belgique ☎ 070 22 32 10 ; R-U ☎ 0870 535 3535 ; www.eurotunnel.com) transporte des véhicules et des vélos entre Folkestone, en Angleterre, et Coquelles, à 5 km au sud-ouest de Calais (toutes les 15 min en période de pointe, toutes les heures de 1h à 6h) par le Tunnel sous la Manche. Les passagers restent à bord du véhicule lors de la traversée d'une durée de 35 min. Veillez à arriver au moins 30 min avant le départ pour l'enregistrement et les contrôles nécessaires.

Vous pourrez acheter un billet valable 5 jours, au péage ou par réservation. Réserver en ligne permet de bénéficier des tarifs les moins chers, avec des allers-retours à partir de 60 € (en passant une nuit sur place) et des excursions de 2 à 5 jours à partir de 120 €. Tous les prix incluent une voiture et ses passagers.

Pour les autres trains européens, contactez **Rail Europe** (☎ 0844 848 5848 ; www.raileurope.co.uk).

COMMENT CIRCULER

AVION

Cinq aéroports desservent Londres : Heathrow, le plus important, à l'ouest ; Gatwick, au sud ; Stansted, à l'est ; Luton, au nord ; et London City.

Aéroport d'Heathrow

À 24 km à l'ouest de Londres, **Heathrow** (LHR ; hors plan p. 66 ; ☎ 0844 335 1801 ; www.heathrowairport.com) est l'aéroport international qui reçoit le plus de trafic aérien au monde avec cinq terminaux. Pour obtenir des informations, appelez le terminal correspondant aux horaires suivants :

Terminal 1 (☎ 8745 5301 ; 6h-23h)
Terminal 2 (☎ 8897 9541 ; 6h-22h30)
Terminal 3 (☎ 8759 3344 ; 6h30-22h30)
Terminal 4 (☎ 8897 6874 ; 5h30-23h)
Terminal 5 (☎ 8283 5073 ; 5h30-23h)

Trois stations de métro de la Piccadilly Line desservent l'aéroport : une pour les terminaux 1, 2 et 3, une autre pour le terminal 4 et une troisième pour le terminal 5. Chaque aérogare possède des bureaux de change, des guichets d'information, des comptoirs de réservation hôtelière et des consignes à bagages Il vous en coûtera 8 £ par bagage et par 24 heures (ou moins), avec une durée maximale de 90 jours.

Trois hôtels internationaux sont accessibles à pied depuis les terminaux d'Heathrow, et une vingtaine d'autres établissements sont installés à proximité, au cas où vous devriez partir ou arriver particulièrement tôt ou tard. Pour les rejoindre depuis les terminaux 1, 2, 3 ou 5, prenez la navette Heathrow Hotel Hoppa (adulte/enfant 3-15 ans 4 £/50 p), qui part toutes les 15-30 min de 4h30 environ à minuit. Les passagers du terminal 4 peuvent prendre la navette ferroviaire gratuite Heathrow Express depuis/vers le terminal 3.

Plusieurs possibilités existent pour quitter ou gagner l'aéroport d'Heathrow :

Black cab La course depuis/vers le centre de Londres coûte au compteur entre 45 £ et 65 £ (55 £ depuis Oxford St) et dure de 45 min à 1 heure selon le point de départ.

Heathrow Connect (☎ 0845 678 6975 ; www.heathrowconnect.com ; aller simple 7,40 £, 25 min, ttes les 30 min). Circulant entre Heathrow et la gare de Paddington, ce service de train moderne marque 5 arrêts, notamment à Southall et à Ealing Broadway. Le premier

TRAFIC AÉRIEN ET CHANGEMENTS CLIMATIQUES

Les changements climatiques représentent une menace sérieuse pour les écosystèmes dont dépend l'être humain et le trafic aérien contribue pour une large part à l'aggravation de ce problème. Lonely Planet ne remet absolument pas en question l'intérêt du voyage, mais nous restons convaincus que nous avons tous, chacun à notre niveau, un rôle à jouer pour enrayer le réchauffement de la planète.

Le "poids" de l'avion

Pratiquement toute forme de circulation motorisée génère la production de CO^2, principale cause du changement climatique induit par l'homme. Le trafic aérien détient de loin la plus grosse responsabilité en la matière, non seulement en raison des distances que les avions parcourent, mais aussi parce qu'ils relâchent dans les couches supérieures de l'atmosphère quantité de gaz à effet de serre. Ainsi, deux personnes effectuant un vol aller-retour entre l'Europe et les États-Unis contribuent autant au changement climatique qu'un ménage moyen qui consomme du gaz et de l'électricité pendant un an !

Programmes de compensation

Des sites Internet comme www.actioncarbone.org ou www.co2solidaire.org utilisent des "compteurs de carbone" permettant aux voyageurs de compenser le niveau des gaz à effet de serre dont ils sont responsables par une contribution financière à des projets de développement durable menés dans le secteur touristique et visant à réduire le réchauffement de la planète. Des programmes sont en place notamment en Inde, au Honduras, au Kazakhstan et en Ouganda.

Lonely Planet "compense" d'ailleurs la totalité des voyages de son personnel et de ses auteurs. Pour plus d'information, consultez : www.lonelyplanet.fr.

train quitte Heathrow vers 5h20 (6h le dimanche) et le dernier vers minuit. De Paddington, les trains roulent de 4h30 (6h le dimanche) à 23h.

Heathrow Express (☎ 0845 600 1515 ; www.heathrowexpress.com ; aller simple/aller-retour 16,50/32 £, 15 min, toutes les 15 min). Un train ultramoderne qui transporte les passagers de la gare de Heathrow Central (desservant les aérogares 1 à 3) et du terminal 5 jusqu'à la gare de Paddington. Les passagers du terminal 4 emprunteront la navette ferroviaire gratuite jusqu'à Heathrow Central, d'où ils prendront le Heathrow Express. Les trains circulent dans les deux directions de 5h et des poussières jusqu'à 23h45 (au départ de Paddington) ou un peu après minuit (depuis l'aéroport).

Métro (☎ 7222 1234 ; www.tfl.gov.uk ; aller simple 4 £, 1 heure depuis le centre de Londres, ttes les 5-9 min). Le métro est le moyen le plus économique pour aller à Heathrow. Les trains circulent de 5h/5h45 depuis/vers l'aéroport (de 5h50/19h le dimanche) à 23h45/0h30 (23h30 le dimanche dans les deux directions). Vous pouvez acheter votre ticket dans la zone où vous récupérez vos bagages ou à la station de métro. Le bus de nuit N9 relie Heathrow au centre de Londres.

National Express (☎ 0871 781 8181 ; www.nationalexpress.com ; aller simple/aller-retour à partir de 5/9 £, billets valables 3 mois, 45-90 min, ttes les 30-60 min). Les bus relient la nouvelle gare routière d'Heathrow à la gare routière de Victoria (164 Buckingham Palace Rd SW1 ; ⊖ Victoria) environ 45 fois par jour. Le premier part de la gare routière de Heathrow (terminaux 1, 2 et 3) à 5h25, le dernier à 21h40. Au départ de Victoria, les bus circulent de 7h15 à 23h30.

Aéroport de Gatwick

Situé à 48 km au sud de Londres, **Gatwick** (LGW ; hors plan p. 66 ; 0844 335 802 ; www.gatwickairport.com) est plus petit et mieux organisé que Heathrow. Les terminaux nord et sud sont reliés par un service rapide de monorail (environ 3 min). Pour obtenir des informations, appelez le terminal concerné :

North Terminal (☎ 01293-502 013 ; 🕒 5h-21h)

South Terminal (☎ 01293-502 014 ; 🕒 24h/24)

Gatwick dispose d'un service de consigne dans ses deux terminaux. Il vous en coûtera 8 £ par bagage et par 24 heures (ou moins), avec une durée maximale de 90 jours.

Les transports suivants assurent la desserte de l'aéroport de Gatwick :

Black cab La course en taxi au compteur depuis/vers le centre de Londres coûte environ 85 £ et prend une bonne heure.

easyBus (☎ 0870 141 7217 ; www.easybus.co.uk). Cette société bon marché affrète des minibus de 19 places (aller simple 10 £, à partir de 2 £ en ligne, 70 min, ttes les 20 min) au départ de la station de métro Fulham Broadway sur la ligne District jusqu'au terminal Nord, de 6h40 à 23h tous les jours. Les départs de Gatwick se font entre 6h et 22h. Les billets s'achètent auprès du conducteur ou aux billetteries de l'aéroport, aussi bien dans le terminal nord que sud.

First Capital Connect (☎ 0845 748 4950 ; www.firstcapitalconnect.co.uk). Ce service ferroviaire (aller simple/aller-retour 9,80 £/12,70 £, 1 heure à 1 heure 10) dessert East Croydon, London Bridge, Blackfriars et St Pancras International.

Gatwick Express (☎ 0845 850 1530 ; www.gatwickexpress.com ; aller simple/aller-retour 16,90/28,80 £, 30 min, ttes les 15 min). Les trains relient la gare, proche du terminal sud, à Victoria Station. De l'aéroport, il existe un service régulier entre environ 4h30 et 0h30. De Victoria, les trains circulent entre 5h et 0h30.

National Express (☎ 0871 78 8181 ; www.nationalexpress.com ; aller simple/aller-retour 7,30/15,10 £, billets valables 3 mois, 65-90 min). Les bus circulent de Gatwick à la gare routière de Victoria Station 18 fois par jour. Ils quittent l'aéroport au moins une fois par heure entre 5h15 et 21h45 et fonctionnent toutes les heures à l'heure pile au départ de Victoria entre 7h et 22h, avec un service supplémentaire à 23h30 et un service très tôt le matin à 3h30.

Southern Trains (☎ 0845 748 4950 ; www.southernrailway.com ; aller simple/aller-retour 9,80/12,70 £, 45 min, ttes les 15-30 min, ttes les heures de minuit à 4h). Ce service fonctionne entre Victoria Station et les deux terminaux.

Aéroport de Stansted

Situé à 56 km au nord-est de Londres en direction de Cambridge, **Stansted** (STN ; hors plan p. 66 ; ☎ 0844 335 1803 ; www.stanstedairport.com) est le troisième aéroport international de la capitale. Il connaît la croissance la plus rapide d'Europe grâce à la présence des compagnies *low-cost* easyJet et Ryanair, dont il est la plaque tournante.

Voici les différents moyens de transport depuis/vers l'aéroport de Stansted :

Black cab La course au compteur depuis/vers le centre de Londres coûte entre 85 et 100 £.

easyBus (☎ 0870 141 7217 ; www.easybus.co.uk). Les minibus (aller simple 10 £, à partir de 2 £ en ligne, 90 min, ttes les 20 à 30 min) circulent tous les jours, de 3h à 22h20, entre la gare routière de Victoria et Stansted, via Gloucester Pl W1, à la station de métro Baker St. Les départs de Stansted ont lieu de 7h à 1h et des poussières.

National Express (☎ 0871 781 8181 ; www.nationalexpress.com). Les bus circulent 24h/24, soit 120 liaisons par jour. Le bus A6 dessert la gare routière de Victoria (aller simple/aller-retour 10,50/18 £, 1 heure 25-1 heure 50, ttes les 10-20 min), en passant par North London. Le A9 se rend à Stratford (8,50/16 £, 45 min-1 heure, ttes les 30 min), où l'on peut prendre une correspondance en métro sur la Jubilee Line pour rejoindre le centre de Londres en 20 min.

Stansted Express (☎ 0845 850 0150 ; www.standstedexpress.com ; aller simple/aller-retour 19/28,80 £, 18/26,80 £ en ligne, 45 min, ttes les 15-30 min). Ces trains relient l'aéroport à la gare de Liverpool St. De l'aéroport, le premier train part à 5h30 et le dernier juste avant minuit. De la gare de Liverpool St, les trains roulent de 4h30 à un peu avant 23h30. Pour emprunter une correspondance avec le métro, descendez à Tottenham Hale (aller simple/aller-retour 17/26,60 £) pour la Victoria Line, et à Liverpool St pour la Central Line. Tôt le matin, certains trains ne s'arrêtent pas à Tottenham Hale.

Terravision (☎ 1279 680 028 ; www.terravision.eu/london.html). Les bus (aller simple/aller-retour 9/14 £) relient Stansted à la gare ferroviaire de Liverpool St (bus n°A51, 55 min) et la gare routière de Victoria (bus n°A50, 75 min) toutes les 20 à 40 min entre 7h15 et 1h. Les services au départ de Victoria circulent entre 2h40 et 23h Les services pour Liverpool St circulent entre 6h et 1h ; depuis Liverpool St, ils circulent de 3h à 23h30.

Aéroport de London City

Proche du centre de Londres (à 10 km à l'ouest) et du quartier commercial des Docklands, l'aéroport de London City (LCY ; plan p. 66 ; ☎ 7646 0000 ; www.londoncityairport.com) accueille avant tout des hommes d'affaires, mais on y croise aussi des vacanciers qui empruntent ses vols desservant 24 destinations en Europe continentale et sept villes britanniques.

Voici les différents moyens de transport depuis/vers l'aéroport de London City :

Black cab La course en taxi depuis ou vers La City/Covent Garden/Oxford St coûte environ 20/25/30 £.

Docklands Light Railway (DLR ; ☎ 7363 9700; www.tfl.gov.uk/dlr). Le DLR s'arrête à l'aéroport de London City (aller simple 4 £, avec Oyster Card 2,20-2,70 £). Le trajet jusqu'à Bank dure un peu plus de 20 min. Les trains partent toutes les 8 min entre 5h30 et 0h30 du lundi au samedi et entre 7h et 11h30 le dimanche.

Aéroport de Luton

Relativement petit et excentré, Luton (LTN ; hors plan p. 66 ; 01582-405100; www.london-luton.co.uk) se trouve à 51 km au nord de Londres et accueille principalement des vols charters. La compagnie aérienne *low-cost* EasyJet assure cependant la plupart de ses vols depuis cet aéroport.

Voici les différents moyens de transport depuis/vers l'aéroport de Luton :

Black cab La course en taxi au compteur depuis/vers le centre de Londres coûte environ 80 £.

easyBus (☎ 0870 141 7217 ; www.easybus.co.uk). Minibus (aller simple 10 £, à partir de 2 £ en ligne, 1 heure 20, ttes les 30 min) au départ de la gare routière de Victoria vers Luton via les stations de métro Marble Arch, Baker St et Finchley Rd ttes les 30 min 24h/24, avec les mêmes fréquences en provenance de l'aéroport.

Bus 757 Green Line (☎ 0844 801 7261 ; www.greenline.co.uk). Les bus pour Luton (aller simple/aller-retour 13/14,15 £, billets valables 3 mois, 1 heure) partent de Buckingham Palace Rd, au sud de la gare de Victoria, avec un départ toutes les demi-heures environ 24h/24.

First Capital Connect (☎ 0845 748 4950 ; www.first capitalconnect.co.uk). Des trains (hors période de pointe aller simple/aller retour 11,90/21,40 £, 30-40 min, ttes les 6-15 min, de 7h à 22h) partent des gares de London Bridge, Blackfriars et St Pancras International pour la gare de Luton Airport Parkway, d'où une navette vous conduira à l'aéroport en 8 minutes.

Terravision (☎ 1279 680 028 ; www.terravision.eu/london.html). Des bus (aller simple/aller-retour 13/16 £) circulant de Luton à la gare routière de Victoria, et en sens inverse, partent toutes les 20-40 min 24h/24.

BATEAU

Trop souvent négligée autrefois, la Tamise et les canaux de Londres ont fait l'objet d'une campagne de modernisation qui a incité, ces dernières années, les compagnies de navigation fluviale à se développer. Toutefois, seul Thames Clippers (☎ 0870 781 5049 ; www.thamesclippers.com). offre réellement un service de bateau-bus. Circulant de 6h à 1 h et quelques, les services (adulte/enfant 5/2,50 £, ttes les 20-30 min environ) donnent accès à de nombreux sites du fleuve. Les bateaux naviguent d'Embankment à Woolwich Arsenal Piers, en passant par la Tate Modern, le Shakespeare's Globe, Tower Bridge, Canary Wharf, Greenwich et l'O2.

Pour les visites guidées en bateau, voir p. 390. Pour plus de détails sur les croisières sur la Tamise, reportez-vous p. 109.

BUS

Les célèbres bus rouges à deux étages (*double-decker Routemaster*) ont été retirés de la circulation en 2005, hormis sur deux lignes "pittoresques" (la 9 et la 15), mais ils devraient bientôt réapparaître dans une version modernisée ; la réintroduction de ce bus légendaire était en effet l'une des promesses de campagne du nouveau maire, Boris Johnson, en 2008. Pour les visiteurs, même les bus à deux étages modernes permettent de mieux voir la ville que le métro. Sachez néanmoins que les trajets peuvent être très lents en raison des embouteillages et du nombre très élevé d'usagers.

Tarifs

Tout ticket de bus adulte valable pour un seul trajet à Londres coûte 2 £ (ou 1 £ avec une Oyster Card ; voir l'encadré p. 392). Les enfants de moins de 11 ans voyagent gratuitement ; il en va de même pour les enfants de 11 à 18 ans munis d'une Oyster Card avec photo. Les Travelcards (p. 391) sont valables sur tous les bus, y compris les bus de nuit. Notez qu'à certains arrêts du centre londonien (où les panneaux ont un fond jaune) les chauffeurs ne vendent plus de tickets et qu'il faut donc les acheter auprès des machines avant de monter à bord. Malheureusement, même lorsqu'elles fonctionnent, celles-ci ne rendent pas la monnaie et il faut donc faire l'appoint. Il est possible de s'y procurer un pass quotidien (voir ci-dessous).

CARTES DE TRANSPORT (PASS) ET TARIFS RÉDUITS

Si vous prévoyez de vous déplacer exclusivement en bus pendant votre séjour, vous pouvez acheter un *one-day bus pass* valable dans toute la ville moyennant 3,30/1,65 £ par adulte/enfant ; pour les usagers de l'Oyster Card, c'est le tarif maximum quotidien sur les bus et les tramways. Au contraire des Travelcards (ou du tarif maximum de l'Oyster Card) pour le métro, le DLR et le London Overground, ces pass sont valables avant 9h30 en semaine. Pour le bus, les pass hebdomadaire ou mensuel coûtent 13,80/6,90 £ et 53/26,50 £ par adulte/enfant.

Nous vous conseillons d'acquérir une Oyster Card (reportez-vous à l'encadré p. 392). Vous réaliserez une économie de 50 %, même si vous ne restez qu'un week-end.

Renseignements

Vous pourrez vous procurer un plan des lignes de bus, qui divise la ville en 5 zones, dans la plupart des centres d'informations du réseau londonien ou sur www.tfl.gov.uk/buses. Pour des informations générales, appelez le ☎ 7222 1234 (24h/24).

Bus de nuit

Une cinquantaine de bus de nuit (dont le numéro est précédé de la lettre "N") circulent de minuit à 4h30, lorsque le métro ferme ses grilles et que les bus de jour regagnent leur dépôt. Oxford Circus, Tottenham Court Rd et Trafalgar Sq sont les grands nœuds du réseau. Si vous ne connaissez pas les itinéraires, consultez les panneaux d'information situés aux arrêts. Ces bus sont parfois irréguliers et ne s'arrêtent qu'à la demande, aussi devez-vous indiquer clairement au conducteur votre intention de monter ou de descendre.

Une soixantaine d'autres lignes sont en fait des *24-hour buses* : ils diffèrent des bus de nuit car ce sont les mêmes bus que ceux circulant la journée, mais à un rythme moins soutenu la nuit. Pour des détails sur leur fréquence, consultez les horaires.

Lignes intérieures

National Express (☎ 0871 781 8181 ; www.nationalexpress.com) et Megabus (☎ 0900 160 0900, 60 p/min ; www.megabus.com) sont les deux principales compagnies de bus nationales. Megabus offre un service basique à faible coût et propose parfois des billets à 1 £. National Express a considérablement baissé ses tarifs pour rester compétitif. La compagnie Green Line (☎ 0844 801 7261 ; www.greenline.co.uk ; Bulleid Way Sw1 ; ⊖ Victoria) dessert également les grands axes du Royaume-Uni.

CIRCUITS ORGANISÉS

Sans être particulièrement folichons, les circuits organisés constituent un moyen pratique de découvrir les principaux sites, tout en permettant de revenir ensuite sur certains lieux pour en approfondir l'exploration ; les services "*jump-on, jump-off*" (monter, descendre) sont particulièrement intéressants pour cela. Pour les personnes disposant de très peu de temps c'est un moyen pratique de voir les principaux sites de la capitale en une seule journée. Qui plus est, ces circuits ne se contentent pas forcément du classique "sur la droite, vous avez Big Ben, et sur la gauche..." Un nombre incroyable de compagnies proposent des visites originales.

Agences spécialisées

Black Taxi Tours of London (☎ 7935 9363 ; www.blacktaxitours.co.uk ; 2 heures, jusqu'à 5 passagers, 100 £ ; 🕑 8h-minuit). Louez votre propre *black cab* avec comme chauffeur un guide expérimenté (cela dit, tout chauffeur de taxi londonien vous racontera sûrement des anecdotes tout aussi amusantes). Les tarifs sont de 10 £ à 15 £ plus élevés après 18h et le week-end.

London Duck Tours (plan p. 130 ; ☎ 7928 3132 ; www.londonducktours.co.uk ; adulte/enfant/tarif réduit/famille à partir de 20/14/16/58 £ ; ⊖ Westminster). Des véhicules amphibies fabriqués à partir de véhicules du Débarquement partent d'en face de County Hall et visitent les rues du centre de Londres avant un plongeon spectaculaire dans la Tamise à Vauxhall. Les circuits durent 80 min.

Open House (☎ 7383 2131 ; www.londonopenhouse.org ; Bldg Centre, 26 Store St WC ; adulte/étudiant 18,50/13 £ ; 🕑 10h sam ; ⊖ Tottenham Court Rd/Goodge St). Outre le week-end annuel d'Open House London (p. 200), en septembre, durant lequel plus de 700 bâtiments sont ouverts au public, cette fondation architecturale organise des conférences et des visites hebdomadaires de l'un des quatre quartiers différents (Square Mile, Bankside, le West End ou les Docklands). Les visites sont accompagnées de commentaires pétulants et instruits.

Air

Adventure Balloons (☎ 01252-844222 ; www.adventureballoons.co.uk ; Winchfield Park, Hartley Wintney, Hampshire). Lorsque le temps le permet, des vols sont prévus pour Londres (185 £/pers) les mardi, mercredi et jeudi matin peu après l'aube de fin avril à mi-août. Le vol dure environ 1 heure, mais prévoyez 4 heures, le temps de décoller, d'atterrir et de vous remettre !

Cabair Helicopters (☎ 8953 4411 ; www.cabair.com ; Elstree Aerodrome, Borehamwood, Hertfordshire). Vols de 30 min au-dessus de Londres deux fois par mois le samedi ou le dimanche moyennant 150 £. Appelez pour connaître les dates et horaires exacts.

Bateau

Les détenteurs de la Travelcard (voir ci-contre) bénéficient de 30% sur tous les tarifs indiqués ci-dessous.

Circular Cruise (☎ 7936 2033 ; www.crownriver.com ; adulte/5-15 ans/étudiant et senior/famille 8,70/4,40/7,70/28 £ ; 🕑 visite ttes les 30 min 11h-18h30 fin mai-début sept, ttes les 40 min 11h-17h début avr-fin mai et début sept-oct, ttes les heures 11h-15h nov-début avr). Les bateaux partent vers l'est depuis Westminster Pier jusqu'à St Katharine's Pier, près de la Tour de Londres, puis reviennent en sens inverse, s'arrêtant à Embankment, Festival, Bankside et London Bridge. Les tarifs sont moins chers lorsque l'on ne voyage que dans un sens (adulte 6,90 £, par exemple) ou entre deux arrêts (adulte/enfant 3/1,50 £ entre Bankside et London Bridge, par exemple).

London Waterbus Company (plan p. 170 ; ☎ infos 7482 2660, réservations 7482 2550 ; www.londonwaterbus.co.uk ; 2 Middle Yard, Camden Lock NW1 ; adulte/enfant aller simple 6,50/5,20 £, aller-retour 9,30/7,40 £ ; 🕑 ttes les heures 10h-17h avr-sept, ttes les 2 heures 10h-16h jeu et ven, ttes les heures 10h-17h sam-dim oct, ttes les 2 heures 10h-15h sam-dim nov-mars ; ⊖ Camden Town). Circuits de 90 min sur Regent's Canal entre Camden Lock et Little Venice, en passant par Regent's Park et le zoo de Londres.

RIB London Voyages (plan p. 130 ; ☎ 7928 8933 ; www.londonribvoyages.com ; Boarding Gate 1, London Eye, Waterloo Millennium Pier, Westminster Bridge Rd SE1 ; adulte/enfant 32,50/19,50 £ ; 🕑 ttes les heures 11h-16h tlj mai-oct, 11h-16h ven-dim nov-mars). On se prendrait presque pour James Bond dans ce bateau gonflable rapide qui descend la Tamise à une vitesse de 30 à 35 nœuds. RIB propose également pour le même prix une sortie à thème Captain Kidd entre le London Eye et Canary Wharf.

Thames River Services (plan p. 88 ; ☎ 7930 4097 ; www.westminsterpier.co.uk ; Westminster Pier, Victoria Embankment SW1 ; adulte/enfant aller simple 8,40/4,20 £, aller-retour 11/5,50 £, famille 28 £ ; 🕑 circuits ttes les 30 min 10h-16h ou 17h avr-oct). Ces croisières partent de Westminster Pier à destination de Greenwich, en s'arrêtant à la Tour de Londres. Un service sur deux continue de Greenwich à la Thames Barrier (aller simple adulte/enfant 10,40/5,20 £, aller-retour 12,80/6,40 £, ttes les heures 11h30-15h30), sans y faire escale et en passant par l'O2. Depuis Westminster, l'aller-retour complet dure 3 heures ; depuis Greenwich, il ne dure que 1 heure. De novembre à mars, les services sont réduits au départ de Westminster, avec 8 départs quotidiens entre 10h40 et 15h20.

Westminster Passenger Services Association (plan p. 88 ; ☎ 7930 2062 ; www.wpsa.co.uk ; Westminster Pier, Victoria Embankment SW1 ; Kew adulte/enfant/senior/famille aller simple 10,50/5,25/7/26,25 £, aller-retour 16,50/8,25/11/41,25 £, Hampton Court adulte/enfant/senior/famille aller simple 13,50/6,75/9/33,75 £, aller-retour 19,50/9,75/13/48,75 £ ; 🕑 10h30, 11h, 12h et 14h tlj avr-oct). Ces bateaux remontent le fleuve depuis Westminster Pier jusqu'aux Royal Botanic Gardens de Kew (1 heure 30) et au Hampton Court Palace (encore 1 heure 30). Il est possible de descendre de bateau à Richmond mais cela dépend des marées ; renseignez-vous avant d'embarquer.

Bus

Les agences suivantes proposent des excursions commentées et la possibilité de descendre à chaque site et de reprendre l'excursion par le bus suivant. Les billets sont valables 24h.

Big Bus Tours (☎ 7233 9533 ; www.bigbustours.com ; adulte/enfant/famille 25/10/60 £ ; ⏱ ttes les 15 min environ 8h30-18h)

Original Tour (☎ 8877 1722 ; www.theoriginaltour.com ; adulte/enfant/famille 22/10/69 £ ; ⏱ ttes les 15 min 8h30-18h)

Promenades

Association of Professional Tourist Guides (APTG ; ☎ 7611 2545 ; www.touristguides.org.uk ; demi-journée/journée 120/190 £). Véritables encyclopédies vivantes, les guides de l'association des guides touristiques professionnels arborent un badge bleu qui atteste qu'ils ont étudié deux années durant et passé des examens écrits avant de prendre leurs fonctions.

GLIAS (☎ 01689 852186 ; www.glias.org.uk ; adhésion adulte/famille 10/12 £). Pour explorer Londres en profondeur (parfois au sens littéral) adhérez à la Greater London Industrial Archaeology Society, qui organise chaque mois des promenades et des conférences (gratuites ou payantes) ayant trait à l'histoire industrielle de Londres.

London Walks (☎ 7624 3978 ; www.walks.com ; adulte/tarif réduit 7/5 £). Propose une grande variété de promenades, y compris une excursion "Jack l'Éventreur" à 19h30 en semaine et à 15h le samedi, un circuit Beatles à 11h20 les mardis et samedis, ainsi qu'un circuit Sherlock Holmes à 14h le vendredi.

London Mystery Walks (☎ 0795 738 8280 ; www.tourguides.org.uk ; adulte/enfant/famille 9/7,50/25 £ ; ⊖ Aldgate). Partez sur les traces de Jack l'Éventreur à 19h le mercredi, le vendredi ou le dimanche, et visitez le Londres hanté à 19h le mardi. Point de rencontre à l'extérieur de la station de métro Aldgate.

MÉTRO

Malgré la vétusté des lieux et le risque fréquent de grève, le métro (*underground*) de Londres, ou *tube*, reste le moyen le plus pratique pour se déplacer en ville. Cependant, il coûte terriblement cher : les Londoniens doivent débourser 2 £ (avec Oyster Card) ou 4 £ (sans Oyster Card) pour le moindre trajet au cœur de leur ville. Le week-end, il n'est pas rare que des lignes soient fermées pour travaux, ce qui engendre des perturbations.

Tarifs

Le réseau du métro londonien est divisé en 6 zones concentriques. Un trajet dans les zones centrales revient plus cher que dans les zones excentrées. Les tarifs indiqués ci-dessous correspondent à : Oyster Card heure de pointe/Oyster Card heures creuses/plein tarif. Les enfants âgés de 11 à 15 ans paient 55 p avec une Oyster Card et 2 £ sans, quel que soit le trajet.

Zone 1 adulte 1,60/£1,60/4 £

Zones 1 & 2 adulte 2,20/1,60/4 £

Zones 1-3 adulte 2,70/2,20/4 £

Zones 1-4 adulte 2,80/2,20/4 £

Zones 1-5 adulte 3,70/2,20/4 £

Zones 1-6 adulte 3,80/2,20/4 £

Frauder dans le métro (par exemple, pénétrer dans une zone que votre ticket ne couvre pas) vous rend passible d'une amende de 50 £, payable immédiatement.

CARTES DE TRANSPORT (PASS) ET TARIFS RÉDUITS

Si vous voyagez exclusivement en métro, bus, tramway ou en DLR (Docklands Light Railway), l'Oyster Card est plus avantageuse que la Day Travelcard (ticket journée). En revanche, si vous optez pour le National Rail, sachez que votre Oyster Card ne sera pas acceptée dans certaines gares et qu'il vaut mieux lui préférer la Day Travelcard (heures de pointe/heures creuses zones 1 et 2 7,20/5,60 £, zones 1 à 6 14,80/7,50 £).

La Travelcard de 3 jours (three-day Travelcard) pour les zones 1 et 2 (18,40 £) est valable toute la journée ; celle pour les zones 1 à 6 peut être utilisée à tout moment (42,40 £) ou seulement durant les heures creuses (21,20 £), c'est-à-dire après 9h30 du lundi au vendredi et tout le week-end.

Si vous êtes sur place pour une période plus longue et que vous prenez le métro quotidiennement, vous pourrez opter pour une Travelcard hebdomadaire (*weekly Travelcard* ; adulte/enfant zones 1 et 2 25,80/12,90 £) ou une Travelcard mensuelle (*monthly Travelcard* ; 99,10/49,60 £) couvrant les zones 1 et 2.

L'OYSTER CARD

Proposée aux usagers des transports londoniens, l'Oyster Card fonctionne un peu comme le pass Navigo parisien (carte orange créditée) et les annonces au haut-parleur rappelant de "badger à l'entrée et à la sortie" (*touch in and touch out*) sont devenues aussi fréquentes que les panneaux invitant à faire "attention à la marche" (*mind the gap*). Pour vous procurer cette carte, vous devrez remplir un formulaire et verser une caution remboursable de 3 £.

Il s'agit d'une carte à puce sur laquelle vous stockez une réserve d'argent. En montant, vous devez l'appliquer contre un lecteur (portant un cercle jaune avec l'image de l'Oyster Card) placé au niveau du portillon (dans le métro) ou près du chauffeur (dans le bus). Le système déduit alors la somme requise, l'avantage étant que les détenteurs de la carte bénéficient de tarifs réduits. Si vous vous déplacez plusieurs fois dans la journée, vous ne paierez jamais plus cher que le prix de la Travelcard correspondante (heures creuses ou heures de pointe) une fois atteint le plafond journalier de votre Oyster Card.

En sortant du métro, vous devez aussi passer la carte sur un lecteur pour que le système enregistre le fait que vous n'avez, par exemple, voyagé qu'en zone 1 et 2. Il est également possible de stocker sur cette carte une Travelcard hebdomadaire ou mensuelle.

Renseignements

Les bureaux d'information du métro vendent des tickets et distribuent des cartes gratuites. Vous en trouverez dans les stations de métro de Heathrow 1, 2, 3 ainsi que dans les stations de Euston, Liverpool St, Piccadilly Circus et Victoria, et dans les grandes gares. Vous trouverez aussi un bureau d'information au Camden Town Hall, 27 Argyle Street WC1, en face de la station St Pancras de King's Cross. Pour tout renseignement sur le métro, les bus, le DLR ou les trains intra-muros, appelez le ☎ 7222 1234 ou consultez le site de Transport for London (www.tfl.gov.uk). Pour une carte en ligne du métro rendez-vous sur le www.tfl.gov.uk/gettingaround.

Réseau

Le Grand Londres est desservi par 11 lignes de métro, auxquelles s'ajoute le réseau indépendant privé DLR, le réseau London Overground et un réseau ferroviaire relié au métro par des correspondances. Le premier métro part vers 5h30 du lundi au samedi et vers 7h le dimanche. La dernière rame part entre 23h30 et 0h30 suivant les jours, les stations et les lignes.

Certaines lignes sont plus fiables que d'autres. Ainsi, la Circle Line, très pratique et donc très fréquentée par les touristes, offre un piètre service, même si elle peut être très rapide quand elle fonctionne normalement. De même, la Northern Line (qui tend toutefois à s'améliorer) et la Hammersmith & City figurent parmi les lignes à problèmes. La Piccadilly Line, qui dessert Heathrow, fonctionne assez bien, tout comme la Victoria Line, qui relie la gare à Oxford Circus et à King's Cross, et la Jubilee Line, qui relie London Bridge, Southwark et Waterloo avec Baker St.

N'oubliez pas que le plan du métro de Londres, considéré comme une icône du design, n'est en fait qu'une simple représentation du tracé des tunnels. Certaines stations, notamment Leicester Sq et Covent Garden, sont bien plus proches qu'elles ne le paraissent sur le plan. Dans ce cas, il est souvent plus rapide de faire le trajet à pied. Les distances sont indiquées sur certains plans.

TAXI

Black Cabs

Les taxis noirs, les fameux **black cabs** (www.londonblackcabs.co.uk), font autant partie du paysage que les bus rouges à impériale. Obligés de suivre une formation rigoureuse et de passer des examens, les chauffeurs des *black cabs* sont supposés connaître comme leur poche les rues du centre de Londres et les 100 lieux les plus visités du moment, dont les sites touristiques, les clubs et les restaurants.

Les taxis indiquent leur disponibilité par une lumière jaune au-dessus du pare-brise. Pour en arrêter un, il suffit de tendre le bras. Un compteur indique le prix de la course ; la prise en charge de 2,20 £ (en semaine) couvre les 336 premiers mètres. Au-delà, ajoutez 20 p tous les 168 m. Les tarifs augmentent le soir et la nuit. Vous pouvez donner un pourboire allant jusqu'à 10%, mais la plupart des Londoniens se bornent à arrondir à la livre supérieure.

N'espérez pas tomber par hasard sur un taxi libre dans les quartiers animés, notamment Soho, tard le soir (surtout après 23h, l'heure de fermeture de la majorité des pubs). Si toutefois vous vous trouvez dans l'un de ces quartiers, faites signe à tous les taxis, même si leur lumière est éteinte, et efforcez-vous de paraître sobre : nombre de chauffeurs trient leur clientèle la nuit. Pour obtenir un taxi par téléphone, essayez Computer Cabs (☎ cash 7908 0207, carte de crédit 7432 1432 ; www.comcablondon.com) ; comptez 2 £ de réservation plus le prix de la course pour venir vous chercher, à ajouter à la note totale.

Zingo Taxi (☎ 0870 070 0700 ; http://pda.london-taxi.co.uk) utilise le GPS pour connecter votre téléphone portable à celui du conducteur de *black cab* le plus proche. Il suffit ensuite d'expliquer au taxi où vous vous trouvez exactement. Ce service coûte 2 £, qui seront comprises dans le prix final de la course ; vous paierez également la course effectuée par le taxi pour venir vous prendre (maximum 3,80 £). Cette solution s'avère pratique en pleine nuit, quand il est très difficile de trouver un taxi libre.

Minicabs

Les minitaxis (*minicabs*), qui détiennent désormais une licence, sont (généralement) moins onéreux que les taxis traditionnels qu'ils concurrencent. Toutefois, les conducteurs sont rarement formés et connaissent bien moins la capitale que les *black cabs*. Il n'est pas rare de voir les Londoniens indiquer le chemin au chauffeur. La loi impose de les réserver par téléphone ou auprès de leurs bureaux (toutes les grandes artères en possèdent au moins un). Vous vous ferez probablement aborder par des chauffeurs en quête de courses la nuit mais mieux vaut ne pas s'y risquer car ils ne sont sans doute pas convenablement assurés. Certains chauffeurs de taxi sans licence ont été accusés de viol.

Les minicabs n'ayant pas de compteur, il est essentiel de fixer un prix avant de démarrer. La plupart ne négocient pas – les tarifs sont généralement fixes – mais cela ne coûte rien d'essayer. Il n'est pas habituel de laisser un pourboire.

Demandez à un riverain de vous indiquer une société réputée (chaque Londonien a sa compagnie habituelle) ou appelez un des bureaux ouverts 24h/24, comme Addison Lee (☎ 7387 8888) ou GLH Express (☎ 7272 3322). Les femmes voyageant seules de nuit peuvent préférer la compagnie Lady Cabs (☎ 7272 3800), dont les taxis sont conduits par des femmes. Liberty Cars (☎ 0800 600 006) s'adresse à une clientèle gay et lesbienne (mais il très peu probable que les couples gay soient victimes d'homophobie de la part des chauffeurs de *black cabs*).

TRAIN

Docklands Light Railway (DLR)

Ressemblant un peu à un train aérien, le train sans conducteur Docklands Light Railway (DLR ; ☎ 7363 9700 ; www.tfl.gov.uk/dlr) vient en fait s'ajouter au réseau du métro. Il relie les stations Bank, Tower Hill et Tower Gateway, dans la City, à la station Beckton, à l'est, et à celle de Stratford, au nord-est. Il dessert également les Docklands (station Island Gardens à l'extrémité sud de l'Isle of Dogs), Greenwich et Lewisham, au sud, et Woolwich via le London City Airport, au sud-est. Le DLR circule de 5h30 à 0h30 du lundi au samedi et de 7h à 23h30 le dimanche. Les tarifs sont de 1,60 £/80 p par adulte/enfant, ou 1,10 £/55 p avec une Oyster Card. Il existe également un billet Rail & River Rover (adulte/5-15 ans/famille 12/6/28 £) exclusif au DLR, qui permet de monter et descendre à volonté de certains bateaux et du DLR.

London Overground et trains de banlieue

Plusieurs autres lignes peuvent présenter un intérêt (quoique limité) pour les visiteurs. Ce que la plupart des Londoniens appellent encore le Silverlink (ou North London Line) traverse la banlieue intérieure du Nord de Londres, depuis Richmond, à l'ouest, jusqu'à Stratford, à l'est, via Kew, West Hampstead, Camden Rd et Highbury & Islington. Elle rejoint maintenant cinq autres lignes pour former le réseau baptisé London Overground (☎ 7222 1234 ; www.tfl.gov.uk). Celui-ci inclut notamment l'East London Railway, ancien métro de l'Est londonien désormais étendu à quatre stations (Shoreditch High St, Hoxton, Haggerston et Dalston Junction) qui rejoindra le Silverlink à Highbury & Islington d'ici 2011.

First Capital Connect (www.firstcapitalconnect.co.uk) gère le service toujours bondé que la plupart des gens appellent encore Thameslink, qui part d'Elephant & Castle et de London Bridge, au sud, et traverse la City jusqu'à King's Cross avant de gagner Luton, au nord. La plupart des lignes rejoignent le métro à un endroit ou à un autre. La plupart de ces lignes possèdent des correspondances avec celles du métro et acceptent les Travelcards. Notez que la carte prépayée Oyster Card ne peut pas, à l'heure actuelle, s'utiliser dans toutes les gares.

Si vous séjournez longtemps dans le sud-est de Londres, zone mieux desservie par les trains que par le métro, cela vaut la peine d'acheter une Network Railcard (25 £), valable un an et disponible dans la plupart des gares. Elle offre des réductions d'un tiers sur la plupart des tarifs à destination du sud-est de l'Angleterre et sur les Travelcards d'une journée pour les six zones, en dehors des heures de pointe.

La plupart des grandes gares de Londres disposent de consignes, mais les consignes automatiques ont disparu en raison des risques d'attentat. **Excess Baggage** (☎ 0800 783 1085 ; www.left-baggage.co.uk) offre ce service moyennant 8 £ par bagage pour les premières 24 heures (ou toute journée commencée) et 4 £ par journée supplémentaire. Ce prestataire est présent dans huit gares : St Pancras, Paddington, Euston, Victoria, Waterloo, King's Cross, Liverpool St et Charing Cross.

Lignes intérieures

La plupart des lignes nationales sont desservies par les trains InterCity, qui peuvent rouler jusqu'à 225km/h. Toutefois, étant donné l'incapacité du pays à maintenir tout moyen de transport en bon état de marche (y compris les ascenseurs et les escalators), attendez-vous à des retards. Les allers-retours dans la journée et les billets achetés une semaine à l'avance (dans les grandes gares) permettent d'obtenir les tarifs les moins chers lorsque l'on n'a pas de forfait ferroviaire. **National Rail Enquiries** (☎ 0845 748 4950 ; www.nationalrail.co.uk) donne tous les horaires et les tarifs.

TRAMWAY

London Tramlink (☎ 7222 1234 ; www.tfl.gov.uk) est un petit réseau desservant le sud de Londres. Il existe trois lignes, qui totalisent 28 km : Wimbledon-Elmers End via Croydon, Croydon-Beckenham et Croydon-New Addington. Le billet simple coûte 2 £ (1 £ avec l'Oyster Card). Les pass de bus sont valables sur les tramways.

VÉLO

Pédaler le long des canaux ou de la rive sud de la Tamise s'avère très agréable. En revanche, dans les rues du centre de la capitale, l'agressivité des conducteurs et les émissions de gaz d'échappement rendent l'expérience redoutable. Il est fortement conseillé de porter un casque et de posséder des phares à l'avant et à l'arrière de votre vélo si vous circulez la nuit. De nombreux Londoniens se sont également équipés d'un masque anti-pollution.

La **London Cycling Campaign** (LCC ; ☎ 7234 9310 ; www.lcc.org.uk) milite pour l'amélioration des conditions de circulation à vélo à travers la ville et pour l'établissement d'un réseau londonien global de pistes cyclables. Le City Hall et le maire actuel encouragent fortement les déplacements à vélo, dont la popularité a explosé depuis les attentats du 7 juillet 2005.

En partenariat avec la LCC, **Transport for London** (www.tfl.gov.uk) publie des *Cycle Guides* gratuits, comportant 14 plans de pistes cyclables londoniennes. Vous pourrez les commander en ligne sur le site de l'une ou l'autre société ou en appelant la **ligne d'information TfL** (☎ 7222 1234) fonctionnant 24h/24. Ces plans sont aussi disponibles en ligne sur www.londoncyclenetwork.org.uk.

Location

London Bicycle Tour Company (plan p. 130 ; ☎ 7928 6838 ; www.londonbicycle.com ; 1a Gabriel's Wharf, 56 Upper Ground SE1 ; ⊖ Waterloo/Blackfriars). La location coûte 4 £ l'heure ou 19 £ le premier jour, puis 9 £ les deuxième et troisième jours, 6 £ les quatrième et cinquième jours, 49 £ la première semaine, puis 10 £ la deuxième semaine. La compagnie organise également des visites de Londres à vélo de 3 heures 30, tous les jours à 10h30(15,95 £), ainsi qu'à 12h et 14h30 (18,95 £) le week-end. Un supplément de 5 £ vous permet de garder le vélo 24 heures après la visite. Les itinéraires se trouvent sur le site web. Vous devrez présenter une pièce d'identité et une carte de crédit pour la caution.

On Your Bike (plan p. 130 ; ☎ 7378 6669 ; www.onyourbike.com ; 52-54 Tooley St SE1 ; 🕒 7h30-19h30 lun-ven, 10h-18h sam, 11h-17h dim ; ⊖ London Bridge). Location à 12,50 £ le premier jour, 8 £ les jours suivants, 35 £ la semaine. Les prix comprennent le prêt d'un casque. Une caution de 150 £ (par carte bancaire) ainsi que la présentation d'une pièce d'identité sont exigées.

Pedicabs

Ces cyclo-pousse à trois roues pouvant transporter deux ou trois personnes circulent régulièrement dans les rues de Soho depuis une dizaine d'années. Il s'agit moins d'un moyen de transport que d'un gadget pour touristes (et fêtards le samedi soir). Comptez environ 5 £ pour la traversée de Soho. Pour plus de renseignements, visitez www.londonpedicabs.com.

Vélos et transports publics

Les vélos peuvent être transportés dans le métro sur les lignes Circle, District, Hammersmith

& City et Metropolitan, sauf durant les heures de pointe (de 7h30 à 9h30 et de 16h à 19h du lundi au vendredi). Les vélos pliants sont toutefois autorisés sur toutes les lignes à tout moment. On peut également transporter son vélo sur l'Overground (p. 393), mais pas sur le DLR. Pour une carte des lignes de métro accessibles aux vélos, rendez-vous sur le www.tfl.gov.uk/gettingaround.

Les restrictions diffèrent d'un opérateur à l'autre, mais la plupart des trains et des rames de métro disposent désormais de wagons comportant une section handicapés très vaste dont peuvent profiter les cyclistes lorsqu'elle n'est pas utilisée. Pour plus de détails, appelez le ☎ 0845 748 4950.

VOITURE ET MOTO

Conduire à Londres est une expérience éprouvante. Les encombrements sont permanents, les parkings exorbitants et la *congestion charge* (voir plus loin) s'ajoute aux dépenses courantes, comprenant le prix, déjà élevé, de l'essence (à 1 £ le litre au moment où nous écrivons ces lignes). Les contractuels et les poseurs de sabot font preuve d'un zèle excessif et il vous en coûtera environ 240 £ pour faire retirer un sabot. Si une telle mésaventure vous arrive, appelez le numéro indiqué sur la contravention, celui-ci varie selon les quartiers. Si votre voiture a été enlevée, appelez la fourrière, disponible 24h/24 et baptisée **TRACE** (Tow-away Removal & Clamping Enquires ; ☎ 7747 4747). Comptez un minimum de 200 £ pour récupérer votre véhicule.

Code de la route

Nous vous conseillons de ne pas conduire à Londres. Si vous décidez malgré tout de circuler en voiture, procurez-vous le *Highway Code*, vendu dans les agences de l'Automobile Association (AA) et du Royal Automobile Club (RAC), dans certaines librairies et les offices du tourisme. Un permis de conduire étranger est valable au Royaume-Uni 12 mois à compter de la date d'entrée dans le pays. Veillez à être convenablement assuré. Le port de la ceinture de sécurité est obligatoire à l'avant comme à l'arrière et les motocyclistes doivent porter un casque.

Location

Bien que conduire à Londres se révèle onéreux et contraignant, les agences de location ne manquent pas. La concurrence est vive : au cours des dernières années, **easyCar** (easycar.com) a tiré les prix à la baisse en proposant des tarifs moins élevés que ceux des grands loueurs existants comme **Avis** (www.avis.com) et **Hertz** (www.hertz.com). Réservez toujours bien à l'avance, car les véhicules viennent souvent à manquer, surtout le week-end.

Formidable pour les voyageurs n'ayant besoin d'une voiture que pour quelques heures, **Streetcar** (☎ 0845 644 8475 ; www.streetcar.co.uk) est une sorte de "self-service" automobile. Après vous être inscrit et avoir payé l'adhésion annuelle de 59,50 £, il vous suffit de localiser le véhicule Streetcar le plus proche, de déverrouiller la voiture avec votre carte de membre, d'entrer votre code PIN et… roulez jeunesse ! Les prix démarrent à 3,95/39,50 £ par heure/jour et vous avez droit à 48 kilomètres d'essence gratuite.

Péage urbain

Londres est devenue la première ville au monde à introduire une "taxe d'embouteillage", la *congestion charge*, afin de réduire la circulation dans le centre de la capitale, du lundi au vendredi. Même si le nombre d'automobiles entrant dans la zone a sensiblement diminué, il demeure difficile de circuler dans Londres.

La zone assujettie au péage (comprenant au départ Euston Rd, Pentonville Rd, Tower Bridge, Elephant & Castle, Vauxhall Bridge Rd, Park Lane et Marylebone Rd) s'est étendue jusqu'à Bayswater, Notting Hill, High St Kensigton, Kensington, Knightsbridge, Chelsea, Belgravia et Pimlico.

Un panneau figurant un grand "C" entouré de rouge marque l'entrée dans la zone. Si vous pénétrez dans la zone, entre 7h et 18h, du lundi au vendredi (hormis les jours fériés), vous devez vous acquitter de la taxe de 8 £ le jour de votre déplacement avant minuit, ou régler 10 £ le lendemain avant minuit, pour ne pas être redevable d'une amende de 120 £. Les résidents "enregistrés" de la zone d'encombrement bénéficient d'une réduction de 90% sur la taxe. Vous pouvez payer cette taxe par Internet, à des agents de police, dans les stations-service ou dans toutes les boutiques affichant le panneau "C", par téléphone au ☎ 0845 900 1234 et même par texto, après vous être enregistré en ligne. Pour plus de détails, consultez le site www.tfl.gov.uk/roadusers/congestioncharging.

AMBASSADES ET CONSULATS

Les coordonnées de quelques représentations diplomatiques à Londres sont données ci-dessous. Pour une liste plus complète, consultez la rubrique *Embassies & Consulates* des Yellow Pages (www.yell.co.uk) du centre de Londres.

Ambassades et consulats étrangers à Londres

France (plan p. 140 ; ☎ 7073 1000 ; www.ambafrance-uk.org ; 58 Knightsbridge SW1 ; ⊖ Knightsbridge)

Belgique (plan p. 140 ; ☎ 7470 3700 ; www.diplomatie.be/london ; 17 Grosvenor Cres SW1 ; ⊖ Victoria)

Suisse (☎ 7616 6000 ; service des visas ☎ sur rendez-vous au 0906 577 1222, 1 £/min ; www.swissembassy.org.uk ; 16-18 Montagu Place W1 ; ⊖ Bond St)

Canada ambassade (plan p. 74 ; ☎ 7258 6476 ; www.canada.org.uk ; Canada House, Trafalgar Sq SW1 ; ⊖ Charing Cross) ; consulat (plan p. 94 ; ☎ 7258 6600 ; 1 Grosvenor Square, W1 ; ⊖ Bond St)

Ambassades et consulats britanniques à l'étranger

France Ambassade ("Chancery" ; ☎ 01 44 51 31 00 ; www.ukinfrance.fco.gov.uk/fr ; 35 rue du Faubourg-Saint-Honoré, 75008 Paris ; 🕑 9h30-13h et 14h30-18h lun-ven) Consulat (☎ 01 44 51 31 00 ; www.amb-grandebretagne.fr ; 16 rue d'Anjou, 75008 Paris ; 🕑 9h-12h et 14h30-17h lun-ven)
Belgique Ambassade (☎ 02-287 62 11 ; www.ukinbelgium.fco.gov.uk/fr ; rue d'Arlon 85, 1040 Bruxelles ; 🕑 9h-17h30 lun-ven) Service consulaire (☎ infos visas via le service Worldbridge 02-808 02 47, 13 $US l'appel ; 🕑 9h-12h30 et 14h30-16h, visas 9h-11h30 lun-ven)
Canada Ambassade (☎ 613 237-1530, infos visas via le service Worldbridge 1 514 667 3698, 12 $US l'appel ; www.ukincanada.fco.gov.uk/fr ; Haut commissariat britannique, 80 rue Elgin, Ottawa, Ontario K1P 5K7 ; 🕑 8h30-16h30 lun-ven)
Suisse Ambassade (☎ 031-359 77 00 ; ukinswitzerland.fco.gov.uk/en ; 1 Thunstrasse 50, 3005 Berne ; 🕑 8h30-12h30 et 13h30-17h lun-ven) Consulat (Avenue Louis-Casaï 58, 1216 Genève ; ☎ 022-918 2400 ; 🕑 8h-12h30 et 14h-15h)

ARGENT

Membre de l'Union européenne, le Royaume-Uni ne fait pas partie de la zone euro et les Britanniques ont conservé la livre sterling (£) comme monnaie nationale. Une livre se divise en 100 pence (prononcé "pi" dans le langage parlé). Les billets sont de 5, 10, 20 et 50 £ et les pièces valent 1, 2, 5, 10, 20, 50 p, 1 et 2 £. Sauf précision particulière, tous les prix donnés dans cet ouvrage sont en livres sterling. Pour vous faire une idée du coût de la vie à Londres, consultez les informations p. 18 et pour connaître le taux de change actuel, reportez-vous au rabat de la couverture.

Bureaux de change

Le bureau de poste local est le meilleur endroit pour changer de l'argent, aucune commission n'étant prélevée. Vous pouvez changer votre argent dans la plupart des grandes banques, dans certaines agences de voyages et dans les nombreux bureaux de change de la ville. Comparez les taux de change et les commissions prélevées (elles ne sont pas toujours indiquées). L'astuce la plus simple consiste à demander directement au guichet combien vous aurez de livres après la transaction. Il est souvent plus avantageux d'examiner les différents choix qui s'offrent à vous avant de changer votre argent.

Cartes bancaires

Les cartes bancaires sont acceptées partout, que ce soit dans les restaurants, les pubs, les magasins ou les taxis. Les cartes American Express et Diner's Club sont moins répandues que les Visa et les MasterCard. Les Londoniens, quant à eux, se contentent de leurs cartes de débit Switch, qui permettent également de récupérer de l'argent aux caisses des supermarchés (vous payez un montant supérieur à ce que vous devez et recevez la différence en espèces), épargnant des allers-retours aux distributeurs.

Distributeurs automatiques de billets (DAB)

Les cartes Visa, MasterCard, Cirrus et Maestro, quelle que soit la banque émettrice, sont largement acceptées, ainsi que les cartes relevant d'autres systèmes moins connus. Grâce à une récente campagne nationale, les banques acceptent dorénavant que les clients d'autres banques retirent de l'argent à leurs distributeurs sans prélever de commission. Sachez toutefois que les retraits de liquide effectués à l'aide d'une carte non émise par une des grandes banques britanniques seront presque toujours taxés. Pensez à contacter votre banque pour connaître le montant de la commission, pour ne pas avoir de mauvaises surprises, ou savoir si elle a des accords particuliers avec certaines banques anglaises.

Certains DAB sont installés par des sociétés non bancaires, et prélèvent entre 1,50 et 2 £ par transaction. C'est généralement le cas des machines installées à l'intérieur des magasins, qui s'avèrent très chères pour les détenteurs de cartes étrangères. Le DAB affiche le montant de la commission avant la fin de la transaction afin d'éviter toute surprise.

Méfiez-vous de tout dispositif suspect attaché aux distributeurs. Beaucoup d'entre eux ont été sécurisés, mais des petits malins ont trouvé le moyen de faire avaler votre carte par le distributeur puis de la faire ressortir après votre départ.

CARTES ET PLANS

London A-Z propose une série de très bonnes cartes et atlas des rues au format de poche. Tous les quartiers de Londres sont édités dans cette collection que vous pouvez vous procurer sur www.streetmap.co.uk, l'un des sites les plus utiles sur la capitale.

Vous pouvez également vous procurer, avant de partir, la *London City Map* publiée par Lonely Planet, avec index et plan du métro inclus.

Parmi les librairies offrant un grand choix de cartes, on peut citer Stanford's (p. 220), Foyle's (p. 219), Waterstone's (p. 220) et Daunt Books (p. 234).

CARTES DE RÉDUCTION

Les étudiants qui suivent des cours à plein temps à Londres peuvent bénéficier d'une carte de réduction dans les transports publics de la capitale. Toutefois, ils doivent attendre un certain temps avant de la recevoir puisque les formalités se font par courrier (et qu'ils doivent obtenir un tampon de leur université). Les formulaires sont à retirer dans toutes les stations de métro.

Pour plus de détails sur les Travelcards offrant des tarifs réduits dans les transports en commun, reportez-vous p. 391.

La carte la plus rentable, pour les voyageurs qui veulent visiter un maximum de sites touristiques, est le London Pass (www.londonpass.com). Le tarif minimal de ces cartes est de 14,50 £ par jour (pour 6 jours) mais elles reviennent plus cher quand elles incluent l'utilisation du métro et du bus. Elles permettent d'entrer gratuitement sans faire la queue dans les principales attractions. Consultez le site en ligne pour les détails.

CLIMAT

Beaucoup de Londoniens jureraient que le réchauffement de la planète a bouleversé le climat de leur ville. Les intempéries autrefois fréquentes mais (curieusement) toujours imprévues ont cédé la place à de soudaines périodes chaudes et sèches. Ces dernières années, on a noté en été des températures records, approchant les 40°C. Le métro devient alors infernal et les émissions de gaz d'échappement rendent l'atmosphère irrespirable dans une ville très mal équipée pour faire face à de tels pics de chaleur.

Les météorologues font toutefois observer que cela n'a rien d'exceptionnel pour un climat naturellement variable. La température maximale moyenne en juillet, le mois le plus chaud de l'année, continue de plafonner à 23°C. Au printemps et en automne, le thermomètre descend à 13-17°C. En hiver, la moyenne maximale est de 8°C en journée et de 2°C la nuit. Malgré les quelques chutes de neige enregistrées ces dernières années, il gèle rarement.

À long terme, les météorologues prédisent que les changements climatiques se traduiront par des étés plus secs, des hivers plus humides et orageux et davantage de crues subites. En attendant, pour obtenir les prévisions météorologiques du Grand Londres, consultez Weathercall (☎ 09068 500 401, 60 p/min ; www.weathercall.

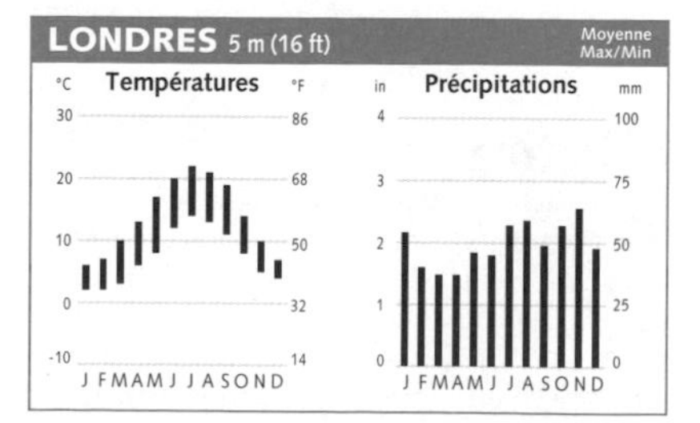

co.uk) ou connectez-vous à www.bbc.london.co.uk/weather pour les prévisions à cinq jours.

Voir aussi p. 16 pour vous aider à choisir la meilleure période pour visiter la ville.

COURS

Londres est un grand centre éducatif qui compte d'innombrables universités et autres établissements d'enseignement supérieur. La plus réputée est l'University of London, qui comprend des facultés mondialement reconnues telles que King's, University College et Imperial College, ainsi que la London School of Economics.

De nombreux étudiants étrangers viennent apprendre l'anglais à Londres. Il serait d'ailleurs étonnant que l'on ne vous tende pas une publicité lors de l'une de vos promenades le long d'Oxford St. Le British Council (plan p. 74 ; ☎ 7930 8466 ; www.britishcouncil.org ; 10 Spring Gardens, SW1 ; ⊖ Charing Cross) publie une liste gratuite des établissements accrédités et dont les équipements ainsi que l'enseignement répondent aux normes requises. Il peut également donner des conseils aux étudiants étrangers quant aux possibilités d'étudier dans l'ensemble du Royaume-Uni.

Londres offre en outre un large éventail de cours, allant de la couture à la philosophie nietzschéenne en passant par la photographie et la politique, qui sont recensés dans les publications annuelle Floodlight (www.floodlight.co.uk), et trimestrielle Hotcourses (www.hotcourses.com) disponibles dans les principaux kiosques et en librairie. Pour des cours à vocation professionnelle, essayez le service gratuit Careers Advice (☎ 0800 100 900 ; www.careersadvice.direct.gov.uk).

DOUANE

À l'instar des autres pays de l'Union européenne, le Royaume-Uni possède deux systèmes douaniers, l'un pour les marchandises achetées hors taxes hors Union européenne, l'autre pour les biens achetés taxes comprises dans un autre pays de l'UE.

Duty-free

Si vous achetez des produits dans un magasin hors taxes dans un aéroport ou à bord d'un ferry hors Union européenne, vous pouvez importer jusqu'à 200 cigarettes, 50 cigares ou 250 g de tabac ; 4 litres de vin et 1 litre d'un alcool de plus de 22% ou 2 litres de vin (pétillant ou non) ; 60 ml de parfum, ainsi que d'autres produits hors taxes pour une valeur de 300 £.

Taxes et droits payés

Les marchandises achetées taxes comprises dans les autres pays européens et importées doivent être destinées à la consommation personnelle. Force est de constater qu'un marché trans-Manche florissant s'est développé : nombre de Londoniens se rendent en France et repartent avec leur véhicule chargé d'alcool et de cigarettes meilleur marché.

Les quantités maximales autorisées par la douane pour votre consommation personnelle sont les suivantes (sous peine de voir vos marchandises considérées comme une importation commerciale) : 3200 cigarettes, 200 cigares, 3 kg de tabac, 10 litres d'alcool, 20 litres de vin cuit, 90 litres de vin (dont, au plus, 60 litres de vin pétillant) et 110 litres de bière.

ÉLECTRICITÉ

Le courant alternatif (230/240 volts, 50 Hz) est disponible partout en Grande-Bretagne, mais les prises comprennent trois fiches. Pensez donc à vous procurer un adaptateur (environ 4 £), disponible dans tout magasin vendant du matériel électrique.

ENFANTS

Londres compte un grand nombre d'attractions et de musées qui conviennent aux enfants. Ses nombreux parcs comprennent des lieux sécurisés où les petits peuvent jouer, des balançoires et des toboggans.

La majorité des sites payants proposent des tarifs pour les enfants mais l'âge limite pour en bénéficier peut varier. Les jeunes ont également droit à des réductions dans les transports publics (les trajets en bus sont gratuits pour les moins de 16 ans).

Les pubs sont les seuls endroits où les enfants ne sont généralement pas admis. Toutefois, la plupart possèdent maintenant une salle familiale, un jardin ou un restaurant où les enfants sont les bienvenus.

Baby-sitting

Tous les hôtels de catégorie supérieure proposent des services de garde d'enfants. Les prix variant grandement d'un hôtel à l'autre, il est plus sûr de se renseigner à la réception.

Il est également possible de passer par l'agence Sitters (☎ 0800 389 0038 ; www.sitters.co.uk). L'adhésion revient à 12,75 £ (hors taxes) par trimestre et le prix des gardes varie entre 5,75 et 6,85 £ l'heure, auquel s'ajoutent 4 £ de frais de réservation par prestation. Nous vous recommandons deux autres adresses : Top Notch Nannies (☎ 7244 6053 ; www.topnotchnannies.com ; baby-sitters et nounous à partir de 8 £/h) et, uniquement dans l'ouest de Londres, Nick's Babysitting (☎ 07853 981917 ; www.nicksbabysittingservice.co.uk ; à partir de 10 £/h).

EXPATRIATION

Les ressortissants de l'Union européenne résidant au Royaume-Uni bénéficient des mêmes droits que les Britanniques. Ils ne sont pas tenus de solliciter la délivrance d'un permis de résidence. La possession d'un passeport en cours de validité est recommandée (l'usage de la carte d'identité n'est pas pratiqué). Si votre séjour au Royaume-Uni doit dépasser six mois, vous devez demander aux autorités britanniques un permis de résidence (*resident permit*). Le site Internet de l'ambassade de France à Londres (www.ambafrance-uk.org) fournit des informations détaillées à ce sujet. Les non-ressortissants de l'UE auront besoin d'un visa de résidence et de travail valide (voir ci-dessous et p 408). Ceux qui recherchent un hébergement peuvent consulter le journal Loot (www.loot.com) ou son site web, ou encore Gumtree (www.gumtree.com), un très bon site pour trouver un emploi ou un appartement.

Voir p. 340 pour plus de détails sur les locations longue durée à Londres.

FORMALITÉS ET VISAS

Les citoyens de l'Union européenne et de Suisse n'ont pas besoin de visa et peuvent séjourner sans limitation de durée au Royaume-Uni avec une carte d'identité en cours de validité. Ils peuvent en outre exercer un emploi sans autorisation préalable.

Les Canadiens peuvent séjourner jusqu'à six mois sans visa (ils reçoivent, lors de leur arrivée sur le territoire britannique, une "autorisation d'entrée") avec un passeport valable au moins six mois après la date d'entrée dans le pays. Toutefois, ils ne sont pas autorisés à travailler à moins d'être en possession d'un permis de travail en bonne et due forme (voir p. 408).

Avant le départ, il est impératif de contacter les ambassades et les consulats (p. 396) pour s'assurer que les modalités d'entrée sur le territoire n'ont pas changé. Nous vous conseillons de photocopier ou de scanner tous vos documents importants (cartes de crédit, pages d'introduction de votre passeport, police d'assurance, billets de train/d'avion/de bus, permis de conduire, etc.). Emportez un jeu de ces copies, que vous conserverez à part des originaux. Vous remplacerez ainsi plus aisément ces documents en cas de perte ou de vol.

Visas étudiants

Les étudiants de l'Union européenne peuvent étudier en Grande-Bretagne sans remplir de formalités. Les ressortissants des autres pays doivent obligatoirement s'inscrire dans un établissement et suivre un cursus comprenant un minimum de 15 heures de cours hebdomadaires (hors cours du soir). Pour plus d'informations, adressez-vous à l'ambassade, au consulat ou au haut-commissariat britannique de votre pays (p. 396).

HANDICAPÉS

Les voyageurs handicapés trouveront en Londres une ville qui peut se montrer extrêmement prévenante à leur égard ou bien les ignorer complètement. Les hôtels récents et les sites touristiques modernes sont généralement accessibles aux personnes en fauteuil roulant. Cependant, la majorité des B&B et des auberges sont installés dans de vieux immeubles, pas toujours conformes aux normes. Autrement dit, les voyageurs handicapés devront prévoir un budget logement important.

Il en est de même pour les transports en commun. L'accès au métro est réduit. Néanmoins, les derniers modèles de bus et de trains sont, pour la plupart, surbaissés pour faciliter la montée et il existe deux lignes de bus équipés de rampes automatiques : les n°205 et 705. La ligne 205 relie Paddington à Whitechapel toutes les 10-12 min. La 705 va de Victoria à Waterloo et London Bridge, toutes les 30 min. Toutes les deux fonctionnent de 6h à minuit.

Géré par Transport for London, Access & Mobility for Disabled Passengers (☎ 7222 1234 ; textphone ☎ 7918 3015 ; Windsor House, 42/50 Victoria St, London SW1 9TN) a été mis en place pour vous conseiller. Ce service publie également la brochure *Access to the Underground*, qui vous indique les stations équipées d'escaliers automatiques et d'ascenseurs (toutes les stations DLR le sont). Transport for London met également à disposition sur son site Internet (http://www.tfl.gov.uk) une carte des lignes disposant d'accès sans escaliers (*step free tube guide*, rubrique "Getting around").

La Royal Association for Disability and Rehabilitation (Radar ; ☎ 7250 3222 ; www.radar.org.uk ; Unit 12, City Forum, 250 City Rd, London EC1V 8AF) est un organisme de tutelle qui encadre les groupes d'assistance volontaire aux personnes à mobilité réduite. De nombreuses toilettes réservées aux handicapés à travers la ville ne peuvent être ouvertes qu'à l'aide d'une clé spéciale que l'on peut obtenir dans les offices du tourisme ou moyennant 3,50 £ (et un bref exposé de son handicap) via le site de Radar.

Le Royal National Institute for the Blind (☎ 7388 1266 ; www.rnib.org.uk ; 105 Judd St, London WC1) possède un service d'assistance téléphonique (☎ 0303 123 9999 ; 9h-17h lun-ven, jusqu'à 16h mer). Organisme destiné aux malvoyants, il se révèle incontournable pour un premier contact avec Londres. Une carte des lignes de métro et DLR pour malvoyants peut être commandée gratuitement au format souhaité (audio ou grand format) sur le site de Transport for London (https://www.tfl.gov.uk, rubriques "Getting around", puis "Accessibility guides").

Le Royal National Institute for Deaf People (☎ 0808 808 0123, textphone 0808 808 9000 (numéros gratuits) ; www.rnid.org.uk ; 19-23 Featherstone St, London EC1) est une organisation identique pour les sourds et les malentendants. La plupart des guichets de banque ou de vente de billets sont dotés de casques à l'intention des malentendants. Ils sont indiqués par un symbole représentant une oreille.

En France, l'APF (Association des paralysés de France, ☎ 01 40 78 69 00, fax 01 45 89 40 57 ; www.apf.asso.fr ; 17 bd Auguste-Blanqui, 75013 Paris) peut vous fournir des informations utiles sur les voyages accessibles. Deux sites Internet dédiés aux personnes handicapées comportent une rubrique consacrée au voyage et constituent une bonne source d'information. Il s'agit de Yanous (www.yanous.com, rubrique "Pratique" puis "Tourisme") et de Handicap (www.handicap.fr, rubrique "Tourisme").

HEURE LOCALE

Où que vous viviez, le fuseau horaire de votre pays est déterminé par rapport au méridien de Greenwich, le Greenwich Mean Time (GMT). De fin mars à fin octobre, le Royaume-Uni vit à l'heure d'été en avançant les pendules de 1 heure par rapport à l'heure GMT. En hiver comme en été la France a 1 heure d'avance. Le Québec a 5 heures de retard sur l'heure de Greenwich. Pour connaître l'heure des différents pays, téléphonez à l'opérateur international au ☎ 155 ou rendez vous sur le site www.horlogeparlante.com.

HORAIRES D'OUVERTURE

Londres est un centre d'affaires international où le formalisme auquel on peut s'attendre est toujours de mise (hormis dans les secteurs des médias et des nouvelles technologies). Pour les Anglais, en effet, être bien habillé à toute heure de la journée est un signe de professionnalisme, à l'instar de la ponctualité et de la politesse. Les cartes de visite sont monnaie courante.

Bien que le quartier de la City continue à vivre au rythme des heures de bureaux, ouverts du lundi au vendredi, de 9h à 17h (le "Square Mile" est désert le week-end), les horaires d'ouverture dans le reste de Londres sont très flexibles. Les principales boutiques et les grands magasins sont généralement ouverts jusqu'à 19h du lundi au vendredi et au moins jusqu'à 17h le samedi et le dimanche. Jeudi, ou quelquefois mercredi et plus souvent vendredi, ont lieu les nocturnes (voir p. 218 pour plus de détails).

Les banques du centre de Londres ferment à 17h, même si les transactions faites au guichet après 15h30 ne sont généralement traitées que le jour ouvré suivant. Les horaires d'ouverture des bureaux de poste varient, mais la plupart fonctionnent de 9h à 17h30 du lundi au samedi.

En général, les pubs et les bars sont ouverts de 11h à 23h. Avec la modification de la législation en 2005, ils peuvent aujourd'hui solliciter une licence leur permettant de rester ouverts plus tard. Certains sont désormais ouverts jusque minuit ou plus tard en semaine et jusqu'à 1h ou 2h le week-end.

En général, les restaurants servent le déjeuner de 12h à 14h30 ou 15h et le dîner de 18h ou 19h à 23h (dernière commande à 22h).

INTERNET (ACCÈS)

Se connecter à Internet ne devrait poser aucun problème. Les personnes disposant d'un ordinateur portable pourront, le plus souvent, se connecter depuis leur chambre d'hôtel (malheureusement, la connexion est payante la plupart du temps). Quant aux autres, il leur suffit de se rendre dans l'un des nombreux cybercafés ou bibliothèques que compte la capitale. Pour des adresses de cybercafés, consultez www.cybercafes.com. La chaîne la plus implantée à Londres est easyInternetcafe (www.easyinternetcafe.com), avec des succursales partout en ville. Les prix varient en fonction de l'heure de la journée mais commencent à 1 £/heure.

L'accès à l'Internet sans fil est de plus en plus courant. Londres est désormais une grande zone Wi-Fi . Gratuit le premier mois, il vous faudra ensuite payer pour y avoir accès. Upper St, dans le quartier d'Islington, offre sur un rayon d'1,6 km un accès Wi-Fi gratuit, baptisé le "Technology Mile". Leicester Sq dispose également d'un accès gratuit (même à l'intérieur du Starbuck). La plupart des gares ferroviaires et des terminaux d'aéroports, ainsi que les cafés Starbuck, proposent un accès Wi-Fi, qui peut toutefois s'avérer onéreux. De nombreux cafés et espaces publics offrent également ce service (souvent payant), mais il faut généralement demander un mot de passe. Pour plus d'informations sur les sites Wi-Fi, consultez les sites www.wi-fihotspotlist.com ou www.thecloud.net.

JOURNAUX ET MAGAZINES

Journaux

De nombreuses publications en langues étrangères sont vendues dans les kiosques du centre commercial Victoria Place, à la gare Victoria, dans ceux de Charing Cross Rd, de Old Compton St et de Queensway. Reportez-vous p. 337 pour plus de renseignements sur la presse de la communauté homosexuelle.

QUOTIDIENS

Daily Express Tabloïd de qualité moyenne.

Daily Mail Souvent surnommée "la voix de l'Angleterre moyenne", cette publication de centre-droit est bien connue pour ses campagnes anti-immigration et son obsession des prix de l'immobilier.

Daily Star Tabloïd peu recommandable aux reportages souvent délirants.

Daily Telegraph Surnommé le "Torygraph", c'est le journal officieux du parti conservateur. En 2009, il a solidement assis sa réputation grâce à son enquête et à ses révélations concernant les dépenses des députés.

Evening Standard Principal quotidien londonien, il publie désormais le journal gratuit *London Lite* destiné à concurrencer *Metro*. Le jeudi, son supplément *Metro Life* recense les sorties de la semaine. Il a récemment été acheté par un ancien agent du KGB russe, Alexander Lebedev.

Financial Times Grand journal financier dont l'édition du week-end propose une excellente rubrique voyage.

Guardian Journal libéral lu par la classe moyenne, le *Guardian* propose de bons reportages et un site Internet récompensé pour sa qualité. L'édition du samedi contient un supplément spectacles, le *Guide*.

Independent Non aligné sur un quelconque parti, l'*Independent* est un tabloïd au ton sérieux plutôt de gauche. Il est réputé pour ses éditoriaux et ses bons suppléments culturels.

London Lite Ce journal gratuit est né à l'automne 2006. Son nom ("léger") est approprié pour décrire le contenu et la qualité de cette piètre publication obsédée par les sujets people.

Metro Quotidien gratuit produit tous les matins par les éditeurs du *Daily Mail*, on le trouve dans les stations et sur les sièges du métro, où il constitue un prétexte supplémentaire pour ignorer les autres voyageurs. Contenu léger.

Mirror Le deuxième tabloïd le plus célèbre d'Angleterre. Désormais, ce journal ouvrier, un temps partisan de l'Old Labour, est surtout connu pour ses potins sur les stars.

Sun Plus gros tirage du Royaume-Uni, ce tabloïd spécialisé dans les ragots a permis à son propriétaire Rupert Murdoch de se faire un nom. Célèbre pour ses titres racoleurs (et parfois agressifs), il a soutenu les Tories durant leurs heures de gloire, dans les années 1980, avant de se rallier au New Labour. Désormais, il soutient à nouveau les Tories.

Times Premier à avoir imité l'*Independent* en adoptant un format plus petit, ce pilier de la presse britannique appartient à l'empire Murdoch. C'est une publication correcte, avec un large éventail d'articles et une bonne couverture internationale.

ÉDITIONS DU DIMANCHE

Mail on Sunday Similaire au quotidien du même nom sur le fond et la forme.

News of the World Journal le plus excessif de la presse à scandale, version hebdomadaire du *Sun*, il possède un immense lectorat. Son fonds de commerce : les révélations intimes et les secrets d'alcôve, ainsi que les campagnes d'opinon.

Observer Paraît le dimanche. Propriété du *Guardian*, a un contenu qui lui ressemble beaucoup. Il propose un bon supplément artistique le dimanche (*Review*).

Sunday Telegraph Aussi sérieux que l'édition quotidienne.

Sunday Times Spécialisé dans les scandales et la mode. Il n'exige pas un gros effort de lecture.

Magazines

Dazed & Confused Après avoir fait connaître le photographe des célébrités, Rankin, il s'essouffle un peu mais continue de paraître sous la houlette de Jefferson Hack, ex-petit ami de Kate Moss.

The Economist Actualité internationale à tendance financière pour cet hebdomadaire (ses propriétaires insistent pour l'appeler "journal") qu'on se targue de lire pour se donner un genre intellectuel.

Heat Grand succès de la presse people, il a créé un nouveau style mi-critique mi-flagorneur que ses concurrents s'efforcent d'imiter.

i-D Mensuel de la mode et de la musique, ultra-branché (peut-être trop), il se reconnaît à sa couverture caractéristique.

Loaded Magazine pour homme, rival du leader *FHM*, il a récemment changé de formule et offre aujourd'hui un mélange de journalisme d'investigation et de faits divers, le tout assorti de photos "artistiques" de pin-up en noir et blanc.

London Review of Books Fuyant la tendance générale du journalisme superficiel, ce magazine littéraire reste fidèle à son ton universitaire.

Loot (www.loot.com) Paraît 5 fois par semaine et ne contient que des petites annonces gratuites. Il offre notamment un grand choix de propositions pour partager un appartement ou une maison.

New Statesman Après une mauvaise passe, ce magazine intellectuel de gauche a repris du poil de la bête en 2005 en retournant à sa ligne politique radicale des débuts, grâce à son rédacteur en chef d'alors, John Kampfner. En 2008, son nouveau rédacteur en chef, Jason Cowley, s'est engagé à assurer une couverture plus internationale de l'actualité.

Private Eye (voir p. 56) Ce journal satirique hebdomadaire donne un éclairage sur l'actualité parfois à la frontière de l'irréel. La une, toujours hilarante, mérite un coup d'œil.

Spectator Cet hebdomadaire de droite compte également de nombreux lecteurs de gauche. Il prétend être le plus vieux magazine britannique.

Time Out (www.timeout.com) La bible des sorties à Londres, publiée le mardi, donne une liste très complète des manifestations dans la capitale.

LIBRAIRIES

Librairies spécialisées sur la Grande-Bretagne

Village Voice Bookshop (☎ 01 46 33 36 47 ; www.villagevoicebookshop.com ; 6 rue Princesse, 75006 Paris)

WHSmith (☎ 01 44 77 88 99 ; www.whsmith.fr ; 248 rue de Rivoli, 75001 Paris)

Shakespeare and Co (☎ 01 43 25 40 93 ; www.shakespeareandcompany.com ; 37 rue de la Bûcherie, 75005 Paris)

Bradley's Bookshop (☎ 05 56 52 10 57; www.bradleys-bookshop.com ; 8 cours d'Albret, 33000 Bordeaux)

Librairie internationale Maurel (☎ 04 91 42 63 44 ; www.librairie-internationale-maurel.com ; 95 rue de Lodi, 13006 Marseille)

The Bookworm (☎ 03 88 32 26 99 ; www.bookworm.fr ; 3 rue de Pâcques, 67000 Strasbourg)

OFFICES DU TOURISME

Offices du tourisme à Londres

Visit London (☎ 7234 5800, 0870 156 6366 ; www.visitlondon.com) fournit un large éventail d'informations : manifestations touristiques, circuits en bateau, hébergement, restaurants, théâtres, grands magasins, activités pour enfants, lieux gay, etc.

Le principal office du tourisme sur place est le Britain Visitor Centre (plan p. 70 ; 1 Regent St SW1 ; ☎ 9h30-18h lun, 9h-18h30 mar-ven, 10h-16h sam-dim, 10h-17h sam juin-sept ; ⊖ Piccadilly Circus). Il offre des renseignements très complets en huit langues, non seulement sur Londres mais aussi sur le pays de Galles, l'Écosse, l'Irlande du Nord, la République d'Irlande et Jersey. Il peut s'occuper de vous réserver un logement, des circuits organisés et de préparer vos voyages en train, en avion et en voiture. Vous trouverez également un guichet de vente de places de théâtre, un bureau de change, des cabines téléphoniques internationales et quelques terminaux informatiques donnant accès aux renseignements touristiques disponibles sur le web. Ce centre ne donne pas d'informations par téléphone. Si vous n'êtes pas sur place, contactez plutôt la British Tourist Authority (☎ 8846 9000 ; www.visitbritain.com).

Vous pouvez aussi vous adresser au London Visitor Centre (plan p. 130 ; terminal international de Waterloo, hall des arrivées ; 🕒 8h30-22h30), au Tourist Information Centre de l'aéroport de Heathrow (TIC ; station de métro des terminaux 1, 2 et 3 ; 🕒 8h-18h) et au Tourist Office de Liverpool Street (plan p. 104 ; ⊖ Liverpool St (dans la station de métro) ; 🕒 8h-18h). Des agences de réservation d'hôtel sont installées dans la gare de Paddington, la gare ferroviaire de Victoria (🕒 8h-20h lun-sam et 8h-18h dim avr-oct, 8h-18h lun-sam et 9h-16h dim nov-mars ; ⊖ Victoria) et la gare routière de Victoria, ainsi que dans les autres aéroports de Londres.

Quelques quartiers de Londres disposent aussi d'un office du tourisme (TIC). Parmi ceux-ci figurent :

City Information Centre (plan p. 104 ; ☎ 7332 1456 ; www.cityoflondon.gov.uk ; St Paul's Churchyard EC4 ; 9h30-17h avr-sept, 9h30-17h lun-ven et 9h30-12h30 sam oct-mars ; St Paul's). Face à la cathédrale Saint-Paul.

Greenwich Tourist Office (plan p. 186 ; ☎ 0870 608 2000 ; www.greenwich.gov.uk ; Pepys House, 2 Cutty Sark Gardens SW10 ; 10h-17h ; DLR Cutty Sark)

Richmond Tourist Office (plan p. 212 ; ☎ 8940 9125 ; www.visitrichmond.co.uk ; Old Town Hall, Whittaker Ave, Richmond, Surrey TW9 1TP ; 10h-17h lun-sam, plus 10h30-13h dim mai-sept ; Richmond)

Southwark Tourist Office (plan p. 130 ; ☎ 7357 9168 ; www.southwark.gov.uk ; Vinopolis, 1 Bank End SE1 ; 10h-18h mar-dim ; London Bridge)

Offices du tourisme britanniques à l'étranger

Le site Internet, très complet, de l'office du tourisme de Grande-Bretagne (France www.visitbritain.fr ; Belgique www.visitbritain.be ; Suisse www.visitbritain.ch ; Canada www.visitbritain.ca) offre de nombreux renseignements (agences spécialisées, hébergement, transports, agenda culturel…) ainsi que des brochures à télécharger gratuitement.

En France, le bureau parisien du British Council (☎ 01 49 55 73 00 ; www.britishcouncil.org/france ; 9 rue de Constantine, 75007 Paris) est chargé des échanges éducatifs et des relations culturelles. Informations sur les cours d'anglais et la créativité culturelle britannique. Il offre les mêmes prestations en Belgique (☎ 02-227 0840 ; www.britishcouncil.org/brussels ; Leopold Plaza, 108 av. du Trône, 1050 Bruxelles). En Suisse, le British Council n'est plus ouvert au public.

POSTE

La Royal Mail a connu une baisse de vitesse et de précision depuis sa privatisation, même si elle reste fiable. Pour tout renseignement, appelez le ☎ 08457 740 740 ou rendez vous sur le site www.royalmail.co.uk.

Codes postaux

Créé lors de la Première Guerre mondiale, le système de code postal de Londres laisse perplexes les Londoniens eux-mêmes. En effet, la ville est divisée en plusieurs districts auxquels sont attribués une lettre (ou deux) et un nombre. Par exemple, W1, le code postal de Mayfair et de Soho, désigne le district 1 de l'ouest de Londres (West) et EC1 dénomme le district 1 du centre-est (East Central). Le numéro attribué à un district n'a rien à voir avec son emplacement géographique, mais dépend de son classement alphabétique dans le secteur. Ainsi, dans le nord de Londres, N1 et N16 sont juste à côté. À l'ouest de Londres, W2 est très central tandis que W3 est plus excentré.

Tarifs

À l'intérieur du pays, l'envoi d'une lettre en 1re classe est plus rapide (un jour ouvré) mais évidemment plus onéreux (39 p par lettre de moins de 100 g) qu'en 2e classe (30 p par lettre de moins de 100 g ; trois jours ouvrés).

Les cartes postales et les lettres jusqu'à 20 g expédiées en Europe coûtent 56 p. Comptez 69/90 p jusqu'à 10/20 g vers la majeure partie du reste du monde. L'envoi de colis pesant jusqu'à 100/250 g revient à 1,28/1,62 £ vers l'Europe et 1,69/2,82 £ pour les Amériques et l'Océanie. Il est préférable de les faire peser au bureau de poste.

Les lettres par avion pour le Canada mettent de 3 à 5 jours.

POURBOIRE

Beaucoup de restaurants ajoutent à l'addition un service forfaitaire ; dans les autres, un pourboire de 10 à 15% (sauf si le service ne vous a pas satisfait) est attendu. Le salaire du personnel est généralement très faible sous prétexte qu'il touche des *tips* (pourboires). Dans certains établissements, il est précisé (mais cela doit être clair) que le service est compris. On ne donne jamais de pourboire à la personne qui vous sert votre pinte dans un pub, mais désormais, le personnel des bars rend souvent la monnaie dans une petite soucoupe en espérant que les clients laisseront quelques pièces.

Si vous empruntez un bateau sur la Tamise, le guide, ou le conducteur, vous demandera de rétribuer ses commentaires ; libre à vous de satisfaire ou non sa demande. Vous pouvez donner un pourboire de l'ordre de 10% aux chauffeurs de taxi, mais la plupart des gens arrondissent à la livre supérieure.

PROBLÈMES JURIDIQUES

Si vous rencontrez des problèmes d'ordre juridique pendant votre séjour à Londres, adressez-vous à l'un des Citizens Advice Bureaux (www.citizensadvice.org.uk), dont vous trouverez les coordonnées dans la rubrique *Counselling & Advice* des *Yellow Pages*, ou contactez la Community Legal Services Directory (☎ 0845 345 4345 ; www.clsdirect.org.uk).

Amendes

En règle générale, on exige rarement le paiement immédiat d'une amende. Il existe cependant trois exceptions : le train, le métro et le bus. Les personnes en infraction qui ne peuvent présenter de titre de transport valable risquent une amende à régler sur le champ. Aucune excuse n'est recevable, mais si vous ne pouvez pas payer sur le moment, vous devrez donner vos coordonnées (pièce d'identité requise) et régler l'amende par courrier.

La Grande-Bretagne a doté sa police de nouveaux pouvoirs, les *Anti-social Behaviour Orders* (ou "*ASBO*"), lui permettant de verbaliser les comportements antisociaux. Les amendes correspondantes vont de 50 £ pour l'achat d'alcool par des mineurs à 100 £ pour ivresse, atteinte aux bonnes mœurs, appel frauduleux au ☎ 999 ou pour toute perte de temps préjudiciable à la police.

Drogue

Rappelons que l'usage des drogues peut s'avérer dangereux. En 2004, le cannabis avait été classé comme drogue douce de classe C et la détention d'une petite quantité ne pouvait plus donner lieu à une arrestation. Cependant, de nouvelles études ont amené le gouvernement à revoir ses positions : depuis 2009, cette substance est à nouveau considérée comme une drogue de classe B. Si vous êtes surpris avec du cannabis, vous pouvez donc être arrêté. La possession de drogues dures, comme l'héroïne et la cocaïne, fait l'objet de lourdes peines. Il n'est pas rare d'être fouillé à l'entrée des clubs.

Infractions routières

La conduite en état d'ivresse est encore plus sévèrement punie qu'autrefois, le taux d'alcoolémie limité étant de 0,08 g/litre. Par prudence, mieux vaut ne rien boire si vous comptez prendre le volant.

RADIO

Pour avoir un aperçu de la radio londonienne, essayez :

BBC London Live (94.9 FM). Émissions culturelles qui se concentrent sur Londres.

Capital FM (95.8 FM). Fréquence pop la plus prisée de la capitale. Version privée de Radio 1 de la BBC.

Capital Gold (1548 AM). Programme des tubes des années 1960, 1970 et 1980.

Choice FM (96.9 FM). Met la soul à l'honneur.

Jazz FM (102.2 FM). Pour les amateurs de jazz.

Kiss 100 (100 FM). Programme *dance*, hip-hop et R&B.

LBC (1152 AM). Station insolente.

Magic FM (105.4 FM). Passe d'anciens succès.

News Direct (97.3 FM). Station d'informations : donne un bulletin complet toutes les 20 min.

Talk Sport (1089 AM). Son nom parle de lui-même !

Virgin (105.8 FM). Musique pop.

Xfm (104.9 FM). Programmation originale et musique indé.

SÉCURITÉ

Londres est une ville plutôt sûre pour sa taille. Un peu de bon sens vous permettra d'éviter les ennuis.

Si vous prenez un taxi en sortant de discothèque, assurez-vous qu'il s'agisse d'un véhicule noir ou d'une société de *minicabs* agréée. Nombre de taxis stationnant devant les discothèques et les bars ne possèdent pas de licence et peuvent s'avérer dangereux. King's Cross, Dalston et Peckham sont des zones où il vaut mieux éviter de s'aventurer la nuit, bien que les axes principaux soient relativement sûrs. Londres possède évidemment son lot de pickpockets : gardez votre sac à main et vos poches fermés, particulièrement dans les endroits bondés tels que le West End ou dans le métro.

SERVICES MÉDICAUX

Des accords bilatéraux permettent à certains ressortissants étrangers de bénéficier de soins médicaux gratuits et d'une prise en charge des soins dentaires dans le cadre du National Health Service (NHS ; ☎ 0845 4647 ; www.nhsdirect.nhs.uk). Ils pourront recourir aux services d'urgence des hôpitaux, aux médecins généralistes et aux dentistes (consultez les *Yellow Pages*). Les étrangers établis au Royaume-Uni pour un minimum de 12 mois et munis des documents adéquats pourront eux aussi accéder au NHS en s'enregistrant auprès du cabinet médical le plus proche de leur domicile.

En cas d'urgence, les ressortissants de l'UE peuvent bénéficier de soins gratuits sur présentation de la carte européenne d'assurance maladie (ex-formulaire E111). Nominative et individuelle, elle est valable un an. Vous devez en faire la demande au moins deux semaine avant votre départ auprès de votre caisse d'assurance maladie ou en ligne sur www.ameli.fr (rubrique "Droits et démarches", "À l'étranger").

Nous recommandons toutefois la souscription d'une assurance voyage, plus souple : elle permet notamment de se faire soigner où et comme on le souhaite, et couvre les frais d'ambulance et de rapatriement qui ne sont pas pris en charge par le NHS.

Attention ! Avant de souscrire une police d'assurance, vérifiez bien que vous ne bénéficiez pas déjà d'une assistance par votre carte de crédit, votre mutuelle ou votre assurance automobile. C'est bien souvent le cas.

Hôpitaux

Les hôpitaux cités ci-après accueillent les urgences 24h/24. Cependant, en cas d'urgence, appelez le ☎ 999 et une ambulance vous sera automatiquement envoyée depuis l'hôpital le plus proche.

Charing Cross Hospital (plan p. 182 ; ☎ 8846 1234 ; Fulham Palace Rd W6 ; ⊖ Hammersmith)

Chelsea & Westminster Hospital (plan p. 208 ; ☎ 8746 8000 ; 369 Fulham Rd SW10 ; ⊖ South Kensington, puis 🚌 14 ou 211)

Guy's Hospital (plan p. 130 ; ☎ 7188 7188 ; St Thomas St SE1 ; ⊖ London Bridge)

Homerton Hospital (plan p. 160 ; ☎ 8510 5555 ; Homerton Row E9 ; 🚆 Homerton)

Royal Free Hospital (plan p. 170 ; ☎ 7794 0500 ; Pond St NW3 ; ⊖ Belsize Park)

Royal London Hospital (plan p. 160 ; ☎ 7377 7000 ; Whitechapel Rd E1 ; ⊖ Whitechapel)

University College Hospital (plan p. 84 ; ☎ 0845 1555 000 ; 253 Euston Rd NW1 ; ⊖ Euston Sq)

Pharmacies

Chaque quartier possède une pharmacie de garde 24h/24. Vous pouvez consulter les *Yellow Pages*.

On ne peut qu'être frappé par le quasi-monopole exercé par la chaîne Boots, qui possède l'une de ses succursales les plus centrales à **Piccadilly Circus** (plan p. 70 ; ☎ 7734 6126 ; 44-46 Regent St ; 🕒 9h-20h lun-sam, 12h-18h dim ; ⊖ Piccadilly Circus). Son seul concurrent sérieux est la chaîne Superdrug. Toutes deux sont extrêmement bien approvisionnées.

Urgences dentaires

En cas d'urgence dentaire, appelez l'**UCL Eastman Dental Hospital** (plan p. 154 ; ☎ 7915 1000 ; www.eastman.ucl.ac.uk ; 256 Gray's Inn Rd WC1 ; ⊖ King's Cross).

SYSTÈME MÉTRIQUE

Les Londoniens utilisent aussi bien le système métrique que le système impérial. Les personnes âgées ont parfois du mal à utiliser le système métrique et, à l'inverse, certains jeunes comprennent mal le système impérial. Reportez-vous au rabat de la couverture pour les conversions.

TAXES ET REMBOURSEMENTS

La TVA, qui s'élève normalement à 17,5%, est appliquée sur tous les produits et les services, à l'exception des aliments, des livres et des vêtements d'enfants. En décembre 2008, elle a été abaissée à 15% afin de relancer l'économie dans un contexte de crise, mais elle pourrait revenir à un taux plus élevé dans un futur proche. Les tarifs pratiqués dans les restaurants incluent la TVA.

Il est parfois possible de se faire rembourser la TVA, ce qui n'est pas négligeable. C'est le cas si vous avez passé moins de 365 jours en Grande-Bretagne pendant les deux années précédant l'achat ou si vous avez l'intention de quitter l'Union européenne dans les trois mois suivant l'achat.

Connu aussi sous le nom de Retail Export Scheme ou Tax-Free Shopping, ce système de remboursement de la TVA n'est pas suivi par tous les magasins, et certains n'appliquent cette mesure qu'à partir d'un montant minimum (environ 75 £ par magasin). Pour bénéficier du remboursement, il est nécessaire de se procurer, au moment de l'achat, le formulaire VAT 407 qui doit être présenté à la douane avec les marchandises et les reçus lorsque vous quittez le territoire britannique (les marchandises exonérées de TVA ne peuvent être expédiées par la poste). Une fois certifié par les douaniers, le formulaire sera retourné au magasin qui procédera au remboursement (frais de gestion déduits) dans les 8 à 10 semaines qui suivront.

TÉLÉPHONE

Cabines téléphoniques

Les fameuses cabines téléphoniques rouges de British Telecom (BT) ne survivent que dans certains quartiers comme Westminster. Et, avec l'avènement de la téléphonie mobile, la compagnie cherche même à se débarrasser de ses cabines en verre plus modernes.

Certaines cabines acceptent encore les pièces, mais la plupart fonctionnent avec des cartes téléphoniques et/ou des cartes bancaires. BT propose des cartes à 5, 10 et 20 £, en vente chez de nombreux commerçants, notamment dans les bureaux de poste et chez certains marchands de journaux. Un affichage digital sur le téléphone indique le montant restant sur la carte.

Communications internationales

L'indicatif téléphonique de Londres est le ☎ 020, suivi d'un numéro à huit chiffres commençant par 7 (centre de Londres) ou 8 (Grand Londres). Pour appeler à Londres depuis le Royaume-Uni, il suffit de composer le ☎ 020 avant le numéro.

Pour appeler Londres depuis l'étranger, composez l'indicatif international ☎ 00, suivi du ☎ 44 (l'indicatif de la Grande-Bretagne), de l'indicatif de Londres (sans le 0 initial) ☎ 20, et, enfin, du numéro à huit chiffres de votre correspondant.

Pour appeler l'étranger depuis Londres, composez le code d'accès international ☎ 00, suivi de l'indicatif du pays (33 pour la France, 32 pour la Belgique, 41 pour la Suisse, 1 pour le Canada), celui de la région (sans le 0 initial), puis le numéro de téléphone.

Il est possible d'appeler directement la grande majorité des pays depuis presque toutes les cabines publiques. Les appels en PCV par un opérateur international (☎ 155) reviennent plus cher.

Des entreprises privées proposent des tarifs internationaux plus compétitifs que British Telecom (BT). Dans ces boutiques, on appelle d'une cabine téléphonique munie d'un compteur et on règle la communication après. Certains cybercafés proposent également des tarifs internationaux avantageux.

Il est également possible de réduire le coût de vos appels internationaux en achetant une carte spéciale (en général d'une valeur de 5, 10 ou 20 £), munie d'un code personnel, utilisable depuis n'importe quel appareil, même chez des particuliers, grâce à un numéro d'accès spécifique. Ces cartes sont disponibles dans la plupart des supérettes.

Communications locales et nationales

Les communications locales sont facturées en fonction de la durée tandis que les appels régionaux et nationaux sont facturés en fonction de la distance et de la durée. Le tarif plein s'applique de 6h à 18h du lundi au vendredi, le tarif réduit de 18h à 6h du lundi au vendredi. Le week-end, le tarif réduit entre en vigueur le vendredi à 18h et prend fin le lundi à 6h.

Numéros utiles

Voici quelques numéros et codes utiles (certains numéros sont payants) :

Appel gratuit (☎ 0800)

Appel tarif local (☎ 08457)

Appel tarif national (☎ 0870, 0871)

Appel tarif plein (à partir de 60 p/min) (☎ 09)

Appels en PCV (☎ 155)

Horloge parlante (☎ 123)

Renseignements internationaux (☎ 118 661/118 505)

Renseignements locaux et nationaux (☎ 118 118/118 500)

Opérateur international (☎ 155)

Opérateur local et national (☎ 100)

Prévisions météo (☎ 0906 654 3268)

Téléphones portables

Le Royaume-Uni passe par le réseau GSM 900, qui couvre le reste de l'Europe ainsi que d'autres pays du monde, mais n'est pas compatible avec le réseau nord-américain GSM 1900 ou le système japonais (bien que de nombreux Nord-Américains disposent de téléphones GSM 1900/900 qui fonctionnent en Grande-Bretagne). Si vous possédez un téléphone GSM, vérifiez auprès de votre opérateur qu'il fonctionnera à Londres. Notez également que les appels sont souvent transmis en passant par l'étranger. Il est généralement plus pratique d'acheter une carte SIM locale dans n'importe quel magasin de téléphonie mobile, mais pour cela votre téléphone doit être débloqué – contactez votre opérateur avant de partir.

TÉLÉVISION

De nombreuses chaînes numériques peuvent être visionnées gratuitement grâce à un boîtier (que l'on achète) ou par câble ou satellite. Il n'existe que cinq chaînes de télévision analogiques. Cependant, le Royaume-Uni passe progressivement au numérique – à partir de 2012, seules les télévisions numériques pourront recevoir des programmes. Consulter www.digitaltelevision.gov.uk pour plus d'informations.

Actuellement, les principales chaînes accessibles à tous sont BBC1, BBC2, ITV, Channel 4 et Channel 5.

TOILETTES

Les toilettes des gares, des terminaux de bus et des principales attractions sont généralement propres, et le plus souvent accessibles aux jeunes enfants et aux personnes à mobilité réduite. Dans les gares ferroviaires et routières, il faut généralement payer 20 p pour utiliser les toilettes.

En théorie, uriner dans la rue est un délit (qui conduit rarement à une arrestation). Cependant, les rues de Soho sont si souvent maculées d'urine que le conseil de Westminster s'est attelé à résoudre ce problème en installant, le week-end, des toilettes publiques dans les rues. Elles se dressent, entre autres, à Soho Square, Wardour St, non loin d'Oxford St et le long du Strand. Mesdames, sachez que les nouveaux WC installés dans la rue ne sont utilisables que par les hommes (urinoirs)...

Pour plus d'informations sur les toilettes destinées aux handicapés, reportez-vous p. 399.

TRAVAILLER À LONDRES

Même sans qualification particulière, il est possible de trouver du travail à Londres. Toutefois, il faut souvent accepter les mauvaises conditions proposées (longues journées de travail pour un maigre salaire). Bref, sans formation, il sera difficile de trouver un emploi qui paie suffisamment pour économiser.

Traditionnellement, les étrangers non qualifiés travaillent dans les bars, les restaurants ou comme baby-sitters. Il existe un salaire minimum (5,73 £ l'heure ; 4,77 £ pour les employés âgés de 18 à 21 ans), mais si vous travaillez au noir, rien n'oblige votre employeur à vous verser ce minimum.

Les comptables, le personnel médical, les journalistes, les programmeurs informatiques, les avocats, les professeurs, les banquiers et les employés de bureau (avec des connaissances informatiques) ont évidemment plus d'atouts pour trouver un emploi mieux rémunéré. Cependant, même si vous cherchez ce genre d'emplois, il est plus sûr d'avoir de l'argent de côté pour vivre le temps d'effectuer vos recherches. Quoi qu'il en soit, n'oubliez pas les copies de vos diplômes, vos lettres de références (elles seront vérifiées) et votre CV.

Les professeurs doivent s'adresser aux différents conseils locaux des *boroughs* de Londres, qui gèrent leur propre département de l'Éducation. Certaines écoles procèdent néanmoins par recrutement direct.

Pour travailler en tant qu'infirmière ou sage-femme diplômée, il faut vous inscrire à l'UK Nursing & Midwifery Council (☎ 7333 9333; www.nmc-uk.org). Écrivez à l'Overseas Registration Department, UKNMC, 23 Portland Pl, London W1N 4JT. Si vous n'êtes pas diplômé, vous pourrez travailler comme auxiliaire.

Le magazine gratuit *TNT Magazine* vous aidera dans vos recherches. Il indique les adresses des agences pour étrangers. Pour les emploi au pair et le baby-sitting, consultez la revue *The Lady*, le journal *Evening Standard*, les quotidiens nationaux et les centres d'emploi (*Jobcentres*) gérés par l'État (disséminés dans Londres) que vous trouverez dans l'annuaire, sous la rubrique *Employment Services*. Il est utile de s'inscrire dans différentes agences de travail temporaire.

Si vous jouez d'un instrument ou possédez quelque autre talent artistique, vous pouvez toujours essayer de l'exprimer dans la rue. Vous ne serez pas le (la) seul(e) ! Cependant, pour jouer dans le métro, il faut se soumettre à un processus rigoureux qui prend plusieurs mois. Après vous être inscrit sur www.tfl.gov.uk, vous devrez passer une audition et un contrôle de police (10 £). On vous délivrera un permis et vous aurez alors le droit de vous produire à un certain endroit et à des heures précises. Un permis est également nécessaire pour exercer ses talents dans les grands sites touristiques et les quartiers animés, comme Covent Garden et Leicester Sq. Contactez les conseils locaux des *boroughs* pour plus de renseignements.

Permis de travail

À l'exception des ressortissants de l'Union européenne et de la Suisse, tous les étrangers doivent solliciter un permis de travail.

Pour toute information complémentaire sur place, contactez le Home Office (☎ 0870 000 1585).

Impôts

Si votre travail est déclaré, l'impôt sur le revenu et les cotisations au régime général de la Sécurité sociale seront retenus à la source. Cependant, les cotisations sont calculées sur une base annuelle (l'exercice commence le 6 avril et finit le 5 avril de l'année suivante) ; si vous ne travaillez pas l'année entière, vous pouvez donc être remboursé. Consultez le site du Inland Revenue (www.inlandrevenue.orgv.uk) pour localiser le service des impôts le plus proche de chez vous ou passez par une des agences dont les adresses figurent dans *TNT Magazine* (pensez à vérifier leurs honoraires ou le pourcentage de leurs commissions).

URGENCES

Composez le ☎ 999 pour appeler la police, les pompiers ou une ambulance en cas d'urgence. La liste des hôpitaux qui accueillent les urgences 24h/24 est fournie p. 405.

VACANCES ET JOURS FÉRIÉS

Avec en moyenne quatre à cinq semaines de congés annuels, les Britanniques travaillent plus que leurs voisins européens mais moins que les Américains.

Jours fériés

La plupart des attractions touristiques et des commerces sont fermés deux jours à Noël et les sites qui sont fermés le dimanche le sont également les lundis fériés (*bank holiday Mondays*).

Nouvel An 1er janvier

Vendredi saint/lundi de Pâques Fin mars/début avril

May Day Holiday Premier lundi de mai

Spring Bank Holiday Dernier lundi de mai

Summer Bank Holiday Dernier lundi d'août

Jour de Noël 25 décembre

Boxing Day 26 décembre

Pour plus de renseignements sur les festivals et manifestations qui se déroulent à Londres, reportez-vous p. 16.

Vacances scolaires

Les dates des vacances scolaires changent d'une année sur l'autre et, généralement, d'une école à une autre. Par ailleurs, les dates des vacances des établissements privés (*public school*) ont tendance à ne pas concorder avec celles des écoles publiques. Les vacances ont cependant toujours lieu aux mêmes périodes :

Vacances d'été Fin juillet à début septembre

Vacances d'automne Dernière semaine d'octobre

Vacances de Noël À peu près du 20 décembre au 6 janvier

Vacances d'hiver Une semaine mi-février

Vacances de Pâques Deux semaines avant ou après le dimanche de Pâques

Semaine d'été Une semaine fin mai/début juin

VOYAGER SEULE

Si vous prenez les précautions que l'on a coutume de prendre dans les grandes villes, vous ne devriez pas rencontrer de difficultés majeures. À part d'imprévisibles dérapages (notamment dans le métro), les femmes seules devraient pouvoir profiter pleinement de leur séjour. Rien n'empêche une femme d'aller seule dans un pub, mais l'expérience peut ne pas être très agréable, même au centre de Londres.

La nuit, dans le métro, évitez de monter dans une voiture vide (ou ne comptant qu'un ou deux hommes) ; et, si vous ne vous sentez pas en sécurité, n'hésitez pas à prendre un taxi. Les femmes se déplaçant seules la nuit peuvent prendre un des Ladycabs (Archway ; ☎ 7272 3300), conduits par des femmes.

Informations et associations

Marie Stopes International (plan p. 84 ; ☎ 0845 300 8090 ; www.mariestopes.org.uk ; 108 Whitfield St W1 ; 🕑 8h30-17h lun, mer et ven, 9h30-18h mar et jeu, 9h-16h sam ; ⊖ Warren St). Répondent aux questions concernant la contraception, les MST et l'avortement.

Ligne d'assistance aux victimes de viol et d'abus sexuel (☎ 8239 1122 ; 🕑 12h-14h30, 19h-21h30 lun-ven, 14h30-17h sam-dim)

Tout le monde peut parler une langue étrangère, le tout est d'oser. La grammaire, au final, n'est pas essentielle pour se débrouiller sur place. Pour réserver une chambre, commander un plat ou simplement engager une conversation, voici 99 phrases essentielles qui vous aideront à ne pas rester muet, en toutes circonstances !

PREMIER CONTACT

1 Bonjour. *Hello./Hi.* GB/US
2 Au revoir. *Goodbye./Bye.* GB/US
3 Comment allez-vous ?/Comment vas-tu ?
How are you?
4 Bien, merci. Et vous ?/Bien, merci. Et toi ?
Fine thanks, and you?
5 Je m'appelle... *My name is...*
6 Enchanté(e). *Pleased to meet you.* GB
Nice to meet you. US
7 Voici mon compagnon/ma compagne.
This is my partner.

À PROPOS DE VOUS

8 D'où venez-vous ?
Where are you from?
9 Je viens de... *I'm from...*
10 Je suis marié(e). *I'm married.*
11 Je suis célibataire. *I'm single.*
12 Quel est votre/ton numéro de téléphone ?
What's your phone number?
13 Quelle est votre/ton adresse e-mail ?
What's your email address?

ENGAGER LA CONVERSATION

14 Quel est votre/ton métier ?
What's your occupation? GB
What do you do for a living? US
15 Je suis employé(e) de bureau.
I'm an office worker.
16 Je suis ouvrier/ouvrière.
I'm a manual worker. GB
I work in a factory. US
17 Je suis un homme d'affaires/
Je suis une femme d'affaires.
I'm a businessperson.
18 Je suis un(e) étudiant(e). *I'm a student.*
19 Je suis un(e) artiste. *I'm an artist.*
20 Quel âge avez-vous ?/Quel âge as-tu ?
How old are you?
21 J'ai (25) ans. *I'm (25) years old.*
22 Aimes-tu l'art ? *Do you like art?*
23 Aimes-tu le sport ? *Do you like sport?* GB
Do you like sports? US
24 Aimes-tu lire ? *Do you like reading?* GB
Do you like to read? US
25 Aimes-tu danser ? *Do you like to dance?*
26 Aimes-tu voyager ? *Do you like travelling?*

SENSATIONS

27 J'ai faim. *I'm hungry.*
28 J'ai froid. *I'm cold.*
29 J'ai chaud. *I'm hot.*
30 J'ai soif. *I'm thirsty.*
31 Comment te sens-tu ? *Are you okay?/You okay?* GB/US

TRANSPORTS

32 Est-ce le bus (pour Paris) ?
Is this the bus (to Paris)?
33 Est-ce l'avion (pour Paris) ?
Is this the plane (to Paris)?
34 Est-ce le train (pour Paris) ?
Is this the train (to Paris)?
35 C'est combien pour aller à... ?
How much is it to ...?
36 Ce taxi est-il libre ?
Is this taxi available? GB
Is this taxi free? US
37 À quelle heure part-il ?
What time does it leave?
38 Où se trouve le centre-ville ?
Where's the city centre? GB
Where is downtown? US
39 Où puis-je trouver un hôtel ?
Where's a hotel?
40 Où se tient le marché ?
Where's a market? GB
Where is a farmers' market? US

HÉBERGEMENT

41 Où puis-je trouver un terrain de camping ?
Where's a camping ground? GB
Where is a camp ground? US
42 Pouvez-vous me recommander un logement pas cher ?
Can you recommend somewhere cheap?
43 Pouvez-vous me recommander un logement de qualité ?
Can you recommend somewhere good?
44 Quel est le prix par nuit ?
How much is it per night?
45 Je voudrais réserver une chambre, s'il vous plaît.
I'd like to book a room, please.

ACHATS

46 Où est le supermarché ?
Where's the supermarket?

47 Où puis-je trouver une banque ?
Where's a bank?

48 Où puis-je acheter… ?
Where can I buy …?

49 Est-ce que je peux le voir ?
Can I look at it?

50 Quel est votre meilleur prix ?
What's your lowest price?

51 Pouvez-vous écrire le prix ?
Can you write down the price?

52 Puis-je avoir un reçu, s'il vous plaît.
I'd like a receipt, please.

PHOTOGRAPHIE

53 Je voudrais une pellicule (200) ASA pour cet appareil.
I need a (200) speed film for this camera.

54 Je voudrais une pellicule APS pour cet appareil.
I need an APS film for this camera.

55 J'ai besoin d'une pellicule noir et blanc pour cet appareil.
I need a black and white film for this camera.

56 Pouvez-vous charger cette pellicule ?
Can you load my film?

57 Pouvez-vous développer cette pellicule ?
Can you develop this film?

58 Quand cela sera-t-il prêt ?
When will it be ready?

SORTIR

59 J'aimerais aller au cinéma.
I feel like going to the movies.

60 J'aimerais aller au théâtre.
I feel like going to the theatre.

61 J'aimerais aller à un concert.
I feel like going to a concert.

62 Où y a-t-il des discothèques ?
Where can I find clubs?

63 Où y a-t-il des boîtes gay ?
Where can I find gay venues?

64 Où y a-t-il des pubs ?
Where can I find pubs?

VISITES TOURISTIQUES

65 Quand a lieu la prochaine excursion à la journée ?
When's the next day trip?

66 L'excursion dure combien de temps ?
How long is the tour?

67 L'entrée est-elle comprise dans le prix ?
Is the admission charge included?

68 À quelle heure doit-on rentrer ?
What time should we be back?

OÙ SE RESTAURER/ PRENDRE UNE VERRE

69 Pouvez-vous me conseiller un restaurant ?
Can you recommend a restaurant?

70 Pouvez-vous me conseiller un café ?
Can you recommend a cafe?

71 Servez-vous des plats végétariens ?
Do you have vegetarian food?

72 Y a-t-il un restaurant végétarien par ici ?
Is there a vegetarian restaurant near here?

73 Je voudrais une table pour (5) personnes, s'il vous plaît.
I'd like a table for (five), please.

74 Y a-t-il un espace fumeur ?
Is there a smoking area?

75 Pouvez-vous me conseiller un bar ?
Can you recommend a bar?

FAIRE SES COURSES

76 Combien coûte (un kilo) ?
How much is (a kilo)?

77 J'en voudrais (200) grammes.
I'd like (200) grams.

78 J'en voudrais (6) tranches.
I'd like (six) slices.

79 Quelle est la spécialité locale ?
What's the local speciality?

COMMANDER À MANGER/ À BOIRE

80 Puis-je avoir la carte des boissons, s'il vous plaît.
I'd like to see the drinks list, please.

81 Puis-je avoir le menu, s'il vous plaît.
I'd like the menu, please.

82 Qu'est-ce que vous me conseillez ?
What would you recommend?

83 Un café (avec du lait).
A cup of coffee (with milk)./Coffee with milk. **GB/US**

84 Un thé (avec du lait).
A cup of tea (with milk)./Tea with milk. **GB/US**

85 L'addition, s'il vous plaît.
I'd like the bill, please./The check, please. **GB/US**

AU BAR

86 Qu'est-ce que vous désirez ? *What would you like?*

87 Je vous offre un verre. *I'll buy you a drink.*

88 Une bière. *A glass of beer.* **GB** *A beer.* **US**

89 Un verre de vin blanc. *A glass of white wine.*

90 Un verre de vin rouge. *A glass of red wine.*

91 Champagne. *Champagne.*

92 Santé ! *Cheers!*

SANTÉ

93 Au secours !
Help!

94 J'ai besoin d'un médecin qui parle français.
I need a doctor who speaks French.

95 Est-ce que je peux voir une femme médecin ?
Could I see a female doctor?

96 Je n'ai plus de médicaments.
I've run out of my medication. **GB**
I've run out of my medicine. **US**

97 Où y a-t-il un dentiste par ici ?
Where's the nearest dentist?

98 Où est l'hôpital le plus proche ?
Where's the nearest hospital?

99 Où y a-t-il une pharmacie de garde par ici ?
Where's a night pharmacy? **GB**
Where's a 24-hour pharmacy? **US**

Le *Guide de conversation Anglais* publié par Lonely Planet (264 p., 7,90 €) permet d'acquérir les bases grammaticales et les rudiments de prononciation pour se faire comprendre. On y trouve les mots indispensables pour communiquer en toutes circonstances : à l'hôtel, au restaurant, dans les transports publics, au garage, etc. Facile à utiliser, il comprend également un mini-dictionnaire bilingue.

Le guide *Petite conversation en anglais* (96 p., 2,90 €) convient, quant à lui, pour une première approche ou un très court séjour.

EN COULISSES

À PROPOS DE L'OUVRAGE

Cette sixième édition française de Londres a été traduite de la septième édition anglaise de *London*, co-écrite par Tom Masters, Steve Fallon et Vesna Maric, qui avaient tous trois travaillé sur l'édition précédente. Sarah Johnstone et Tom Masters avaient rédigé la cinquième édition, Martin Hughes, Sarah Johnstone et Tom Masters la quatrième, Steve Fallon les deuxième et troisième et Pat Yale la première.

Traduction Yann Champion et Jeanne Robert

CRÉDITS

Responsable éditorial Didier Férat

Coordination éditoriale Juliette Stephens

Coordination graphique Jean-Noël Doan

Maquette Caroline Donadieu-Dezeuze

Cartographie Hermann So assisté de Birgit Jordan et Tadhgh Knaggs ; cartes adapatées en français par Nicolas Chauveau

Merci à Claude Albert, Michel MacLeod et Sylvie Nouaille pour leur contribution au texte, à Magali Plattet pour la préparation du manuscrit ainsi qu'à Ludivine Brehier pour le renvoi des pages et l'index. Tous nos remerciements également à Clare Mercer du bureau londonien, ainsi qu'à Ruth Cosgrove du bureau australien.

Photos de couverture Le Parlement au crépuscule, Radius Images/Photolibrary (haut) ; Homme lisant à côté d'une cabine téléphonique rouge au Smithfield Market, Ludovic Maisant/Hemis/Corbis (bas).

Photos à l'intérieur de Lonely Planet Images : p. 114 (droite) Glenn Beanland ; p. 12 (n°2 haut) Paul Bigland ; p. 8 (n°2) James Braund ; p. 9 (n°1 bas), p. 11 (n°1 et n°2 haut), p. 12 (n°3 haut, n°1 bas), p. 110 (droite), p. 116, p. 202 (droite) Juliet Coombe ; p. 9 (n°2 haut) Elliot Daniel ; p. 7 (n°1 et n°2), p. 10 (n°2 haut), p. 11 (n°2 bas), p. 199 (haut gauche et bas) Travis Drever ; p. 3 Krzysztof Dydynski ; p. 200 Rocco Fasano ; p. 198 Lee Foster ; p. 6 (n°2, n°3), p. 8 (n°1), p. 9 (n°1 haut, n°1 et n°2 bas), p. 110 (gauche et droite), p. 111, p. 115 Orien Harvey ; p. 8 (n°3) Charlotte Hindle ; p. 7 (n°3) Richard l'Anson ; p. 9 (n°3 haut), p. 11 (n°1 bas), p. 12 (n°3 bas), p. 109, p. 201, p. 202 (gauche), p. 203, p. 204 Doug McKinlay ; p. 12 (n°2 bas) Guy Moberly ; p. 6 (n°1), p. 9 (n°2 bas), p. 10 (n°1 haut), p. 12 (n°1 haut), p. 112 (gauche), p. 114 (gauche), p. 197, p. 199 (droite) Neil Setchfield ; p. 2, p. 113 David Tomlinson ; p. 7 (n°4) Wayne Walton.

 La plupart des photos publiées dans ce guide sont disponibles auprès de notre agence photographique Lonely Planet Images : www.lonelyplanetimages.com.

UN MOT DES AUTEURS

TOM MASTERS

Un immense merci à Mike Christie pour m'avoir prêté sa maison, qui m'a servi de base lors de mes recherches. Merci également à Steve Fallon et Vesna Maric pour leur

LES GUIDES LONELY PLANET

Tout commence par un long voyage : en 1972, Tony et Maureen Wheeler rallient l'Australie après avoir traversé l'Europe et l'Asie. À l'époque, on ne disposait d'aucune information pratique pour mener à bien ce type d'aventure. Pour répondre à une demande croissante, ils rédigent leur premier guide Lonely Planet, écrit sur un coin de table.

Depuis, Lonely Planet est devenu le plus grand éditeur indépendant de guides de voyages dans le monde et dispose de bureaux à Melbourne (Australie), Oakland (États-Unis) et Londres (Royaume-Uni).

La collection couvre désormais le monde entier et ne cesse de s'étoffer. L'information est aujourd'hui présentée sur différents supports, mais notre objectif reste constant : donner des clés au voyageur pour qu'il comprenne mieux le pays qu'il découvre.

L'équipe de Lonely Planet est convaincue que les voyageurs peuvent avoir un impact positif sur les pays qu'ils visitent, pour peu qu'ils fassent preuve d'une attitude responsable. Depuis 1986, nous reversons un pourcentage de nos bénéfices à des actions humanitaires, à des campagnes en faveur des droits de l'homme et, plus récemment, à la défense de l'environnement.

travail acharné qui nous a permis d'apprivoiser cette ville gigantesque. Merci à Clifton Wilkinson, du bureau de Londres, pour m'avoir confié à nouveau la rédaction de ce guide, et comme toujours, merci à James Bridle pour son amour inconditionnel de tout ce qui touche Londres. Mes remerciements vont également à Tommy Moss, Gabriel Gatehouse, Stephen Dorling, Zeeba Carroll, Gray Jordan, Chris Mackay, Leila Rejali, Stephen Billington et Etienne Gilfillan, qui m'ont accompagné et aidé au cours de mes recherches.

STEVE FALLON

Je prends souvent le métro à Bethnal Green, où 173 personnes (dont plus d'un tiers d'enfants) furent tuées pendant un bombardement aérien en mars 1943 ; à Londres, ce fut la plus grosse perte de civils en un seul épisode au cours de la Seconde Guerre mondiale. Le Blitz fait donc partie de mon quotidien. C'est en grande partie grâce aux 30 000 civils (des grands-mères, des frères, des sœurs, des partenaires) morts pour défendre Londres en 1939-1945 que nous pouvons aujourd'hui profiter du passé, du présent et du futur de Londres. Pensez à eux.

J'ai eu plaisir à travailler à nouveau avec mes co-auteurs Tom Masters et Vesna Maric.

Comme toujours, je dédie ce travail à mon partenaire Michael Rothschild, avec tout mon amour, ma gratitude et mon admiration.

VESNA MARIC

Merci à mes co-auteurs Tom Masters et Steve Fallon, avec qui j'ai eu plaisir à travailler, comme toujours. Merci également à Clifton Wilkinson pour m'avoir permis de rédiger une partie de ce guide pour la deuxième fois. Merci à tous ceux qui m'ont accompagnée dans mes recherches, notamment Nicoline Gatehouse, Arijana Gurdon, Rafael Estefania et Gabriel Gatehouse.

À NOS LECTEURS

Nous remercions vivement les lecteurs qui ont utilisé la précédente édition et qui ont pris la peine de nous écrire pour nous communiquer informations, commentaires et anecdotes : **A** C. Assenço, C. Aubry **B** B. Blaise **D** C. Dusolier **E** G. d'Escrivain **L** N. Lambert **M** B. Manin, S. Mattern **S** R. Schurtz **V** C. Vincent-Giuliano

VOS RÉACTIONS ?

Vos commentaires nous sont très précieux et nous permettent d'améliorer constamment nos guides. Notre équipe lit toutes vos lettres avec la plus grande attention. Nous ne pouvons pas répondre individuellement à tous ceux qui nous écrivent, mais vos courriers sont transmis aux auteurs concernés. Tous les lecteurs qui prennent la peine de nous communiquer des informations sont remerciés dans l'édition suivante, et ceux qui nous fournissent les renseignements les plus utiles se voient offrir un guide.

Pour nous faire part de vos réactions, prendre connaissance de notre catalogue et vous abonner à *Comète*, notre lettre d'information, consultez notre site web : www.lonelyplanet.fr.

Nous reprenons parfois des extraits de notre courrier pour les publier dans nos produits, guides ou sites web. Si vous ne souhaitez pas que vos commentaires soient repris ou que votre nom apparaisse, merci de nous le préciser. Pour connaître notre politique en matière de confidentialité, connectez-vous à : www.lonelyplanet.fr/confidentialite/index.cfm.

REMERCIEMENTS

Pour nous avoir autorisés à utiliser le plan du métro de Londres, nous remercions :

London Underground Map © Transport for London 2009 ; The Central London Bus Map and Tourist Attractions Map © Transport for London 2009.

Notes

Notes

INDEX

Voir aussi les index :
Arts p. 421
Londres gay et lesbien p. 421
Où prendre un verre p. 422
Où se loger p. 422
Où se restaurer p. 423
Où sortir p. 425
Shopping p. 426

A

abbaye
de Westminster 93, 314
Abney Park Cemetery 177
activités 326
Admiralty Arch 76, 79
aéroports 386
Albert Memorial 148
Alexandra Park
et Palace 177
All Hallows-by-
the-Tower 125
All Souls Church 101
ambassades 396
amphithéâtre romain 121
ancien Millennium
Dome, *voir* 02
Apsley House 145
architecture 197
argent 18, 396
arts 35, 45, 312
athlétisme 328
avion 383, 386

B

Bank 118
Bank of England
Museum 120
Bankside 132
où prendre un verre 285
où se loger 349
Bankside Gallery 134
Banqueting House 99
Barbican 119
Barnes 207
où prendre un verre 297
où se restaurer 276
bateau 384
Battersea 196, **194**
où prendre un verre 296
où se restaurer 275
Battersea Park 196
Battersea
Power Station 196
Bayswater
où se loger 356
où se restaurer 268
BBC Television
Centre 181
Bedford Square 86
Belgravia 139
où se loger 350
où se restaurer 252
Bermondsey 134
où prendre un verre 285
où se loger 349
où se restaurer 251
Bethnal Green 162
où prendre un verre 289
où se restaurer 261
Bexleyheath 190
BFI IMAX Cinema 131
Big Ben 96
black cabs 392
Blair, Tony 33
Bloomsbury 83, **84**
où prendre un verre 282
où se loger 344
où se restaurer 245
Blue Plaques Scheme 146
Booker Prize 39
Borough 134
où prendre un verre 285
où se loger 349
où se restaurer 251
Borough Market 137
Bray 379
Brentford 211
Brick Lane 156
Brick Lane
Great Mosque 156
Brighton 373
Brit Oval 205
Britain at War
Experience 136
British Library 172
British Museum 83, 87
British Music
Experience 187
Brixton 195, **194**
marché 230
où prendre un verre 295
où se restaurer 274
promenade 205, **206**
Broadcasting House 101
Broadstairs 375
Brompton Cemetery 181
Brompton Oratory 150
Brunswick Centre 83
Buckingham Palace 90
relève de la garde 91
Buddhapadipa Temple 215
Bunhill Fields 153
Burgh House 176
Burlington Arcade 72
bus 385, 389

C

Cabinet War Rooms 98
Cambridge 369
Camden 172, **174**
marché 172, 230
où prendre un verre 290
où se loger 354
où se restaurer 264
shopping 230
Camden Market 172, 230
Canada House 76
Canary Wharf 166
Canary Wharf Tower 167
Canterbury 377
Carlyle's House 141
cartes (plans) 397
cathédrale
Saint-Paul 103, 314
Cenotaph 99
Central Criminal Court 107
Charlton 188
Charterhouse 152
Chelsea 139, **140**
où prendre un verre 286
où se loger 350
où se restaurer 252
shopping 228
Chelsea Old Church 140
Chelsea Physic Garden 141
Chinatown 67, 69
où prendre un verre 280
où se loger 342
où se restaurer 240
Chiswick 209
où prendre un verre 297
shopping 236
Chiswick House 209
Christ Church,
Spitalfields 156
Churchill museum 98
cinéma 48, 315
circuits organisés 389
City Hall 138, 204
Clapham 196, **194**
où prendre un verre 296
où se restaurer 275
shopping 235
Clapham Common 205
Clarence House 92
Clerkenwell 152, **154**
où prendre un verre 286
où se loger 353
où se restaurer 256
shopping 229
climat 397
Clink Prison
Museum 134
clubbing 300
clubs de jazz 307
cockney 56, 168
code de la route 395
colonne
du Duke of York 93
Nelson 76
congestion charge 33, 395
consulats 396
County Hall 129
cours 398
courses hippiques 329
Courtauld Institute
of Art 81
coût de la vie 18
Covent Garden 73, **74**
où prendre un verre 281
où se loger 343
où se restaurer 243
shopping 219
Covent Garden Piazza 79
cricket 327
Crouch End 177
cuisine 238
Cutty Sark 185

Les pages des plans sont indiquée en **gras**

D
Dalí Universe 129
danse 50, 313
Danson House 190
Dennis Severs' House 156
Deptford et New Cross 187
promenade 190, **191**
Design Museum 137
Dickens House Museum 83
Docklands 159, 165, **166**
gay et lesbien 335
où prendre un verre 289
où se loger 354
où se restaurer 262
shopping 233
Docklands Light Railway (DLR) 393
douane 398
Dr Johnson's House 108
Dulwich 189
Dulwich Picture Gallery 189
Dungeness 376
duty-free 221

E
Earl's Court 179, **182**
où prendre un verre 294
où se loger 358
où se restaurer 270
East End 159, **160**
gay et lesbien 335
où prendre un verre 289
où se loger 354
où se restaurer 260
shopping 233
église Saint-Paul 79
électricité 398
Eltham 189
Eltham Palace 189
enfants 398
Estorick Collection of Modern Italian Art 177
Eurostar 385
Eurotunnel 385
Euston 172
où se loger 354
où se restaurer 265
expatriation 399

F
Fan Museum 185
Fashion & Textile Museum 137
Fenton House 176
fêtes et festivals 16
jazz 307
Fine Art Gallery 129
Firepower (Royal Artillery Museum) 188
Fitness 324
Fitzrovia 87
où prendre un verre 283
où se loger 345
où se restaurer 245
Fleet Street 117
Florence Nightingale Museum 195
football 326
Forest Hill 189
Foster, sir Norman 87, 118, 203
Fourth Plinth Project 77
Freightliners Farm 163
Fulham 207
où prendre un verre 297
où se restaurer 276
Fulham Palace 207
Fuller's Griffin Brewery 209

G
Geffrye Museum 153
géographie 51
Gherkin, The 118, 204
Globe Theatre 133, 319
Golden Boy of Pye Corner 117
Golden Hinde 134
Gordon Square 86
Gray's Inn 82
Green Park 92
Greenwich 183, **186**
où prendre un verre 295
où se loger 360
où se restaurer 272
shopping 235
Greenwich Heritage Centre 188
Greenwich Park 186
Grub Street 36
Guards Museum 92
Guildhall 120
Guildhall Art Gallery 121

H
Hackney City Farm 163
Hackney Museum 162
Hakney 162
où prendre un verre 289
où se restaurer 261
shopping 233
Ham House 211
Hammersmith
où prendre un verre 294
où se loger 360
où se restaurer 270
Hampstead 173
où prendre un verre 291
où se loger 356
où se restaurer 266
promenade 177, **178**
Hampstead Heath 173
Hampton 213
Hampton Court Palace 213
Handel House Museum 93
handicapés 399
Hatton Garden
Hayward Gallery 131
Hawksmoor, Nicholas 200
hébergement 340
Herb Garret 136
heure locale 400
Hever Castle 381
Highgate 173
où prendre un verre 291
où se loger 356
où se restaurer 266
promenade 177, **178**
Highgate Cemetery 173
Highgate Wood 175
histoire 20
HMS Belfast 136
Hogarth, William 45
Hogarth's House 209
Holborn 80, **74**
où prendre un verre 282
où se loger 343
où se restaurer 244
Holborn Viaduct 117
hôpitaux 405
horaires d'ouverture 400
Horniman Museum 189
Horse Guards Parade 98
House Mill 164
Houses of Parliament 96
Hoxton 153
où prendre un verre 286
où se restaurer 257
Hunterian Museum 82
Hyde Park 139, **140**, 143
où prendre un verre 286
où se loger 351
où se restaurer 253
parc 148
promenade 150, **150**
shopping 228

I
Imperial War Museum 192
Inner Temple 82
Institute of Contemporary Arts 93
institutions politiques 53
Internet
accès 400
sites 19, 56, 337
Isle of Dogs 166
Islington 177, **174**
où prendre un verre 292
où se restaurer 266
shopping 233

J
Johnson, Boris 33, 34
Jones, Inigo 199
journaux 55, 401
jours fériés 408
joyaux de la Couronne 124

K
Karl Marx Memorial Library 153
Keats House 176
Kennington 143, 172, 205
où se restaurer 275
Kennington Park 205
Kensington Gardens 147
Kensington Palace 147
Kent 381
Kentish Town City Farm 163
Kenwood House 176
Kew 211
où se restaurer 278
Kew Gardens 211
King's Cross
où prendre un verre 291
où se loger 354
où se restaurer 265
King's Road 139
Knightbridge 143
où se loger 351
où se restaurer 253
shopping 228

L
La City 126, **104**
où prendre un verre 283

où se loger 348
où se restaurer 249
promenade 126, **126**
shopping 227
Lambeth 192
langue 59, 409
Le Strand 80, 81, **74**
où prendre un verre 282
où se loger 343
où se restaurer 244
Leadenhall Market 120
Leeds Castle 381
Leicester Square 73, **74**, 79
où prendre un verre 281
où se loger 343
où se restaurer 243
Leighton House 179
librairies 402
Limehouse 164
Lincoln's Inn 82
Linley Sambourne House 179
littérature 35
Livingstone, Ken 33
Lloyd's of London 119
London Bridge Experience 135
London Canal Museum 173
London Central Islamic Centre & Mosque 171
London Dungeon 135
London Eye 128
London Pass 397
London Sea Life Aquarium 129
London Transport Museum 79
London Trocadero 72
London Wetland Centre 208
London Zoo 171
Lord's Cricket Ground 172

M

Madame Tussaud's 99
magazines 56, 401
Maida Vale
où prendre un verre 293
où se loger 356
où se restaurer 268
Mansion House 118
Marble Arch 149
Marble Hill House 213
Margate 375
Marylebone 99, **94**
où se loger 347
où se restaurer 248
Mayfair 93, **94**
où prendre un verre 283
où se loger 346
où se restaurer 246
médias 55
Mendoza, Daniel 164
métro 391
Michelin House 147
Mile End 162
où prendre un verre 289
où se restaurer 262
Mile End Park 163
Millennium Bridge 133
minicabs 393
Mithra, temple de 118
mode 57
Monument 119
moto 395
Mudchute Park & Farm 163
Museum of Brands, Packaging & Advertising 179
Museum of Garden History 195
Museum of Immigration & Diversity 156
Museum of London 107
Museum of London Docklands 165
musique 42
classique 312
Muswell Hill 177

N

N°10 Downing Street 99
N°2 Willow Road 176
Nash, John 200
National Army Museum 142
National Gallery 76
National Maritime Museum 183
National Portrait Gallery 78
National Theatre 132
Natural History Museum 144
New London Architecture 85
North London 169, **170**
gay et lesbien 335
où prendre un verre 290
où se loger 354
où se restaurer 264
shopping 233
Notting Hill
marché 230
où prendre un verre 293
où se loger 358
où se restaurer 269
shopping 234

O

02 (ancien Millennium Dome) 187
offices du tourisme 402
Old Bailey, *voir* Central Criminal Court
Old Operating Theatre Museum 136
Old Royal Naval College 184
opéra 317
Oval 205
où se restaurer 275
Oxford 366
Oyster Card 392

P

Paddington
où se loger 356
où se restaurer 268
palais de Westminster 96
Pall Mall 76
Parlement, *voir* Houses of Parliament
Parliament Hill 193
Pedicabs 394
permis de travail 407
Petrie Museum of Egyptian Archaeology 85
Photographers' Gallery 69
Piccadilly Circus 71
Pimlico 150
où se loger 352
où se restaurer 255
piscines 325
plaques bleues 146
Pollock's Toy Museum 86
Portobello
marché 230
où se loger 358
où se restaurer 269
shopping 234
Portobello Road 230
poste 403
pourboire 240, 403
Princess Diana Memorial Fountain 149
Private Eye 56
problèmes juridiques 403
Putney 207
où prendre un verre 297
où se restaurer 276

Q

Queen Elizabeth Hall 131
Queen Victoria Memorial 90
Queen's Chapel 92
Queen's Gallery 91
Queen's House 185

R

radio 57, 404
Ragged School Museum 163
Ranger's House (Wernher Collection) 185
Red House 190
réductions 397
Regent Street 72
Regent's Park 169
où se loger 356
relève de la garde (Buckingham Palace) 91
Richmond 209, **212**
où se loger 361
où prendre un verre 298
où se restaurer 277
promenade 215, **216**
shopping 236
Richmond Green 210
Richmond Park 210
Romney Marsh 376
Rose Theatre 133
Royal Academy of Arts 72
Royal Albert Hall 148
Royal Artillery Museum, *voir* Firepower
Royal Courts of Justice 81
Royal Exchange 118
Royal Festival Hall 129
Royal Geographical Society 148
Royal Hospital Chelsea 141
Royal Mews 91
Royal Observatory 184
Royal Opera House 79

rugby 328
Russell Square 86
Rye 376

S
Saatchi Gallery 140
salles de fitness 324
Science Museum 144
sécurité 404
Serpentine, lac 151
Serpentine Gallery 147
services médicaux 404
Shakespeare's Globe 133, 319
Shepherd's Bush **182**
marché 234
où prendre un verre 294
où se loger 360
où se restaurer 270
Sherlock Holmes Museum 100
Shoreditch 152, 153, **154**
où prendre un verre 286
où se loger 353
où se restaurer 257
promenade 157, **157**
shopping 229
Sir John Soane's Museum 81
Sissinghurt Castle 381
Smith Square 98
Smithfield 103
Smithfield Market 117
Soho 67
où prendre un verre 280
où se loger 342
où se restaurer 240
Somerset House 80
South Bank 128, **130**, 137
où prendre un verre 284
où se loger 349
où se restaurer 250
promenade 138, **138**
shopping 227
South Bank Book Market 131
South London 192, **193**
où prendre un verre 295
où se restaurer 274
shopping 235
SouthBank Centre 129
Southeast London 183, **186**
gay et lesbien 336
où prendre un verre 295
où se loger 360
où se restaurer 271
shopping 235
Southwark 132
où prendre un verre 285
où se restaurer 250
où se loger 349
Southwark Cathedral 135, 314
Southwest London 207, **208**
où prendre un verre 297
où se loger 361
où se restaurer 276
shopping 235
spas 326
Speakers' Corner 149
spectacles comiques 305
Spencer House 92
Spitalfields 152, **154**, 155
où prendre un verre 286
où se loger 353
où se restaurer 259
promenade 157, **157**
shopping 229
Spitalfields City Farm 163
sports 324
St Anne's Limehouse 165
St Alfege Church 186
St Andrew Holborn 117
St Augustine's Tower 162
St Bartholomew-the-Great 108
St Bride's 117
St Clement Danes 82
St George's Bloomsbury 86
St George's-in-the-East 168
St Giles-in-the-Fields 79
St James's 87, **88**
où se loger 346
où se restaurer 246
St James's Palace 91
St James's Park 91
St James's Piccadilly 72, 314
St John's 98
St John's Gate 153
St John's Wood
où prendre un verre 293
où se loger 356
où se restaurer 268
St John's, Smith Square 314
St Lawrence Jewry 121
St Martin-in-the-Fields 78, 314
St Mary Woolnoth 118
St Paul's 103
St Peter's Church 210
St Stephen Walbrook 118
St Mary-le-Bow 118
Staple Inn 82
Stepping Stones Farm 163
Stockwell 205
où se restaurer 275
Stoke Newington 177
où prendre un verre 293
où se restaurer 267
Surrey Docks Farm 163
Sutton House 162
Syon House 213

T
Tamise 80, 118, 211
Tate Britain 97
Tate Modern 132
taxes 405
taxi 392
téléphone 406
télévision 49, 407
Temple Church 107
tennis 328
Thames Barrier 188
Thames Path National Trail 210
Thatcher, Margaret 32
théâtre 40, 317
off-West End 320
expérimental 320
toilettes 407
Topolski Century 129
Tour de Londres 122
Tower Bridge 125
Tower Hamlets Cemetery Park 164
Tower Hill 122
Trafalgar Square 73
train 385
tramway 394
transports 383
travailler 407
Travelcard 391
Twickenham 213
où prendre un verre 298
Tyburn Tree 149, 150
Tyburn Convent 149

U
urgences 408

V
V&A Museum of Childhood 162
vacances scolaires 408
Vauxhall City Farm 163
végétariens 239
vélo 394
Victoria 150
où se loger 352
où se restaurer 255
Victoria & Albert Museum 143
Victoria Park 162
où prendre un verre 289
où se restaurer 262
parc 164
Vinopolis 134
visas 399
voiture 395

W
Wallace Collection 100
Wandsworth 196
où prendre un verre 296
où se restaurer 275
Wandsworth Common 196
Wapping 164
où prendre un verre 290
où se restaurer 262
promenade 167, **167**
Waterloo 128
où prendre un verre 284
où se loger 349
où se restaurer 250
Wellington Arch 145
Wernher Collection, *voir* Ranger's House
West End 67, **68**, **70**, 101
gay et lesbien 333
où prendre un verre 280
où se loger 342
où se restaurer 240
promenade 102, **102**
shopping 218
West London 179, **180**
où prendre un verre 293
où se loger 356
où se restaurer 268
shopping 234
Westminster 93, **88**
abbaye 93, 314
cathédrale 150
où se restaurer 248
White Cube Gallery 73, 153
Whitechapel 159
où prendre un verre 289
où se restaurer 260
promenade 167, **167**

Whitechapel
Art Gallery 159
Whitechapel
Bell Foundry 160
Whitechapel Road 161
Whitehall 98, **88**
Whitstable 375
White Tower 123
Wimbledon 215
Wimbledon
Common 215
Wimbledon Lawn Tennis
Museum 215
Windsor 379
Women's Library 162
Woolwich 188
Wren, Christopher 25, 199

Y

Yeoman warder 123
yoga 326

Z

zoo 171

SYMBOLES

30 St Mary Axe 118

À VOIR

BÂTIMENTS, PONTS ET TOURS

30 St Mary Axe
(the Gherkin) 118, 204
Barbican 119
Battersea
Power Station 196
Broadcasting House 101
BT Tower 202
Burlington Arcade 72
Canary Wharf 166
Central Criminal Court
(Old Bailey) 107
Centre Point 202
City Hall 138, 204
County Hall 129
Golden Hinde 134
Guildhall 120
HMS Belfast 136
Holborn Viaduct 117
House Mill 164
Houses of Parliament 96
Inner Temple 82
Lincoln's Inn 82
Lloyd's of London 119
London Eye 128
Millennium Bridge 133
Monument 119
N°10 Downing Street 99
02 (ancien Millennium
Dome) 187
Old Royal Naval
College 184
Rose Theatre 133
Royal Albert Hall 148
Royal Courts
of Justice 81
Royal Geographical
Society 148
Royal Hospital Chelsea 142
Royal Mews 91
Royal Observatory 184
Royal Opera House 79
Somerset House 80
SouthBank Centre 129
St John's Gate 153
St Mary Woolnoth 118
Staple Inn 82
Thames Barrier 188
Tour de Londres 122
Tower Bridge 125

BIBLIOTHÈQUES

British Library 172
Karl Marx Memorial
Library 153
Women's Library 162

CATHÉDRALES ET ÉGLISES

abbaye
de Westminster 93, 314
All Hallows-by-
the-Tower 125
All Souls Church 101
Brompton Oratory 150
cathédrales
Saint-Paul 103, 314
Southwark 135
Westminster 150
Charterhouse 152
Chelsea Old Church 140
Christ Church,
Spitalfields 156
église Saint-Paul 79
St Alfege Church 186
St Andrew Holborn 117
St Bartholomew-
the-Great 108
St Bride's, Fleet Street 117
St Clement Danes 82
St George's Bloomsbury 86
St Giles-in-the-Fields 80
St James's
Piccadilly 72, 314
St John's, Smith
Square 98, 314
St Lawrence Jewry 121
St Martin-in-
the-Fields 78, 314
St Peter's Church 210
St Stephen Walbrook 118
St Mary-le-Bow 118
Temple Church 107
Tyburn Convent 149

CHÂTEAUX

Hever Castle 381
Leeds Castle 381
Sissinghurst Castle 381
Tour de Londres 122
Windsor 379

CIMETIÈRES

Abney Park Cemetery 177
Brompton Cemetery 181
Bunhill Fields 153
Highgate Cemetery 175
Tower Hamlets
Cemetery Park 164

DIVERTISSEMENT

BFI IMAX Cinema 131
Brunswick Centre 83

GALERIES D'ART

Bankside Gallery 134
Courtauld Institute
of Art 81
Dulwich Picture
Gallery 189
Fine Art Gallery 129
Guildhall Art Gallery 121
Hayward Gallery 131
National Gallery 77
National Portrait
Gallery 78
Photographers' Gallery 69
Queen's Gallery 91
Saatchi Gallery 140
Serpentine Gallery 147
Shakespeare's
Globe 133
Tate Britain 97
Tate Modern 132
Wallace Collection 100
White Cube Gallery 153
White Cube Gallery 73
Whitechapel Art
Gallery 159

MAISON ET DEMEURES

Apsley House 145
Banqueting House 99
Burgh House 176
Carlyle's House 141
Chiswick House 209
Clarence House 92
Danson House 190
Dennis Severs'
House 156
Dr Johnson's House 108
Eltham Palace 189
Fenton House 176
Ham House 211
Hogarth's House 209
Keats House 176
Kenwood House 176
Leighton House 179
Linley Sambourne
House 179
Mansion House 118
Marble Hill House 212
Michelin House 147
N°2 Willow Road 176
Queen's House 185
Ranger's House 185
Red House 190
Spencer House 92
Sutton House 162
Syon House 212

MARCHÉS

Borough Market 137
Camden Market 172
Leadenhall Market 120
Smithfield Market 117

MEMORIAUX

Admiralty Arch 79
Albert Memorial 148
Cenotaph 99
Golden Boy
of Pye Corner 117
Princess Diana
Memorial Fountain 149
Queen Victoria
Memorial 90
Queen's Chapel 92
Wellington Arch 145

MOSQUÉES

Brick Lane Great Mosque 156
London Central Islamic Centre & Mosque 171

MUSÉES

Bank of England Museum 120
Britain at War Experience 136
British Museum 83, 87
Churchill Museum 98
Clink Prison Museum 134
Dalí Universe 129
Design Museum 137
Dickens House Museum 83
Estorick Collection of Modern Italian Art 177
Fan Museum 185
Fashion & Textile Museum 137
Firepower (Royal Artillery Museum) 188
Florence Nightingale Museum 195
Fuller's Griffin Brewery 209
Geffrye Museum 153
Greenwich Heritage Centre 188
Guards Museum 92
Hackney Museum 162
Handel House Museum 93
Horniman Museum 189
Hunterian Museum 82
Imperial War Museum 192
Institute of Contemporary Arts 93
London Bridge Experience 135
London Canal Museum 173
London Dungeon 135
London Sea Life Aquarium 129
London Transport Museum 79
Lord's Cricket Ground 172
Madame Tussaud's 99
Museum of Brands, Packaging & Advertising 179
Museum of Garden History 195
Museum of Immigration & Diversity 156
Museum of London 107
Museum of London Docklands 165
National Army Museum 142
National Maritime Museum 183
Natural History Museum 144
New London Architecture 85
Old Operating Theatre Museum 136
Petrie Museum of Egyptian Archaeology 85
Pollock's Toy Museum 86
Ragged School Museum 163
Royal Academy of Arts 72
Science Museum 144
Sherlock Holmes Museum 100
Sir John Soane's Museum 81
Topolski Century 129
V&A Museum of Childhood 162
Victoria & Albert Museum 143
Vinopolis 134
Whitechapel Bell Foundry 160
Wimbledon Lawn Tennis Museum 215

PALAIS

Buckingham Palace 90
Fulham Palace 207
Hampton Court Palace 213
Kensington Palace 147
St James's Palace 91

PARCS ET JARDINS

Alexandra Park 177
Battersea Park 196
Chelsea Physic Garden 141
Clapham Common 205
Gray's Inn 82
Green Park 92
Greenwich Park 186
Hampstead Heath 173
Hampton Court Palace 215
Highgate Wood 175
Hyde Park 148
Kennington Park 205
Kensington Gardens 147
Kew Gardens 211
London Wetland Centre 208
Mile End Park 163
Regent's Park 169
Richmond Green 210
Richmond Park 210
Speakers' Corner 149
St James's Park 91
Trafalgare Square 73
Trinity Square Gardens 125
Victoria Park 164
Wandsworth Common 196

PLACES ET RUES PRINCIPALES

Bedford Square 86
Brick Lane 156
Covent Garden piazza 79
Gordon Square 86
King's Road 140
Le Strand 81
Leicester Square 79
Piccadilly Circus 71
Regent Street 72
Russell Square 86
Whitechapel Road 161

TEMPLES

Buddhapadipa Temple 215
temple de Mithra 118

ZOO

zoo de Londres 171

ARTS

CINÉMAS

Barbican 315
BFI IMAX Cinema 131
BFI Southbank 315
Ciné Lumière 316
Coronet 316
Curzon Soho 316
Electric Cinema 316
Everyman Hampstead 316
Gate Picture House 316
ICA Cinema 316
Movieum 129
Prince Charles 316
Rio Cinema 316
Ritzy Picture House 317
Riverside Studios 317

DANSE

Barbican 314
Laban 314
Place 314
Royal Opera House 315
Sadler's Wells 315
SouthBank Centre 315

THÉÂTRES

Almeida Theatre 320
Arcola Theatre 320
Barbican 318
Battersea Arts Centre 320
Bush Theatre 320
Donmar Warehouse 320
Hackney Empire 321
Hampstead Theatre 321
King's Head 321
Little Angel Theatre 321
Lyric Hammersmith 321
Menier Chocolate Factory 321
National Theatre 132
Old Vic 321
Royal Court Theatre 319
Shakespeare's Globe 133, 319
Soho Theatre 322
Tricycle Theatre 322
Young Vic 322

OPÉRAS, SALLES DE CONCERTS

Barbican 312
Kenwood House 312
Korn/Ferry Opera Holland Park 317
London Coliseum 317
National Theatre 318
Royal Albert Hall 313
Royal Opera House 317
Southbank Centre 313
Wigmore Hall 313

LONDRES GAY ET LESBIEN

BARS ET CLUBS

Area 336
Barcode 333
Black Cap 335
Candy Bar 333
Eagle 336
Edge 333

Fire 336
Freedom 333
Friendly Society 333
G Spot 333
Ghetto 335
Green 335
Heaven 333
Hoist 336
Joiners Arms 335
Ku Bar 334
Royal Vauxhall 337
Shadow Lounge 335
Two Brewers 337
White Swan 335
Yard 335

SHOPPING

Gay's the Word 332
Prowler 332

OÙ PRENDRE UN VERRE

BARS

Babalou 295
Baltic 284
Bar 23 292
Bar Kick 285
Bistrotheque 289
Boogaloo 291
Bradley's Spanish Bar 283
Café Kick 287
Concrete 284
Dogstar 296
Elk in the Woods 292
Endurance 280
Foundry 287
Fox Reformed 293
French House 281
Freud 281
Gordon's Wine Bar 282
King's Bar 282
Laughing Gravy 284
Lost Society 296
Polski Bar 282
Salt Whisky Bar 283
Scooterworks 285
So.uk 296
Social 283
Troubadour 294
Twelfth House 294
Two Floors 281
White Horse 296

BARS À COCKTAILS

25 Canonbury Lane 292
Bar Blue 285
Brixton Bar & Grill 296
Galvin at Windows 286
Inc Bar 295
Jazz Bar Dalston 292
Lonsdale 294
Loungelover 288
Milk & Honey 281
Player 281
White House 296

BARS À DJ

Bar Vinyl 290
Bartok 290
Big Chill Bar 291
Big Chill House 291
Bistrotheque 289
Charterhouse Bar 286
Dalston Superstore 292
Dreambagsjaguarshoes 287
Embassy 292
George & Dragon 288
Mother Bar 288
Moustache Bar 292
Old Blue Last 288
Proud Camden 291
Ruby Lounge 291
Vibe Bar 289

BARS À VIN

Albertine Wine Bar 294
El Vino 284
Wine Wharf 286

PUBS

Anchor Bankside 285
Atlas 294
Auld Shillelagh 293
Barmy Arms 298
Black Friar 283
Bollo 297
Bricklayers Arms 287
Captain Kidd 290
Churchill Arms 293
City Barge 297
Coach & Horses 280
Coat & Badge 297
Counting House 284
Cricketers 298
Cross Keys 281
Crown & Goose 290
Cutty Sark Tavern 295
Dove 294
Dove Freehouse 289
Drayton Arms 286
Dysart Arms 298
Earl of Lonsdale 293
Edinboro Castle 291
Effra 296
Filthy Macnasty's 287
Flask Tavern 291
George Inn 285
Golden Heart 288
Grapes 290
Greenwich Union 295
Greyhound 294
Guinea 283
Holly Bush 291
Hope & Anchor 292
Jerusalem Tavern 287
John Snow 281
Jolly Gardeners 297
King's Arms 284
Lamb 282
Lamb & Flag 282
London Apprentice 298
Lord John Russell 283
Macbeth 288
Mayflower 295
Mitre 297
Museum Tavern 283
Nag's Head 286
Newman Arms 283
Old Ship 295
Palm Tree 289
Prince Alfred 293
Prince Arthur 289
Prince of Wales 296
Princess Louise 282
Prospect Of Whitby 290
Queen's 291
Queen's Arms 286
Queen's Larder 283
Rake 285
Red Lion 288
Royal Inn on the Park 290
Royal Oak 286, 289
Salisbury 282
Scarsdale Arms 294
Seven Stars 282
Ship 297
Slaughtered Lamb 287
Spaniard's Inn 292
Ten Bells 288
Tim Bobbin 296
Trafalgar Tavern 295
Urban Bar 289
Warrington 293
Waterway 293
White Cross 298
White Horse 297
White Swan 298
Windsor Castle 294
Ye Olde Cheshire Cheese 284
Ye Olde Mitre 287
Ye Olde Watling 284
Ye White Hart 297

OÙ SE LOGER

APPARTEMENTS

196 Bishopsgate 341
Aston's Apartments 341
Citadines Appart'Hotel 341
Harbour Master's House 360

AUBERGES DE JEUNESSE

Ace Hotel 359
Ashlee House 355
Astor Hyde Park 352
Astor Kensington 352
Astor Victoria 353
Barkston Hostel 360
Barmy Badger Backpackers 359
City Ymca EC1 349
Clink 355
Dover Castle Hostel 350
Generator 345
Meininger 352
New Cross Inn 361
Piccadilly Backpackers 342
St Christopher's Inn Camden 354
St Christopher's Inn Greenwich 361
St Christopher's Shepherd's Bush 360
St Christopher's Village 349
Yha Earl's Court 359
YHA Holland House Hostel 352
YHA London St Paul's 348
YHA London Thameside 361
YHA St Pancras International 354

BED & BREAKFAST
66 Camden Square 354
Aster House 352
B+B Belgravia 351
Gate Hotel 358
Guesthouse West 358
Jesmond Hotel 345
Miller's Residence 358
Number 16 St Alfege's 360

BOUTIQUE HÔTELS
Academy Hotel 344
Bermondsey Square Hotel 349
Charlotte Street Hotel 346
Covent Garden Hotel 343
Haymarket 343
Hempel 356
Hotel Indigo 356
Mayflower 359
myhotel Bloomsbury 344
Number Sixteen 351
Rockwell 358
Sanderson 345
Southwark Rose Hotel 349
Threadneedles 348
Zetter 353

CHAMBRES ET STUDIOS
At Home in London 341
London Bed & Breakfast Agency 341
London Homestead Services 342
Uptown Reservations 341

HÔTELS
41 346
Ambassadors Bloomsbury 344
Andaz Liverpool Street 348
Arosfa 345
Arran House Hotel 3445
Base2Stay 359
Blakes 351
Brown's 346
Cadogan Hotel 351
Cardiff Hotel 357
Chesterfield 347
Claridge's 347
Colonnade 356
Courthouse Hotel Kempinski 342
Crescent Hotel 345
Cumberland Hotel 347
Days Hotel 355
Dorchester 347
Dorset Square Hotel 347
Durrants Hotel 347
easyHotel Earl's Court 355
easyHotel Paddington 355
easyHotel Victoria 355
Edward Lear Hotel 348
Elysee Hotel 358
Express by Holiday Inn 355
Fielding Hotel 343
Garden Court Hotel 357
Glynne Court Hotel 348
Gore 351
Grange Blooms Hotel 344
Grange Langham Court Hotel 346
Halkin 351
Harlingford Hotel 344
Hazlitt's 342
Hotel Cavendish 345
Hotel La Place 348
Hoxton Hotel 353
Jenkins Hotel 345
Kingsway Hall 343
Knightsbridge Hotel 351
K West 360
La Gaffe 356
Lancaster Hall Hotel 357
Lanesborough 351
Leonard Hotel 348
London County Hall 355
London Marriott County Hall 349
Luna Simone Hotel 353
Mad Hatter 349
Malmaison 353
Mandeville 347
Meliã White House 356
Merlyn Court Hotel 359
Metropolitan 346
Morgan Hotel 344
Morgan House 352
Number 5 Maddox Street 347
Old Ship 354
One Aldwych 344
Oxford Hotel London 358
Parkwood Hotel 357
Pavilion Hotel 357
Petersham 361
Portobello Hotel 358
Premier Inn 355
RCA City Hotel 354
Richmond Park Hotel 361
Ridgemount Hotel 345
Ritz 346
Rookery 353
Rushmore 359
Sanctuary House Hotel 346
Savoy 343
Seven Dials Hotel 343
Soho Hotel 342
St Martin's Lane 343
Stylotel 357
Sumner Hotel 348
Trafalgar 343
Travelodge 355
Vancouver Studios 357
Vicarage Hotel 352
Waldorf Hilton 344
Wellington 346
Windermere Hotel 352
YHA Oxford St 342

LOGEMENTS POUR ÉTUDIANTS
Bankside House 350
Butler's Wharf Residence 350
Finsbury Residences 350
Great Dover St Apartments 350
High Holborn Residence 350
International Students' House 350
King's College Conference & Vacation Bureau 350
LSE Vacations 350
Stamford St Apartments 350

PENSIONS
40 Winks 354
Hampstead Village Guest House 356
Portobello Gold 358

OÙ SE RETAURER

AFGHAN
Afghan Kitchen 267

AFRIQUE DU SUD
Chakalaka 276

AMÉRICAIN
Giraffe 272

ARGENTIN
Santa Maria del Buen Ayre 275
Santa Maria del Sur 275

BANGLADAIS
Kolapata 261

BIO
Natural Kitchen 249

BIRMAN
Mandalay 268

BRITANNIQUE
AJ Goddard 258
Black & Blue 266
Brick Lane Beigel Bake 259
Butcher & Grill 275
Butlers wharf Chop House 251
Canteen 259
Castle's 258
Clark's 258
Electric Brasserie 269
F Cooke 258
G Kelly 258
Gordon Ramsay at Claridge's 246
Great Queen Street 243
Harwood Arms 270
Humble Pie 270
Inn the Park 246
Konstam at the Prince Albert 265
Magdalen 251
Manze's 258
Market 264
Medcalf 257
Paternoster Chop House 249
Ping Pong 249
Portrait 243
Quality Chop House 257
Ransome's Dock 275
Roast 251
Rules 243
Smiths of Smithfield 256
Square Pie Company 258
St John 256
St John Bread & Wine 259

Tom's Kitchen 255
Wahaca 244

CAFÉS
Bar Italia 241
Breakfast Club 267
Breakfast Club Hoxton 267
Breakfast Club Soho 267
Café 1001 259
Canela 244
Churreria Española 270
E Pellici 262
Kew Greenhouse 278
Le Pain Quotidien 249
Le Pain Quotidien 272
Lounge Café 274
Maison Bertaux 241
Milk Bar 242
Monmouth Coffee Company 241
Pavilion Café du Victoria Park 262
Rosie's Deli Café 274
Royal Teas 273
Scoop 244
Serpentine Bar & Kitchen 255
Star Café 241
Taste of Bitter Love 262

CARAÏBES
Mango Room 264

CHINOIS
Baozi Inn 244
Bar Shu 240
Dragon Castle 275
Hakkasan 245
Jen Café 244
Jenny Lo's Tea House 256
Min Jiang 253
New World 242
Pearl Liang 268
Royal China Queensway 262
Royal China Riverside 262
Shanghai blues 244

CORÉEN
Asadal 245
Assa 244

DIM SUM
Yauatcha 241

ÉRYTHRÉEN
Asmara 274

ESPAGNOL
Bar Gansa 264
Barrafina 242
Camino 265
Don Fernando's 277
El Faro 262
Eyre Brothers 257
Fernandez & Wells 242
Fino 245
Laxeiro 261
Mesón Don Felipe 251
Mesón Los Barriles 259
Moro 256
Olé 277
Tendido Cero 270

ÉTHIOPIEN
Addis 265

EUROPÉEN
Acorn House 265
Andrew Edmunds 241
Arbutus 240
Bermondsey Kitchen 252
Bibendum 253
Boathouse 268
Boundary 257
Capital 253
Fernandez & Wells 242
Giaconda Dining Room 243
Glasshouse 278
Gordon Ramsay 252
Greenhouse 246
Hoxton Apprentice 258
Inside 272
Kensington Place 269
Launceston Place 253
Le Café Anglais 268
Petersham Nurseries Café 277
Royal Exchange Grand Café & Bar 250
SE10 Restaurant & Bar 272
Sketch 247
Trojka 264
Villandry 247
Vincent Rooms 248

Whitechapel Gallery Dining Room 260
Wild honey 247
Wine Library 250
Wolseley 247

FISH & CHIPS
Costa's Fish Restaurant 269
Geales 269
Golden Hind 249
North Sea Fish Restaurant 245
Rock & Sole Plaice 243

FRANÇAIS
Cheyne Walk Brasserie 252
Chez Bruce 275
Chez Lindsay 277
La Poule au Pot 255
La Trouvaille 240
Le Café du Marché 256
Le Mercury 267
Morgan M 266
Oriel 254
Racine 253
Roussillon 255
Spread Eagle 274
Wallace 248

FUSION
Champor-Champor 251
E&O 269
Modern Pantry 257
Mr Wing 270
Providores & Tapa Room 248

GASTROPUBS
Anchor & Hope 250
Coach & Horses 257
Cow 269
Duke of Cambridge 266
Eagle 257
Engineer 264
Garrison Public House 251
Hartley 252
Lots Road Pub & Dining Room 276
Wells Tavern 266
White Swan Pub & Dining Room 249

GÉORGIEN
Little Georgia 261

GREC
Real Greek 273

GRILLADES
Rivington Grill 274

HAMBURGERS
Bayswater 272
Byron 255
Gourmet Burger Kitchen 272
Haché 276
Hamburger Union 272
Sticky Fingers 255

HONGROIS
Gay Hussar 241

INDIEN
Bombay Bicycle Club 266
Café Spice Namasté 260
Cinnamon Club 248
Diwana Bhel Poori House 265
Kennington Tandoori 276
Kerala 248
Ma Goa 277
Masala Zone 267
Mirch Masala 261
Rasa 267
Rasa Samudra 245
Rasa Travancore 268
Ravi Shankar 265
Tayyabs 261
Veeraswamy 240
Woodlands 266

INTERNATIONAL
Grafton House 276
Oxo Tower Restaurant & Brasserie 250
Skylon 250

ITALIEN
Arancina 270
ASK 272
Bocca di Lupo 240
Carluccio's 272
E Pellici 262
Enoteca Turi 277
Fifteen 258
Franco Manca 274

Frankie's 254
Frizzante@City Farm 261
Furnace 258
Il Baretto 248
Il Bordello 262
La Gaffe 266
Locanda Locatelli 248
Lucio 254
Marine Ices 264
Metrogusto 266
Olivo 256
Ooze 245
Ottolenghi 267
Pizza on the Park 254
Princi 242
River Café 270
Strada 273

JAPONAIS
Abeno 245
Aki 257
Asakusa 264
Chosan 276
Fujiyama 274
Kulu Kulu 243
Matsuri 244
Nobu 246
Roka 245
Sakura 247
Tsuru 252
Yo! Sushi 273

JUIF KASHER
Nosh Bar 242
Reubens 248

MALAISIEN
Awana 253

MARCHÉS
Berwick Street Market 263
Billingsgate Fish Market 263
Blackheath 255
Borough Market 263
Brixton Market 263
Broadway Market 263
Chapel Market 263
Clapham 255
Islington 255
Leadenhall Market 263
Marylebone 255
Notting Hill 255
Pimlico Road 255
Ridley Road Market 263
Roman Road Market 263
Smithfield Market 263
South Kensington 255
Wimbledon 255

MEXICAIN
Green & Red 259
Mestizo 264

MOYEN-ORIENTAL
Hummus Bros 245
Jakob's 254

NORD-AFRICAIN
Couscous Café 268
Momo 247
Moro 256

PAKISTANAIS
Mirch Masala 261
Tayyabs 261

POISSONS, FRUITS DE MER
Applebee's Fish Café 251
Belgo Noord 265
Commander Porterhouse & Oyster Bar 269
Fish House 262
Fishworks 277
J Sheekey 243
Lobster Pot 275
Masters Super Fish 251
Sweeting's 249

POLONAIS
Daquise 254
Ognisko 254
Patio 271
Tatra 271

PORTUGAIS
Eyre Brothers 257

RUSSE
Trojka 264

SALON DE THÉ
Newens Maids of Honour 278
Orangery 254
Petersham Nurseries Café 277
Primrose Bakery 244

SCANDINAVE
Nordic Bakery

TEX-MEX
Taqueria 270

THAÏ
Blue Elephant 276
Busaba Eathai 246
Esarn Kheaw 271
Krungtap 270
Market Thai 269
Thai Garden 262

TURC
Gallipoli 267
Gallipoli Again 267
Mangal Ocakbasi 267
Tas 273
Tas Firin 261
Tas Pide 273

VÉGÉTARIEN
Blah Blah Blah 271
Blue Légume 267
Diwana Bhel Poori House 265
Eat & Two Veg 249
Gate 271
Manna 264
Mildred's 241
Place Below 250
Rasa 267
Red Veg 243
Route Master 259
Woodlands 266

VIETNAMIEN
Cay Tre 259
Green Papaya 261
Namo 262
Nando's 273
Song Que 259
Wagamama 273

OÙ SORTIR
CLUBBING
333, Huxton 301
93 Feet East 301
Aquarium 301
Bar Rumba 301
Bethnal Green Working Men's Club 301
Big Chill house 302
Black Gardenia 302
Cargo 302
Catch 302
Dogstar 302
East Village 302
Egg 302
Fabric 302
Favela chic 303
Herbal 303
Koko 303
Last Days of Decadence 303
Madame Jo Jo's 303
Matter 304
Ministry of Sound 304
Notting Hill Arts Club 304
On the Rocks 304
Passing Clouds 304
Plastic People 304
Proud Camden 304
Scala 304
Volupté 305

SPECTACLES COMIQUES
Amused Moose Soho 306
Chuckle Club 306
Comedy Café 306
Comedy Camp 306
Comedy Store 306
Downstairs at the King's Head 306
Headliners 306
Hen and Chickens Theatre 307
Jongleurs 307
Lowdown at the Albany 307
Soho Theatre 307
Up the Creek 307

CLUBS DE JAZZ
100 Club 307
606 Club 307
Bull's Head 307
Jazz Café 307
Pizza Express Jazz Club 307
Ronnie Scott's 308
Vortex Jazz Club 308

ROCK ET POP
02 Academy Brixton 309
Bardens Boudoir 308
Barfly@the Monarch 308
Borderline 308

Bull & Gate 308
Café Oto 309
Earl's Court Exhibition Centre 309
Forum 309
Luminaire 309
02 309
02 Academy Islington 310
02 Shepherd's Bush Empire 310
Rhythm Factory 310
Roundhouse 310
Royal Festival Hall 310
Underworld 310
Union Chapel 310
Wembley Arena 310

SHOPPING

ALIMENTATION, BOISSONS ET CONFISERIES

Algerian Coffee Stores 224
Borough Market 227
Chiswick Farmers and Fine Foods Market 236
Minamoto Kitchoan 224
Neal's Yard Dairy 224
Vintage House 224
Konditor & Cook 228
Mortimer & Bennett 236
North End Road Market 235
Rippon Cheese stores 229
Rococo Chocolates 229
Sampler 234
Spice shop 234

ANTIQUITÉS

Old Cinema 236
Strand Antiques 236

ARTICLES POUR LA MAISON

Aram 225
Black + Blum 228
Blue Door 235
Cath Kidston 226
Ceramica Blue 235
Do Shop 226
Fabrications 233
Gill Wing 234
Habitat 226
Heal's 226
Labour & Wait 233
North End Road Market 235
Past Caring 234
Rosslyn Delicatessen 233
Roullier White 235

BIJOUX ET ACCESSOIRES

Butler & Wilson 226
James Smith & Sons 226
Joy 235
Lesley Craze Gallery 232
Monocle Shop 226
Silver Vaults 227
Tatty Devine 232
Toko 236
Wright & Teague 226

CADEAUX

Arty Globe 235
Compendia 235
Craft Central 229
Gill Wing 234
Oliver Bonas 235
Roullier White 235
Shepherds 224

CHAUSSURES

Bullfrogs 235
Gill Wing 234
Kurt Geiger 227
Office 236
Poste 227
Poste Mistress 227

ENFANTS

Bug Circus 236
Farmyard 236

GRANDS MAGASINS

Fortnum & Mason 221
Harrods 102, 228, 229
Harvey Nichols 229
Peter Jones 229
John Lewis 221
Liberty 221
Selfridges 222

INFORMATIQUE

Apple Store 220

JOUETS

Benjamin Pollock's ToyShop 227
Hamleys 227

LINGERIE

Agent Provocateur 226
Rigby & Peller 227

LIBRAIRIES

Al Saqi 234
Blackwell's 219
Books for Cooks 234
Borders 219
Daunt Books 219
Forbidden Planet Megastore 219
Foyle's 219
Gosh! 219
Grant & Cutler 219
London Review Bookshop 220
Housmans 233
Ian Allan 227
Magma 229
Stanford's 220
Travel Bookshop 234
Waterstone's 220

MARCHÉS

Bermondsey 231
Berwick St 231
Borough Market 230
Brick Lane 231
Brixton 230
Broadway Market 233
Camden 230
Camden Passage 231
Columbia Road Flower Market 231
Covent Garden 231
Farmers' Market 219
Greenwich 231
Leadenhall Market 231
Leather Lane 231
Petticoat Lane 231
Portobello Road 230
Ridley Road 231
Riverside Walk 231
Shepherd's Bush Market 234
Smithfield 231
Spitalfields 231
Sunday UpMarket 231

MODE ET CRÉATEURS

Absolute Vintage 223
Alfie's Antiques Market 223
Annie's Vintage Costumes & Textiles 223
Antoni & Alison 229
Aquascutum 222
Bang Bang Exchange 223
Beyond the Valley 222
Bread & Honey 232
Burberry 222
Burberry Factory Shop 233
Carhartt 233
Columbia Rd E2 233
Emporium 235
French Connection UK 236
Hoxton Boutique 232
Jigsaw 236
Joseph 236
Joy 235
Junky Styling 232
Karen Millen 236
Koh Samui 222
Laden Showrooms 232
Lulu Guinness 229
Marks & Spencer 236
Marshmallow Mountain 223
Miss Selfridge 236
Mr Start – Made to Measure 232
Mufti 235
Mulberry 222
No-One 232
Oasis 236
Orsini 223
Paul Smith 222
Pringle 222
Radio Days 223
Reiss 236
Rellik 223
Retro Man 223
Retro Woman 223
Sharpeye 234
Start 232
Start Menswear 232
Steinberg & Tolkien 223
Stella McCartney 222

TopShop
& Topman 224
Urban Outfitters 224
Vivienne
Westwood 224
Warehouse 236

MUSIQUE
BM Soho 225
Covent
Garden 225
Haggle
Vinyl 225
Harold Moore's
Records 225
Honest Jon's 225
Music & Video
Exchange 225
On the Beat 225
Phonica 225
Ray's
Jazz Shop 225
Revival 225
Rough Trade 225
Sister Ray 225
Sounds
of the Universe 225
Sterns Music 225

PARFUMERIE
DR Harris 221
Molton Brown 221
Space NK 221
Taylor of Old Bond
Street 221
Troubadour
Delicatessen 234

SPORTS ET ACTIVITÉS

ATHLÉTISME
Crystal Palace National
Sports Centre 329

COURSES HIPPIQUES
Ascot 329
Epsom 329
Kempton Park 329
Royal Windsor
Racecourse 329
Sandown Park 329

CRICKET
English
Cricket Board 327
Brit Oval 327
Lord's 328

FOOTBALL
Arsenal Emirates
Stadium 327
Wembley
Stadium 326

PISCINES
Brockwell
Park Lido 325
Hampstead
Heath Ponds 325
Ironmonger Baths 325
Oasis 325
Parliament
Hill Lido 325
Porchester Baths 325
Serpentine Lido 325
Tooting Bec Lido 325

RUGBY
Harlequins 328
London Broncos
Stadium 328
London Irish 328
Saracens 328
Twickenham Rugby
Stadium 328
Wasps 328

SALLES DE FITNESS
Central YMCA 324
Fitness First 324
Gymbox 324
La Fitness 324
Queen Mother Sports
Centre 324
Seymour Leisure
Centre 324
Third Space 325
Virgin Active 325

SPAS
Elemis Day Spa 326
K Spa 326
Sanctuary 326

TENNIS
Queen's Club 328
Wimbledon 328

YOGA ET PILATES
Triyoga 326

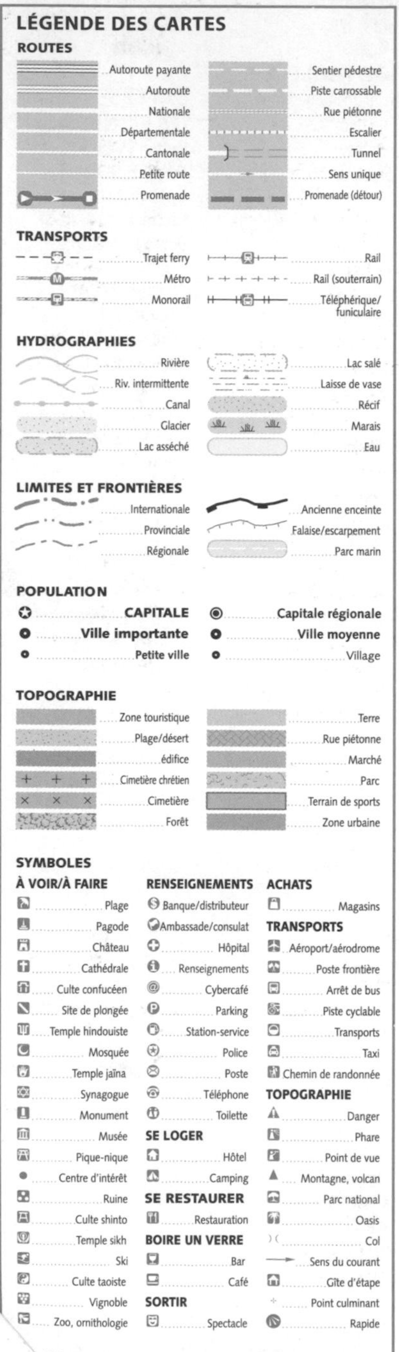

Londres
6e édition
Traduit de l'ouvrage *London*
(7th edition), February 2010

Traduction française : place des éditeurs

12 avenue d'Italie, 75627 Paris cedex 13
☎ 01 44 16 05 00
lonelyplanet@placedesediteurs.com
www.lonelyplanet.fr

Dépôt légal
Avril 2010
ISBN 978-2-81610-247-5

Imprimé par IME (Imprimerie Moderne de l'Est)
Baumes-les-Dames, France

Bien que les auteurs et Lonely Planet aient préparé ce guide avec tout le soin nécessaire, nous ne pouvons garantir l'exhaustivité ni l'exactitude du contenu. Lonely Planet ne pourra être tenu responsable des dommages que pourraient subir les personnes utilisant cet ouvrage.